LE NOUVEAU MANUEL DU BRICOLAGE

LE NOUVEAU MANUEL DU BRICOLAGE

Sélection du Reader's Digest

PARIS • BRUXELLES • MONTRÉAL • ZURICH

LE NOUVEAU MANUEL DU BRICOLAGE

est publié par Sélection du Reader's Digest.

Nous exprimons notre reconnaissance à toutes les personnes qui ont contribué à la préparation et à la réalisation de cet ouvrage.

CONSEILLERS DE LA RÉDACTION

Michel Marin, journaliste,
Didier Luro et José Navarre, rédacteurs
au Centre technique du bois et de l'ameublement

Nous remercions également :

POUR LA TRADUCTION

Fred Anastay, Arianne Chottin, Marie Gérard,
Raymond Olcina, Marie-Jacques Perrier, Annick Stein

POUR LA RÉDACTION

Hubert de Crécy, journaliste, Jacques Gérard, secrétaire général
de la Fédération nationale compagnonnique des métiers
du bâtiment, Béatrice Lamarthe, journaliste, Pierre Piffaretti,
Aline Prébois, rédactrice spécialiste des textiles

POUR L'ILLUSTRATION

Christian Kocher

ÉQUIPE ÉDITORIALE DE SÉLECTION DU READER'S DIGEST

Direction éditoriale : Gérard Chenuet
Responsable du projet : Rémi Coton-Pélagie
Direction artistique : Claude Ramadier
Maquette : Françoise Boismal, Didier Pavois
Lecture-correction : Bernard Le Gueu, Béatrice Omer
Documentation : Nicole Tesnière
Fabrication : Louis Arnéodo, Gilbert Béchard

COLLABORATION EXTÉRIEURE

Louis de Cayeux, secrétaire de rédaction,
Gérard Gagnepain, maquettiste,
Michel Simongiovanni, correcteur

Cet ouvrage est l'adaptation française de *New DIY Manual,* publié par
The Reader's Digest Association, London © 1987.

LE NOUVEAU MANUEL DU BRICOLAGE
publié par Sélection du Reader's Digest

PREMIÈRE ÉDITION
TROISIÈME TIRAGE

© 1989, Sélection du Reader's Digest, S.A.,
212, boulevard Saint-Germain, 75007 Paris.

© 1989, N.V. Reader's Digest, S.A.,
29, quai du Hainaut, 1080 Bruxelles.

© 1989, Sélection du Reader's Digest (Canada), Limitée,
215, avenue Redfern, Montréal, Québec H3Z 2V9.

© 1989, Sélection du Reader's Digest, S.A.,
Räffelstrasse 11, «Gallushof», 8021 Zurich.

ISBN 2-7098-0363-1

TABLE DES MATIÈRES

première partie

Des Idées pour la Maison

PREMIÈRE PARTIE : DES IDÉES POUR LA MAISON

CUISINES

L'aménagement de la cuisine

L'emplacement des surfaces de travail et des éléments de rangement est tributaire de la configuration et de la surface disponible de votre cuisine. Il vous faudra, quelles que soient sa taille et sa forme, y installer les appareils ménagers indispensables tout en veillant à leur ménager un accès facile.

La meilleure place pour installer l'évier reste le dessous d'une fenêtre, afin de bénéficier d'une bonne lumière et de la vue sur l'extérieur en faisant la vaisselle. Évitez de le placer dans un angle, ce qui rendrait son accès difficile.

Essayez de ménager des surfaces de travail de chaque côté de la cuisinière et de l'évier, de manière à obtenir un plan ininterrompu : surface de travail, évier, surface de travail, cuisinière, surface de travail.

Décider de l'emplacement de la cuisinière

Idéalement, votre cuisinière ou vos plaques de cuisson doivent être placées contre un mur extérieur, de manière à être pourvues d'une hotte aspirante ou d'un ventilateur.

Évitez de placer vos plaques de cuisson devant une fenêtre, vous vous exposeriez à des accidents en vous penchant pour l'ouvrir ou pour la nettoyer, et son rideau pourrait prendre feu. Évitez aussi le voisinage d'une porte.

Si le seul espace disponible est un angle, placez votre cuisinière en travers de cet angle, sinon, vous n'aurez qu'un seul plan de travail attenant, et l'accès en sera malaisé.

Le choix de l'emplacement du réfrigérateur est moins délicat. Toutefois, il vaut mieux l'éloigner de la cuisinière ou lui éviter une exposition solaire prolongée.

Les ingrédients indispensables pour cuisiner, comme le sel, la farine, etc., doivent être stockés sur une étagère ou dans un placard tout près de la cuisinière. Utilisez l'espace libre des murs entre les surfaces de travail et les placards pour suspendre des ustensiles ou accrocher de petites étagères à épices.

Dans les pages qui suivent, nous avons réuni des photos illustrant différentes solutions aux problèmes d'aménagement d'une cuisine. Cela vous aidera à tirer le meilleur parti de l'espace dont vous disposez.

S'adapter à l'espace existant

La plupart des éléments de rangement disponibles dans le commerce sont de taille standard. Il est rare que toute une suite d'éléments parviennent à s'encastrer parfaitement entre les murs d'une cuisine.

Pour résoudre le problème, vous pouvez découper votre plan de travail à la taille exacte et laisser un espace entre deux éléments au-dessous. Cet espace pourra servir à ranger des plateaux, une corbeille à papier ou un porte-serviettes télescopique. On trouve, chez certains fabricants, des éléments extrêmement étroits qui s'ajustent dans ces intervalles. Vous avez aussi la possibilité de raccourcir un élément à votre mesure. N'oubliez pas que l'emplacement de certains appareils ménagers nécessite des branchements spéciaux. Les machines à laver le linge ou la vaisselle, par exemple, doivent se trouver à proximité d'une alimentation en eau et d'un système d'évacuation. La modification de ces branchements nécessite souvent l'intervention d'un professionnel ; elle doit être effectuée avant l'installation de vos éléments de cuisine et des surfaces de travail. Toute modification des alimentations en gaz doit être effectuée par le Gaz de France ou un spécialiste agréé.

Il faut aussi penser en tout premier lieu aux emplacements des prises de courant et des prises de force, et à leur nombre. Dans une cuisine, on a souvent besoin de plusieurs prises au-dessus du plan de travail pour les robots ménagers, mixeurs et grille-pain. N'oubliez pas que vous risquez d'acquérir d'autres appareils dans le futur. Mieux vaut encastrer le câble électrique dans le mur pour alimenter de nouvelles prises. Cela doit être effectué avant la pose des revêtements muraux. De même, l'installation d'une hotte aspirante ou d'un ventilateur nécessite la pose d'un conduit dans le mur extérieur, ou le percement d'une fenêtre.

Modifier l'espace existant

On peut souvent gagner de la place et restructurer un espace en abattant simplement une cloison entre deux pièces exiguës de manière à en constituer une seule plus spacieuse. Dans les anciennes constructions, la suppression d'un conduit de cheminée peut libérer de la place, et s'il y a un hangar ou des W.-C. mitoyens à l'extérieur, on peut envisager une extension de la cuisine. De telles modifications doivent toutefois être entreprises avec prudence et par des gens qualifiés.

Réorienter la cuisine

Quand l'agrandissement de la cuisine s'avère impossible, vous pouvez envisager de lui donner un autre usage, et réinstaller votre cuisine dans une autre pièce. La cuisine désaffectée pourra alors faire office de salle de jeux ou de buanderie où installer machine à laver, séchoir, etc.

SURFACES DE TRAVAIL ÉTROITES. L'installation d'éléments hauts et peu profonds sur le mur de droite a permis l'aménagement de cette cuisine en U dans peu d'espace. La peinture claire et les éclairages au plafond et au-dessus des surfaces de travail pallient la faible clarté naturelle.

L'aménagement de la cuisine (suite)

ESPACE OUVERT. Ici, on a abattu des cloisons entre l'entrée et la salle à manger de manière à bénéficier d'un espace plus ouvert. La demi-cloison restante devient le support idéal du plan de travail.

TIRER PARTI DE DEUX MURS. L'un des murs de cette cuisine est presque entièrement vitré, on a donc tiré le meilleur parti des deux autres en installant des éléments en L. Le grand placard et les éléments muraux sont fixés au ras du plafond, avec un plan de travail sur l'ensemble des éléments.

KITCHENETTE INTÉGRÉE. Cachée derrière des portes coulissantes, cette kitchenette parfaitement conçue est installée à l'une des extrémités du salon. Les rayonnages permettent une utilisation optimale du mur, et les lampes réglables fixées à ces étagères assurent un excellent éclairage.

UNE CUISINE DANS UN PLACARD. Rien ne manque : tout, même l'évier, est astucieusement encastré dans cette cuisine qui ne mesure que 1 m de large pour 1,80 m de haut et 71 cm de profondeur. Idéale pour un studio ou une chambre de bonne.

TOUT ENCASTRÉ. Dans cette petite cuisine aménagée sous des combles, l'évier et la cuisinière sont très proches et bénéficient pleinement de l'abondante clarté de la fenêtre. Il y a un large plan de travail sur la droite de l'évier, qui se prolonge de chaque côté des plaques électriques. Les placards muraux sont fixés assez haut pour être à l'abri de la chaleur des plaques.

UN COIN REPAS. Cette cuisine est assez spacieuse pour permettre l'installation d'un coin repas suffisamment préservé de la zone de travail. Un élément de rangement divise agréablement la pièce et fait office de desserte. Les chaises pliantes complètent parfaitement l'ensemble tout en facilitant le nettoyage du sol.

DISPOSITION EN L. Dans cette cuisine rectangulaire, de taille moyenne, les surfaces de travail sont soit d'un seul tenant, comme sur la droite, soit en forme de L, comme sur la gauche. Vous remarquerez qu'on a placé un porte-serviettes dans l'intervalle des éléments sous l'évier.

Le style : votre choix personnel

Le style et l'atmosphère de votre cuisine doivent refléter votre goût personnel. Choisissez les types d'éléments et d'équipements avec lesquels vous aimerez vivre. Ils deviendront vraisemblablement le point de départ du décor de toute la pièce, qui pourra prendre une allure campagnarde ou se parer de couleurs vives...

Quel que soit votre choix, essayez de respecter une unité de style au travers des revêtements muraux, du sol, des placards, et même des vases, des poteries et de la vaisselle, si c'est possible. Vous ne devez pas rester prisonnier du style général de la maison. Une cuisine de style campagnard n'a pas forcément l'air déplacée dans un pavillon de banlieue.

Choix des éléments

Les éléments de cuisine standard offrent un choix important de styles différents. Pour les ambiances campagnardes, il existe des éléments de bois à moulures, des placards à vitres plombées et des surfaces de travail imitant le marbre, le cuir ou le bois.

Dans un style moderne, les éléments stratifiés ou mélaminés, aux façades lisses, aux charnières invisibles et aux poignées encastrées, sont tout à la fois attirants et d'un entretien très facile. La gamme des coloris existants va du blanc au rouge brillant. Si vous désirez créer votre propre style, vous pourrez dénicher chez les brocanteurs ou dans les salles de vente des meubles très peu chers dont l'emploi premier n'était pas la cuisine mais qui pourront parfaitement s'y intégrer. Les tables de jardin en rotin, les commodes et les petits meubles représentent tous d'excellents éléments de base. Ils ont souvent été recouverts de couches de peinture successives, mais après un sérieux décapage, ils retrouveront leur belle teinte naturelle.

Décoration de la pièce

La peinture reste le moyen le plus simple et le plus économique de couvrir les murs. Les émulsions de type vinylique sont faciles à appliquer et à entretenir.

Avant de vous lancer dans le travail de peinture, vous devez disposer de surfaces nettes et lisses. Si le plâtre est en mauvais état, mieux vaut utiliser un papier peint de bonne qualité enduit de vinyle de manière à pouvoir y passer l'éponge. Vous avez aussi la possibilité d'utiliser des panneaux muraux imitant le bois, le carre-

lage ou la pierre. Ils se fixent facilement avec des adhésifs.

Les carreaux de céramique, solides et faciles à entretenir, sont parfaits sur les murs, mais utilisés aussi sur le sol ou au plafond, ils peuvent donner à l'ensemble un aspect un peu «clinique». Il vaut mieux les combiner avec d'autres matériaux en les posant là où il y a des risques d'éclaboussures.

Choix du revêtement de sol

Les deux qualités indispensables d'un revêtement de sol doivent être sa robustesse et sa facilité d'entretien. Le vinyle remplit ces deux conditions. On peut le poser d'un seul tenant ou par dalles comme du carrelage.

Les tomettes demandent un soubassement solide. Les tapis et les moquettes présentent l'avantage de la chaleur et du silence.

UN EXEMPLE DE CLARTÉ. Fraîche et lumineuse, cette cuisine moderne est constituée d'éléments surfacés mélaminés sur trois côtés, en surface continue. Vaisselle et ustensiles sont dans les placards.

TRANSFORMATION SIMPLE. Cette cuisine, dans une maison de style ancien, a été parfaitement adaptée à un équipement moderne. Son plan de travail brun foncé se marie parfaitement avec le carrelage d'origine. Les étagères, sous le plan de travail, laissent libre accès aux ustensiles de cuisine. L'ancienne cheminée libère un grand espace de rangement.

CUISINE ARTISANALE. Une table à découper de boucher en guise de plan de travail ajoute une note rude à cette cuisine rustique, avec ses placards solides et son range-assiettes vieillot. Une dalle de marbre sert de planche à pâtisserie. Quelques jolis objets accrochés çà et là parachèvent cet ensemble chaleureux.

UN ORDRE IRRÉPROCHABLE. Éléments rouge vif, carrelage et papier peint se conjuguent pour rendre cette cuisine coquette. Les éléments standard rouge ultra-brillant sont soulignés d'une élégante baguette de chêne et de poignées assorties.

STYLE TRADITIONNEL. Des éléments d'aspect classique conçus pour s'adapter parfaitement aux équipements modernes (éviers et fours encastrables) permettent l'heureux mariage de l'ancien et du nouveau. Leur couleur sombre est joliment contrastée par le jaune vif des stores et des accessoires.

Le style : votre choix personnel (suite)

USTENSILES EN EXPOSITION. Des grilles métalliques fixées le long des murs au-dessus des plans de travail permettent de suspendre ustensiles et casiers. Dans cette cuisine tout entière dominée par le thème du damier, les ustensiles et les meubles apportent leur note fantaisiste à l'ensemble rouge et blanc.

UN COIN RUSTIQUE. Le plâtre brut du mur ajoute encore au côté rustique et charmant de cette cuisine et se marie avec la belle teinte chaude du pin. De belles étagères ont été aménagées dans l'ancienne cheminée.

DES RANGEMENTS DE TOUTES SORTES. Toutes les sortes possibles de rangement ont été réunies dans cette cuisine en un « désordre ordonné ».

LE COIN CUISSON. Dans une cuisine bien conçue, rien n'est plus agréable que d'avoir tout ce qui concerne la préparation culinaire à portée de main. Ici, l'évier à deux bacs, les plaques de cuisson, les placards de chaque côté de la hotte : tout est groupé. Le tube néon fixé sous la plinthe du placard ajoute sa luminosité à celle de la fenêtre.

PLACARDS REMIS AU GOÛT DU JOUR. Même anciens, des placards bien conçus peuvent reprendre vie. Cet ensemble d'éléments rajeunis d'un coup de peinture claire est tout aussi pratique aujourd'hui qu'autrefois.

UN RUSTIQUE PRATIQUE. Un esprit de retour vers la tradition évoqué par le mobilier en bois n'empêche pas une fonctionnalité fondée sur la simplicité de conception de chaque élément (paniers suspendus, table roulante...).

STYLE CAMPAGNARD. Éléments en pin, plafond recouvert de lambris et buffet victorien rassemblés confèrent à cette cuisine de maison citadine son air campagnard. On a judicieusement choisi les matières et les teintes adéquates.

Un espace pour prendre ses repas

Dans une maison de petite taille ou dans un appartement, la cuisine sert souvent de salle à manger. Quand la maison comporte une salle à manger indépendante, la cuisine reste un endroit commode pour grignoter ou prendre le petit déjeuner. Quand toute la famille est pressée, rien de plus simple que de transporter la nourriture directement du fourneau sur la table, puis de tout ranger dans l'évier quand le repas est fini. La vaisselle et les ustensiles qui ont servi restent tous dans la même pièce, au lieu d'être éparpillés dans deux endroits différents. De plus, la chaleur de la cuisson réchauffe rapidement la pièce, qui devient la plus confortable par les petits matins froids d'hiver.

Quand l'espace est limité, on peut improviser un coin repas sur une portion de surface de travail si elle est accessible des deux côtés. Un élément en L fait parfaitement l'affaire s'il y a suffisamment d'espace pour loger les genoux du côté où l'on s'assoit, sur des tabourets de bar ou des chaises. L'autre côté sert pour le service.

Une tablette facile à rabattre quand on ne s'en sert pas peut permettre à deux ou trois personnes de manger. Ce peut être un simple battant que l'on replie le long d'un mur ou qui se glisse dans une fente intégrée à un élément. Les chaises pliantes et les tabourets superposables se stockent facilement sous le plan de travail ou dans un placard gardé à cet effet.

Le confort avant tout

Quand la cuisine est petite, elle se doit d'être avant tout pratique, mais lorsqu'elle est assez grande pour qu'on y prenne ses repas il faut penser à son confort. Quand la taille de la pièce le permet, mieux vaut préserver le coin repas de la zone de travail avec par exemple un élément en L qui servira à la fois de desserte et de buffet. On peut installer une « échelle » d'étagères ouvertes au-dessus d'un élément de rangement pour y disposer des belles pièces de vaisselle tout en accentuant la séparation entre les deux parties de la pièce. Un tapis ou une simple lampe suspendue au-dessus de la table suffit à rendre le coin repas bien plus chaleureux.

UN COIN POUR LE PETIT DÉJEUNER. Cette table toute simple en demi-cercle, fixée au bas d'une étagère, se replie lorsqu'elle ne sert pas. L'équerre qui supporte le plateau se rabat sur le côté. Ensuite, il suffit de replier les chaises.

TABLE À ABATTANT. Soutenue par des équerres repliables, cette tablette se rabat le long du mur. Elle est dressée en un clin d'œil pour prendre un petit déjeuner ou un casse-croûte. Les chaises aussi sont pliantes.

PROBLÈME D'ESPACE RÉSOLU. Dans cette cuisine trop exiguë pour laisser la place à une table, un plateau coulissant, assez grand pour deux, est posé sur des équerres télescopiques qui se replient en deux parties.

BAR À PETIT DÉJEUNER. Un large plateau de bois posé sur ce plan de travail en U laisse la place aux tabourets et aux jambes. Le centre de la cuisine reste ainsi libre et facile d'accès pour y travailler.

UN COIN REPAS À L'ABRI DE L'ESCALIER. Dans cette maison exiguë, on a déplacé des cloisons pour gagner de l'espace. Le coin repas de style 1900, éclairé d'une lampe Tiffany, a été aménagé au pied de l'escalier.

VERDURE ET FRAÎCHEUR. Sol carrelé, murs blancs et plantes vertes se conjuguent pour l'agrément de ce coin repas lumineux. Le vert des plantes se marie à celui de la nappe, et des coussins douillets rendent le banc de pin plus confortable.

UN COMPTOIR POUR MANGER. Le comptoir de cette petite cuisine sert à la fois de coin pour manger et de surface de travail. On peut ranger les tabourets dessous. Les deux extrémités de ce comptoir sont rehaussées de bois afin d'éviter les chutes accidentelles d'objets.

Installation des principaux équipements

Avant de décider de l'implantation, vous devez choisir entre une cuisinière, et un four et des plaques de cuisson séparés.

Il existe trois sortes de cuisinières combinées : la cuisinière classique, qui n'est pas une partie intégrante des éléments de cuisine ; la cuisinière encastrable, qui s'ajuste entre deux éléments et évite les espaces où la nourriture peut tomber ; et la cuisinière incorporée, qui est très semblable, mais déjà ajustée dans un élément et entourée de surfaces de travail. Le four encastrable et la table de cuisson séparés présentent deux avantages : avoir le four à hauteur des yeux et pouvoir choisir entre le gaz et l'électricité pour chacun des deux. Toutefois, four et plaques au niveau des surfaces de travail prennent beaucoup de place dans une petite cuisine et sont bien plus coûteux.

Réfrigérateurs, congélateurs et éviers
On peut glisser un réfrigérateur sous le plan de travail, ou l'intégrer aux placards de la cuisine. On peut habiller la porte de ce réfrigérateur d'un panneau l'unifiant aux autres éléments de la cuisine et permettant de garder une surface de couleur continue.

Il existe deux types de congélateurs : en coffre ou en armoire. Les modèles coffres étant souvent plus spacieux que les armoires, on peut facilement les installer dans un garage ou un appentis. Les congélateurs-armoires peuvent aussi se glisser sous le plan de travail. Il existe également des combinés réfrigérateur-congélateur fort pratiques mais bien plus hauts.

Au moment d'acquérir votre évier, regardez si vous disposez d'assez d'espace pour un évier à deux bacs permettant de laver les grandes casseroles et les plats.

Installation des appareils ménagers
Un bon bricoleur peut facilement installer les principaux appareils ménagers, mais les raccords aux arrivées de gaz nécessitent l'intervention d'un installateur agréé par le Gaz de France.

Les cuisinières électriques, les fours encastrables et les plaques de cuisson électriques nécessitent un circuit électrique de 30 ou 45 ampères relié directement au compteur. Ils ne peuvent en aucun cas être raccordés au circuit électrique existant qui dessert d'autres prises de courant.

Les machines à laver le linge et la vaisselle nécessitent aussi des raccords à la canalisation. Pour vous faciliter la tâche, vous pouvez utiliser des robinets autoperceurs, ce qui évite de couper l'eau. On peut utiliser le même procédé pour l'évacuation des eaux usées sous l'évier.

MODERNE. Cette table vitrocéramique à manettes, peu épaisse, s'encastre parfaitement dans le plan de travail et occupe très peu de place. Idéal pour les cuisines exiguës.

CUISINIÈRE À COUVERCLE. Les cuisinières encastrables peuvent terminer une série d'éléments. Le couvercle vitré permet de profiter d'une surface de travail supplémentaire et de protéger le mur des projections lorsqu'il est relevé.

FOUR ORIGINAL. Créé dans le conduit d'une hotte, il permet de surveiller la cuisson à travers la vitre, d'enfourner et de sortir les plats sans se baisser et reste hors de portée des jeunes enfants.

PLAN FRACTIONNÉ. Incruster votre table de cuisson — à gaz ou électrique — n'importe où dans votre surface de travail vous autorise différents agencements du plan de votre cuisine. Le four peut se placer sous ce plan de travail, ou à hauteur des yeux dans un élément haut.

BRÛLEURS À GAZ, FOUR ÉLECTRIQUE. Ce four électrique à ventilation est combiné ici avec des brûleurs à gaz permettant d'avoir une chaleur instantanée, le four ne consommant que 2 kW ; moins que certains autres équipements électriques. Muni d'une montre digitale, ce four est équipé d'un programmateur.

TOUR DE CUISSON. Deux fours, un four à micro-ondes au-dessous d'un four multifonctions, forment une vraie tour de cuisson.

PLAQUES DE CUISSON MIXTES. Cette table de cuisson combinant gaz et électricité permet une utilisation optimale des deux combustibles. Sur ce modèle, les commutateurs sont sur le côté.

HOTTE À TIROIR. Une hotte aspirante a été installée derrière ce panneau de bois. Quand elle n'est pas en service, il suffit de repousser le panneau qui s'ajuste dans l'alignement des autres.

CUISINIÈRE À L'ANCIENNE. Au bois ou au charbon, elle sert également pour le chauffage central et la production de l'eau chaude. La fumée est évacuée dans le conduit de cheminée. La cuisinière s'intègre bien dans cette grande pièce campagnarde.

Installation des principaux équipements (suite)

UN PANIER ÉGOUTTOIR. Cet égouttoir plastifié protège l'acier inoxydable de l'évier des rayures. Rempli de glaçons, il maintient les boissons au frais.

UNE CUISINIÈRE TOUT HABILLÉE DE PIN. Le four et les plaques de cuisson encastrés dans un élément de pin au dessus carrelé ont été installés dans le foyer d'une ancienne cheminée. Le manteau de cheminée est recouvert de boiserie assortie au reste de la cuisine.

PLANCHE À DÉCOUPER AJUSTABLE. Cet accessoire s'emboîte sur le dessus d'un évier à deux bacs, laissant un bac libre pour laver la nourriture avant la préparation.

TAILLE FAMILIALE. Cet évier peut contenir la vaisselle de toute une famille : un bac pour les objets fragiles, et les deux autres pour plats et casseroles.

UN BAC ET DEMI. Quand l'espace est réduit, un évier avec un demi-bac pour laver les légumes et un égouttoir est une alternative au double bac.

RÉFRIGÉRATEUR ENCASTRÉ. La plupart des modèles récents sont conçus pour s'ajuster dans les éléments de cuisine standardisés. On peut les recouvrir de panneaux du même modèle que les autres éléments.

CONGÉLATEUR ASSORTI. Ce congélateur-armoire muni d'une porte à glissière est parfaitement assorti aux éléments de la cuisine, permettant une suite ininterrompue de portes identiques.

LAVE-VAISSELLE DÉCORATIF. La place du lave-vaisselle dépend des raccords de plomberie. La plupart des lave-vaisselle ont une contenance de 12 couverts et 3 ou 4 programmes de lavage. Celui-ci a été habillé d'un panneau décoratif.

CÔTE À CÔTE. Réfrigérateur et congélateur encastrables ont été placés ici à hauteur des yeux et conçus pour être installés côte à côte.

UN COIN UTILE. Cette ancienne cuisine transformée en office sert de pièce à tout faire. On y a installé la machine à laver et le séchoir l'un au-dessus de l'autre, l'ensemble dans des tons de beige clair assortis.

Concevoir de bonnes surfaces de travail

Dans une cuisine bien conçue, il doit y avoir trois surfaces de travail principales. Une pour préparer la nourriture et la vaisselle, une pour l'élaboration des plats et une autre pour cuisiner.

Idéalement, chacune de ces surfaces doit être munie d'espaces de rangement suffisants pour accueillir les ustensiles indispensables à chacune de ces fonctions. Par exemple, le casier à légumes et le réfrigérateur doivent être tout près de la zone de préparation, les casseroles et les plats de la zone de cuisson.

L'aménagement d'une surface résistante à l'eau et à la chaleur est indispensable autour de la table de cuisson. Les fabricants de cuisinières proposent des entourages métalliques mais le bois et le liège, par exemple, font tout aussi bien l'affaire.

Différents types de plans de travail

Beaucoup de surfaces de travail sont constituées de bois aggloméré recouvert d'une feuille de stratifié résistant à la chaleur et aux chocs, comme la mélamine.

Il existe deux épaisseurs standard : 3 ou 4 cm, mais certaines fabrications offrent d'autres possibilités. Les longueurs vont de 2 à 4 m. En plus des formes rectangulaires standard, certains fabricants ont conçu des éléments en L, arrondis ou pouvant s'organiser en îlots. La plupart des surfaces de travail comportent la possibilité d'encastrer un évier ou une table de cuisson.

Comment éclairer votre cuisine

Il est essentiel de disposer de bonnes sources de lumière et d'éviter les ombres. L'éclairage fluorescent reste le plus efficace. Le plafonnier peut fournir l'éclairage général, mais vous risquez d'être dans votre ombre en travaillant ; prévoyez des sources plus puissantes comme des tubes au néon fixés juste au-dessous des éléments muraux.

DÉTAIL FRAIS. Le marbre a toujours été réputé pour sa résistance et sa fraîcheur. Les surfaces en imitation marbre confèrent une allure nette à cette cuisine moderne.

COMBINAISON DOUCE. Le plan de travail en bois et les éléments et étagères se marient avec les pierres murales. La planche à découper est une indispensable protection des surfaces.

POUR POSER LES CASSEROLES. Près des plaques de cuisson et de la friteuse on a incrusté un plateau en métal pour les plats brûlants.

SOURCES LUMINEUSES. Les tubes au néon fixés au-dessous des placards muraux assurent une excellente source lumineuse à la surface de travail. Ainsi vous évitez de travailler dans votre ombre.

UN PLAN DE TRAVAIL MULTICOLORE. Cette mosaïque de faïences anciennes peintes à la main est originale mais fort coûteuse.

BORDURE CARRELÉE. Ici le plan de travail a été recouvert de robustes carreaux de céramique, habillant le rebord et le mur du fond.

TOUT RECOUVERT DE VINYLE. On a ici utilisé un revêtement de sol en vinyle pour habiller le plan de travail et les murs exposés aux éclaboussures. L'éclairage est fixé sous les tablettes. Le métal perforé des étagères et le plastique de couleur vive s'allient pour constituer un décor original.

TABLE ABATTANTE. En se rabattant, la porte de ce placard devient une tablette très pratique, qui prend appui sur un tiroir à demi tiré.

UNE PLANCHE À DÉCOUPER. Cette robuste planche est pratique pour préparer la nourriture. Le carrelage sur l'ensemble du plan supporte la chaleur des plats.

DALLE À PÂTISSER. Cette dalle de marbre a été taillée sur mesure pour s'incruster dans un élément de bois. On peut récupérer des plaques de marbre sur d'anciennes tables de toilette.

Une place pour chaque chose

Excellents éléments de rangement, les placards muraux ou encastrés sous le plan de travail ne sont pas très pratiques dans une cuisine exiguë. Il n'y a parfois pas assez de place pour accueillir plus d'un ou deux éléments standard, et les étagères ou les combinaisons d'étagères et de placards sont souvent une bonne alternative.

Pour le choix de vos placards, préférez les formes robustes, les bordures et les poignées solides et les surfaces résistantes aux rayures. Les étagères doivent être suffisamment épaisses pour supporter le poids des objets sans fléchir. L'ensemble des surfaces doit être d'un entretien facile. L'aggloméré existe dans toutes les tailles et peut s'utiliser tel quel. Vous pouvez protéger les surfaces de bois en les enduisant de vernis polyuréthanne.

Tirer parti des places perdues
En décidant de l'aménagement de votre cuisine, vous avez choisi l'emplacement optimal des placards et des étagères, mais il restera certainement des espaces inutilisés, dans les coins, là où deux éléments se juxtaposent ou sur certains murs où vous ne pouviez installer ni placard ni étagère. Il existe des solutions pour en tirer parti. Les placards d'angle peuvent être munis de paniers semi-circulaires qui viennent remplir l'angle mort lorsque la porte est fermée. On peut poser une grille au-dessus de l'évier ou des plaques de cuisson pour y suspendre des ustensiles courants.

Avoir tout à portée de main
Le contenu des placards et des étagères n'est pas toujours d'un accès facile. Les récipients et les paquets de produits alimentaires sont souvent oubliés au fond d'un placard. Les éléments à tiroirs, les plateaux et les garde-manger coulissants, les paniers métalliques fixés à l'intérieur des portes de placards sont autant de moyens simples pour rendre l'espace de rangement plus facile d'accès et plus commode à organiser.

Stocker les objets encombrants
Les ustensiles volumineux comme les friteuses, les passoires, les bassines à confiture ne trouvent pas toujours leur place dans un placard ou sur une étagère. On peut tout simplement les suspendre à une tringle (à rideaux par exemple) fixée de manière à les rendre accessibles sans obstruer une surface de travail.

Rangement des denrées périssables
Pour stocker les fruits et les légumes rien de tel qu'un garde-manger ou un placard bien aéré. Il faut l'installer contre le mur orienté au nord afin d'éviter toute exposition solaire. Il doit être muni d'un grillage très fin pour le protéger des insectes.

RANGEMENT EN HAUTEUR. Ces planches montées sur crémaillère permettent un rangement rationnel de la vaisselle. Disposé en hauteur, ce meuble tient peu de place, mais les objets sur la dernière planche ne sont pas facilement accessibles. Ici, on a eu l'idée d'installer deux planches plus profondes placées de façon à pouvoir prendre le petit déjeuner. Les tabourets peuvent se ranger dessous.

TOUT À PORTÉE DE MAIN. Les étagères sont peu coûteuses, simples à construire et faciles d'accès. Les cloisons verticales permettent un bon compartimentage, différentes hauteurs de rangement, et égaient l'ensemble en rompant la rigidité de la symétrie.

RANGE-CASEROLES. Une ancienne étagère à pots de fleurs en bois a été transformée en un amusant casier à casseroles parfaitement à sa place sur ce pan de mur étroit. On a suspendu des chopes aux chevilles de bois fixées sur le côté. Il est souvent très intéressant de chiner.

UN PORTE-SERVIETTES. Un espace vide entre deux éléments de rangement convient tout à fait à un porte-serviettes télescopique. Près de la cuisinière, les torchons sèchent vite.

RANGEMENT MOBILE. Plateaux, rouleau de papier, nappe, torchons et bouteilles sont tous bien rangés dans ce placard mobile qui se glisse sous le plan de travail et peut se déplacer dans la cuisine là où on en a besoin.

UNE ALCÔVE BIEN REMPLIE. Tout ce qui est nécessaire dans une cuisine a trouvé sa place dans ce bel espace de rangement conçu sur mesure à la taille de l'alcôve. Entre les deux placards latéraux un ensemble d'étagères où ranger vaisselle et verres. L'étagère du bas est assez large pour accueillir plats et ustensiles. On a aménagé d'un côté un recoin pour le panier à légumes et de l'autre trois tiroirs.

RAYONNAGE MURAL. Des étagères d'une seule pièce de bois tendre, légèrement teintées puis vernies, sont fixées sur des équerres métalliques. De profondeurs différentes, elles supportent des objets de tailles différentes. Pratique et élégant.

Une place pour chaque chose (suite)

UNE CRÉMAILLÈRE AU PLAFOND. Les ustensiles encombrants comme les bassines à confiture, les grandes casseroles, les moules et les poêles sont suspendus grâce à un ingénieux système de crochets, de barre et de chaînes.

UN COFFRAGE D'ÉTAGÈRES. On a abattu une partie de la cloison entre la cuisine et la salle à manger. On peut ranger vaisselle et ustensiles sur les étagères au-dessus de l'évier, en les laissant visibles et faciles d'accès.

UNE TRINGLE POUR SUSPENDRE. Tous les ustensiles sont à portée de main, suspendus à une tringle fixée au mur. Celle-ci, prévue pour des ustensiles métalliques, est placée en arrière des plaques de cuisson, endroit bien souvent inutilisé.

UNE PORTE À ÉTAGÈRES. Ces paniers métalliques à l'intérieur des portes sont de précieux rangements pour les pots à épices et ingrédients divers. Les étagères intérieures, plus étroites, sont très accessibles.

CASIER ÉGOUTTOIR. Plus d'égouttoir à côté de l'évier : assiettes et tasses prennent place dans ces casiers suspendus. Dessous, des plateaux en aluminium recueillent l'eau.

PANNEAU PENSE-BÊTE. Un usage inattendu pour ces bouchons : assemblés en un panneau mural sur lequel on peut accrocher toutes sortes de choses, les bouchons sont collés sur une fine planche de bois vissée dans le mur, puis il suffit d'en coller quatre pour dissimuler les vis.

CHEMINÉE RANGE-BOUTEILLES. Des tronçons de canalisation en terre cuite superposés forment cet étonnant casier à bouteilles. Ces conduits de 30 cm de long s'achètent très peu cher dans les entreprises de construction. Ils s'emboîtent simplement entre les murs de l'âtre.

ÉTAGÈRE VAISSELIER. Grâce à la moulure prolongeant celle du placard et au panneau de contre-plaqué fixé au fond, cet ensemble d'étagères fait office de vaisselier. Les tablettes étroites sont d'une profondeur suffisante pour accueillir toute une rangée de pots ou d'assiettes.

ÉQUERRE DÉCORATIVE. Une équerre décorative, avec une tresse de céréales accrochée, soutient cette étagère de pin massif et rehausse l'éclat de la teinte du bois verni. On a vissé des crochets pour suspendre de jolis pots.

Une place pour chaque chose (suite)

SOUS LE COMPTOIR. Il y a très peu d'espace mural disponible à cause des larges fenêtres, de la forme irrégulière de la pièce et des tuyaux apparents. On a résolu le problème du rangement en posant des étagères de chaque côté de la longue table de travail.

PAS D'ESPACE PERDU. Les pans de mur libres entre le plan de travail et le dessous d'un placard peuvent accueillir une étagère à épices où ranger de menus objets.

ANCIEN MEUBLE DE BOUTIQUE. Ce meuble à tiroirs recouvert d'un plan de travail moderne a trouvé un nouvel emploi dans cette cuisine. Il suffit de glisser dans les porte-étiquettes d'origine l'indication du contenu des tiroirs.

PLACARD À DEUX ENTRÉES. Ces étagères disposées dans un ancien passe-plat se ferment avec des portes coulissantes et permettent l'accès à des objets utiles dans chacune des pièces.

COFFRE SECRET. Ce coffre de plastique muni d'un couvercle qui s'ouvre automatiquement quand on le tire peut faire office de conteneur pour la poubelle, ou de rangement.

TIROIR FONCTIONNEL. Ces trois paniers sont remplis de conserves et de boîtes. Les deux du haut sont montés sur des panneaux coulissants et restent fermés pour donner accès au dernier.

ÉLÉMENT D'ANGLE. Un carrousel de plateaux ou de paniers posés dans un placard d'angle est une solution très fonctionnelle. Le plateau du bas est fixé à la porte de manière à coulisser lorsqu'on ouvre cette porte.

PLACARD À PLATEAUX. On peut utiliser un espace entre deux éléments de cuisine pour des objets peu encombrants mais longs (plateaux ou dessous-de-plat).

UNE PLACE BIEN REMPLIE. Quand l'espace est limité, un garde-manger mobile peut remplacer un placard normal. Il se glisse entre deux éléments-armoires, et ses étagères ouvertes de chaque côté et garnies de corniches en fil d'acier permettent un double accès aux provisions.

MATÉRIAUX NATURELS. Le bois brut pour les étagères et les placards et les briques pour les montants de la cheminée se marient en une chaleureuse harmonie. La barre métallique placée en travers de l'âtre permet de suspendre les ustensiles métalliques.

PREMIÈRE PARTIE : DES IDÉES POUR LA MAISON

LIVING-ROOMS

Créer un style

L'ambiance de votre living-room dépend à la fois de sa dimension et de la façon dont vous allez le décorer et le meubler. Les grandes pièces aux larges fenêtres et aux plafonds hauts supportent un mobilier important, des couleurs soutenues et de lourds rideaux à embrasses, qui peuvent même être utiles pour se préserver des regards indiscrets.

En ce qui concerne les petites pièces basses de plafond, comme il en existe dans les pavillons récents, elles demandent une décoration plus douce, des couleurs pâles et un mobilier proportionné pour agrandir l'espace.

On peut modifier la structure d'une pièce en enlevant une cheminée, en remplaçant d'anciennes fenêtres ou en abattant une cloison entre deux pièces exiguës. Mais le caractère général de la pièce dépend surtout de la façon dont elle sera meublée et décorée, c'est là que se refléteront vos goûts personnels. Un living-room remplit différentes fonctions : il faut un coin pour regarder la télévision et écouter de la musique, un espace pour lire, pour recevoir des amis et parfois prendre ses repas.

C'est avant tout une pièce où se détendre, dont la règle d'or doit être le confort, non seulement dans le choix des chaises, des canapés et des petites tables, mais aussi dans l'ambiance générale.

Les couleurs jouent un grand rôle dans la sensation de bien-être et il faut savoir en tirer parti. Les couleurs claires illuminent les pièces qui manquent de clarté naturelle, les tons pastel adoucissent les structures sévères et anguleuses, et les contrastes sont souvent du meilleur effet.

Dans une pièce meublée de couleurs profondes, l'utilisation du même coloris un ton plus pâle ou d'une teinte neutre mettra les meubles bien plus en valeur qu'un fond sombre.

Si une partie du living-room doit servir de salle à manger, essayez de la préserver le plus possible du reste de la pièce. Vous pouvez utiliser un paravent, une division, ou un bac de plantes vertes constituant un mur de verdure.

L'éclairage de la pièce

N'oubliez pas en aménageant votre pièce que les couleurs prennent un aspect tout différent selon que l'éclairage est électrique ou naturel. Les ampoules ordinaires rougissent ou jaunissent légèrement les murs, éclaircissent les meubles et donnent un aspect plus sombre aux tons bleus et verts. Un plafonnier unique, au centre de la pièce, risque de la rendre plate et formelle. Disposez différents éclairages d'appoint de manière à faire jouer les zones d'ombre et de lumière, et à diriger l'éclairage là où il sera le plus utile pour lire ou pour coudre, par exemple.

Vous pouvez compter 20 W par mètre carré d'espace au sol, pour des ampoules à incandescence.

ESPACE MIS EN VALEUR. Dans cette ancienne maison, on a encore accentué l'espace en choisissant une teinte miel clair pour les murs et le plafond, peu de tableaux et un store en guise de rideau. La cheminée a été condamnée et on a disposé des meubles de structure légère pour libérer l'espace au sol.

AMBIANCE BLEUE. Les murs et le plafond de la même teinte peuvent être du plus bel effet. Ainsi dans cette pièce, le bleu lavande de la peinture répond à la teinte légèrement plus soutenue du tissu des divans.

PIÈCE JARDIN. Les carreaux de céramique prolongent ceux du patio, et le jardin devient une extension de la pièce. Les plantes d'intérieur et les chaises de toile pliantes soulignent ce thème général.

CAMAÏEU DE BRUNS. Tous ces tons confèrent un air chaud et accueillant à ce living-room. Le brun sombre des étagères, de la table et du liège sur le manteau de la cheminée est relevé par le beige clair des murs et des alcôves, et le vernis blond du plancher. Çà et là, quelques touches de confort vieillot : le rocking-chair et le tissu du canapé assorti à celui des rideaux.

Créer un style (suite)

RETRAITE PAISIBLE. Dans cette grande maison des années 50 règne une atmosphère reposante due aux différentes nuances de rose. Le canapé profond et accueillant, la superbe bibliothèque victorienne, la chaise et la table, tous ces meubles chaleureux sont mis en valeur par la douceur des teintes beiges et roses des murs et des rideaux. La fenêtre laisse entrer la fraîcheur claire du mobilier de jardin se détachant sur le fond de verdure.

PIÈCE CONTEMPORAINE. Le motif hexagonal des meubles, du style des années 30, se répète dans celui de la moquette. L'audace des teintes et des lignes est encore accentuée par le blanc des murs.

DEUX EN UN. On a réalisé ce grand salon-salle à manger en abattant une cloison. La cheminée condamnée et les alcôves de chaque côté du manteau de cette cheminée ont été agencées avec étagères et placards et remplacent les meubles de rangement qui auraient encombré la pièce.

VÉRANDA-VERRIÈRE. On a garni cette étroite véranda de nombreux sièges faits sur mesure et gagné un espace appréciable en fixant les dossiers de la banquette à une tringle de bois, sur le mur.

BUREAU ET AUDITORIUM. La bibliothèque a quand même sa place dans cette pièce élégante transformée en un superbe bureau-auditorium. La table de pin massif, avec un tiroir central, sert de bureau. Le plancher, très brillant, assoit l'ensemble dans une belle lumière blond miel interrompue par le tapis oriental.

STYLE CAMPAGNARD. Le fait d'avoir enlevé le plafond et rendu les poutres apparentes accentue l'effet campagnard et libère de la hauteur. La teinte claire des poutres, les intervalles et les murs blancs rendent cette pièce claire et pimpante.

COLORIS PRINTANIERS. Le jaune vif et le blanc éclatant donnent un air printanier à cette pièce, malgré sa petite fenêtre. L'éclat des teintes est rehaussé par le bleu sombre du plancher, repris par celui de l'escabeau qui donne accès aux étagères hautes dissimulées derrière des stores à enrouleur jaunes.

La cheminée : un art de vivre retrouvé

Les âtres ouverts de modèle traditionnel ne sont pas tous très efficaces pour chauffer une pièce, mais ils sont irremplaçables pour rendre un lieu chaleureux. Nombreux sont les gens qui apprécient les soirées tranquilles au coin du feu, tandis que le chauffage central garde l'ensemble de la maison au chaud. La plupart des maisons récentes sont conçues sans cheminée, mais l'attrait de ce point de rassemblement est si fort que certaines familles n'hésitent pas à en faire construire ou à en acheter une.

Les poêles avec leur conduit d'évacuation sont encore très appréciés, parfois autant pour leur esthétique que pour leur capacité à chauffer une pièce.

Si vous disposez d'une cheminée, il existe de nombreuses façons de transformer l'âtre ouvert traditionnel, de manière à trouver un bon compromis entre l'efficacité et le confort. Les nouvelles installations sont pourvues d'un tirage contrôlé, d'un système de combustion lente et d'un réservoir de cendres facile à nettoyer ; on trouve des poêles clos pouvant s'encastrer dans l'âtre et des foyers à gaz ou à électricité. Certains modèles à gaz simulent un feu de façon fort réaliste, avec des flammes dansant sur le charbon ou les bûches. Ces installations permettent souvent d'alimenter la maison en eau chaude ou de chauffer les radiateurs.

Toutes ces solutions sont adaptables à une cheminée existante, mais elles demandent parfois de modifier le manteau ou d'approfondir l'âtre. En outre, vous pouvez aussi choisir de condamner votre cheminée et d'y exposer un objet décoratif comme un bac de plantes ou une sculpture. En fixant un tube au néon à l'intérieur vous pourrez alors garder l'illusion même sans feu d'une cheminée centre du foyer.

VOIR TECHNIQUES ET MATÉRIAUX	
Installer une cheminée préfabriquée	253
Poêles et inserts	347

ÂTRE OUVERT. Rien de plus beau que des bûches enflammées dans un âtre ouvert, mais on peut tout aussi bien utiliser toutes sortes d'autres combustibles. Le foyer doit être entouré de matériaux résistants au feu, les plaques de métal irradiant bien plus de chaleur que les briques.

CHEMINÉE PRESTIGE. Cette superbe cheminée en marbre blanc de style Louis XVI, à décor de feuilles d'acanthe, a été très bien conservée et est du plus bel effet dans ce vieil appartement parisien. La lampe halogène et le siège, résolument modernes, contrastent.

DÉCORATION D'UNE CHEMINÉE. Les cheminées anciennes sont souvent de très belles pièces élégantes, comme celle-ci avec son manteau de marbre cannelé, son âtre de fonte polie et ses céramiques décoratives. De telles cheminées embellissent toujours une pièce, il est préférable de les conserver et de les rénover si cela est nécessaire.

CHALEUR ET EAU CHAUDE. Ce poêle vitré et doré a pris la place du traditionnel foyer ouvert. Parfaitement ajusté au manteau de la cheminée, il ne nécessite pas d'entourage particulier.

POÊLE TRADITIONNEL. Autrefois répandu en Europe, ce poêle en fonte, entièrement étanche, se charge par le haut, permettant d'éviter les problèmes de poussière. Il existe des modèles capables d'alimenter la maison en eau chaude et en chauffage central.

NOUVEL EMPLOI. On a remis à nu les briques du manteau de cette cheminée désaffectée, apportant ainsi un élément inattendu dans cet intérieur moderne. L'âtre de brique carrelé de céramique et la cheminée ont trouvé un nouvel emploi.

POÊLE OU CHEMINÉE? Ce poêle qui fonctionne au bois ne détonne pas dans cet intérieur moderne. Le long conduit d'évacuation propage la chaleur à l'étage supérieur.

CHEMINÉE ORIGINALE. Ce foyer fermé qui s'inscrit dans un écrin de tuileaux sombres repose sur des tablettes en pierre du Gard. En haut de la hotte, deux grilles latérales permettent la diffusion de la chaleur.

CALORITUBE EN FAÏENCE. Ce poêle, d'une autonomie de quinze heures, fonctionne au bois et peut se transformer en véritable chauffage central. Sa ligne rappelle les poêles de naguère, mais sa technologie est très avancée.

L'habillage des fenêtres

Les rideaux d'une fenêtre sont souvent l'un des éléments de décoration les plus importants du living-room. Ils embellissent souvent une fenêtre, et la couleur de leur étoffe peut devenir une des tonalités de base de votre décoration.

Ainsi, la forme d'une fenêtre peut être mise en valeur ou dissimulée par des rideaux. Les lignes frêles des châssis de fenêtre dans une pièce haute gagnent à être habillées de rideaux tombant du plafond jusqu'au sol, et montés sur fronces. Une fenêtre placée à l'extrémité étroite d'une pièce sera élargie par des rideaux courts, fixés au ras du châssis de la fenêtre par une tringle suffisamment large pour la dégager entièrement lorsqu'ils sont ouverts.

Les fenêtres en arc augmentent l'espace intérieur, n'en réduisez pas l'effet en tendant vos rideaux sur une ligne droite d'un bout à l'autre. Installez des tringles flexibles pouvant s'adapter à la courbe.

Deux fenêtres de tailles différentes sur le même mur peuvent être habillées d'un rideau unique couvrant, qui, lorsqu'il est tiré, confère une unité à l'ensemble.

L'arc décoratif d'une fenêtre cintrée peut — si l'on n'a pas besoin de se protéger de l'extérieur — être considéré comme un élément architectural et se passer de rideaux.

Les stores : une possibilité séduisante

Les stores de tous les styles représentent un moyen séduisant de se passer de rideaux. Les stores à mécanisme d'enroulement d'un fonctionnement simple permettent à la lumière d'entrer largement dans la pièce.

VOIR TECHNIQUES ET MATÉRIAUX	
Rideaux convenant à vos fenêtres	398
Choix du type de support	402
Choix de la tête de rideau	400
Pose d'une tringle	402
Fixer des stores	406

ENSEMBLE DE STYLE. Comme de longues colonnes fluides dégringolant du plafond jusqu'au sol, ces rideaux habillent avec élégance la large baie vitrée de ce living-room. Des galons coordonnés à ces étoffes encadrent les rideaux beiges et contribuent à accentuer l'impression d'unité de l'ensemble.

DOUBLES RIDEAUX. Pour permettre une arrivée maximale de la lumière du jour, on a placé très haut les embrasses bouillonnées.

STORES À ENROULEUR. Une succession de stores de tissus bleus aux dessins de cachemire différents habillent les vitres de cette véranda. Faciles à poser et à réaliser, ces stores peuvent être confectionnés dans un tissu assorti à votre ameublement ou à votre papier peint.

STORES AMÉRICAINS. Ces stores, non doublés, laissent passer abondamment la lumière. C'est, ici, l'effet décoratif qui a été recherché.

STORES BOUILLONNÉS. Ces stores parent élégamment les fenêtres de cette salle à manger. Leur couleur, qui est celle de la nappe, des chaises et du lustre, donne la tonalité de base. Le store au-dessus de la glace crée une homogénéité avec les autres. Filtrant la lumière lorsqu'ils sont baissés, les stores bouillonnés se remontent en bouillons et ruchés souples. Ils se fixent devant la fenêtre de la même façon que les autres stores.

UN ÉCRAN DEVANT UNE FENÊTRE. Ce simple store bateau imprimé, posé à l'intérieur du châssis de la fenêtre, adoucit la pauvreté de ces panneaux vitrés sans cacher l'encadrement.

STORES POUR PATIO. Habillées de stores à lamelles verticales pratiques et stylés, ces fenêtres coulissantes donnent accès au patio. Ils sont orientables de la même façon que des stores vénitiens et permettent de contrôler la luminosité de la pièce. La base lestée de chaque lamelle garantit une tenue parfaite. Ces stores existent dans toutes sortes de tailles.

L'habillage des fenêtres (suite)

EFFET DE HAUTEUR. Ces stores finement rayés accentuent la hauteur des fenêtres, qui ne demandent aucun autre ornement. Les rayures sont assorties à celles des coussins en un subtil coordonné.

STORES ET RIDEAUX COMBINÉS. Des stores à mécanisme d'enroulement et des doubles rideaux assortis aux teintes de la pièce habillent cette grande fenêtre en en adoucissant les angles. Les stores diffusent une lumière tamisée et les rideaux peuvent être tirés pour la nuit.

VARIATION VÉNITIENNE. Trois stores vénitiens adaptés à cette fenêtre peuvent être manœuvrés indépendamment et laisser, comme ci-dessus, l'accès à la porte. Les lamelles horizontales accentuent la largeur de la fenêtre et épousent les barres latérales symétriques du châssis.

LUMIÈRE DOUCE. Ces stores translucides préservent l'intimité de la pièce en été, sans l'assombrir. Les stores à mécanisme d'enroulement de cette longueur sont très fragiles. Il vaut mieux ne pas trop les manipuler et les laisser baissés par les journées ensoleillées.

STORES À LAMELLES VERTICALES. La tablette placée sous la base de ce store fixé à l'intérieur du renfoncement de la fenêtre repousse l'air chaud propulsé par le radiateur dans la pièce et évite qu'il ne se perde entre le store et les vitres.

FENÊTRE CINTRÉE. Ce joli arrondi doit être bien dégagé lorsque les rideaux sont ouverts. Mais on peut tout aussi bien laisser la fenêtre nue.

RIDEAUX SANS COUTURE. Pour réaliser ces rideaux : drapez un pan d'étoffe autour d'une tringle, puis retenez-le dans des embrasses.

VOILAGE DÉLICAT. Les stores australiens constitués d'un tissu vaporeux conviennent parfaitement aux châssis de fenêtre massifs. La délicatesse du voile adoucit leur structure anguleuse.

RUCHÉ ÉLÉGANT. Cette grande baie vitrée et ses vitraux sont rehaussés d'un store ruché formant une véritable guirlande de dentelles et de fleurs tout à fait assortie au napperon et aux feuilles dentelées des fougères. Ces stores, comme les stores bateau ou à enrouleur, sont souvent vendus en kit. Très élaborés, les stores festonnés comme celui-ci restent froncés sur toute leur hauteur, même baissés.

Des idées de rangement et de rayonnages

Le living-room doit préserver pour chacun des espaces de rangement et d'exposition. La meilleure façon de procéder pour être sûr de ne rien oublier consiste à faire la liste des choses que vous avez besoin de ranger, sans oublier les acquisitions futures, et de les classer en trois catégories : les choses utilisées fréquemment, celles dont vous avez besoin plus rarement, et enfin les objets purement décoratifs.

À partir de cette liste, vous pourrez décider de l'emplacement de chaque chose.

Les livres, bien ordonnés sur des étagères ou dans une bibliothèque, peuvent aussi être très décoratifs. Gardez les spécimens précieux dans une vitrine, à l'abri de la poussière. La plupart des living-rooms doivent comporter un espace pour installer télévision, vidéo, radio et chaîne hi-fi. L'arrière de ces appareils peut être appuyé contre un mur. Vous pouvez aussi les ranger dans une alcôve après avoir vérifié qu'il y a assez d'espace pour assurer une bonne ventilation. Préservez disques et cassettes de cette source de chaleur tout en les gardant à proximité des appareils d'écoute.

L'acquisition d'éléments de rangement

Il existe un grand choix d'éléments préfabriqués autoportants, offrant toutes sortes de combinaisons possibles d'étagères, de vitrines, de coin bar, de tiroirs et de casiers à disques. De tels éléments présentent l'avantage de pouvoir être déplacés si vous désirez un jour modifier l'agencement de votre pièce.

Ils sont souvent disponibles en kit et peuvent être montés chez soi. Avant votre achat, assurez-vous d'avoir vu votre élément entièrement monté dans le magasin, et chez vous, vérifiez qu'aucune pièce n'est endommagée ou manquante.

Si votre pièce comporte des renfoncements — par exemple, de part et d'autre d'une cheminée ou d'un placard encastré —, vous pourrez y installer des étagères ou des éléments de rangement conçus sur mesure. Vous pouvez poser les étagères, de façon définitive, sur des tasseaux fixés au point d'appui, ou avec un système réglable de crémaillères ou de consoles. Le choix du matériau utilisé pour ces étagères dépendra du type d'objet que vous désirez y entreposer. Verres et cristaux sont parfaitement mis en valeur sur des étagères de verre, mais celles-ci doivent être assez épaisses pour supporter leur poids.

DU VERRE DERRIÈRE UNE VITRE. Cet ancien buffet repeint aux portes vitrées est garni d'étagères de verre et éclairé de l'intérieur, ce qui met en valeur les verreries et les faïences.

ÉTAGÈRES SUR FOND DE LIÈGE. Ces étagères sont soutenues par un système de consoles et de crémaillères réglable en hauteur. Les rails entre les plaques de liège donnent un aspect net.

TROIS ALCÔVES-BIBLIOTHÈQUES. Ce triple renfoncement aménagé dans un ancien manteau de cheminée est divisé en compartiments bien nets pourvus d'étagères sur lesquelles on a disposé toutes sortes d'objets et de livres avec élégance et simplicité.

ÉCLAIRAGE PONCTUEL. Un élément de rangement flanqué de deux bibliothèques accueille ici de belles pièces à exposer et des livres grand format. Les trois objets éclairés, de styles et d'époques différents, ont été placés dans des compartiments séparés, respectant leur originalité propre.

UN MUR D'ÉTAGÈRES. Ces éléments installés du sol au plafond occupent un mur entier et offrent de grandes possibilités de rangement. Les étagères, en aggloméré surfacé mélaminé, sont réglables en hauteur et peuvent ainsi accueillir des objets de différentes tailles.

MODULES EN CUBES. Cet ensemble de rangement comportant placards, tiroirs et casiers se présente sous forme de cubes indépendants pouvant être empilés ou posés côte à côte, et que l'on peut réorganiser à volonté.

DOUBLE EXPOSITION. Ces étagères de verre installées dans une ouverture entre deux pièces mettent en valeur de beaux objets constituant une agréable décoration pour chacune des pièces.

Des idées de rangement et de rayonnages (suite)

CAMAÏEU DE BLEUS SUR FOND BLANC. D'épaisses étagères blanches dans une alcôve toute blanche deviennent l'écrin parfait de cette collection de pots, bols et autres pièces de faïence du XIXe siècle.

ENSEMBLE HI-FI ET VIDÉO. Un rangement pour l'audiovisuel a été construit dans un renfoncement entre un conduit de cheminée et le mur extérieur. Les étagères ont été conçues pour ranger disques et cassettes, tandis que l'ampli, le lecteur de cassettes et la platine sont chacun dans un compartiment fait sur mesure. Le magnétoscope a été placé sur un plateau coulissant.

ÉTAGÈRES RENFORCÉES. On a monté une large et épaisse baguette de bois sur le chant des étagères pour les renforcer. Puis on y a fixé des moulures de bois décoratives. La répartition des rayonnages en gradin donne un cachet supplémentaire à l'ensemble et permet d'y ranger les livres par taille.

TUBE ET VERRE. Cet ensemble de tubes ronds d'acier chromé peut être agencé de différentes façons. Il est constitué d'éléments préfabriqués faciles à monter. Les étagères de verre sont assez épaisses pour supporter des objets lourds comme un petit poste de télévision.

COLLECTION ULTRA-LÉGÈRE. On peut grâce aux étagères de verre admirer cette collection par en dessous. La légèreté des coquillages autorise ces longues surfaces de verre, qui ne peuvent pas convenir à des objets plus lourds ou à des livres.

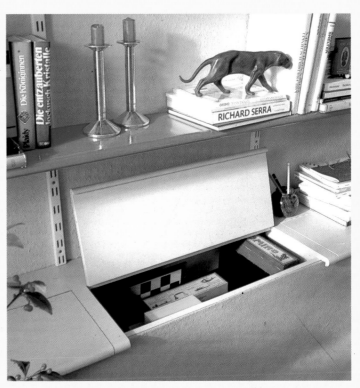

UNE CACHETTE SOUS LA MAIN. Ce coffrage compartimenté est très pratique pour entreposer des choses dont on se sert peu fréquemment. Les couvercles se transforment, une fois fermés, en une étagère continue.

SUPERPOSITION D'ÉLÉMENTS. Ces éléments qui s'empilent ou se posent côte à côte constituent un espace de rangement que l'on peut agrandir ou modifier à tout moment. Ici, les trois éléments superposés du sol au plafond servent de demi-cloison.

Des idées de rangement et de rayonnages (suite)

BIBLIOTHÈQUE-SALON. Les étagères en bois peint, qui montent jusqu'au plafond, constituent l'élément essentiel de cette pièce. Ces pans de bibliothèque encastrés assurent un rangement parfait.

BIBLIOTHÈQUE LUMINEUSE. Des tubes au néon illuminent cette vitrine de livres, d'objets et de tableaux. Ces tubes conviennent parfaitement grâce au peu de chaleur qu'ils dégagent.

UN COIN BIEN REMPLI. Cette bibliothèque construite à partir de cubes parfaits remplit cette alcôve exiguë entre le mur et le conduit de cheminée en pente.

ENSEMBLE COMPACT. Ici, l'espace a été préservé grâce à cet ensemble de tiroirs, étagères et placards encadrant le divan, qui a été surélevé par une plinthe pour unifier l'ensemble.

CHARIOT CAMOUFLABLE. Ce petit chariot à bouteilles se glisse dans l'alignement d'un ensemble d'éléments.

CLOISON ENCASTRÉE. Muni d'étagères latérales, cet élément divise la pièce en apportant des solutions de rangement de chaque côté.

PREMIÈRE PARTIE : DES IDÉES POUR LA MAISON

SALLES DE BAINS

Il est difficile de faire preuve d'originalité dans l'aménagement d'une salle de bains. Elle doit être équipée d'au moins deux éléments de base : la baignoire et le lavabo, auxquels viennent souvent s'ajouter W.-C., douche et parfois bidet. De plus, l'emplacement de tous ces éléments dépend de la plomberie et des écoulements. Il faut aussi prévoir quelques accessoires indispensables comme les porte-serviettes, miroirs, placards muraux et étagères. Enfin, l'espace dont on dispose est très souvent plus exigu encore que celui de la cuisine.

L'installation des sanitaires doit être assez judicieuse pour rester agréable longtemps. Les formes fantaisistes et les couleurs à la mode, souvent très séduisantes au moment de l'achat, s'avèrent rapidement dépassées.

Il faut toutefois tenir compte de l'apport des équipements modernes. Beaucoup de baignoires, de lavabos et de tables de toilette sont pourvus de raffinements très utiles. Il existe des lavabos muraux, des W.-C. encastrables, des baignoires munies de poignées et d'un système d'évacuation latérale au lieu du classique système d'évacuation à une extrémité. Il existe aussi des cabines de douche parfaites pour être calées dans un angle, ou dans un petit espace, n'importe où dans la maison. On peut tout aussi bien entourer un bac à douche carré d'une tringle et d'un rideau.

La décoration de la pièce dépend tout autant du choix des accessoires que du revêtement du sol et des murs. Quand vous les choisissez, pensez à ce dont vous vous lasserez le moins vite. Si vous avez envie d'introduire une note d'originalité, n'oubliez pas que l'on peut obtenir des effets surprenants en utilisant simplement du papier peint ou de la peinture, matériaux abordables et faciles à changer quand vous en serez fatigués.

Dans une petite salle de bains, l'utilisation de petits placards muraux à portes de glace présente une solution de rangement parfaite pour les produits de beauté, le matériel de rasage, les brosses à dents. À cela, il suffit d'ajouter un porte-serviettes pour draps de bain et un autre, plus petit ou en anneau, pour essuie-mains. Pour les pièces plus spacieuses, il existe des éléments de rangement intégrant toute l'installation sanitaire, y compris porte-serviettes, miroirs, éclairage et prise de rasoir électrique.

Un meuble de toilette pourvu de deux lavabos peut dissimuler parfaitement l'ensemble de la plomberie tout en procurant un espace de rangement parfait pour garder les produits d'entretien de la salle de bains.

PETIT ESPACE. La table de toilette pourvue d'un grand placard permet d'avoir des rangements suffisants. Si vous désirez poser un placard au-dessus de votre lavabo, assurez-vous qu'il soit peu profond pour ne pas risquer de vous heurter la tête. Les miroirs et la laque blanche réfléchissent ici la clarté naturelle de la fenêtre, et le carrelage gris pâle contribue à agrandir la pièce.

ÉCLAIRAGE DE THÉÂTRE. Ce miroir est encadré de lampes à la façon d'une loge de théâtre et bénéficie d'un éclairage optimal au-dessus de ce coin de toilette.

PROFUSION DE CÉRAMIQUES. Ces anciens carreaux de céramique peinte ont été rassemblés par un collectionneur et disposés tout autour de l'espace combiné baignoire-coin douche.

UN COFFRE SOUS CLÉ. Un coffre à linge occupe cet espace exigu entre la baignoire et le mur. Des panneaux de pin disposés en longueur recouvrent les côtés de la baignoire et les murs, et le couvercle du coffre est fixé par une charnière.

DEUX HAUTEURS. Les enfants et les infirmes ont besoin d'installations particulières dans une salle de bains. Un lavabo bas, des poignées sur le côté de la baignoire, un tapis antidérapant suffisent à rendre la pièce confortable et sûre.

UN REVÊTEMENT MURAL ORIGINAL. On a recouvert le sol et les murs de cette petite salle de bains d'un revêtement de sol industriel. La grille de fil d'acier plastifié qui se reflète dans le miroir mobile sert de support au porte-serviettes et au porte-savon.

LAMBRIS. Ces longues lattes de pin constituent un revêtement idéal pour une salle de bains. Le bois, protégé par deux couches de vernis polyuréthanne, résiste parfaitement à l'eau et à l'humidité, et arbore une belle teinte riche et blonde.

ANCIEN ET MODERNE. Cette cuvette et ce lavabo sur pied assortis sont en harmonie avec les meubles de style restaurés de cette maison de campagne. Un tube au néon fixé derrière la poutre du toit diffuse un éclairage doux au-dessus du miroir en acajou.

PARE-BUÉE. Cette cabine de douche parfaitement ajustée entre le sol et le plafond est pourvue d'un extracteur de buée fixé au plafond. Le reste de l'installation protège la salle de bains de la vapeur et évite la condensation.

TOUCHE FINALE. Le thème bleu et blanc du carrelage entourant la baignoire est repris par la collection d'assiettes qui égayent les austères murs blanc uni.

SOL CLAIR, JOINTS SOMBRES. Le liège, au contact chaleureux, est parfait dans une salle de bains, mais il peut être monotone s'il est uniforme dans toute la pièce. Ici, les joints sombres cassent l'uniformité des dalles du sol, et on a choisi une épaisseur et un motif différents pour le revêtement des murs et celui du devant de la baignoire.

PLACARD COULISSANT. Cet élément a été conçu suivant le même principe que le garde-manger mobile, mais on a disposé des étagères à la place des paniers de fil d'acier plastifié. Assez vaste pour ranger l'indispensable dans une salle de bains : linge et produits d'entretien, il sert de cloison à l'extrémité de la baignoire.

RANGEMENTS TRANSPARENTS. Bassines de plastique et serviettes de toilette sont souvent enfouies dans un placard, tandis qu'ici, bien rangées dans un meuble vitré, elles égayent la salle de bains.

PLOMBERIE INVISIBLE. Le muret carrelé cache la plomberie des W.-C. et du bidet assortis, tout en laissant un accès aux canalisations en cas de dépannage. La niche, à portée de main, sert à ranger les serviettes de bain.

BAIGNOIRE D'ANGLE. Dans une pièce trop petite pour une baignoire traditionnelle de taille standard, une baignoire d'angle en plastique moulé peut représenter la solution idéale, tout en apportant un cachet original. Il en existe dans plusieurs coloris.

PLACAGE DE PIN. Panneaux et placards de pin pour cette élégante salle de bains. Les portes de placards s'achètent toutes prêtes et se montent sur un cadre de pin. Le vernis polyuréthanne protège de l'eau et de l'humidité tout en donnant cette belle teinte chaude et rousse.

BAIGNOIRE RONDE. Quand on dispose de peu d'espace, on peut aussi installer une baignoire ronde dans un carré. Celle-ci s'encastre parfaitement entre les deux murs.

ÉCRAN RÉTRO. Dans cette salle de bains de style ancien, le pare-douche ajoute sa note d'époque. Le verre gravé est monté sur charnières et fixé à une tige de laiton de manière à garder un accès facile à la baignoire.

PLANTES À LA FENÊTRE. Des étagères de verre disposées en travers de la fenêtre accueillent toutes sortes de plantes bénéficiant de la chaleur et de l'humidité de la salle de bains. Leurs silhouettes se découpant sur le fond blanc créent une atmosphère fraîche et reposante.

RIDEAU DE DOUCHE. Si l'espace manque pour avoir à la fois une baignoire et une cabine de douche, on peut installer la douchette au-dessus de la baignoire. On montera aussi une tringle avec des rideaux en plastique.

DOUCHE ENCASTRÉE. Une douche prend peu d'espace au sol et peut être aménagée dans une salle de bains trop petite pour loger une baignoire. Ici, la plomberie est dissimulée derrière le carrelage sur le côté droit. Le lavabo, étroit mais profond, et le porte-serviettes sont fixés sur le mur de gauche.

CABINE DE DOUCHE DANS UN ANGLE. Cette cabine ultra-légère, dotée de panneaux transparents dans un cadre d'aluminium, est montée sur un châssis carré. La douchette peut être réglée à différentes hauteurs en glissant sur le rail, et un thermostat maintient l'eau à température constante.

SALLE DE BAINS-JARDIN. De nombreuses plantes d'intérieur, comme le *Ficus benjamini*, prospèrent sans problème dans une salle de bains, où elles sont du meilleur effet, surtout si elles se découpent sur un fond pastel.

PREMIÈRE PARTIE : DES IDÉES POUR LA MAISON

CHAMBRES À COUCHER

Espace personnalisé

C'est ici, plus que dans aucune autre pièce de la maison, que vous allez pouvoir donner libre cours à votre imagination. La chambre étant utilisée presque exclusivement par la ou les personnes qui y dorment, elle peut refléter leurs goûts les plus particuliers. Les différentes chambres d'une même maison peuvent correspondre pleinement à des personnalités tout à fait différentes sans rompre l'harmonie d'ensemble des pièces communautaires.

Une chambre peut aussi être un refuge loin de la famille, un lieu de travail pour les adultes, d'étude pour les adolescents ou de jeux pour les petits.

Quel que soit le style que vous choisirez pour votre chambre, n'oubliez pas qu'elle vous accueillera toujours en début et en fin de journée, à des moments où votre état d'esprit peut varier sensiblement. Aussi, en l'élaborant, devrez-vous vous demander si elle saura vous convenir, au réveil, par un lugubre matin d'hiver.

Commencez par réfléchir à l'agencement général, c'est-à-dire au meilleur emplacement de la penderie, de la coiffeuse et de la commode, en fonction de l'espace réservé au travail ou au jeu et au lit.

C'est le lit qui donne le ton à toute la pièce — qu'il s'agisse d'un divan moderne ou d'un lit à colonnes —, le lit et la literie choisie. Si vous optez pour un style historique, Directoire par exemple, un fronton triangulaire couronnant l'un des chevets du lit donnera la note. Il n'est pas question pour autant de sombrer dans l'inconfort : on peut très bien utiliser un matelas à ressorts moderne et une couette sur un lit ancien.

Si vous préférez une ambiance moderne, choisissez des meubles simples qui mettront en valeur les couleurs des objets. On trouve des housses de couette avec toutes sortes de motifs, y compris les rayures, les patchworks et les fleurs ; et le dessin du couvre-lit peut se retrouver dans les rideaux, voire dans le papier peint. À l'opposé, vous pouvez préférer un mobilier plus compliqué complété par un papier peint dans des tons pastel unis.

Rien n'empêche de mélanger les styles. Une commode ou une coiffeuse en pin décapé rendront aussi bien dans un cadre moderne que d'époque.

Si le revêtement mural et le mobilier créent l'ambiance d'une pièce, ce sont les petits objets personnels qui lui donnent sa touche finale. C'est dans votre chambre que vous exposez vos petits « trésors » — brosses à cheveux décoratives, joli miroir à main, boîte à bijoux incrustée d'émail...

Pour une chambre de style victorien, vous choisirez de vieilles gravures, aquarelles ou photographies ; pour une chambre moderne, des murs sobres s'accordent au mobilier sobre.

THÈME COLONIAL. Le mobilier de bambou donne à la pièce son cachet début du siècle, poussé jusque dans les détails (tringle à rideaux en bambou également).

ÉLÉGANCE D'AUTREFOIS. Une belle tête de lit vernie au tampon et brillante comme un miroir donne la note fin XIXᵉ siècle ; une paire de lampes imitant les vieilles lampes à gaz éclairent les photographies d'époque disposées autour d'elles.

SOBRIÉTÉ ORIENTALE. Style dépouillé et meubles bas pour cette chambre japonisante. Le lit, très simple, repose sur une plate-forme en bois. La dominante rouge du lit, du tableau, des éventails et de la table de nuit est adoucie par le vert des plantes savamment disposées.

TOUT UN MUR DE RANGEMENTS. Les penderies occupent toute la largeur de la pièce, avec une coiffeuse-bureau intégrée au milieu. Le cadre et l'intérieur des penderies sont confectionnés avec des panneaux d'aggloméré mélaminés ou plaqués bois.

Espace personnalisé (suite)

ATMOSPHÈRE RUSTIQUE. Cette chambre fait à l'évidence partie d'une maison moderne, mais il y règne une atmosphère de cottage : poutres apparentes, murs en vieilles briques et dessus-de-lit en patchwork. L'éclairage subtil provient de lampes suspendues à un fil et de spots fixés sur une solive.

ÉVOCATION ÉDOUARDIENNE. Ce magnifique lit est un vestige de l'époque édouardienne, quand les ébénistes reprenaient le style de Chippendale, Hepplewhite et Sheraton. Il est assorti à une élégante chaise à haut dossier, à une table de chevet et aux cadres de bois des tableaux.

AURA DE DOUCEUR. Les tonalités pastel — pêche pour les rideaux, le linge de lit et la nappe, miel pour les murs — confèrent chaleur et douceur à cette chambre au mobilier sobre. Le format des estampes japonaises et les rideaux tombant à terre accentuent l'impression d'une hauteur sous plafond importante.

FER, CUIVRE ET BRODERIES. Un haut matelas à ressorts et une housse de duvet joliment brodée assurent le confort de ce lit de fer et de cuivre. De vieux tableaux, une lampe à huile et un petit meuble de chevet en pin décapé complètent le style d'époque.

FRAÎCHEUR DE JADIS. Nombre de vieilles maisons possèdent des cheminées de fonte dans les chambres. Voici un excellent exemple de mélange de styles : édouardien pour le montant de lit en fer, moderne pour la commode en pin décapé. La décoration renforce l'atmosphère d'époque, en particulier la cuvette, le broc et le pot de chambre assorti, recyclé en cache-pot pour un aspidistra.

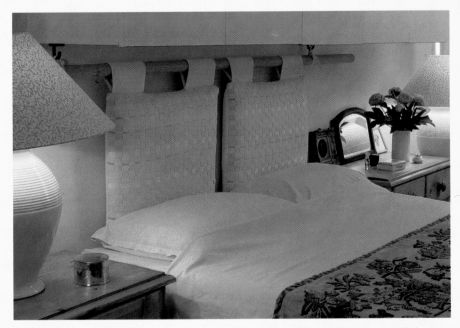

APPUIE-TÊTE ORIGINAUX. Deux coussins ont été suspendus à une tringle, elle-même fixée dans un placard situé au-dessus du lit pour renouveler originalement la tête de lit traditionnelle.

IMPRIMÉ BLEU. Les rideaux et la nappe, dans le même tissu, habillent joliment un angle de cette petite chambre. Des étagères dans l'alcôve exposent des souvenirs personnels ; elles sont soutenues, presque invisiblement, par des tasseaux d'aluminium.

Espace personnalisé (suite)

LIT D'APPOINT DANS UN TIROIR. De la même longueur que le lit, ce vaste tiroir en pin, doté de pieds, est suffisamment robuste pour servir de lit en cas de besoin.

DORMIR AU GRAND JOUR. Placé devant de larges baies vitrées, ce lit est pleinement exposé à la lumière du jour filtrée par des stores semi-transparents. Des fougères en pot et du lierre grimpant mettent une note de couleur et la psyché, à gauche, montre bien comment un vieux meuble peut s'intégrer à un décor moderne.

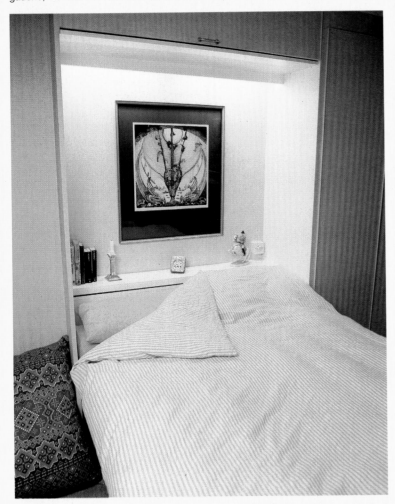

TRINGLE À RIDEAUX RECYCLÉE. On peut utiliser une tringle à rideaux et des consoles murales pour accrocher des appuie-tête au-dessus d'un lit. Les housses devront pouvoir s'enlever.

ALCÔVE. Ce lit-divan s'encastre dans un coffrage comportant un placard au-dessus et une penderie sur un côté. La tête de lit est éclairée par un tube fluorescent dissimulé.

PERVENCHE ET BLANCHE. Dans cette chambre, même le plancher a été peint en blanc. Le lit, placé en diagonale dans un angle, est recouvert d'un superbe édredon piqué aux tons pervenche.

Installation d'étagères et de penderies

Dans votre chambre il faut des rangements pour vos livres, votre poste de radio et votre téléviseur, vos produits de beauté ou vos bibelots... mais il en faut surtout pour vos vêtements. Les penderies installées par vos soins ont l'avantage de répondre exactement à vos besoins en fonction de la forme de la pièce, et bien souvent elles combleront un espace qui serait perdu sans cela.

On peut construire son placard du sol au plafond sur toute la longueur d'un mur, ou encore dans un renfoncement. Le volume obtenu peut ensuite être diversement compartimenté — penderie, rayonnages, tiroirs, grands casiers pour les couvertures et les valises.

On trouve des placards à monter soi-même dans le commerce à des prix modestes, mais ils ne conviendront jamais aussi bien que ceux fabriqués sur mesure.

Calculez d'abord l'espace qu'il vous faut en étant un peu large en prévision des acquisitions futures.

Accrochez la tringle porteuse à hauteur convenable, c'est-à-dire à 1,70 m, et à environ 30 cm du fond de la penderie, dont la largeur totale doit atteindre environ 61 cm.

Évitez de monter vos placards contre un mur extérieur, car l'humidité peut survenir — à cause d'un problème de gouttière défectueuse — sans que vous vous en aperceviez aussitôt.

Vérifiez que la porte que vous choisissez convient à l'espace libre en face du placard. Les portes à charnières sont très faciles à fixer et permettent l'accès maximal, mais il s'agit d'avoir suffisamment d'espace pour les ouvrir complètement. Les portes coulissantes suppriment le problème de l'espace, mais elles sont moins pratiques du fait qu'une moitié de la penderie est toujours condamnée quand l'autre est ouverte. Autres solutions : le store qui s'enroule ou les rideaux qu'on tire sur toute la hauteur du placard ou seulement sur une partie.

Beaucoup de penderies de marque sont vendues avec d'autres meubles coordonnés — coiffeuses et commodes. Si vous fabriquez la vôtre d'après un plan simple, quelques vieux meubles s'accorderont très bien avec. Vous pouvez aussi vouloir faire d'une pierre deux coups — par exemple qu'une malle à draps fasse également fonction de siège.

Les rayonnages sans porte constituent la forme de rangement la plus simple dans une pièce, et si cette pièce est une chambre, on y mettra des livres, un téléviseur portatif, des photos et les divers bibelots qui personnalisent un lieu.

Les recoins trop petits pour recevoir une penderie seront avantageusement pourvus d'étagères. On aura tout intérêt à enlever une cheminée inutilisée et à fixer à la place des étagères sur des tasseaux.

LECTURE AU LIT. Cette bibliothèque, qui prend toute la largeur de la pièce et toute sa hauteur, forme une alcôve à la tête du lit, avec des spots de chaque côté. La division en compartiments permet de maintenir un certain ordre et de classer les ouvrages. Les cloisons verticales contribuent à soutenir les étagères tout en évitant la monotonie des lignes.

SUPPORT DE TÉLÉVISEUR MURAL. La console soutenant le récepteur est mobile, de façon à pouvoir se ranger le long du mur ou à pivoter au meilleur angle lorsqu'on le regarde. Les étagères de verre sont suffisamment solides pour supporter des livres, un poste de radio et différents objets.

Installation d'étagères et de penderies (suite)

GARDE-ROBE SANS PORTE. Ensemble de rangement bien conçu — même l'aspirateur y trouve sa place. Des corbeilles métalliques plastifiées (de différentes profondeurs) coulissent sur des rails ; elles sont plus faciles à installer que les tiroirs en bois et permettent de voir leur contenu.

TIROIRS EN BISEAU. Ce sont des tiroirs profonds mais dont le devant, surbaissé, permet de voir le contenu même lorsqu'ils sont fermés.

STORES ET OSIER TRESSÉ. Les stores à enrouleur remplacent avantageusement des portes si la place manque et ajoutent des notes de couleur lorsqu'ils sont baissés. Cette installation simple comporte une tringle de penderie unique pour les trois compartiments de hauteurs différentes.

LIT-COMMODE EN PIN. La structure gain de place en trois modules pour couchage et rangement convient bien pour les petites chambres. Les tiroirs sur glissières mécaniques, qui ont une profondeur de 65 cm, permettent d'avoir son linge de corps à portée de main.

PORTES EN ACCORDÉON. Pliantes et coulissantes, elles font gagner de la place dans cet ensemble de rangement encastré, avec un petit cabinet de toilette.

CHEMINÉE RECYCLÉE. Un poste de télévision est posé sur une console pivotante, et des livres occupent le reste de l'alcôve. Sa base est surélevée par rapport au sol, formant un rebord où poser des bibelots.

COFFRE-SIÈGE. Dans un renfoncement profond pourvu d'une fenêtre, un large siège à lambrequin masque un coffre assez vaste pour contenir des couvertures et des oreillers de rechange.

PREMIÈRE PARTIE : DES IDÉES POUR LA MAISON

CHAMBRES D'ENFANTS

Lorsqu'on installe la chambre de son enfant, il faut bien garder présent à l'esprit le fait qu'il va grandir très vite. Le mobilier, les rangements et le décor adéquats pour la première année cesseront de l'être très rapidement.

La pièce elle-même acquiert de nouvelles fonctions au fur et à mesure de la croissance de l'enfant. D'abord salle de jeux, elle devient ensuite salle d'étude, de réception des amis, de musique, etc. Elle doit donc répondre · à une grande souplesse de conception, avec des meubles, des étagères et des plans de travail facilement extensibles, convertibles ou supprimables, selon l'évolution des besoins. Pour les premières années, il vaut mieux opter pour un décor simple et que l'on peut remplacer facilement, étant donné les risques de salissures. Ensuite, n'hésitez pas à consulter vos enfants sur le choix d'un style dès qu'ils sont capables d'avoir un avis — et même, éventuellement, de participer à sa réalisation.

Il est primordial de penser à l'avenir au moment de décider de la taille et du type de lit d'un enfant. Si plusieurs enfants partagent la même chambre, des lits superposés représentent un avantageux gain de place et sont dissociables lorsque cela devient nécessaire.

Aménager l'espace

Les rangements sont toujours un problème dans une chambre d'enfant. Il faut de la place pour les vêtements, les jouets et les livres, qui s'accumulent rapidement lorsque l'enfant grandit. Une armoire de construction simple devrait résoudre ce problème, surtout si elle comporte des étagères mobiles qui pourront être déplacées plus tard. Ainsi, les jeunes enfants, et en particulier les garçons, n'ont guère besoin de penderie, mais lorsque les vestes et chemises deviennent des éléments de leur garde-robe, on enlèvera quelques rayonnages qu'on remplacera par une tringle de penderie. Des plateaux en plastique et des corbeilles métalliques et plastifiées sont très pratiques pour ranger vêtements et jouets. On peut les poser sur les étagères du bas ou les placer sur des glissières sous les rayonnages.

On peut fixer des étagères supplémentaires aux murs de la chambre, sur des équerres réglables, de façon à pouvoir les monter lorsque l'enfant grandit.

Un vaste plan de travail servira aussi bien aux premiers gribouillages et peintures qu'à la construction de maquettes, au travail scolaire ou aux jeux électroniques. On choisira une surface en contre-plaqué plastifié très résistant et facile à entretenir (comme pour la cuisine), qu'on trouvera dans les magasins de bricolage.

Il ne faut pas choisir à la légère le revêtement de sol. Un tapis solide et lavable peut résister aux déchirures et à l'usure, mais il ne conviendra pas pour jouer aux petites voitures. En revanche, un revêtement de vinyle ou de liège est facile d'entretien et permet d'installer un train électrique ; il pourra en outre être recouvert d'une descente de lit ou d'un tapis par la suite.

COIN JEUX. Un long plan de travail à revêtement mélaminé repose sur des commodes à monter soi-même. Les dalles de liège collées au-dessus servent de panneau, et l'étagère de bois est fixée sur des tasseaux. Le sol est couvert de dalles de liège, faciles à entretenir et confortables.

LIT ENCASTRÉ. Un aménagement réussi dans une petite pièce : un plan de travail, un lit et une étagère de rangement superposés. Le plan de travail repose sur des tasseaux. Le lit devra être fabriqué et fixé par un professionnel pour des raisons de sécurité.

CAISSETTES SUSPENDUES. Accrochées à la porte de la chambre, elles permettent de ranger des petits livres, des crayons et des jouets.

TABLEAU NOIR. Un tableau noir mural donnera aux jeunes enfants la possibilité de s'exprimer en grand format. On peut le fabriquer en Isorel de 6 mm ou avec un panneau de fibres de densité moyenne recouvert de peinture à tableau noir.

CHAMBRE «HIGH TECH». Une structure en cornières d'acier ajourées intègre des lits et des bureaux. Les lampes de chevet sont des baladeuses. Les arêtes des cornières sont limées et recouvertes de peinture-vernis avant assemblage.

LA NUIT AU VOLANT. Ce lit-voiture est monté sur un ensemble de commodes et de tiroirs. Le côté extérieur de la voiture est découpé dans du contre-plaqué, les contours de l'autre sont peints sur le mur. La « galerie » sert d'étagère aux jouets légers.

ARC-EN-CIEL PERMANENT. Les enfants aiment les couleurs éclatantes, et cette peinture murale transforme la chambre en paysage merveilleux propre à inspirer les jeunes artistes.

L'ALPHABET EN ÉTAGÈRES. Originales, ces étagères sont soutenues par des lettres découpées dans du contre-plaqué de 19 mm et fixées dans les planches par des chevilles de bois. Un croisillon fixé à l'arrière renforce la solidité de l'ensemble.

SOL-CIRCUIT. Le circuit routier est composé de dalles de moquette dont on peut, à loisir, modifier le parcours. On peut en réaliser soi-même en découpant des panneaux d'Isorel que l'on fixe comme des dalles de vinyle. On les peint, et quelques couches de vernis rendent le revêtement résistant.

LITS-PUZZLE. Les montants de ces lits très astucieux ont été découpés dans du contre-plaqué à la manière d'un puzzle — une idée originale qui non seulement économise la matière première, mais devrait séduire les tout-petits.

CHAMBRE-PASSERELLE. Décorée sur le thème du train, cette structure constituée par un système d'assemblage tubulaire est modifiable à volonté.

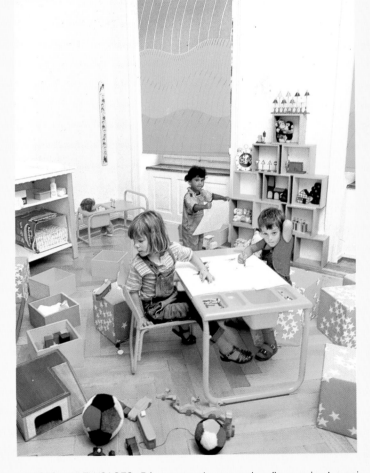

ATELIER D'ENFANT. Une simple table en pin se transforme facilement en établi avec éclairage par suspension mobile et sièges de style « tracteur » à hauteur réglable. Des compartiments en plastique, du genre de ceux employés dans les entrepôts industriels, s'empilent sur la gauche.

CAISSES MULTI-USAGES. Dépourvues de couvercle, elles serviront aussi bien d'étagères si on les empile contre un mur que de boîtes à rangement pour les cubes et les poupées. Ici, les stores aux couleurs vives égaient la pièce aux murs tout blancs.

CHAMBRE À PARTAGER. Les lits superposés et la cabine de rangement ont été construits dans la plus grande longueur de la pièce et d'un seul tenant, en pin naturel assemblé à languettes et rainures. Le tiroir très profond qu'on voit sous le lit du bas est monté sur roulettes pour pouvoir être ouvert facilement.

UN LIT SPÉCIAL JEUX. Les lits sont superposés mais on peut déboîter celui du dessous et y installer un circuit de voitures électriques.

BUREAU RÉGLABLE. Le plan de travail s'ajuste à la taille de l'enfant. Une grande caisse de rangement sur roulettes et des tiroirs de grande profondeur complètent cet ensemble. Une grille permet de suspendre des objets.

CAISSE À TRÉSORS. C'est une grande boîte toute simple, munie d'une poignée de bois robuste de section ronde qui court sur toute sa longueur. On la glisse sous le lit après le jeu.

RAYONNAGES DANS L'ANCIENNE CHEMINÉE. L'alcôve originelle a été considérablement agrandie en hauteur afin d'obtenir un volume valable.

DEUX LITS POUR LE VOLUME D'UN. Ce lit en pin cache un autre lit qui se glisse dessous — très pratique quand deux enfants occupent une petite chambre. Si, plus tard, chacun des enfants a sa chambre, le lit du bas pourra servir à leurs amis.

TOUT UN MUR D'ACCROCHAGE. Recouvert de dalles de liège, il permet de punaiser ce qu'on veut et de varier la décoration sans en abîmer la surface. Veillez à ne pas utiliser ce liège-là pour le sol, il n'est pas conçu pour cela.

PREMIÈRE PARTIE : DES IDÉES POUR LA MAISON

ENTRÉES ET ESCALIERS

C'est dans l'entrée qu'on accueille les visiteurs, c'est la première pièce de la maison qu'ils voient, il faut en faire un espace chaleureux. Cet espace étant restreint, le mobilier sera peu important — une table et un portemanteau en seront les principaux éléments. D'autre part, l'entrée est un lieu de passage obligé et bien souvent la seule issue de secours en cas d'incendie : on évitera de l'encombrer inutilement. Si l'espace fait vraiment défaut, on se contentera de fixer au mur des patères et une tablette au lieu d'une table.

Les entrées étant fréquemment sombres, on pourra y remédier en posant une porte à panneaux de verre. Les risques de cambriolage semblent plus grands, mais on les réduira en choisissant par exemple du verre de sécurité. La meilleure solution consiste à opter pour du verre à plusieurs couches et plastifié (un film en plastique rend le verre très difficile à briser).

Choix du revêtement de sol
Là plus qu'ailleurs, un sol résistant et d'entretien facile s'impose. Les dalles de céramique, les mosaïques de bois ou de vinyle sont idéales, mais si vous préférez la moquette, veillez à choisir une qualité très résistante. N'oubliez pas que vous voudrez sans doute l'assortir aux sols de

l'escalier et du palier, ce qui risque de revenir cher. La même observation vaut pour les peintures et les décorations murales, car en général il n'y a pas de séparation nette entre ces trois lieux. Une peinture émulsion decouleur chaude est ce qui convient le mieux pour les murs. Le papier peint, en effet, outre qu'il est difficile à poser dans les escaliers (voir p. 132), risque d'être sans arrêt abîmé par des heurts et vite sali par les enfants qui, « dévalant » les marches quatre à quatre, s'aident en prenant appui de leurs mains sur le mur, du côté où il n'y a pas de rampe.

Essayez, selon les possibilités et l'espace disponible, de mettre une note personnelle dans l'entrée. Un vieux coffre, une vieille malle y seront du meilleur effet, ainsi qu'une grande plante verte ou un lampadaire posés à même le sol dans un coin.

Vous pouvez accrocher au mur des peintures, des gravures ou des photographies, en composant éventuellement une progression le long de la rampe. Un grand miroir agrandira le hall d'entrée et vous sera utile pour y jeter un dernier coup d'œil avant de sortir.

ACCUEIL CHALEUREUX. Le brun chaud du parquet et les murs en terre cuite s'harmonisent en camaïeu dans cette entrée très haute. Les menuiseries, le radiateur et le poêle décoratif blancs ajoutent un contraste rafraîchissant.

EXPOSITION D'AFFICHES DE MUSIC-HALL. Elles sont disposées régulièrement dans l'angle de l'escalier juste avant le palier, y mettant des notes de couleur.

BARRIÈRE DE SÉCURITÉ. Cet escalier raide peut être interdit d'accès aux tout-petits par une barrière, dont la largeur est réglable.

HALL D'ENTRÉE MAJESTUEUX. Il n'est pas grand mais très bien mis en valeur par la table en marqueterie — le seul meuble possible dans cet espace exigu — et par la rampe de bois sombre dont le pilastre porte un ananas sculpté. L'éclairage provient des panneaux de verre de la porte ; la taille des damiers du sol est bien proportionnée au peu d'espace disponible.

COIN RANGEMENT. L'espace sous l'escalier a été astucieusement équipé de grands cylindres en carton où serrer chaussures et bottes.

DOUCHE SOUS L'ESCALIER. Une cabine de douche vient s'encastrer sous l'escalier raide, rentabilisant au mieux un espace le plus souvent perdu en mettant à la disposition de la maisonnée une salle d'eau supplémentaire au niveau du rez-de-chaussée.

HARMONIE EN GRIS ET BLANC. La combinaison des nuances savamment choisies tire le meilleur parti de la lumière naturelle. Le plafond et les murs gris pâle accueillent en douceur la lumière du jour filtrée par les vitraux cathédrale de la porte et de la fenêtre. La balustrade et les portes en bois laqué blanc renforcent l'effet de lumière.

PARQUET PONCÉ. Les lignes de ce plancher poncé et verni augmentent l'impression de lumière et d'espace dans cette entrée de maison du début du XIXe siècle. Un vieux porte-habits d'osier laisse le maximum d'espace.

MOQUETTE PARTOUT. En recouvrant l'entrée et l'escalier de la même moquette, le résultat est intéressant si le motif choisi est hardi. Ici, les murs et menuiseries peints en crème s'harmonisent avec le noir et l'or de la moquette posée dans l'autre largeur dans l'entrée afin d'obtenir ce motif en chevrons.

RECHAMPISSAGE. Les plinthes et le chambranle de la porte ont été peints en rose pour s'harmoniser avec le motif de la moquette. Le reste de la peinture, sur les murs et au plafond, est crème. Un lampadaire à globe éclaire un angle sombre.

PASSAGE ÉTROIT. Cette entrée en longueur, typique des maisons à étages du début du siècle, ne permet l'installation d'aucun meuble. Seul un miroir mural la décore.

RIDEAU DE PORTE. Maintenu par une embrasse, ce rideau glisse sur une tringle fixée au-dessus de la porte. En été, il permet de laisser celle-ci ouverte en préservant l'intimité du lieu.

DÉCORATION NATURALISTE ET ARTISANALE. Les murs et menuiseries entièrement blancs constituent un fond idéal pour exposer toutes sortes d'objets sans relation — ici, cerfs-volants chinois et collection de clés. Une vieille table de toilette — décapée pour imiter le sol — supporte plusieurs plantes en pots.

ENTRÉE RANGEMENT. Des corbeilles en fil de fer, accrochées sur des crémaillères, permettent de ranger les accessoires tels que chaussures, gants, écharpes, etc.

ESPACES DE TRAVAIL

Bien rares sont les familles qui n'ont pas, outre leur étudiant, leur musicien ou leur fou de maquettes, une couturière et un bricoleur invétéré. Trouver de l'espace pour que chacun d'entre eux puisse poursuivre ses activités au cœur de la maison familiale requiert beaucoup d'ingéniosité.

Un étudiant n'a besoin, pour son travail personnel, que d'une table ou d'un bureau et de rayonnages pour ses livres et ses dossiers. Certains hobbies en revanche, comme la peinture ou la poterie, nécessitent un espace suffisamment grand pour y conserver les objets même quand on ne travaille pas. La couture demande un large plan de travail où installer la machine et où poser son ouvrage, ainsi qu'un espace de rangement pour les tissus et les accessoires. La construction de maquettes réclame un établi permanent et un vaste espace mural où accrocher ses outils.

En somme, l'espace requis dépend de l'activité, et certaines activités peuvent partager un même espace sans dommage. Par exemple, une chambre d'amis peut servir d'atelier de couture pendant la journée et de salle d'étude pendant la soirée. Un lieu d'étude n'occupe pas forcément toute une pièce, il peut se suffire d'un coin du living, d'un espace aménagé sous l'escalier ou d'un hall d'entrée peu utilisé.

Si dans la famille quelqu'un a un hobby qui engendre du désordre et qu'on ne peut lui affecter aucune pièce, songez à recycler une cave, un grenier ou une serre, ou encore à bâtir une petite extension à la maison, ou un appentis dans le jardin. Doté d'une bonne isolation et d'un petit chauffage à gaz ou à pétrole, un appentis sera utilisable toute l'année durant.

Recensez vos besoins en locaux
Une fois que vous avez élu votre espace de travail, réfléchissez aux aménagements qui vont le rendre le plus pratique et le plus utile. Dans presque tous les cas, il faudra un plan de travail, des étagères et des armoires. Si l'on utilise beaucoup d'appareils électriques tels que perceuse, tour électrique, etc., il faudra installer beaucoup de prises, et même, éventuellement, avoir un circuit séparé de celui de la maison.

Une isolation phonique peut se révéler indispensable pour ne pas gêner le reste de la famille ou les voisins ; on la réalisera en posant des dalles de plâtre sur les cloisons et les murs.

La plupart des activités nécessitent un bon éclairage. La lumière naturelle est la meilleure, en particulier si la pièce est exposée au nord. Pour le soir, les tubes fluorescents donnent un excellent éclairage, et on peut les combiner avec des spots réglables.

Dernier point : l'aération, indispensable dans un atelier où l'on utilise des colles, des résines et des acides. Installez un ventilateur extracteur assez grand pour le volume de la pièce.

COIN BUREAU. Dans ce salon, on a concédé un espace au monde du travail. Le mobilier moderne et les stores contrastent heureusement avec le classicisme de la pièce.

ATELIER BIEN RANGÉ. Son mobilier amovible le rend facilement transformable et propre à des activités très différentes. La table à piètement tubulaire est réglable en hauteur et peut être démontée, la chaise et la table à repasser sont pliables. Trois lampes éclairent les plans de travail.

COIN TRAVAUX MANUELS. Des corbeilles suspendues en fil de fer plastifié contiennent tissus et pelotes de laine, et un porte-serviettes en métal, en dessous, sert à accrocher des ustensiles.

TOUT À PORTÉE DE MAIN. Ce bureau à domicile a été conçu autour du matériel informatique. Le plan de travail arrondi et le panneau coulissant supportant le clavier de traitement de texte permettent d'atteindre facilement n'importe quel élément à partir du fauteuil tournant.

ESPACE RESTREINT BIEN AMÉNAGÉ. Les plans de travail à plateaux de plastique et piètements tubulaires, et les rayonnages sur mur et de part et d'autre de la fenêtre meublent intelligemment cette pièce étroite. La dominante verte est très reposante pour les yeux.

CONCEPTION MINIMALE. De larges étagères en aggloméré et montées sur crémaillères fournissent deux niveaux de rangement et de classement, et un plan de travail.

PIÈCE MIXTE. À la fois lingerie et atelier de modélisme, cette pièce dispose d'éclairages réglables individuels en plus des spots encastrés dans la large étagère qui court sur toute la largeur de la pièce.

COIN STUDIEUX. Dans l'angle d'une grande pièce, une table en pin fait office de bureau; au-dessus, une bibliothèque murale à casiers.

PLANCHE À DESSIN. Une large planche de bois tendre, pourvue d'un rebord, repose sur des consoles à angle aigu. C'est très pratique pour prendre des notes quand le téléphone sonne.

ATELIER DE COUTURE SOUS LES COMBLES. Cela revient moins cher de poser une fenêtre de toit qu'une lucarne sous des combles, et l'on obtient, au lieu d'une sombre mansarde à l'éclairage chiche, une pièce lumineuse pour la couture, le bricolage, etc.

CHAMBRE ATELIER. Une chambre d'amis devient aisément un atelier de couture. Ici, des corbeilles de fil de fer plastifié sont suspendues à une étagère haute, et une grille verticale permet d'accrocher ciseaux et rouleaux de ganse. Le plan de travail reçoit un éclairage direct de la fenêtre.

ATELIER D'ARTISAN. Pour faire du bon travail de menuiserie, un établi sur mesure constitue un investissement valable. Chevillé dans le mur pour une solidité maximale et à hauteur appropriée, celui-ci permet de travailler avec confort et précision. Les outils se rangent dans la rainure afin de dégager la surface de travail.

PATÈRES. Les outils sont rangés et visibles au premier coup d'œil. Des patères munies de crochets de fer les mettent à portée de main, prêts à l'emploi. Des clips fixés sur une baguette de bois maintiennent tournevis, gouges, râpes et limes.

ATELIER DE COUTURE. L'agencement de cette pièce tire le meilleur parti de sa forme biscornue : la hauteur des placards et des étagères laisse beaucoup d'espace libre pour des plans de travail — les machines à coudre et à tricoter n'ont pas à être déplacées — et pour la table à repasser.

BUREAU SOUS LES TOITS. Ce grenier tarabiscoté a été aménagé en bureau privé. La forme du plafond et les nombreuses poutres ont obligé à choisir la peinture comme revêtement. La luminosité provenant des éclairages est accentuée grâce aux murs clairs.

CORNIÈRES MÉTALLIQUES. Des étagères réglables en acier, conçues pour des usages industriels, servent de base à cet ensemble de rangement. Classeurs et corbeilles s'encastrent bien dans les étagères et une grille d'acier plastifié sert à suspendre les petits objets.

BUREAU-VERRIÈRE. Une petite dépendance à l'arrière de la maison, ou une serre, peut devenir un coin de travail très lumineux. Ici, les fenêtres et le toit vitré laissent passer la lumière naturelle, et le plan de travail en avancée est une solution parfaite dans cet espace étroit.

TOUT À PORTÉE DE MAIN. On a tiré le meilleur parti de l'exiguïté de ce bureau en y ajustant de larges surfaces de travail — avec suffisamment d'espace pour les jambes au-dessous — où tout est à portée de main en déplaçant simplement la chaise pivotante à roulettes.

MANSARDES ET GRENIERS

Dans beaucoup de maisons, l'espace du grenier peut être utilisé pour aménager une pièce supplémentaire, s'il y a suffisamment de hauteur et que la forme du toit s'y prête.

Il faut toutefois s'assurer que les solives du plafond sont assez solides pour supporter un plancher, le poids des meubles et des gens, alors qu'elles ne sont souvent conçues que pour consolider un plafond. La conversion d'un grenier exige l'intervention de constructeurs experts dans ce type de travail. Il existe de nombreuses entreprises spécialisées dans ce domaine.

Si la taille et la forme de votre toit autorisent l'aménagement d'une pièce supplémentaire, vous devrez alors trouver le meilleur moyen de la relier à l'étage du dessous. Si vous disposez d'assez d'espace, et que cette pièce doit être d'usage courant, l'installation d'un escalier reste la meilleure solution. Mais avant de le poser, décidez de son emplacement et de ses dimensions, ouvrez la trémie, placez une échelle ; l'escalier ne viendra qu'une fois le sol de l'étage supérieur terminé.

Pour que la pièce aménagée dans le grenier soit vivable, il faut penser à une ventilation adéquate et aux fenêtres. Vous trouverez les normes dans les textes de législation du bâtiment. Les fenêtres mansardées conviennent, tout en augmentant la hauteur sous plafond. Si la hauteur ne pose pas de problème, ni la vue, les Velux procurent souvent une source de lumière et une ventilation suffisantes, et sont bien moins coûteux.

Aménagement du grenier

Si la transformation du grenier doit être effectuée par des spécialistes, divers travaux d'installation, comme l'isolation du toit, la pose du revêtement de sol et la construction de cloisons, restent à la portée d'un bon bricoleur. On peut utiliser des plaques de plâtre pour isoler le toit et monter des cloisons. Pour le sol, le plancher à assemblage à rainures et languettes évite le passage des courants d'air. Il existe aussi des dalles d'aggloméré à assemblage à rainures et languettes convenant parfaitement pour le sol.

Si vous désirez installer une salle de bains dans votre grenier, il faudra alors penser à l'isolation de l'endroit approprié, habiller la pièce de frisette, et au besoin en profiter pour passer les conduits électriques, revêtir le sol de dalles en caoutchouc collées... en plus des problèmes de plomberie.

Une cabine de douche est bien plus simple à installer dans le grenier.

LIGNE ET CLARTÉ. Le chenal entre deux pans de toit crée une avancée dans la pièce et lui confère son volume baroque. Il reste pourtant assez de place pour un lit double et des petits meubles. Le thème des couleurs tons de pêche rend la pièce aussi lumineuse que la petite fenêtre le permet.

STUDIO EN SOUPENTE. Les deux fenêtres inclinées inondent la pièce de lumière, à peine voilée par les stores translucides. L'ensemble de la décoration couleur blanc brillant contribue à rendre plus claire la partie aveugle du toit. La hauteur sous plafond a permis l'installation d'une estrade, utilisée comme espace de repos, le divan étant convertible en lit double pour la nuit.

CLARTÉ DU TOIT. Cette petite pièce installée dans les combles, calée derrière les poutres maîtresses, laisse juste assez d'espace pour un bureau et des étagères. Le Velux donne suffisamment de lumière naturelle.

BOIS NATUREL. Ici le toit est largement assez haut pour se tenir debout. On a teinté les poutres et les chevrons avec du vernis et tapissé les intervalles de lambris.

RIDEAUX INCLINÉS. Ces rideaux taillés dans une étoffe raide ont été percés d'anneaux aux deux extrémités et glissés sur des tringles, manière pratique d'habiller une lucarne sur une pente de toit très raide.

SALLE DE BAINS SOUS LES COMBLES. La douchette est fixée au point le plus élevé du toit, laissant assez de hauteur pour se tenir debout. La baignoire, à droite, a besoin de moins de hauteur sous plafond.

PIÈCE TÉLÉ. Le grenier a été converti en pièce pour regarder la télévision. Les meubles et installations sont regroupés autour du téléviseur et du magnétoscope, sous la pente du toit. Les deux fenêtres pivotantes habillées de stores vénitiens permettent de doser l'éclairage et la ventilation de la pièce.

STORE INCLINÉ. Cette lucarne permet de bénéficier de la lumière naturelle mais elle présentait un problème de pose de rideaux. On l'a résolu en utilisant un store à enrouleur glissé derrière une tige de façon à suivre la pente du toit et la partie verticale de la fenêtre.

UTILISATION JUDICIEUSE DE L'ESPACE. En disposant judicieusement les meubles, ce living-room tire au mieux partie de l'espace. Les petits éléments comme les plantes et les guéridons sont placés dans la partie pentue, tandis que la table ronde, au centre, prend moins de place qu'une forme rectangulaire. Le store bateau coulisse sur des fils d'acier fixés de chaque côté de la fenêtre.

ÉLÉMENTS EN GRADINS. Cet élément de rangement composé de modules indépendants permet un montage en escalier s'ajustant parfaitement à l'extrémité d'une pièce aménagée sous les combles. Il reste assez d'espace dans le coin pour installer une lampe basse.

PLAFOND LAMBRISSÉ. Le plafond de ce grenier aménagé a été tapissé de lambris de pin recouvert de vernis pour mettre en valeur les tons naturels. On a aussi utilisé du pin pour les étagères et la planche-bureau. L'installation d'une chambre dans un grenier permet de créer plus d'espace dans la maison sans avoir à résoudre des problèmes de plomberie.

L'EXTÉRIEUR DE LA MAISON

Embellir la façade de votre maison

Le ravalement régulier de la façade de votre maison est essentiel pour protéger les surfaces claires et en bois, et redonner vie à votre maison. L'utilisation des couleurs convient parfaitement pour rehausser certains éléments comme les fenêtres, les linteaux décoratifs ou les porches ornementaux, et pour rendre un peu de gaieté à un revêtement dégradé.

La meilleure période pour peindre la façade d'une maison est l'automne, en septembre et octobre. C'est le moment où le bois est le plus sec et où vous pourrez mener à bien votre chantier sans être menacé par les intempéries ou la grosse chaleur. La remise en état de la maison tout entière est une tâche souvent décourageante. Mieux vaut diviser le travail en différentes phases : entreprendre la première année la peinture des murs, des canalisations et des gouttières, et réserver pour l'année suivante celle des portes et des fenêtres. Le poids de l'effort sera ainsi mieux réparti tout en vous permettant de donner une belle allure à votre maison.

Les façades de briques dégradées peuvent être transformées et résister au mauvais temps en les recouvrant d'un enduit — mélange de sable et de ciment —, auquel on peut ajouter de petites pierres ou des éclats de pierre : cela devient alors du crépi. On peut lancer ces pierres sur le mélange déjà appliqué sur le mur, cela s'appelle du crépi au gravier. Vous pouvez confier ce type de travaux à des spécialistes, mais vous pouvez tout aussi bien appliquer des enduits de parement.

C'est un travail facile à exécuter pour un bricoleur.

De tels enduits se diluent à l'eau et se posent au pistolet (petite machine à main que vous pouvez louer dans un magasin de location d'outillage). Il suffit ensuite de peindre ce revêtement avec de la peinture pour maçonnerie.

Si votre maçonnerie est en bon état mais recouverte d'une épaisse couche de saleté, vous pourrez la décaper en utilisant un nettoyant fluide spécial. Appliquez le produit à l'aide d'une brosse, puis arrosez-le. Comme ces nettoyants ont une base alcaline, suivez précautionneusement le mode d'emploi et munissez-vous de gants et de lunettes de protection.

Vous pouvez aussi nettoyer la pierre, mais dans ce cas, ne vous servez pas de nettoyant qui risquerait de l'attaquer et de provoquer son effritement. Utilisez uniquement de l'eau claire en frottant vigoureusement votre surface avec une brosse dure. Vous avez aussi la possibilité de louer une machine vous permettant de travailler avec un jet d'eau à très forte pression.

Des hydronettoyeurs portables permettent le décapage de surfaces de brique et ont une gamme d'accessoires pour des usages domestiques.

Vérandas, marquises et auvents

Souvent très décoratifs devant la façade des maisons, les vérandas, marquises et auvents sont l'endroit idéal où se déchausser, accrocher les manteaux trempés par la pluie et poser son parapluie. Ils servent aussi d'écran aux courants d'air et protègent de la chaleur.

Les vérandas sont soumises à une réglementation en matière de construction afin d'éviter que l'humidité ne pénètre dans la maison. Vous devrez donc faire viser votre plan par les autorités locales compétentes. Les plus simples à monter existent en préfabriqué et sont vendues en kit.

Avant de faire votre choix, regardez bien la façade de votre maison et assurez-vous qu'une véranda peut s'y intégrer sans la déparer.

Les auvents de fenêtre apportent souvent une touche de couleur gaie et donnent une ombre fraîche par grand soleil. Il existe deux modèles de base : l'un est pourvu d'une armature articulée comme une capote de landau et peut être habillé d'étoffe ou de lattes de bois, l'autre est muni d'un mécanisme à enroulement du même type que celui qui est utilisé couramment pour protéger les devantures de magasins du soleil.

Les plantes sur les murs

Les plantes murales, les jardinières et les bacs à fleurs embellissent toutes les maisons. Mais certaines espèces de plantes grimpantes à croissance rapide peuvent bloquer les gouttières, envahir le toit et occasionner des dégâts coûteux. Soyez prudent quand vous plantez du lierre, de la vigne vierge ou de la glycine. La plupart des plantes grimpantes demandent un support : vous devrez installer du grillage, du fil métallique plastifié ou du plastique simple. Le lierre et les vignes adhèrent directement au mur, sans support, mais leurs vrilles adhésives peuvent attaquer la pierre tendre ou provoquer l'effritement du mortier.

PORTE RÉNOVÉE. L'embellissement a consisté à redéfinir l'espace du mur en pierre qui s'effritait, créer une petite porte biseautée et renforcer le tout de panneaux grâce aux planches obliques.

UNE CURE DE JOUVENCE. Perdue quelque part sur l'île de Bréhat, cette habitation au toit d'ardoise attire l'attention avec ses fenêtres, ses volets et sa porte repeints en bleu dur. La façade en ciment, qui est triste, pourrait être peinte en blanc.

UN MUR DE ROSES. Les rosiers grimpants encadrent à ravir fenêtres et porches et préfèrent les murs exposés au sud ou à l'ouest. Il s'agit ici de la variété 'Albertine', particulièrement odoriférante et pouvant atteindre 5,50 m de haut.

FAÇADE FLEURIE. La façade de la maison est agrémentée d'un treillage en bois sur lequel se développe une glycine de Chine à fleurs doubles et mauves. Un détail esthétique : les contours des volets ont été peints en mauve.

ROI DES BALCONS. Genre qui comprend 250 espèces, le pélargonium (ou géranium) qui orne nos balcons ou nos terrasses se détache bien sur une façade claire.

Embellir la façade de votre maison (suite)

JARDIN D'HIVER. Cette véranda en aluminium anodisé, qui couvre une ancienne terrasse, s'intègre parfaitement aux volumes et aux matériaux traditionnels de cette maison ancienne.

FENÊTRE EN P.V.C. Seule la fenêtre du bas a été changée. Elle a été posée sur le bâti existant, protégé par une double étanchéité. On a remis à neuf, mais le style de la façade a été préservé.

MÉLANGE DE COULEURS. Les boiseries des fenêtres ont été traitées et vernies, les volets repeints en vert, les contours de fenêtres mauves se démarquent de la façade ocre, très fleurie.

FENÊTRE OMBRAGÉE. Cet auvent de toile protège la fenêtre orientée plein sud des rayons du soleil. Facile à enrouler lorsqu'il ne sert pas, il reste ainsi protégé des intempéries.

DES MURS COUVERTS DE PLANTES. Le treillis fixé sur les murs encadrant ce petit patio-jardin permet à toutes sortes de plantes grimpantes de s'accrocher et de couvrir ces grandes surfaces de briques nues. Le chèvrefeuille et le lierre adoucissent la raideur de la forme du treillis.

CÔTÉ COUR ET JARDIN. On a élargi cette courette en tirant parti des baies vitrées, des murs et des jardinières pour planter toute une végétation fleurie.

Allées, patios, escaliers et murs

Une allée de jardin peut être bien plus qu'un simple passage conduisant à une porte d'entrée. Toutes sortes de matériaux, du bois au granit, sont parfaits pour élaborer sentiers et escaliers, tandis que les surfaces plus vastes peuvent être habillées de dalles de pavage, de briques, de pavés, de gravier ou d'asphalte.

Il existe des dalles préfabriquées dans toutes sortes de tailles, de formes et de couleurs. Les dalles — façon brique mais faites de béton —, très maniables, peuvent être posées suivant des motifs décoratifs. Les briques constituent des surfaces particulièrement harmonieuses lorsqu'on les dispose en chevrons. Le gravier, facile à étendre, est très résistant et peu coûteux, mais il ne convient pas à proximité des pelouses, car il risque de s'introduire dans la mécanique de la tondeuse et de causer des dégâts dans le moteur. L'asphalte aussi est facile à étendre. Le gris anthracite ou le noir peuvent être éclairés par des éclats de pierre dispersés lorsque la surface n'est pas encore sèche. Les chemins de béton traditionnels, très résistants, sont difficiles à poser. La plupart des matériaux décoratifs uti-lisés pour les chemins supportent très bien le passage des voitures, mais certaines dalles risquent de se fendre si les fondations ne sont pas assez solides, et le gravier s'enfonce peu à peu si on emprunte souvent le même passage.

Choisir le bon emplacement pour le patio

Le patio est l'un des aménagements de jardin privilégiés pouvant servir d'extension à la maison par les belles journées ensoleillées. Choisissez si possible une orientation sud ou ouest. Si le seul emplacement libre se trouve à l'est ou au nord, éloignez le patio de la maison de manière à profiter le plus possible des rayons de soleil.

Vous pouvez daller votre patio en utilisant des briques, des carreaux de céramique résistants au gel ou, çà et là, quelques galets insérés dans du ciment, et garder de la place pour les plantes. Les murs de treillis servant d'écran ou de clôture encadrent le patio tout en le protégeant du vent. Vous pouvez aussi l'entourer de murets, où briques et blocs de pierre se mêlent aux plantes. Les pergolas garnies de plantes grimpantes créent une agréable zone d'ombre. Vous pouvez encore ajouter quelques plantes en pots.

Les escaliers de jardin doivent être en matériaux résistants aux intempéries : ce peut être du dallage, des briques, de la pierre ou des traverses de chemin de fer.

DALLES ET GRAVIER. Cette combinaison de dalles de béton préfabriquées et de gravier constitue un chemin bien net et symétrique, agrémenté de plantes rampantes. Les intervalles de gravier assurent un bon drainage de l'eau de pluie mais nécessitent une application régulière de désherbant.

BRIQUES MÉCANIQUES. Il existe différentes formes de briques mécaniques, parfaites pour constituer un chemin solide. Les briques industrielles sont coûteuses mais imperméables et résistantes au gel, qui fait éclater les briques ordinaires.

PAVÉ DE GRANIT. Les pavés de granit aux tons gris constituent un joli sentier se mariant parfaitement au vert des plantes de ce jardin informel. On peut se procurer des pavés auprès des services de voirie ou dans le commerce.

PAVÉS ET GRAVILLONS. Pavés de granit disposés en losange et intervalles remplis de gravillons s'allient pour rendre cette allée originale et attrayante. Le bassin de pierre placé à l'extrémité donne une perspective à l'ensemble.

DALLES DE BÉTON. De larges dalles de béton et d'autres plus étroites constituent une division entre la maison et le jardin. Ces dalles doivent être posées régulièrement.

DALLES DE PIERRE ET BRIQUES. Ces dalles de formes irrégulières posées par groupes s'alternent avec des ensembles de briques et s'harmonisent parfaitement avec le jardin informel.

GRAVILLONS. Ces éclats de granit répandus entre les parterres de fleurs remplacent l'herbe. Le travail de fauchage est remplacé par le traitement régulier au désherbant.

Allées, patios, escaliers et murs (suite)

DALLAGE FANTAISIE. Des débris de dalles de béton ou de pierres naturelles peuvent servir à faire un dallage irrégulier et fantaisiste. On peut entourer le chemin de buissons et de plantes tapissantes pour accentuer cet effet.

DALLES CIRCULAIRES. Des disques de béton ménagent un passage au milieu du parterre de fleurs. Ils sont posés à même la terre et cachés en partie par les arbustes. On trouve ces disques tout prêts dans des centres de jardinage.

SENTIER DE RONDINS. Un passage fait de rondins sciés traverse ce jardin sauvage. Avant de les poser, ils doivent absolument être traités avec une solution qui protège le bois des rigueurs de l'hiver et des parasites.

DESSUS DE MARCHES. Dans ce jardin de disposition traditionnelle, on a étendu un lit de gravillons et disposé des dessus de marches de béton pour former une allée sinueuse. Le massif circulaire entouré de tronçons de poteaux plantés dans le sol est garni de plantes de rocailles.

GALETS LAVÉS. Quelques spécimens d'arbustes et un parterre de gazon se détachent sur un fond de galets lavés entourés de pavés de granit. Il y a un morceau de bois mort posé sur les pierres au premier plan. On peut obtenir le même genre d'effet avec des morceaux d'écorce à la place des galets.

PIERRES ET PAVÉS. On peut poser des ardoises ou des éclats de pierre verticalement afin de constituer un dallage circulaire, l'intérieur du cercle étant rempli de pavés de granit.

BRIQUES D'EXTÉRIEUR. Ce passage sinueux a été tapissé d'une rangée de briques rectilignes au pied de l'escalier, puis le reste du sol a été recouvert de briques posées à plat créant une courbe grâce aux joints de mortier.

GALETS ET BRIQUES. On peut réaliser facilement un dallage décoratif au pied d'un arbre en coulant du ciment entre des galets. Si l'arbre gagne en diamètre, il suffit d'enlever quelques rangées au centre. Ici, on a ensuite entouré les galets de deux rangées de briques d'extérieur.

DALLAGE DE BÉTON. Des pavés sont posés sur une couche de sable et scellés à l'aide d'un plateau vibrateur. Leur résistance les rend parfaits pour supporter le passage des voitures. Leur petite taille en facilite la pose dans les parties étroites et les courbes.

Allées, patios, escaliers et murs (suite)

PONT DE BOIS. Pour surplomber un étang ou un ruisseau ou traverser un terrain marécageux, on peut se servir de caillebotis. Ici, on a cloué des planches sur des poteaux enfoncés sous pression dans le sol. Il faut laisser des interstices entre les planches pour permettre au bois de gonfler ou de se contracter.

DALLAGE EN ANGLE. Ce patio débordant de verdure est bien à l'abri des arbres, des clôtures hautes et des treillis. Toute une profusion de plantes à fleurs borde le dallage. On a utilisé des dalles en angle pour entourer le bassin circulaire.

PATIO DE BRIQUE. Un angle entre deux pans de maison est devenu le lieu idéal pour abriter ce petit patio. Des briques polies recouvrent le sol et la terrasse légèrement surélevée, qui contraste avec l'entourage de gravillons. Les bancs de bois prolongent les bacs à fleurs et les parterres.

DALLAGE POIDS PLUME. Murs blancs et dallage clair réfléchissent le maximum de lumière dans ce petit patio installé sur le dessus d'un toit en terrasse. Pour les jardins suspendus, il existe des dallages légers faits de ciment et d'amiante, parfaits pour recouvrir un toit.

DALLES D'ESCALIER. Ces marches constituées de dalles de béton mènent à une petite terrasse du même matériau. Les larges pots de terre cuite disposés sur la terrasse relèvent la grisaille du béton.

PATIO À CARRELAGE HEXAGONAL. L'accès à ce petit patio carrelé de céramiques hexagonales est commandé par de grandes vitres coulissantes sur lesquelles on a fixé des stores bateau pour la nuit. Ce patio donne directement dans un petit jardin citadin.

CHEMIN DE PIERRE. Ce chemin dallé de pierres irrégulières, aux marches en larges blocs de pierre, tourne à travers le jardin en pente. La largeur de l'escalier et l'ampleur de la courbe permettent d'avoir une déclivité moins raide.

Allées, patios, escaliers et murs (suite)

BOIS ET GRAVIERS. Des traverses de chemin de fer et des intervalles remplis de gravillons font un escalier original, encadré de toutes sortes de plantes renforçant encore l'effet de naturel.

MARCHES DE BRIQUES. Les briques de couleur sable sont assorties à celles du mur. Les briques qui forment les marches surplombent très largement les contremarches.

ESCALIER DE PIERRE. Voici un large escalier avec des contremarches faites de pierres plates. Le dessus des marches est recouvert de dalles irrégulières. Les pierres s'harmonisent avec celles des murs, et les plantes en corbeille et en cascade descendent généreusement jusqu'à la pelouse.

JARDIN CLOS. Le mur de brique de ce jardin a été surmonté par des panneaux de treillis. Supports parfaits pour les rosiers grimpants, ils préservent l'intimité du lieu et protègent du vent.

MUR DÉCORATIF. On peut se procurer des panneaux de béton, comme ci-dessus à motif de feuilles de trèfle, dans toute une gamme de motifs décoratifs. Ces panneaux s'encastrent les uns dans les autres.

POURTOUR DE PATIO. Une profusion de fleurs multicolores cernées d'un muret bas constitué d'une seule rangée de briques et surmonté de dalles de béton.

UN MUR À ALVÉOLES. Ce claustra a été construit en disposant des briques en quinconce de manière à laisser des espaces ouverts. On peut coiffer le mur d'une rangée continue de briques.

MUR FLEURI. Pour cacher cette clôture préfabriquée en ciment, solide mais peu esthétique, on l'a repeinte en blanc et agrémentée d'un treillage en bois sur lequel sont palissés des rosiers grimpants.

JARDINIÈRE SURÉLEVÉE. Pour mettre des plantes en valeur, on peut surélever un parterre en utilisant des briques, des pierres ou des blocs de tourbe. Ce parterre surélevé de 61 cm est planté de concombres dont le feuillage cascade.

Des idées pour aménager votre jardin

Même parmi les plus célèbres jardiniers, peu se sont contentés d'utiliser seulement des fleurs, des buissons, des arbres et des pelouses. Ils ont toujours ajouté des éléments extérieurs à leurs créations, n'hésitant pas à détourner des cours d'eau pour former des lacs sur les grands plateaux, à créer des collines pour dissimuler d'anciennes ruines ou ajouter un élément de surprise. Même les plus petits jardins peuvent avoir un cachet particulier en utilisant des éléments aussi simples que des vasques disposées avec grâce.

Les pergolas où s'entrelacent clématites et chèvrefeuilles constituent des toits de patios charmants. On peut transfigurer un simple sentier de jardin rectiligne ou sinueux en l'entourant de certains éléments décoratifs tels qu'un bassin d'ornement ou une petite fontaine, et profiter du bruit chantant d'une chute d'eau avant qu'elle n'apparaisse à la vue.

On peut installer des statues de pierre pour agrémenter un coin morne, un siège de jardin sous une tonnelle de verdure, ou une mangeoire pour les oiseaux tout près du patio.

Pergolas

Une pergola est faite d'un assemblage de voûtes autour desquelles viennent s'enrouler des plantes grimpantes. Elle peut être isolée, enjamber un sentier, abriter un patio ou prendre appui sur l'un des murs de la maison et recouvrir une partie d'un patio ou d'une allée latérale.

On peut construire des pergolas toutes simples avec des poutres de bois.

Bassins d'ornement

Les bassins de plastique souple, ou moulés en fibre de verre, sont faciles à poser et sont en vente dans les magasins spécialisés. Pour installer votre bassin de plastique, il vous suffit de creuser un trou et d'y étendre le film de plastique de telle sorte que vous puissiez lui donner la taille et la forme qui vous conviennent. Les éléments en fibre de verre existent dans toutes sortes de tailles et de formes.

La vue et le bruissement de l'eau vive ajoutent encore à l'attrait naturel d'un bassin. Les fontaines conviennent tout à fait aux bassins traditionnels ; mais dans un cadre plus sauvage, si le bassin est entouré de rochers, une petite cascade est d'un effet délicieux. Une pompe submersible, placée à l'intérieur du bassin et reliée à l'installation électrique par un câble imperméable, permet de propulser un jet d'eau au sommet d'une fontaine ou d'alimenter, grâce à un tube spécial, une chute d'eau. La chute d'eau peut ensuite cascader de pierre en pierre en passant par toute une série de bassins en fibre de verre.

Barbecues

Que ce soit dans le Midi ou en région parisienne, les barbecues sont très prisés dès qu'apparaissent les premiers rayons de soleil. Les modèles préfabriqués sont très simples à monter, mais on peut en construire soi-même, en briques par exemple. Installez-le sur des fondations solides et dans un endroit abrité, où il ne vous gênera pas lorsque vous ne vous en servirez pas.

Mangeoires et nichoirs à oiseaux

L'un des traits les plus charmants d'un jardin reste sans doute celui que la nature nous donne : la présence des oiseaux. Vous pouvez en attirer beaucoup chez vous et avoir le privilège de les observer de tout près si vous installez une mangeoire. Il vous suffit de prendre un morceau de bois de 50 cm de long et de le fixer à l'extrémité d'un poteau à environ 1,70 m du sol.

TORRENT ARTIFICIEL. Une pompe à eau reliée à un transformateur et dissimulée sous la végétation fait monter et descendre l'eau en circuit continu d'un bout à l'autre de ce torrent artificiel.

ÉCRAN EN BOIS. Des treillages en diagonale forment un écran devant la pelouse et servent de support aux rosiers grimpants. Le bois a été teinté par un produit traitant et protecteur.

BASSIN DE PATIO. Un petit carré d'eau au milieu des dalles du patio crée un charme inattendu. Toutes sortes de plantes s'enchevêtrent librement, surgissent entre les dalles, adoucissant la monotonie du pavage, et tapissent l'escalier qui se fond dans la pelouse.

À L'ABRI DU PATIO. Une pergola tendue de toiles protège à la fois du soleil et des averses. Les poutres de bois s'appuient d'un côté sur le mur de la maison, sur des équerres d'acier fixées aux chevrons. Tandis que de l'autre côté, elles s'appuient sur une charpente solide qui court sur toute la longueur du patio.

ARCEAUX DE MÉTAL. Ces fines tiges de métal arrondies en arceaux forment une élégante pergola où le chemin se glisse sous une tonnelle de roses.

TONNELLE RUSTIQUE. Cette voûte faite de poteaux de bois grossièrement taillés donne accès à la pelouse. Pour faire une tonnelle rustique, utilisez des poteaux épais, traitez le bois et enfoncez les montants à environ 61 cm de profondeur dans le sol. Marquez une encoche et étêtez les montants pour obtenir une surface plate où clouer les traverses.

BASSIN D'ORNEMENT. Avec son élément central et son entourage de briques parfaitement rangées, ce bassin ornemental, malgré son air formel, est agréable. Les iris et les nénuphars se détachent délicatement sur l'eau noirâtre zébrée des éclairs vifs des poissons rouges.

deuxième partie

Techniques, Outils et Matériaux

DEUXIÈME PARTIE : TECHNIQUES, OUTILS ET MATÉRIAUX

PEINTURES ET REVÊTEMENTS

Préparation des supports : l'outillage

Une bonne préparation des supports est indispensable pour obtenir des résultats satisfaisants. Cette mise en état du fond peut se réduire à un simple lessivage. Mais elle peut aussi comporter nombre d'opérations : décapage de peintures, arrachage de papiers peints, traitements préventifs, ponçage... Pour réaliser chacun de ces travaux, il existe toute une panoplie d'outils.

Il est de votre intérêt de les choisir de qualité : s'ils sont plus onéreux au départ, ils se révéleront plus économiques car ils vous feront gagner du temps et, correctement entretenus, beaucoup dureront des dizaines d'années.

Les grattoirs

Ils peuvent servir à égrener les plâtres neufs (aspérités), à préparer fissures et cavités au rebouchage, à décaper les vieilles peintures malsaines. Le plus simple est le grattoir triangulaire. Dans la même « famille », le combiné, aux arêtes rectilignes et courbes (pour surfaces planes et moulurées). Plus spécialement pour bois, le grattoir Skarsten à lame rectiligne, ou à lame dentée pour les décapages difficiles.

Affûtez bien votre grattoir avant usage. Nettoyez-le et graissez-le l'ouvrage terminé.

Les couteaux de peintre

Utilisés pour appliquer les produits de rebouchage et les décapants en pâte, pour décoller les peintures ramollies par brûlage et les papiers peints. On les trouve en différentes largeurs (de 2 à 12 cm) ; quatre suffisent pour pratiquement tous les travaux (2, 4, 6 et 8 cm). Les lames ne doivent pas être détrempées au brûlage des peintures, le fil doit rester rectiligne. Mêmes soins que pour les grattoirs.

Les lames à enduire

De la même famille que les couteaux de peintre, mais plus flexibles et plus larges (de 8 à 30 cm), elles servent à appliquer un durcisseur sur une surface instable, un enduit de lissage sur plâtre, un enduit pour crépi décoratif... Trois suffisent à un bricoleur (12, 16 et 22 cm). Mêmes soins que les précédents.

La truelle plâtroir

Elle sert pour les rebouchages au plâtre. Éventuellement une *auge* (une large bassine en plastique peut faire l'affaire) et une *règle* de plâtrier (une baguette bien droite en bois peut la remplacer).

Le brûle-peinture

Il sert pour le décapage par brûlage des vieilles peintures. C'est la lampe à souder à gaz butane munie d'une buse plate et large. Le brû-lage ramollit la peinture, que l'on décolle au couteau de peintre. Outil délicat à manier comme tout appareil à flamme nue. Son emploi exige un minimum de précautions.

Le décapeur thermique

Il remplit le même rôle que le brûle-peinture, sans flamme, construit sur le principe du sèche-cheveux. La température élevée du souffle d'air peut sérieusement brûler la peau.

La décolleuse de papier peint

Outil créé sur le principe du fer à repasser à vapeur. Ici, la chauffe est obtenue par une grosse bouilloire électrique ou au gaz butane, d'où la vapeur s'échappe par une plaque perforée appliquée sur le papier à décoller. Le décollage est facilité et accéléré. L'ensemble est assez encombrant et onéreux pour un usage peu fréquent. Mieux vaut louer l'appareil. Il existe une petite plaque décolleuse que l'on branche sur un autocuiseur chauffé sur un camping-gaz. Cela constitue un ensemble assez facile à déplacer, astucieusement conçu, et qui paraît aussi économique qu'utile pour décoller les papiers.

Les ponceuses

La ponceuse électrique traite vite de grandes surfaces. Préférez les ponceuses à vibration, ou à bande, aux disques montés sur perceuse. L'emploi de ces disques exige une certaine habileté pour ne pas creuser des sillons en arc de cercle dans la surface travaillée. Il faut d'ailleurs avoir la main légère avec les outils électriqués qui arrachent vite plus d'épaisseur de matière qu'on le désire. Sur peinture, n'utilisez le ponçage que légèrement pour dépolir ou mettre à niveau un petit raccord, jamais pour décaper. La peinture encrasse très vite l'abrasif, dont on fait alors une consommation ruineuse.

Matériel divers

Pour le rebouchage : récipients en plastique pour les mélanges. Pour le décapage et les traitements préventifs (application de décapants liquides, de produits hydrofuges, de fongicides) : vieux pinceaux inutilisables en peinture ou neufs mais de qualité inférieure. Pour le lessivage : grosses éponges animales (cellulosiques pour le décollage des papiers), brosses de chiendent, brosses métalliques (en laiton ou en acier), gros pinceaux à lessiver (à la rigueur à badigeon, ces derniers pouvant servir à l'application de peinture sur crépi), bassines et seaux en plastique. Pour le dépoussiérage : brosses à dépoussiérer. Enfin, une bonne réserve de chiffons propres non pelucheux ; des sacs poubelle ; des toiles, des bâches, des feuilles de plastique et des vieux journaux.

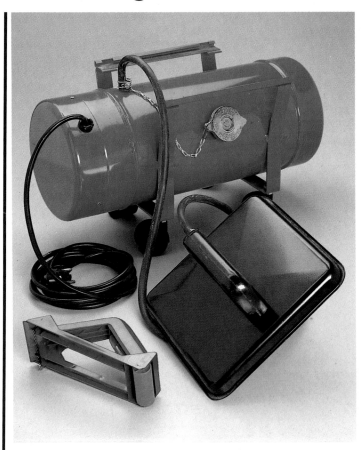

La décolleuse électrique est moins encombrante que celle qui fonctionne au gaz (avec sa bouteille de gaz butane) et l'eau monte plus rapidement en température. L'outil bleu placé à sa gauche sert à griffer le papier.

SE PROTÉGER

Il convient de se munir de gants de latex ou de coton (pour le décapage par brûlage), de lunettes de protection, de vieux vêtements ne craignant rien, bien enveloppants et à manches longues, d'une coiffure ou d'un foulard de tête.

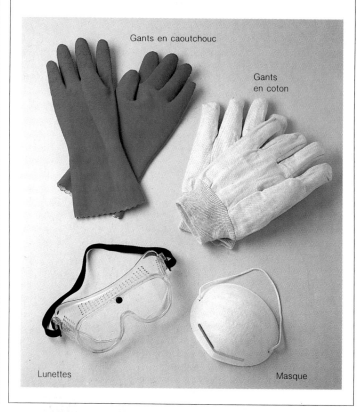

Gants en caoutchouc

Gants en coton

Lunettes

Masque

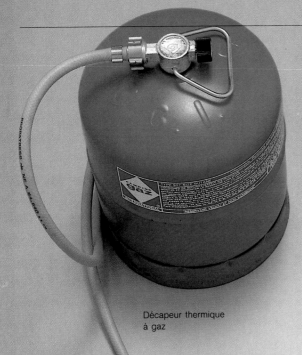

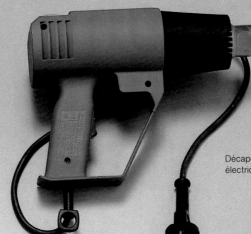

Décapeur thermique
à gaz

Décapeur thermique
électrique

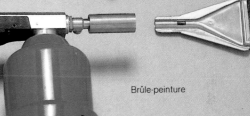

Brûle-peinture

Grattoirs

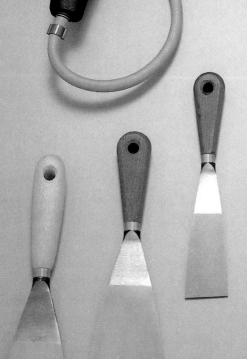

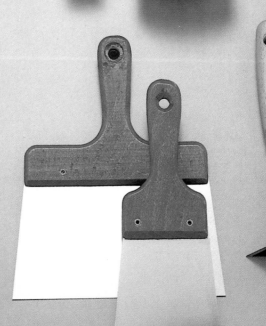

Couteaux de peintre

Lames à enduire

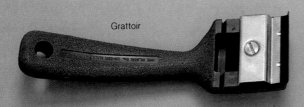

Grattoir

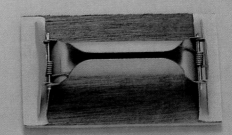

Cale
à poncer

Matériel pour travailler en sécurité en hauteur

Chaque année, on compte par milliers les blessés victimes d'une chute du haut d'une échelle, d'un échafaudage, d'un escabeau, voire d'une chaise ou d'un tabouret mal équilibrés. Il faut donc s'assurer que l'on dispose du matériel convenable pour atteindre la hauteur voulue et travailler en sécurité.

À l'extérieur :

une échelle doit dépasser d'au moins trois barreaux le plan de travail pour permettre une prise ferme et pour que l'on puisse œuvrer à hauteur de hanche ou de poitrine. Assurez le haut de l'échelle en l'attachant à l'anneau ou au mousqueton d'un piton planté sous la corniche du toit, et le pied à une cheville fixée au sol, ou encore, calez le pied avec un lourd sac de sable. Sur terrain mou, placez l'échelle sur une planche solidement bloquée par des piquets, le calage du pied étant assuré par un tasseau cloué ou vissé tout au long de cette planche.

À l'intérieur :

utilisez un escabeau ou une échelle double. Cette dernière est également utile pour nombre de travaux en extérieur. La hauteur de l'échelle doit permettre d'atteindre le plafond, mais il faut qu'elle reste facilement transportable d'une pièce à l'autre. Une échelle double — et a fortiori un escabeau — peut ne pas être assez haute ; dans une cage d'escalier, par exemple. Il est avantageux de disposer d'une échelle à usages multiples (ou transformable). Une échelle double (ou un escabeau) peut jouer le rôle de chevalet pour monter un échafaudage rudimentaire.

Pour les travaux d'extérieur et en cage d'escalier, vous pouvez louer un échafaudage tubulaire. Deux personnes peuvent en monter un de 4 m de haut assez rapidement (voir p. 133).

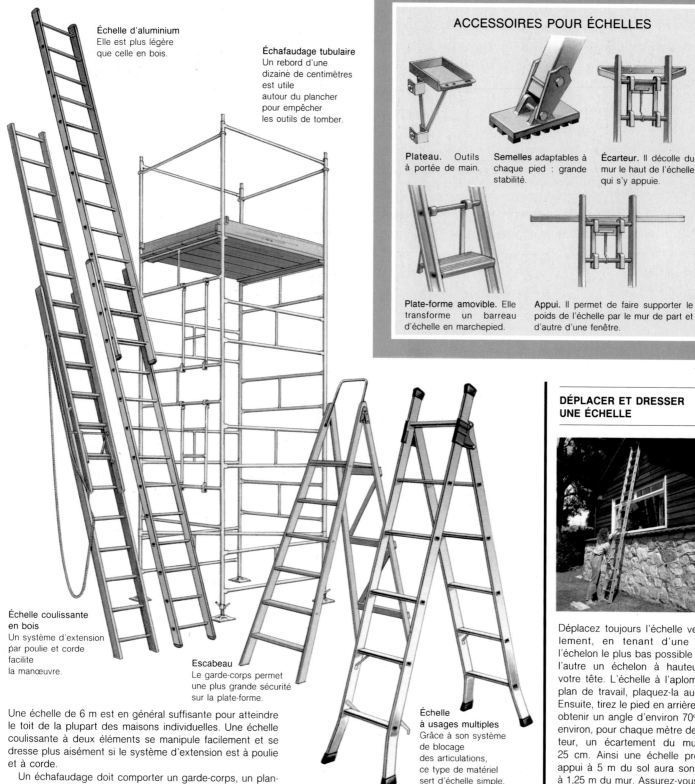

Échelle d'aluminium
Elle est plus légère que celle en bois.

Échafaudage tubulaire
Un rebord d'une dizaine de centimètres est utile autour du plancher pour empêcher les outils de tomber.

Échelle coulissante en bois
Un système d'extension par poulie et corde facilite la manœuvre.

Escabeau
Le garde-corps permet une plus grande sécurité sur la plate-forme.

Échelle à usages multiples
Grâce à son système de blocage des articulations, ce type de matériel sert d'échelle simple, double ou coulissante.

ACCESSOIRES POUR ÉCHELLES

Plateau. Outils à portée de main.

Semelles adaptables à chaque pied : grande stabilité.

Écarteur. Il décolle du mur le haut de l'échelle qui s'y appuie.

Plate-forme amovible. Elle transforme un barreau d'échelle en marchepied.

Appui. Il permet de faire supporter le poids de l'échelle par le mur de part et d'autre d'une fenêtre.

DÉPLACER ET DRESSER UNE ÉCHELLE

Déplacez toujours l'échelle verticalement, en tenant d'une main l'échelon le plus bas possible et de l'autre un échelon à hauteur de votre tête. L'échelle à l'aplomb du plan de travail, plaquez-la au mur. Ensuite, tirez le pied en arrière pour obtenir un angle d'environ 70°, soit environ, pour chaque mètre de hauteur, un écartement du mur de 25 cm. Ainsi une échelle prenant appui à 5 m du sol aura son pied à 1,25 m du mur. Assurez-vous que l'échelle est bien calée.

Une échelle de 6 m est en général suffisante pour atteindre le toit de la plupart des maisons individuelles. Une échelle coulissante à deux éléments se manipule facilement et se dresse plus aisément si le système d'extension est à poulie et à corde.

Un échafaudage doit comporter un garde-corps, un plancher, une trappe et de larges embases réglables en hauteur.

Avant tous travaux de décoration

Une préparation minutieuse est la clé de toute décoration réussie. L'aspect final souffrira toujours d'un travail de base non effectué ou bâclé.

Tout d'abord, préparez les surfaces à décorer. À l'intérieur, commencez par isoler la pièce du reste du logement. Videz-la de tout ce qui peut s'enlever. Groupez au milieu de la pièce à rénover les gros meubles et recouvrez-les soigneusement de toiles ou de bâches.

Retirez tout ce qui peut être abîmé (rideaux, tapis, etc.) mais, si possible, évitez de déposer la moquette tendue — vous n'arriverez pas à la retendre vous-même. Protégez-la de la poussière, et surtout de la peinture, à l'aide de toiles. L'emploi de peinture gel réduira les risques d'accident. Déposez lustrerie et appliques dans la mesure du possible, et en tout cas abat-jour ainsi que serrureries décoratives. Pensez à protéger les prises de courant et tout ce qui ne peut être retiré ou démonté.

Ensuite, traitez les bois endommagés tels que chambranles de portes, encadrements de fenêtres ou plinthes détériorés, attaqués par les vers ou les moisissures, ainsi que les panneaux de portes sévèrement éraflés.

PEINTURES EXTÉRIEURES

Les peintures extérieures nécessitent aussi un travail de préparation. Bâchez volets, tableaux et appuis de fenêtres quand ils sont carrelés de céramique, et même les plates-bandes. Utilisez pour ce faire des housses ou des vieux draps de lit qui retiennent les poussières et absorbent les liquides répandus, à l'inverse du polyéthylène qui, mouillé, glisse dangereusement. Les fenêtres devant être ouvertes, retirez les rideaux.

Toute surface à rénover doit être propre, sèche et stable. Traitez les parties endommagées ou qui posent un problème. Décapez les peintures anciennes si nécessaire. Utilisez une brosse pour chasser les poussières des murs extérieurs. Voir pages 99, 100 et 101 les conseils détaillés pour l'arrachage des anciens papiers peints, la dépose des carreaux de céramique, le décapage des vieilles peintures.

Préparation des murs et des plafonds

SURFACES PEINTES OU RECOUVERTES DE PAPIER PEINT

SURFACE	TRAITEMENT
Peintures à l'huile (huile de lin, oléoglycérophtaliques, glycérophtaliques)	*Remise en peinture.* Si la peinture existante est saine, lessivez-la. *Remplacement par un papier peint.* Poncez à la toile abrasive fine humectée d'eau claire les laques, les peintures satinées et brillantes afin de les dépolir. Recouvrir de papier une peinture est envisageable, car il existe des colles spéciales qui permettent ce travail. Dans les pièces à buée, utilisez un papier lavable ou lessivable.
Peintures émulsionnées (vinyliques, acryliques)	Si la peinture s'écaille, décapez le mur pour avoir un fond sain. Si elle est saine et tient bien, lessivez et donnez-lui une certaine rugosité (ponçage léger au papier de verre, grain fin ou moyen). Les émulsions étant très sensibles à l'humidité, appliquez, si nécessaire, une sous-couche de peinture hydrofuge.
Peintures à la colle	Ces peintures forment une barrière poudreuse qui empêche l'adhérence d'une autre peinture ou d'un papier peint sur le support. Décapez-les par un lavage énergique à l'eau, en utilisant de la grosse toile ou une éponge à récurer en nylon. Si la couche est épaisse, mouillez la surface et ôtez-la à l'aide d'un couteau de peintre à lame large. Décaper une peinture à la colle tenace sans l'humidifier au préalable aboutit à un gâchis. Ensuite, traitez le fond avec un durcisseur. Laissez sécher.

SURFACE	TRAITEMENT
Papier peint	Faites ramollir le papier peint à l'eau additionnée d'un peu de détergent liquide et de pâte de cellulose (une poignée par seau). Il existe dans le commerce des produits « décolleurs » qui, ajoutés à l'eau claire, facilitent la dissolution de la colle. Décollez le papier à l'aide d'un couteau de peintre. Ou encore, louez une décolleuse à vapeur.
Papier peint recouvert de peinture	Poncez la peinture au papier de verre à gros grain pour que l'eau atteigne le papier sous la pellicule de peinture, puis procédez au décollage. Si la couche de peinture est épaisse, il faudra sans doute la griffer avec une brosse métallique ou une spatule crantée.
Papiers lavables, épongeables ou lessivables	Griffez la couche imperméabilisée de ces types de papiers, au papier de verre à gros grain afin que l'eau puisse humidifier le support papier. Si le matériau se décolle difficilement ou s'il y a plusieurs couches superposées, louez une décolleuse à vapeur. Pour les papiers vinyle, en général plus faciles à ôter, il faut détacher la pellicule de plastique de son support papier, puis mouiller ce dernier pour l'arracher. Les papiers vinyle actuels ainsi que d'autres papiers peints modernes se pèlent (on les appelle d'ailleurs pelables ou strippables). La couche portant le décor se détache de la couche support, qui peut servir de papier d'apprêt pour le revêtement à venir. Gardez ce papier d'apprêt s'il tient bien au mur ; si des lambeaux s'en décollent, arrachez tout.

CARREAUX, CRÉPIS DÉCORATIFS ET BRIQUES

SURFACE	TRAITEMENT
Imitation de carreaux de céramique	Ce type de revêtement mural vendu généralement en feuilles de plastique est, le plus souvent, appliqué à l'aide d'une colle synthétique qui peut se révéler difficile à détacher. Arrachez la couche décor de son support. Décapez l'adhésif au couteau de peintre. S'il entraîne des plaques de plâtre, essayez de le détacher à la décolleuse à vapeur afin d'éviter des travaux de replâtrage.
Crépi décoratif	En couches épaisses posées à la truelle, à la brosse ou au rouleau, les enduits décoratifs sont en général appliqués au plafond ou sur les murs. Ils s'enlèvent difficilement. Le plus simple est d'utiliser un décapant chimique. Auparavant, faites un essai, certains crépis sont décollables à la vapeur. Si vous voulez repeindre la surface, brossez légèrement le revêtement à la lessive et laissez sécher.

SURFACE	TRAITEMENT
Dalles de polystyrène	Les dalles de polystyrène expansé pour les plafonds peuvent se peindre avec des peintures émulsion, jamais avec de la peinture à l'huile. Pour les enlever, détachez-les une à une de la surface et grattez la colle (p. 104).
Carreaux de céramique	Il est possible de les peindre. Décapez les carreaux à l'acide. Utilisez une peinture spéciale à deux composants. On peut aussi les couvrir en collant un autre carrelage par-dessus.
Dalles de liège	On ne peut peindre directement sur le liège, et il vaut mieux enlever les dalles et mettre un autre revêtement à la place plutôt que d'essayer de coller un papier d'apprêt.
Briques à nu	Dépoussiérez les briques à la brosse dure. À l'intérieur, vous pouvez les peindre avec tous les types de peinture. À l'extérieur, il faut utiliser une peinture pour façade à base de pliolite ou de copolymères.

SURFACES À PROBLÈME

SURFACE	TRAITEMENT
Farinage	On appelle farinage le duvet blanchâtre que peuvent former des composants chimiques des plâtres et mortiers en remontant en surface sous l'effet de l'humidité. Brossez le support et passez un durcisseur ou un fixateur spécial pour murs poudreux.

SURFACE	TRAITEMENT
Moisissures	Elles apparaissent en petites plaques brunes, rouges ou noires dans des pièces humides où règne une température relativement élevée. Traitez-les avec un fongicide et nettoyez avant de peindre. N'oubliez pas par la suite d'améliorer l'aération.

Préparation des murs et des plafonds : surfaces à problème (suite)

SURFACE	TRAITEMENT
Humidité	Aux endroits où elle se manifeste, ne masquez pas l'humidité par une sous-couche de produit hydrofuge, peinture ou feuille de plomb. Elle se manifestera plus loin. Recherchez les causes de cette humidité pour pouvoir y remédier.
Plâtres irréguliers	Si les irrégularités sont légères, nettoyez à la brosse dure ; si nécessaire, égrenez le plâtre à l'aide d'une vieille lame à enduire ; enduisez, lissez et poncez (voir p. 235).

SURFACE	TRAITEMENT
Trous et fissures	Pour les trous et les fissures de petites dimensions, détachez le plâtre qui s'effrite à la brosse dure. Rebouchez au reboucheur en utilisant un couteau de peintre, puis poncez. Les trous plus grands et les fissures très larges exigent des travaux autrement importants (voir p. 235).

Préparation et décapage des bois et métaux

BOIS

SURFACE	TRAITEMENT
Bois neufs ou mis à nu	Rebouchez fentes et légers enfoncements. Utilisez un bouche-pore pour les bois d'intérieur ; un produit étanche ou à base d'époxyde pour les bois d'extérieur. Masquez à l'aide d'un mastic spécial les nœuds apparents d'où la résine est susceptible de suinter. Poncez au papier de verre fin dans le sens des fibres. Le ponçage peut se faire à la main, à la ponceuse électrique vibrante ou à bande, plutôt que rotative, délicate à manœuvrer sans creuser le bois. Veillez à avoir la main légère avec la ponceuse électrique, car elle enlève vite du bois.
Vieux bois à nu	Si des signes de moisissure sont repérés au canif (la lame s'enfonce facilement dans les parties atteintes, voir p. 206, 207), grattez jusqu'à trouver le bois sain, puis rebouchez fentes et trous à la pâte à bois. Égalisez au ponçage. Protégez immédiatement le bois, surtout à l'extérieur. Dès cette préparation terminée, appliquez une couche d'impression pour bois.
Bois ciré	Préparez la surface en ponçant énergiquement (ponceuse électrique), puis enduisez le bois avec un produit bouche-pores, étalé au pinceau ou au couteau, afin d'obturer toutes les petites cavités des fibres. Il existe de nombreux produits bouche-pores à base de gomme de laque, de ponce, etc. Choisissez celui qui convient le mieux à la teinte du bois à traiter.

SURFACE	TRAITEMENT
Bois peints	Si la peinture est saine, ne la décapez pas, à moins que la superposition des couches crée une telle épaisseur qu'elle constitue une telle gêne (pour la fermeture d'une fenêtre, par exemple). Lessivez le bois. Si l'ancienne peinture est brillante, donnez-lui une certaine rugosité par un ponçage léger qui permettra l'accrochage de la nouvelle peinture. Une peinture saine dans l'ensemble peut présenter quelques parties endommagées qu'il faut traiter. Éliminez au papier de verre la peinture qui s'écaille et comblez ces manques avec de l'enduit pour retrouver une surface lisse. Laissez sécher, poncez les parties rebouchées pour égaliser avant de passer la nouvelle peinture.
Bois vernis ou teint	Une surface vernie ne donne pas une bonne adhérence à la peinture, même si elle a été bien poncée. De même, si le bois a été teint en profondeur, vous risquez quelques déboires au moment de le peindre. Pour avoir un bon résultat, il faudra raboter le bois ou le poncer profondément avec une ponceuse électrique. Le mieux est d'employer un décapant chimique pour vernis pour mettre le bois à nu.
Bois traités par imprégnation (insecticides et fongicides)	En principe, on ne peint pas les bois traités. Il suffit de passer une nouvelle couche de produit pour redonner un aspect décoratif.

MÉTAUX

SURFACE	TRAITEMENT
Fers et aciers	Dégraissez au chiffon non pelucheux imbibé de white-spirit. Dérouillez à la toile émeri et essuyez bien. Appliquez une impression pour métaux et une peinture antirouille avant de passer à la finition.
Vieux fers et aciers rouillés	Dérouillez complètement à la brosse métallique et à la toile émeri ou avec un procédé mécanique. Pour ces travaux, portez gants et lunettes de protection. Utilisez ensuite un stop-rouille, produit inhibiteur qui va transformer la rouille en une couche de fond. Enfin, appliquez une peinture antirouille, puis une peinture décorative.
Fers et aciers galvanisés	La galvanisation donne aux fers et aciers un brillant argenté. Nettoyez et dégraissez au chiffon non pelucheux imbibé de white-spirit. Utilisez une impression au chromate de zinc pour les parties exposées aux intempéries. Sur du neuf, utilisez une solution caustique, puis du chromate de zinc. Il existe des peintures spéciales pour le zinc et l'acier galvanisé.
Peinture écaillée sur fers et aciers galvanisés	Décapez le métal pour le mettre à nu avec un décapant chimique ou un décapant mécanique, puis traitez la surface comme un support neuf.

SURFACE	TRAITEMENT
Alliage d'aluminium et aluminium anodisé (cadres de portes et fenêtres)	Ces matériaux présentent des surfaces brillantes et n'ont nullement besoin d'être peints. Néanmoins, si vous estimez devoir harmoniser leur couleur à la décoration décidée, il faut les nettoyer au white-spirit. Utilisez un primaire d'adhérence (peinture d'accrochage) avant de les laquer.
Cuivre (tuyauteries)	Dégraissez au white-spirit, essuyez et laquez. Impression et sous-couche ne sont pas nécessaires.
Acier chromé	Comme l'acier inoxydable, il ne se peint pas.
Fers et aciers dont la peinture s'écaille sous l'effet de la rouille	Décapez et dérouillez les endroits où la peinture s'écaille en débordant largement sur la peinture saine. Portez des lunettes de protection et utilisez grattoir, brosse métallique, toile émeri et lime pour chasser jusqu'au moindre point de rouille. Sinon, celle-ci s'étendra de nouveau sous la nouvelle peinture. Le métal doit rester brillant là où il n'est pas protégé par la peinture saine. Passez une couche de peinture antirouille, puis une sous-couche. Poncez au papier abrasif fin pour rattraper l'épaisseur de l'ancienne peinture. Voir également « Vieux fers et aciers rouillés » dans le tableau.

NE PAS CONFONDRE STOP-ROUILLE ET ANTIROUILLE

Un stop-rouille est un produit liquide à base d'acide tannique. Appliqué sur la rouille, il la transforme en une couche noirâtre apte à recevoir une peinture. Un stop-rouille n'est pas un antirouille. Il ralentit momentanément la prolifération de l'oxydation, mais doit être recouvert par une peinture. Si vous ne prenez pas cette précaution, la couleur rouge du métal rouillé réapparaît deux ou trois jours après, et la pièce n'est plus protégée.

En revanche, il est intéressant d'utiliser un stop-rouille, car son application ne nécessite pas de décapage préalable du métal, mais seulement un coup de brosse, pour faire tomber les parties les plus atteintes.

Mise en œuvre recommandée :
— brossage du métal,
— application du stop-rouille,
— application d'une peinture antirouille,
— application d'une peinture décorative.

Arrachage des papiers peints

Les meilleurs résultats s'obtiennent en arrachant les anciens papiers peints avant toute rénovation du décor mural. Pour un papier solidement collé, une décolleuse à vapeur, d'un prix de location modeste, se révèle préférable au décollage à l'eau et à la raclette.

Vous pouvez tapisser sur un ancien papier, mais la réactivation de la colle peut détendre le nouveau revêtement ou y provoquer des taches. Sur certains papiers — les lavables, les épongeables, les reliefs, les velours, les métallisés —, un nouveau papier peint n'adhère pas, une peinture peut laisser transparaître le décor de dessous.

Enlever un vieux papier peint exige du temps. Un trempage insuffisant rend le décollage pénible. De plus, il faut prendre certaines précautions : protégez le sol par une bonne couche de toiles ; limitez le gâchis en évitant de marcher sur le papier arraché, qui colle aux semelles. Pour cela, immédiatement après leur arrachage, jetez les plus grands lambeaux dans un sac poubelle.

PAPIER STANDARD

Les papiers duplex s'enlèvent comme les papiers standard, mais, comme ils sont plus épais, ils nécessitent un trempage beaucoup plus long.

Outillage et matériaux : seau, grosse éponge ou pinceau à badigeon, large couteau de peintre. Eau, colle de cellulose, détergent liquide ou produit à vaisselle.

1 À un seau d'eau chaude, ajoutez de la colle et une giclée de détergent. La colle maintient l'eau sur le papier, et l'humidification est accélérée par le détergent.

2 Mouillez abondamment toute la surface du papier à l'éponge ou à la brosse à badigeon. Laissez le papier s'imbiber durant 5 minutes au moins.

UN BON TRUC
Pour un marouflage rapide, utilisez un pulvérisateur de jardin et non pas une éponge ou une brosse à badigeon.

3 Faites un test de décollage en glissant le couteau sous le papier humide soit au bas du lé, soit à un raccord.

Le couteau a un angle d'environ 30° avec le mur, poussez le cou-

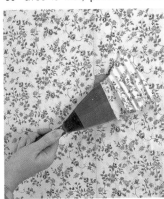

teau mais ne l'enfoncez pas dans le plâtre.

Si le papier ne se ride pas ou s'il se soulève difficilement, l'imbibation est insuffisante. Mouillez de nouveau, puis testez. Si le papier se ride, soulevez-le de bas en haut. Il doit pouvoir être décollé par larges bandes.

4 Glissez délicatement le couteau sous le papier humide et continuez le décollage.

5 Si, malgré de longs et abondants mouillages, le papier adhère toujours au mur, n'insistez pas. Le plâtre serait trop humide et mettrait longtemps à sécher. Il est préférable d'utiliser une décolleuse à vapeur si les travaux entrepris ne vous permettent plus de bénéficier de l'électricité.

PAPIERS LAVABLES, RELIEF ÉPAIS, PAPIERS SOUS COUCHE DE PEINTURE

Les papiers recouverts de peinture peuvent se décoller avec un décapant chimique pour crépis décoratifs (voir p. 100), méthode plus simple mais coûteuse.

Outillage et matériaux : les mêmes que pour les papiers standard, plus un couteau à enduire cranté ou une cale à poncer et du papier de verre à gros grain.

1 Griffez le papier à l'aide du couteau cranté. Il existe des rouleaux

---

UTILISATION D'UNE DÉCOLLEUSE À VAPEUR

La location d'une décolleuse de papier peint économise temps et énergie. On trouvera l'adresse du loueur le plus proche dans les pages jaunes de l'annuaire téléphonique, à la rubrique *Location de matériel pour bricolage.*

Outillage et matériaux : décolleuse, gants de caoutchouc, lunettes de protection, large couteau de peintre, eau.

1 Procurez-vous le mode d'emploi de la machine.

2 Remplissez le réservoir d'eau (chaude ou froide), mettez en chauffe. Sur les décolleuses à chauffage électrique, une dizaine de minutes après, un voyant s'allume. La décolleuse, à ce moment-là, peut être utilisée.

3 Mains gantées, lunettes aux yeux — surtout pour le décollage de papier au plafond —, plaquez le plateau au bas du lé et maintenez-l'y jusqu'à ce que le papier,

autour, soit humide ; il faut en général 1 minute. Décollez lé par lé et de bas en haut. Si le papier est lavable, utilisez au préalable une brosse métallique ou un rouleau spécial pour le déchirer.

4 D'une main, plaquez le plateau plus haut et maintenez-y-le ; de l'autre, arrachez le papier humide en le tirant vers le haut, détachez au couteau de peintre toutes les parties qui se décollent difficilement.

5 Le premier lé décollé, revenez au bas du suivant et travaillez comme précédemment. Surveillez le niveau d'eau et alimentez si nécessaire.

6 Sur un support de plaques de plâtre pour l'isolation des murs ou sur des panneaux monoblocs pour réaliser des cloisons, veillez à utiliser le moins possible le couteau et à ne pas l'enfoncer, car la vapeur ramollit aussi la surface du support. Le papier doit se décoller facilement à la main.

Arrachage des papiers peints (suite)

métalliques spéciaux pour griffer le papier, mais la plupart se dédoublent quand on tire dessus. La couche de papier qui reste au mur sert de papier d'apprêt pour le nouveau revêtement.

2 Mouillez et décollez le papier décor comme un papier standard. Si le papier support qui le double se détache facilement lui aussi, il a été mal collé ou bien le mur est humide. Dans ce cas, cherchez-en la cause pour y remédier avant de poser tout autre revêtement.

PAPIERS PELABLES ET VINYLES

1 Avec une fine lame, soulevez un angle du film de plastique et détachez-le de son papier support.

2 Tirez vers le haut, la main frôlant le mur. En tirant vers soi, vous risquez de décoller le papier support.

3 Si ce papier support est bien collé et en bon état, conservez-le et utilisez-le comme papier d'apprêt. Dans le cas contraire, arrachez-le comme un papier standard.

Il en va de même pour les nouveaux revêtements en vinyle expansé (qu'ils soient granités, marquetés ou unis).

CONSEIL DE SÉCURITÉ

Coupez le courant électrique au compteur avant de dévisser la plaque d'un interrupteur ou d'une prise de courant si le papier à décoller est en partie pris sous cette plaque.

DÉCAPAGE DES CRÉPIS DÉCORATIFS

Ce sont des enduits étalés en épaisseur, auxquels on donne une décoration en relief. Leur décapage est un travail très malpropre, surtout sur un plafond. Trois méthodes sont possibles. Mais, avant tout, sortez tous les meubles et recouvrez le sol de couches de journaux à jeter au fur et à mesure qu'ils se couvriront de matériau arraché.

Le moyen le plus efficace est l'emploi d'un décapant pour ce type de revêtement. (Pour l'emploi et les quantités nécessaires, voir le mode d'emploi indiqué par le fabricant.)

Travaillez avec des gants et portez des lunettes de protection.

Détachez le matériau ramolli au couteau de peintre, puis lavez le support à l'eau chaude et au détergent. Certaines de ces peintures obligent à regratter le support après ce lavage.

Autre méthode : l'emploi d'une décolleuse à vapeur. Chaleur et vapeur traversent la couche superficielle de la peinture et la ramollissent en profondeur. On l'élimine alors au couteau de peintre.

Lorsqu'on ne parvient pas à supprimer un crépi, on peut envisager une ultime solution qui consiste à recouvrir toute la surface par une épaisse couche d'enduit lissé venant masquer toutes les aspérités existantes.

Dépose de carreaux et de dalles

CARREAUX DE CÉRAMIQUE

Autant que possible, ne déposez pas les carreaux de céramique. Il est souvent plus difficile de le faire que de remplacer un carreau cassé, de carreler sur l'ancien carrelage ou de raviver ce dernier en recolorant le ciment des joints (voir encadré p. 141).

Les anciens carrelages peuvent être collés au mortier de ciment, parfois épais de 10 à 15 mm ; plus modernes, ils le sont généralement à la colle, ce qui les rend plus faciles à détacher, mais ils risquent d'entraîner le plâtre avec eux. Dans les deux cas, il faudra replâtrer le mur.

Outillage : gants pour gros travaux, lunettes de protection, masque à poussière, ciseau de briqueteur, massette, décapeur thermique, couteau de peintre large.

1 Il convient avant tout de se protéger : procurez-vous un vêtement fermé, à longues manches, des gants, des lunettes, un masque. Des éclats de céramique voleront dans toutes les directions, ce qui pourrait être dangereux pour quelqu'un qui se trouverait à proximité.

Fermez la pièce pour y confiner la poussière.

2 Détachez les carreaux un à un au ciseau. Il n'y a pas de technique facile. Une fois que tous les carreaux seront enlevés, ramollissez l'adhésif resté sur le mur au moyen d'un décapeur thermique et ôtez cette «pâte» au couteau de peintre.

3 Méthode (plus longue) si vous n'avez pas de décapeur ther-

mique : utilisez un appareil à air chaud et un couteau de peintre. Chauffez la lame du couteau sur le brûleur d'une gazinière ou avec une lampe à souder et grattez la colle immédiatement.

Ne chauffez pas la lame au rouge, elle finirait par se détremper et perdrait sa souplesse.

DALLES DE POLYSTYRÈNE EXPANSÉ

Outillage : lunettes de protection, large couteau de peintre, décapeur thermique.

1 Pour les dalles posées au plafond, n'oubliez pas de vous protéger car vous êtes davantage exposé. Détachez les dalles au couteau de peintre. Elles casseront le plus souvent mais viendront facilement ; l'adhésif ne suivra pas.

2 Mettez les lunettes. Ramollissez au décapeur thermique la colle restée au plafond en dirigeant l'air chaud droit sur elle, et grattez au couteau. Sans décapeur, chauffez la lame du couteau comme précédemment et grattez immédiatement.

DALLES DE LIÈGE

Outillage : large couteau de peintre ; éventuellement, décapeur thermique.

Les dalles de liège sont surtout utilisées pour les sols (voir p. 47) ; parfois en revêtement mural pour leur effet décoratif (voir p. 63) ou, plus prosaïquement, elles servent de tableau d'affichage (voir légende p. 58).

Pour leur dépose, procédez comme pour les dalles de polystyrène de plafond (voir ci-contre et ci-dessus).

Décapage des peintures

C'est perdre son temps et son argent que de peindre sur un support instable. Le résultat ne sera ni plaisant ni durable. Une vieille peinture peut s'enlever par une action mécanique (à sec), chimique (décapant), thermique (brûlage), ou les trois combinées.

Repeindre un bois ne nécessite pas obligatoirement l'élimination de la peinture jusqu'au moindre point, comme pour le vernis.

En règle générale, pas de ponçage pour décaper une peinture. Celle-ci encrasse vite le papier de verre et poncer revient cher; à la ponceuse électrique le coût est prohibitif. Quelle que soit la méthode employée, portez toujours lunettes et gants de protection.

DÉCAPAGE À SEC

Il se fait au grattoir Skartsen, au grattoir triangulaire ou au combiné,

qui permet le décapage de surfaces planes et modelées, telles les rampes d'escalier et les moulures. Veillez au bon affûtage de la lame; tirez à vous l'outil en frôlant presque de la main la surface à décaper pour ne pas entamer le bois.

DÉCAPAGE THERMIQUE

Il s'effectue par brûlage de la peinture soit à la lampe à souder munie de la buse plate adéquate, soit au décapeur thermique. La peinture ramollie par la chaleur s'enlève au couteau de peintre ou au grattoir. Mais il faut prévenir les risques d'incendie. En intérieur, pas de matière inflammable dans la pièce (dissolvants, papier, etc.). Gardez à portée de main une plaque de métal pour y déposer les pelures de peinture détachées, ainsi qu'un seau de fer pour y jeter celles qui se sont enflammées ou se consument. En extérieur, sur les pièces de bois des façades, attention aux bois pourris susceptibles de brûler lentement ou de flamber au surchauffement. Opérez à distance des cheneaux, descentes d'eau et accessoires en P.V.C. que la chaleur endommage. Le brûlage demande une grande attention. Il faut brûler la peinture, non le bois dessous. N'immobilisez pas flamme ou jet d'air chaud sur un point sous

peine de carboniser le bois en surface. Évitez le brûlage des bois du châssis vitré d'une fenêtre : la surchauffe peut briser les carreaux. Certains décapeurs thermiques sont munis d'un protecteur pour les vitres. Il faut quand même les manipuler avec précaution.

1 Portez des gants de coton ou de cuir.

Ramollissez la peinture par un déplacement continu du pistolet pour ne pas brûler le bois. Le ramollissement d'une épaisseur de peinture normale intervient en quelques secondes.

2 Sur une surface plane et horizontale, décapez au couteau de peintre large en poussant, le pistolet toujours orienté vers la partie que vous avez l'intention de retirer.

Poussez vers le haut sur une pièce verticale. Dans ce cas, tenez le couteau de biais pour ne pas recevoir sur la main gantée de la peinture brûlante. La peinture tombe ou reste sur le couteau.

3 Sur moulures, utilisez le grattoir combiné. Tirez à vous (pièce hori-

zontale) ou vers le bas (pièce verticale). Tenez l'outil de biais si possible.

4 Pas de brûlage à la lampe à souder si l'on veut conserver au bois sa couleur naturelle sous un vernis incolore. Le risque de le carboniser en surface est trop grand.

Poncez dans le sens du fil, au papier de verre fin, un bois légèrement brûlé accidentellement jusqu'à disparition des fibres touchées. N'oubliez pas de passer une couche d'impression avant la mise en peinture.

DÉCAPANTS CHIMIQUES

Le décapage de grandes surfaces se fera probablement pour un débutant par l'utilisation de décapants chimiques, en particulier s'il veut vernir le bois. Ces décapants sont liquides ou pâteux (mélanges de poudre et d'eau). Ils valent particulièrement pour le traitement des châssis vitrés dont la chaleur casserait les carreaux. Ils ont deux inconvénients : ils peuvent se révéler coûteux, car souvent plus d'une application est nécessaire; le travail est plus lent qu'avec les autres méthodes, car il faut laisser aux produits chimiques le temps d'agir.

Portez lunettes de protection bien enveloppantes et gants de caoutchouc. Si le produit entre accidentellement en contact avec la peau, rincez immédiatement à grande eau froide. Neutralisez toujours le décapant, selon le mode d'emploi, avant de mettre en peinture.

Décapant liquide

1 Étalez avec un vieux pinceau le produit, souvent incolore, sur la peinture. Celle-ci se ride et casse après un certain temps. Suivez attentivement le mode d'emploi et laissez agir le décapant le temps nécessaire (en règle générale 10 à 15 minutes). Quand la peinture cloque, grattez. Grattée trop tôt, la peinture ne viendra pas. Une seconde application sera nécessaire. Ôté trop tard, le produit séchera et durcira. Une épaisse couche de peinture demandera certainement plus d'une application de décapant.

2 Le grattage se fait au grattoir combiné, au grattoir triangulaire, ou encore avec un large couteau de peintre. Tirez à vous les grattoirs.

3 Vous pouvez gratter au couteau en le poussant. Après, nettoyez la surface (white-spirit) et poncez-la.

Pâte décapante

1 Protégez la surface à décaper avec des journaux disposés autour. Appliquez le décapant en une couche épaisse qui se fixera lentement sur la peinture tandis que les produits corrosifs au contact de la peinture agiront.

2 Suivez le mode d'emploi. Les indications sont précises.

3 Après le temps recommandé — que vous pouvez même prolonger —, grattez la pâte, qui entraînera la vieille peinture avec elle.

Rebouchage des petits trous et des fissures

Sur le plâtre des murs, les petites fissures sont courantes. Les vibrations et les imperceptibles mouvements de la structure, phénomènes normaux, les provoquent. Elles apparaissent aussi quand le plâtre se délite. Les marques de coups occasionnés lors du déplacement de meubles et les entailles faites lors de l'arrachage de papier peint se traitent à l'enduit pour intérieur. Les trous de 25 mm de diamètre au maximum dans les plaques ou panneaux de plâtre et de 50 mm au plus dans le plâtre se traitent aussi de cette façon.

Employez le reboucheur sur un plâtre criblé de trous ou montrant des cavités de quelque 150 mm de large et 25 mm de profondeur. Sur de larges zones abîmées, les fissures et les trous les plus importants se répareront au plâtre ou avec des plaques de plâtre.

Outillage et matériaux : brosse, récipient de plastique propre pour le mélange ; mélangeur, grattoir triangulaire, couteau à enduire, couteau à reboucher, cale à poncer ou ponceuse à vibration ou à bande, papier de verre à grain fin ou moyen. Éventuellement : queue-de-morue large, ciseau de maçon, massette, cutter, pulvérisateur d'arrosage de plantes d'appartement ; lame à enduire (ou réglette en bois), truelle plâtroir. Enduit de rebouchage ou reboucheur pour intérieur ; eau.

TRAITEMENT À L'ENDUIT EN POUDRE

1 Élargissez et approfondissez la fissure pour éliminer le plâtre abîmé et obtenir une bonne prise du reboucheur sur du plâtre sain. Le résultat sera meilleur en taillant les lèvres de la fissure en biais pour avoir un fond plus large que l'ouverture. Sur Placoplâtre, si le papier de surface est déchiqueté, coupez net les bords de la déchirure au cutter.

2 Dépoussiérez bien la fissure à la brosse.

3 Mélangez reboucheur et eau pour obtenir une pâte et chargez l'extrémité de la lame du couteau.

4 Tirez le couteau sur la fissure ou le trou où y déposer la pâte, bourrez, puis enlevez l'excédent de pâte resté sur la lame et lissez la surface.
ALTERNATIVE : en ce qui concerne les fissures et les cavités qui sont profondes (jusqu'à 5 cm), opérez par couches successives, appliquées le long des lèvres. Laissez sécher environ 2 heures entre deux couches.

5 Lorsque le reboucheur est bien sec, enduisez et lissez pour amener au niveau du mur.
Ensuite poncez à la cale à poncer ou bien à la ponceuse électrique.

CHOIX DU REBOUCHEUR

Pour plâtres et maçonneries les reboucheurs sont, en général, en poudre à mélanger à de l'eau. Les temps de prise sont donnés à titre indicatif pour une température moyenne. Le froid allonge ce temps de prise, la chaleur le réduit.

REBOUCHEUR	EMPLOI	DESCRIPTION
Reboucheurs pour intérieurs et extérieurs	Fissures, dégradations sur plâtres, maçonneries, bois.	Type Touprêt : poudre. Ne peut être utilisé sur surfaces humides. Sec en 30 minutes. Emploi facile. Type Alabastine : poudre. Sec en 2 heures. Se dilate en séchant. Emploi facile. Type Polyfilla : poudre. Sec en 2 heures. Emploi facile.
Plâtre pour réparations intérieures	Grandes surfaces de plâtre dégradées, crevasses et cavités importantes.	Plâtre fin avec additif pour retarder la prise. Durcit rapidement, sèche en 2 heures. Généralement moins cher que la plupart des reboucheurs, et il y a moins de perte en quantité de produit car le travail doit être très rapide.
Reboucheur polyvalent pour intérieur et avec additif pour l'extérieur	Fissures et trous dans les plâtres, bois, maçonneries, verre, métal. Certaines qualités, avec addition d'un adhésif spécial, utilisables en extérieur.	Poudre ou pâte, la surface est dure et légèrement flexible quand il durcit. Résiste aux intempéries mais non à une humidité permanente. Peut être laissé tel quel ou être peint. Garde sa plasticité durant 1 heure pour le travail. Sèche en 2 heures. Parmi les plus chers des reboucheurs.
Reboucheur à base de résines époxydes	Fissures de chéneau et descentes d'eau métalliques. Utilisable sur bois à peindre car il devient gris en séchant.	Deux composants (adhésif et durcisseur) à mélanger suivant le mode d'emploi. Ne préparez que la dose pour une application de 5 minutes au maximum. Prise rapide : 20 minutes par beau temps. Deux qualités : « dur », pour surfaces rigides ; « flexible », pour surfaces qui peuvent avoir une certaine élasticité. Peu sensible à l'humidité. Gris une fois sec.
Bouche-pores et pâtes à bois à base de résines époxydes (intérieur et extérieur)	Fissures et petits trous, « travaille » avec le bois.	Deux composants (adhésif et durcisseur) à mettre en pâte à bonne température suivant le mode d'emploi. Prise rapide (20 à 30 minutes) ; ne préparez que la quantité nécessaire pour 5 minutes d'application.
Bouche-pores et pâtes à bois type bouche-pores (intérieur et extérieur)	Fissures et petits trous (pour les bois pourris, voir p. 205).	Pâtes adhésives. Prise en 10 minutes environ à bonne température. Existent en teintes s'harmonisant avec l'essence des bois traités.
Joint silicone pour intérieur et extérieur	Fissures entre boiseries et maçonneries tels cadres de fenêtres. Joints d'étanchéité entre maçonneries et éviers, lavabos, baignoires ; vitrages et armature de vérandas, etc.	Cordon caoutchouteux se moulant sur le support et s'appliquant à l'aide d'un pistolet applicateur. Suivez le mode d'emploi. Forme une peau au bout de 4 heures environ. Peut alors se peindre.
Mousse de rebouchage pour intérieur et extérieur	Passage de tuyauteries et de câbles à travers tous types de maçonneries. Endroits difficiles à atteindre.	Mousse de polyuréthanne en bombe à projeter sur surface mouillée. Se travaille en 5 à 7 minutes environ. Augmente 60 fois de volume sur le support. Forme une peau en 1 ou 2 heures. Peut alors se couper, se poncer et se peindre.

REBOUCHAGE AU PLÂTRE

1 Protégez le sol. Au ciseau de maçon, éliminez le plâtre en mauvais état pour avoir une excavation au bord et au fond sains. Dépoussiérez à la brosse.

2 Humidifiez à l'éponge, au pinceau ou au pulvérisateur.

3 Mélangez le plâtre à l'eau pour obtenir une pâte consistante. Gâchez dans un bol et avec une cuillère propres ; car des adhérences de vieux plâtre mêlées au plâtre neuf nuiraient à sa solidité. Le plâtre gâché, opérez vite.

4 Obturez le trou par couches de plâtre successives. Attendez 1 heure environ avant d'appliquer une autre couche si cela se révèle nécessaire.

5 Mettez de niveau à l'aide de la réglette ou en vous servant de l'arête de la truelle plâtroir tenue obliquement.

6 Avant la prise complète du plâtre, arrosez légèrement la surface et lissez-la à la truelle.

Réparations délicates

On peut traiter au reboucheur pour intérieur une étroite fissure courant de haut en bas d'un mur, en particulier dans une cage d'escalier, point faible de nombre de maisons. Une réouverture ultérieure de cette lézarde pourrait signaler un mouvement ou un tassement des fondations. Prenez alors l'avis d'un architecte ou d'un entrepreneur.

L'effritement du plâtre sur un mur peut être provoqué par l'humidité. Remédiez à celle-ci (voir p. 432 et 448) avant d'envisager tout nouveau revêtement. Détachez le plâtre abîmé jusqu'à trouver un fond sain, puis comblez au reboucheur adéquat. Quand, aux angles des murs, le plâtre se désagrège, renforcez les angles. Un renflement dans la surface d'un mur signale un décollement du plâtre de son support. Il faut casser, élargir et creuser le plâtre jusqu'à trouver le plâtre sain. Réparez au reboucheur ou au plâtre suivant l'étendue des dégâts.

Les fissures se produisent souvent au jointoiement de deux murs et du plafond. Leur rebouchage est possible au joint de silicone. Une élégante façon de masquer les crevasses importantes entre murs et plafond est le recours aux corniches en bois, stuc ou polystyrène.

EMPLOI D'UN ENTOILAGE

Pour réparer des trous jusqu'à 9 cm de large et d'importantes fissures, vous devez les recouvrir d'une pièce en tulle de fibre de verre, autoadhésive et conçue à cet effet. Coupée au ciseau à bonne dimension pour être tendue par-dessus l'excavation, cette pièce sert de support pour un mince film d'enduit et évite de combler le vide. Elle adhère solidement sur toute surface sèche, mais laisse le temps de l'ajuster. Tendez-la bien pendant les manipulations.

1 Poncez au papier de verre fin les bords de la cassure, puis nettoyez-les.

2 Tendez sur la partie à boucher un morceau de tulle et collez-le. Placez-en un second en croix pour bien recouvrir l'ouverture.

3 Appliquez le reboucheur sur le tulle en débordant largement sur le mur et lissez pour rattraper le niveau du mur.

FISSURES ENTRE BOIS ET MAÇONNERIE

Ces fissures entre murs, cadres de fenêtres et de portes ou plinthes réapparaîtront vraisemblablement après réparation au reboucheur ou au plâtre.

Utilisez un joint silicone, matériau flexible bien adhérent et résistant qui se pose normalement au pistolet applicateur.

1 Comblez à demi une fissure profonde de minces rubans de polystyrène expansé avant l'application du joint.

En intérieur, du papier peut remplacer le polystyrène.

2 Coupez la buse du pistolet d'un diamètre suffisant pour que le joint remplisse bien la fissure. Lissez avec le doigt mouillé.

LA MOUSSE DE REBOUCHAGE

La difficulté de l'obturation d'une cavité profonde, tel le trou de passage d'un tuyau dans un mur, sera moindre avec une mousse de rebouchage au polyuréthanne. Choisissez une bombe manipulable sous tous les angles. Suivez le mode d'emploi. Passez des gants à jeter avant la prise, la mousse étant très collante ; assurez-vous de la puissance du jet et de la distance de projection de la mousse.

1 Dépoussiérez au pinceau l'intérieur du trou et mouillez à l'eau.

2 Projetez la mousse. Parfois une ou deux gouttes suffisent tant elle se dilate.

3 Après 1 à 2 heures, coupez ce qui dépasse au couteau ou à la scie. Ne respirez pas la poussière du produit.

Avant de peindre

Avant toute peinture, la plupart des supports intérieurs ou extérieurs doivent recevoir un apprêt (impression, enduit ou autre). Ainsi, sans une couche d'impression, un plâtre neuf absorbera une bonne partie de la peinture d'application.

Une peinture de finition ne peut être sans défaut sans un support stable, étanche. Choisissez donc bien un apprêt lui convenant, en particulier s'il est exposé aux intempéries. Un bois doit être protégé complètement sans que la moindre fibre puisse être touchée par la pluie.

Une impression ne résiste guère aux intempéries et il faut peindre au plus tôt une boiserie extérieure qui en a reçu une. Aujourd'hui, les menuiseries de bâtiment (portes, fenêtres...) se livrent généralement traitées aux fongicides et insecticides et, souvent, déjà imprégnées. Vérifiez que l'impression n'a pas sauté en quelque endroit (éraflure ou autre).

Faites si nécessaire les retouches. Passez une seconde couche sur les parties que les scellements noieront dans la maçonnerie.

CHOIX DES APPRÊTS

PRODUIT	EMPLOI	DESCRIPTION	NOTES ET CONSEIL
Impression	Sur plâtres, bois, métaux.	Bouche les pores des surfaces absorbantes ; donne une prise à la peinture.	Utilisez une impression spécifique ou polyvalente.
Enduit aluminium	Sur maçonneries tachées, enduits bitumineux, parties traitées aux agents de préservation.	La présence de particules d'aluminium protège la peinture des altérations.	Appliquez une seconde couche si la tache réapparaît sous la première.
Peinture de galvanisation à froid	Sur métaux galvanisés, endommagés, fers et aciers.	Riche en zinc, prévient la rouille et donne prise à la peinture.	Mélangez bien avant usage. Laissez sécher complètement avant de peindre.
Avant-peinture pour métaux non ferreux	Sur aluminium et zinc.	Protège les métaux contre l'oxydation.	De couleur blanche, s'applique comme une impression.
Antirouille	Sur fers et aciers neufs ou mis à nu.	Empêche la formation de rouille sous la peinture.	Dégraissez les métaux neufs ; décapez les points de rouille de ceux mis à nu.
Durcisseur	Enduit pour toute maçonnerie et plâterie qui s'effrite, s'écaille ou se farine.	Homogénéise le matériau et donne une surface solide.	Sur support attaqué par les moisissures, appliquez auparavant un fongicide.

Peinture : l'outillage

Comme pour tout outillage, la qualité est payante. Achetez le meilleur possible et prenez-en soin. Il durera longtemps.

Brosses

En termes de métier, un pinceau est une brosse. De bonne qualité, elle s'améliore à l'usage. Elle s'arrondit, perd peu de poils, ceux qui se détachent s'éliminent. On « fait » une brosse neuve sur les impressions et les premières couches, et on réserve les brosses bien affinées pour les couches de finition.

À largeur égale, une brosse à bas prix compte en général moins de soies qui, souvent mal serties dans la virole, tendent à tomber. Employez-les pour l'application d'agents de préservation sur les bois bruts, pour le dégraissage des supports métalliques, le dépoussiérage et autres travaux grossiers. Évitez de peindre à la brosse à fibres synthétiques. La brosse de qualité est en soies de porc, avec virole inoxydable.

Pour les peintures courantes, les professionnels utilisent les brosses rondes ou *pouces* dans une gamme de 11 à 36 cm de diamètre. Les plus petites, dites *brosses à rechampir,* ont l'extrémité plus bombée et servent à peindre angles, moulures et bois de fenêtres. Les plus grosses, plus grossières, employées pour laver, humecter, peindre des surfaces rugueuses, s'appellent *brosses à*

badigeon. Les brosses plates ou *queues-de-morue,* de 15 à 80 mm, sont des *brosses à vernir* ou, moins épaisses, *à laquer.*

De 100 mm et plus, les *spalters* servent à lisser une peinture, ou encore à vernir. Enfin, les travaux minutieux — filets, petits motifs — se font aux *brosses à tableau* (ou pinceaux fins) plates, rondes ou pointues, en poils de martre.

Les *brosses à radiateur,* à manche long, ont une virole coudée pour les larges, un manche coudé pour les étroites.

Rouleaux

Ce sont les outils les plus simples à l'emploi et les plus rapides pour couvrir de grandes surfaces. Les manchons se séparent en général de la monture, d'où facilité de nettoyage et interchangeabilité. Ils se divisent en quatre grandes familles.

MANCHON MOUSSE — En mousse de polyuréthanne, polyvalent, il donne une bonne finition lisse ou à grain très fin. On trouve dans cette catégorie les *rouleaux à rechampir,* étroits, pour petites surfaces ; les *rouleaux d'angle,* et les *rouleaux de dessinateur* pour les travaux délicats.

Le rouleau à peindre les radiateurs (mousse ou peluche) à long manche permet aussi la pose de papier peint derrière les radiateurs.

MANCHON DE LAINE — Dans un mélange de laine de mouton et de nylon ou en crylon. Également polyvalent, en peluche de 10 mm en

crylon, pour tous usages courants, retient mieux la peinture que les autres types de manchon. À longue peluche (16 mm) en laine et nylon, pour façades, crépis rustiques, donne un gros grain avec les peintures émulsion.

MANCHON MOHAIR — À poils très serrés, idéal pour peintures satinées, brillantes, ainsi que pour vernis et laques (on l'appelle aussi *rouleau laqueur*). Exige un nettoyage parfait après usage.

MANCHON CAOUTCHOUC — Porte des reliefs vigoureux et variés pour crépis décoratifs.

Tampons

C'est un mohair monté sur une semelle de mousse et une plaque rigide à poignée, large de 25 à 180 mm. Les tampons peuvent donner une belle surface vernie ou laquée. Mais on a avantage à les utiliser avec des peintures émulsion, les dissolvants volatiles pouvant attaquer l'adhésif entre mohair et mousse.

Bombe aérosol

Laque ou vernis, contenus dans un récipient sous pression, pulvérisés sur le support. Surtout utilisée sur surface réduite ou difficile à peindre (meuble de rotin, fer forgé).

Pistolet à peinture

Étant d'un usage limité dans un foyer, mieux vaut en louer un plutôt que l'acheter. Pour certains travaux courants, comme les rac-

cords, la peinture de petites surfaces, les pulvérisations, un petit ensemble compresseur-pistolet adaptable sur perceuse électrique peut être utile, surtout s'il comporte des accessoires de gonflage, une soufflette. Si vous voulez vous offrir cet outil, choisissez un pistolet électrique d'amateur, léger, maniable, où la peinture est pulvérisée par une pompe à vibreur et non par un compresseur.

Accessoires

Camion. Transvasez toujours juste la quantité de peinture nécessaire dans un seau appelé *camion à peinture.* Cela permet de la filtrer et d'éviter de salir ou de renverser toute une boîte de peinture.

Grille d'essorage. Pour essorer le rouleau plein de peinture.

Agitateur. Sauf les gels, toute peinture doit être bien remuée avant l'emploi.

Filtre. Il faut filtrer la peinture pour éliminer peaux et impuretés. C'est impératif pour la peinture au pistolet afin d'éviter le bouchage du gicleur.

Masques. Pour protéger des bavures une partie à ne pas peindre, utilisez un masque en plastique ou en métal, bien qu'un carton rigide puisse en tenir lieu. À moins que vous ne préfériez les rouleaux de bande de papier crêpé adhésif que l'on colle sur les parties à protéger.

Viscosimètre. Pour mesurer la fluidité de la peinture au pistolet.

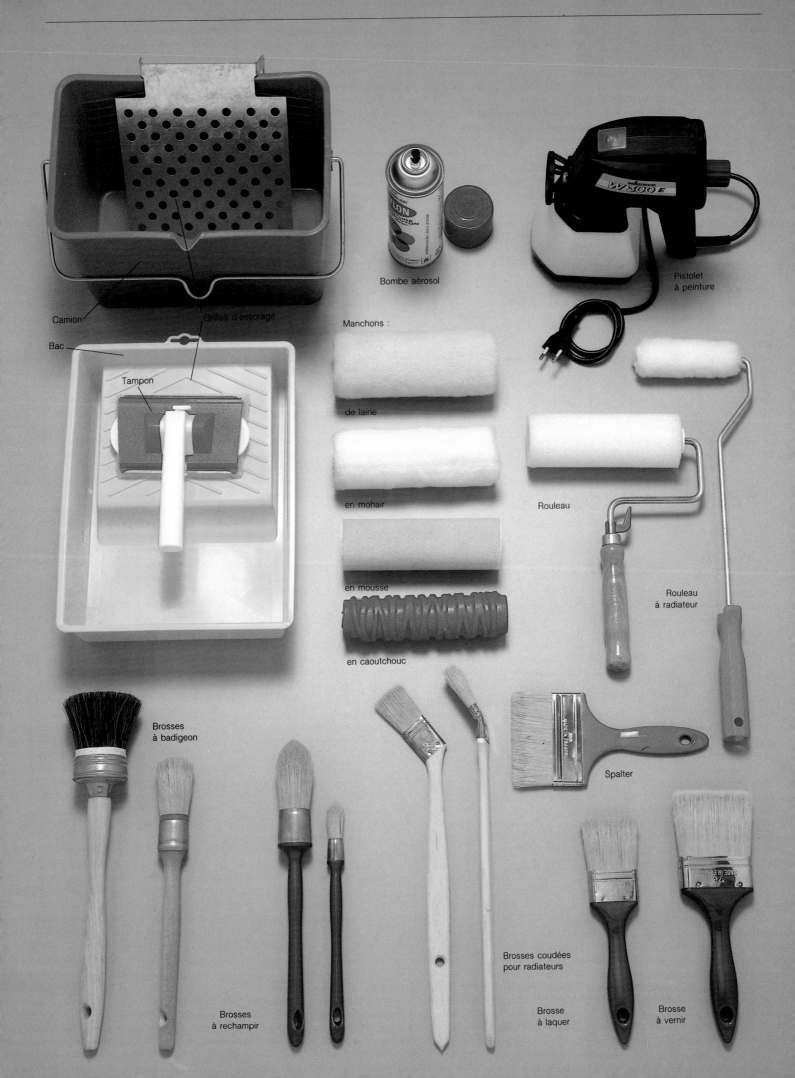

Camion

Grilles d'essorage

Bac

Tampon

Bombe aérosol

Pistolet à peinture

Manchons :

de laine

en mohair

Rouleau

en mousse

Rouleau à radiateur

en caoutchouc

Brosses à badigeon

Spalter

Brosses coudées pour radiateurs

Brosses à rechampir

Brosse à laquer

Brosse à vernir

Choix d'une peinture

Avant l'achat d'une peinture, assurez-vous qu'elle s'harmonise avec le décor souhaité. Mettez côte à côte l'échantillon de couleur et ceux de carpette, tapis et rideaux. L'option de principe arrêtée, vérifiez sa valeur en achetant une petite boîte de la peinture choisie et faites un essai sur un coin de mur.

Souvenez-vous que sur un mur entier une peinture paraît généralement plus sombre que sur une petite surface. En cas de doute sur la nuance à adopter, préférez la plus pâle. D'une marque à l'autre, la teinte est rarement la même, et dans une même marque elle peut varier selon les lots. Achetez toute la peinture nécessaire pour une pièce en une fois, dans la même marque et le même lot (en principe, celui-ci est numéroté).

Les peintures se présentent sous deux formes. La première, classique, est liquide. Les unes, dites à l'huile (les plus répandues sont glycérophtaliques), comprennent les vernis et les laques. Les autres sont à émulsion ou à l'eau.

L'autre aspect : en gelée dans leur boîte. Elles se liquéfient à l'application. Elles sont spécialement mises au point pour les débutants. Une seule couche suffit, en principe.

De ce fait, une peinture gel, même si son prix au litre est relativement élevé, ne revient pas plus cher qu'une peinture classique.

Les peintures émulsion, de nature consistante, ne gouttent pas, et de ce fait le rouleau ne prend jamais trop de peinture. Les thixotropiques sont idéales pour les plafonds.

Ne remuez ni ne diluez jamais une peinture thixotropique avant l'emploi. Si, accidentellement, elle a été secouée, elle sera grumeleuse ou liquide, et il faudra la laisser reposer et se figer avant utilisation.

La couche de finition d'une peinture peut avoir un aspect brillant (laques), satiné ou mat. Plus une peinture est brillante, plus elle est solide et durable.

Les peintures qui contiennent des résines polyuréthannes ont une solidité et une résistance aux intempéries, donc une durabilité plus grande.

Enfin, pour mention, il existe de plus en plus de peintures à usage spécifique (pour tableaux, tables de ping-pong, sols, toitures, courts de tennis, parkings, piscines, polyester, fibre de verre, etc.), choisies en fonction de leurs qualités chimiques. D'autres contiennent des additifs qui les rendent plus ignifuges que les peintures ordinaires. Elles sont donc préférables pour la décoration des dalles de polystyrène expansé, les boiseries et toutes les autres matières inflammables.

CHOIX D'UNE PEINTURE EN FONCTION DU SUPPORT

Suivez les indications portées par le fabricant sur l'emballage. On y trouve généralement la surface couverte, le pouvoir couvrant, le temps de séchage.

PEINTURE	EMPLOI	DESCRIPTION	NOTES ET CONSEILS
Sous-couche	Intérieur et extérieur sur supports préparés et avant les couches de finition.	Peinture contenant plus de pigments que celle de finition. Possède un bon pouvoir couvrant.	Sur surfaces sombres, utilisez une peinture plus pâle (2 couches). Souvent remplacée par de la peinture de finition diluée à 10 % de white-spirit. Il existe des sous-couches universelles et d'autres spécifiques pour bois, fer, aluminium, zinc, galvanisé, P.V.C., plastiques, etc. *Nettoyage des outils* : immédiat. White-spirit, puis savon noir et eau.
Peintures dites à l'huile (glycérophtaliques)	Couches de finition intérieure et extérieure, boiseries et métaux ; peuvent s'appliquer sur murs et plafonds. Les brillantes (laques) sont particulièrement recommandées dans les pièces à buée.	Peintures protectrices et décoratives, couches relativement minces. Existent en mates, satinées et brillantes.	Sur bois, passez une couche d'impression. Sur fers et aciers neufs ou à nu, une antirouille est recommandée. Sur autres métaux, une sous-couche spécifique peut faciliter l'accrochage. *Nettoyage des outils* : comme pour la sous-couche.
Peintures thixotropiques (gel ou monocouche)	Pour boiseries intérieures et extérieures, utilisez une peinture gel glycérophtalique ; pour murs et plafonds, une peinture gel émulsion.	Combinent sous-couche et couche de finition. Ne gouttent pas du pinceau ou du rouleau ; pas de coulures sur le support. Idéales pour débutants.	*Nettoyage des outils* : après peinture gel glycérophtalique : comme pour la sous-couche ; après peinture émulsion : eau et savon ou détergent.
Émulsions pour intérieur	Murs et plafonds.	Se diluent à l'eau. Peintures mates ou brillantes à séchage rapide ne laissant pas de traces de pinceau.	Pour une sous-couche, même peinture plus diluée. Travail rapide au rouleau. *Nettoyage des outils* : eau et savon ou détergent.
Émulsions pour extérieur	Murs extérieurs.	Mêmes propriétés que les précédentes, mais plus résistantes à l'usure.	Rebouchez les fissures fines avant de peindre. Appliquez à la brosse à badigeon, au spalter très large ou au rouleau de laine et nylon à longue peluche. *Nettoyage des outils* : eau et savon ou détergent.
Peintures microporeuses (acryliques)	Bois extérieurs neufs ou mis à nu, non traités. S'appliquent sur la plupart des supports en intérieur.	Peintures mates, satinées et brillantes, se diluant à l'eau. Permettent au support de respirer. Limitent les conséquences de l'humidité. Présentation variée : monocouche, combinant impression sous-couche et finition ; une couche impression, une couche associant sous-couche et finition.	Séchant plus rapidement que la peinture à l'huile, pratique pour une remise en peinture hâtive. Les satinés et les brillants en microporeuses sont plus ternes que leurs homologues glycérophtaliques. *Nettoyage des outils* : eau et savon ou détergent.
Peintures maçonnerie	Sur tous enduits extérieurs.	Peintures émulsion mates normales ou renforcées (silicates, nylon) ou peintures à base de pliolite se diluant au white-spirit. Les émulsions renforcées ou pliolitées ont une plus grande durabilité.	Sur fond déjà traité à la peinture aux silicates, utilisez exclusivement ce type de peinture. Protégez bois, zinc et vitrages. Sur maçonnerie neuve, utilisez une silicatée ou une pliolitée. Stabilisez le support au durcisseur ; passez-le au fongicide si nécessaire. Rebouchez les fissures les plus fines. *Nettoyage des outils* : après peinture émulsion, eau et savon ou détergent ; après pliolite, white-spirit, puis eau et savon noir.
Peintures bitumineuses	Sur métaux extérieurs (tuyaux, gouttières) et béton.	Peintures spéciales rendant étanche le support.	Condamnées à n'utiliser qu'elles sur ce support, les autres types de peintures n'accrochant pas sur elles. *Nettoyage des outils* : pétrole lampant.

Quantité de peinture nécessaire

Calculez la quantité de peinture nécessaire avant l'achat. Comptez large. En effet, la porosité, la texture et la couleur du support font varier cette quantité. Un fond très poreux absorbera beaucoup de peinture d'impression. Une surface à relief décoratif (crépi, papier gaufré...) se montre extrêmement gourmande. Couvrir une vieille peinture sombre peut demander trois couches de la nouvelle. À l'extérieur, comptez un minimum de deux couches de finition pour une bonne protection contre les intempéries.

Tout emballage de peinture indique sa contenance et la surface moyenne couverte par le contenu. On peut également se guider sur le tableau de moyennes suivant.

Pour calculer la surface à peindre dans une pièce, multipliez la longueur de chaque mur par sa hauteur. Faites la somme des surfaces trouvées. Ôtez la surface des ouvertures. Comptez l'épaisseur des murs qui peuvent entourer l'encadrement des fenêtres et des portes. Portes, fenêtres et plinthes étant souvent traitées dans une autre teinte, mesurez large la surface des panneaux, cadres et plinthes pour la seconde peinture. Multipliez les surfaces trouvées par le nombre de couches à passer, en tenant compte de la porosité et aussi de la texture du support.

SURFACES RECOUVERTES AVEC 1 LITRE

TYPES	SURFACES
Impression universelle :	12 m^2
Sous-couche :	16 m^2
Finition (glycéropht.) :	14 m^2
Finition gel (glycéropht.) :	12 m^2
Émulsion :	10 à 13 m^2

PEINTURES AU PLOMB — PRÉCAUTIONS

Les peintures à forte teneur en plomb peuvent provoquer le saturnisme, qui est une intoxication chronique par le plomb. Le danger est minime avec les produits modernes — les composés de plomb sont éliminés ou, s'ils en comportent, c'est en faible quantité.

S'il y a un risque, il existe au décapage de vieilles peintures susceptibles d'être au plomb. Par mesure de précaution, il faut opérer fenêtres ouvertes. Éloignez les enfants et veillez à ce qu'ils ne tripotent ni ne portent à leur bouche des résidus de la vieille peinture pouvant rester sur les murs. Prenez la peine de jeter vous-mêmes les résidus.

Peinture à la brosse

Pour toute peinture, sur tout support, utilisez l'outil traditionnel des peintres : le pinceau, qu'ils appellent brosse. Elle convient parfaitement à la peinture des murs et plafonds. Pour chacun des travaux, il suffit de choisir la taille adéquate. Les professionnels utilisent pour presque tous les travaux des brosses rondes, appelées *pouces* ; celles employées pour un travail délicat, les brosses *à rechampir*, ont une forme conique. Les amateurs marquent généralement une préférence pour les brosses plates pour tous leurs travaux.

1 Mélangez bien la peinture (à moins qu'il ne s'agisse d'un gel) à l'aide d'un bâtonnet ou d'un agitateur. Remuez toute la masse afin d'obtenir une pâte fluide bien homogène.

2 Avant de transvaser la peinture dans le camion, doublez l'intérieur de celui-ci d'une feuille d'aluminium, ce qui facilitera son nettoyage.

Remplissez le camion environ au tiers. Refermez et éloignez la boîte ou le bidon de peinture, ce qui évitera de salir ou de renverser accidentellement la peinture restante pendant le travail.

3 Choisissez la brosse à votre main. Pour peindre murs et plafonds, on emploiera une brosse n° 14 pour la peinture à l'huile et n° 16 pour badigeonner les plafonds. Mais n'hésitez pas à changer de brosse si la première fatigue le poignet ou est trop grande pour la surface à peindre. Il est plus facile de nettoyer un pinceau que des bavures et des coulures.

UTILISATION D'UN VIEUX POT DE PEINTURE

Avant ouverture, nettoyez le pot à la brosse en chiendent et dépoussiérez le couvercle. Coupez en suivant le bord la peau sur la peinture et ôtez-la. Mélangez bien la peinture, puis filtrez afin d'éliminer les restes de peau et les morceaux de peinture durcie.

4 Passez les soies sur la paume de votre main pour en éliminer poussières et résidus de peinture.

5 Chargez de peinture la brosse jusqu'à environ un tiers des soies. Jamais jusqu'à la virole.

Peinture à la brosse (suite)

6 Essorez l'excès de peinture en pressant la brosse contre la paroi du camion plutôt qu'en la frottant sur le bord, pour ne pas risquer d'enlever trop de produit.

7 Tenez de façon à bien la diriger en fatiguant au minimum le poignet une brosse légère comme un crayon ; tenez une plate moyenne le pouce près de la virole, les autres doigts à l'opposé et peignez de bas en haut, pouce en dessous ; de haut en bas, pouce au-dessus. Tenez à pleine main le manche des plus lourdes, rondes ou plates.

PEINTURES GEL

Ces peintures se liquéfient, gouttent et coulent si on les triture. Ne remuez pas la peinture ; ne la transvasez pas de sa boîte ou de son plateau ; chargez la brosse en la passant sur toute la surface du plateau ou de la boîte sans y creuser d'« ornières » ; n'essorez pas la brosse.

Appliquez la peinture sur le support par sections horizontales en évitant autant que possible de repasser la brosse plusieurs fois sur les parties déjà couvertes, sinon vous risquez des coulures.

PEINTURES GLYCÉROPHTALIQUES

1 Dans une pièce, commencez par le mur où se trouve la fenêtre ; ainsi, d'éventuels défauts seront moins visibles à contre-jour.

2 Attaquez dans un angle du haut. Peignez verticalement, sur une hauteur de 40 cm et une largeur de 50 cm.

3 *Croisez*. Sans recharger la brosse, passez-la horizontalement pour tirer la peinture et l'égaliser.

4 *Lissez*. Du bout des soies, sans appuyer, donnez verticalement des petits coups de brosse, toujours sans reprendre de peinture.

5 Peignez, selon la même technique, une seconde section au-dessous en recouvrant légèrement le bas de la première. Continuez comme cela jusqu'à la plinthe, et ainsi de suite, en veillant à obtenir des raccords sans surcharge de peinture.

PEINTURES ÉMULSION

1 Commencez comme avec une peinture glycérophtalique (mur de la fenêtre, angle supérieur). Utilisez une peinture qui ne soit pas trop épaisse. Peignez par sections, mais par coups de rouleau ou de pinceau horizontaux.

2 Lissez en croisant verticalement, sans recharger le rouleau ou la brosse et sans appuyer.

JONCTION DE DEUX SURFACES DE TEINTES DIFFÉRENTES

À la jonction de deux murs de couleurs différentes (mur et plafond ou corniche, mur et boiserie), la juxtaposition des deux teintes doit être rectiligne et nette.

La méthode la plus simple, la plus sûre et la plus économique qui s'offre à un débutant ou à un amateur pour réussir une jonction rectiligne est de masquer les parties à ne pas peindre à l'aide d'un papier adhésif crêpé, vendu chez tous les marchands de peintures, en rouleaux de différentes largeurs. Après quoi, on travaille normalement la surface à rénover. On décolle le papier après séchage complet de la peinture.

PEINDRE UNE SURFACE AVEC RELIEFS

S'il s'agit d'un crépi décoratif, mieux vaut le colorer dans la masse avant application. Teintez en une seule fois tout le produit nécessaire pour couvrir la totalité de la surface à décorer.

Triturez bien dans un récipient un quart de la pâte onctueuse et de la couleur concentrée, en tube ou en poudre, pour obtenir une teinte plus soutenue que celle désirée et bien homogène. Videz ce mélange dans le reste de la pâte et homogénéisez afin d'avoir une couleur uniforme. Si la teinte est trop pâle, prélevez un quart du crépi obtenu et procédez de nouveau comme précédemment. Si vous voulez l'éclaircir, ajoutez de la pâte non colorée.

Vous obtiendrez de cette façon un décor parfaitement couvert avec un minimum de peinture et de travail.

S'il s'agit de rénover un crépi existant, utilisez une brosse à badigeon, étalez, croisez, mais au lieu de lisser, en tenant la brosse perpendiculairement au support, faites du « pointillisme » afin de bien couvrir les creux.

La peinture d'un papier peint gaufré se fera au spalter selon la méthode habituelle, mais avant lissage, maniez la brosse afin que les soies atteignent bien les creux.

La peinture des crépis extérieurs est exécutée à la brosse à badigeon. Vous devez littéralement pomper la peinture dans le camion car elle est assez épaisse. La brosse perpendiculaire au mur, faites du pointillisme.

Mouillez un crépi neuf avant de le peindre pour limiter l'absorption de peinture.

En fait, la peinture à la brosse d'une grande surface, sauf cas particulier, devient assez rare. Elle est délaissée au bénéfice du rouleau, qui absorbe — il est vrai — plus de peinture, mais qui est beaucoup plus pratique.

UN BON TRUC

Reprenez immédiatement d'un coup de brosse une coulure qui se forme. Nettoyez au fur et à mesure taches, bavures ou coulures à l'aide d'un chiffon propre, non pelucheux, légèrement imbibé de dissolvant et essuyez.

N'appliquez pas de couche trop épaisse. S'il faut masquer une couleur sombre, passez deux sous-couches avant la finition. Pour obtenir un beau fini, poncez au papier de verre fin couche d'apprêt et sous-couche ; dépoussiérez à la balayette souple et au chiffon humide et laissez sécher avant l'application suivante. Ne portez pas de lainage ou autre vêtement pelucheux en peignant : les fibres qui s'en détachent collent à la peinture.

Peinture au rouleau et autres techniques

PEINTURE AU ROULEAU

Le rouleau permet de peindre plus rapidement que la brosse mais demande parfois l'application de plus de couches. Choisissez un rouleau dont la texture correspond à la peinture employée, au support à couvrir, au grain désiré. Le rouleau à mèches de 10 mm en crylon répond pratiquement à tous usages courants.

1 Mélangez la peinture comme pour le travail à la brosse (sauf s'il s'agit de peinture gel, bien sûr).

2 Transvasez la peinture dans un camion rectangulaire ou dans un bac plat jusqu'au tiers de leur hauteur. Placez la grille d'essorage.

3 Trempez le manchon dans la peinture, qui doit rester à un niveau au-dessous de l'axe du rouleau. Faites-le rouler sur la grille pour bien répartir la peinture sur toute la surface du manchon.

4 Appliquez la peinture dans un mouvement de va-et-vient horizontal. Travaillez par couches fines, sans hâte, pour éviter les éclaboussures et sans trop appuyer pour ne pas avoir de bourrelets de peinture de part et d'autre du manchon.

5 Lissez en croisant verticalement sans recharger le rouleau.

6 De la même manière, couvrez une autre section au-dessous en débordant légèrement sur les voisines pour avoir de bons raccords.

7 Exécutez les raccords aux angles et le long des boiseries soit au rouleau d'angle, soit à la brosse à rechampir. Cadres de portes, de fenêtres et plinthes peuvent se peindre à la brosse ou au rouleau à rechampir.

UN BON TRUC
Le rouleau est particulièrement apprécié pour appliquer les émulsions et peindre les plafonds.

Passer au rouleau une émulsion gel qui ne goutte pas paraît un jeu d'enfants comparé à toute autre technique de peinture et en plus le fini est bien supérieur.

PEINTURE AU TAMPON

Le tampon peut s'utiliser sur toute surface, le procédé est rapide et efficace. Mais il « pompe » beaucoup de peinture. Il présente de grands avantages pour laquer bois et métaux, leur donnant une belle finition. Cependant, le white-spirit tend à détruire l'adhésif fixant le mohair sur son support.

1 Dans le bac réservé à cet usage (assurez-vous qu'il soit propre), versez un peu de peinture préalablement remuée.

2 Prenez le plus grand tampon compatible, naturellement, avec la surface à couvrir, afin de vous faciliter la tâche.

3 Chargez le tampon en vous en servant pour faire tourner le tambour dans le bac spécial ou en effleurant la surface de la peinture dans un bac improvisé. Seul le mohair doit s'imbiber de peinture, pour éviter les coulures. Un tampon se recharge plus souvent qu'une brosse ou un rouleau.

4 Pour l'application, procédez comme à la brosse ou au rouleau : commencez dans un angle supérieur ; travaillez par sections pour les grandes surfaces.

5 Pour les angles et les raccords près des boiseries, utilisez un tampon avec plaque de protection qui empêche la peinture de déborder. Frottez à plat, sans trop appuyer pour éviter les coulures. Sinon, vous pouvez aussi employer le rouleau d'angle.

PEINTURE À LA BOMBE
La bombe est idéale pour peindre des supports que le rouleau ne pourrait couvrir entièrement et où il serait difficile de lisser à la brosse (surfaces irrégulières, recoins, etc.). Mais elle ne convient que pour de petits travaux.

Pour des surfaces importantes, utilisez le pistolet à peinture.

Pour bien « bomber », multipliez de fines couches de peinture afin d'éviter les coulures (une dizaine de couches environ). De cette façon, il est inutile d'attendre le séchage complet d'une couche pour passer la suivante.

Masquez les surfaces à ne pas peindre par des journaux et du papier crêpé.

Agitez la bombe avant l'usage ; tenez-la verticalement, à 15 cm au moins du support ; déplacez-la sans cesse.

Un léger arrêt sur un point y accumulera la peinture et provoquera des coulures.

PEINTURE AU PISTOLET

Filtrez la peinture. Contrôlez sa dilution au viscosimètre, car si elle est trop épaisse, elle bouchera le gicleur, et trop fluide elle provoquera des coulures. Masquez une large zone autour de la surface à peindre.

Pour peindre un mur, commencez par un angle, en haut, à l'horizontale, puis descendez en zigzags réguliers. Croisez en zigzags verticaux.

Sur support horizontal, débutez par la partie la plus proche de vous, le pistolet incliné à 45° au plus.

Après usage, démontez et nettoyez sans attendre le pistolet.

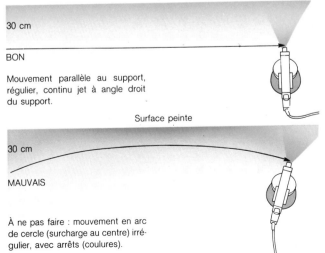

Surface peinte

30 cm

BON

Mouvement parallèle au support, régulier, continu jet à angle droit du support.

Surface peinte

30 cm

MAUVAIS

À ne pas faire : mouvement en arc de cercle (surcharge au centre) irrégulier, avec arrêts (coulures).

Entretien des brosses, rouleaux et tampons

Brosses, rouleaux et tampons bien entretenus dureront des années. Il faudra vite les remplacer si vous ne les nettoyez pas après usage. Pour les peintures se diluant à l'eau, c'est simple : lavage à l'eau courante et savon ou détergent.

Pour celles se diluant au white-spirit, nettoyez immédiatement l'outil avec ce solvant, puis lavez-le au savon (noir ou de Marseille) et à l'eau. Les peintures bitumineuses s'éliminent au pétrole lampant. Les fabricants de peinture proposent souvent leur nettoyant. En général, le white-spirit convient. Néanmoins, pour éliminer certaines peintures il faut un solvant particulier. Vérifiez toujours sur la boîte ou le bidon de peinture les recommandations du fabricant. Dans tous les cas, achetez les produits de nettoyage en même temps que la peinture.

ARRÊT TEMPORAIRE DU TRAVAIL

Pour toute peinture à l'eau, lavez immédiatement brosse, rouleau, tampon, etc. Pour les peintures glycérophtaliques, laissez brosse, rouleau et tampon une journée sans les nettoyer à fond. Soit vous serrez hermétiquement dans une feuille d'aluminium ou de plastique les soies et la virole de la brosse, le rouleau ou le tampon ; soit, ce qui

est plus sûr, vous plongez l'outil dans un récipient rempli d'eau claire. Veillez à ce que la brosse et le manchon du rouleau ne s'écrasent pas au fond du récipient.

Pour la brosse, percez de part en part le manche près de la virole, passez-y un morceau de fil de fer qui reposera de part et d'autre sur l'ouverture du bocal d'eau, et immergez les soies jusqu'à la virole.

NETTOYAGE D'UNE BROSSE

1 Posez la brosse à plat sur un papier et pressez les soies doucement avec un vieux couteau en partant de la virole.

2 Si la brosse est chargée d'émulsion, continuez d'éliminer la peinture sous un jet d'eau en vous aidant de vos doigts. S'il s'agit de

peinture à solvant volatil, continuez l'essorage contre le bord d'un bocal de white-spirit.

3 Lavez au savon noir ou au savon de Marseille et à l'eau en frottant les soies jusqu'à la base sur la paume de votre main et entre vos

doigts afin d'éliminer de cette façon tout résidu de peinture.

Rincez bien à l'eau courante. Secouez pour essorer, puis essuyez avec un chiffon non pelucheux.

4 Une fois la brosse sèche, glissez un bracelet élastique autour des soies afin de leur conserver leur forme initiale.

NETTOYAGE D'UN ROULEAU

1 Essorez le rouleau sur la grille, puis sur de vieux journaux jusqu'à ce que le manchon, pratiquement sec, ne laisse presque plus de traces de peinture sur le papier. Retirez le manchon de sa monture.

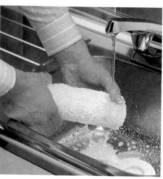

2 Pour une émulsion, continuez l'essorage sous un jet d'eau en vous aidant de vos doigts. Lavez à l'eau et au savon, puis rincez.

NETTOYAGE D'UN TAMPON

1 Essorez, lavez et rincez le tampon s'il est chargé d'émulsion. Si le diluant est du white-spirit, vous pouvez essayer de dissoudre la peinture avec, avant lavage ; mais vous risquez de décoller le mohair de son support.

CONSERVATION DES OUTILS

Enveloppez brosses et manchons secs dans du papier d'emballage. Suspendez brosses et rouleaux ; entreposez les manchons sans monture debout sur leur moyeu.

Protégez les tampons de la poussière dans des sacs de plastique. Entreposez les outils dans un endroit sec.

UN BON TRUC
Récupérez le white-spirit de nettoyage dans un bocal ou un bidon à fermeture étanche. La peinture se déposera au fond et quelques jours après le solvant pourra de nouveau servir.

RÉCUPÉRATION D'UNE BROSSE DURCIE

Une brosse mal nettoyée est perdue. Si la masse durcie de ses soies n'est pas trop compacte, tentez de la ramollir avec un produit pour nettoyer les pinceaux. Suivez le mode d'emploi. Éliminez les

résidus de peinture avec une brosse à fils de laiton pour l'entretien du daim. Mais un tel pinceau ne sera bon qu'à appliquer décapant ou créosote.

Peinture du plafond et des murs

La préparation terminée, tous supports décapés rebouchés, durcis, enduits, poncés, lessivés et secs, commence alors le vrai travail de peinture. Pour rénover une pièce, opérez avec méthode. Peignez d'abord le plafond, puis le mur où est percée la fenêtre (s'il y en a plusieurs, celle donnant le plus de jour); peignez ensuite les autres murs, les fenêtres, les portes et les plinthes.

Pour murs et plafonds, le rouleau est le plus pratique. Choisissez de préférence une émulsion, mate pour les plafonds, mate ou satinée pour les murs, mais jamais brillante, car elle souligne la moindre irrégularité de la surface. Facile à appliquer, surtout en gel, l'émulsion offre aujourd'hui un éventail de qualité et de nuances permettant les décorations les plus subtiles.

PEINTURE DU PLAFOND

Gardez à l'esprit que de tous les travaux de rénovation d'une pièce, ceux exigés par le plafond sont les plus fatigants et comportent le plus de risques corporels. En conséquence, limitez le plus possible fatigue et danger. Pour cela, montez un échafaudage stable, solide (voir p. 96), à bonne hauteur (le plafond doit être à environ 75 cm au-dessus de la tête), si possible courant d'un mur à l'autre, offrant toute sécurité et permettant un travail aisé. Bannissez si possible l'échelle double ou l'escabeau, les incessantes montées et descentes, les contorsions aussi risquées qu'épuisantes.

1 Peignez une première bande le long du mur de la fenêtre. Croisez perpendiculairement. Pour les bandes suivantes, recommencez chaque fois à partir du mur où vous avez commencé. Veillez à recouvrir légèrement le bord de chaque bande par la suivante et lissez pour obtenir un raccord sans marque ni surcharge.

2 S'il faut peindre voussures, corniches ou retombées sur le mur dans la même teinte que le plafond, faites-le en même temps. Utilisez le rouleau d'angle ou la brosse à rechampir pour peindre les arêtes sans bavure ni coulée. Masquez les parties à ne pas peindre au papier adhésif crêpé.

Peinture d'un plafond en dalles de polystyrène expansé
N'employez jamais de peinture à l'huile : elle peut désintégrer le polystyrène ou, pour le moins, le gondoler. De plus, elle facilite la propagation du feu en cas d'incendie. Appliquez une émulsion au rouleau et, pour les joints, utilisez une brosse à rechampir.

Si vous prévoyez de poser vous-même ces dalles, il est plus facile de les peindre avant la pose.

PEINTURE DES MURS

Commencez par le mur où se trouve la fenêtre, dans un angle supérieur. Peignez par sections, en descendant jusqu'à la plinthe, puis reprenez à côté de la même façon, par sections et toujours de haut en bas (voir «La peinture des grandes surfaces à la brosse, au rouleau, au tampon et au pistolet», p. 109).

PEINTURE DES DIFFÉRENTS SUPPORTS

Plâtre nu
Le plâtre nu absorbe énormément de peinture, laquelle, en outre, ne masquera pas les petits défauts et les fissures filiformes de ce support. Pour parer à ces deux inconvénients, vous devez soit imprimer la surface, puis appliquer un enduit bien lissé et poncé avant mise en peinture, soit poser un papier d'apprêt que vous peindrez.

Papier
Le papier d'apprêt donne un excellent fond pour peindre. Vous pouvez passer une sous-couche, mais ce n'est pas absolument nécessaire. Appliquez au minimum deux couches de peinture. Ne vous inquiétez pas de la formation de petites bulles sur le papier, elles disparaîtront au séchage de la peinture.

Il est possible d'utiliser comme fond un papier relief à la place du papier d'apprêt. Dans ce cas, pour bien couvrir, utilisez un rouleau laine et nylon à longue peluche.

On peut peindre sur un papier peint moderne lavable ou lessivable, mais non sur un papier métallisé dont les particules tendent à être visibles sous la peinture. Avant de peindre un papier épongeable, mieux vaut faire un test pour savoir si ses couleurs ne remonteront pas à la surface de la peinture. Ce test est indispensable pour les papiers standard, surtout s'ils sont posés depuis une vingtaine d'années. Vérifiez par l'application de peinture sur une petite partie de leur surface si le diluant boursoufle ou détache le papier du mur, auquel cas, arrachez-le.

TEST DE LA COULEUR
Pour savoir si la couleur du papier remontera en surface : dissolvez 2 cuillerées à soupe d'amidon dans un peu d'eau froide ; versez dans 1 litre d'eau bouillante. Maintenez sur le feu, en remuant, jusqu'à ce que le mélange perde sa couleur blanche. Ajoutez 2 cuillerées à soupe de vinaigre. Laissez refroidir et badigeonnez-en un coin du papier. Si la couleur apparaît sur l'amidon 48 h après, elle remontera à la surface de la peinture.

Vieilles peintures
Ne peignez jamais sur une peinture à la colle (voir p. 97). Sur une peinture émulsion bien lessivée, vous pouvez repeindre sans préparation particulière. Si la nouvelle peinture est plus pâle que l'ancienne, il faudra deux ou trois couches. Sur une peinture à l'huile satinée ou brillante, poncez au papier de verre fin pour accrocher la peinture à venir. Rincez et peignez après séchage.

Crépi décoratif
Utilisez une brosse à badigeon ou un rouleau laine et nylon à longue peluche. Chargez brosse ou manchon, car le relief pompe beaucoup de peinture.

Peignez le plafond par bandes parallèles au mur de la fenêtre. Déplacez l'échafaudage vers le mur opposé. Commencez toujours les bandes du même côté par rapport à la fenêtre.

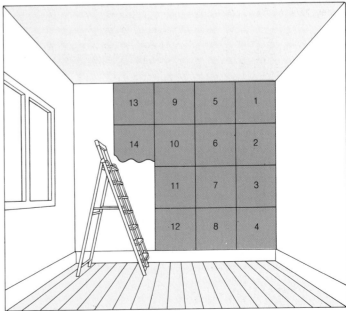

Peignez un mur par sections. Commencez toujours par un angle supérieur et descendez vers la plinthe. Puis déplacez l'escabeau et recommencez de haut en bas, toujours par sections.

Peinture de corniches et de moulures

Corniches, moulures, rosaces de plafond, voussures en staff ou imitation de staff, comme tout autre support, peuvent se peindre d'une couleur unie s'harmonisant ou contrastant avec celles du plafond et des murs après préparation (réparation si nécessaire, rebouchage, ponçage, dépoussiérage, lessivage). Si les supports à peindre ont un décor en relief, il est possible que l'on veuille rehausser ses motifs par l'emploi d'une seconde couleur.

. On peint en général ces éléments à la peinture émulsion. Celle-ci s'impose pour une imitation de staff en polystyrène (voir « Dalles de plafond », p. 111).

1 Emploi du pouce de 25 mm et du rouleau d'angle. Procédez par couches fines. Laissez sécher entre chacune d'elles. Nettoyez immédiatement les bavures au chiffon.

2 Peignez le fond. Laissez sécher avant l'application de la deuxième couleur sur les motifs à décorer. Utilisez 2 brosses à tableau ou 2 pinceaux fins.

3 Affermissez votre main par appui du petit doigt sur le support. Appuyez le poignet sur un bâton aux extrémités enrobées d'éponges ou de chiffons non pelucheux.

Peinture des boiseries

Comme tout autre support, les boiseries doivent avoir subi une préparation avant peinture. Il est prudent de passer une ou deux couches d'insecticide non teinté sur les bois nus pour prévenir les attaques par les xylophages.

Commencez par les fenêtres, poursuivez par les portes, finissez par les cimaises, les moulures et les plinthes.

Rien n'empêche de peindre portes et fenêtres restées en place ; mais comme le travail de préparation est plus aisé avec croisées et battants de portes dégondés posés horizontalement sur des tréteaux, autant ne les remonter qu'après peinture.

Pour les boiseries, choisissez de préférence une peinture glycérophtalique ou un vernis, plus durables et plus faciles à nettoyer qu'une peinture émulsion.

1 Sur bois nus, passez une couche uniforme d'impression.

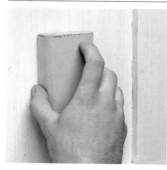

2 Garnissez la cale de ponçage de papier de verre fin et poncez afin de supprimer toute aspérité, mais assez légèrement pour que la peinture accroche.

3 Poncez feuillures et moulures en enrobant de papier abrasif une lamelle de bois ou une baguette ronde.

4 Passez la première couche de peinture dans le sens le plus long du bois ; croisez en sens contraire ; lissez dans le premier sens.

5 Poncez légèrement la première couche comme précédemment.

6 Dépoussiérez à la brosse à dépoussiérer (poils très souples).

7 Le dépoussiérage doit être parfait. Passez sur toute la surface peinte un linge propre, non pelucheux et humide. Laissez sécher.

8 Appliquez la couche de finition selon la même méthode que pour la première couche. Attention à l'accumulation de peinture dans les angles et au fond des feuillures et moulures.

Peinture des portes

Si le battant n'est pas dégondé, travaillez porte ouverte. Le chambranle se peint en dernier.

PORTES ISOPLANES

Leur planéité permet indifféremment l'emploi de la brosse, du rouleau en mousse de polyuréthanne ou du tampon ; les épaisseurs de portes se font à la brosse ou au rouleau à rechampir.

Peignez par sections, à coups de brosse verticaux, en commençant par un angle supérieur. Croisez horizontalement sans recharger la brosse. En croisant, égalisez bien les raccords. Lissez sans appuyer, par bandes et du haut en bas de la porte. Laissez sécher, poncez, dépoussiérez. Passez la seconde couche en procédant de la même façon.

Peignez les épaisseurs de la porte en commençant par l'horizontale du haut, puis les verticales. Si possible celle du bas (recommandé pour les portes donnant sur l'extérieur et celles des pièces à buée, cuisine, salle de bains).

PORTES À PANNEAUX

Utilisez de préférence des brosses, dont la brosse à rechampir pour les moulures et les épaisseurs.

Peignez les panneaux de moulure à moulure dans leur plus grande dimension. Croisez. Lissez dans le sens où vous avez peint. Lissez les moulures de coin à coin. Arrêtez la peinture des chants horizontaux à l'aplomb des panneaux et peignez les chants verticaux du haut en bas de la porte. Pour la peinture des épaisseurs : poncez, dépoussiérez comme précédemment, procédez de la même manière pour la seconde couche.

PORTES À PANNEAUX VITRÉS

Elles se peignent comme les châssis vitrés des fenêtres. Pour les portes-fenêtres, le panneau plein du bas se peint comme la porte à panneaux.

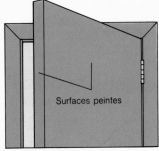
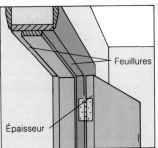

DEUX CÔTÉS, DEUX COULEURS

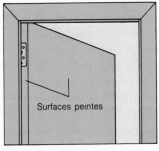

Feuillures

Épaisseur

Surfaces peintes

Si les deux côtés d'une porte sont peints de couleurs différentes, il faut peindre les épaisseurs de la porte, les feuillures (parties du cadre sur lesquelles s'appuie la

Surfaces peintes

porte fermée) et le chambranle qui l'entoure dans la couleur choisie pour le côté où elle s'ouvre en tirant. Peignez le reste dans la

teinte adoptée pour l'autre côté. Cependant, si la porte s'ouvre à moins de 90° (ouverture bloquée par un mur perpendiculaire, par exemple), vous pouvez ne pas peindre l'épaisseur, côté gonds, comme celle côté serrure, mais dans la seconde teinte (voir illustration).

En général, les épaisseurs dessous et dessus ne se peignent pas. Toutefois, si quand la porte est ouverte le dessus se voit (d'un escalier, par exemple), peignez-le afin que la couleur du bois nu ne jure pas avec le reste. Quant au dessous, peignez-le également s'il risque d'être mouillé (porte d'entrée exposée aux intempéries ou sol carrelé lavé à grande eau).

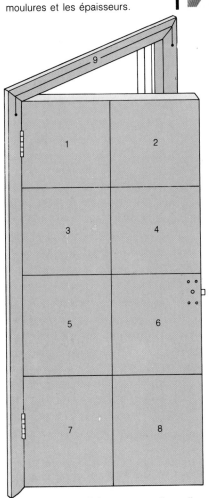

Porte isoplane. Peignez par sections d'une demi-hauteur et d'une demi-largeur dans l'ordre 1-2-3-4. Finissez par les épaisseurs.

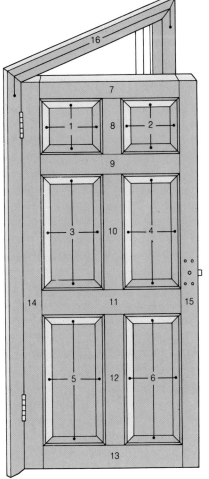

Porte à panneaux. Peignez les moulures, puis les panneaux, et dans l'ordre, les chants horizontaux et verticaux, les épaisseurs.

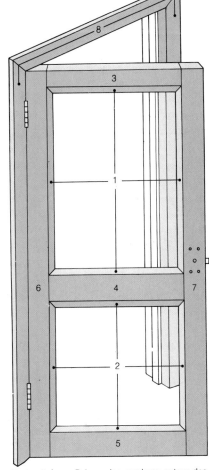

Porte vitrée. Peignez les moulures autour des vitrages, puis les chants horizontaux, les chants verticaux et les épaisseurs.

Peinture des plinthes et cimaises

N'étant pas à hauteur d'œil, plinthes et cimaises se remarquent peu dans une pièce. Néanmoins, leur peinture demande autant de soin que toute autre. En général, on l'harmonise avec celle des autres boiseries.

Dans une pièce moquettée, si vous n'avez pu retirer la moquette, multipliez les précautions pour peindre les plinthes, les bavures pouvant coûter cher. Tendez toiles ou bâches au plus près du bas de la plinthe ; prenez garde de ne pas ramasser de fibres de moquette sur la brosse chargée de peinture. De même, évitez de salir la brosse de ces poussières et rognures diverses qui s'amassent dans l'interstice entre plinthe et parquet, carrelage, lino, etc.

PEINTURE DES PLINTHES

1 Insérez un carton rigide entre la plinthe et le sol pour masquer celui-ci sous la section de plinthe que vous peignez ; vous éviterez ainsi les débordements de peinture.

2 Peignez et lissez dans le sens de la longueur, à la brosse plate ou ronde, assez large, point trop chargée. Deux ou trois couches légères valent mieux qu'une épaisse (laissez sécher chaque couche avant l'application de la suivante).

PEINTURE D'UNE CIMAISE

Une cimaise se peint à la brosse, de la même façon que les corniches et moulures.

Choisissez une peinture émulsion, qui séchera rapidement.

Peinture d'un escalier

1 Ôtez le tapis d'escalier, ses tringles de fixation et leurs anneaux. Balayez la masse de poussière qui s'accumule sous un tel tapis. Réparez si nécessaire les parties de l'escalier qui en auraient besoin. Préparez le tout pour la mise en peinture, lessivez.

2 Procédez à la peinture dans cet ordre : main courante ; poteaux ; balustres de la rampe ; limons ; contremarches et marches, en commençant par la plus haute. Utilisez des brosses de différentes tailles selon les surfaces à traiter.

3 Si vous désirez vernir tout ou partie de la rampe, décapez par brûlage ou décapant chimique (voir p. 101) toute trace de l'ancienne peinture et poncez soigneusement. Commencez toujours par vernir et lissez la main courante puis, éventuellement, les balustres. Employez

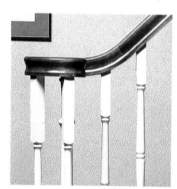

des queues-de-morue à vernir. Poncez au papier de verre très fin entre deux couches de vernis.

4 Si vous devez reposer un tapis d'escalier, vous pouvez ne peindre que les parties des marches et contremarches qui resteront visibles de part et d'autre du tapis. Il faut néanmoins déborder d'au

moins 5 cm sous celui-ci pour être sûr de ne pas avoir de manque à la jonction peinture-tapis.

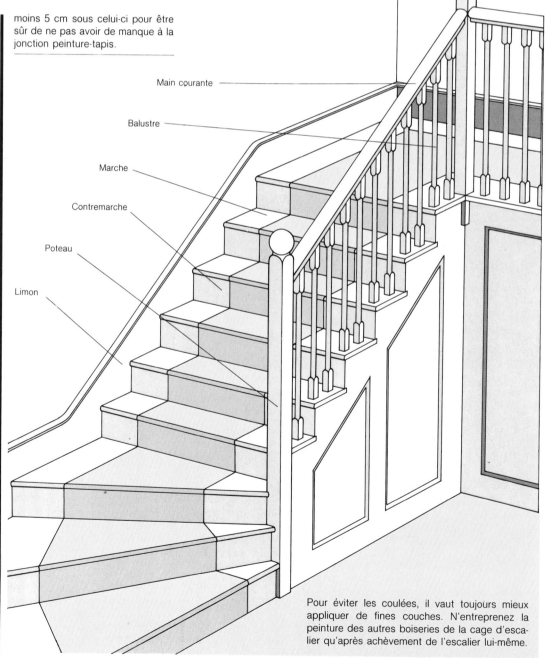

Main courante
Balustre
Marche
Contremarche
Poteau
Limon

Pour éviter les coulées, il vaut toujours mieux appliquer de fines couches. N'entreprenez la peinture des autres boiseries de la cage d'escalier qu'après achèvement de l'escalier lui-même.

Peinture d'une fenêtre

CHÂSSIS VITRÉ

Utilisez un pouce de 25 mm et une brosse à rechampir. Commencez par la traverse haute du châssis. Peignez à coups de brosse horizontaux. Enlevez les coulures immédiatement d'un léger coup de brosse. Croisez à petits coups de brosse verticaux sans recharger. Lissez, toujours sans recharger, dans le sens horizontal.

Peignez la traverse basse suivant la même méthode, puis, à la brosse à rechampir, les petits bois entourant les vitres. Les bavures sur les carreaux doivent être essuyées avant séchage, à l'aide d'un chiffon propre non pelucheux tendu sur la lame d'un couteau à reboucher que vous ferez glisser le long de la vitre. Vous pouvez également protéger les carreaux en collant préalablement sur le pourtour du papier adhésif crêpé, ou en appliquant contre le verre un carton mince (ou un masque en métal ou plastique vendu dans le commerce), déplacé au fur et à mesure que vous peignez les petits bois. Veillez à ce que la peinture pénètre bien entre le bois et le verre pour faire le joint entre eux.

Peignez les montants à longs coups de brosse verticaux. Croisez horizontalement et lissez verticalement, de façon uniforme.

Si la fenêtre n'est pas peinte de la même couleur à l'intérieur et à l'extérieur, la partie arrondie du battant gauche, appelée le mouton, est à peindre mi-partie en une teinte, mi-partie en l'autre, verticalement. La partie creuse, appelée gueule-de-loup, qui dans le battant de droite correspond au mouton, est à peindre dans la couleur extérieure, à l'exception de la face plane qui la termine côté intérieur.

CADRE FIXE (DORMANT)

Peignez la traverse haute, puis la pièce d'appui, et terminez par les montants en procédant comme pour le châssis vitré.

FERRURES

Elles se peignent en même temps que les montants et les traverses sur lesquels elles sont fixées. Essuyez avant séchage la peinture sur les pivots des gonds. Prenez garde de ne pas trop charger en peinture les gâches, les guides et la boîte de la crémone, ainsi que les gonds, car c'est là que les coulures et les accumulations de peinture se produisent le plus facilement. Ces débordements de peinture peuvent à la longue gêner le fonctionnement des guides (voir p. 208) et sont particulièrement inesthétiques.

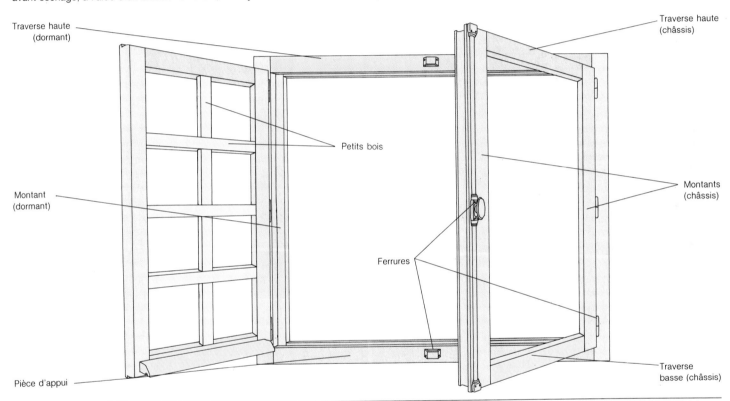

Traverse haute (dormant)

Traverse haute (châssis)

Petits bois

Montant (dormant)

Montants (châssis)

Ferrures

Traverse basse (châssis)

Pièce d'appui

Peinture des métaux

Assurez-vous que les métaux à peindre soient dégraissés, sans trace de corrosion, propres et correctement préparés (voir p. 98).

RADIATEURS

Ne les peignez que lorsqu'ils sont froids. Une fois peints, attendez une bonne heure avant la remise en chauffe si vous voulez accélérer le chauffage. Appliquez une peinture glycérophtalique à l'aide d'un pouce de taille moyenne, d'une brosse à rechampir et de brosses à radiateur. Ne peignez pas le système de commande de mise en service, qu'il soit manuel ou à thermostat.

Appliquez la peinture directement sur le métal s'il s'agit de radiateurs neufs. Ne chargez pas trop la brosse et tirez la peinture pour éviter les coulures. Passez deux couches. Sur un radiateur déjà peint et préparé, il est inutile de mettre une couleur d'apprêt pour un changement de couleur.

TUYAUTERIES

Les tuyaux de fer, cuivre ou laiton préparés, appliquez une peinture glycérophtalique (ou, pour les fers, une peinture de finition antirouille). Utilisez une brosse de taille correspondant au diamètre du tuyau ou une moufle à peindre en laine de mouton. Ne peignez pas la robinetterie, la peinture en séchant pourrait empêcher son fonctionnement. Passez deux couches.

Pour tirer parti de la couleur chaude du cuivre rouge et obtenir un effet décoratif, nettoyez bien le tuyau au Miror ou tout autre produit de ce genre ; polissez pour avoir un beau brillant et, sur le cuivre bien sec, appliquez un vernis incolore.

FONTES ET FERS FORGÉS

Dans la mesure du possible, démontez tout ce qui peut l'être (dégondez une grille, par exemple), le travail en sera facilité et meilleur. Si vous n'avez pu éliminer toute la rouille, par précaution, passez une couche d'apprêt inhibiteur de rouille. Appliquez une peinture ou une laque glycérophtalique. Les meilleurs outils pour ce genre de support sont la bombe pour une petite surface ou le pistolet. Si ce n'est pas possible, employez les brosses pouces et les brosses à rechampir. Ne chargez pas la brosse. Tirez la peinture ; évitez son accumulation dans les angles de jonction des pièces et certaines parties de volutes. Appliquez deux couches.

CADRES DE FENÊTRES

L'ajustement des cadres métalliques de fenêtres laisse moins de jeu que celui des dormants en bois. Il faut donc veiller à ce que l'accumulation des couches de peinture anciennes et nouvelles ne fasse une telle épaisseur qu'elle en empêche la fermeture. Dans ce cas, décapez les vieilles peintures. La préparation de ces cadres est celle de tout support métallique. Leur peinture se fait comme celle des bois de fenêtres.

Défauts et remèdes

En général, la seule façon de remédier aux défauts d'une peinture ratée est de tout décaper et de recommencer. L'échec est principalement dû à : une mauvaise préparation des supports ; l'humidité temporaire ou permanente ; l'incompatibilité des peintures (l'ancienne et la nouvelle, ou les différentes couches de nouvelles).

DÉFAUT	CAUSE ET REMÈDE
Écaillage 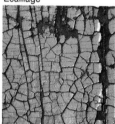	La peinture n'adhère pas au support. Mauvaise préparation de celui-ci (peinture à la colle mal décapée ; surface poreuse mal enduite ; ancienne peinture brillante non dépolie. Sur métaux ferreux, rouille sous la peinture ; sur bois, pourrissement aux moisissures mal éliminées) ; beaucoup plus rarement, mauvaise qualité de la peinture. Écaillage limité : décapez au papier de verre fin, rebouchez, enduisez ou imprégnez et repeignez les parties touchées. Écaillage étendu : décapez tout et recommencez.
Cloquage 	Application d'une peinture à film imperméable sur un support humide : plâtre frais, bois non sec, mur humide en permanence. Sur un support sain exposé au grand soleil, peut apparaître en été. Sur mur humide en permanence, recherchez et traitez la cause. Les palliatifs (peinture hydrofuge, feuille de plomb collée sur le support) ne font que déplacer l'apparition de l'humidité vers des zones non protégées. Si le traitement se révèle trop onéreux, doublez le mur humide d'une cloison en panneaux en ménageant une circulation d'air entre les deux. Peignez sur cette cloison.
Craquelures 	Mauvaise adhérence d'une couche sur l'autre. Ce défaut est dû à l'application d'une couche sur une autre non encore bien sèche ou à la superposition de deux peintures de compositions différentes et incompatibles ; ou encore, pour une laque, à l'application d'une couche trop épaisse. Le plus souvent, une trop grande surface est intéressée pour permettre un rafistolage. Décapez complètement et recommencez.
Remontée en surface de la couleur de fond	Accident qui se produit quand on peint sur un fond sombre sans avoir passé une peinture d'apprêt. Il arrive bien plus rarement sur fond clair avec application de deux couches de peinture. Pour y remédier, passez une troisième couche, de préférence de peinture monocouche dont le pouvoir couvrant est plus grand. (S'il s'agit de peinture glycérophtalique, avant cette troisième couche, il faut dépolir la surface pour faciliter l'accrochage).
Coulures 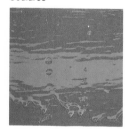	Elles se produisent quand la brosse (ou le rouleau) est trop chargée, la couche trop épaisse. Hâtez-vous de les rattraper à la brosse ou au rouleau alors qu'elles sont fraîches. Si la peinture a commencé de sécher, attendez un séchage complet. Il faudra beaucoup de minutie pour ôter le plus gros des coulures à l'aide d'un petit grattoir ; poncez, dépoussiérez, faites un raccord de peinture sans trop charger la brosse, ou passez carrément une couche de finition supplémentaire sur le support. Cette fois sans coulures.
Taches	L'eau d'une peinture émulsion peut agir sur des impuretés de la maçonnerie et provoquer des taches. Autre cause, des fils d'acier arrachés à une brosse métallique ou de vieux clous, noyés dans le plâtre, risquent de créer des taches de rouille. Décapez les zones affectées, passez un apprêt au zinc ou à l'aluminium, poncez et faites les raccords de peinture. Plus graves, les coulures de suie le long des conduits de cheminées des vieilles maisons. En général très larges, ces conduits ne se réchauffent pas en totalité quand

DÉFAUT	CAUSE ET REMÈDE
Taches (suite)	on utilise la cheminée. La suie devient visqueuse, attaque les joints de maçonnerie, tache mur et peinture (ou le papier peint). Ramonez, chemisez le conduit ; décapez, passez un apprêt et repeignez les zones touchées.
Moisissures et décoloration 	Elles sont provoquées par l'humidité, en général dans les pièces à buée où se produisent fréquemment des condensations. Les spores de champignons se fixent sur la peinture et se manifestent par des moisissures et des taches noires ou brunes. Traitez au fongicide, lavez, séchez et effectuez les raccords de peinture.
Ternissure d'une peinture brillante	Plusieurs causes : 1. La peinture a été appliquée sur une surface poreuse pas ou mal enduite. 2. La couche d'apprêt ou la première couche n'était pas sèche à l'application de la suivante. 3. On a peint par grand froid. 4. La peinture est de mauvaise qualité. L'air marin accélère le phénomène. Sur la surface sèche, poncez, dépoussiérez, lessivez, laissez sécher et passez une nouvelle couche de finition.
Rides 	En général provoquées par l'application d'une couche de peinture sur une autre non complètement sèche. Le solvant de cette dernière attaque la peinture fraîche, pour remonter en surface et s'évaporer. Décapez, poncez et repeignez... en laissant cette fois chaque couche bien sécher avant de passer la suivante.
Farinage	La peinture tombe en poussière. Elle a été trop diluée. Décapez, poncez, repeignez avec une peinture suffisamment grasse.
Peinture rugueuse	Sur plâtre neuf, quand celui-ci n'a pas été égrené, c'est-à-dire que les gouttelettes de plâtre qui y sont tombées lors du travail de plâtrerie, même le plus soigné, n'ont pas été ôtées au grattoir, et l'enduisage mal fait ou oublié. Sur autres supports, brosse, rouleau ou camion sales, peinture contenant des «peaux» non filtrée ; poussières dans la pièce en cours de travail ou de séchage. La peinture sèche, poncez pour la lisser, dépoussiérez, lessivez, laissez sécher, appliquez une couche de finition.
La peinture ne sèche pas	La pièce est mal ventilée, très froide. Établissez des courants d'air ; chauffez la pièce. Si le mal persiste, il est provoqué par l'application de la peinture sur un support sale et probablement graisseux. Décapez, lessivez et repeignez.
Insectes	Lors du travail, des insectes peuvent s'engluer dans la peinture fraîche. Retirez-les immédiatement et faites un petit raccord. S'ils s'y prennent pendant le séchage, attendez que la peinture soit bien sèche et ôtez l'insecte par frottement ou grattage délicat.

Glacis sur les murs

Un glacis donnera une note personnelle à vos murs peints. Avec un peu de pratique, vous pourrez réussir une décoration valant celle d'un professionnel. Un glacis est un film presque transparent, à base d'huile et dilué au white-spirit, coloré selon son gré et utilisé pour jasper, veiner, moucheter une surface peinte. L'huile retarde le séchage ; néanmoins, il faut travailler vite.

Le glacis s'étale sur une surface ayant déjà reçu une ou plusieurs couches de peinture à l'huile. On l'applique selon divers procédés : à l'éponge, au tampon, au spalter, à la brosse à badigeon ou au rouleau. Éponge et tampon sont les plus rapides. Quelle que soit la technique employée, les murs doivent être soigneusement préparés (voir p. 97) car le glacis, en particulier travaillé au spalter, fait

ressortir toutes les irrégularités de la surface. Après cette préparation, exécutez la peinture de fond (couche d'impression uniquement ou jusqu'à la couche de finition). Utilisez une peinture mate ; jamais satinée ou brillante, le glacis n'y adhérerait pas.

Vous trouverez plus facilement le glacis dans les magasins où se fournissent les artisans peintres. Il a une transparence ambrée. Choisissez-le le plus incolore possible : 2,5 litres devraient suffire pour couvrir les murs d'une pièce de 3,70 × 3,70 × 3 m.

On colore le glacis soit à l'aide de peinture à l'huile fine vendue en tube, soit à la couleur en poudre, utlisée par les professionnels du bâtiment.

Veillez à préparer d'avance toujours plus de glacis teinté que

nécessaire pour terminer le travail, car il est impossible d'obtenir deux mélanges successifs exactement de la même nuance.

TEINTURE DU GLACIS

1 Incorporez à du white-spirit de la couleur en très petite quantité. Mélangez bien.

2 Ajoutez ce mélange à la plus grande partie du glacis, dans un camion. Remuez énergiquement pour obtenir une bonne homogénéité.

3 Testez le glacis coloré sur une petite surface peu visible du mur à couvrir et corrigez la teinte par

LES OUTILS

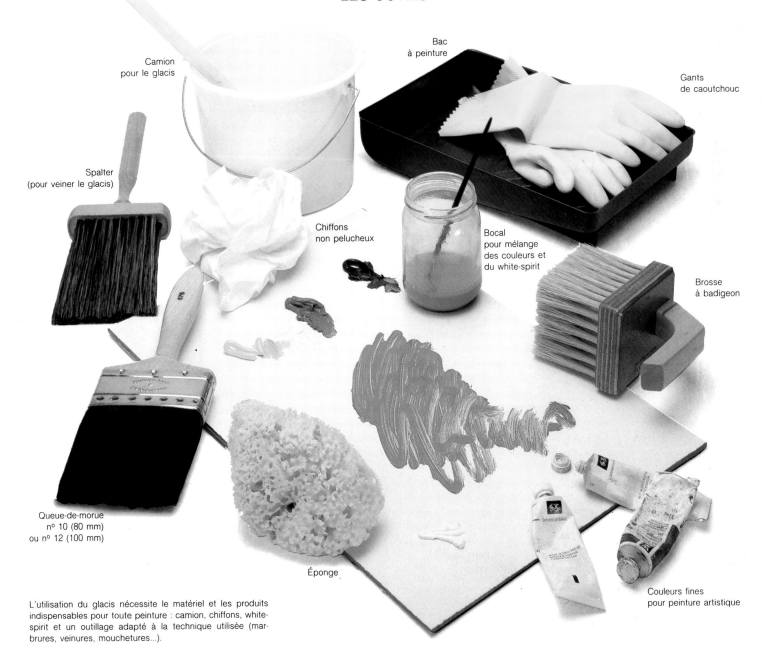

Camion pour le glacis

Spalter (pour veiner le glacis)

Bac à peinture

Gants de caoutchouc

Chiffons non pelucheux

Bocal pour mélange des couleurs et du white-spirit

Brosse à badigeon

Queue-de-morue n° 10 (80 mm) ou n° 12 (100 mm)

Éponge

Couleurs fines pour peinture artistique

L'utilisation du glacis nécessite le matériel et les produits indispensables pour toute peinture : camion, chiffons, white-spirit et un outillage adapté à la technique utilisée (marbrures, veinures, mouchetures...).

Glacis sur les murs (suite)

ajout de glacis gardé en réserve pour éclaircir ; par ajout de colorant pour renforcer la teinte ; ou par ajout d'un peu d'autre couleur pour nuancer. Procédez toujours selon la méthode indiquée en **1** et **2** pour les mélanger.

Pour faciliter l'application du glacis, sa consistance doit être celle d'une crème. On l'obtient par ajout de white-spirit avant de commencer le travail. Le diluant s'évaporant, le glacis tend à s'épaissir. Ajoutez du white-spirit en remuant pour bien homogénéiser la masse. Il faut agir avec prudence, car ces ajouts éclaircissent la couleur. ALTERNATIVE. On peut obtenir des effets de glacis... sans glacis, avec de la peinture à l'huile satinée.

Allongez la peinture au white-spirit : une partie de peinture pour deux de diluant. Mélangez bien. Utilisez de préférence de la peinture blanche que vous colorerez comme il a été dit précédemment pour teinter le glacis. Ce similiglacis sèche vite, aussi convient-il mieux aux techniques de l'éponge ou du tampon pour obtenir des marbrures plutôt qu'à celles du spalter (veinures) ou de la brosse à badigeon (mouchetures).

On obtient également des effets similaires avec des peintures vinyliques, acryliques, etc., diluées à l'eau. Ce faux glacis ne s'applique pas sur un fond de peinture à l'huile, mais à l'eau. Il se teinte également avec des couleurs solubles à l'eau (gouache, peinture acrylique, etc.).

Protection des surfaces

La protection d'un glacis décoratif par un vernis est souhaitable mais non indispensable.

Avant d'être verni, le glacis doit être parfaitement sec (24 heures au minimum).

Au choix, prenez un vernis mat ou plus ou moins brillant, mais toujours incolore (en fait, il sera tout de même légèrement ambré). Passez une couche légère de haut en bas. La seconde couche d'un vernis brillant se passe après séchage de la première. Un vernis mat ne nécessite pas de deuxième couche.

GLACIS À L'ÉPONGE

Il donne un décor doux, pommelé.

Outillage et matériaux : éponge naturelle (pas de synthétique) ; camion ; bac à peinture plat (un moule à gâteaux peut faire l'affaire) ; chiffons non pelucheux ; gants de caoutchouc. Le glacis teinté ; du white-spirit.

1 Le glacis dilué au white-spirit et homogénéisé dans le camion, versez-en une petite quantité dans le bac. Renouvelez l'opération si nécessaire.

2 Mains gantées, trempez l'éponge dans le bac de glacis ; essorez l'excédent.

3 Tamponnez le mur avec l'éponge sans trop presser, en un mouvement circulaire pour obtenir une certaine irrégularité dans le dessin.

4 Rechargez l'éponge quand nécessaire et prenez-la sur une autre face pour varier la série d'impressions qu'elle laissera.

5 Lavez l'éponge au white-spirit quand elle est trop imbibée de glacis. Essorez bien, sinon vous obtiendrez un glacis trop dilué et très éclairci.

6 Pour marbrer la surface, laissez sécher ces premières impressions et passez à l'éponge un second glacis d'une autre teinte, préparé comme le précédent. De place en place, recouvrez les deux premières applications par une troisième faite avec la première couleur, pour obtenir des variations de ton.

GLACIS AU TAMPON

Au tampon, le dessin est moins uniforme, plus irrégulier, ce qui facilite l'exécution et la rend plus rapide.

Outillage et matériaux : une grande quantité de chiffons non pelucheux ; une brosse queue-de-morue n° 10 ou n° 12 ; un camion ; des gants de caoutchouc. Glacis teinté ; white-spirit.

1 Utilisez le glacis dilué au white-spirit contenu dans le camion.

2 Appliquez-le à la brosse, du haut en bas du mur à traiter, sur environ 60 cm de large. Avec uniformité pour ne pas créer de défauts.

3 Roulez un chiffon assez serré pour faire un tampon. Tamponnez le glacis appliqué à la brosse avec cette « balle » pour en enlever la plus grande partie avant qu'il ne sèche. Servez-vous d'une de vos deux mains pour tamponner dans toutes les directions. Travaillez mains gantées car cette opération est très salissante.

4 Changez de tampon quand il est trop imbibé de glacis. Vous pouvez également, si vous utilisez un linge de grande taille, refaire la boule d'une façon différente pour varier le dessin d'impression.

5 Comme précédemment, couvrez une autre bande de 60 cm de glacis et tamponnez.

GLACIS AU SPALTER

Cette technique faisant apparaître la moindre imperfection de la surface à couvrir, il vaut mieux l'utiliser sur des murs impeccablement enduits, poncés et peints. Il vaut mieux être à deux pour travailler : l'un applique le glacis, l'autre effectue les nervures au spalter.

Outillage et matériaux : camion ; brosse queue-de-morue n° 10 ou n° 12 ; spalter ou toute autre large brosse à longues soies fermes ; chiffons non pelucheux propres. Glacis teinté ; white-spirit.

1 Utilisez le glacis suffisamment dilué au white-spirit pour avoir la consistance d'une crème. Trop épais ou d'une fermeté telle qu'il tire sur la soie et la courbe, il tend à s'étaler en forme de goutte et gâche l'effet recherché. Il faut obtenir une application parfaite.

2 Couvrez de glacis, à la queue-de-morue, une bande d'environ 60 cm de large, de haut en bas, en commençant à un angle du mur.

3 En partant du haut, tirez par une pression légère et constante le spalter vers le bas de façon à dessiner d'un mouvement continu des nervures verticales les plus droites possible. La difficulté est de descendre les marches d'un escabeau sans interrompre ce mouvement et sans trop dévier. Néanmoins, il faut être assez décontracté; les nervures ne sont pas à tirer au cordeau, et de légères déviations ne se remarquant pas à une certaine distance ne nuisent pas à l'effet recherché.

4 Si vous ne pouvez tirer le spalter d'un seul mouvement du haut en

bas du mur, arrêtez-vous à une certaine hauteur et, en partant du bas, tirez la brosse vers le haut jusqu'à rejoindre les nervures du haut en les chevauchant légèrement.

Si vous adoptez cette méthode pour toute la surface à traiter, veillez, à chaque bande, à opérer cette jonction à des hauteurs différentes afin de ne pas créer une ligne horizontale qui attire l'œil.

5 Essuyez fréquemment le spalter au chiffon propre, pour maintenir les soies aussi sèches que possible et dans leur forme initiale.

GLACIS À LA BROSSE À BADIGEON

Cette technique permet une impression d'uniformité. La brosse requise se trouve chez les fournisseurs en matériel de peinture et dans le commerce des matériaux de construction.

Comme pour le glacis au spalter, la vitesse est essentielle.

Outillage et matériaux : camion; brosse à badigeon, queue-de-morue n° 10 ou n° 12; chiffons propres, non pelucheux. Glacis teinté, white-spirit.

1 Même opération que pour le glacis au spalter.

2 Procédez comme pour le glacis au spalter, de haut en bas, en commençant par un angle de mur.

3 «Piquez» à l'aide de la brosse à badigeon le glacis encore frais. Tenez les fibres de la brosse bien perpendiculairement au mur, sinon vous obtiendrez des traits.

4 Essuyez la brosse sur le chiffon au fur et à mesure qu'elle se charge de glacis pour que les fibres ne se collent pas.

5 Poursuivez ainsi jusqu'à la finition du mur à traiter. Après usage,

nettoyez la brosse au white-spirit, puis lavez-la au savon noir et à l'eau chaude.

Ravalement

Les peintures extérieures doivent être refaites environ tous les 5 ans. Elles se détériorent à un rythme différent selon leur qualité, la préparation des supports et leur exposition directe aux rayons du soleil et aux intempéries. En général, le premier signe de décrépitude est, pour les peintures glycéro brillantes, la perte du brillant ; pour les émulsions, le farinage au toucher.

Le meilleur moment pour entreprendre un ravalement est celui qui suit une période de grande chaleur, car alors les murs sont très secs. La peinture craint l'humidité, le froid intense, la pluie et le vent, qui l'incruste de poussière.

Dès qu'il commence à pleuvoir, cessez le travail et ne le repre-

nez que quand les supports seront complètement secs. Attendez que la rosée matinale se soit évaporée et rangez les outils environ 2 heures avant le coucher du soleil, afin que la peinture puisse durcir un peu avant que la nuit ne ramène l'humidité. Une bonne chose est de suivre la course du soleil en travaillant sur les façades est et sud le matin, ouest et nord l'après-midi ; les supports sèchent davantage.

En plein soleil, si l'on applique du blanc sur du blanc, la luminosité empêche de distinguer les parties peintes de celles à peindre.

Avant d'acheter la peinture

Avant d'opter pour de nouvelles couleurs, assurez-vous qu'elles

s'harmoniseront avec celles des maisons du voisinage, surtout si vous habitez une maison jumelée ou dans un ensemble architectural unifié. Un rouge cru risquerait de paraître criard entre des maisons aux teintes pastel.

Calculez les quantités de peinture nécessaires selon la même méthode que pour les peintures intérieures (voir p. 107). N'oubliez pas qu'un crépi de ciment demande plus de peinture qu'un plâtre enduit bien lisse.

Pour peindre tous les murs, évaluez leur surface totale en multipliant le périmètre de la maison par la hauteur des murs. La meilleure méthode pour mesurer cette hauteur est de grimper à l'échelle avec

une pelote de ficelle dont vous nouerez le bout à la gouttière. Laissez tomber la pelote. Il ne vous reste plus qu'à marquer à la base du mur la ficelle tendue, la détacher et la mesurer. Calculez ensuite la surface de l'ensemble des ouvertures, portes et fenêtres, et déduisez-la de la surface totale des murs.

Divisez les résultats par le nombre de mètres carrés couverts par 1 kg de peinture (il est indiqué sur l'emballage), et vous saurez combien de bidons acheter (voir p. 107). S'il faut peindre l'extérieur des chéneaux et les descentes d'eau, mesurez leur circonférence et multipliez-la par leur longueur. Si la surface est calculée en cen-

Ravalement (suite)

timètres carrés, divisez par 10 000 pour l'exprimer en mètres carrés.

Choix de la peinture

Les peintures actuelles sont différentes et lorsqu'il s'agit de ravalement on utilise des produits spéciaux : pliolite, peintures aux copolymères, crépi monocouche, etc. Cela dit, il faut tenir compte du support à couvrir (voir p. 106). Achetez toutes les peintures nécessaires en une seule fois dans la même marque, chez le même fournisseur et, si possible, dans le même lot, ainsi que les apprêts.

En général, on traite les bois (portes, fenêtres, soffites, etc.) et les métaux (gouttières, descentes d'eau) aux peintures glycéro, et les murs aux peintures maçonnerie ou aux émulsions. L'emploi d'une peinture gel monocouche facilite et accélère le travail.

Si vous voulez repeindre à la glycéro une vieille peinture encore saine, assurez-vous — surtout pour les chéneaux et les descentes d'eau — que l'ancienne peinture n'est pas bitumineuse, ce que vous verrez à son apparence pâteuse et guère brillante ou, mieux, en effectuant un test. Imbibez un chiffon de pétrole et frottez. Si le chiffon prend la couleur brunâtre que donne le goudron dilué, la peinture est bitumineuse. Si elle est saine, le mieux est d'appliquer dessus un enduit au zinc ou à l'aluminium, une sous-couche et une couche de peinture glycéro de définition.

Ordre des travaux

Le plus important est de travailler en sécurité, l'échelle ou l'échafaudage stable et bien arrimé (voir p. 106). Les supports doivent être bien préparés : réparés si besoin (crépis endommagés, gouttières mal fixées et descentes d'eau branlantes, etc.), décapés si l'ancienne peinture n'est pas saine, stabilisés, propres et secs (voir p. 97).

Quelques semaines auparavant, remplacez les mastics qui auront sauté autour des carreaux de fenêtres (voir p. 214).

Peignez toujours de haut en bas, pour ne pas avoir de coulures ni de taches sur une partie déjà peinte. Protégez les plantes grimpantes tapissant un mur des éclaboussures de peinture. Détachez-les et recouvrez-les de papier ou de housses, qui devront être légères sur les plantes délicates pour ne pas les abîmer. Il est plus facile de peindre après la taille de ces plantes pour être moins gêné par

un feuillage trop dense. L'idéal est de fixer les plantes sur un treillage et non directement sur le mur.

Terminez tous les travaux de préparation avant de commencer de peindre, afin de ne pas avoir une partie repeinte gâchée par des bavures inhérentes à un décapage ou un nettoyage, mais ne laissez jamais une partie à nu. Protégez-la avec une peinture d'apprêt, si possible une sous-couche avant la fin du travail quotidien.

En principe, les travaux se font dans cet ordre : rives de pignon, rives latérales, soffites, murs, descentes d'eau, fenêtres, portes. Mais

si vous travaillez sur un échafaudage, vous avez peut-être intérêt à peindre toutes les surfaces qu'ils vous est possible d'atteindre avant de déplacer l'échafaudage. En tout cas, il faut tenter d'arrêter chaque jour la peinture sur une rupture naturelle du mur.

Les travaux commencent par les réparations nécessaires. Si vous devez peindre l'ensemble des murs de la maison, débutez par les parties hautes, terminez par les fenêtres et les portes. Si les travaux à réaliser sont trop importants, il sera plus prudent de confier leur exécution à un artisan.

LES NOUVEAUX REVÊTEMENTS DE FAÇADE

Les professionnels les appellent des revêtements organiques semi-épais. Ils sont principalement composés d'une émulsion de copolymères acryliques photoréticulables. Traduisez qu'il s'agit d'un produit pâteux à base d'eau, appliqué au rouleau, en deux couches, à raison de 500 g par mètre carré.

Ce produit sèche mais ne durcit jamais complètement : il garde toujours une certaine souplesse, même à basse température, ce qui lui permet de suivre les petites déformations du support sans jamais se fissurer.

L'application du revêtement doit être précédée d'une préparation soigneuse de la façade.

Nettoyez la maçonnerie en pulvérisant un antimousse afin de détruire les mousses et les lichens.

Ouvrez les fissures avec une meuleuse à disque et garnissez l'intérieur avec un mastic acrylique. Si les fonds se révèlent poudreux, appliquez un fixateur incolore : le revêtement final adhérera parfaitement.

Ainsi traitée, la façade redevient étanche. Les eaux de pluie ne peuvent plus la pénétrer, mais le revêtement laisse passer la vapeur d'eau : le mur peut donc respirer et rejeter son humidité interne.

Pour la remise à neuf des murs de cette habitation dans leur état d'origine, il a été pris en compte la compatibilité de la mise en œuvre de l'enduit avec les conditions atmosphériques et l'état du support.

EXTÉRIEUR : COMMENT TRAITER CHAQUE PARTIE DE LA MAISON

PARTIE	TRAITEMENT
Bordures de pignons, bandeaux d'entablement, soffites	En bois, ils se poncent légèrement avant peinture. Passez préalablement un produit traitant fongicide et insecticide. Appliquez une peinture microporeuse satinée pour boiseries extérieures qui laisse respirer le bois et résiste bien aux intempéries. Ou, mieux, une lasure à la fois fongicide, insecticide, hydrofuge, très résistante et d'aspect satiné. Pour l'application, suivez le mode d'emploi. On peint généralement les soffites et les chéneaux dans la même teinte ; les bandeaux d'entablement en harmonie avec les fenêtres ou les murs.
Chéneaux et descentes d'eau en zinc	S'ils sont neufs, préparez l'accrochage de la peinture en les frottant au tampon de laine d'acier imbibé d'un mélange de trois parties d'eau et une d'acide chlorhydrique. Travaillez les mains gantées de caoutchouc. Pour le mélange, versez progressivement l'acide dans l'eau. Rincez abondamment, laissez bien sécher et passez deux couches de peinture. À l'intérieur du chéneau, la couleur importe peu et le seul intérêt de la peinture est la protection du métal. Finissez vos fonds de boîtes de vieille peinture. Vous pouvez aussi utiliser une peinture spéciale zinc qui ne nécessite pas toute cette préparation. S'ils sont usagés et oxydés, poncez légèrement au papier de verre fin et peignez avec un masque en carton derrière pour que la peinture ne déborde pas sur le mur. Si le vieux tuyau est troué, placez sur le trou un morceau de toile trempé dans la peinture. Laissez sécher, puis peignez le tuyau et l'emplâtre, devenu invisible et étanche. Si le chéneau et la descente d'eau sont trop endommagés, vous avez intérêt à les remplacer par une gouttière et un conduit neufs.
Chéneaux et descentes d'eau en plastique	Les couleurs dans lesquelles sont fournis ces accessoires en P.V.C. sont assez neutres pour s'harmoniser avec toutes les teintes. Néanmoins, on peut les peindre à la couleur que l'on désire. Poncez légèrement le matériau pour faciliter l'accrochage de la peinture. Appliquez dans le sens de la longueur une peinture glycérophtalique, avec une brosse très souple et peu chargée. Couvrez en une couche unique. Une seconde couche est déconseillée sur un tel matériau. Cela dit, l'emploi d'une peinture spéciale qui adhère réellement est préférable.
Murs extérieurs	Ils exigent une bonne préparation. Réparez si nécessaire joints et enduits à refaire, appuis de fenêtre écornés, etc. Sur murs déjà peints, utilisez la brosse métallique pour l'écaillage et le cloquage ; le grattoir pour le craquelage et les rides ; la brosse de chiendent et le jet d'eau pour le farinage ; le détergent pour le piquage (à proximité des arbres). Sur peintures saines et murs neufs, brosse métallique et lavage à grande eau.

PARTIE	TRAITEMENT
Murs extérieurs (suite)	Ces travaux peuvent être remplacés par un nettoyage au nettoyeur haute pression, que l'on trouve en location avec ses accessoires de sablage et sa brosse rotative. Faites des essais aux différentes pressions car l'action est extrêmement énergique et très rapide. Sauf sur les anciennes peintures silicatées, où l'on doit appliquer une autre peinture silicatée, sur les peintures normales et pour les murs neufs, le choix est grand : peintures vinyliques ou acryliques pour extérieur, faciles à appliquer, couvrant bien et séchant vite ; peintures acryliques microporeuses ; peintures d'étanchéité ; pliolites, très adhérentes et imperméables mais à séchage lent ; crépis extérieurs, donnant du relief, imperméables et résistant bien à l'abrasion. Pour la dilution, suivez les instructions du mode d'emploi. En général, il faut passer deux couches (voir mode d'emploi), une seule sur peinture saine de teinte proche de la nouvelle. Le travail est tributaire des conditions météorologiques : peignez à une température de 10° C, au minimum, par une journée sans vent (à cause des poussières), quand ni la pluie ni le brouillard ne menacent. Évitez de peindre par grand soleil. Peignez au rouleau à longue peluche ou à la brosse à badigeon. Commencez en haut, sous la gouttière, en oblique vers l'angle du mur ; aux ouvertures (fenêtres, portes), horizontalement, toujours vers les coins de la maison. Évitez les bandes verticales qui soulignent les raccords. Peignez par grands pans bien délimités (entre l'angle et une ouverture, entre deux ouvertures), pour rendre ces raccords moins visibles. Pour ne pas déborder sur les descentes d'eau de la gouttière, confectionnez un manchon de papier autour du conduit et déplacez-le le long de celui-ci au fur et à mesure que vous peignez le mur derrière lui.
Murs de briques	Il est dommage de peindre un beau mur de briques. Le fini est rarement celui qu'on espère. De plus, le nettoyage est décevant. Si vous avez une raison particulière pour tenter l'expérience, appliquez deux couches de peinture vinylique ou acrylique pour extérieur à la brosse à badigeon. Pour nettoyer un mur de briques, brossez à la brosse en chiendent sous un jet d'eau. N'utilisez ni savon, ni lessive, ni détergent, qui provoqueraient des taches blanches indélébiles.
Cadres de fenêtres, volets et persiennes	L'extérieur des cadres de fenêtres et les portes se peignent après les murs. Procédez comme pour l'intérieur (voir p. 98). Utilisez une bonne peinture glycérophtalique. Dégondez volets et persiennes. Qu'ils soient en bois ou métal-

PARTIE	TRAITEMENT
Cadres de fenêtres, volets et persiennes (suite)	liques, faites la préparation adéquate puis l'application de la peinture sur tréteaux. Les ferrures rustiques, en particulier les pentures, se peignent souvent en noir. Après la préparation des bois et des pentures, peignez les bois, sans trop déborder sur le métal (essuyez immédiatement). Après séchage de toutes les boiseries peintes, masquez le bois à l'aide d'un papier adhésif crêpé en suivant au plus près les contours des pentures et peignez celles-ci à la brosse à rechampir, les épaisseurs au pinceau fin, sans les charger trop.
Boiseries extérieures vernies	Pour rendre à une boiserie peinte sa couleur naturelle, décapez-la au décapant chimique, mettez le bois à nu au grattoir jusqu'à retrouver la couleur de l'essence. Appliquez un bouche-pores liquide incolore et, pour les éraflures et les enfoncements, une pâte à bois teintée à la couleur de cette essence. Poncez au papier de verre très fin, dépoussiérez et passez un vernis marin au polyuréthanne incolore résistant aux rayons ultraviolets et infrarouges. Utilisez une queue-de-morue à vernir. Peignez dans la plus grande longueur de la pièce de bois ; croisez ; lissez dans le même sens que pour peindre. Après séchage total de la première couche, poncez légèrement au papier de verre très fin et, enfin, appliquez la deuxième couche. Si des parties de la boiserie ont été décolorées par le soleil, vous pouvez peut-être essayer un éclaircisseur pour meubles afin de rattraper la teinte naturelle du bois. Suivez le mode d'emploi.
Planches à clins des maisons de bois	Préparation habituelle du bois ; vous pouvez masquer au mastic les nœuds d'où suinterait la résine sous l'action du soleil. Passez une couche d'apprêt et deux couches de peinture glycérophtalique, ou bien une peinture microporeuse pour bois. Commencez de peindre par le haut, planche par planche, d'un angle du mur à l'autre, dans le sens de la longueur, d'abord la rive, puis la largeur de la planche, par sections d'environ 1 m de long. Si les planches sont vernies et que le vernis est sain, poncez légèrement pour le dépolir, lavez à l'eau claire, laissez sécher et appliquez le nouveau vernis comme de la peinture. Dans le cas contraire, décapez, poncez, traitez aux produits hydrofuge, insecticide et fongicide avant de vernir comme toute autre boiserie.
Carrelages	Éventuellement, débarrassez-les des mousses et lichens au couteau de peintre ; passez un stop-mousse. Assurez-vous qu'il ne décolore pas les carreaux. Lavez à l'eau claire et à la brosse de chiendent. Si vous le désirez, achetez un vernis qui donnera à vos carrelages un brillant toujours agréable à regarder.

Pose des papiers peints : l'outillage

Procurez-vous les outils convenables pour faire du bon travail le plus facilement possible.

Table à encoller
En contre-plaqué, pliante, longue de 2 m, large de 60 cm, elle sert à dérouler les rouleaux, couper les lés, les bandes, faire les découpes et encoller le papier. On peut la remplacer par une porte isoplane posée sur deux tréteaux.

Seau à colle
Seau en plastique dans lequel on mélange la colle et l'eau. Pour cette opération, utilisez comme mélangeur une brosse à badigeon, une spatule de cuisinière en bois, ou, à la rigueur, un morceau de bois tel un tronçon de couvre-joint de 30 à 40 mm de large.

Brosse à encoller
Large, épaisse, rectangulaire, elle a un manche rond muni à sa base d'un ou deux ergots qui permettent de l'accrocher au bord du seau.

Bac à colle
Pour les papiers préencollés, le seau et la brosse à encoller devenant inutiles, on trempe simplement le papier dans l'eau contenue dans un bac à colle, récipient en plastique, rectangulaire, long de 60 cm. Une jardinière en plastique de cette dimension fera parfaitement l'affaire.

Escabeau
Pour la mesure des murs, l'affichage (c'est ainsi qu'on appelle le collage du papier sur le mur), l'arasage des lés, prenez un escabeau (voir p. 96), jamais une échelle, qui est peu pratique et dangereuse.

Double (ou triple) mètre
Pour les mesures.

Règle de colleur
Feuillard d'acier de 2 m de long percé d'un trou à chaque extrémité pour être fixé par deux punaises sur la table à encoller. Cette règle permet la coupe rectiligne des lés et bandes. Si on ne veut pas en engager la dépense, on peut utiliser une longue règle plate ou un mètre rigide en acier.

Cutter
Pour la coupe des bandes et l'arasage.

Crayon
Ordinaire pour le traçage et le marquage des lés, bandes et découpes.

Sabre
Longue lame affûtée et emmanchée qui permet de bien couper les rouleaux en lés. Peut être remplacé par un couteau à longue lame.

Ciseaux de colleur
À lames inoxydables à bout rond de 30 cm de long.

Fil à plomb
Pour afficher bien verticalement les lés.

Balai de colleur
Brosse à poils synthétiques et rêches, étroite et longue d'une trentaine de centimètres pour maroufler le papier sur le mur.

Roulette à joints
Pour écraser les joints.

Couteau à enduire
Large (25 ou 30 cm), qui sert de règle pour araser au cutter le papier au ras du plafond, sur la plinthe et autour des cadres de portes et fenêtres.

Cutter de précision
À lame tronçonnable et petits ciseaux pour les découpes fines.

Divers
Éponge animale, chiffons propres, seau d'eau claire, vieux journaux, grand carton ou sac poubelle où jeter les chutes encollées.

Table à encoller

Règle à araser

Sabre

Règle de colleur

Seau à colle

Balai de colleur

Brosse à encoller

Fil à plomb

Cutter

Éponge

Double mètre

Roulette à joints

Ciseaux de colleur

Calcul du nombre de rouleaux

Calculez le nombre de rouleaux nécessaires avant de choisir le papier peint car le budget à consacrer à l'achat de la tapisserie dépend aussi de la surface à couvrir ; le prix du rouleau variant en fonction de la qualité du papier choisi. Les dimensions standard d'un rouleau de papier peint sont 10,05 m de long sur 0,53 m de large. Il faut faire exception de certains revêtements, par exemple ceux de « papier japonais » (92 cm de large) ou de « textile mural » (70 cm de large).

LES MURS

Mesurez le périmètre de la pièce sans tenir compte des portes et fenêtres, sauf s'il s'agit de portes-fenêtres ou de très grandes baies vitrées. Éventuellement, comptez dans ce périmètre les épaisseurs de mur autour des ouvertures si ces épaisseurs de mur doivent être tapissées.

Divisez ce périmètre par la largeur d'un rouleau, ce qui donnera le nombre de lés nécessaires.

Mesurez la hauteur de mur à couvrir, de la plinthe à la cimaise, à la corniche ou au plafond, selon le cas. Ajoutez à cette hauteur mesurée 6 à 10 cm de plus pour les arasements. Cette hauteur obtenue sera celle d'un lé de papier uni ou dont le décor ne nécessite pas de raccord.

Pour un papier où il faut raccorder les dessins des lés accolés, ajoutez à la hauteur obtenue comme ci-dessus le raccord, c'est-à-dire une longueur égale à la distance entre deux motifs identiques du dessin.

Lorsque vous connaissez la hauteur des lés, divisez la longueur d'un rouleau par cette hauteur pour savoir combien vous pouvez tirer de lés d'un rouleau. Il ne vous reste plus qu'à diviser par ce dernier nombre celui de lés nécessaires pour obtenir le nombre de rouleaux à vous procurer.

EXEMPLE

Soit une pièce avec deux murs de 4 m et deux de 3 m, à tapisser sur une hauteur de 2,80 m :
Mesure du périmètre : $(4+3) \times 2 = 14$ m.
Nombre de lés nécessaires : $14 : 0,53 = 26,41$ m, soit 27 lés.
Hauteur de chaque lé de papier uni : $2,80 + 0,10 = 2,90$ m.
Nombre de lés dans un rouleau : $10,05 : 2,90 = 3$ lés.
Nombre de rouleaux : $27 : 3 = 9$ rouleaux.

Avec un papier à décor dont les motifs se répètent tous les 30 cm en hauteur, le calcul de la hauteur de chaque lé est :
2,80 (hauteur mesurée) + 0,10 (arasement) + 0,30 (raccord) = 3,20 m.
Nombre de lés dans chaque rouleau : $10,05 : 3,2 = 3$ lés.
Les autres calculs restant les mêmes, on voit que dans ce cas aussi il faudra 9 rouleaux.

Hauteur en mètres	Périmètre en mètres	Nombre de rouleaux	Hauteur en mètres	Périmètre en mètres	Nombre de rouleaux
jusqu'à 2,5	10 à 10,5	5	de 2,5 à 3,25	10 à 11	7
	11 à 12,5	6		11,5 à 12,5	8
	13 à 14,5	7		13 à 14	9
	15 à 16,5	8		14,5 à 15,5	10
	17 à 19	9		16 à 17	11
	19,5 à 21	10		17,5 à 19	12
	21,5 à 23	11		19,5 à 20,5	13
	23,5 à 25	12		21 à 22	14
				22,5 à 23,5	15
				24 à 25	16

LE PLAFOND

Premier cas.

Pièce ayant sa ou ses fenêtres sur un seul mur. Tapissez parallèlement à ce mur pour rendre moins visibles les joints.

Nombre de lés nécessaires : longueur du mur adjacent à celui de la fenêtre divisée par la largeur du rouleau. *Nombre de lés par rouleau :* longueur du rouleau divisée par la longueur du mur où il y a la fenêtre.

Second cas.

Pièce ayant des fenêtres sur deux murs adjacents. Tapissez parallèlement au mur le plus court pour faciliter le travail.

Nombre de lés nécessaires : longueur de la pièce divisée par la largeur du rouleau. *Nombre de lés par rouleau :* longueur du rouleau divisée par la largeur de la pièce. Une opération mathématique simple à faire.

Dans les deux cas, *nombre de rouleaux :* nombre de lés nécessaires divisé par le nombre de lés par rouleau.

LE PLAFOND DE CORRIDOR

Mesurez la longueur des lés dans le sens de la longueur du corridor ; pour leur nombre, mesurez la largeur du couloir. Assurez-vous que cette largeur est constante d'un bout à l'autre. Si elle varie (renfoncement, avancée ou mauvais parallélisme des murs), prenez la mesure à l'endroit le plus large.

Afin de vous aider à déterminer le nombre de rouleaux pour tapisser les murs d'une pièce, consultez le tableau indicatif ci-contre concernant les papiers standard (rouleaux de 0,53 m de large et 10,05 m de long) sans raccord. Le périmètre ne tient pas compte des ouvertures. Il vaut mieux calculer large et acheter un peu plus de papier que nécessaire.

En ce qui concerne les plafonds, il est préférable de procéder aux mesures car, selon le sens dans lequel les lés sont collés (parallèlement ou perpendiculairement à la plus grande dimension de la pièce), pour une même surface, le nombre de rouleaux peut varier de un, deux et parfois plus.

UN BON TRUC

À l'aide d'un rouleau de papier peint standard utilisé comme étalon, évaluez rapidement le nombre de rouleaux qui vous semble nécessaire.

Appliquez le rouleau contre les murs, portes et fenêtres tout autour de la pièce autant de fois que sa largeur est contenue dans le périmètre, et vous obtenez le nombre de lés nécessaires. Déroulé autant de fois qu'il le faut sur la hauteur à tapisser, il donne le nombre de lés contenus dans un rouleau. Il ne reste plus qu'à diviser le nombre de lés par le nombre de lés par rouleau.

Achat du revêtement

Le nombre de rouleaux nécessaires connu, achetez-les en un seul lot avant la pose. Le tableau de la page suivante vous permettra d'orienter le choix du revêtement. En fait, les papiers peints étant pratiquement tous vendus émargés et dans les mêmes dimensions, ce choix dépend de considérations pratiques (papiers lavables, lessivables, pelables) ; de la qualité (grammage, donc épaisseur, type d'impression), qualité reflétée par le prix ; et enfin des goûts de chacun quant aux coloris et au décor.

Sur le plan travail une seule question peut intervenir : achat d'un papier à coller ou préencollé ? Pour bien des modèles, le problème est résolu par le fabricant, en général pour une raison technique : soit que la texture du décor ne supporte pas le trempage que nécessite un papier préencollé, soit que cette même texture risque d'être endommagée par des projections de colle, ce que le préencollage évite au maximum.

En outre, la pose d'un papier préencollé ne dispense pas d'un encollage manuel, ne serait-ce que pour l'encollage d'apprêt des supports. Si un choix devait être fait entre deux modèles proches, l'un à col-

ler, l'autre préencollé, il semble préférable d'opter pour le modèle à coller. Il devrait, à qualité égale, être moins cher ; à égalité de prix, de meilleure qualité.

Il est rare, dans les grandes marques, de constater des différences de coloris ou de texture entre rouleaux d'un même lot ou d'un même modèle. Néanmoins, il est bon de s'assurer en prenant livraison de sa commande que les rouleaux sont bien du même modèle, du même coloris, de la même bobine de papier. Comme le papier est enroulé face à coller à l'extérieur et que le rouleau est

protégé par un emballage plastique soudé, il faut savoir lire la référence pour en vérifier la conformité.

La référence des papiers français est constituée de quatre chiffres (nº d'identification du modèle) suivis de une ou deux lettres (type de papier), un ou deux chiffres (coloris), encore une lettre (lettre de fabrication) et un dernier chiffre (nº de bobine).

Il faut donc que cette référence soit la même sur tous les rouleaux livrés et, à un chiffre près (celui du nº de bobine), conforme à la référence de l'échantillon sur lequel on a fait la commande.

CHOIX DU REVÊTEMENT MURAL

TYPE DE REVÊTEMENT	DESCRIPTION	CONSEILS POUR LE CHOIX
Papier d'apprêt	Uni ou de couleur claire et neutre, posé pour améliorer un mauvais support avant peinture ou tapisserie. Se vend en 4 épaisseurs. Colle ordinaire à mélanger (eau).	Parfois vendu en rouleaux doubles pour limiter les chutes. Plus le papier est lourd, moins il risque de se déchirer au collage.
Papier copeaux	Une fine couche de copeaux de bois collés en sandwich entre deux lés de papier. Conçu pour recevoir une peinture émulsion. Colle pour papier peint à fort pouvoir adhésif à mélanger (eau) ou prête à l'emploi.	Pour couvrir des surfaces irrégulières. Peut être très rugueux au toucher. Déconseillé dans les dégagements étroits (corridors, escaliers) et les chambres d'enfants.
Papier peint classique ou standard	Papier plus ou moins épais, imprimé couleur avec ou sans décor. Prix fonction de la qualité. Colle ordinaire ou prête à l'emploi.	Les moins chers sont les plus légers et se déchirent facilement au collage, ils sont donc plus difficiles à poser que les plus épais. Non lavables. Déconseillés pour une cuisine.
Papier duplex	Papier classique, souvent avec un léger relief et formé de deux couches de papier superposées. Colle pour papier lourd à mélanger ou prête à l'emploi.	Papier fort, tenant bien au support, il est le revêtement mural à reliefs le plus facile à poser. Malheureusement, il a disparu de nombreuses collections.
Novamura	Feuille de mousse de polyéthylène aux reliefs donnant la sensation qu'il s'agit de tissu. Colle ordinaire à mélanger ou prête à l'emploi.	Surface élastique sous une pression légère. Se nettoie. Revêtements muraux des plus simples à poser ou à détacher. Encollez le mur, non le revêtement.
Revêtement à reliefs	Lourd papier à décor repoussé, coloré ou blanc à peindre. Colle ordinaire à mélanger ou prête à l'emploi.	Convient pour murs et plafonds à surface irrégulière.
Papier gaufré	Revêtement composé de papier fort, chlorure de polyvinyle, imprimé expansé à chaud, auquel un estampage donne des reliefs. Se colle sur toutes les surfaces, poreuses ou non. Solide. Colle prête à l'emploi fortement adhésive.	Lessivable. Convient pour cuisine, salle de bains, chambre d'enfants, pièce à grand passage. Mouillez le papier support pendant 30 minutes avant l'encollage. Posez sans froisser ni plier. Coupez et arasez au cutter (lame neuve), joints bord à bord.
Vinyle	Existe sans support papier, mais le plus souvent sur support papier fort. C'est un film de chlorure de polyvinyle plastifié, imprimé et gaufré à chaud. Accepte tous les supports, poreux ou non. Colle spéciale vinyle avec fongicide, ou existe en préencollé.	Mêmes qualités et emplois que les gaufrés. Joints se recouvrant. Se dépose par pelage du film de plastique, le papier sert de papier d'apprêt pour un nouveau revêtement.

TYPE DE REVÊTEMENT	DESCRIPTION	CONSEILS POUR LE CHOIX
Textile mural	Tissus mélangés de fibres naturelles ou artificielles (lin, chanvre, coton, viscose), non tissés ou contrecollés sur support papier. Colle à forte adhérence, à mélanger ou prête à l'emploi.	Se vend au mètre linéaire, en lés de 70 cm ; émargé. Exige des surfaces ayant subi une préparation excellente. Encollez le mur ou le support papier sans tacher le textile. Pose délicate. Se dépoussière à l'aspirateur.
Revêtement soie	Même principe que le textile mural, mais le tissu est la soie et le support papier est fin. Colle ordinaire à mélanger ou prête à l'emploi.	Revêtement coûteux et délicat, ne supportant guère les frictions prolongées ou rudes, ni les chocs.
Papier japonais	Fait de fibres végétales collées sur un léger papier support et cousues entre elles comme une cannisse. Colle à forte adhérence à mélanger ou prête à l'emploi.	Joints bord à bord. Encollez le mur, de préférence, ou le papier support sans tacher le décor. Revêtement coûteux. Il vaut mieux en couvrir un seul mur, par exemple, pour obtenir un décor par effet de contraste.
Revêtement liège	Fines plaques de liège contrecollées sur un support papier. Des trous dans le liège laissent apparaître le support peint et créent un jeu contrasté de couleurs. Colle à forte adhérence, à mélanger ou prête à l'emploi.	Encollez le mur et non le revêtement. Coûteux ; à employer de préférence comme le papier japonais, pour obtenir un effet de contraste.
Revêtement métallisé	Feuille d'aluminium vernie et imprimée ou poudre métallique recouverte d'un film de plastique transparent contrecollée sur support papier. Colle à forte adhérence avec fongicide, prête à l'emploi ou à mélanger.	Sur surface enduite, bien lessivée. Encollez le mur, de préférence, ou le papier support sans tacher le décor. Attention aux contacts électriques accidentels sur un tel revêtement.
Papier floqué	Fibres de velours floquées sur un papier support par un procédé électrostatique. Colle à forte adhérence à mélanger ou prête à l'emploi.	Sur surface lisse. La pose d'un papier d'apprêt est conseillée. Évitez toute tache de colle sur le décor. Marouflez avec un balai à longues soies douces (pas de nylon) sans trop appuyer. Dépoussiérez à la brosse ou à l'aspirateur. Nettoyez à l'éponge humide, en frottant légèrement.
Revêtement à effets spéciaux	Papiers et vinyles permettent des décors imitant la pierre, la brique, le bois, etc. Il existe également des décors panoramiques pouvant se développer sur un mur.	Utilisez-les pour créer des illusions d'optique, des effets insolites. Coûteux. Ils peuvent fatiguer à la longue.

Pose d'un papier peint

Avant de commencer la pose d'un papier peint, prenez les mêmes précautions que pour les travaux de peinture (retrait des meubles, étagères, appliques électriques et de tout ce qui pourrait former une protubérance sous la tapisserie et qui apparaîtra même sous un papier relief). Vous ferez une minutieuse préparation des surfaces (voir p. 102) et peindrez les portes et les fenêtres. Après quoi, si vous décidez de tapisser le plafond, commencez par celui-ci avant de poser le papier sur les murs.

La pose de papier peint au plafond n'est pas aussi facile que le revêtement des murs. En prenant les précautions nécessaires, ce sera un succès au premier essai.

APPRÊT ET PRÉENCOLLAGE

Le préencollage des surfaces à tapisser en diminue la porosité. Il facilite le glissement des lés et le bon positionnement du papier sur le mur. Utilisez la colle achetée pour l'encollage du papier, mais diluez-la pour pouvoir l'appliquer à la brosse ou au rouleau. Sur les cloisons de bois, l'Isorel, le contreplaqué ou l'agglo neuf, passez une couche de peinture d'apprêt hydrofuge, poncez légèrement avant préencollage. Tenez compte des recommandations portées sur l'emballage. Si de la colle venait à tacher les boiseries peintes, ôtez-la immédiatement au chiffon ou à l'éponge humide.

MÉLANGE DE LA COLLE

Utilisez une colle convenant au papier et suivez le mode d'emploi, car tous les papiers n'ont pas la même composition ni la même lourdeur, ce qui demande des types de colle bien particuliers.

1 Versez dans le seau la quantité d'eau indiquée. Ajoutez la colle par saupoudrage en faisant constamment tourbillonner l'eau avec le mélange pour prévenir la formation de grumeaux.

2 La plupart des mélanges doivent reposer environ 15 minutes, mais quelques-uns sont immédiatement prêts à l'emploi.

COUPE DES LÉS

1 Sur un rouleau de papier (côté décor), décidez de l'endroit où les motifs choisis doivent se situer par rapport au haut du mur.

2 Mesurez la hauteur du mur à partir de la plinthe. Cette hauteur peut ne pas être uniforme tout autour de la pièce. Retenez la plus grande hauteur. Ajoutez 10 cm pour les arasages bas et haut.

CHOIX DE LA COLLE

Utilisez une colle recommandée par le fabricant du revêtement mural choisi. S'il ne donne aucune indication, prenez conseil auprès du vendeur (ou, dans certains cas, du spécialiste attaché à l'établissement). En général, plus le revêtement est lourd, plus le pouvoir adhésif de la colle doit être grand et, en principe, plus une colle est épaisse, plus elle est adhésive. C'est pourquoi avec des colles en poudre ou en paillettes à mélanger à de l'eau on peut obtenir des colles de différentes forces, selon que le mélange est plus ou moins dilué. Elles peuvent donc convenir aux papiers ordinaires ou aux vinyles épais. Il suffit de respecter les proportions d'eau et de colle indiquées dans le mode d'emploi.

Il faut laisser la colle imbiber le papier pour obtenir un bon collage.

Pour un papier standard, ce peut être le temps d'encoller à la suite trois ou quatre lés et de les poser, dans l'ordre de leur encollage. Pour d'autres, il faut procéder à un trempage, qui arrête l'allongement. Ce temps de trempage est généralement plus long pour un papier léger que pour un papier lourd. Il dépend de la colle utilisée et du type de revêtement. Les vinyles restent stables après mouillage.

COLLES	DESCRIPTION, EMPLOI ET TYPES
Colles d'apprêt	Pour préencollage des murs avant pose du revêtement. On utilise dans la plupart des cas une colle pour papier peint, léger ou couvrant, à mélanger, très fluide (voir ci-dessus). Mais il existe des colles d'apprêt spécifiques. Pour préencollage de murs et plafonds poreux (type Perfax). Pour préencollage assainissant (durcissement des plâtres neufs et assainissement des vieux murs ; type Quelyd-mur). Pour préencollage neutralisant pour parois ciment, béton, chaux susceptibles par leur alcalinité de tacher ou décolorer le papier peint (type Neutral béton). Notez que le préencollage est fortement conseillé avant la pose des papiers peints préencollés.
Colles pour papiers peints	Généralement à mélanger à de l'eau, présentées en paquets de poudre ou de paillettes, elles se distinguent par le degré de leur pouvoir adhésif pour la même quantité d'eau. Papiers légers (types Celyd, Perfax normal). Papiers courants (types Celyd spécial, Perfax spécial, Glutolin, Quelyd). Papiers lourds, tels duplex, vinyles, métallisés, japonais, etc. (types Quelyd spéciale M2, Perfaxpro, Sapomethyl, Glutolin 77).
Colles pour papiers peints vinyles	Prêtes à l'emploi, pour la pose de papiers peints vinyles ou de feuilles minces de polystyrène sur fonds peints sans ponçage préalable ; étudiées pour la pose sur anciennes laques dans les cuisines, salles de bains (type Perfax papier vinyle, Emulyd PV1).
Colles pour textile mural sur support papier	Colles spéciales prêtes à l'emploi (type Super Emulyd).
Colles fongicides	Pour papiers peints à séchage lent risquant des moisissures quand ils sont collés sur des murs susceptibles d'humidité. Elles contiennent un fongicide qui prévient les moisissures (type Quelyd solvitose).
Colles pour revêtements muraux	Colles à base de résines synthétiques en dispersion, permettant la tenue immédiate de revêtements textiles ou plastiques tout en laissant assez de temps pour les positionner correctement.

PRÉPARATION DES COLLES : PROPORTIONS

En règle générale, pour des papiers peints standard il faut prévoir 125 g de colle cellulosique dans 4 à 6 litres d'eau, s'appliquant à la brosse à encoller ; pour des papiers épais, gaufrés, velours, vinyles, il faut 200 g de colle spéciale pour 3 ou 4 litres d'eau, s'appliquant à la brosse à encoller ; et pour des papiers très épais, une colle vinylique ou acrylique prête à l'emploi, qui s'applique à la spatule crantée sur le mur.

3 Déroulez le papier sur la table, motif en dessous. Mesurez une hauteur de mur et tracez au crayon sur l'envers du papier une ligne d'équerre avec le bord du lé.

Pose d'un papier peint (suite)

4 Coupez le long de cette ligne avec des ciseaux à grandes lames.

5 Retournez ce premier lé coupé, décor en dessus. Déroulez une seconde longueur de papier. Pour faire concorder les motifs, placez-la bord à bord avec le premier lé coupé. Puis coupez dans cette longueur le second lé. Numérotez en haut, au dos, les lés dans l'ordre de coupe pour les poser dans cet ordre.

UN BON TRUC
Si le plafond est très irrégulier et peu horizontal, ne coupez pas par avance les lés. Coupez et posez le premier et ajustez le second sur le mur avant de le couper.

ENCOLLAGE

1 Étalez les lés coupés sur la table d'encollage, décor en dessous et dépassant de part et d'autre de la table.

2 Alignez le haut du lé sur l'extrémité droite ou gauche de la table, et laissez pendre de l'autre côté toute la longueur de lé qui dépasse la longueur de la table.

3 Alignez le bord du lé sur le bord de la table. Les profession-

nels alignent trois ou quatre lés « en escalier » du côté opposé où ils se tiennent ; ainsi toute la surface de la table est couverte, ne se salit pas, aucune bavure de colle ne risque de tacher le décor, et ils évitent un nettoyage de la table après l'encollage de chaque lé.

4 Chargez la brosse de colle et essorez-la sur le bord du seau, ou sur une ficelle tendue en travers, entre les deux attaches de l'anse.

5 Encollez une bande au milieu du lé, sur la longueur de la table.

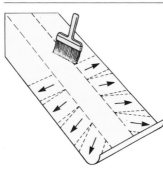

6 Poursuivez l'encollage par des coups de brosse en diagonale du centre vers les bords.

7 Vérifiez le bon encollage de toute la surface du lé traité, particulièrement sur les bords. Repliez bord à bord et colle contre colle cette partie encollée jusqu'aux 2/3

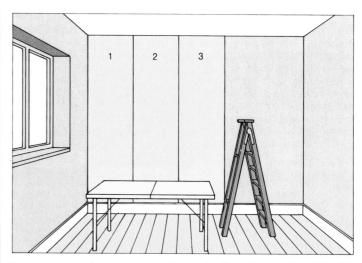

Pour commencer à un angle, posez le premier lé sur le mur adjacent à celui de la fenêtre principale et dans l'angle de ces deux murs. Ainsi, si deux lés se chevauchent sur le mur, aucune ombre rasante ne soulignera le défaut.

de la longueur de la table, sans marquer le pli. Repliez une seconde fois cette partie (décor contre décor) sur elle-même. Tirez le lé pour amener sur la table la partie non encollée.

8 Encollez cette partie comme précédemment : bande centrale et coups de brosse en chevron vers les bords ; vérifiez le bon encollage.

9 Exécutez le double pliage comme pour la première partie du lé, puis rabattez la première partie pliée sur la seconde. Ainsi, vous savez que l'extrémité de cette première partie se trouvera en haut à l'affichage. Si vous craignez d'oublier ou pour prévenir une erreur de pliage, vous pouvez la marquer au crayon au dos avant encollage.

10 Nettoyez à l'éponge humide et séchez au chiffon propre la table après chaque encollage si vous opérez lé par lé ; tous les trois ou quatre lés si vous procédez « en escalier ».

11 Le pliage des lés encollés non seulement facilite leur manipulation, mais surtout donne le temps au papier de bien s'imbiber de colle, temps d'autant plus long que le papier est épais. Les papiers très légers et les vinyles peuvent s'afficher pratiquement tout de suite après leur encollage.

12 Pendant l'imbibation d'un lot de lés, encollez le suivant. Si possible, laissez imbiber les lés un même laps de temps afin que tous aient un allongement à peu près égal, ce qui peut rendre plus aisé l'alignement des motifs.

POSE DU PREMIER LÉ

Commencez l'affichage contre un cadre de fenêtre, car s'il n'est pas certain que l'angle de deux murs

soit d'équerre sur toute sa hauteur, en revanche, il est rare que le montant d'une fenêtre ne soit pas rigoureusement vertical. C'est, en outre, autour de la fenêtre que les défauts se remarqueront le plus.

1 Si vous commencez par un angle de la pièce, mesurez et marquez en haut du mur 48 cm à partir de l'angle afin de tenir compte du retour d'angle sur le mur adjacent.

2 Placez le fil à plomb sur la marque. Faites une seconde marque à environ 1,20 m au-dessous, juste derrière le fil. Vérifiez la distance à l'angle sur toute la hauteur du mur. Si, en un point, elle dépasse les 48 cm par suite d'un mauvais équerrage des murs, le retour d'angle sera insuffisant pour le raccord à venir. Diminuez autant que nécessaire la distance en haut du mur et reprenez les mesures, les marquages et les vérifications avec le fil à plomb.

3 Présentez le lé à demi déplié à l'affichage en le prenant par les deux angles supérieurs. Ne laissez pas tomber la partie inférieure, qui risquerait une déchirure.

4 Pour la pose de ce premier lé demandez à quelqu'un de tenir la partie inférieure du lé. Placez le coin supérieur sur la marque faite près du plafond. Veillez à laisser déborder l'extrémité du lé de 3 ou 4 cm sur le plafond pour l'arasement.

5 Alignez le bord sur la marque tracée derrière le fil à plomb en maintenant le bord opposé loin du mur.

6 Ce bord aligné sur les marques, marouflez, de la main ou du balai de colleur, en diagonale vers le haut du bord jusqu'ici tenu éloigné du mur.

7 Marouflez au balai de colleur ce demi-lé supérieur, en partant toujours du centre et vers les bords, d'abord vers le haut puis en descendant. Vérifiez que le bord du papier est bien aligné sur les marques.

8 Dépliez le demi-lé inférieur. Marouflez au centre en descendant vers la plinthe, puis en chevron comme pour l'encollage. Tamponnez les bords du bout du balai ou avec un linge propre et sec.

9 Marquez fortement le pli du papier à l'angle formé par le mur et

la plinthe, avec le dos d'une paire de ciseaux, de façon à bien signaler la trace de coupe.

10 Décollez délicatement le bas du lé et, en relevant la partie encollée, face à vous, coupez le long du pli. L'arasement terminé, recollez et marouflez le bas du lé, qui doit être au ras de la plinthe. Même opération en haut à l'angle du plafond.

Vous pouvez aussi araser au cutter bien affûté, qui donne une coupe plus nette si vous savez bien vous en servir. Utilisez comme guide un couteau à enduire dont vous presserez énergiquement la lame dans l'angle formé par le mur et la plinthe ou le plafond. Coupez au cutter. Si le cutter tire sur le papier, la lame est désaffûtée.

UN BON TRUC
Tout de suite après l'arasement, jetez les rognures de papier encollé dans un sac poubelle pour faciliter le nettoyage. Essuyez la colle sur les boiseries.

POSE DES LÉS SUIVANTS

1 Affichez le lé suivant selon le même procédé, mais sans utiliser le fil à plomb. Faites coïncider les quelques centimètres du haut avec le lé déjà posé. Passez la main en diagonale vers le haut du bord opposé afin de fixer le lé sur le mur.

2 Marouflez au balai de colleur la moitié supérieure de ce nouveau lé à partir du centre vers les bords.

3 Dépliez la moitié inférieure. Vérifiez que le joint entre les deux lés est à vif, sans chevauchement ni vide entre les deux. Continuez le marouflage, puis procédez à l'arasement.

4 Après affichage de deux ou trois lés, écrasez les joints à l'aide de la roulette à joints. Comme elle laisserait une trace permanente sur les papiers gaufrés, velours, métallisés et tous reliefs marqués, écrasez le joint de ces revêtements au doigt ou au chiffon.

Affichage dans les angles

Dans toutes les pièces, il y a des angles internes et externes, qu'il faut tapisser.

ANGLES INTERNES

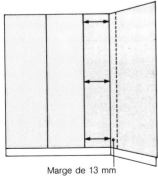

Marge de 13 mm

1 Mesurez la distance entre le dernier lé et l'angle du mur restant à couvrir en haut, au milieu et en bas. À la mesure la plus longue ajoutez une marge de 13 mm pour le retour d'angle sur le mur adjacent. Ce sera la largeur à couper.

2 Coupez la bande aux ciseaux ou au cutter. Gardez la chute pour tapisser immédiatement à la suite le mur adjacent.

3 Encollez et affichez la bande. Faites tourner la marge sur le mur adjacent. Marouflez bien au balai le papier dans l'angle. S'il y a des plis, coupez et faites chevaucher les lèvres de la coupure. Marouflez.

4 Mesurez la largeur de la chute. Reportez cette mesure en haut du

mur. Marquez et descendez la verticale au fil à plomb. De place en place, tracez des marques.

5 Encollez et posez la chute à l'alignement de ces marques. La chute recouvrira le retour d'angle. Si le papier est à raccord, faites concorder le mieux possible les motifs. Pour un papier vinyle, utilisez de la colle vinyle pour coller correctement le recouvrement du retour d'angle.

UN BON TRUC
Les angles sont souvent irréguliers, la bonne méthode consiste à mesurer la distance entre le dernier lé collé et l'angle du mur à plusieurs hauteurs. Ajoutez 1 cm à la mesure la plus grande et découpez un lé de cette largeur. Encollez-le et lissez-le à la brosse, le centimètre en excédent tournant dans l'angle.

Posez le reste du lé découpé en recouvrement sur le centimètre de papier qui dépasse en utilisant le fil à plomb pour vous assurer qu'il est vertical. De cette façon, on retrouve un aplomb correct.

ANGLES EXTERNES

N'essayez jamais de retour d'angle de plus de 25 mm sur un angle externe. Le retour sera probablement en oblique.

Affichage dans les angles (suite)

1 Tapissez le mur jusqu'à ce qu'il ne reste plus qu'une bande.

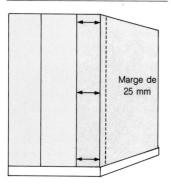

Marge de 25 mm

2 Mesurez le mur restant à couvrir du bord du dernier lé affiché jusqu'à l'angle, en différents points. Prenez la plus grande largeur et ajoutez 25 mm pour le retour d'angle. Coupez à cette largeur.

3 Affichez la bande et faites le retour d'angle sur le mur suivant.

Maroufflez au balai de colleur pour éliminer les bulles. Vous pouvez aussi tamponner avec un linge.

4 Posez la chute bord à bord avec le retour d'angle en coordonnant les motifs du décor. Continuez la pose des lés jusqu'à l'angle interne suivant si les murs n'ont pas de défauts. Sinon, dès le retour d'angle, vous devrez procéder par recouvrement du lé précédent. Avant de tapisser le mur après ce coin, prenez une ligne de départ verticale au fil à plomb. Si l'aplomb des murs laisse trop à désirer, il est facile de faire les joints à vif, surtout si le dessin est vertical. Exécutez le retour d'angle. Déduisez 25 mm de la largeur de la chute. De l'angle jusqu'à cette distance, trouvez à l'aide du fil à plomb une verticale et affichez la coupe en chevauchant le retour d'angle.

POSE DE BORDURE

Une bordure peut être coordonnée avec le papier peint. Elle se pose sur surface lisse. Sur papier gaufré à fort relief, le résultat sera décevant.

POSE EN CORNICHE OU EN CIMAISE

Coupez une longueur de bordure si possible d'un seul tenant pour une longueur de mur. Encollez et pliez en accordéon de façon à la manier aisément d'une seule main. Laissez la colle imbiber le papier pendant que vous préparerez le mur.

Ménagez un espace entre bordure et plafond de la couleur de ce dernier. Tracez sur le mur une ligne horizontale marquant la base de la bordure.

Appliquez la bordure en marouflant au fur et à mesure.

POSE EN PLINTHE ET EN ENCADREMENT

Coupez, encollez et pliez comme précédemment. Pour l'application, guidez-vous sur la plinthe ou le chambranle de porte sur lequel s'appuie la bordure.

Dans l'angle d'un cadre, faites chevaucher les bordures horizontale et verticale. Au cutter, faites

une coupe d'onglet de l'angle intérieur du cadre à l'angle opposé. Éliminez le papier excédentaire.

RACCORDS

Si un raccord s'impose, exécutez-le par une coupe d'onglet de sens

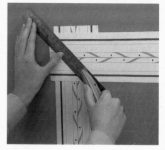

différent selon qu'il se trouve soit au-dessus ou soit au-dessous de la vue.

Pose d'un papier aux endroits délicats

INTERRUPTEUR EN APPLIQUE

CONSEIL DE SÉCURITÉ
Coupez le courant avant de travailler près d'une prise, un interrupteur, ou tout appareil électrique. Ne glissez jamais un papier métallisé sous une plaque de prise ou d'interrupteur.

1 Posez le lé comme à l'ordinaire jusqu'à hauteur de l'interrupteur. Percez le papier au centre de l'appareillage et, aux petits ciseaux, entaillez en étoile du centre vers la périphérie jusqu'à entier dégagement de l'interrupteur.

2 Marquez avec le dos des ciseaux le contour de l'interrupteur en pressant le papier peint contre le mur.

3 Coupez l'excédent de papier aux petits ciseaux pointus et bien tranchants pour ne pas déchirer le

papier mouillé. Suivez le contour marqué, mais laissez un peu de papier en retour sur l'épaisseur du socle d'interrupteur.

4 Maroufflez le papier tout autour. Si la colle sur le papier a commencé de sécher, ajoutez-en avant de maroufler. Continuez l'affichage du lé au-dessous de l'interrupteur.

PRISES ET INTERRUPTEURS ENCASTRÉS

1 Surtout, n'oubliez pas de couper le courant. Ensuite, commencez la pose du lé du haut du mur jusqu'à la prise ou à l'interrupteur. Laissez pendre le lé, puis tâtez à travers le papier pour situer l'appareillage.

2 Coupez le papier suivant les diagonales sur l'appareillage.

3 Dévissez à demi la plaque de protection et éloignez-la du mur d'environ 6 mm.

4 Coupez l'excédent de papier en ne laissant qu'une marge de 3 mm à passer derrière la plaque.

5 Passez délicatement la plaque dans l'ouverture ainsi pratiquée.

6 Poussez le papier derrière la plaque avec une mince lamelle de bois, puis marouflez.

7 Terminez l'affichage du lé. Revissez la plaque et rétablissez le courant.

MANTEAU DE CHEMINÉE

Le manteau de cheminée (ou la hotte) est rarement tapissé.

Il faut, pour entreprendre la pose de papier peint que le manteau de la cheminée soit totalement refroidi, car la colle ne pourrait tenir en séchant trop rapidement.

Commencez la pose sur le mur de la cheminée par l'affichage du lé venant au milieu du manteau en centrant le motif à mettre en valeur.

Faites attention au fait que, sur tous les lés, on devra retrouver ce motif à la même hauteur. Tenez-en compte dans la coupe des lés à raccords. Il sera prudent de

n'exécuter ces coupes qu'après avoir affiché le lé sur le manteau de cheminée.

CHEMINÉES, CADRES DE FENÊTRES ET PORTES

1 Coupez à peu près aux dimensions des découpes les lés devant contourner de gros obstacles avant leur encollage, afin de ne pas vous embarrasser d'inutiles papiers collants pendant les arasements.

Laissez au minimum une marge de 25 mm pour ces arasements une fois le papier affiché.

2 Encollez et posez le papier comme à l'ordinaire tant que cela est possible, puis marquez avec le dos des ciseaux le pli sur le contour de l'obstacle.

3 Décollez suffisamment le lé du mur pour travailler à l'aise. Coupez aux ciseaux le long du pli marqué.

Utilisez de préférence des petits ciseaux tranchants pour la découpe des nombreux angles petits et arrondis, sinon, prenez les grands ciseaux de colleur.

4 Si l'arasement prend du temps et que la colle commence à sécher, encollez le mur de préférence au papier.

5 Marouflez le papier autour de la tablette de cheminée ou du cadre de la porte en tapotant de la brosse dans les angles difficiles. Poursuivez la pose jusqu'à la plinthe.

6 Ne coupez pas des lés entiers pour tapisser des petites surfaces, telles qu'entre fenêtre et plafond. Utilisez des chutes et des fins de rouleau. Veillez à faire concorder les motifs du décor.

PASSAGE DE BAIE D'ARCADE

1 Pour tapisser une baie d'arcade entre deux pièces, faites un retour d'angle sur l'épaisseur du mur de la baie d'environ 25 mm.

2 Découpez-le en dents de scie afin qu'il ne fasse pas de pli.

3 Coupez une bande d'une largeur égale à l'épaisseur du mur de la baie. Veillez à ce que les motifs concordent avec ceux du mur adjacent.

4 On tapisse l'épaisseur du mur de la baie en deux parties : du centre de l'arcade vers la plinthe, une bande d'un côté, et une bande pareille de l'autre côté. Le joint se fait en haut au centre, les bandes recouvrent le retour d'angle.

RADIATEURS DE CHAUFFAGE CENTRAL

Glissez le papier derrière le radiateur en vous aidant d'un petit rouleau de peintre monté sur un long manche. Pour les radiateurs non ajourés masquant entièrement le mur, il suffit de poser le papier jusqu'à une quinzaine de centimètres au-dessous de leur niveau le plus haut.

POSE DE PAPIER D'APPRÊT

L'application de ce papier uni, bon marché, conçu pour être recouvert par un autre revêtement mural, peut être utile dans la pose de papiers peints classiques pour améliorer la planéité d'un mur ou éviter des transparences.

Sa pose se fait sans recouvrement de joints qui créerait des bourrelets susceptibles d'apparaître sur la tapisserie. Un travail exécuté dans les règles de l'art exigerait même un intervalle de l'ordre de 1 mm entre deux lés, intervalle que l'on rebouche ensuite à l'enduit à l'eau. En fait, lorsqu'il sert de support à un papier classique, on le colle le plus souvent à joints vifs.

Ne superposez pas les joints du papier d'apprêt et ceux du papier peint. Pour cela, commencez l'affichage

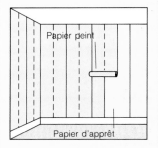

du papier d'apprêt par une bande d'une demi-largeur de lé. Ainsi, ses joints se trouveront au milieu du lé de papier peint.

Arasez toujours le papier d'apprêt au ras du mur sans le faire tourner sur le mur adjacent. De même, arasez bien aux angles, afin de ne pas créer de boursouflures par excès de papier en ces endroits. Attendez 12 heures avant d'appliquer le papier peint, afin d'avoir un séchage impeccable.

Le papier d'apprêt peut être peint (dans une teinte proche du papier peint choisi) et servir ainsi de sous-couche.

Pose de revêtements spéciaux

NOVAMURA

Le Novamura est différent du papier peint standard, car on ne le coupe pas en lés avant la pose et l'on encolle le support, non le revêtement.

1 Tracez sur le mur une ligne verticale au fil à plomb, comme vous le feriez pour la pose de tout autre papier (voir p. 126).

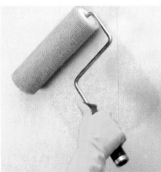

2 Encollez le mur sur la largeur à recouvrir par le premier lé en débordant un peu de part et d'autre. Appliquez au rouleau ou à la brosse une colle fongicide. Portez des gants de latex, le produit utilisé pouvant entraîner des problèmes pour les peaux sensibles.

UN BON TRUC
Crochets, pitons, vis, etc., ayant été enlevés avant le travail de pose, remplacez-les dans les chevilles par des allumettes saillant légèrement du mur. Lors du marouflage du papier ou autre revêtement, faites traverser avec précaution le lé par l'allumette. Pour le vinyle, entaillez légèrement ce revêtement au cutter pour le passage de l'allumette.

3 Présentez un rouleau de Novamura en haut de la partie du mur encollé. Alignez le bord sur la verticale déterminée par les marques. Marouflez à l'éponge humide la partie affichée. Déroulez le rouleau au fur et à mesure de la mise en place en descendant, tout en le marouflant. Bien qu'il soit léger, faites-le dérouler par quelqu'un, cela facilitera le travail.

4 Pliez en haut et en bas pour l'arasement comme un papier peint et arasez à l'aide d'un cutter à la lame bien tranchante ou aux ciseaux.

5 Encollez la largeur suivante et collez le second lé comme le précédent. Assurez-vous de la coïncidence des motifs et jointoyez bord à bord.

PAPIERS ET VINYLES PRÉENCOLLÉS

Les papiers et vinyles préencollés gardent une bonne tenue à l'eau sans risque d'allongement, donc de formation de bulles. Les préencollés sont pratiques puisqu'ils dispensent d'une table à encoller, mais ils sont d'un prix plus élevé à l'achat. Ils nécessitent un bac de trempage vendu à cet effet ou une jardinière de balcon en plastique sans trou d'évacuation d'eau.

1 Procédez comme pour la pose du premier lé d'un papier ordinaire. Déterminez la verticale à l'aide d'un fil à plomb, celle-ci vous guidera dans l'affichage du lé de départ (voir p. 126). Cette façon de procéder permet d'éviter les inconvénients de l'encollage vertical sans marques préalables. Minutie et méthode sont un gage de succès.

UN BON TRUC
Même avec les préencollés, préparez par précaution un peu de colle liquide, pour renforcer l'encollage en cas de besoin, par exemple si vous avez mouillé le film de colle sèche enduit sur le dos d'un lé découpé et que vous ayez tardé à le poser.

---

2 Remplissez le bac d'eau froide et placez-le près du mur à tapisser. Protégez le sol des éclaboussures d'eau par des journaux sous et autour du bac.

3 Mesurez la hauteur nécessaire et ajoutez 5 à 6 cm pour l'arasement. Coupez à longueur les lés de papier ou du vinyle préencollé. Marquez l'extrémité à afficher en haut du mur.

4 En le prenant par les angles du bas, mettez dans l'eau du bac le lé en rouleau, décor à l'intérieur et sans serrer ce rouleau afin que l'eau atteigne toute la surface encollée. L'enroulement terminé, on a automatiquement en main les angles à afficher en haut du mur. Veillez à ce que cet enroulement soit très lâche.

5 À deux mains, déroulez le lé au-dessus du bac et laissez-le s'égoutter, le temps que le papier absorbe une partie de l'eau.

6 Collez le lé, marouflez-le avec une éponge propre. Pour que le papier épouse bien le mur, marouflez du centre vers les bords en descendant comme dans la pose d'un papier à encoller.

7 Essuyez au chiffon humide tout excédent de colle apparaissant aux joints. La colle ne tachera pas le côté décor du revêtement.

8 Arasez comme un papier ordinaire. Puis coupez le second lé. Enroulez, trempez et collez comme vous avez procédé auparavant pour le premier.

9 Veillez à ce que le bac soit toujours plein d'eau lorsque vous trempez un nouveau lé.

10 Utilisez une colle spéciale pour bien coller les points de papier vinyle se recouvrant (aux joints, par exemple) ainsi que ceux où il bâille.

11 Le vinyle ne se déchirant pas, coupez-le aux ciseaux pour les découpes délicates. Vous pouvez atténuer l'épaisseur de joints de vinyle se recouvrant en déchirant le papier support sous le bord du lé de dessus.

12 Après la pose de trois ou quatre lés, écrasez les joints à la roulette à joints pour bien les coller.

TISSUS MURAUX, PAPIERS JAPONAIS ET AUTRES REVÊTEMENTS SPÉCIAUX

Suivez les instructions du fabricant pour l'encollage du mur ou du revêtement, et reportez-vous au tableau de la p. 125. Tissus, paille, liège et revêtements à reliefs vigoureux s'affichent difficilement à joints vifs bien à l'aplomb. Effectuez la pose selon le procédé utilisé pour les papiers peints, sauf en ce qui concerne la juxtaposition des lés, qui se fera comme indiqué ci-dessous.

1 Faites un joint recouvert large d'environ 25 à 30 mm.

2 Au cutter bien affûté et en vous guidant sur une règle plate métallique, coupez la double épaisseur de revêtement sur toute la hauteur du lé.

3 Détachez délicatement la fine bande entre l'entaille faite et le bord du lé sur toute la hauteur. Utilisez le cutter si cette entaille n'est pas assez profonde.

4 Décollez légèrement le lé du dessus et détachez à son tour la bande du lé de dessous.

5 Recollez le lé du dessus. Marouflez au balai ou à l'éponge humide pour obtenir un joint impeccable.

Écrasez le joint à la roulette à joints sur revêtements tissus résistants, ramis ou liège. N'utilisez pas l'outil sur revêtements délicats ou à reliefs. Il risque de les endommager. Utilisez un tampon de tissu sec froissé en boule.

Pose d'un papier peint au plafond

Le plafond est probablement la partie d'une pièce la plus difficile à décorer. On travaille en hauteur, le plan de travail constamment au-dessus de la tête, et l'on doit lutter contre la pesanteur. En outre, le plafond étant généralement bien éclairé, toute imperfection se remarque. Mieux vaut peindre un plafond en bon état que le tapisser. Un crépi d'intérieur est le plus propre à masquer les irrégularités d'un plafond en mauvais état. Mais il ne s'enlèvera que très difficilement, encore qu'il existe maintenant des crépis décollables.

Il n'est parfois guère possible d'échapper à la pose au moins d'un papier d'apprêt à peindre. C'est le cas d'un plafond où s'étendent trop de fines fissures, plus difficiles à traiter au reboucheur ou à l'enduit qu'à masquer par un papier sur lequel on appliquera tout aussi bien une émulsion.

Préparez la protection du sol et mettez en place un échafaudage comme pour la peinture d'un plafond. Dans la mesure du possible, choisissez cet échafaudage d'un mur à l'autre. Renforcez son assise par un ou deux tréteaux intermédiaires, afin de supporter le poids de deux personnes, car vous aurez besoin de vous faire aider. Vous pouvez louer des planches d'échafaudage pour avoir la plus grande largeur possible et également des tréteaux de maçon à hauteur variable. Laissez une hauteur de 75 cm entre votre tête et le plafond.

Que vous posiez un papier d'apprêt ou directement un papier décor, commencez le long du mur où se trouve la fenêtre ; s'il y a des

fenêtres sur chacun des deux murs adjacents, affichez les lés sur la largeur.

Pour un papier d'apprêt, inutile de tracer des lignes de guidage. Alignez-le sur le mur le plus proche et collez joints à vif. Si vous devez le recouvrir d'un papier décor, veillez à alterner les joints avec ce dernier comme pour les murs, en commençant par une bande d'une demi-largeur de lé.

POSE DU PAPIER

Pour une bonne adhérence du papier, appliquez un produit nommé « avant-colle » ou « avant-précollé ». Ces produits se préparent et s'étalent à la brosse ou au rouleau telle une colle à papier peint.

1 Appliquez le produit la veille et laissez-le sécher. Lorsque vous poserez le papier, la colle étalée sur ce dernier et l'avant-colle appliquée au plafond se souderont, améliorant d'autant le pouvoir adhésif du papier.

2 Commencez en déterminant le sens de pose des lés : soit perpendiculaire à la fenêtre, soit parallèle à cette dernière, ce qui est en général la solution retenue.

3 À l'aide d'un cordeau, tracez la position du premier lé, ligne sur laquelle vous vous guiderez pour appliquer la lisière du premier lé.

4 Étalez le premier lé sur la table, encollez-le, puis pliez-le en accordéon tous les 30 cm. Laissez reposer quelques minutes pour que le papier soit imbibé de colle et placez le tout replié sur une baguette de bois ou un rouleau de carton qui vous aidera à maintenir le papier en position horizontale.

UN BON TRUC

Tapisser un plafond est l'un des travaux les plus difficiles, surtout si on ne l'a encore jamais fait. Il vaut mieux se faire aider par une personne qui tiendra le lé plié au plus près du plafond, au moins le temps de positionner le début de chaque lé.

5 Appliquez l'extrémité du lé dans l'angle plafond-mur, lissez la surface à l'aide d'un balai de colleur et déplacez-vous progressivement en ajustant la lisière du lé sur la ligne précédemment tracée.

Si vous trouvez cette position de travail trop fatigante (une main supporte le papier, l'autre le colle), vous pouvez vous aider d'un support qui vous libérera une main.

6 Dépliez les premiers 45 cm de lé. Positionnez cette extrémité, bord aligné sur les marques. Maroufflez à la main dans l'angle. Assuré de sa position correcte, maroufflez légèrement avec un balai.

7 Maroufflez le papier en vous éloignant lentement du bout de la pièce tout en vérifiant le bon alignement sur les marques. Le papier ne se détachera pas du plafond si vous tenez tout près de celui-ci le reste du lé plié.

Si le papier se décolle facilement, c'est que la colle n'est pas assez

TRACÉ D'UNE LIGNE AU CORDEAU

Utilisez un cordeau traceur, petit appareil dans lequel un cordon enroulé passe dans de la poudre de craie bleue ou rouge quand on le tire pour l'en sortir. Si vous n'en avez pas, frottez de la craie de couleur sur un cordeau de longueur voulue.

Plantez une pointe à chaque extrémité du plafond à une distance égale à la largeur du lé moins les 12 à 15 mm prévus pour l'arasement.

Tendez le cordeau entre les deux pointes, pincez-le vers le milieu de sa longueur, tirez-le vers le bas et faites-le claquer contre le plafond. Assurez-vous que la craie dont il est imprégné a laissé une ligne visible sur le plafond.

À moins que, posant un papier très clair, vous risquiez de voir le décor gâché par la couleur délayée. Dans ce cas, tendez une ficelle et jalonnez la ligne de marques au crayon.

Retirez le cordeau et les clous pour passer à l'affichage.

forte. Il faut l'épaissir et encoller le plafond, puis maroufler le papier remis en place.

8 Le lé collé et marouflé, arasez le bord sur le mur de la fenêtre et aux extrémités. Marquez le pli à l'angle du plafond et des murs ; avec le dos des ciseaux, décollez légèrement le papier le long des murs et coupez la marge.

9 Poursuivez par la pose des autres lés en veillant à les jointoyer bord à bord.

PASSAGE D'UN LUSTRE

1 Posez la première partie du lé jusqu'à l'endroit où devra être fixé le luminaire.

2 Percez le papier à l'aide de ciseaux ou d'un cutter à l'endroit où le fil électrique et la douille doivent traverser le papier.

3 Découpez en étoile le papier à partir de ce trou.

4 Achevez la pose du lé.

CONSEIL DE SÉCURITÉ

Coupez le courant au disjoncteur avant de dévisser un lustre si vous prévoyez de tapisser entièrement le plafond et faites-le savoir afin d'éviter de mauvaises surprises.

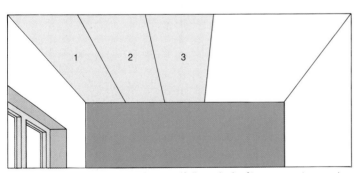

Commencez la pose le long du mur où il y a la fenêtre pour estomper les joints à recouvrement aux regards.

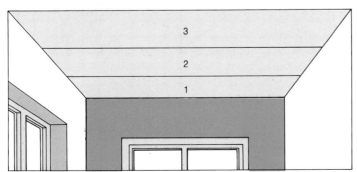

Si la pièce comporte plusieurs fenêtres sur des murs adjacents, commencez le long du mur le plus court.

Tapisser une cage d'escalier

Quel que soit l'escalier, la pose d'un papier peint dans une cage d'escalier présente deux inconvénients. L'un est mineur : la coupe des lés est compliquée en raison de la hauteur du plafond et de l'obliquité du bas du mur déterminée par le limon de l'escalier. L'autre est beaucoup plus important : c'est l'insécurité dans le travail, toujours à cause de la hauteur des murs. Le plus sage est de louer un échafaudage d'intérieur, utilisable aussi bien sur un palier que dans l'escalier.

CHOIX DU PAPIER

Dans la mesure du possible, ne multipliez pas les difficultés dans cette partie de la maison et donc choisissez de préférence un papier solide et facile à poser, uni ou à décor facile à raccorder, n'exigeant pas aux joints une minutieuse coïncidence des motifs.

MESURE DES LÉS

Pour tous les murs ayant une base parallèle au plafond, la mesure, la coupe et l'encollage se font comme pour n'importe quelle pièce.

Portez sur toute la longueur du mur de l'escalier, directement sous le plafond, les marques correspondant aux largeurs des lés. De chaque marque, descendez, au fil à plomb, une verticale jusqu'au limon. Faites une marque correspondante sur celui-ci. Mesurez et portez au crayon, près de cette dernière marque, la hauteur mesurée. La différence de hauteur mesurée entre deux marques voisines donne l'angle de coupe du lé au limon. Opérez de même pour une bande, si celle-ci est nécessaire pour couvrir entièrement le mur.

Ajoutez aux hauteurs mesurées les 6 à 10 cm d'arasage, et, à titre de précaution (pour pallier une éventuelle erreur de mesure ou de coupe), en bas du lé, à la partie en oblique, ajoutez 10 à 15 cm.

COUPE DES LÉS

Encollage, pliage, affichage, marouflage, arasage et écrasement des joints se font normalement. Dans un escalier tournant les retours d'angle se font comme pour les angles de murs ordinaires.

CONSEIL DE SÉCURITÉ

Ne vous penchez jamais par-dessus le garde-fou d'un échafaudage (ou sur le côté d'une échelle) pour atteindre une zone de travail. Le risque de basculer est très grand. Déplacez l'échafaudage et à chaque déplacement vérifiez sa stabilité et son verrouillage.

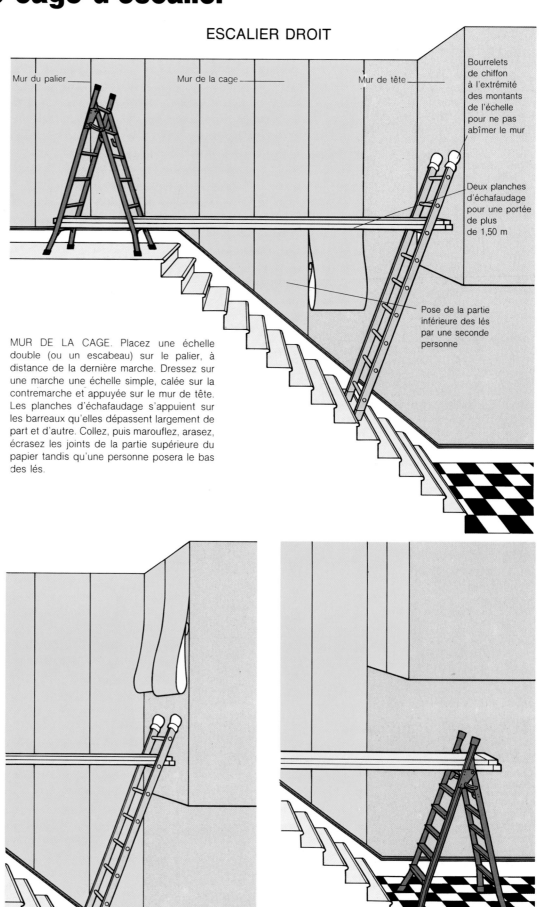

ESCALIER DROIT

Mur du palier — Mur de la cage — Mur de tête

Bourrelets de chiffon à l'extrémité des montants de l'échelle pour ne pas abîmer le mur

Deux planches d'échafaudage pour une portée de plus de 1,50 m

Pose de la partie inférieure des lés par une seconde personne

MUR DE LA CAGE. Placez une échelle double (ou un escabeau) sur le palier, à distance de la dernière marche. Dressez sur une marche une échelle simple, calée sur la contremarche et appuyée sur le mur de tête. Les planches d'échafaudage s'appuient sur les barreaux qu'elles dépassent largement de part et d'autre. Collez, puis maroufflez, arasez, écrasez les joints de la partie supérieure du papier tandis qu'une personne posera le bas des lés.

HAUT DU MUR DE TÊTE. Utilisez le même échafaudage que précédemment. Posez, maroufflez, arasez, écrasez les joints de la partie supérieure des lés, dont la partie inférieure pendra librement. Les travaux terminés, démontez l'échafaudage.

BAS DU MUR DE TÊTE. Placez l'échelle double sur le sol du corridor ou de l'antichambre, au bas de l'escalier. Posez les planches d'une part sur l'un de ses barreaux, d'autre part sur une marche. Terminez la pose du papier sur le mur de tête.

ESCALIER À PALIERS

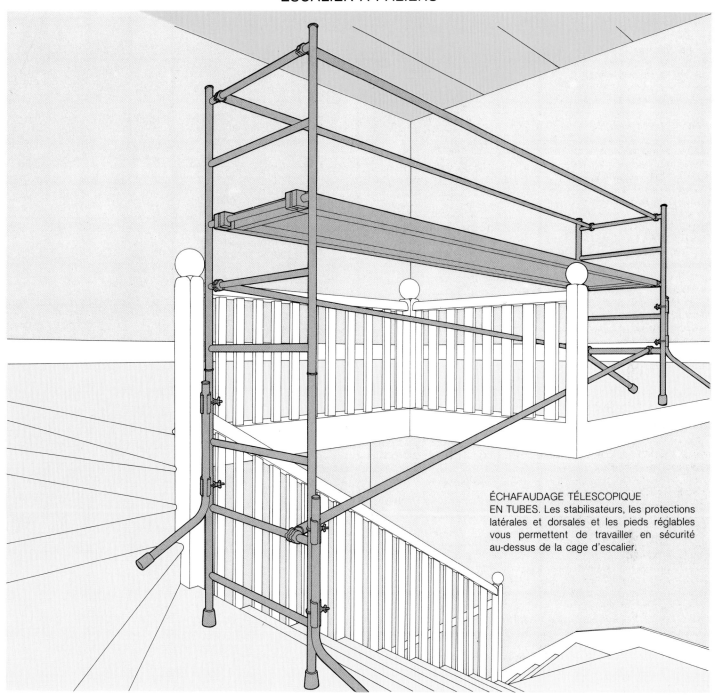

ÉCHAFAUDAGE TÉLESCOPIQUE EN TUBES. Les stabilisateurs, les protections latérales et dorsales et les pieds réglables vous permettent de travailler en sécurité au-dessus de la cage d'escalier.

Papiers peints : défauts et remèdes

JOINTS INCORRECTS

Très rare défaut de fabrication dans lequel le bord du rouleau n'est pas parfaitement rectiligne. S'il n'affecte pas trop de longueurs de lés d'un papier uni ou à rayures uniformes, ce peut être résolu à la pose. Mais il rend impossible le raccord de grands motifs. Vérifiez le lot et demandez l'échange des rouleaux défectueux.

DIFFÉRENCES DE TEINTE

Si elles sont assez légères et n'affectent que quelques lés, vous pouvez essayer de les dissimuler derrière des meubles ou d'afficher les lés en cause sur des retours de mur où les jeux d'ombre et de lumière des fenêtres — par exemple, l'épaisseur de mur de l'encadrement — feront peu remarquer ces différences. Sinon, faites-vous échanger les rouleaux en cause.

BULLES D'AIR

Percez-les à l'aide d'une épingle ou incisez-les à la lame de rasoir, voire au scalpel si elles sont importantes, puis maroufler. Si elles persistent après séchage, fendez-les et injectez à la seringue quelques gouttes de colle derrière le papier : tampon-

nez au chiffon pour maroufler. Ôtez les bavures de colle sur le décor au chiffon humide.

Si le mal affecte une grande partie du lé, arrachez celui-ci et posez un autre lé bien imbibé de colle.

LE PAPIER NE GLISSE PAS

Trois causes possibles : mauvaise préparation du mur qui est resté poreux et «pompe» l'eau de la colle ; ou colle trop diluée dans l'eau ; ou encore température trop élevée dans la pièce, ce qui accélère le séchage de la colle.

Commencez par décoller entièrement le lé et remettez-le sur la table, décor en dessous. Procédez à l'encollage du mur si celui-ci est poreux. À la colle ordinaire préférez, pour cet encollage, une colle d'apprêt. Elle glisse mieux.

Si la colle est trop liquide, il faut l'épaissir et veiller à respecter les

Papiers peints : défauts et remèdes (suite)

proportions du mélange colle-eau recommandées par le fabricant. S'il y a une atmosphère trop sèche, aérez la pièce et, éventuellement, diminuez le chauffage. Réencollez le lé et posez-le de nouveau.

RELIEFS ÉCRASÉS

Défaut qui affecte particulièrement le papier aux joints, car il est dû à une trop forte pression exercée sur le relief. N'utilisez jamais la roulette à joints sur les papiers gaufrés et plus généralement les revêtements délicats ou à relief important. Écrasez le joint sans trop forcer, soit en passant le doigt, soit en tamponnant au chiffon sec.

Si les vinyles expansés et les revêtements mousse reprennent leur forme initiale, il n'en est pas de même pour la plupart des papiers et le défaut sera irrémédiable.

TACHES BRILLANTES SUR PAPIER MAT

La surface a été trop vigoureusement frottée au marouflage. En général, on ne peut effacer complètement ces traces. On peut tenter d'en atténuer le brillant en le gommant à la mie de pain.

Mieux vaut maroufler un papier mat à l'éponge sèche, au rouleau à manchon de nylon ou de laine de mouton également sec ou par tapotement au chiffon.

BLANCS AUX JOINTS

Le papier s'est peut-être légèrement rétracté au séchage. Essayez de masquer le blanc par de l'aquarelle de la couleur du papier et en utilisant un pinceau fin.

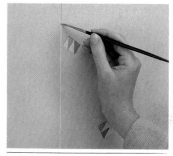

JOINTS QUI BÂILLENT

Le bord du lé n'est pas suffisamment encollé. Cela se produit

souvent dans la pose de papiers vinyles et de papiers à reliefs. Pour recoller le joint, soulevez avec pré-

caution, à l'aide d'une lame de couteau, le bord du lé et encollez-le. Utilisez une colle vinyle spéciale quand vous avez à poser un papier vinyle.

PLIS

Ils peuvent être dus à une planéité défectueuse du mur ; plus sûrement d'une pose faite sans soin.

Procédez comme pour les bulles. Entaillez le pli dans la longueur à l'aide d'une lame de rasoir ou d'un cutter, réencollez à la seringue, marouflez, ôtez les bavures de colle au chiffon humide. Assurez-vous que la préparation des murs restant à tapisser est correcte, rebouchez ou enduisez si nécessaire pour avoir un mur bien plan.

TACHES AUX JOINTS

Causées par une ancienne colle d'apprêt réactivée par le mouillage, elles sont indélébiles. On peut tenter de les rendre moins visibles en les nettoyant légèrement au chiffon propre et humide.

On les évite en éliminant la vieille colle d'apprêt par lavage des murs à l'eau chaude.

TACHES BRUNES

Des impuretés dans le plâtre (fragments de métal rouillé, tels que clous, fils de brosse métallique) ou des moisissures dues au froid et à l'humidité peuvent remonter en surface et transparaître sous le papier peint sous forme de taches brunes. Si elles sont trop nombreuses et dans une zone qu'on ne peut camoufler derrière un meuble, un tableau, il faudra arracher le papier et procéder à une préparation minutieuse des murs avant de les redécorer. Traitez-les au fongicide si l'humidité est en cause ; si c'est le froid, doublez-les de feuilles de polystyrène expansé. Au cours de cette préparation, évitez l'usage d'une brosse métallique, de laine d'acier, et utilisez une colle fongicide sur les murs plus exposés à la condensation, tels ceux d'une salle de bains ou d'une cuisine, surtout l'hiver lorsque la différence de température est importante.

TACHES D'HUMIDITÉ

Si des taches d'humidité persistent après le temps de séchage normal, il se peut que l'humidité suinte du mur ou qu'il y ait condensation sur une surface froide.

Il faut en rechercher immédiatement la cause (voir p. 408 et 423), car traitées sur-le-champ, les taches peuvent disparaître sans laisser de trace.

LE PAPIER SE DÉCOLLE

Quatre raisons possibles à cet accident : colle trop liquide, pas assez adhésive pour supporter le poids du papier ; mur mal enduit ; papier affiché sur une peinture à la colle ou sur une peinture à l'huile non dépolie ; condensation formée sur le mur après sa préparation.

Si de petites parties du papier seulement se détachent, préparez une colle plus épaisse, encollez le mur, replacez les parties décollées et marouflez. S'il tombe par pans entiers, arrachez tout et procédez à une bonne préparation de la surface. Dans une salle de bains, une cuisine, éliminez les causes de condensation avant de retapisser. Pour la pose du nouveau papier, utilisez la colle adéquate et suivez le mode d'emploi pour le mélange.

> **UN BON TRUC**
> Si un décollement se produit sur le bord d'un lé, préparez un peu de colle et badigeonnez le support seul. Laissez sécher, puis appliquez cette fois de la colle sur le papier.
> Remettez la partie décollée en place.

RÉPARATION D'UN PAPIER ENDOMMAGÉ

Un papier déchiré peut se rapiécer avec un morceau du même papier (en conserver au moins quelques chutes).

1 Déchirez et ôtez tout le papier qui peut être décollé autour de la déchirure.

2 Ajustez le raccord de papier sur la partie à recouvrir de façon que les motifs coïncident avec ceux du papier déchiré.

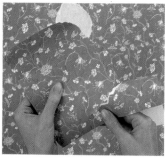

3 Déchirez-en un morceau (ne le coupez pas), et détachez tout autour une bande de 3 mm en tirant de l'arrière vers l'avant.

4 Encollez le morceau du nouveau papier et posez-le toujours en veillant soigneusement à la continuité des motifs. Marouflez du centre vers les bords.

RAPIÉCER UN REVÊTEMENT VINYLE

1 Dans une chute du revêtement vinyle, coupez un carré plus grand que la partie de papier endommagée.

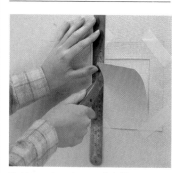

2 Fixez du ruban adhésif sur cette partie endommagée. Découpez un carré en entamant bien la pièce et le revêtement au-dessous.

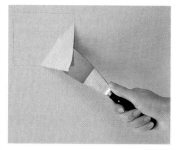

3 Retirez la pièce et le carré de revêtement endommagé.

4 Encollez la nouvelle pièce de colle vinyle et posez-la à la place.

Carrelage : l'outillage

Les outils du carreleur sont plus proches de ceux du maçon que de ceux servant aux dépannages et ont tous une destination spécifique.

Pointe à tracer
Ce petit outil à pointe au carbure de tungstène permet le traçage sur la céramique des traits de coupe. Profondément marqué, ce trait amorce la coupe du carreau que l'on peut effectuer sans outil, avec une pression des mains.

Pince à céramique
Cette pince porte sur une branche une molette au carbure de tungstène qui trace le trait de coupe, et sur l'autre branche un aileron en V, lequel, par serrage, sépare en deux le carreau de part et d'autre du trait de coupe. C'est un bon instrument pour un amateur, pour couper droit ou en courbe céramique, grès, faïence (10 mm d'épaisseur).

Pince bec-de-perroquet
Elle rappelle les tenailles russes mais s'ouvre sur le côté. Elle permet de grignoter une coupe pour un ajustage, une rectification, d'agrandir une ouverture, ou de faire un chanfrein. Vous pouvez à la rigueur la remplacer par une paire de tenailles.

Machine à couper les carreaux
Une molette d'acier spécial ou au carbure de tungstène, maniée par levier et montée sur rail, exécute une coupe rectiligne sur le carreau.

Mèche de carreleur
Les trous dans un carreau se font à la mèche au carbure de tungstène utilisée pour les perçages dans le béton et autres matériaux durs.

Pour les trous de grand diamètre, on utilise le trépan (on trouve des appareils pour des diamètres de 90 mm); il se fixe à l'extrémité d'une perceuse électrique.

Que ce soit avec des mèches classiques ou avec cette mèche de carreleur, il faut percer lentement.

Truelle langue-de-chat
Elle sert à étaler le ciment-colle sur le support avant d'utiliser la spatule crantée.

Spatule crantée
Lame en acier ou en plastique dont l'extrémité crantée permet de doser le ciment-colle lorsqu'il est étalé sur le support.

Raclette
Lame de caoutchouc profilée et assez épaisse prise dans une poignée en bois ou en plastique. Employée pour faire pénétrer la barbotine dans les joints du carrelage.

Pierre à adoucir
Pierre en carborundum pour poncer les arêtes vives d'une coupe.

Batte
En bois huilé ou avec une semelle en caoutchouc, cet outil est nécessaire pour obtenir un bon alignement des carreaux (pour les plans de travail ou le carrelage au sol).

Scie à fil rond
Il s'agit d'une scie vilebrequin avec mèche au tungstène et fil au carbure.

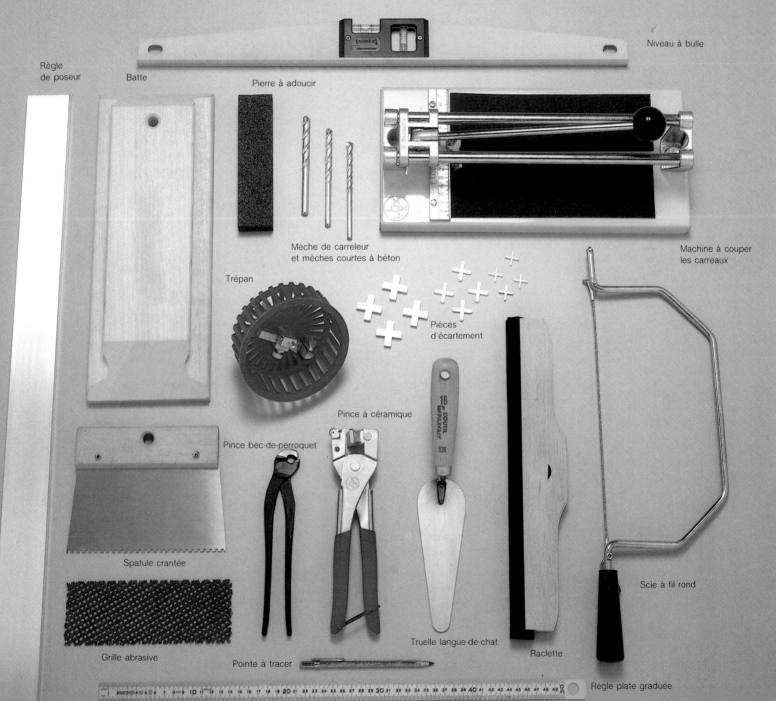

Niveau à bulle

Règle de poseur

Batte

Pierre à adoucir

Machine à couper les carreaux

Mèche de carreleur et mèches courtes à béton

Trépan

Pièces d'écartement

Pince à céramique

Pince bec-de-perroquet

Spatule crantée

Grille abrasive

Pointe à tracer

Truelle langue-de-chat

Raclette

Scie à fil rond

Règle plate graduée

CHOIX DES CARREAUX MURAUX

Pour revêtement mural, les carreaux sont en faïence émaillée — les grès cérames, émaillés ou non, sont surtout réservés au sol. De différentes tailles, les faïences constituent le revêtement idéal des cuisines et salles de bains, car ces carreaux ne sont pas affectés par l'humidité ambiante, ils se nettoient bien et gardent la fraîcheur de leur coloris. Carrés ou rectangulaires, on les trouve dans une très grande gamme de dimensions, de coloris et de décors.

CARREAUX DE CÉRAMIQUE

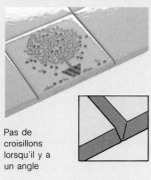

Pas de croisillons lorsqu'il y a un angle

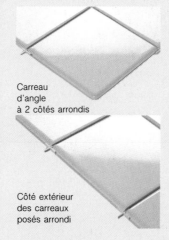

Carreaux universels
À bords chanfreinés, ils se collent bord à bord, sans pièces d'écartement ; les joints en forme de V sont rigoureusement égaux.

Généralement carrés, ils se vendent par carton de 25 à 50 pièces, dont des carreaux d'angle avec deux chants adjacents émaillés et d'autres à placer en bouts de ligne.

Croisillons nécessaires

Carreaux standard
Ils ont leurs chants d'équerre, ce qui nécessite l'usage des écarteurs pour l'alignement et la régularité des joints. Des marques livrent encore quelques carreaux d'angle avec deux chants adjacents arrondis et émaillés et des carreaux de bordure avec un seul côté arrondi et émaillé. Nombre de modèles ne comportent plus de carreaux d'angle ou de bordure à bord arrondi et émaillé.

Carreau d'angle à 2 côtés arrondis

Côté extérieur des carreaux posés arrondi

Carreaux d'importation
Importés de certains pays (Grande-Bretagne en particulier), on trouve des carreaux plus légers, moins épais et moins durs à couper que ceux de fabrication française. Les plus courants sont carrés, de 108 ou 150 mm de côté et 4 mm d'épaisseur. Ils ont des chants d'équerre, donc leur pose nécessite l'emploi des écarteurs. Le plus souvent, au moins un, sinon deux, et parfois les quatre chants sont émaillés.

Carreaux résistant à la chaleur
Cuits et émaillés à plus de 1 000°C, les carreaux de faïence résistent aux températures les plus élevées auxquelles ils peuvent être soumis dans une cuisine, et plus ils sont épais, moins ils risquent de se fendre ou d'éclater à proximité d'une source de chaleur. Néanmoins, il est bon de prévenir tout risque d'abîmer le revêtement mural, autour d'une cheminée par exemple, ou trop près d'une cuisinière. À ce sujet, au moment de l'achat, informez-vous auprès du fournisseur. Celui-ci vous conseillera les marques répondant le mieux à vos besoins.

Carreaux à accessoires incorporés
Des séries, plus spécialement destinées aux salles de bains, comportent des carreaux incorporant des accessoires, tels des porte-savons, par exemple. Plus lourds que les carreaux ordinaires, ils sont aussi bien fixés au mur que ces derniers par des ciments-colles. En général, on les achète avec la série de carreaux pour lesquels ils sont conçus.

CÉRAMIQUE DE FINITION

Carreaux mosaïque
Ce sont des carreaux de faïence émaillée, polygonaux et de petite dimension — rarement plus grands que 50 mm × 50. Ils sont préassemblés en plaques, généralement de 30 cm × 30 ou 30 cm × 60, par un filet textile, le plus souvent de nylon, ou collés, côté décor, sur une feuille de papier kraft. Ils se vendent au mètre carré.

Bordure de baignoire
L'interstice entre une baignoire et le rang de carreaux peut se boucher par un joint au silicone, un ruban de plastique, ou une bordure de céramique qui se vend en général en kit avec un adhésif souple. Si vous l'achetez, appliquez-la au reboucheur au silicone. Le ruban plastique se place à angle droit, une partie sur les carreaux muraux, l'autre sur le bord de la baignoire.

Bordure de plan de travail
Elle est constituée par des pièces de céramique émaillée moulée en L et des pièces d'angle assorties. La gamme de couleurs disponibles est limitée. Cette bordure se pose avant les carreaux du plan de travail. La finition peut également être faite par une bordure de plastique profilée sur les façades du meuble et qui protège le chant des carreaux.

Nombre de carreaux nécessaires

La plupart des carrelages se vendent au mètre carré.

Calculez la surface des parties à carreler et augmentez ce chiffre de 5 à 10 % en prévision de la casse.

Bien que l'on ne pose pas de carreaux derrière des appareils relativement petits, tels les chauffe-eau, les lavabos, il faut prendre en compte la surface du mur comme s'ils n'existaient pas. En effet, les coupes et les détourages qu'ils exigent autour d'eux occasionnent des pertes telles qu'il est préférable de ne pas soustraire leur surface au mur de la surface totale.

Si vous voulez rompre la monotonie d'un carrelage uni par l'insertion de carreaux à décor, vous avez intérêt à reproduire, sur papier milli-métré, le mur à carreler et à y dessiner sommairement, mais à l'échelle, les carreaux décorés pour vous faire une idée de l'effet esthétique recherché et du nombre nécessaire de ces carreaux. Ou encore, découpez aux dimensions de ces carreaux des feuilles de papier et faites des essais en les scotchant sur le mur.

Quoi qu'il en soit, achetez tous vos carreaux en un seul lot, chez un seul fournisseur, et tous de la même marque, car la composition des pâtes et la cuisson ne sauraient être les mêmes d'une fabrication à une autre, et les différences se retrouvent dans les nuances d'une couleur et, même légèrement, dans les dimensions.

ADHÉSIF ET CIMENT-COLLE

Le ciment-colle traditionnel

C'est un produit en poudre qui ressemble à du ciment pur.

Mélangé à de l'eau, il forme un mortier consistant dont le pouvoir adhésif rapide permet de fixer la plupart des carreaux.

À noter : lorsque l'on pose des carreaux sur un mur en plâtre, il est préférable d'utiliser un ciment-colle spécial plâtre exclusivement destiné à ce travail.

La colle à carrelage

L'adhésif en pâte est un produit acrylique prêt à l'emploi.

Il se présente en pot ou en bidon. Il est recommandé pour les surfaces en bois, en aggloméré, ou pour toute autre partie fragile, qui n'acceptent pas l'eau du ciment-colle.

Le ciment de jointoiement

Il est appelé également barbotine et se présente en poudre, généralement de couleur claire. Gâché avec de l'eau, il donne un produit liquide qui pénètre facilement dans les joints entre les carreaux. La barbotine peut être teintée avec des colorants universels ou bien renforcée par un pour-

centage de sablon. Le mélange est alors très résistant à l'abrasion, ce qui se révèle intéressant pour jointoyer un carrelage de sol.

Les joints synthétiques

Ce sont des poudres colorées. Mélangées à de l'eau, elles forment une pâte malléable que l'on coule entre les carreaux, telle une barbotine.

Les mastics en cartouche

Ce sont des élastomères synthétiques (principalement des silicones) que l'on utilise pour jointoyer les baignoires, les

lavabos, les éviers... aux parties carrelées.

Ils adhèrent sur tous les matériaux et restent souples, tel un caoutchouc.

Il y a peu de temps encore, la pose d'un carrelage s'effectuait à l'aide de plâtre ou de mortier, mais aujourd'hui cette méthode a presque totalement disparu, car on utilise des produits synthétiques facilitant la pose et l'adhérence des carreaux. Il s'agit des ciments-colles et des mastics adhésifs nommés également colles à carrelages.

Les surfaces à carreler

Les surfaces à carreler doivent être aussi planes que possible car, par sa brillance, l'émail des carreaux de céramique donne du relief au moindre défaut de planéité.

Pour la préparation des surfaces, voir au chapitre «Peinture», p. 97.

MURS PLÂTRÉS

Le plâtre constitue le matériau idéal. Mais il doit être l'objet d'une excellente préparation (sain, sec, rebouché ; voir p. 235). Pour obtenir une surface bien plane, procédez à un enduisage parfaitement lisse.

PLAQUES DE PLÂTRE

Les plaques de plâtre bien fixées au mur, sans renflement ni vide, peuvent se carreler sans traitement particulier. Néanmoins, si elles se trouvent en un point où elles risquent l'humidité — par exemple si

elles constituent les cloisons d'une cabine de douche —, appliquez auparavant un durcisseur puis une sous-couche hydrofuge pour intérieur.

MURS PEINTS

Ne carrelez pas un mur peint car la colle ne tient que sur le film de peinture et non sur le mur.

Décapez la peinture saine au papier de verre à gros grain, et au grattoir celle qui s'écaille ou se détache par plaque.

MURS TAPISSÉS DE PAPIER PEINT

Coller des carreaux sur un papier peint, c'est le fixer sur le papier et non sur le mur. Leur poids ne pourra être supporté par la colle pour papier peint.

Il faut donc arracher tout le

papier (voir p. 99), mettre le plâtre à nu et préparer ce dernier avant de carreler.

MURS CARRELÉS

On peut carreler sur de vieux carreaux. Assurez-vous qu'ils sont fermement fixés au mur, qu'ils ne présentent aucun signe perceptible de renflement, qu'ils sont propres et bien secs. Le nouveau carrelage se fera au ciment-colle. Alternez les joints du nouveau carrelage et de l'ancien.

La double épaisseur du carrelage fera une saillie d'une dizaine de millimètres sur le mur. On pourra marquer cette différence de niveau soit par un listel de céramique en harmonie avec le carrelage, soit par une bordure de baguette ou de cornière (bois ou plastique), fixée sur le mur ou sur le chant du carrelage à l'aide de la colle pour carreaux.

MURS DE BRIQUE

Le carrelage est possible sur les briques mises à nu. Il demande un encollage épais pour obtenir une bonne planéité. Autre possibilité : doublez le mur de panneaux de plaques de plâtre, isolants, et carrelez comme il est dit plus haut.

Pour doubler le mur, utilisez la colle et la méthode Placoplâtre. Pressez fermement les panneaux. Carrelez après séchage.

CONTRE-PLAQUÉ ET AGGLOMÉRÉ

Appliquez une peinture d'apprêt ou un produit hydrofuge. Vous pouvez aussi choisir un contre-plaqué C.T.B.X. ou un aggloméré hydrofugé : tous deux résistent à l'humidité. Utilisez un adhésif pour carrelage et non du ciment-colle.

Carrelage d'un mur

RECHERCHE DU POINT DE DÉPART

Un carrelage correct dépend de l'horizontalité du premier rang de carreaux posés. Sans cela, les joints ne formeront pas de lignes continues bien droites. Sols, plinthes, bords supérieurs d'éléments de cuisine ou de salle de bains étant rarement horizontaux, il faut créer une ligne d'appui horizontale pour ce premier rang.

Il s'agit ici de carreler entièrement un ou plusieurs murs d'une pièce. Pour une pose bien réussie, il faudra nettoyer à fond la surface à carreler.

Matériaux :

Niveau à bulle ; mètre ; crayon ; marteau de menuisier et tenailles (ou marteau d'emballeur qui a une panne arrache-clou) ; pointes à tête plate assez longues pour clouer des lattes dans le mur. Pour carreler sur un ancien carrelage, chignole ou perceuse électrique, mèche à béton de petit diamètre. Règle étalonnée à la largeur d'un carreau. Enfin, des lattes dont au moins un des deux chants est parfaitement rectiligne. Elles se vendent en 2 m de long. Tenez compte du fait que la largeur ou la hauteur d'un carreau comprend l'épaisseur de la pièce d'espacement.

1 Mesurez, de la plinthe ou du sol, la hauteur d'un carreau. Marquez-la au crayon. Alignez sur cette marque le chant supérieur d'un tasseau ou d'une latte ; clouez le tas-

seau légèrement en le positionnant au niveau à bulle pour vous assurer qu'il sera bien horizontal.

Si vous voulez recouvrir un ancien carrelage, il vous faudra percer des avant-trous à la mèche à béton sur 5 mm de profondeur et, de préférence, sur un joint vertical, plus facile à percer qu'un carreau. Clouez ensuite le tasseau guide. Les pointes tiendront si le plâtre est sain.

2 Mesurez en plusieurs points la distance entre la plinthe ou le sol et le bord supérieur du tasseau. La plus grande distance relevée situe le point le plus bas de la plinthe (ou du sol) par rapport au tasseau.

Carrelage d'un mur (suite)

3 À ce point, le tasseau retiré, appuyez un carreau sur la plinthe et marquez sa hauteur sur le mur. Reposez le tasseau, le chant supérieur exactement sur cette marque. Positionnez-le horizontalement et clouez-le fermement. Si nécessaire, prolongez-le jusqu'au mur adjacent par une autre longueur de tasseaux fixés à même hauteur et bien horizontaux. Pour carreler les autres murs, clouez-y des tasseaux toujours à hauteur du premier et toujours horizontaux.

MISE EN PLACE SUR MUR NU

Il faudra probablement procéder à des coupes. Faites-les proches du demi-carreau plutôt qu'étroites.

En hauteur, commencez par le bas du mur avec des carreaux entiers. Nombre de ceux du premier rang, sur la plinthe, auront leur arête inférieure «grignotée» pour rattraper l'espace entre la plinthe et le second rang qui, posé à la latte, est, lui, bien horizontal.

En longueur, il faut prévoir la largeur des coupes.

Matériaux : mètre, fil à plomb, équerre, crayon, marteau arrache-clou, pointes à tête plate, lattes, carreaux et pièces d'espacement.

1 Alignez sur le sol autant de carreaux qu'en contient la longueur du mur. Ajustez afin que le vide que ne peut combler un carreau entier soit réparti à égalité aux deux bouts de la ligne. Vous avez ainsi la largeur des coupes de carreaux pour un rang.

Vous pourrez être amené à retirer de la ligne un carreau entier pour avoir des coupes plus grandes qu'un demi-carreau.

2 À l'aide d'une équerre ou d'une règle, marquez sur la latte horizon-

tale la largeur du premier carreau, que vous placerez contre les lattes horizontale et verticale. C'est le point de départ du carrelage en longueur. Au fil à plomb, du plafond, tracez sur le mur la verticale passant par cette marque.

3 Clouez une longueur de latte dont le chant intérieur s'aligne sur cette verticale et qui s'appuie sur la latte horizontale.

4 Vous obtenez ainsi un angle droit dans lequel vous insérez un carreau dont les deux arêtes adjacentes doivent toucher les deux lattes sur toute leur longueur. Si tel n'est pas le cas, c'est que l'une des deux lattes n'est pas soit horizontale, soit verticale.

CARRELAGE AUTOUR D'OBSTACLES

Utilisez la règle à carreaux (voir p. 135).

Les carreaux coupés devront être égaux et symétriques sur les côtés de l'obstacle pour ne pas nuire à l'esthétique. Si, du fait de l'obstacle, il doit résulter un déséquilibre dans les coupes sur la longueur du mur, il vaut mieux que ce soit en bout de mur, où l'inégalité se remarquera moins.

Matériaux : règle à carreaux, crayon, niveau à bulle, fil à plomb, pointes à tête plate, marteau arrache-clou, une longueur de latte.

1 Centrez la règle à carreaux sur le milieu de l'obstacle, par exemple une fenêtre. Elle doit dépasser la largeur de cette fenêtre d'environ deux largeurs de carreaux de part et d'autre. Au niveau à bulle, vérifiez son horizontalité. Au minimum, on doit avoir de chaque côté de la fenêtre la largeur d'un carreau entier et une coupe plus ou moins large.

2 Marquez au crayon sur le mur, de part et d'autre de la fenêtre, la largeur du carreau à couper.

3 Au fil à plomb, tracez les verticales passant par ces marques jusque sur la latte horizontale (dont le positionnement a été effectué comme pour un mur nu).

4 Faites glisser la règle à carreaux vers le pan de mur le plus étroit. En la maintenant toujours horizontale, placez l'une de ses divisions sur la verticale tracée. À partir de celle-ci, marquez un repère pour chaque

carreau entier entrant dans la largeur du pan de mur.

5 Au fil à plomb, tracez la verticale passant par le dernier de ces repères et prolongez-la jusque sur la latte horizontale, puis clouez une longueur de latte, chant rectiligne sur cette verticale et s'appuyant sur la latte horizontale.

6 Dans l'angle droit ainsi déterminé, insérez un carreau dont les deux arêtes appliquées contre les lattes doivent les toucher sur toute leur longueur. Vérifiez la verticalité de l'une, l'horizontalité de l'autre, et corrigez leur position.

CARRELAGE DE LA SURFACE PRINCIPALE

Matériaux : truelle triangulaire, spatule crantée, pièces d'espacement, chiffons humides. Carreaux et ciment-colle.

1 Appliquez sur le mur le ciment-colle au couteau à colle. Étalez-le en une épaisseur régulière d'environ 3 mm, en commençant dans l'angle formé par les lattes horizontale et verticale. N'encollez qu'une section de 1 m²; carrelez avant d'encoller la suivante.

POSITIONNEMENT DES CARREAUX AUTOUR D'UNE FENÊTRE

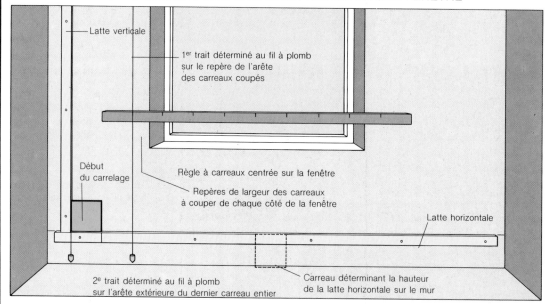

Latte verticale

1er trait déterminé au fil à plomb sur le repère de l'arête des carreaux coupés

Début du carrelage

Règle à carreaux centrée sur la fenêtre

Repères de largeur des carreaux à couper de chaque côté de la fenêtre

Latte horizontale

2e trait déterminé au fil à plomb sur l'arête extérieure du dernier carreau entier

Carreau déterminant la hauteur de la latte horizontale sur le mur

Avant de commencer le carrelage, décidez de la disposition minutieuse des carreaux autour d'obstacles, telle une fenêtre. Étudiez la place la plus convenable des coupes. Utilisez des lattes bien droites et vérifiez au fil à plomb et au niveau à bulle leur pose parfaitement verticale ou horizontale.

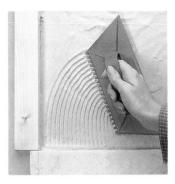

2 Avec la spatule crantée — tenue perpendiculairement au mur —, striez la colle. Cette opération a pour but de doser la quantité de colle au mètre carré, afin qu'elle soit régulière sur toute la spatule, et de faciliter l'adhérence des carreaux. La surface à couvrir doit être parfaitement lisse et la colle répartie de telle façon que les carreaux aient la même profondeur.

3 Placez le premier carreau dans l'angle formé par les deux lattes clouées. Appuyez son arête inférieure sur la latte horizontale, puis appliquez sur toute la surface contre le mur encollé par une pression égale des mains aux quatre angles. Pour le positionner, évitez de faire glisser le carreau sur la colle, car celle-ci formerait un bourrelet au joint.

4 Poursuivez le carrelage par le rang du bas selon le même procédé, les carreaux universels bord à bord, les autres en plaçant entre eux les pièces d'espacement (croisillons, fils de plastique...) pour réaliser des joints réguliers.

5 À l'aide d'un chiffon humide, nettoyez au fur et à mesure de la pose les salissures de colle.

6 Continuez d'enduire de colle et de strier, toujours par sections, toute la partie du mur à couvrir de carreaux entiers et carrelez-la.

Ne mettez pas de colle sur l'emplacement destiné aux coupes. Cette opération s'effectue après la pose des carreaux entiers.

7 Environ 12 heures après la fin du carrelage de cette partie, déclouez les lattes. Vous pouvez, au choix, retirer ou conserver les croisillons d'espacement. Les autres types de pièces d'espacement doivent obligatoirement être ôtés.

UN BON TRUC

Aux points humides (douches, etc.), un joint étanche doit être posé autour du carrelage. La plupart des ciments-colles résistent bien à l'humidité.

Coupe de carreaux à la mesure

Pour compléter le carrelage, il faut procéder aux coupes des carreaux qui s'adapteront aux emplacements laissés vides.

Outils : mètre, crayon feutre très fin, règle de coupe ou équerre en acier, pointe à tracer de carreleur, pince à couper les carreaux, pince coupante de carreleur, pierre à adoucir ou cale à poncer, mèches à béton, mèche de carreleur, vilebrequin ou perceuse électrique à variateur. Si les coupes sont très nombreuses, louez une machine à couper les carreaux.

COUPES DROITES

1 Mesurez la largeur de mur à compléter pour chaque coupe et reportez-la sur le carreau à couper. Il est rare que jonctions de mur, plinthes, sols soient parfaitement d'équerre avec le mur à carreler. Tracez au crayon feutre sur le carreau, côté émail, le trait de coupe.

2 En vous aidant de la règle de coupe ou de l'équerre, avec la pointe à tracer, rayez l'émail assez profondément afin d'obtenir un trait net. Si vous vous y reprenez à plusieurs fois, vous risquez d'avoir plusieurs traits de coupe, et la cassure ne sera pas franche.

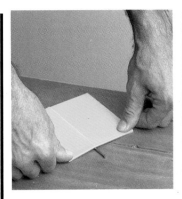

3 Sur une surface plane, placez le carreau sur un crayon (ou une baguette en bois ou en métal), à l'endroit du trait de coupe. Exercez une pression brusque des mains de part et d'autre du trait. Lorsqu'il s'agit d'un carreau de faïence classique, il se casse net le long du trait, mais si vous choisissez des carreaux de qualité supérieure, plus épais et plus durs, il faut un autre moyen de coupe.

Avec une pince à céramique
Rayez l'émail avec la molette de coupe, puis placez la pince juste au-dessus du trait et serrez doucement. La large mâchoire de la pince appuie de chaque côté du trait et sépare le carreau en deux parties. C'est une opération délicate.

Avec une machine à couper les carreaux
Placez le carreau le long de la règle graduée contre l'équerre de la butée. Déplacez la roulette en poussant le clavier d'avant en arrière pour rayer le carreau. En fin de course arrière, appuyez sur ce même levier : le carreau se coupe en deux parties. Cette machine convient aussi pour la coupe des plaques de mosaïque.

RACCOURCIR UN CARREAU

1 Exécutez le trait de coupe comme précédemment, mais avec plus de force, pour obtenir une coupe la plus nette possible, car elle se fera par fractions à la pince coupante.

2 Grignotez à la pince coupante de carreleur ou avec des tenailles la bande à éliminer. Opérez par toutes petites cassures.

ÉBARBAGE ET ÉGALISATION

La coupe réalisée, vous pouvez ébarber et égaliser son arête. Pour ce faire, utilisez une pierre à adoucir, une lime plate ou une grille abrasive.

Procédez avec précaution pour ne pas rayer l'émail et obtenir une arête régulière.

COUPES COURBES

Lorsque la découpe n'est pas droite, faites un gabarit en carton et reportez le profil du gabarit sur l'émail en utilisant un feutre ou un crayon gras.

Serrez le carreau dans une presse, sans trop le bloquer. Utilisez une scie spéciale à lame ronde. Cette lame, qui a la section d'un fil cylindrique, suit aisément un tracé courbe.

1 Pour une découpe à l'intérieur d'un carreau (passage d'interrupteur, de tuyau, de prise...), utilisez cette scie.

Coupe de carreaux à la mesure (suite)

D'abord, démontez la lame et servez-vous de la monture comme d'un vilebrequin afin de percer un trou dans le carreau.

2 Ensuite, passez-y la lame et remontez-la sur la monture. Sciez suivant le profil désiré. Égalisez la coupe à la lime au carbure de tungstène.

PASSAGE D'UN TUYAU

Pour déterminer l'emplacement et la découpe du point de passage d'un tuyau à travers un carreau, confectionnez un gabarit, découpé dans un carton rigide aux dimensions du carreau augmentées de la largeur des joints. Prenez bien tous vos points de repère.

À la fin, les deux parties du gabarit, bien juxtaposées, doivent occuper la place exacte du carreau à venir, joints compris.

S'il s'agit de faire une découpe parfaitement circulaire, utilisez un trépan, qui se monte sur un vilebrequin à main ou une perceuse électrique à vitesse lente.

Au centre, le foret perce un trou, tandis que l'outil tourne autour de l'axe et découpe une rondelle d'un diamètre réglabe.

1 Placez le carreau à percer sur une cale de bois sans importance

(un martyr). Plantez autour du carreau quelques clous pour éviter qu'il tourne avec l'outil pendant que vous percerez.

2 Placez le trépan sur la face émaillée, tournez l'outil à la main sur trois ou quatre tours.

3 Ensuite, procédez à la découpe à vitesse très lente.

Carrelages délicats

ANGLES INTERNES

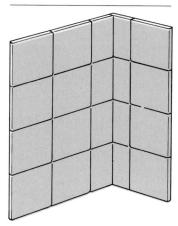

Placez la coupe des carreaux coupés dans l'angle afin d'avoir des joints nets avec les carreaux voisins.

ANGLES EXTERNES

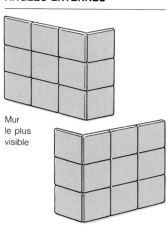

Mur le plus visible

Mur le plus visible

Carrelez de façon que le carreau d'angle du mur le plus en évidence masque le chant du carreau de l'autre mur. Ainsi, carrelez la façade d'un manteau de cheminée de façon à ne pas voir la tranche du carrelage des côtés.

EMBRASURE DE FENÊTRE

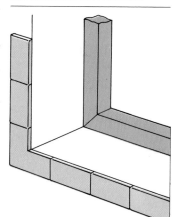

1 Si vous devez réaliser une coupe en L pour l'angle, tracez le L aux mesures et sciez l'une des branches jusqu'au trait de coupe de l'autre branche du L, puis coupez l'émail à la pointe à tracer. Cassez d'un coup sec.

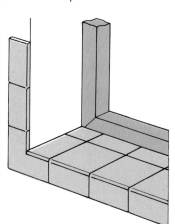

2 Pour le carrelage de l'embrasure, utilisez si possible des carreaux de bordure au premier rang et faites-leur recouvrir le chant des carreaux du mur. Si des carreaux coupés sont nécessaires, placez-les contre le cadre de la fenêtre, la coupe côté cadre.

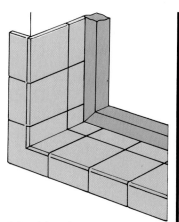

3 Les joints des carreaux des montants doivent s'aligner sur ceux des carreaux du mur. Comme pour l'appui, employez de préférence des carreaux de bordure pour recouvrir les chants du carrelage mural.

FIXATION DE CARREAUX À ACCESSOIRES INCORPORÉS

Lors du carrelage laissez une place et ne mettez pas de ciment-colle. Attendez 24 heures, puis encollez le carreau et

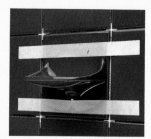

placez-le. Pour le maintenir, il faut le solidariser avec les carreaux voisins par un ruban adhésif.

DÉPART D'UN CARRELAGE PARTIEL DU MUR

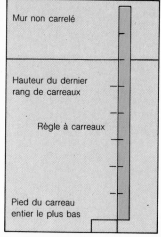

Mur non carrelé

Hauteur du dernier rang de carreaux

Règle à carreaux

Pied du carreau entier le plus bas

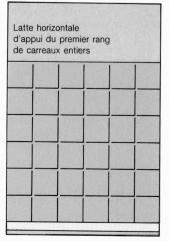

Latte horizontale d'appui du premier rang de carreaux entiers

Dans la mesure où vous pouvez décider des dimensions de la partie du mur à carreler, choisissez celle où va entrer un nombre exact de carreaux entiers en hauteur et en largeur.

Pour le point de départ du carrelage, procédez comme pour le mur nu (voir p. 137, 138) avec latte horizontale au pied du mur, latte verticale pour la hauteur et règle à carreaux.

Jointoiement des carreaux

Après séchage de la colle (au moins 12 heures après la pose des carreaux), on procède à leur jointoiement.

Pour les murs, il est souvent préférable d'utiliser du joint synthétique. Ce produit se présente sous la forme d'une poudre qui, mélangée à de l'eau, forme une pâte malléable pas trop liquide, plus facile à mettre en œuvre qu'une barbotine.

En outre, ces produits, de différentes couleurs, permettent d'harmoniser ou de contraster la teinte des joints avec la couleur des carreaux.

Outils : auge ou bassine, pinceau à badigeon, raclette de carreleur. Éponge, chiffons doux et propres, gants de protection en latex.
Matériaux : ciment blanc ou pâte spéciale pour joints.

1 Contrairement au plâtre que l'on saupoudre dans un récipient rempli d'eau, versez la poudre pour joints de carreaux, puis l'eau. Délayez jusqu'à obtenir une pâte onctueuse. Vous pouvez utiliser des poudres de couleurs différentes et même les mélanger en prenant des précautions car elles sont très volatiles. Mélangez-les dans un sac en plastique transparent (voir encadré ci-contre).

JOINTS COLORÉS

On peut réaliser des joints colorés en ajoutant à la barbotine un colorant universel pour ciment, mais il est préférable d'utiliser un produit prêt à l'emploi, tel le Joincolor, qui

propose une quinzaine de nuances.

Il existe même des pâtes colorées pour raviver des joints. Ces produits s'appliquent par-dessus les joints du carrelage après avoir gratté et nettoyé les parties vétustes. La coloration des joints permet de personnaliser votre travail.

PLAN DE TRAVAIL CARRELÉ

Choisissez des carreaux de sol plus résistants que les carreaux de faïence. Optez pour un format qui vous permette de n'avoir que des carreaux entiers à poser. Autour d'un évier particulièrement, étudiez une disposition symétrique des carreaux. S'il est impossible de mettre des carreaux entiers, placez les carreaux coupés vers le fond du plan de travail. Utilisez pour la coupe une machine à couper les carreaux.

Bordez le plan de travail par une moulure de bois, un profil métallique ou une bordure en céramique. Pour enjoliver, des artisans peuvent vous fournir, sur mesure, des carreaux pour les angles et les bords.

Il est souvent plus pratique de

poser la bordure avant de carreler l'intérieur de la surface.

Pour un plan de travail en bois, en aggloméré, etc., que vous allez carreler, il est préférable d'utiliser un adhésif (colle à carrelage) et non pas un ciment-colle qui contient de l'eau.

2 Avec une spatule ou une petite truelle, chargez le joint en faisant pénétrer la pâte entre les carreaux. Une opération fastidieuse surtout si la surface à couvrir est importante.

3 Répartissez le produit en utilisant une spatule en caoutchouc. Déplacez-la en diagonale par rapport aux lignes de joints, de façon à bien répartir la pâte.

4 Lorsque le produit commence à « tirer », nettoyez avec une éponge.

5 Les perfectionnistes pourront lisser chaque joint du bout du doigt.

Perçage d'un carreau

Nombre d'accessoires, tels les porte-savons, se vissent dans le mur. Il faut donc souvent percer des carreaux pour les placer.

Le perçage produit une fine poussière pouvant salir les joints au-dessous du trou percé. Protéger ces joints peut être nécessaire. Confectionnez une sorte de gouttière en carton et scotchez-la sur le mur au-dessous des points de perçage pour réduire l'importance des salissures.

Outils : vilebrequin, chignole ou perceuse à variateur ; mèches à béton du diamètre voulu pour le logement des chevilles ; chevilles ; tamponnoir ; crayon feutre à pointe fine.

Éventuellement : un peu de sparadrap ou du ruban adhésif transparent ; petite lime queue-de-rat.

1 Marquez au crayon feutre le point central de tous les trous à percer.

2 Pour empêcher la mèche de déraper sur l'émail quand vous percerez, il faut lui préparer un petit logement, bien au centre du trou à percer. Servez-vous pour cela d'un tamponnoir, outil d'acier très dur qui nécessite habituellement l'emploi d'un marteau. Sur un carreau, le marteau est à bannir. Appuyez avec force, à la main, la pointe du tamponnoir sur le point marqué et imprimez-lui un mouvement de rotation dans les deux

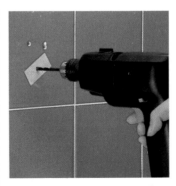

sens. Le tamponnoir fera un léger creux dans lequel se logera la pointe de la mèche.

Si vous ne disposez pas de tamponnoir, collez un morceau de sparadrap à l'emplacement du trou. Cela suffira pour centrer la mèche, le temps d'entamer l'émail.

3 Percez au vilebrequin ou à la chignole. Centrez la mèche à béton, percez le carreau et le plâtre et pénétrez dans la maçonnerie.

4 Si, au perçage, la mèche glisse et ne perce pas à l'alignement voulu, ne tentez pas de rattraper à la perceuse. Ovalisez plutôt à la lime le passage de la vis dans la plaque support de l'accessoire pour donner à la vis le jeu nécessaire qui la place en face du trou. Ou bien supprimez cette vis et mettez à sa place un point de colle époxyde.

Ne bloquez pas à fond les vis pour ne pas fendre le carreau.

Remplacement d'un carreau cassé

N'importe quelle personne soigneuse peut aisément remplacer un carreau cassé.

Outils : vilebrequin, chignole ou perceuse ; mèche à béton la plus grosse disponible ; vieux ciseau à bois de 5, 10 ou 15 mm de large, devenu inutilisable en menuiserie ; marteau ; grattoir triangulaire ; couteau de peintre ; spatule crantée. Lunettes de protection.

Matériaux : carreau de remplacement ; colle ; pâte à joint.

1 Portez des lunettes pour protéger vos yeux des éclats d'émail pouvant sauter au cours de l'extraction du carreau à remplacer.

2 Forez, à la mèche à béton, le centre du carreau à enlever.

3 Agrandissez ce trou, à partir du centre vers l'extérieur, au burin. N'appuyez pas trop les coups de marteau et enlevez par petites fractions les morceaux de carreau.

4 Le carreau enlevé, retirez la colle sèche et mettez le mur à nu. Travaillez au burin et au grattoir avec précaution pour ne pas ébrécher les carreaux voisins, dont les bords doivent être nets de tout reste de vieux joint. Si des plaques de colle résistent, tentez de les ôter avec la lame chauffée d'un couteau de peintre. Ne dirigez pas de flamme sur la colle, vous risqueriez de faire éclater les carreaux voisins. La colle doit entièrement disparaître.

5 Encollez le dos du carreau de remplacement. Striez la colle, dont l'épaisseur doit être telle que, le carreau posé, il ne fasse ni creux ni saillie sur le carrelage qui doit rester parfaitement plan. Mettez en place le carreau avec les pièces d'espacement pour les joints.

6 Essuyez la colle qui aurait pu salir l'émail des carreaux pendant le travail et laissez sécher la colle.

7 Environ 12 heures après, appliquez la barbotine et jointoyez à l'aide d'une petite éponge.

ACCIDENTS COMMUNS ET REMÈDES

ACCIDENTS ET CAUSES	REMÈDES
Moisissures Des taches brunes sur les lignes de joints peuvent être provoquées par des moisissures se développant dans les pièces à buée.	Détruisez les moisissures au fongicide approprié. Parfois une application unique ne peut suffire. Un nettoyage à l'eau javellisée n'éliminera une moisissure que momentanément. Délogées par brossage, les moisissures mortes n'en laissent pas moins des traces sur les joints. Masquez-les avec une peinture blanche pour joint. Ce produit une fois sec, appliquez de nouveau du fongicide à titre préventif.
Joints encrassés Graisses et crasse peuvent noircir les joints.	Brossez les joints à l'eau chaude additionnée de détergent liquide à l'aide d'une brosse de chiendent. Laissez sécher, puis passez un produit hydrofuge.
Les joints partent en lambeaux On a utilisé un produit pour joints ordinaires au lieu de pâte hydrofuge dans des zones où le carrelage est fréquemment éclaboussé d'eau.	Raclez le joint à l'aide d'une pointe métallique — un simple fil de fer fera l'affaire. Procédez avec précaution pour ne pas ébrécher l'émail des carreaux. Ôtez les débris de joint avec une vieille brosse à dents. Jointoyez de nouveau.
Carreaux fendillés Maladie de vieillesse ou, pour des carreaux neufs, infiltrations d'eau derrière les carreaux.	Irréparable. Remplacez les carreaux fendillés ou peignez le carrelage avec une peinture spéciale sanitaire. Contrairement à l'émail, la peinture s'érafle.
Carreaux percés Des perçages antérieurs devenus inutiles enlaidissent la surface carrelée.	Pour un mur carrelé, vous pouvez envisager de vous resservir de ces trous si vous avez un accessoire qui peut convenir à leur espacement et à leur diamètre, ou si l'accessoire est susceptible de masquer ces cavités. Vous pouvez aussi boucher ces trous avec un enduit de rebouchage, puis repeindre avec une peinture pour carrelage. Sinon, il est facile de se procurer des carreaux de faïence ou des mosaïques de remplacement. Procédez comme pour un carreau cassé (ci-contre).

Pose de mosaïques

La pose des carreaux mosaïques diffère selon le mode d'assemblage des plaques : certaines sont assemblées sur filet textile, d'autres sont collées sur papier kraft en feuilles de dimensions variables.

MOSAÏQUES SUR FILET

1 Encollez le mur et striez la colle comme pour un carrelage ordinaire.

2 Appliquez sur la colle la plaque de carreaux. Coupez aux ciseaux ou au cutter le filet pour carreler des zones ne permettant pas la pose de plaques entières.

3 Attendez au moins 12 heures et jointoyez.

MOSAÏQUES SUR PAPIER

1 Étendez la plaque sur une table, le papier en dessous. Passez la barbotine sur le dos des carreaux pour la confection des joints.

2 Laissez les joints commencer à durcir. Encollez le mur et striez la colle.

3 Appliquez la plaque, la face sur laquelle a été passée la barbotine contre la colle, le papier vers vous.

4 12 heures environ sont nécessaires pour le séchage de la colle.

5 Imbibez copieusement le papier d'eau chaude à l'aide d'une éponge ou d'un chiffon. Assurez-vous que le papier est bien détrempé. Détachez-le par l'un des coins supérieurs et tirez vers le bas. Il doit se décoller sans difficulté, d'un seul tenant.

6 Essorez bien l'éponge et séchez les carreaux. Appliquez du joint sur les raccords entre plaques et sur les joints qui n'auraient pas été complètement remplis lors du premier jointoiement fait sur la table. Si vous utilisez une pâte à joints hydrofuge, essuyez immédiatement son excédent sur l'émail dès carreaux. Laissez sécher la barbotine ordinaire et lustrez au chiffon.

MENUISERIE, ÉTAGÈRES ET PLACARDS

TYPES DE BOIS ET DE PANNEAUX

Certains matériaux, comme le sapin, les panneaux de particules, sont faciles à trouver dans les magasins de bricolage. En revanche, les bois feuillus ne peuvent généralement s'obtenir que chez les négociants en bois (voir aussi p. 146-147).

Tous les bois et placages doivent recevoir une finition (vernis, huiles ou cires). Leur teinte fonce à la lumière. Les panneaux de bois revêtus d'une matière synthétique ne nécessitent aucune finition et ils ne changent pas de couleur.

Le pin
Bois résineux largement utilisé en bricolage, aussi bien en intérieur qu'en extérieur. Sa couleur fonce rapidement à la lumière.

Le sapin et l'épicéa
Bois résineux blancs à fil très droit. Ils sont tendres et légers, mais résistants et utilisables pour tous les travaux de menuiserie intérieure courante. Ils présentent l'un et l'autre des caractéristiques très voisines et se différencient difficilement à l'œil nu.

Le Douglas
On le trouve aussi sous le nom de « pin d'Oregon », quand il est importé d'Amérique du Nord. Résineux résistant, au fil droit et d'aspect veiné, il est utilisé pour les portes, les encadrements, les fenêtres et en charpente.

Le Red Cedar
Bois résineux à grain droit, comportant peu de nœuds, principalement utilisé pour les revêtements extérieurs, clôtures et serres, en raison de sa durabilité. C'est un bois stable, qui se déforme peu sous les variations de température. Les chocs le marquent facilement.

Le chêne
Bois feuillu utilisé pour les meubles, portes, parquets, poutres, linteaux... Il est beaucoup plus lourd que les résineux. En extérieur, il se tache au contact des ferrures non protégées contre l'oxydation ; il faut donc préférer le cuivre, l'inox ou les métaux galvanisés.

L'acajou
Bois feuillu largement employé pour la fabrication des meubles et des placages. On trouve aussi des bois rouges d'apparence similaire, comme le sapelli et le sipo.

Le hêtre
Bois feuillu, de teinte pâle, à grain très fin et à fil droit. Il est très utilisé dans l'ameublement, surtout pour la fabrication de sièges et de nombreux objets d'usage courant (articles ménagers, jouets...).

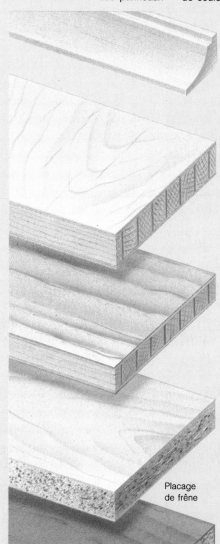

Placage de frêne

Placage d'acajou

Le ramin et le samba
Bois feuillus, à grain serré et de teinte unie, utilisés essentiellement pour les moulures. Leur couleur blanc jaunâtre peut être modifiée par une mise en teinte permettant de l'assortir aux bois avec lesquels ils sont employés.

Panneau latté
Solide panneau, dont l'âme (partie centrale) est faite de lattes de bois. Il doit être travaillé dans le sens de la longueur, parallèlement aux lattes. L'âme est recouverte des deux côtés par un placage de bois (peuplier, okoumé...).

Panneau latté replaqué bois
Généralement, le placage décoratif n'est appliqué que sur une seule face, l'autre étant recouverte d'un bois plus commun. Les placages de chêne ou d'acajou sont les plus courants.

Panneau de particules à revêtement bois
Des placages de pin, de frêne, d'acajou ou de chêne sont collés sur des panneaux de particules standard, ce qui leur donne une surface décorative.

Panneau de particules surfacé mélaminé (blanc)
Ce panneau est fréquemment utilisé dans la fabrication des meubles et pour le bricolage. Il ne nécessite aucune finition et se nettoie aisément. Les panneaux d'épaisseur courante (16 mm) ne se prêtent pas à la fabrication des plans de travail et ne supportent pas les charges trop lourdes.

Panneau de particules imitation bois
Panneau de particules revêtu d'une mélamine ou d'un P.V.C. imprimé dont le dessin imite l'aspect du bois. Ces imitations sont en général moins esthétiques qu'un placage bois.

TYPES DE BOIS ET DE PANNEAUX

Panneau de particules pour plan de travail
Panneau de particules, épais, recouvert d'une feuille de stratifié.

Panneau de particules standard
Planche de particules de bois agglomérées à grain grossier. Ces panneaux, sont moins chers que le bois, mais moins résistants. Il existe aussi des panneaux marqués «CTB-H» pour les emplois en milieux humides.

Panneau de fibres de densité moyenne (M.D.F.)
Panneau à surface douce et fine, qui peut être débité et usiné plus facilement que le panneau de particules, le panneau latté ou le contre-plaqué.

Panneau de fibres isolant
Panneau de fibres de faible densité possédant de bonnes caractéristiques isolantes, tant phoniques que thermiques. Il est plus tendre et plus épais que le panneau de fibres standard.

Contre-plaqué standard
La variété la plus répandue est faite de trois placages de bois collés ensemble à angle droit. La surface poncée peut être peinte ou vernie. Le placage extérieur est souvent en okoumé ou en pin maritime.

Contre-plaqué pour extérieur
Panneau utilisé pour les travaux de construction en plein air. Seul le label NF CTB-X imprimé sur le panneau garantit une véritable «qualité extérieur».

Contre-plaqué revêtu de P.V.C.
On le trouve dans un large éventail de coloris et de dessins. Il est utilisable pour les revêtements intérieurs.

Panneau de fibres standard
Panneau mince dont l'une des faces est dure et lisse et dont l'autre présente un aspect toilé. Fait de fibres de bois compressées, il est surtout connu sous le nom d'Isorel, nom de marque du seul fabricant français.

Endroit

Envers

Panneau de fibres lisse
Variété de panneaux de fibres dans laquelle les deux faces sont lisses. Ces panneaux sont utilisés pour la fabrication des portes coulissantes de placards.

Panneau de fibres isolant asphalté
Une imprégnation d'asphalte sec permet d'utiliser ce panneau en milieu humide. Employé surtout en sous-couche isolante de murs, toitures et sols.

Panneau de fibres perforé
Panneau percé de trous disposés régulièrement (tous les 13 ou 25 mm) et destinés à recevoir des crochets de suspension pour le rangement ou l'étalage d'objets.

Panneau de fibres laqué
Panneau laqué en usine, prêt à l'emploi. Il est utilisé pour les meubles de cuisine, dans les salles de bains, etc.

Panneau de fibres décor
Panneau stratifié, imprimé ou revêtu de P.V.C. Existe sous plusieurs aspects : imitation bois, carrelage, tissu...

Aspect carrelage

Aspect bois

Résineux et feuillus

Les arbres à feuilles en forme d'aiguilles et dont les fruits sont coniques donnent les bois résineux, qui sont le plus employés en bricolage.

Le bois résineux, parfois appelé bois blanc, provient en fait d'essences différentes : pin maritime, sapin, épicéa...

Les bois feuillus proviennent d'arbres à feuilles caduques, sous nos climats. Il en existe de très nombreuses variétés : chêne, hêtre, ainsi que différents bois d'origine tropicale.

On trouve facilement des résineux dans un choix étendu de dimensions, soit sciés à l'état brut, soit rabotés sur toutes leurs faces. Ils sont plus faciles à travailler que les bois feuillus, ce qui prolonge la durée de coupe des lames des outils. Ils sont classés par qualités, la plus basse étant destinée aux caisses d'emballage, la qualité moyenne aux travaux de charpente, et la meilleure (qualité menuiserie) aux escaliers, aux portes et fenêtres et aux meubles.

Les bois résineux sont plus fragiles que les bois feuillus. Cependant, une couche de peinture ou de vernis augmente leur résistance aux chocs et aux taches. Ils foncent rapidement lorsqu'ils sont exposés directement au soleil, et plus lentement quand ils sont abrités de la lumière. Ils peuvent être teintés ou vernis facilement.

On peut aisément coller, clouer et visser les résineux. Ils se poncent sans problème.

NŒUDS ET FENTES DANS LES RÉSINEUX

Les nœuds morts adhèrent mal au bois, peuvent se détacher, puis tomber. Les nœuds vivants restent fermement attachés au bois.

Occasionnellement, certains nœuds laissent exsuder de la résine. Dans ce cas, vous pouvez soit éliminer la partie de la planche où ils se trouvent, soit frotter le nœud au white-spirit jusqu'à ce que

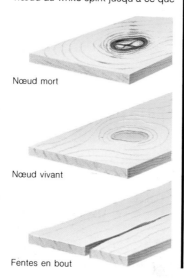

Nœud mort

Nœud vivant

Fentes en bout

l'exsudation cesse ; mais cela peut prendre des mois. La résine durcie doit être enlevée par grattage.

La plupart des nœuds vivants ne causent pas de difficultés et, si le bois est verni, peuvent être d'un bel effet décoratif.

Sur les pièces peintes, les nœuds, s'ils ne sont pas traités, peuvent ressortir comme des taches sombres, par transparence. Dans ce cas, appliquez une pâte à bois sur chaque nœud avant de peindre.

Les planches sèchent plus vite aux extrémités qu'au centre, ce qui peut provoquer la formation de fentes en bout. Évitez d'acheter des planches fendues, ou bien coupez les bouts fendillés.

BOIS TRAITÉ

Il existe des bois traités sous pression, avec imprégnation de produit insecticide et fongicide (contre la pourriture). Ces bois sont à utiliser en atmosphère humide, pour tout ouvrage, notamment les clôtures.

On trouve aussi des bois traités par trempage, recommandés pour toutes les structures en bois d'une construction : planchers, charpentes, encadrements de portes et de fenêtres.

Si le bois traité doit être entaillé ou recoupé, badigeonnez au pinceau les surfaces mises à nu avec un produit de préservation.

BOIS FEUILLUS

Les bois feuillus sont en général

plus résistants que les résineux. Ils peuvent donc, pour une même épaisseur, supporter une charge plus lourde sans fléchir (ce qui est utile pour les étagères).

Les bois feuillus sont plus difficiles à trouver que les résineux, excepté en moulures (voir p. 148).

Il existe de très nombreuses espèces de bois feuillus, chacune possédant des caractéristiques particulières. Demandez à votre fournisseur quel bois est le mieux adapté à tel ou tel usage.

On peut coller facilement les bois feuillus, et les visser en perçant au préalable des avant-trous. Il arrive qu'ils se fendent quand on les cloue. Un avant-trou pallie cet inconvénient.

En général, la plupart des bois feuillus résistent mieux aux attaques d'insectes ou de champignons que les résineux. Ils se teintent et se vernissent facilement.

DIMENSIONS DES PLANCHES

Le bois se vend scié, brut ou raboté. Vendu brut de sciage (aspect rugueux), ses dimensions sont celles des pièces avant séchage.

Le bois raboté est lisse et vendu sec. Il mesure environ 5 mm de moins en largeur et en épaisseur que la planche sciée brute, ce qui correspond à l'épaisseur enlevée au rabotage. Au moins pour les petites sections, les dimensions indiquées par les vendeurs correspondent aux dimensions réelles rabotées.

DIMENSIONS STANDARD DES RÉSINEUX

Les dimensions figurant dans ce tableau sont les dimensions standardisées pratiquées par les scieries françaises. Il s'agit de bois sciés bruts (humidité de 20 %). Pour les bois rabotés, comptez 5 mm en moins (aussi bien en largeur qu'en épaisseur).

Les résineux sont vendus en dimensions standard, qui commencent à 1,50 m et augmentent par 30 ou 50 cm à la fois (selon la provenance) jusqu'à 6,50 m et même au-delà.

épaisseur en mm	largeur en mm											
	27	40	63	75	100	115	125	150	160	175	200	225
15												
18												
22												
27												
32												
38												
50												
63												
75												

☐ Sections débitées fréquemment.   ▨ Sections les plus courantes disponibles en permanence.

COMMENT EMPÊCHER LE BOIS DE SE DÉFORMER

Le bois arrivant de la scierie est à une humidité d'environ 20 %. Après quelques semaines dans une maison à chauffage central, l'humidité baisse jusqu'à 8 ou 10 %, le bois se rétracte légèrement et peut même se voiler. Plus la planche est large, plus le retrait et les déformations peuvent être importants.

Retrait maximal

Avant séchage

Après séchage

Retrait minimal

Le retrait se produit le long des cernes d'accroissement. Dans la plupart des cas, les cernes sont beaucoup plus courts près d'une des faces de la planche que de l'autre. Les plus longs rétrécissent davantage, ce qui occasionne le voilement de la planche dans sa largeur.

Plus les cernes sont droits dans une planche, moins celle-ci se déformera. Choisissez donc les planches qui ont des cernes disposés presque verticalement dans l'épaisseur (débit sur quartier).

Quel que soit le soin apporté à la fabrication d'un objet, si vous utilisez un bois trop humide, celui-ci continuera à sécher et l'objet se

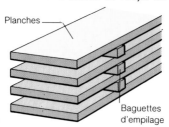

Planches

Baguettes d'empilage

déformera. Il faut donc stocker le bois avant de l'utiliser, pendant 2 à 3 semaines, dans une pièce sèche.

Stockez les planches à plat, l'une au-dessus de l'autre, en intercalant des baguettes de bois qui laisseront circuler l'air.

PLANCHES POUR ÉTAGÈRES ET PLANS DE TRAVAIL

Des panneaux larges de résineux massifs permettent de fabriquer des étagères profondes, des plans de travail... Ils sont réalisés à partir de plusieurs pièces assemblées et collées sur chant. Ces panneaux, secs, poncés, se trouvent dans différentes dimensions, pour des épaisseurs de 2 à 3 cm.

Matériaux en plaques

LES PANNEAUX DE PARTICULES

Le panneau de particules est un matériau de grain assez grossier, fait de particules de bois agglomérées par collage sous pression. Sa surface peut être poncée ou recouverte d'un placage en bois ou d'un matériau synthétique.

Ce panneau est fréquemment utilisé pour fabriquer des étagères, des placards, des meubles et des portes. Il est meilleur marché que le bois massif, mais moins résistant mécaniquement. Ses caractéristiques sont uniformes sur toute sa surface. Si donc les étagères sont taillées dans un panneau de grandes dimensions, leur résistance ne dépend pas du sens de la coupe.

La plupart des panneaux de particules sont employés en intérieur. S'ils sont mouillés, ils gonflent rapidement et leur surface devient rêche. Il existe des qualités « extérieur », marquées CTB-H, pour un emploi en milieux humides. Ces panneaux se comportent beaucoup mieux vis-à-vis de l'eau.

Le panneau de particules standard

C'est le panneau le moins cher. Sa surface est finement poncée, prête à être peinte ou vernie.

La dimension normale d'une plaque est de 2,50 ou 2,75 m × 1,85 m. Les épaisseurs varient de 5 à 40 mm, mais les plus courantes sont 12, 16, 19 et 22 mm.

Dans les magasins de bricolage on découpe les panneaux aux dimensions que vous souhaitez.

Le panneau de particules replaqué bois

Un panneau de particules peut être recouvert d'un placage de bois (pin, chêne, acajou...). En général, ses chants sont également plaqués. Quand on doit recouper un panneau, on utilise des rouleaux de bandes de placage pour recouvrir les chants mis à nu.

Tous les panneaux de particules revêtus de placages bois doivent faire l'objet de finitions au vernis ou à l'huile. En les achetant, prenez soin d'assortir leurs couleurs et leurs grains.

Le panneau de particules revêtu de placage P.V.C.

Des décors imitant le bois sont imprimés sur les placages P.V.C. Ces panneaux sont prêts à l'emploi, mais gardent un aspect quelque peu artificiel. On vend des rubans de placage à coller au fer à repasser pour recouvrir les chants coupés.

Les aspects pin, chêne, merisier sont très courants. Mais, de même que la mode, les décors changent.

Le panneau à revêtement de mélamine blanche

Les panneaux de particules surfacés mélaminés, que l'on trouve dans les magasins de bricolage, sont utilisés intensivement dans l'industrie du meuble. Le revêtement ne nécessite aucune autre finition, si ce n'est, après la coupe, le placage sur les chants d'un ruban de mélamine qui se colle au fer à repasser.

Ce matériau convient à de nombreux usages intérieurs, excepté les plans de travail. Il se nettoie facilement avec un chiffon humide.

Le plan de travail stratifié

Les plans de travail sont faits de panneaux de particules, d'environ 3 cm d'épaisseur et 60 cm de largeur, recouverts de feuilles de stratifié (type Formica).

Les placages existent dans un large choix de coloris. Ils résistent à une chaleur modérée, aux taches, ainsi qu'à une humidification de courte durée.

Les panneaux pour planchers

Les panneaux de particules pour sols se présentent dans des épaisseurs de 19 et 22 mm. On peut les acheter avec ou sans rainure et languette en périphérie. Les dimensions varient selon les fabricants ; par exemple : 1,50 m × 0,60 m, 2,03 m × 0,74 m, 2,70 m × 0,91 m...

LE PANNEAU DE FIBRES DE DENSITÉ MOYENNE

Ce panneau, nouveau sur le marché français, est fait de fibres de bois assemblées par un liant, sous pression, afin d'obtenir un grain très fin et une surface lisse. Il se débite et se travaille plus facilement que les autres panneaux.

La dimension la plus courante est 2,75 × 1,25 m. Certains fournisseurs exécutent eux-mêmes la coupe sans supplément.

Les épaisseurs les plus répandues sont 7, 10, 12, 25 et 30 mm.

Un panneau de fibres de densité moyenne ne peut être employé qu'en intérieur et en atmosphère sèche. Il convient parfaitement pour les étagères et les placards. Les finitions traditionnelles s'appliquent sans difficulté.

La coupe et le ponçage provoquent une projection de sciure très fine : il est conseillé de porter un masque de bricolage.

LE PANNEAU LATTÉ

Ce panneau est constitué de lattes de bois, liées chant à chant, qui forment l'âme du matériau. Cet assemblage est recouvert d'un placage de bois sur les deux faces. Un panneau constitué de l'âme et d'un seul placage sur chaque face s'appelle un « trois-plis ». Une âme plus deux placages sur chaque face donne un « cinq-plis ».

L'âme d'un panneau latté est orientée dans le sens de la longueur du panneau, ce qui augmente sa résistance à la flexion. Au moment d'acheter et de faire la découpe, veillez à ce que l'âme soit orientée dans le sens de la longueur.

L'extrémité coupée d'un panneau latté doit être recouverte par une petite alèse de bois, ou une moulure, qui dissimulera l'aspect brut (voir p. 171).

Les placages les plus courants sont en bois du type chêne ou acajou.

Il arrive que des gerces apparaissent, après finition, à la surface de ces panneaux, lorsqu'ils sont mis en œuvre dans des locaux à chauffage central. Dans ce cas, il faut poncer en surface, enduire, puis repeindre le panneau.

Les dimensions standard des panneaux sont de l'ordre de 1,25 à 1,53 m × 2,50 à 3,50 m. Les épaisseurs courantes sont de 5, 7, 9, 22, 25 et 30 mm.

LES PANNEAUX DE FIBRES

Ces panneaux sont obtenus par compression de fibres de bois, à haute température et sous pression élevée. Il en existe plusieurs types, présentés dans une grande variété de revêtements.

Ces panneaux sont connus sous le nom d'Isorel.

Panneau de fibres standard

La surface de ce panneau est dure et très lisse, avec un aspect parfois métallisé-martelé. Cet aspect peut ressortir sous une couche de peinture. L'envers du panneau présente un aspect toilé, dû au procédé de fabrication.

Le panneau de fibres répond à de multiples usages, parmi lesquels la fabrication de fonds et séparations de meubles et de placards, les sous-couches avant la pose d'un revêtement de sol. Les panneaux les plus faciles à trouver sont en 3,2 mm d'épaisseur. Ils peuvent mesurer 2,75 m × 1,30 m ou 2,60 m × 2,06 m. On trouve également sur le marché des panneaux pour portes planes mesurant 205 ou 215 cm × 65, 75, 85 ou 95 cm.

Panneau de fibres isolant

Ce panneau est beaucoup plus léger et plus tendre que le standard. Il possède de bonnes caractéristiques isolantes, tant phoniques que thermiques. Imprégné d'asphalte, il peut être utilisé pour des emplois en milieux plus humides.

Panneau de fibres lisse

Ce panneau est réversible car les deux faces sont lisses. Il a la même résistance et les mêmes caractéristiques que le panneau de fibres standard.

Ce panneau est commercialisé dans une gamme d'épaisseurs : 3, 4, 5, 6 et 8 mm, pour le format standard de 2,75 m × 1,25 m.

Panneau de fibres perforé

Les perforations sont disposées régulièrement. Ce sont des trous ronds, qui permettent d'utiliser le panneau pour accrocher des objets, par exemple, des outils.

L'épaisseur du panneau est habituellement de 3,4 mm, et la dimension normale de la feuille est de 2,75 m × 1,25 m.

Panneau de fibres revêtu de P.V.C.

Ce panneau est recouvert d'un placage P.V.C. sur sa face polie. Il existe un grand nombre de décors.

Parmi les utilisations, on peut citer les fonds de plateaux et de tiroirs. Le panneau de fibres revêtu de P.V.C. doit être inséré dans un cadre ou fermement relié à un autre support pour ne pas se déformer.

Les panneaux mesurent généralement 2,75 m × 1,25 m et 3,4 mm d'épaisseur.

Panneau de fibres laqué

On peut acheter le panneau de fibres standard revêtu d'une ou deux couches de laque, et donc prêt à poser. Les utilisations sont, entre autres, celles de fonds de tiroirs et de panneaux de portes. Avec ce type de panneau, aucune irrégularité d'aspect n'apparaît.

Panneau de fibres isolant asphalté

C'est un panneau imprégné d'asphalte sec qui assure sa résistance à l'eau. Il est utilisé comme sous-couche isolante pour les murs, les sols ou les sous-toitures.

LE CONTRE-PLAQUÉ

Le plus simple des contre-plaqués est le « trois-plis ». Il est formé d'un placage de bois central placé en sandwich entre deux autres placages. Le sens du fil alterne d'une couche à l'autre. Par conséquent, les placages externes sont orientés de la même façon, perpendiculairement à celui du centre. Dans les panneaux rectangulaires, le fil du bois de la couche externe est parallèle à la longueur du panneau.

Les contre-plaqués bruts sont répertoriés suivant une classification spéciale. Chaque face est classée de A à IV (A, I, II, III, IV), dans l'ordre de qualité décroissante. Un panneau classé A/A ne présente aucun défaut sur chacune de ses faces. Un panneau classé IV/IV, à l'opposé, présente de nombreuses imperfections en surface.

Matériaux en plaques (suite)

Le contre-plaqué standard

Le contre-plaqué est couramment utilisé pour les fonds de tiroirs, les meubles en bois blanc, les portes planes. Ses faces sont finement poncées.

Il existe un vaste choix d'épaisseurs, de 4 à 25 mm ; les plus fréquentes sont 5, 10 et 15 mm. Les dimensions varient beaucoup. Parmi les plus répandues : 2,50 × 1,22 m et 2,40 × 1,53 m. De nombreux fournisseurs découpent le contre-plaqué à vos dimensions ou en panneaux de tailles plus pratiques.

Contre-plaqué replaqué bois

Des placages décoratifs de chêne ou d'autres essences sont collés sur des panneaux de contre-plaqué de 5 mm d'épaisseur ou plus. Ces panneaux sont appréciés pour leur aspect et pour la qualité de leur surface. Ils peuvent être replaqués sur une ou deux faces.

Contre-plaqué revêtu de P.V.C.

Des placages légers en P.V.C. sont collés sur des contre-plaqués minces de 4 ou 5 mm. Ils conviennent aux portes, aux placards et aux étagères.

Les feuilles de stratifié, de type Formica, sont collées de préférence sur des contre-plaqués d'au moins 12 mm. Ils conviennent aux plans de travail et à toutes les surfaces nécessitant une résistance à la chaleur, à l'humidité ou aux taches.

Contre-plaqué d'extérieur

Certains contre-plaqués font l'objet d'une fabrication spéciale pour être utilisés en milieu extérieur. La marque CTB-X imprimée sur ces panneaux garantit la qualité des collages et des bois employés.

Une autre variété, présentant des plis extérieurs de haute qualité, est destinée aux constructions maritimes, d'où son nom de « contre-plaqué marine ». Il est plus onéreux que le contre-plaqué ordinaire.

Achat de bois de récupération

La différence de prix est l'un des principaux avantages des bois de récupération. Avant d'acheter, assurez-vous que le bois ne renferme pas de vers et qu'il n'est pas pourri. Il faudra le laisser sécher pendant quelques jours avant de l'employer.

RÉSINEUX

Les lames de parquet sont souvent incrustées de graviers apportés par les semelles de chaussures. Leur présence risque d'endommager gravement les outils coupants. Les solives et les poutres contiennent des clous.

BOIS FEUILLUS

Il est également probable que les bois feuillus de récupération contiendront des clous et des vis.

Un bois peut avoir l'apparence d'un feuillu massif, mais n'être qu'un résineux ou un panneau recouvert d'un placage. Assurez-vous-en en observant la section en bout.

Si plane que soit une grande planche de bois feuillu, le fait de la débiter en pièces plus étroites peut libérer des tensions occasionnant des déformations.

CONTRE-PLAQUÉ

N'achetez pas un contre-plaqué de récupération portant des traces de moisissures ou d'eau.

Recherchez systématiquement les signes de la présence des vers du bois (trous, galeries, vermoulures).

PANNEAU DE PARTICULES

Si la surface est rugueuse, ou si les extrémités des chants sont plus épaisses qu'au centre, c'est que le panneau a absorbé de l'eau qui l'a fait gonfler. Évitez de l'acheter.

PANNEAU DE FIBRES

Évitez aussi les panneaux gauchis ou tachés par l'eau. Le bois absorbe l'humidité de l'atmosphère même s'il est placé sous abri.

Moulures en bois

Les moulures permettent de réaliser aisément un relief sur des façades trop nues, de dissimuler certains raccords inesthétiques ou de créer un décor.

Le tableau de la page ci-contre montre quelques-unes des moulures en bois les plus utilisées. Les dimensions indiquées sont courantes, mais on peut en trouver d'autres.

Pour les petites moulures, les longueurs standard vont de 2 à 2,50 m. Les grandes pièces, comme les chambranles ou les plinthes, peuvent atteindre 5 m.

Inspectez ce que vous achetez, et comparez les longueurs. Des défauts d'usinage peuvent être à l'origine de profils incorrects, notamment sur les moulures à section carrée ou rectangulaire.

La plupart des petites moulures sont faites en ramin ou en samba, bois feuillus de teinte claire au grain fin. Ces bois ont tendance à se fendre facilement. Utilisez donc des pointes très fines ou, mieux, percez un petit avant-trou avant de clouer.

COMMENT RÉASSORTIR DES MOULURES

Les moulures, chambranles, plinthes et corniches sont produits sous de nombreuses formes et dimensions. Beaucoup de fabricants les usinent selon leurs propres modèles.

Quelques détaillants en bois font des moulures sur commande, par exemple pour les assortir à celles d'une maison ancienne. Cette fabrication implique la réalisation d'un outil à profil spécial qui ne peut être amorti qu'en produisant une assez grande quantité de moulures. De ce fait, une moulure spéciale vous coûtera toujours beaucoup plus cher qu'une moulure standard.

POUR RECOUVRIR DES JOINTS

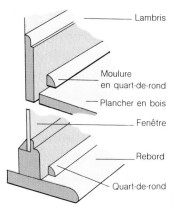

Lambris — Moulure en quart-de-rond — Plancher en bois — Fenêtre — Rebord — Quart-de-rond

Vous pouvez utiliser des quarts-de-rond pour masquer le jeu laissé entre le parquet et le lambris autour d'une pièce. La moulure se fixe par des pointes au lambris, et non au parquet. Elle permet au bois de gonfler ou de se contracter selon l'humidité ou la sécheresse de l'atmosphère. Les moulures peuvent être utilisées pour stopper le passage de l'air dans les encadrements de fenêtres.

MOULURES DE PORTES

Moulures donnant un effet de panneau

Les moulures décoratives peuvent être rapportées sur des portes planes pour y donner un effet de panneau. On trouve des ensembles de moulures dont les extrémités sont déjà coupées en onglets et un choix important de décors.

BORDURES DE PANNEAUX

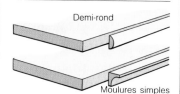

Demi-rond

Moulures simples

Il existe des moulures faites pour recouvrir les chants des panneaux de particules, des panneaux lattés et des panneaux de fibres de densité moyenne. Des demi-ronds, concaves ou plats, donneront un aspect net aux rebords d'étagères.

RECOUVREMENT DE JOINTS

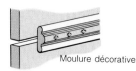

Moulure décorative

Un joint entre deux pièces peut être caché par une moulure décorative. Les largeurs varient de 10 à 50 mm. Il existe de nombreux modèles.

RECOUVREMENT DES ANGLES

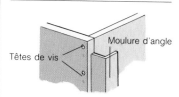

Moulure d'angle — Têtes de vis

Une moulure d'angle peut être appliquée le long du bord extérieur d'un joint à angle droit (bord de penderie ou de placard). Elle dissimule le joint et les têtes de vis.

COMPOSEZ VOS PROPRES MODÈLES

Des compositions variées peuvent être obtenues au moyen de sections de moulures standard. Dans ce cas, il faut encoller les surfaces plates des différentes moulures avant de les disposer. Bloquez les pièces collées dans un serre-joint.

CHOIX DES MOULURES ET DES BAGUETTES

Barres rondes
Elles sont utilisées comme tringles à rideaux, mains courantes, manches à balai...
Type de bois : feuillu. *Dimensions :* diamètres : 10, 12, 15, 20 et 24 mm. Il existe des dimensions plus grandes, parfois en résineux.

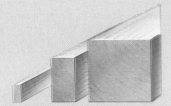

Carrelets et tasseaux rectangulaires
Ils servent à l'habillage des bords d'étagères faites en panneaux lattés, aggloméré ou contre-plaqué. Ils peuvent être utilisés comme bâtis de vitrages pour les fenêtres et portes vitrées (voir aussi les quarts-de-rond et les scoties).
Type de bois : résineux. *Dimensions (en mm) :*

5 × 10	10 × 10	10 × 15
15 × 15	15 × 20	14 × 14
10 × 20	10 × 25	5 × 15
5 × 20	5 × 25	5 × 30

Baguettes d'angle
Elles recouvrent l'angle formé par la jonction de deux pièces et servent à dissimuler les vis et les petites erreurs.
Type de bois : résineux ou feuillu. *Dimensions (en mm) :*
20 × 20   24 × 24
30 × 30   40 × 40

Battements de portes
Ces moulures servent à habiller les portes des meubles et des placards ou les portes de communication. Elles se posent sur le bord vertical du vantail.
Type de bois : résineux ou feuillu. *Dimensions (en mm) :*
6 × 10   8 × 15   15 × 30
20 × 40   20 × 60   15 × 55

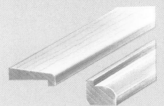

Parcloses pour vitrages
Leur rôle est de maintenir le vitrage des fenêtres et des portes vitrées.
Type de bois : feuillu ou résineux. *Dimensions :* elles varient de 10 × 10 mm à 15 × 30 mm.

Scoties
C'est une version plus décorative du quart-de-rond.
Type de bois : résineux. *Dimensions (en mm) :* 15 × 15 ; 18 × 18 ; 17 × 27 ; 15 × 27.

Quarts-de-rond
Ils masquent les jeux entre le plancher et les plinthes. Ils sont aussi recommandés pour maintenir le vitrage dans les fenêtres et les portes (parcloses).
Type de bois : feuillu ou résineux. *Dimensions (en mm) :* 8 × 8 ; 15 × 15 ; 20 × 20.

Demi-ronds
Ils sont utilisés pour couvrir les bords des matériaux en plaques, comme le panneau de particules et le panneau latté, en leur donnant une finition incurvée.
Type de bois : feuillu ou résineux. *Dimensions (en mm) :* 5 × 10 ; 7 × 15 ; 10 × 20 ; 6 × 25.

Baguettes triangulaires
Elles servent à la finition des angles internes et peuvent être utilisées comme baguettes d'escaliers.
Type de bois : feuillu ou résineux. *Dimensions habituelles (en mm) :* 25 × 25.

Chambranles
Ils cachent le joint entre une huisserie de porte et le mur. Les formes et dimensions diffèrent.
Type de bois : résineux. *Dimensions (en mm) :* elles varient entre 15 × 5 et 90 × 25.

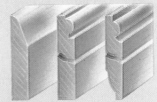

Plinthes
Elles servent à dissimuler le joint entre le plancher et le mur. Formes et dimensions variables.
Type de bois : résineux. *Dimensions habituelles (en mm) :* 70 × 10 et 110 × 13.

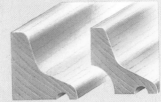

Jets d'eau
Ils se placent au bas d'un extérieur de porte pour chasser la pluie.
Type de bois : habituellement du résineux. *Dimensions (en mm) :* 70 × 70. Ils sont également vendus à la dimension de la porte.

Lames de parquet à rainure et languette
Elles sont utilisées pour réparer ou remplacer des parquets traditionnels.
Types de bois : feuillu ou résineux. *Épaisseur :* 23 mm.

Lambris
Il sert à la décoration des murs et plafonds.
Type de bois : résineux. *Épaisseur :* 10 mm. *Longueur :* de 40 cm à 2,50 m. *Largeur :* en général inférieure à 8 cm.

Lames de bardage
C'est le plus connu des revêtements muraux extérieurs.
Type de bois : résineux. *Dimensions nominales (en mm) :* 150 × 22 ; 150 × 25 ; 125 × 16.

Clins profilés
Se posent à recouvrement pour la réalisation de revêtements extérieurs.
Type de bois : feuillu ou résineux. *Dimensions (en mm) :* 100 × 16.

Menuiserie : l'outillage

La plupart des travaux de menuiserie à domicile peuvent être exécutés à l'aide d'une petite trousse d'outils et d'un établi (au besoin, la table de la cuisine).

Pour un travail plus compliqué, tel que le rabotage d'un bord scié, ou pour réaliser des assemblages à tenons et mortaises, quelques outils de plus seront nécessaires.

Établis et systèmes d'appui
Un plan de travail rigide équipé d'un étau ou d'une cale d'établi est indispensable. Un établi portatif peut maintenir de grandes pièces de bois ou de larges panneaux entre les mâchoires de son étau. Certains modèles peuvent être surélevés, afin d'offrir deux niveaux de travail : l'un pour scier, l'autre pour les travaux courants. Ces établis sont pliants et peuvent se ranger à plat. Une table solide peut être équipée d'un étau léger.

Faute d'étau, vous pouvez utiliser des serre-joints qui, d'ailleurs, remplissent aussi d'autres fonctions (voir p. 187).

Un outil simple pour maintenir le bois durant sa coupe est la cale d'établi, qui s'accroche au bord de la table. Elle possède un second crampon destiné à bloquer le bois.

Perceuses et mèches
L'outil le plus utilisé en bricolage est la perceuse électrique. Elle dispose de plusieurs vitesses pour percer des matériaux différents. Elle offre également plusieurs possibilités, dont la marche inversée pour vissage et dévissage et la percussion pour percer les murs de béton. Sa puissance est de 400 watts ou davantage. Un mandrin de 10 mm peut recevoir une variété d'accessoires, tels qu'une scie circulaire (voir p. 153) ou une ponceuse à disques abrasifs.

La chignole, plus légère, est utile pour faire des petits trous dans le bois, mais elle est moins performante en maçonnerie.

Les forets en 5, 2,5 et 2 mm permettent de percer les avant-trous et les trous de dégagement, aussi bien dans un bois feuillu que dans

un résineux, pour n'importe quelle vis de 5 mm de diamètre. Procurez-vous également une mèche plus grosse qui vous servira à creuser un logement pour la tête de vis, afin de la noyer dans le bois.

Prévoyez aussi d'acheter une mèche à béton de 4 ou 5 mm de diamètre ; elle vous rendra service pour le perçage dans les maçonneries. Vous pourrez étendre votre panoplie de forets à ceux qui correspondent aux vis de 3 et 6 mm au fur et à mesure de vos besoins (voir p. 158).

Les grands trous peuvent être percés dans le bois au moyen de mèches plates, ou tarières à trépan.

Vilebrequin
Cet outil permet de percer des trous avec précision et peut remplacer la perceuse quand il s'agit de travailler lentement.

Marteaux
Le marteau arrache-clou est un outil à deux usages : la tête enfonce les

clous et les griffes les arrachent. Les tailles des marteaux sont déterminées par leurs poids.

Le marteau à manche d'acier est revêtu d'une poignée en caoutchouc ou en plastique qui l'empêche de glisser des mains. Le manche de bois est confortable et ne laisse pas de traces noires sur le bois s'il le touche.

Le marteau à pointer, pesant environ 100 g, possède une panne permettant de commencer à enfoncer les pointes fines alors qu'on les maintient encore entre les doigts.

Tenailles
De temps en temps, il est nécessaire de retirer un clou qui ne peut être enlevé au marteau arrache-clou. Les tenailles de menuisier sont, dans ce cas, le meilleur outil.

Scies
La scie égoïne de 51 cm est la plus utile. Ses dents sont suffisamment rudes pour attaquer le bois dans sa longueur, mais aussi suffisamment fines pour couper en travers du

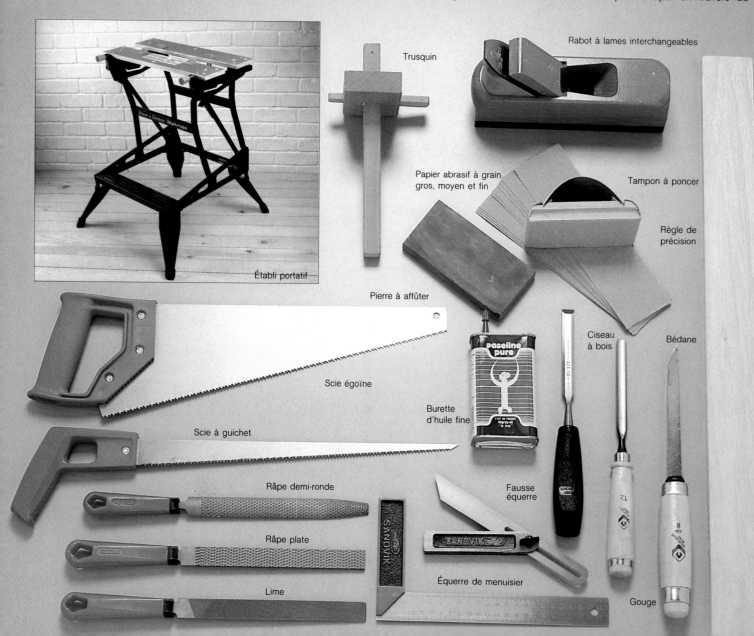

Établi portatif

Trusquin

Rabot à lames interchangeables

Papier abrasif à grain gros, moyen et fin

Tampon à poncer

Règle de précision

Pierre à affûter

Scie égoïne

Scie à guichet

Burette d'huile fine

Ciseau à bois

Bédane

Râpe demi-ronde

Râpe plate

Fausse équerre

Lime

Équerre de menuisier

Gouge

grain sans provoquer trop d'éclats.

Elle peut aussi couper les matériaux épais en plaques, comme les panneaux lattés et les panneaux de particules. Pour les endroits peu accessibles, la scie à guichet de menuisier est très pratique.

Tournevis

Commencez avec deux tournevis. Un tournevis plat d'ébéniste, de taille moyenne, à pointe de 6 mm, conviendra pour les vis à tête plate et fente transversale. Un tournevis cruciforme nº 2 correspond aux vis à tête cruciforme courantes.

Niveau à bulle d'air

Pour vérifier qu'une ligne est bien verticale ou horizontale, employez un niveau à bulle d'air (voir p. 473). Les dimensions varient de 20 cm à 1,20 m. Un modèle de 90 cm conviendra la plupart du temps. Un niveau peut aussi être improvisé à partir d'une morceau de tube en plastique (voir p. 171).

Mètre à ruban métallique

Un mètre souple en acier de 2 ou 3 m est des plus utiles.

Équerre de menuisier

Cet outil sert à tirer des traits à angle droit avant la coupe. On s'en sert également pour vérifier que deux surfaces sont bien perpendiculaires (d'équerre). Une équerre à lame de 20 à 25 cm est suffisante.

Une fausse équerre, qui coulisse, peut rendre service.

Règle de précision

Tirer un trait entre deux points donnés exige l'usage d'une règle de précision. Le bricoleur peut la tailler dans une pièce de bois feuillu ou de résineux de 1,40 à 1,80 m de longueur et d'environ 7,5 cm × 2 cm de section.

Elle doit être rangée à plat ou suspendue.

Trusquin

Il sert à tracer ou à graver des lignes parallèles à un chant ou à une extrémité.

Ciseaux à bois

Il n'est pas nécessaire d'acheter une panoplie complète de ciseaux à bois. Commencez avec des

modèles à bords biseautés, l'un de 6 mm, l'autre de 19 mm.

Une gouge vous permettra de sculpter et un bédane de creuser (pour réaliser des mortaises par exemple).

Rabot

Un rabot d'établi d'environ 25 cm de longueur, muni d'une lame d'à peu près 5 cm de large, est bien adapté au rabotage du bois et de la plupart des matériaux en plaques.

On peut utiliser un rabot moins cher, à lames jetables, ce qui évite l'affûtage. Un avantage supplémentaire est que la lame peut être décalée sur le côté, ce qui permet de raboter sur toute leur surface les gonds de feuillures. Cependant, la légèreté de ce modèle le rend d'utilisation difficile avec les bois feuillus.

Pierre à affûter et burette

Les lames de ciseaux à bois et de rabots doivent demeurer coupantes en permanence. Une pierre à huile (20 cm × 5 × 2,5) est indispensable, ainsi qu'une burette d'huile fine ; grâce à un guide d'affûtage, la

lame est maintenue à l'angle approprié.

Chasse-clous et pointes

Les chasse-clous sont utilisés pour enfoncer clous et pointes au-dessous de la surface du bois.

Râpes

Les râpes permettent de donner une forme au bois. Leurs profils sont variés. Certaines, circulaires, servent à élargir des trous. Elles laissent des contours rugueux qui seront adoucis à la lime ou à l'aide de papier abrasif.

Les râpes à lames amovibles tiennent à la fois de la râpe fine et du rabot. Elles comportent une monture métallique et un manche en plastique dur. Les lames sont interchangeables pour permettre la meilleure adaptation suivant l'usage auquel on destine l'outil.

Le bloc à poncer

Il s'agit d'une cale en bois, en caoutchouc ou en plastique qui permet de maintenir un morceau de papier abrasif pour effectuer un ponçage sans se meurtrir les doigts.

Prolongateur

Tenailles

Étau léger

Perceuse à percussion

Vilebrequin manuel avec clé à mandrin

Mèche à bois à spirale unique (tarière)

Mèches à bois plates

550 Watt PEUGEOT

Marteau de menuisier

Mèche à béton

Papier abrasif à grain gros, moyen et fin

Marteau arrache-clou

Tournevis plat de menuisier

Mètre à ruban métallique

Pointe carrée

Tournevis cruciforme

Chasse-clou

Découpe du bois et des panneaux à la main

DÉCOUPE DROITE

1 Maintenez l'équerre contre un chant et tirez un trait de crayon sur la face. Puis prolongez le trait sur les chants.

2 Bloquez le bois au moyen d'une cale d'établi ou d'un étau.

3 Prenez la scie et commencez la coupe.

Sciez à l'extérieur du tracé. Car scier sur le trait vous donnerait une découpe légèrement trop petite.

4 Suivez bien le tracé. Utilisez toute la longueur de la lame, en appliquant une légère pression uniquement dans le mouvement vers l'avant.

Donnez les derniers coups de scie avec précaution.

DÉCOUPE D'UN PANNEAU DE PARTICULES SURFACÉ

Il se forme des petits éclats le long du bord inférieur d'un panneau que l'on scie à la main quand il est revêtu mélamine ou d'une imitation bois. Aussi, sciez le panneau avec la face qui sera visible sur le dessus : c'est la face cachée qui portera les éclats. Dans le cas d'une coupe à la scie électrique, il faut procéder à l'inverse.

Avec un cutter placé le long de la règle, cochez le trait de coupe. Employez une scie à dos pour les découpes courtes, et une égoïne pour les plus longues.

Maintenez la scie presque à l'horizontale. Si la lame est en position très oblique, il y a un plus grand risque d'éclats.

COMMENT OBTENIR UNE EXTRÉMITÉ NETTE

Pour retirer une faible épaisseur à l'extrémité d'une pièce de bois, ser-

---

POSE D'UN PLACAGE ADHÉSIF SUR LES CHANTS D'UN PANNEAU DE PARTICULES

Les bandes de chant sont vendues en rouleaux assortis aux revêtements pour panneaux de particules. Elles s'appliquent aussi sur des chants courbes. Une des faces de la bande de stratifié souple est enduite d'une colle thermoplastique.

Outils : brosse dure, couteau ou ciseaux, papier kraft, fer à repasser, lime plate, papier abrasif fin et cale à poncer.

1 Brossez les chants à replaquer, pour éliminer la poussière et les éclats.

2 Coupez des morceaux de bande de chant de la longueur des chants, plus 5 mm.

3 Placez la bande de chant sur le chant, de façon que les bords dépassent l'épaisseur du panneau dans une proportion égale de chaque côté.

4 Maintenez fermement le placage et recouvrez-le avec un

rez une petite chute de bois contre la pièce au moyen d'un serre-joint. Tracez la découpe autour des deux pièces et sciez-les en même temps.

Si vous avez à retirer moins de 3 mm, employez le rabot.

DÉCOUPE D'UN PANNEAU DANS SA LONGUEUR

1 Avant de découper un long panneau dans le sens de sa longueur, marquez la largeur à couper au crayon en plusieurs points sur le côté qui se verra. Joignez ces points par un trait tiré à la règle.

2 Posez le panneau sur un support arrivant à peu près à la hauteur des genoux. Ce support peut être, par exemple, une paire de tréteaux ou un escabeau posé sur le côté, les deux pieds un peu écartés. Le panneau peut aussi être maintenu entre les mâchoires d'un établi portatif.

Maintenez fermement le panneau avec le genou et une main en gar-

morceau de papier kraft. Appliquez un fer très chaud sur l'une des extrémités. Exercez une pression modérée et imprimez au fer un mouvement de va-et-vient d'une amplitude d'environ 2 cm.

5 Avancez peu à peu vers l'autre extrémité, en vérifiant que le placage se colle bien droit et qu'il adhère totalement.

6 Laissez le placage refroidir et vérifiez qu'il est bien collé.

7 Coupez chaque extrémité à la longueur exacte du panneau.

8 Finissez les bords de la bande de chant au moyen d'une lime plate ou d'un papier abrasif de grain moyen fixé sur la cale à poncer. Limez ou poncez vers le centre du panneau de façon à pousser sur le placage sans le soulever.

9 Poncez la bande de chant au papier de verre fin. Terminez les bords par un léger chanfrein.

dant bien les yeux sur la coupe.

3 Commencez en tirant la scie égoïne vers vous le long du tracé, en utilisant le pouce de votre autre main pour guide.

4 Utilisez toute la longueur de la lame. Si un panneau de grande dimension se soulève pendant la découpe, posez-le sur deux tasseaux disposés sur les tréteaux et coupez entre les tasseaux.

UN BON TRUC

Si vous craignez de ne pas couper droit, fixez un tasseau contre le panneau. Il vous servira de guide-lame.

DÉCOUPE D'OUVERTURES PARTICULIÈRES

Utilisez une scie à lame étroite (scie à guichet) pour percer un trou au milieu du panneau. Si la surface est revêtue de mélamine ou de placage bois, percez-la d'abord avec un couteau pointu pour éviter de faire des éclats le long du bord.

Ouverture circulaire

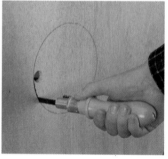

Commencez par percer un trou dans la partie à éliminer. Il faut que le trou soit assez large pour laisser passer la lame. Ensuite, découpez à la scie à guichet. Les contours pourront être adoucis avec une râpe demi-ronde.

Découpe rectiligne
Percez des trous à chaque coin, et commencez la coupe à la scie à guichet.

Trou de serrure
Percez un grand trou et un plus petit en dessous, puis joignez-les au moyen de deux traits de scie.

Emploi des scies électriques

Une scie circulaire et une scie sauteuse ont toutes deux des lames interchangeables pour couper divers types de bois ou de métal.

COUPE AU MOYEN D'UNE SCIE CIRCULAIRE PORTATIVE

Une scie circulaire coupe beaucoup plus vite et plus précisément qu'une scie à main. Les scies circulaires peuvent s'acheter soit en accessoire d'une perceuse électrique, soit comme un outil de coupe indépendant.

Ce dernier est plus cher que la version adaptable sur perceuse, mais il est souvent plus puissant et évite des montages et démontages multiples.

Il existe des lames spéciales pour couper le bois, le métal, le béton et la céramique. Utilisez une lame à double tranchant pour découper les bois résineux et les panneaux dérivés du bois.

La plupart des systèmes de fixation sont conçus de telle manière que l'appareil ne peut recevoir que des lames de la même marque que l'appareil. Suivez les instructions du fabricant pour les réglages.

La lame coupe au moment où elle s'élève au-dessus du bois. Pour les panneaux de particules revêtus, c'est la face apparente (le parement) qui doit reposer sur l'établi. Le trait de coupe doit être marqué sur la face du panneau qui restera cachée (le contre-parement),

---

UN BON TRUC

Il peut arriver que la coupe se referme sur la scie, en la bloquant. Dans ce cas, introduisez un coin en bois ou en carton plié dans la coupe de la scie pour la maintenir ouverte.

à l'inverse de la coupe manuelle. Néanmoins, il est préférable de tracer le trait de coupe sur le parement du panneau.

DÉCOUPE D'UN PANNEAU

1 Ajustez la hauteur de la semelle, de manière que la lame découpe à une profondeur supérieure de 3 mm à l'épaisseur du bois.

2 Fixez la planche au serre-joint. Assurez-vous qu'il existe un espace pour la lame, sous le trait de coupe. Un panneau large peut être supporté par un tasseau à chaque extrémité et deux tasseaux de chaque côté du trait de coupe.

3 Utilisez l'encoche de repérage du guide pour aligner la lame sur la partie externe du trait de coupe.

4 Relevez la scie et pressez sur la gâchette. Quand la lame tourne à sa pleine vitesse, commencez à couper.

COMMENT COUPER DROIT

Coupe d'une baguette étroite

1 Ajustez le guide parallèle entre la bordure du bois et le trait de coupe.

La coupe ne pourra être rectiligne que si le chant du bois ou du panneau l'est également.

2 Coupez, en vous servant du guide placé en contact avec le chant.

Coupe d'une pièce large

1 Fixez ou clouez un tasseau sur le bois, afin de guider la semelle de la machine.

Placez-le de manière que la lame coupe du côté extérieur au trait.

2 Coupez en maintenant la semelle de la machine contre le tasseau.

Coupe en angle

Ajustez la lame de la semelle de façon qu'elle se trouve à l'angle désiré par rapport au bois. Les angles sont marqués de 5 à 45° sur le dispositif de réglage.

Ce positionnement réduit la profondeur de la coupe. Il faut donc rajuster aussi la profondeur de la lame.

Avant de scier, assurez-vous que l'angle est dans la bonne direction (le panneau de particules revêtu se découpe parement vers le sol).

EMPLOI D'UNE SCIE SAUTEUSE ÉLECTRIQUE

La scie sauteuse est pratique pour les découpes non rectilignes et celles où l'espace est trop restreint pour une scie à lame large. Mais, sur de longues coupes en ligne droite, elle n'est pas aussi précise que la scie circulaire.

Selon les matériaux, vous devez utiliser des lames dont les numéros indiquent le nombre de dents par 25 mm :

— 32 dents pour les travaux sur métal, plastique, contre-plaqué, bois feuillus et panneaux de particules revêtus ;

— 14 dents pour tous les travaux sur les métaux et plaques de plastique minces ;

— 10 dents pour le bois massif, dans le sens du fil ou en travers, ainsi que pour le contre-plaqué, les panneaux de particules bruts et les panneaux lattés.

— 8 dents pour couper le bois massif dans le sens du fil.

Emploi du guide

La scie sauteuse possède un guide qui permet d'effectuer une coupe parallèle au chant de la pièce.

Il est préférable d'utiliser la scie sauteuse à main levée, le long de traits marqués avec soin.

Comment entamer la coupe

Étant donné que les dents de la scie pointent vers le haut, le côté le plus net de la coupe se trouve en dessous.

Un matériau mince a généralement besoin, pendant la coupe, d'un support qui l'empêche de se soulever. Une solution consiste à bloquer la pièce entre deux épaisseurs de panneau de fibres ou de contre-plaqué usagé. Marquez les traits de coupe sur le panneau supérieur, et coupez l'ensemble.

CONSEILS DE SÉCURITÉ

Équipez-vous, de préférence, de prises à disjoncteur différentiel qui coupe l'alimentation en cas de court-circuit.

Vérifiez que la lame est montée dans le bons sens quand vous l'introduisez dans la machine.

Maintenez bien le fil à l'écart de la lame. Ne retirez pas la lame du bois avant l'arrêt complet de la machine.

Débranchez la prise murale à chaque fois qu'elle n'est pas en fonction, même pour de courtes pauses.

Veillez à ce que les enfants n'entrent pas dans la pièce où vous travaillez.

Portez des lunettes de protection contre la sciure.

Faites bien attention que la scie n'entame pas un autre objet sous le matériau à découper.

N'utilisez jamais de lame émoussée ou tordue.

Remplacez le fil d'alimentation électrique si sa gaine est endommagée. Vérifiez aussi que la gaine pénètre bien à l'intérieur de l'appareil et de la prise de courant.

Utilisation du ciseau à bois

Assurez-vous que le bois ou le panneau est maintenu fermement en place, de façon à pouvoir disposer de vos deux mains pour diriger le ciseau.

Le bois doit être fixé à l'établi ou au plan de travail à l'aide d'un étau ou d'un serre-joint.

Afin de conserver le contrôle de l'opération et de garantir la meilleure précision, n'appuyez sur le ciseau bien affûté qu'avec la main. Si vous devez enlever une épaisseur importante, tapez sur le manche avec un maillet en bois, mais faites les finitions à la main.

CONSEIL DE SÉCURITÉ
Ne posez pas une main devant la lame pour maintenir le bois. Si le couteau glissait, vous vous blesseriez grièvement.

CINQ ÉTAPES POUR EXÉCUTER UNE ENTAILLE

1 Marquez la zone à évider sur le dessus et sur les chants.

2 Sciez le long des lignes verticales, jusqu'aux traits de profondeur. Faites plusieurs traits de scie entre ces découpes.

3 Le biseau du couteau étant tourné vers le haut, retirez l'épaisseur petit à petit, de chaque côté, en coupant vers le haut.

4 Rognez l'épaisseur centrale jusqu'à ce que vous atteigniez le fond de la zone à retirer.

5 Rasez le fond avec le ciseau pour adoucir sa surface. Vérifiez qu'il est bien plat avec une règle tenue sur sa tranche.

ENTAILLE DANS UN PANNEAU DE PARTICULES

1 Repérez la zone que vous voulez enlever (traits de crayon).

2 Pratiquez une série de traits de scie rapprochés, jusqu'au repère de profondeur.

3 Fixez le panneau à un établi, en plaçant un morceau de bois en dessous pour le protéger.

4 Placez le ciseau sur le trait de base et tapez sur le manche à coups secs avec un maillet. Continuez, le long du trait, jusqu'à ce que la découpe soit terminée.

ANGLE EN ARRONDI

Pour arrondir l'angle d'une pièce de bois, utilisez un ciseau biseauté et une lime.

1 Marquez la courbe avec un objet rond, un couvercle par exemple.

2 Placez le bois sur un morceau de panneau dur, tenez le ciseau à la verticale. Coupez le coin à 45°.

3 Rognez les angles laissés par vos premiers coups de ciseau.

4 Continuez à éliminer les éclats tout en suivant votre ligne courbe d'aussi près que possible.

5 Terminez avec une lime.

Cas du panneau de particules surfacé mélaminé

Le revêtement de mélamine émousse les ciseaux rapidement. Pour arrondir un coin sur un panneau de particules mélaminé, utilisez une scie fine pour enlever le plus gros du travail, et finissez à la lime.

L'AFFÛTAGE DU CISEAU

La lame d'un ciseau possède deux angles formant le bord coupant : l'angle de base, affûté à 25°, et l'angle du bord coupant proprement dit, affûté à 30°.

Certains ciseaux sont vendus affûtés ; d'autres doivent être préparés par l'acheteur lui-même. Vérifiez l'état du ciseau.

Pour affûter un ciseau, employez une pierre à huile fine et un guide d'affûtage.

Emploi du guide d'affûtage

1 Versez de l'huile sur la face à grain lisse de la pierre.

2 Placez le ciseau dans le guide et appuyez sur la lame en imprimant un mouvement de va-et-vient (angle de 30°), jusqu'à ce que des barbes métalliques apparaissent (morfil).

3 Retirez la lame de son guide, retournez-la sur sa glace. À l'horizontale, imprimez-lui un mouvement de va-et-vient jusqu'à disparition du morfil.

Perçage dans le bois et les panneaux

PERÇAGE D'UN TROU

Avant de percer un trou, assurez-vous que la perceuse se trouve à angle droit par rapport à la surface. Plusieurs accessoires peuvent vous aider.

Guide de perceuse

Il s'agit d'un cadre fixé à l'extrémité de la perceuse, côté mandrin. La perceuse est verticale quand le cadre repose bien à plat sur la surface du bois. On perce de la même façon les trous à l'horizontale. Le guide de perceuse permet également de contrôler la profondeur de perçage.

Support de perceuse

C'est le support qui assure la plus grande exactitude. Mais ne l'achetez que si vous avez l'intention d'effectuer beaucoup de travaux. Avant l'achat, vérifiez si votre per-

ceuse peut bien être montée sur le modèle de votre choix.

L'équerre de menuisier

Placez une équerre sur sa base, verticalement, à côté de la per-

ceuse, et demandez à quelqu'un de vérifier si la machine reste bien parallèle à l'équerre, vue aussi bien de devant que de côté. L'équerre peut alors être retirée quand vous percez le trou.

PERÇAGE DE TROUS DANS UN PANNEAU DE PARTICULES

Pour éviter que la mèche ne dérape sur un revêtement de mélamine ou un placage bois, faites d'abord une incision avec un clou pour la guider au démarrage.

Soyez prudent en utilisant une mèche plate. L'âme du panneau peut se détériorer facilement et faire dévier la mèche. Si possible, bloquez le panneau de particules entre deux pièces de bois et percez à travers l'ensemble. Servez-vous du support de perceuse.

POUR MAINTENIR LA PIÈCE AU COURS DU PERÇAGE

Dans un étau
Placez des chutes de bois de chaque côté de la pièce.

Avec un serre-joint

Fixez la pièce à un établi, en plaçant dessous un morceau de bois qui évitera de percer l'établi. Vous pouvez aussi la fixer de manière qu'elle dépasse de l'établi. Sur un établi portatif, le bois peut être fixé entre les mâchoires.

CONTRÔLE DE LA PROFONDEUR

Pour percer des trous sans traverser le bois (des avant-trous de vis,

par exemple), placez un guide de profondeur sur la mèche. Mais vous pouvez aussi vous contenter d'entourer la mèche d'un ruban adhésif coloré. Certaines perceuses électriques ont une tige réglable qui dépasse vers l'avant pour limiter la profondeur.

CORRESPONDANCE DES TROUS

Serrez ensemble sur l'établi les pièces à percer, en plaçant dessous un morceau de bois ; assurez-vous que leurs bords affleurent parfaitement. Percez à travers les deux épaisseurs. Cette méthode vous permet d'obtenir des trous correspondant parfaitement.

POUR PERCER DE GRANDS TROUS

Les mèches plates
Pour les trous de 6 à 38 mm de diamètre, vous pouvez utiliser une mèche plate, dont la tête coupante est plus large que la tige. Mais n'employez pas cet outil pour les trous de charnière (voir p. 179).

Pour éviter les éclats en perçant avec une mèche plate, procédez en deux temps. Percez jusqu'à ce que la pointe de la mèche commence à sortir de la pièce. Retournez alors

la planche et terminez en attaquant le trou dans l'autre sens.

Les tarières (mèches à spirale unique)
La tarière offre une meilleure précision que la mèche plate, tant en ce qui concerne le diamètre qu'en ce qui concerne la régularité du trou. Elle est conseillée pour les travaux de menuiserie nécessitant une bonne qualité d'exécution, par exemple la réalisation d'une mortaise dans le chant d'une porte pour y loger une serrure.

Toutes les tarières ont un filet de vis pointu et profilé, qui entraîne derrière lui la spirale coupante.

Les tarières fonctionnent mieux à vitesse réduite. Plus elles sont larges, plus la vitesse de rotation doit être lente.

Il en existe trois types. Le modèle traditionnel a un haut carré et effilé qui ne peut s'employer que dans

un vilebrequin. On le trouve partout dans un large éventail de dimensions, jusqu'à 38 mm. Le modèle à tige rectiligne peut être employé soit dans un vilebrequin, soit dans une perceuse électrique à petite vitesse. Il existe en 6, 9, 13, 19, 25 et 32 mm. Pour percer dans les endroits où les prises de courant ne sont pas accessibles, utilisez le vilebrequin.

Scies-cloche

De très grands trous peuvent être obtenus avec les scies-cloche.

La profondeur maximale de coupe est d'environ 16 mm. Quand la découpe est possible des deux côtés, on peut percer des trous jusqu'à 32 mm d'épaisseur.

Pour percer un trou, placez la pièce à usiner sur un panneau quelconque et serrez les deux ensemble sur un établi. Placez le guide de perçage sur le repère indiquant le centre du trou. Vérifiez que la perceuse est bien perpendiculaire au panneau, et commencez à découper lentement.

Si vous voulez faire une découpe dans du bois, par exemple une fente servant de poignée dans un tiroir, commencez par percer un trou à chaque bout de la fente avec une scie à guichet, puis joignez-les avec la scie sauteuse.

CONSEILS DE SÉCURITÉ
Après utilisation des lames de scie, attendez quelques minutes avant de les toucher, elles peuvent être très chaudes. Ne posez pas la perceuse sur l'établi avant son arrêt : une scie-cloche qui tourne peut se déplacer sur l'établi à grande vitesse.

La bonne manière d'utiliser le marteau

Un marteau dont la tête est glissante tord les clous. Veillez à ce que la tête reste très propre, exempte de toute graisse.

1 Pour frapper, tenez le manche près du bout.

2 Commencez par fixer le clou dans le bois en le tapotant.

3 Pour clouer, donnez des coups fermes en faisant pivoter votre bras à partir du coude, de manière que le manche se trouve à angle droit par rapport au clou au moment de l'impact. Ce geste réclame un mouvement limité du poignet.

COMMENT ENFONCER LES PETITS CLOUS

Les très petits clous — spécialement les pointes fines — peuvent se révéler difficiles à enfoncer. Voici deux techniques pour vous aider.

Utilisez un marteau à pointer

Commencez en maintenant le clou ou la pointe entre le pouce et l'index, et tapez doucement dessus avec la panne d'un marteau à pointer. Dès que la pointe tient par elle-même, enfoncez-la jusqu'au bout avec la tête du marteau.

La méthode du papier
Lorsque vous utilisez des clous très fins, pointez-les sur un morceau de

papier rigide que vous maintenez en place en les enfonçant.

MASQUER LES CLOUS

Si vous ne voulez pas que les clous se voient, choisissez des pointes très fines ou sans tête. Enfoncez-les presque jusqu'à la surface du bois, puis terminez en les frappant au chasse-pointe.

Bouchez les trous avec un mastic à bois et peignez l'ensemble.

ARRACHER LES CLOUS

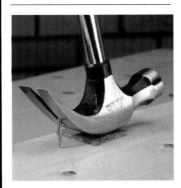

Quand un clou s'est tordu, enlevez-le et remplacez-le.

1 Pour éviter d'endommager la surface du bois, placez un morceau de carton ou de bois mince sous le marteau.

La bonne manière d'utiliser le marteau (suite)

2 Passez la tête du clou entre les griffes du marteau et retirez-le par une série de tractions.

3 Si le clou est long, placez un morceau de bois sous le marteau quand le clou est partiellement sorti.

Ajoutez des cales au fur et à mesure des tractions, de manière à retirer le clou bien verticalement.

COMMENT ARRACHER LES POINTES SANS TÊTE

Si le clou est sans tête, arrachez-le avec des tenailles. Saisissez-le aussi près que possible du bois et faites levier en une série de mouvements, en prenant le clou de plus en plus bas.

COMMENT ARRACHER LES GROS CLOUS

Pour retirer un grand nombre de très gros clous, utilisez un pied-de-biche avec des griffes au bout de la partie incurvée. Placez une chute de bois sous la barre pour ne pas abîmer la surface de la pièce.

CLOU INSAISISSABLE

S'il vous est impossible d'arracher un clou, enfoncez-le au chasse-clou dans la pièce et rebouchez le trou au mastic ou à la pâte à bois, selon que la pièce sera peinte ou vernie.

Ou encore, creusez une petite cuvette autour du clou avec un ciseau à bois, jusqu'à ce que vous puissiez attraper la tête du clou avec des tenailles.

COMMENT ARRACHER DES SEMENCES

Certains modèles de tenailles de menuisier possèdent des griffes sur

l'une des poignées, ce qui permet d'arracher les semences (clous de tapissier). Pour enlever un grand nombre de semences, prenez un arrache-semence.

LE CLOUAGE

C'est un moyen efficace pour réunir deux pièces de bois ou pour fixer certains matériaux, comme des ardoises ou des revêtements muraux, sur des tasseaux. Les pointes fines sont utilisées de la même manière pour des petits travaux, comme la fixation d'un fond en panneau de fibres sur un placard.

Pour les panneaux de particules, choisissez des vis spécifiques.

Comment assembler un bois tendre et un bois dur

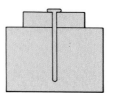

Utilisez des clous trois fois plus longs que l'épaisseur du bois à clouer. Clouez toujours bois tendre vers bois dur.

Le clouage en bout

Dans du bois de bout, un clouage en biais tient mieux qu'un clouage vertical. Enfoncez les clous selon des angles opposés.

Comment éviter les fentes

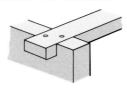

Quand vous clouez vers l'extrémité d'un morceau de bois, vous pouvez généralement éviter les fentes en n'enfonçant qu'un seul clou sur une même ligne.

Il faut couper le bois un peu plus long et bien le clouer et scier la partie qui dépasse pour que les deux pièces affleurent exactement.

Clouage des bois durs

Évitez de clouer aux extrémités, elles se fendent facilement. Si vous devez utiliser des clous, percez des avant-trous légèrement plus petits que le diamètre du clou.

Clouer des pièces sans appui

Si vous clouez des éléments sans support, maintenez un bloc de bois lourd du côté libre pendant que vous travaillez.

CLOUAGE DISSIMULÉ

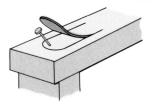

Soulevez une lamelle de bois et enfoncez un clou dans l'encoche. Collez la lamelle en la maintenant avec un bloc de bois et un serre-joint.

CLOUAGE DU BOIS DANS LA MAÇONNERIE

Si un clou pénètre de plus de 20 mm dans un mur en maçonnerie, sa tenue s'affaiblit. Utilisez des clous de maçon de longueur appropriée. Ce conseil s'applique pour les travaux dans la brique, le béton ou le parpaing.

Si vous fixez dans un mur plâtré, ajoutez l'épaisseur du plâtre à celle du bois.

L'ACHAT DES CLOUS AU POIDS

Les clous peuvent s'acheter au poids. Leur nombre au kilo dépend de leur longueur. Les clous sont généralement en acier brillant, en fer noir ou bleuté, ou galvanisés pour les extérieurs. Les tailles les plus courantes se trouvent en paquets contenant un petit nombre d'unités. Les clous de grande dimension sont moins chers si vous les achetez au poids. Enfin, rappelez-vous que les clous ont une utilisation précise. Il est donc indispensable de les connaître pour savoir ceux qui conviennent au travail que vous effectuerez (voir tableau ci-contre).

Nombre approximatif de clous par kilo

LONGUEUR DES CLOUS (en mm)	20	25	30	45	50	60	65	75	90	100	125	150
Clous à fil rond	3 900	1 780	1 170	750	600	360	280	270	154	100	80	54	32
Clous à tête large	1 080	750	720	540	320	260	180	150	84	76		
Clous pour carreaux de plâtre	700	570										

CHOIX DES CLOUS APPROPRIÉS

Clou à tête plate	Pour tous usages. Tête large, peu esthétique. Risque de fendre le bois. Longueur : de 2 à 15 cm.
Clou à tête ovale	Surtout utilisé pour les machines à clouer les emballages. La tête doit être enfoncée dans le même sens que les fibres du bois.
Clou à tête fraisée (Spit)	Clou en acier traité contre la rouille, pénètre dans la brique ou le ciment. Résistant sans être cassant. Longueur : de 1,7 cm à 6 cm.
Clou à tête d'homme	Pour les assemblages plus soignés. La tête peut disparaître. Longueur : de 2,5 à 15 cm.
Clou de tapissier	En acier bleuté. Sa pointe tronconique effilée pénètre facilement les bois les plus durs. S'emploie pour fixer tapis et moquette. Longueur : de 2 à 3 cm.
Clou à tête large	Pour fixer, par exemple, les fils de clôture. Galvanisé pour les travaux en extérieur. Longueur : de 2 à 10 cm.
Pointe fine	Pour la menuiserie, l'ébénisterie et les moulures. Tête petite, calibre fin. Facile à clouer. Longueur : de 1,5 à 5 cm.
Semence	Pour fixer les tapis au sol, les tissus sur les sièges. Sa tête permet de maintenir les tissus cloués sur des châssis en bois. Trois tailles courantes : de 5 à 10 mm.
Pointe de vitrier	Pointe sans tête, pour fixer les vitrages de fenêtres. Longueur : de 1,3 à 2 cm.
Clou à garnir	En cuivre, chrome, bronze laiton vieilli. Pour recouvrir les semences dans le rembourrage des sièges.

Clou de maçon	Assure un maintien solide dans la brique, le béton et le parpaing. Existe en gros et fins calibres. Longueur : de 1,5 à 10 cm.
Clou cannelé	Pour le contre-plaqué et autres matériaux en plaques. Les cannelures mordent dans le bois. Longueur : de 2 à 10 cm.
Pointe à panneau de fibres	Pour la fixation des panneaux de fibres minces. La tête se dissimule dans le panneau. Longueur : de 1,5 à 5 cm.
Clou torsadé galvanisé	Pour les toitures de tôle ondulée. Diamètre de la tête : 2 cm. Longueur : 6,5 cm.
Clou de plâtrier	La tige filetée augmente la tenue du clou dans les plaques de plâtre. Longueur : de 3 à 4 cm.
Clou à pointe double	Pour les joints bord à bord. Enfoncez l'une des pointes dans une des pièces à assembler et poussez la deuxième pièce, au marteau, contre l'autre pointe.
Feuillard ondulé	Pour des assemblages d'angles, notamment pour les encadrements de tableaux. Profondeur : de 6 à 22 mm. Longueur : de 22 à 30 mm.
Crampon ou cavalier	Pour la fixation rapide des clôtures en fil de fer, des ressorts de sommiers ou de sièges. Souvent galvanisé.
Clou à tête plastifiée	La tête plastifiée existe en blanc, noir et brun. Tête plate ou semi-sphérique. Longueur : de 2 à 6,5 cm.

Assemblage des pièces de bois avec des vis

La longueur des vis est déterminée par l'épaisseur de la pièce supérieure. Choisissez une longueur qui permettra à la moitié de la vis d'entrer dans la pièce inférieure.

1 Repérez la position des vis dans la pièce supérieure en dessinant des petites croix.

2 Percez dans la pièce supérieure des trous de passage du même diamètre que celui de la tige de la vis (partie non filetée).

3 Pour des vis à tête fraisée, noyez cette tête dans le bois. Avec une fraise conique ménagez un logement. Vérifiez la profondeur en insérant la vis.

4 Placez la seconde pièce sous la première.

5 Percez les avant-trous dans la seconde planche (voir p. 158).

Si vous utilisez des vis de 3 mm de diamètre ou moins, les avant-trous peuvent être faits au poinçon.

6 Insérez les vis et serrez-les toutes de la même façon.

BIEN ASSORTIR LE TOURNEVIS AUX VIS

Choisissez un tournevis correspondant aux vis. Une lame trop étroite a tendance à mordre sur la fente, une trop large à glisser au-dehors.

Le vissage ne nécessite pas une grande pression, car la vis s'enfonce d'elle-même, grâce à son filetage, quand le trou est de la taille adéquate.

QUELQUES BONS TRUCS

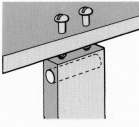

Si vous avez à visser dans du bois de bout ou dans des panneaux de particules, insérez un tourillon en travers du fil et vissez dans ce tourillon.

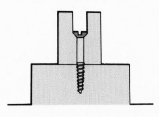

Un morceau de bois épais peut être vissé à une pièce plus mince. Contre-percez la pièce épaisse en creusant un trou du diamètre de la tête de vis. Puis, percez le trou de passage dans la pièce épaisse et l'avant-trou dans la pièce plus mince.

Pour les vis placées dans des endroits d'accès difficile, c'est de l'outil que vient la solution. Prenez un tournevis automatique va-et-vient : votre main n'est pas gênée et vous n'avez qu'à pousser au lieu de tourner.

Vous pouvez aussi utiliser un tournevis coudé en forme de vilebrequin.

L'achat et l'emploi des vis à bois

Les vis à bois sont fabriquées en fer, acier, cuivre ou aluminium. Leur finition peut être une laque vernissée noire, une teinte cuivrée pour électrolyse, une couche de zinc, de nickel ou de chrome.

La dimension d'une vis est déterminée par le diamètre de sa tige et sa longueur, prise entre la base de la tête et l'extrémité de la pointe. Pour un diamètre de vis donné, il existe différentes longueurs.

Le plus économique est d'acheter les vis par grosses quantités.

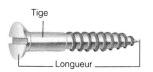

Deux trous — l'un pour la tige, l'autre pour le filetage — doivent être percés avant de visser. Un trou de passage du diamètre de la tige doit être percé dans la pièce placée sur le dessus, et un avant-trou, plus petit, entre la moitié et les deux tiers du diamètre du trou de passage, pratiqué dans la deuxième pièce. Le filetage de la vis mord sur les côtés de l'avant-trou au fur et à mesure qu'il pénètre.

Dans les résineux, les trous peuvent être plus petits que dans les bois feuillus, parce qu'ils s'élargissent quand la vis y pénètre. Pour les vis de diamètre inférieur à 4 mm, le trou de passage et l'avant-trou peuvent être réalisés à l'aide d'une alène.

Si vous percez plusieurs trous de même diamètre et de même profondeur, il est pratique de repérer la profondeur correcte sur la mèche en l'entourant d'un ruban adhésif blanc ou de couleur.

Pour percer plus facilement, lubrifiez les vis avec du savon ou de la cire de bougie.

Quand vous utilisez des vis de cuivre, diminuez la résistance du bois en insérant d'abord une vis d'acier de même taille. Ceci évitera de détériorer la finition de la vis de cuivre.

CALIBRES DES VIS

QUEL DIAMÈTRE? QUELLE LONGUEUR?

L	1,6	2	2,5	3	3,5	4	4,5	5	6	7	8
8											
10											
12											
16											
20											
25											
30											
35											
40											
45											
50											
60											
70											
80											
90											
100											
d	1,6	2	2,5	3	3,5	4	4,5	5	6	7	8

F/90

R

FB/90

Selon NF E 27 141

Dimensions normalisées des vis à bois classiques. Toutes ces dimensions ne sont pas toujours disponibles dans les magasins de bricolage. Les vis de diamètre compris entre 3 et 5 mm se trouvent toutefois dans une assez grande gamme de longueurs.

QUELLE CHEVILLE POUR QUELLE VIS?

Diamètre de la vis (mm)	Cheville			Diamètre du trou (mm)
	Diamètre (mm)	Longueur (mm)	Couleur	
2 à 3	4	20		4
2,5 à 4	5	25	Jaune	5
3,5 à 5	6	30	Bleu	6
4,5 à 6	8	40	Rouge	8
6 à 8	10	50	Vert	10
8 à 10	12	60	Orange	12
10 à 12	14	70	Brun	14
12 à 14	16	80		16
14 à 16	20	100		20

Dès qu'il s'agit de placer une vis à bois dans un matériau autre que le bois, il est nécessaire d'utiliser une cheville. Cette pièce intermédiaire a un rôle important, car, placée entre la vis et le matériau, elle doit supporter tous les efforts de serrage avec un maximum de rigidité. Avant d'entreprendre une fixation, il faut donc bien choisir le type de cheville et ses dimensions.

Pour un montage classique, ce choix se fait en fonction du matériau, de l'objet à fixer et de la longueur de la vis utilisée.

Procurez-vous la vis et sa cheville de diamètres correspondants, la longueur de la vis devant être égale à celle de la cheville augmentée de l'épaisseur de l'objet à fixer.

CHOIX DES VIS APPROPRIÉES

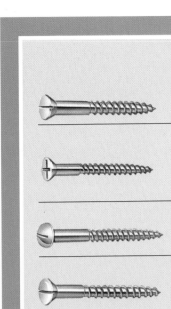

Vis à tête fraisée plate, à fente simple
C'est le modèle le plus utilisé en menuiserie et en quincaillerie. On peut les serrer jusqu'à ce qu'elles affleurent le bois.

Vis à tête fraisée plate, empreinte cruciforme
Existe dans les mêmes variétés que la vis à fente unique, mais il faut, évidemment, les visser avec un tournevis cruciforme. Il en existe trois tailles.

Vis à tête ronde
Pour l'installation des accessoires de quincaillerie. La tête dépasse la surface vissée.

Vis à tête fraisée bombée
Pour la fixation des plaques de propreté aux portes, pour la quincaillerie décorative et certaines charnières. Doit être fraisée jusqu'au bord.

Vis conique à calotte
Pour l'installation des miroirs, panneaux de salle de bains et de douche. La calotte se visse dans la tête de vis pour enjoliver. Ne serrez pas trop fort.

Vis à filetage profond
Pour les panneaux de particules. Peut aussi servir dans le bois massif. Souvent appelée vis V.B.A.

Vis autotaraudeuse
La vis coupe un filetage dans le métal. Percez d'abord un trou du diamètre du corps de la vis (partie centrale hors filetage).

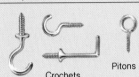
Rondelle en coupelle   Cabochon
Rondelle plate
Rondelle en coupelle ou plate, cabochon
Les rondelles répartissent la pression exercée par la vis. Les cabochons en agrémentent l'aspect et sont utiles si la vis doit être enlevée, par exemple sur un panneau de salle de bains. Les cabochons en plastique recouvrent la tête des vis.

Crochets, pitons
Les crochets et pitons à œil, ouverts ou fermés, servent à pendre des objets sur les murs et les étagères. Sur les murs de plâtre, le court filetage limite leur emploi à des charges légères.
Crochets   Pitons

Assemblage de pièces de bois avec des boulons

Pour assembler des pièces en bois ou en métal qui, de temps à autre, doivent être démontées, il vaut mieux utiliser des boulons.

Les deux côtés de l'assemblage doivent rester accessibles, de manière que l'écrou puisse être vissé sur le filetage du boulon.

Les boulons se serrent au moyen d'une clé à boulons.

La longueur du boulon doit être égale à l'épaisseur des pièces de bois à assembler, plus l'épaisseur de l'écrou et de la rondelle.

Assurez-vous que la longueur de la partie lisse de la tige est plus petite que l'épaisseur des pièces de bois assemblées ; sinon, vous ne pourriez pas serrer l'écrou.

Si le filetage est trop long, vous pouvez toujours le raccourcir à l'aide d'une scie à métaux une fois l'écrou fixé.

1 Serrez les deux pièces ensemble dans la position finale.

2 Percez un trou plus grand que le diamètre de la tige, à travers les deux pièces de bois.

3 Enfilez le boulon, placez une rondelle par-dessus, serrez l'écrou à la clé à boulons.

4 Si c'est nécessaire, enlevez la partie du boulon qui dépasse avec une scie à métaux.

ASSEMBLAGE D'UN EMBOUT BOULONNÉ

Pour boulonner un montant vertical à une traverse horizontale, percez d'abord les deux pièces pour les préparer à recevoir un boulon hexagonal. Percez ensuite un grand trou dans la baguette horizontale, de façon que l'écrou puisse être placé sur le boulon. Le trou doit être centré sur l'extrémité du boulon, avec au moins 30 mm de bois massif entre l'extrémité de la traverse et le bord du trou.

Aplanissez la surface du trou au

ciseau, du côté où sera fixé l'écrou.

Insérez le boulon à six pans, avec une rondelle à chaque bout. Engagez l'écrou sur le filetage, puis bloquez-le avec un coin ou une clé et vissez le boulon.

CHOIX DES BOULONS POUR ASSEMBLER LE BOIS ET LE MÉTAL

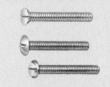
Boulon Japy à tête arrondie
La collerette carrée sous la tête bombée bloque le boulon dans le bois au fur et à mesure qu'il s'enfonce. On peut donc serrer l'écrou sans avoir à bloquer le boulon. Placez une rondelle dentelée sous l'écrou.

Boulon à tête hexagonale
La tête plate ne bloque pas le boulon dans le bois. En général, il faut deux clés, l'une pour serrer, l'autre pour bloquer. Placez une rondelle à chaque extrémité. Ce type de boulon s'emploie également avec les métaux.

Vis à métaux
Pour des assemblages plus légers. La tête fendue se serre au tournevis. Une clé à boulons est nécessaire pour bloquer l'écrou. Placez une rondelle sous l'écrou. Il existe des modèles à têtes fraisées, rondes et creuses. Dimensions : de 6 à 50 mm de longueur.

Écrous   hexagonal   carré plat
à oreilles   Écrou à frein
Rondelle fendue (Grower)
Rondelle en éventail à dents

Écrous assortis aux boulons
Les écrous existent dans des formes différentes. Le plus courant est hexagonal. Les écrous à oreilles peuvent se serrer à la main.

Assurez-vous que l'écrou et le boulon ont des filetages compatibles. Les rondelles à ressort ou à denture empêchent les boulons de se desserrer. La rondelle de menuisier (à double denture) renforce la prise du boulon entre deux pièces de bois.

ASSEMBLAGE AVEC DES JOINTS D'ANGLE

Les joints d'angle sont utilisés pour assembler des planches à angle droit. Dans le bricolage, ils remplacent d'anciennes techniques d'ébénisterie, telles que les joints en queue d'aronde, qui réclament de l'habileté ou un équipement onéreux. Ces joints d'angle sont aussi devenus nécessaires en raison de la généralisation de l'emploi des panneaux reconstitués, qu'on ne peut traiter en queue d'aronde.

Leurs applications comportent, par exemple, l'installation d'étagères sur des montants verticaux en bois et la construction d'armoires.

Chaque modèle peut être utilisé pour créer un assemblage en T ou à angle droit. Au moment d'assembler les panneaux, il est essentiel de débiter les pièces aux longueurs précises et de faire des bouts parfaitement d'équerre.

TYPES DE JOINTS D'ANGLE		DESCRIPTION	COMMENT L'INSTALLER
Joint rigide 	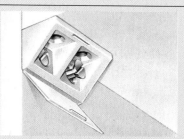	Plastique. 19 mm. Vis pour agglomérés : 4 par joint.	Pratiquez deux trous de vis sur le panneau latéral, pour chaque bloc, et deux dans le panneau horizontal. Vissez le bloc à sa place et fermez le couvercle. Utilisez deux blocs pour les panneaux horizontaux de moins de 20 cm de large, et trois pour des largeurs supérieures.
Joint à tourillons 	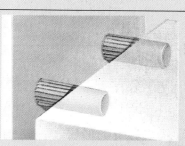	Bois. Se trouve séparément ou dans des sachets rassemblant des mèches à bois, des butées de profondeur et des centreurs en métal.	C'est la seule méthode qui donne des joints complètement invisibles. Le joint est contenu dans l'épaisseur de l'étagère. Pour la mise en œuvre, voir p. 162.
Bloc de fixation 		Plastique. 25 mm. Vis fraisée pour agglomérés : 3 par bloc.	Fixez le bloc au panneau latéral avec deux vis, puis vissez dans le panneau horizontal à l'aide d'une seule vis venant du dessous. Utilisez deux blocs pour les panneaux horizontaux de moins de 20 cm de large et trois pour des largeurs supérieures.
Tasseau de bois à section carrée 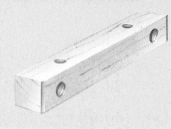	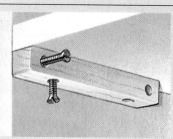	Peut être teinté, verni ou peint. Vis fraisées pour agglomérés (de 3 à 4 mm de diamètre, 25 mm de long) : 4 à 6 pour chaque tasseau.	Coupez des tasseaux à section carrée (20 mm) à la largeur de l'étagère. Percez et fraisez le tasseau pour le fixer dans le panneau latéral et dans l'étagère. Un tasseau dépassant les 20 cm de long doit être fixé au centre. Vissez-le d'abord au panneau latéral, puis à l'étagère.
Joint de sûreté 		Plastique. Vis fraisées pour agglomérés (de 3 à 4 mm de diamètre, 19 mm de long) : 4 par bloc. Plus solide et plus cher que les joints rigides.	Les deux sections sont vissées aux panneaux latéral et horizontal, et sont ensuite vissées ensemble. Sur un panneau de particules de 15 mm, placez deux blocs sur des panneaux horizontaux allant jusqu'à 30 cm de large, trois pour 45 cm et quatre pour 60 cm. Pour les panneaux plus épais, trois joints d'angles sont suffisants jusqu'à 60 cm de large.
Joint d'assemblage 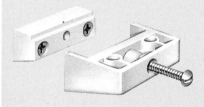		Plastique. Vis pour agglomérés de 19 mm : 4 pour chaque joint.	Les deux sections sont vissées aux panneaux latéral et horizontal, puis sont ensuite vissées ensemble. Sur les panneaux de particules de 15 mm, utilisez deux blocs sur les panneaux horizontaux allant jusqu'à 30 cm de large, trois pour 45 cm et quatre pour 60 cm. Pour les panneaux plus épais, trois joints d'angles sont suffisants jusqu'à 60 cm de large.

Façons simples d'assembler le bois

ASSEMBLAGE EN T CLOUÉ

L'assemblage cloué est suffisant pour les cadres en bois résineux.

Si possible, faites passer le clou par l'extérieur du cadre, ce qui simplifie le travail. Utilisez des clous dont la longueur est au moins le double de l'épaisseur du bois.

1 Coupez le montant à la longueur.

2 Coupez la traverse à la bonne longueur, en vous assurant que les extrémités sont parfaitement perpendiculaires.

3 Maintenez la traverse debout dans un étau ou avec un serre-joint sur le côté de l'établi.

4 Posez le montant sur l'extrémité de la traverse, dans la position correcte, et plantez un clou au centre de l'assemblage.

5 Enfoncez un clou supplémentaire selon un angle d'environ 30°.

CLOUAGE EN BIAIS PAR L'INTÉRIEUR DU CADRE

1 Marquez la position du joint sur le montant et serrez ou clouez provisoirement une cale contre le montant (alignez les extrémités).

2 Maintenez la traverse contre la cale et enfoncez le premier clou en diagonale, jusqu'à environ un tiers de sa longueur.

3 Enlevez la cale et clouez l'autre côté de la même manière, en décalant le clou, en suivant le sens du fil et en maintenant bien la traverse le long du marquage.

4 Chassez les têtes des clous pour obtenir un clouage propre puis remplissez les trous avec du mastic ou de la pâte de bois.

ÉQUERRES POUR JOINTS EN T

Si vous avez besoin de réaliser un assemblage, et si l'aspect extérieur n'est pas important, utilisez des équerres ou des ferrures en T. Vissez une ferrure ou une équerre de chaque côté du joint, car une seule plierait facilement.

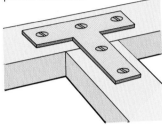

Les équerres en T se vissent à plat sur la surface.

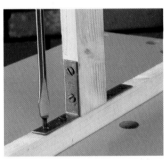

Les équerres d'angle se vissent dans l'angle et laissent la face nette.

FEUILLARDS ONDULÉS

Un cadre léger, qui n'a pas besoin d'être très solide peut être fabriqué rapidement avec des feuillards ondulés métalliques, qui sont effilés sur l'un de leurs bords.

Maintenez les pièces contre un support rigide, puis placez un feuillard en travers de l'assemblage, bien à cheval sur la traverse.

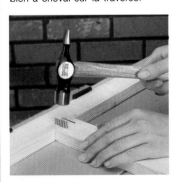

Enfoncez doucement avec un marteau, puis frappez le feuillard au centre, jusqu'à ce qu'il affleure la surface. Utilisez deux feuillards par assemblage.

ASSEMBLAGE EN CROIX

Pour assembler deux pièces de bois qui se croisent, vissez-les l'une sur l'autre, en renforçant l'assemblage avec de la colle. Des clous peuvent remplacer les vis.

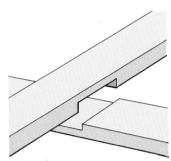

Les deux pièces peuvent être amenées à niveau par un assemblage à mi-bois, réalisé avec une scie et un ciseau à bois (voir p. 154). Il n'est pas nécessaire de visser les pièces, il suffit de les coller et de les placer dans un serre-joint.

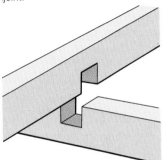

Un assemblage à mi-bois peut être fait avec des pièces posées à plat ou sur un chant.

ASSEMBLAGE EN T À RECOUVREMENT

Un assemblage en T à recouvrement peut être utilisé, par exemple, pour assembler les montants d'une barrière ou pour réaliser des cadres à usages divers.

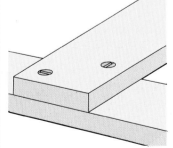

Il peut être renforcé avec des vis, des clous ou des boulons, après collage.

Pour un assemblage vissé, serrez les pièces dans un serre-joint pour pouvoir percer les trous.

Percez des trous de passage dans la pièce supérieure en prenant soin de ne pas percer trop loin, et ensuite, percez des avant-trous plus petits dans la pièce inférieure.

Fraisez les trous dans la pièce supérieure. Encollez les deux faces en contact avec la colle à bois et vissez l'ensemble.

ASSEMBLAGE À ONGLETS

1 Marquez le bois à la longueur exacte. Puis dessinez approximativement l'angle sur le dessus.

2 Fixez le bois dans une boîte à onglets. Placez un morceau de bois dessous pour l'élever au niveau de la fente de découpe.

3 Coupez l'onglet en gardant la lame de la scie verticale dans la fente. Répétez l'opération avec l'autre pièce.

4 Clouez des pointes fines dans une des pièces. Tenez l'autre pièce verticalement dans un étau et accolez les deux pièces. Commencez à enfoncer les pointes en laissant la pièce supérieure dépasser légèrement.

ASSEMBLAGE À ONGLETS D'UNE PIÈCE LARGE

Si une pièce est trop large pour entrer dans une boîte à onglets, marquez le trait de coupe sur la face principale et une ligne diagonale en travers du chant. Sciez en suivant les deux traits.

Une autre méthode consiste à dessiner un carré sur le chant, puis à tracer une ligne diagonale en la continuant sur la face.

Assemblage de panneaux par tourillons

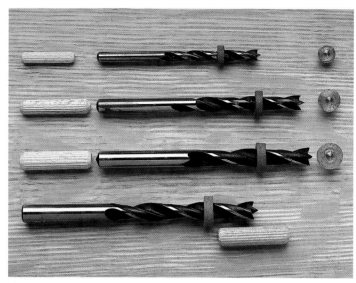

Les bois résineux et les panneaux de particules peuvent être assemblés au moyen de tourillons encollés. Les tourillons s'achètent séparément ou dans un ensemble comprenant une mèche avec butée de profondeur et une pointe à centrer. Choisissez des tourillons d'une longueur d'environ une fois et demie l'épaisseur d'un panneau.

FAIRE UN ASSEMBLAGE À 90°

1 Coupez les pièces à la longueur voulue, en faisant attention que les chants soient perpendiculaires aux faces.

2 Pour être sûr que vous assemblez les pièces dans le bon sens, dessinez un repère au crayon sur la face de chaque panneau et prolongez-le sur le chant. Numérotez les coins. Cela vous aidera si vous faites plusieurs assemblages.

3 Tracez une ligne centrale le long du chant du panneau qui viendra contre la face de l'autre. Marquez les emplacements des tourillons.

4 Ajustez la butée de profondeur sur la mèche. La profondeur du trou devra être égale à la longueur du tourillon, moins la partie qui viendra dans l'autre panneau sur environ les trois quarts de son épaisseur. Pour être plus sûr, faites un perçage un peu plus profond.

5 Maintenez le panneau verticalement dans un étau. Appuyez une équerre de menuisier sur l'étau et demandez à quelqu'un de vérifier que le panneau et l'équerre sont bien parallèles.

6 Percez les trous jusqu'à la butée de profondeur.

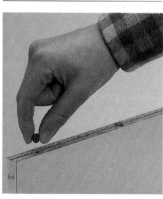

7 Enfoncez la pointe à centrer dans chaque trou et placez le second panneau perpendiculairement au panneau percé.

Pour être certain que les chants des deux panneaux sont bien parallèles, posez-les le long d'une règle fixée à l'établi.

8 Pressez les panneaux l'un contre l'autre de manière que les pointes à centrer marquent le chant du panneau vertical.

9 Repositionnez la butée de profondeur aux trois quarts de l'épaisseur du second panneau.

10 Percez les trous avec la mèche centrée sur les marques des pointes à centrer. Vérifiez la position de la butée de profondeur sur la mèche après le perçage.

11 Retirez les pointes à centrer avec des pinces. Mettez de la colle à bois dans les trous, sur les tourillons et sur le chant du 1er panneau.

12 Placez les tourillons dans les trous, assemblez les panneaux.

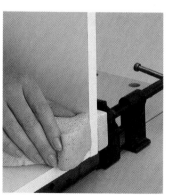

13 Serrez l'assemblage et retirez le surplus de colle avec une éponge humide. Laissez sécher la colle.

ASSEMBLAGE À TOURILLONS EN T

À l'aide de l'équerre de menuisier, marquez la position du joint sur le panneau transversal, de façon qu'il se trouve à 90° par rapport à l'autre panneau.

Percez les trous dans le chant du panneau, comme indiqué plus haut. Insérez les pointes à centrer et pressez le panneau en utilisant l'équerre.

ASSEMBLAGE À ONGLETS AVEC TOURILLONS

Le système des pointes à centrer peut également être utilisé pour les assemblages à onglets. (Voir aussi « Un bon truc ».)

ASSEMBLAGE BORD À BORD

Deux panneaux peuvent être assemblés bord à bord pour en composer un plus large ou plus long. N'utilisez que des panneaux qui ont été découpés à la machine.

Alignez les chants le long d'une

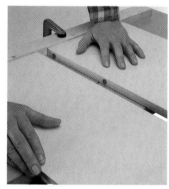

règle et faites les marques avec les pointes à centrer. Cette méthode peut être employée, par exemple, pour rallonger un plan de travail.

UN BON TRUC

La principale astuce pour un assemblage par tourillons est peut-être d'évaluer la profondeur des trous — particulièrement avec des joints à onglets ou en T. Dessinez d'abord l'assemblage à l'échelle. Placez un tourillon sur ce dessin de manière qu'il se trouve assez loin des faces des panneaux pour que la mèche ne les traverse pas. Avec un joint à onglets, cela signifie que le tourillon doit être proche de l'angle intérieur. Marquez la position du tourillon sur le dessin. Positionnez la butée de profondeur sur la mèche pour chaque trou, selon le dessin, en prévoyant 2 mm de plus pour la colle.

Utilisation du rabot

Si vous voulez accomplir un travail satisfaisant, il faut que le rabot soit bien affûté et monté correctement. Vérifiez ces deux points après chaque travail.

Dans les modèles à lames interchangeables, mettez une lame neuve dès que l'ancienne est

LES PIÈCES DU RABOT D'ÉTABLI

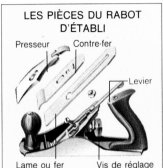

Presseur — Contre-fer — Levier — Lame ou fer — Vis de réglage

La lame et le presseur sont vissés ensemble, le presseur se trouvant à environ 2 mm du bord coupant de la lame. La lame est maintenue en place en toute sécurité par le contre-fer. Pour retirer la lame, soulevez le levier et sortez le contre-fer. Enlevez la lame et le fer supérieur et desserrez la vis. Pour replacer l'ensemble, orientez le biseau de la lame vers le bas. Tant qu'il est inutilisé, enveloppez le rabot dans un morceau de tissu.

émoussée. Avec un rabot d'établi classique, affûtez la lame comme celle d'un ciseau à bois (voir p. 154). Si la lame est plus large que la pierre, appliquez-la en diagonale.

Avant de raboter du bois ancien, assurez-vous qu'il ne contient pas de clous, qui endommageraient définitivement la lame.

Le bois peint doit être décapé (voir p. 101) avant d'être raboté. Sinon, la lame ne mord pas suffisamment et s'émousse très vite.

AJUSTAGE DE LA LAME

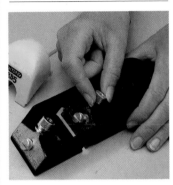

1 Tournez la vis de réglage et vissez la lame de manière qu'elle dépasse légèrement. Vous pouvez vérifier à la main, en faisant attention de ne pas vous couper.

2 Regardez sous la semelle du

rabot et assurez-vous que la lame se trouve à niveau. Sur un rabot d'établi, soulevez-la avec le levier.

3 Essayez le rabot. Si les copeaux sont trop minces, augmentez la profondeur de la lame. Si l'outil coupe trop profondément, remontez la lame.

POUR APLANIR UNE PIÈCE DE BOIS

1 Fixez fermement la pièce, dans un étau si elle est courte ou entre deux butées sur une surface plane si elle est longue.

2 Appuyez sur le devant du rabot, au début du mouvement. Ensuite, conservez une pression égale.

3 Quand vous rabotez un chant, guidez l'outil en pressant avec le

pouce de la main placée en avant, tout en déplaçant vos doigts le long de la pièce. Le mouvement doit suivre la longueur de la pièce.

4 Avec une règle contre la pièce, vérifiez que le chant est à niveau. À l'aide d'une équerre, vérifiez que le chant est à angle droit.

CHANFREIN SUR LE CHANT

Maintenez le bois verticalement dans un étau et servez-vous des doigts de la main placée en avant pour vous guider. Pressez sur le rabot avec le pouce.

RABOTAGE EN BOUT

Maintenez le bois dans un étau et rabotez à partir de chaque extrémité vers le centre. Travaillez par petits coups, sans chercher à suivre toute la longueur de la pièce.

Ponçage avec du papier abrasif

Pour obtenir une surface lisse sur un bois résineux ou feuillu, ou sur un panneau de particules recouvert d'un placage bois, enroulez un morceau de papier abrasif autour d'une cale à poncer et poncez dans le sens du fil du bois.

Les papiers abrasifs sont prévus pour poncer les surfaces de bois et non pour enlever une quantité de matière importante. Sur du bois bien raboté, utilisez deux grains différents, d'abord un plus grossier, puis un plus fin.

Il existe différentes sortes de papiers abrasifs pour le bricolage : le papier de verre classique et

d'autres abrasifs, naturels ou synthétiques.

PONÇAGE D'UN PANNEAU DE PARTICULES PLAQUÉ

Les placages de bois utilisés sur les panneaux de particules sont extrêmement minces. En ponçant un panneau avant finition, faites attention de ne pas percer le placage, surtout près des bords et des angles.

Utilisez du papier de verre fin. Enroulez une feuille de liège autour de la cale pour obtenir une pression régulière.

EMPLOI D'UNE PONCEUSE ÉLECTRIQUE

Une ponceuse électrique à disque vous épargne des efforts, surtout quand il s'agit de poncer une importante surface plate.

Fixez le disque prédécoupé de papier de verre sur le disque de la machine. Déplacez la ponceuse dans le sens du fil, à petits passages se recouvrant. La machine fait tourner le papier abrasif en petits cercles. C'est pourquoi le ponçage final doit être réalisé à la main, dans le sens du fil.

UN BON TRUC

Si le papier s'encrasse pendant le travail, nettoyez-le en le tapant sur la paume de votre main. Si le dos du papier doit être frotté sur le côté de l'établi pour être nettoyé, c'est que le bois est probablement beaucoup trop humide.

Si vous utilisez une ponceuse, inclinez-la selon un angle de 20 à 30° afin d'éviter des marques profondes circulaires. Travaillez avec un mouvement de balayage.

Finitions

REBOUCHAGE DES TROUS

La surface du bois doit être bien préparée avant l'application de la finition. Sinon, l'aspect obtenu sera décevant. Ainsi, tous les trous doivent être bouchés avant le ponçage définitif.

Si le bois doit être conservé dans sa couleur naturelle, achetez un produit assorti à la teinte du bois.

Les pâtes à bois existent dans une gamme de coloris limitée : reportez-vous à la carte des teintes. Pour éviter toute erreur, emportez un échantillon du bois avec vous. N'essayez pas d'assortir le bois à un mastic humide, car celui-ci pâlit en séchant.

1 Après le ponçage, utilisez une brosse fine pour retirer la poussière. Brossez dans le sens du fil,

pour bien nettoyer toutes les traces de ponçage.

La lumière fait foncer le bois neuf. Ne laissez jamais un objet sur une surface fraîchement poncée car, dans ce cas, il se formerait une tache.

2 Appliquez le mastic dans les trous en prenant garde de ne pas en répandre autour. Si cela arrive, nettoyez immédiatement.

3 Attendez que la pâte ait séché et que sa couleur soit bien homogène (15 à 30 minutes), puis poncez à plat.

4 Effacez toute trace de doigts et dépoussiérez l'établi et le sol.

TEINTE SUR UN BOIS NEUF

Si vous voulez que votre bois s'assortisse à des meubles exis-

Finitions (suite)

tants, utilisez un panneau de particules plaqué dans une même essence, ou bien choisissez un bois clair et colorez-le.

Pour l'application, utilisez une éponge neuve, et non un chiffon ou un pinceau.

1 Appliquez une couche de teinte sur toute la surface du bois, dans le sens du fil.

2 Essuyez tout excès de teinte avant qu'elle ne sèche, avec un chiffon non pelucheux et propre, et toujours dans le sens du fil.

3 Si les parties rebouchées n'absorbent pas aussi bien la teinte que le reste du bois, appliquez des touches légères de teinte avec un pinceau fin à aquarelle.

4 Attendez que la teinte sèche. Les teintes à l'eau sèchent en une demi-journée, les teintes à l'alcool en 1 heure environ.

5 Certaines teintes relèvent le fil du bois. Éliminez les fibres relevées au papier abrasif à grain fin.

6 Repassez une légère couche de teinte pour obtenir un aspect homogène.

7 Essuyez avec un chiffon propre.

Application des finitions

Les surfaces de bois doivent être soigneusement préparées avant de recevoir une finition. L'humidité, la graisse, la saleté et la poussière gâcheraient le résultat final.

Il existe de nombreux produits de finition, mais le vernis polyuréthanne résiste à la chaleur, à l'eau et aux taches. Il remplit les pores de tous les bois, excepté les plus denses. La cire et les huiles s'appliquent plus rapidement mais n'offrent pas le même degré de protection qu'un vernis.

Appliquer une cire « antiquaire » réclame un certain savoir-faire. Ce procédé n'est plus utilisé dans la fabrication des meubles, excepté pour les copies d'ancien. Il n'est pas recommandé pour le bricolage.

Suivez les instructions ci-dessous, en liaison avec celles du fabricant du produit. En effet, il existe parfois des méthodes d'application spécifiques à certains produits.

L'ESPACE DE TRAVAIL

Les finitions doivent être effectuées dans une pièce bien ventilée, de manière que les émanations de solvant se dispersent rapidement. Pas de flamme libre, comme celle des brûleurs à gaz ou des veilleuses de chauffe-eau, pas de cigarettes, etc.

La pièce doit aussi être à une température d'au moins 20° pour que la finition puisse sécher rapidement. Protégez le sol et tout ce qui peut être éclaboussé.

DE BONS TRUCS
Ne posez pas le bois sur des journaux. L'encre marque et l'on ne s'en aperçoit pas toujours immédiatement.

Avant tout vernissage, cirage ou mise en teinte, la pièce à finir doit être entièrement terminée.

VERNIS POLYURÉTHANNE

Ce vernis, brillant, satiné ou mat, est conditionné en bidons allant du quart de litre à cinq litres. Il existe en incolore ou teinté, pour imiter l'acajou, le chêne, le teck, le pin et d'autres essences. Des coloris unis (rouge, jaune, vert, bleu) sont éga-

lement disponibles mais plus difficiles à trouver. Le vernis polyuréthanne peut être appliqué sur du bois ou sur des panneaux de particules, que les surfaces soient naturelles ou teintées.

Avec un vernis teinté, les pigments ne pénètrent pas le bois. Ils restent en surface. Ils n'offrent donc pas la même intensité et la même chaleur qu'une teinte. Mais le vernis teinté est plus facile à appliquer et donne une teinte uniforme.

1 Appliquez le vernis de façon uniforme sur toute la surface, avec un pinceau. Terminez au pinceau léger, dans le sens du fil, par de longs passages.

2 Laissez sécher toute la nuit. Pour obtenir une surface bien lisse, poncez avec un papier abrasif fin fixé sur une cale à poncer, en travaillant dans le sens du fil.

3 Essuyez la surface avec un chiffon sec, et appliquez une deuxième couche.

4 Sur les surfaces à usage intense, appliquez une troisième couche (par exemple, pour les plans de travail de cuisine).

L'HUILE DE LIN

Cette huile à l'aspect satiné, presque incolore, est une des finitions les plus faciles à utiliser. Le temps de séchage varie entre 4 et 8 heures.

Les pinceaux peuvent se nettoyer au white-spirit. Les chiffons utilisés pour huiler le bois doivent être brûlés ou conservés dans une boîte métallique. En effet, dans certaines circonstances, ils peuvent s'auto-enflammer.

Prévoyez un minimum de deux, voire trois couches pour les plans de travail.

1 Appliquez une couche épaisse sur la surface avec un pinceau ou un chiffon de coton, et laissez reposer quelques minutes.

2 Quand la moitié environ de la surface paraît plus claire que le reste, essuyez énergiquement toute la surface avec un chiffon propre et non pelucheux. Cette opération étalera l'huile uniformément.

3 Quand la première couche est complètement sèche, poncez la surface avec un abrasif fin ou de la laine de verre. Travaillez dans le sens du fil.

4 Appliquez une seconde couche.

5 Quand la surface commence à coller, essuyez le surplus d'huile avec un chiffon propre, dans le sens du fil.

6 Laissez sécher et terminez par un égrenage.

7 Répétez ces opérations pour une troisième couche si nécessaire ; si la couche précédente présente des aspérités, poncez légèrement.

LA CIRE AUX SILICONES

La cire ne donne pas de résultat satisfaisant sur un bois résineux. Sur des bois feuillus de couleur claire, une finition à la cire seule se traduit par un aspect peu esthétique. En revanche, sur les bois foncés et à grain fin, la cire permet une finition chaude et agréable.

La patine que l'on peut observer sur les meubles anciens est souvent le résultat d'applications régulières de cire pendant plusieurs années. Un compromis satisfaisant consiste à imprégner d'abord le bois avec de l'huile de lin et à appliquer ensuite une couche de cire. Une cire en crème ou en aérosol pourra être appliquée plus tard, pour conserver un bel aspect.

1 Préparez le bois et appliquez une couche d'huile de lin. Sur un bois poreux, une deuxième couche sera peut-être nécessaire pour obtenir un film uniforme.

2 Quand le produit est sec, poncez avec un papier abrasif très fin.

3 Avec un chiffon propre et non pelucheux, appliquez une abondante couche de cire aux silicones sur toute la surface et frottez pour obtenir un aspect uniforme.

4 Laissez durcir pendant plusieurs heures. Ensuite, avec une brosse à chaussures propre et dure, frottez la cire dans le sens du fil.

5 Enroulez un chiffon propre autour de la brosse et lustrez.

ASPECT DES DIFFÉRENTS PRODUITS DE FINITION

AUCUNE FINITION	CIRE	HUILE DE LIN	VERNIS BRILLANT

Pin non teinté

Pin teinté

Chêne non teinté

Chêne teinté

Supports d'étagères dans les renfoncements

Les renfoncements dans les murs et cloisons, par exemple un ancien conduit de cheminée, peuvent être facilement équipés d'étagères. Mais il est difficile de trouver des supports standard à fixer sur les côtés.

Des crémaillères peuvent être posées en applique sur le fond. Mais si les étagères n'ont pas besoin d'être amovibles, cet investissement est inutile. Des supports simples, en bois ou en métal, sont réalisables à moindre frais et avec le minimum d'outillage.

TASSEAUX DE BOIS

Choisissez des tasseaux de 50 × 25 mm, coupez-les aux dimensions adéquates et assurez-vous qu'ils sont de niveau et parallèles, puis vissez-les sur les côtés. Même coupés à angle droit, les tasseaux seront peu visibles ; pour les rendre encore plus discrets, il est possible de biseauter ou d'arrondir l'extrémité apparente.

Pour éviter que les étagères ne jouent ou ne se déplacent, vous pouvez les visser directement sur les tasseaux. Si vous utilisez des panneaux de particules, entaillez légèrement le tasseau au ciseau à bois, posez à l'intérieur une patte de renfort, puis vissez l'étagère sur cette patte. S'il s'agit de bois massif, prévoyez qu'il y aura un certain jeu : utilisez des pattes percées d'un logement oblong.

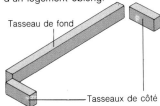

Tasseau de fond

Tasseaux de côté

Pour les étagères ayant une longue portée ou qui supportent une charge importante, un tasseau fixé sur le mur du fond augmente la résistance.

SUPPORTS EN PROFILÉS MÉTALLIQUES

Des profilés en aluminium à sec-

TASSEAUX EN BOIS

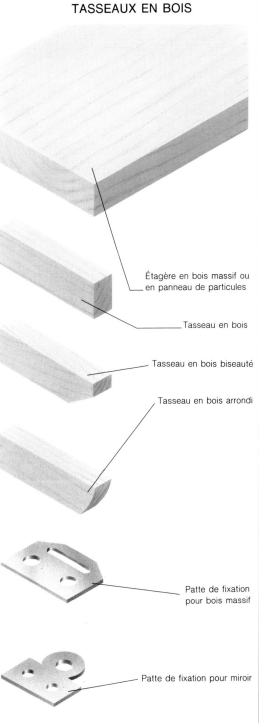

Étagère en bois massif ou en panneau de particules

Tasseau en bois

Tasseau en bois biseauté

Tasseau en bois arrondi

Patte de fixation pour bois massif

Patte de fixation pour miroir

L'étagère repose sur des tasseaux de chaque côté du renfoncement. Vous pouvez conserver leur section carrée visible ou la rendre plus discrète en l'arrondissant. Utilisez des platines métalliques pour fixer les étagères.

tion carrée de 13 × 13 mm constituent des supports invisibles pour des étagères en bois massif de 25 mm d'épaisseur. Cette technique ne convient pas aux panneaux de particules qui sont insuffisamment denses.

Entaillez à chaque extrémité la partie inférieure de la tablette avec une scie circulaire, sur une profondeur correspondant à la section du profilé. Continuez par une succession d'entailles verticales pour créer une feuillure que vous égaliserez au ciseau à bois.

SUPPORTS EN PROFILÉS MÉTALLIQUES

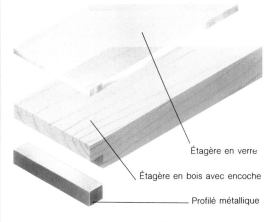

Étagère en verre

Étagère en bois avec encoche

Profilé métallique

Une étagère en panneau de particules compact ou en bois massif peut être fixée de manière presque invisible, les profilés se logeant de chaque côté dans les encoches de la tablette.

CORNIÈRES EN ALUMINIUM

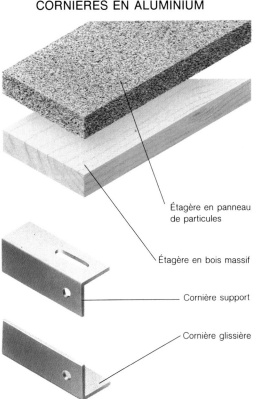

Étagère en panneau de particules

Étagère en bois massif

Cornière support

Cornière glissière

L'étagère peut reposer ou coulisser dans la cornière d'aluminium, fixée de chaque côté du renfoncement. S'il s'agit d'un bois massif, il faut pratiquer des fentes (et plus des trous) pour tenir compte du jeu.

Les profilés en aluminium peuvent également être utilisés pour réaliser des supports d'étagères en verre. Interposez entre le verre et le profilé un feutre adhésif ou une lamelle de mousse maintenue par un adhésif double face.

CORNIÈRES EN ALUMINIUM

Achetez des cornières en aluminium de 25 × 25 mm ou de 32 × 32 mm.

Percez-y des trous avec une perceuse électrique équipée d'une mèche au tungstène. Ces supports peuvent être fixés au mur de deux manières : soit en laissant reposer les étagères sur le profilé, soit en les encastrant dans le profilé.

Pour fixer des étagères en panneau de particules, percez deux trous dans chaque cornière. Dans le cas d'étagères en bois massif, il faut tenir compte d'un certain jeu et ouvrir une fente dans le métal (au lieu de trous).

Pour réaliser cette opération, percez deux trous rapprochés et limez pour les réunir.

Montage d'une étagère

Avant de déterminer l'emplacement des consoles, assurez-vous avec un détecteur de métal qu'il n'y a pas dans les murs des canalisations d'eau ou de gaz, des fils électriques ou des câbles de télévision.

Vérifiez qu'il n'y a pas d'appareils de l'autre côté du mur. Enfin, l'emplacement choisi doit être sain.

Pour fixer les consoles, utilisez des vis de 45 mm. La vis doit pénétrer dans le plâtre, puis au moins de 25 mm dans la cloison de brique ou de bois. Pour trouver des points d'ancrage verticaux dans des cloisons à structure de bois, voir p. 226.

Utilisez des chevilles pour fixer les consoles dans des cloisons minces et creuses, surtout si l'étagère doit supporter des objets assez lourds.

Prévoyez pour les vis le diamètre maximal, en fonction des perforations des consoles : en général, 4 mm pour les petites et 5 à 6 mm pour les grandes.

Outils : crayon, niveau, perceuse, mèches au carbure de tungstène pour brique et béton, mèches à bois à larges spires pour cloisons bois correspondantes aux chevilles, une longueur de tasseau, tournevis, chevilles, étagères.
Matériel : consoles.

1 Marquez d'un trait de crayon sur le mur à hauteur sous l'étagère. Utilisez un niveau pour vous assurer de l'horizontale. Dans le cas d'une étagère longue, posez le niveau sur un long tasseau.

2 Présentez une console contre le mur, le dessus au niveau de la marque. Avec le niveau contrôlez la verticale et, avec le crayon, marquez les emplacements des vis.

3 Répétez l'opération pour la seconde console. S'il y a plus de deux consoles, fixez d'abord celles des extrémités, puis tendez un fil entre elles : les consoles intermédiaires se trouveront parfaitement alignées.

4 Percez dans le mur des trous d'environ 45 mm. Utilisez une mèche au carbure de tungstène.

5 Introduisez les chevilles et vissez les consoles. Si la cheville pivote dans le mur quand vous vissez, retirez-la et introduisez-en une de taille supérieure. N'utilisez pas de cheville dans le bois.

6 Posez l'étagère sur les consoles, marquez l'emplacement des trous avec un poinçon.

7 Pour les petites vis, amorcez les trous à la perceuse.

8 Vissez l'étagère.

Montage d'une série d'étagères

Plusieurs consoles superposées permettront de monter une série d'étagères.

Mais pour éviter de cribler le mur de vis, il est préférable de fixer d'abord les tasseaux au mur, puis les consoles sur les tasseaux.

Une seule petite difficulté si on veut que le fond des étagères touche le mur : il faut prévoir une encoche au niveau du contact étagère-tasseau.

Les tasseaux doivent avoir au moins 25 mm d'épaisseur et 38 mm de large, afin d'accepter des vis de fixation d'une longueur de 19 mm au minimum. Pour les lourdes charges et les étagères d'une largeur supérieure à 23 cm, utilisez des tasseaux épais, des vis plus longues et augmentez le nombre de points de fixation murale.

Outils : mètre à ruban métallique, crayon, scie à bois, équerre métallique, perceuse et mèches à bois, mèche à mortaiser, mèche au tungstène pour percer la maçonnerie, niveau à bulle, poinçon, tournevis ; éventuellement, ciseau à bois.
Matériel : tasseaux en pin (épaisseur minimale : 25 mm), consoles, vis de 6 cm pour fixer les tasseaux au mur et chevilles correspondantes, vis pour fixer les consoles et les étagères.

1 Déterminez le nombre d'étagères et la distance les séparant.

2 Mesurez la distance entre l'extrémité haute de la console supérieure et l'extrémité basse de la console inférieure. Ajoutez environ 25 mm de chaque côté.

3 Coupez les tasseaux à cette dimension.

4 Utilisez une équerre pour marquer l'emplacement des consoles et la place des trous pour leurs vis.

5 Marquez la place des vis de fixation murale, afin qu'elles ne se superposent pas aux vis des consoles. Utilisez trois vis également réparties pour chaque tasseau, ou même quatre vis s'il s'agit d'un tasseau portant quatre ou cinq consoles.

6 Percez les trous de passage dans les tasseaux en utilisant le diamètre de mèche correspondant (voir p. 158). Percez également ceux destinés aux vis de fixation murale.

7 Passez au papier de verre, peignez ou vernissez les tasseaux.

8 Présentez un tasseau au mur et vérifiez la verticale avec le niveau. Marquez au poinçon l'emplacement des vis de fixation.

9 Percez des trous pour les chevilles, avec une mèche au tungstène pour la maçonnerie, avec une mèche à bois pour les parois en bois (voir p. 226).

10 Posez les chevilles et vissez les tasseaux au mur en serrant bien à fond. Procédez de la même manière avec tous les autres tasseaux.

11 Vissez les consoles aux tasseaux.

12 Pour que les étagères touchent le mur, posez-les sur les consoles, marquez l'emplacement du tasseau et faites une encoche.

13 Faites un préperçage sous l'étagère à l'emplacement des vis de fixation, puis vissez les étagères aux consoles.

DÉCOUPE AUTOUR DES TASSEAUX

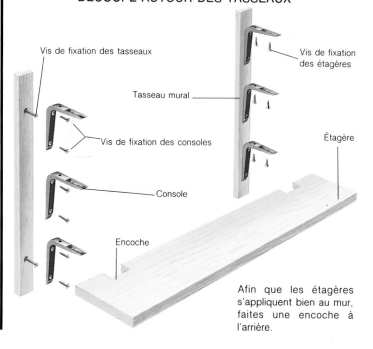

Vis de fixation des tasseaux

Vis de fixation des étagères

Tasseau mural

Vis de fixation des consoles

Étagère

Console

Encoche

Afin que les étagères s'appliquent bien au mur, faites une encoche à l'arrière.

CHOIX DES CONSOLES D'ÉTAGÈRES POUR INSTALLATION FIXE

La plupart des consoles ou équerres en tôle ont une « jambe » plus longue que l'autre. C'est en général la plus courte qui est fixée au mur. Toutefois, lorsque l'étagère doit supporter une charge assez lourde, faites le contraire.

L'écartement à respecter entre les consoles dépend de plusieurs paramètres (voir tableau, p. 170).

La largeur de l'étagère ne doit pas dépasser de plus de 25 mm son support. Un débord plus important peut amener à surcharger l'étagère, au risque de faire céder les consoles.

Fixez toujours les étagères aux consoles.

Console en acier coudé ultra-résistant. Trous pour vis à tête ronde.

Dimensions : jambe verticale et jambe sous tablette, de 75 × 50 mm à 25 × 20 cm. Finition galvanisée.

L'angle ne fait pas toujours exactement 90°. Corrigez éventuellement avec un étau et un marteau. Très bon marché.

Console en acier embouti léger. Trous pour vis à tête fraisée.

Dimensions : de 10 × 7,5 cm à 30 × 25 cm, voire plus. Finition simple, peinture brune ou grise ayant tendance à s'écailler. Très bon marché. Utile pour les étagères placées dans des endroits où l'esthétique est secondaire.

Console en acier embouti lourd. Trous pour vis à tête fraisée.

Dimensions : 10 × 7,5 cm. Décor époxy rouge, noir, blanc et marron. Finition soignée. Bon marché. Uniquement adaptée aux étagères de petite taille.

Console en acier embouti, pour charge moyenne à lourde. Trous pour vis à tête fraisée.

Dimensions : 10 × 7,5 cm à 25 × 20 cm. Finition époxy rouge, brun, doré, jaune, vert, noir, argent. Aspect soigné, couleurs attrayantes. Bon marché.

Console en acier embouti et soudé, pour lourde charge. Trous adaptés aux vis à tête fraisée.

Dimensions : 20 × 20 cm à 35 × 35 cm. Finition blanc époxy, aspect soigné. La charge maximale est précisée par le fabricant.

Console en acier embouti, pour lourde charge, avec cache en plastique de couleur. Trous pour vis à tête ronde.

Dimensions : 18,5 × 11,5 cm. Les vis sont dissimulées sous un cache en plastique de couleur. Les étagères disponibles ont les mêmes couleurs. C'est le petit côté de la console qui doit être fixé au mur.

Console en fer forgé de style, pour charge moyenne. Fer plat avec jambe de force. Trous pour vis à tête ronde.

Dimensions : de 10 × 10 cm à 24 × 24 cm. Finition soignée. Le contrefort rend le vissage difficile.

Console en aluminium léger, avec jambe de force en S. Vis à tête ronde fournie.

Dimensions : de 15 × 10 cm à 20 × 15 cm. Finition en aluminium anodisé de couleur argent.

Plusieurs modèles sont disponibles. Le contrefort rend le vissage difficile.

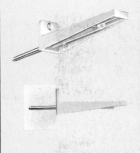

Console pour tablette de radiateur. Charge moyenne. La jambe, en plastique moulé, s'appuie sur une tige d'acier.

Dimensions : 11,5 × 19 cm. Finition en plastique blanc ou marron.

La pièce verticale se pose vers le haut. La tige d'acier ancrée au mur supporte la plus grande partie de la charge.

Console renfort, conçue pour renforcer les angles des meubles, en acier embouti. Pour étagères étroites. Trous pour les vis.

Dimensions : 5 × 5 cm. Finition en placage de cadmium.

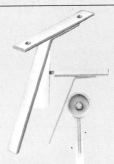

Console pour tablette de radiateur. Charge moyenne ou légère. Conçue pour les étagères de 12,5 ou 15 cm. Finition galvanisée. Se cale en force derrière un radiateur panneau, sans fixation murale.

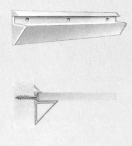

Console continue, en aluminium, pouvant soutenir une étagère sur toute sa longueur. Vis fournies.

Dimensions : de 61 cm à 2,40 m. Convient à des étagères de 15 à 18 mm d'épaisseur et à des plaques de verre de 6 mm d'épaisseur. Décor anodisé naturel ou finition époxy. Convient bien aux tablettes de radiateur.

Console d'étagère utilitaire (atelier, garage). Pour charge semi-lourde. Supporte deux étagères écartées de 21 cm l'une de l'autre.

Dimensions : 24 × 16,5 cm. Finition époxy. Peut être montée de façon à porter deux étagères ou une seule plus large, ou encore à être suspendue au plafond.

Console pour étagère utilitaire (atelier, garage), pour charge semi-lourde. Supporte une seule étagère. Vis à tête ronde fournies.

Dimensions : 31 × 28 cm. Finition époxy. Peut être utilisée pour supporter une étagère ou un madrier très long.

Systèmes d'étagères mobiles sur crémaillères

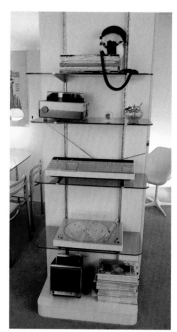

Les systèmes d'étagères mobiles sont constitués de crémaillères fixées au mur sur lesquelles s'encastrent des consoles.

On peut moduler la hauteur des étagères en déplaçant les consoles. Celles qui se fixent dans des encoches sont ajustées avec des écartements successifs de 25 mm environ. Une paire de crémaillères doit être disposée de façon parfaitement symétrique, pour que les étagères soient au même niveau.

Les étagères doivent être légèrement plus larges que les consoles ; mais évitez les débords trop grands qui vous amèneraient à surcharger l'ensemble.

Capacité de charge

Les systèmes légers peuvent supporter des bibelots et quelques livres, mais ne sont pas fiables pour des rangées entières de livres, des piles de vaisselle ou un poste de télévision.

D'autres systèmes sont faits pour porter une charge intermédiaire : objets domestiques courants, y compris un poste de télévision.

Couleur et finition

La finition la plus courante des systèmes en aluminium est l'anodisation, sous forme d'une couche de métal résistant, qui reste propre et brillant. D'autres couleurs sont disponibles, mais elles s'altèrent plus facilement. Soyez donc vigilant avant d'acheter. Les systèmes en acier sont soit traités avec une couche époxy à toute épreuve, soit émaillés au four (dans ce cas, ils sont un peu moins résistants).

FIXATION DE LA CRÉMAILLÈRE

Assurez-vous toujours que les crémaillères sont solidement fixées au mur. Dans un mur plein, vissez dans des chevilles ; sur des cloisons creuses, vissez directement dans les montants de bois incorporés, ou utilisez des chevilles spéciales (type « Placo ») prévues à cet effet (voir p. 226).

Les vis doivent mesurer au moins 5 cm de long pour traverser la crémaillère, puis le plâtre, et pénétrer dans la brique ou la structure bois. Quant au diamètre, il dépend du type de crémaillère utilisée.

L'écart entre les crémaillères doit être de 70 cm pour les étagères en panneaux de particules ou en bois massif d'au moins 18 mm d'épaisseur, et de 60 cm pour des panneaux de 15 mm.

Ne les écartez pas davantage, sinon elles pourraient fléchir ou se casser.

Outils : crayon, perceuse, forets adaptés au diamètre des chevilles, tournevis de bois rectiligne, niveau à bulle, poinçon.
Matériels : crémaillères et consoles, étagères, vis pour fixer les crémaillères au mur, chevilles adaptées aux vis, vis pour fixer les étagères aux consoles.

1 Appliquez au mur la première crémaillère et repérez au crayon l'emplacement de la vis supérieure.

2 Tracez une verticale sur le mur à l'aide d'un niveau à bulle ou d'un fil à plomb placé le long de la crémaillère.

3 Déterminez l'emplacement des autres crémaillères en reportant l'écartement au mètre à ruban. Marquez les verticales.

4 À l'aide du niveau, repérez l'emplacement du trou de la vis supérieure de chaque crémaillère en vous basant sur la hauteur de votre repère 1. Procédez soigneusement, sinon les étagères ne seront pas horizontales.

5 Percez et chevillez tous les trous supérieurs. Vissez les crémaillères à leur place, sans serrer à fond. Vérifiez à nouveau l'horizontale en partie supérieure.

6 Marquez l'emplacement des autres trous le long de la crémaillère, ou faites pivoter celle-ci légèrement le long du mur pour percer et cheviller les trous.

7 Vissez définitivement les crémaillères.

8 En même temps que vous vissez, vérifiez que la crémaillère ne plie pas si le mur est irrégulier. Si c'est le cas, calez la crémaillère contre le mur, avec du carton ou un petit morceau de contre-plaqué.

9 Introduisez les consoles dans leurs encoches et posez les étagères (voir p. 166).
Alignez les extrémités des étagères afin qu'elles soient bien les unes au-dessus des autres.

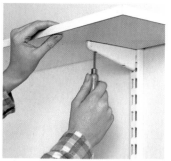

10 Marquez sous chaque étagère l'emplacement des vis en passant le poinçon dans les encoches de la console.

11 Amorcez les trous avec une alène pour les petites vis et puis vissez les étagères.
Visser les étagères sur leur support de cette façon améliore la rigidité de la structure et évite que les étagères ne basculent si une charge importante est déposée à une extrémité, ou qu'elles ne glissent en cas de choc.

DAVANTAGE DE VARIANTES AVEC TROIS CRÉMAILLÈRES

Avec deux crémaillères, les étagères peuvent être ajustées en hauteur ; leur longueur doit être au moins égale à l'écartement des deux crémaillères. Trois crémaillères permettent d'utiliser des étagères plus petites avec, de part et d'autre de la crémaillère centrale, des écartements en hauteur différents entre étagères. Cela permet de mieux organiser le rangement d'objets de tailles différentes. On peut aussi utiliser des étagères de profondeurs différentes. L'intervalle en hauteur entre les étagères est limité par la profondeur de la console et de l'épaisseur de l'étagère. Ainsi, des étagères posées sur de larges consoles doivent avoir un écartement minimal de 12 cm.

Pour rapprocher deux étagères contiguës, choisissez un système qui permet de poser les consoles côte à côte.

Deux crémaillères. L'ensemble des étagères couvre toute la largeur.

Trois crémaillères. La longueur des étagères peut varier.

Une autre disposition possible. On peut aussi réduire l'écartement entre les étagères en fixant les consoles côte à côte sur la même crémaillère.

Consoles côte à côte

SYSTÈMES DE MONTAGE D'ÉTAGÈRES

STRUCTURES À PONT

Les étagères sont placées entre deux montants latéraux et soutenues aux extrémités par un système fixe ou réglable.

Systèmes fixes

Supports à clouer (acier ou laiton)

Supports à clouer avec bague en nylon

Supports à visser
pour étagères en verre   Taquet à vis

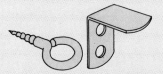

Piton en acier
ou laiton

Équerre en laiton
avec trous de fixation

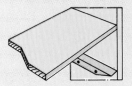

Tasseaux cloués ou vissés
aux montants latéraux

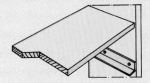

Cornière d'acier ou d'aluminium
vissée aux montants

Systèmes réglables

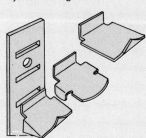

Dans ces systèmes, les rayonnages reposent sur des taquets introduits dans les trous percés sur les montants latéraux. Ces trous sont régulièrement espacés, ce qui permet de changer les taquets de position pour élever ou abaisser une étagère.

Pour percer les trous dans les montants latéraux, exécutez auparavant un tracé précis à l'aide d'une équerre ou d'un té afin qu'ils soient parfaitement alignés.

Crémaillère plate
Taquets de formes différentes

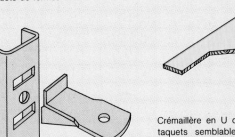

Crémaillère en U comportant des taquets semblables à ceux de l'exemple précédent.

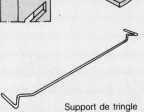

Support de tringle

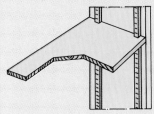

Les extrémités de la tringle sont introduites dans les trous des panneaux latéraux. L'étagère possédant des rainures sur chant est glissée sur la tringle.

STRUCTURES À CONSOLES

Avec ces systèmes, la structure n'a pas de montants latéraux. Les étagères sont maintenues par des bras de console fixés au mur arrière.

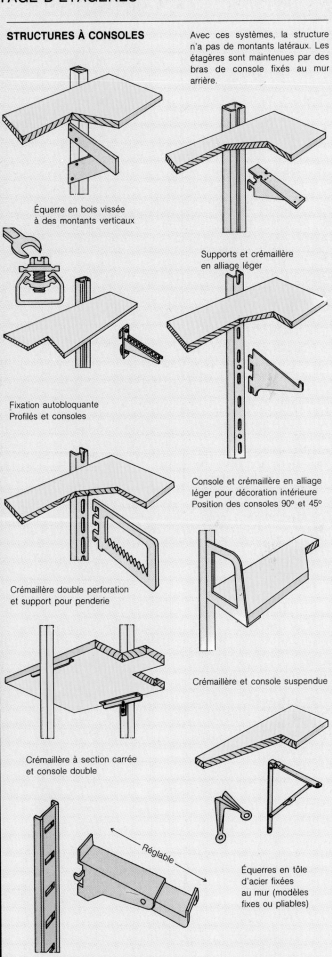

Équerre en bois vissée
à des montants verticaux

Supports et crémaillère
en alliage léger

Fixation autobloquante
Profilés et consoles

Console et crémaillère en alliage léger pour décoration intérieure
Position des consoles 90° et 45°

Crémaillère double perforation
et support pour penderie

Crémaillère et console suspendue

Crémaillère à section carrée
et console double

Réglable

Équerres en tôle
d'acier fixées
au mur (modèles
fixes ou pliables)

Crémaillère et console à longueur extensible réglable

Étagères sur consoles

PANNEAUX DE PARTICULES

Le matériau le plus commode et le meilleur marché pour fabriquer des étagères est le panneau de particules. Il suffit de le couper aux dimensions et de le fixer aux consoles. Si vous utilisez du panneau mélaminé, vous éviterez en plus la finition.

Le moins cher est le mélaminé blanc de 16 mm d'épaisseur. Il existe aussi sous forme d'étagères prédécoupées, en plusieurs longueurs.

Les panneaux de 16 mm d'épaisseur ne sont pas très résistants. Pour des charges importantes (une collection de livres reliés, par exemple), il vous faudra choisir des panneaux plus épais.

BOIS MASSIF ET DE PLACAGE

On peut réaliser de bonnes étagères en bois massif, résineux ou feuillu. Ces bois sont plus chers que le panneau de particules, surtout les feuillus.

Les étagères en bois massif ou plaqué ont besoin d'être protégées par une finition (voir p. 164).

Lorsqu'un panneau de particules ou un panneau de fibres de densité moyenne à l'état brut ne présente pas un aspect satisfaisant, on peut le peindre ou le vernir.

LE VERRE

N'utilisez pas du verre de moins de 6 mm d'épaisseur. Et même dans cette épaisseur, les étagères ne peuvent pas supporter de lourdes charges. Les consoles ne doivent pas être espacées de plus de 40 cm.

Pour tout ce qui correspond à une utilisation courante dans la maison, choisissez du verre trempé de 9 mm d'épaisseur. Les consoles ne doivent pas être espacées de plus de 70 cm ; pour les livres, réduisez l'écartement à 50 cm.

Faites polir la tranche de la plaque de verre par votre fournisseur.

PLAQUES DE VERRE ACRYLIQUE

Le verre acrylique peut constituer des étagères originales, mais, en plaque mince, il est peu résistant. Avec une épaisseur de 4 mm, il peut convenir pour les objets très légers ; il faut au moins 12 mm pour des charges moyennes. L'écartement des consoles doit être de 40 cm.

La tranche des plaques peut être polie à la lime fine puis au papier de verre de grain de plus en plus gros, ou encore à la toile émeri humide, procédé très efficace.

INTERVALLES ENTRE LES CONSOLES, POUR LES ÉTAGÈRES EN BOIS MASSIF ET LES PLANCHES

Acheter les étagères et les consoles dans les catégories les moins chères peut se révéler une fausse économie si vous avez l'intention de faire supporter une charge importante à votre installation.

En effet, les matériaux les moins chers sont aussi, très souvent, les moins solides et, s'ils doivent supporter des étagères lourdement chargées, il leur faudra des points d'appui plus rapprochés.

ÉPAISSEUR	MATÉRIAU	INTERVALLES
16 mm	Panneau de particules brut ou mélaminé	Charges importantes : 40 cm
16 mm	Résineux massif	Charges moyennes : 60 cm
19 mm	Panneau de particules mélaminé	Charges importantes : 50cm
19 mm	Panneau de particules, densité moyenne	
19 mm	Résineux massif	Charges moyennes : 70 cm
19 mm	Feuillu massif	
25 mm	Panneau de fibres, densité moyenne	Charges importantes : 70 cm
25 mm	Résineux massif	
19 mm	Contre-plaqué	Charges moyennes : 90 cm
22 mm	Feuillu massif	
32 mm	Panneau de particules mélaminé	
32 mm	Résineux	90 cm
25 mm	Contre-plaqué	
25 mm	Bois massif	

CHOIX DE MATÉRIAUX POUR ÉTAGÈRES

Panneau de particules mélaminé blanc. Épaisseur : 16 mm

Panneau de particules mélaminé de couleur. Épaisseur : 16 mm

Panneau de particules lourd, mélaminé ton bois. Épaisseur : 18 mm

Résineux (pin), teinté, poli

Panneau de particules plaqué bois, verni clair

Panneau de fibres, densité moyenne, verni clair

Contre-plaqué verni

Plaque de verre acrylique (ex. « Plexiglas »). Épaisseur : 9 mm

Plaque de verre. Épaisseur ; 6 mm

Bois massif verni (chêne)

Renforts d'étagères avec tasseaux et champlats

On peut renforcer les étagères pour augmenter leur résistance à la flexion. Ces renforts peuvent apporter un élément décoratif, éventuellement dissimuler des fixations.

Fixez un tasseau assez épais (feuillu ou résineux) sur toute la longueur, à l'avant ou à l'arrière de l'étagère, par-dessus ou par-dessous. Deux tasseaux, l'un à l'arrière et l'autre devant, procurent un renfort supplémentaire.

Plus le tasseau est épais, plus on gagne en solidité. Fixez les tasseaux à l'étagère avec de la colle et des vis.

Un mince champlat en bois dur peut être collé et cloué le long de la tranche de l'étagère. S'il a la même épaisseur que l'étagère, il lui donnera un fini soigné mais sans la consolider ; s'il est plus épais, il jouera un double rôle de renfort et de décoration.

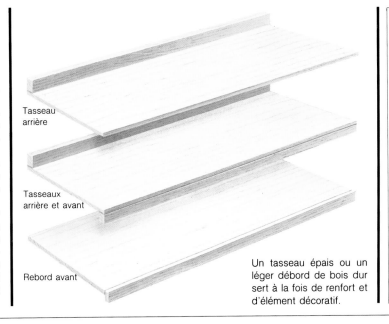

Tasseau arrière

Tasseaux arrière et avant

Rebord avant

Un tasseau épais ou un léger débord de bois dur sert à la fois de renfort et d'élément décoratif.

POSITION DES CONSOLES

Consoles aux extrémités : l'étagère fléchit au milieu.

Consoles déplacées vers le centre : la charge est mieux équilibrée.

La position des consoles peut accroître la résistance des étagères au fléchissement.

Si les extrémités des étagères dépassent les consoles, la flèche au centre sera réduite. Les étagères doivent être vissées aux consoles, ne serait-ce que pour les empêcher de basculer si on les charge à une extrémité.

Vérification de l'horizontale et de la verticale

UN NIVEAU FIABLE ET PEU COÛTEUX

Un niveau à bulle coûte assez cher, et vous pouvez hésiter à en acheter un.

Une solution consiste à en fabriquer un à l'aide d'un tuyau en plastique transparent. Il est plus pratique que le niveau à bulle, notamment dans les angles, dans des espaces étroits, et même d'une pièce à l'autre, puisque vous pouvez le fabriquer sur mesure.

Ce «niveau-tube» est plus pratique utilisé à deux, mais, avec un peu d'ingéniosité, en vous servant d'une ficelle, vous pourrez l'utiliser seul.

Il ne fonctionne que lorsqu'on retire les bouchons de bois et qu'il n'y a pas de bulles dans l'eau.

Outil : cutter.
Matériel : 2 à 3 m de tuyau en plastique transparent, d'un diamètre de 10 à 13 mm. Deux chevilles de bois un peu plus grandes que le diamètre intérieur du tube (deux capuchons de stylo à bille peuvent faire l'affaire).

1 Taillez les extrémités des chevilles pour qu'elles puissent rentrer dans le tube.

2 Enroulez le tube (non bouché) au fond d'un évier et maintenez l'une des extrémités sous le robinet d'eau.

3 Quand un filet d'eau régulier s'écoule dans le tube et que toutes les grosses bulles d'air ont été éliminées, continuez à remplir, puis remontez l'autre bout du tuyau au niveau du premier. Fermez l'eau.

4 Agitez le tuyau pour que toutes les bulles d'air s'évacuent.

5 Videz un peu d'eau, jusqu'à obtenir une vingtaine de centimètres sans eau de chaque côté.

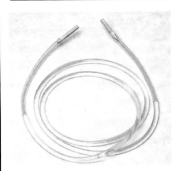

6 Avec des chevilles, bouchez le tuyau aux deux extrémités. Retirez-le de l'évier, essuyez-le tout en maintenant les bouchons en l'air.

7 Fixez-vous un point à partir duquel vous marquerez le niveau.

8 Ôtez les bouchons, puis tenez les deux bouts verticaux de façon que le niveau corresponde bien à la marque.

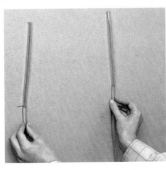

9 Pendant que vous maintenez d'un côté le niveau contre la marque, demandez à un aide d'amener l'autre extrémité à la distance souhaitée.

Les deux extrémités doivent être maintenues au même niveau. Si l'une descend de plus de 20 cm, l'eau s'écoulera, et il faudra rajuster le niveau de départ.

10 Maintenez le tuyau complètement immobile. Vérifiez que le niveau d'eau correspond toujours à la marque. Le niveau qui se trouve à l'autre extrémité vous indiquera le niveau exact recherché au point donné.

11 Marquez le niveau au point qui vous intéresse, puis rebouchez le tuyau pour une utilisation ultérieure.

COMMENT TROUVER LA VERTICALE

Un poids fixé à l'extrémité d'une ficelle et fermement maintenu d'en haut tombera verticalement, à condition que rien ne touche, ni la ficelle ni le poids. Vous pouvez acheter un fil à plomb, mais il est très facile (et bon marché) d'en improviser un.

Outils : ficelle (2 à 3 m), objet lourd de taille réduite, petit tournevis, plomb de pêche ou grand écrou, livre relié, grande vis ou gros clou, crayon, grande règle (un montant d'étagère pourra très bien convenir, par exemple).

1 Pour fixer des crémaillères d'étagère, tracez l'emplacement destiné à la vis la plus haute.

2 Insérez une cheville et enfoncez-y une grande vis ou un grand clou.

3 Attachez le poids à la ficelle et faites-le pendre, depuis la vis jusqu'au ras du sol.

4 Attendez que la ficelle se tende et que le poids se stabilise. Placez ensuite la tranche du livre sur le mur, en le rapprochant jusqu'à ce qu'il touche la ficelle. Faites une marque au crayon.

5 Retirez le livre, la ficelle et l'écrou. À l'aide d'un montant d'étagère ou d'un tasseau, tracez une droite joignant le centre de la vis à la marque au crayon.

Cette ligne marque le centre de fixation des crémaillères des consoles.

6 Il est ensuite facile de tracer d'autres verticales à partir de cette première ligne.

Éléments d'étagères sur mesure

Vous pouvez personnaliser vos rayonnages en fonction de vos besoins en les fabriquant vous-même à partir de bois massif ou de panneaux dérivés du bois. Les panneaux de particules sont moins chers que le bois massif et se travaillent plus facilement.

Ces structures sur mesure s'appuient sur des panneaux latéraux verticaux qui maintiennent l'ensemble.

QUATRE EXEMPLES DE STRUCTURES SUR MESURE

Lorsque les structures sont situées dans un renfoncement entre deux parois, la stabilité est assurée, du fait que les deux panneaux latéraux sont fixés au mur (A).

Lorsque l'un des deux panneaux latéraux n'a pas d'appui, il doit être fixé, sur toute sa hauteur, à un tasseau vissé au mur (B).

Lorsque deux panneaux latéraux n'ont pas d'appui, ils doivent être fixés comme précédemment (C).

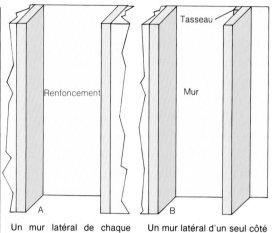
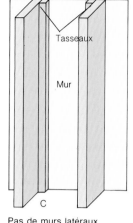
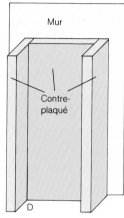

Un mur latéral de chaque côté
Le renfoncement offre la meilleure stabilité.

Un mur latéral d'un seul côté
Le panneau dépourvu d'appui latéral est fixé au mur du fond avec un tasseau.

Pas de murs latéraux
Les deux panneaux, sans appui latéral, sont fixés au mur avec des tasseaux.

Aucun mur
La structure, indépendante, est stabilisée grâce à un fond en contre-plaqué.

Enfin, lorsqu'il n'existe aucun appui, fixez les panneaux latéraux de part et d'autre d'un large panneau qui servira de fond. Fixez solidement l'ensemble contre le mur. Collez et clouez chaque étagère à l'intérieur de la structure (D).

STABILISATION DES ÉTAGÈRES

Une structure comprenant un ou plusieurs panneaux latéraux indépendants peut être complètement stabilisée grâce à des renforts d'angle en plastique vissés aux étagères du haut et du bas, ainsi que sur les côtés. Si la structure est haute, une ou deux des étagères intermédiaires devront aussi être renforcées par des cornières.

Panneaux latéraux dans un renfoncement

Les panneaux latéraux doivent être perpendiculaires au mur du fond, verticaux et parallèles les uns aux autres. C'est l'opération la plus délicate à réaliser dans le montage d'une structure d'étagères fixes.

Outils : fil à plomb, règle, équerre (ou panneau de bois à angle droit), scie à bois, crayon, perceuse et mèche, mèche à tête fraisée, tournevis, niveau à bulle, mètre métallique, éventuellement rabot.
Matériel : chevilles, vis à tête fraisée de 5 cm (pour fixer les tasseaux ou les panneaux au mur), panneaux latéraux de bois industriel ou de résineux (par exemple pin), étagères et supports, tasseaux en pin et chutes de contre-plaqué, vis de 4 cm à tête fraisée pour fixer les panneaux latéraux aux tasseaux.

VÉRIFIER L'ÉTAT DES MURS LATÉRAUX

Commencez par inspecter les murs.

1 Vérifiez que les murs latéraux sont bien rectilignes et plans, à l'aide d'un fil à plomb ou d'une grande règle plate et d'un niveau à bulle sur toute la hauteur des murs.

2 Pour vérifier que les côtés sont à angle droit par rapport au mur du

---

CONSEIL DE SÉCURITÉ
Avant de fixer dans le mur, vérifiez que vous ne risquez pas de détériorer une tuyauterie ou un câble électrique. Cherchez s'il n'y a pas d'un côté ou de l'autre des appareils à gaz ou électriques ou un circuit d'eau. La plupart des câbles et tuyaux sont installés verticalement ou horizontalement : vous ne risquez rien s'il n'y a pas d'appareils.

---

fond, faites courir une règle le long du mur du fond et appuyez une équerre sur le mur latéral. Si vous n'avez pas d'équerre, utilisez un panneau coupé à angle droit ou une plaque de contre-plaqué.

3 Si la surface de chaque mur latéral est à peu près rectiligne, plane et d'équerre, fixez les panneaux latéraux directement sur le mur.

POSE DE TASSEAUX INTERMÉDIAIRES

Si, comme c'est souvent le cas, rien n'est plan, ni d'équerre, ni rectiligne, les panneaux latéraux devront être montés sur des tasseaux intermédiaires.

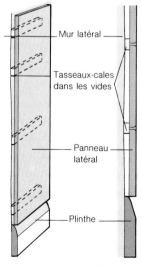

Mur latéral

Tasseaux-cales dans les vides

Panneau latéral

Plinthe

1 Coupez une série de tasseaux, en pin, légèrement plus court que

la largeur des panneaux latéraux. Si le mur présente un certain nombre de creux, donnez-leur une épaisseur suffisante pour combler le creux le plus important. Si le mur n'est pas vertical, prenez des tasseaux d'épaisseur variable.

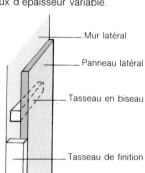

Mur latéral

Panneau latéral

Tasseau en biseau

Tasseau de finition

Si le mur latéral n'est pas à angle droit par rapport à celui du fond, les tasseaux doivent être coupés en biseau pour corriger l'écart (90° entre le panneau latéral et le fond).

2 Coupez et ajustez d'abord les tasseaux du haut et du bas. Assurez-vous que leur face supérieure est perpendiculaire au mur du fond et qu'ils sont exactement l'un au-dessus de l'autre. Utilisez des petites chutes de contre-plaqué comme cales.

UN BON TRUC
Lorsque vous percez dans un panneau de particules mélaminé, opérez à partir de la face qui sera visible vers celle qui ne le sera pas.

3 Fixez les tasseaux intermédiaires en les alignant sur ceux du haut et du bas. Pour un mur de 2,50 à 3 m de haut, posez quatre tasseaux et, de 1,20 à 2,40 m, trois tasseaux ; en dessous de 1,20 m, deux tasseaux suffisent.

FIXATION DES PANNEAUX LATÉRAUX

1 Coupez les panneaux latéraux à la bonne longueur.

2 Posez-les par terre ou sur un banc, côte à côte, face vers le haut. Au crayon, marquez les faces G (gauche) et D (droite).

3 Marquez l'emplacement de tous les supports exactement à la même hauteur sur chaque panneau, afin que les étagères soient horizontales. Utilisez une équerre pour tracer les horizontales. Si vous utilisez des taquets, tracez aussi les verticales.

4 Marquez l'emplacement des vis murales, de préférence là où elles seront invisibles une fois les étagères en place.

Il se peut que ce soit impossible si elles doivent être vissées aux tasseaux. Dressez les panneaux contre le mur pour marquer l'emplacement des tasseaux. Assurez-vous que les vis ne vont pas mal tomber, sur une plinthe ou une moulure par exemple.

5 Quand vous êtes certain que tous les emplacements sont correctement tracés, percez les trous pour les supports d'étagères et les vis murales. Cette opération est beaucoup plus facile à réaliser sur les panneaux latéraux posés à plat.

6 Quand les murs sont lisses et d'équerre, vissez les panneaux directement dans le mur. (Voir la fixation dans les différents types de murs, p. 226.)

Si vous avez posé des tasseaux, vissez les panneaux avec des vis de 4 cm.

COMMENT MASQUER LES JOURS ENTRE LES PANNEAUX LATÉRAUX ET LES MURS

Les jours entre murs et panneaux latéraux peuvent être masqués avec des moulures ajustées à la forme du mur.

CHOIX DES SUPPORTS POUR SYSTÈMES MOBILES SUR MESURE

Si vous voulez un ensemble d'étagères ajustables à différentes hauteurs, fixez une série de supports ou de douilles destinées à recevoir des goupilles de chaque côté des panneaux latéraux. Vous pouvez les répartir régulièrement à 40 cm d'intervalle ou faire varier l'intervalle. Il est inutile d'avoir des trous trop en haut ou trop en bas.

Si les étagères sont fixes, il n'est pas nécessaire d'avoir d'autres supports.

Si vous utilisez des supports à douilles et goupilles, il vous en faudra deux de chaque côté de l'étagère. Placez-les relativement près du bord à l'avant et à l'arrière, à 20 mm par exemple sur des étagères de 20 cm de large.

Tenez compte de l'épaisseur de chaque étagère qui se trouvera rehaussée une fois posée sur son support.

Percez toujours des trous qui s'adaptent très exactement au diamètre des douilles. Si les trous sont trop petits les goupilles n'entreront pas. S'ils sont trop grands les supports s'affaisseront et les étagères ne seront pas planes.

Veillez à maintenir la perceuse bien perpendiculaire au support. Enroulez un morceau de ruban adhésif autour de la mèche pour marquer la profondeur du trou à percer ; dans un panneau de particules mélaminé de 16 mm d'épaisseur, vous risqueriez de passer au travers.

TYPE DE SUPPORT	MATÉRIAU	SYSTÈME DE POSE
Taquet avec insert (à pousser)	Plastique (brun ou blanc)	Le taquet est enfoncé dans un insert logé dans un trou percé dans le panneau latéral. Pour que le système soit modulable, il faut un insert pour chaque trou et quatre taquets par étagère
Taquet et insert (à pousser et tourner)	Plastique (brun ou blanc)	Le taquet est enfoncé tête en bas dans l'insert plastique logé dans le panneau latéral. Faites-le ensuite pivoter et enclenchez-le. Pour que le système soit modulable, il faut un insert dans chaque trou et quatre taquets par étagère.
Taquet fixe (inamovible)	Plastique (brun ou blanc)	Le taquet est introduit au marteau à l'intérieur de l'insert, aussi loin que possible. Ajustez à la tenaille pour que la partie plate soit bien horizontale. Évitez de tirer sur les taquets dans des panneaux mélaminés ou de contre-plaqué, sinon, attention aux éclats.
Tourillon (inamovible)	Bois naturel (peut être teinté, verni ou peint)	Percez des trous ayant exactement le même diamètre que le tourillon et d'environ 1 cm de profondeur. Insérez les tourillons de 25 mm de long. Si ça coince, passez le tourillon au papier de verre
Taquet à clouer	Plastique (blanc) ; clous fournis avec les taquets	Positionnez les taquets de manière qu'ils s'alignent sur les verticales et les horizontales tracées sur les panneaux latéraux. Clouez avec un marteau à tête fine.
Crémaillère métallique (à plaquer)	Métal (brun, argent ou cuivré)	Tracez des lignes verticales de centrage des deux crémaillères sur chaque panneau latéral, et une ligne horizontale pour aligner les taquets. Vissez les crémaillères en place et accrochez les taquets dans les encoches (quatre par étagère).
Support d'étagère	Plastique (blanc), vis pour panneaux de particules, de 2 cm, six par paire de supports	Utilisez une seule paire de supports pour des étagères de 15 à 20 cm, et deux côte à côte pour des étagères de 30 à 50 cm de large. Vissez les supports sur les panneaux et recouvrez avec les caches.
Petits tasseaux	Bois naturel (peut être teinté, verni ou peint)	Peuvent être réalisés dans des coupes de bois massif de n'importe quelle taille. Les sections de 2 × 1 cm font de bons supports pour des étagères courantes. Coupez les tasseaux à la largeur des étagères. Fixez avec deux vis dans les tasseaux de 15 cm de long, trois dans les tasseaux de 15 à 25 cm et quatre au-delà.

Structures en cornières ajourées

Les rayonnages indépendants à structure en cornières ajourées assemblées avec boulons et écrous peuvent supporter des poids importants. Ces structures sont utiles dans un atelier, un garage, un bureau... Peintes dans des couleurs vives, elles conviendront également dans une cuisine ou toute autre pièce.

Les plus légères sont meilleur marché et conviennent bien aux usages domestiques. La cornière est vendue en grandes longueurs, qui peuvent être coupées à la scie à métaux. Des plaques d'acier triangulaires sont fournies pour renforcer les angles. La structure est maintenue par des boulons et des écrous.

Vous pouvez construire des rayonnages de n'importe quelle taille, mais une structure peu profonde dépassant 1 m de hauteur doit être fixée au mur, pour qu'elle ne risque pas de basculer.

Les étagères peuvent être en panneau de particules ou tout autre matériau en plaque.

Outils : étau ou établi portatif, scie à métaux, deux clés à molette pour assembler boulons et écrous, scie à bois (pour les étagères), lime métallique, papier de verre, pinceau.
Matériel : cornières ajourées légères, plaques d'angle avec écrous et boulons correspondants ; panneau de particules ou autre pour étagères. Éventuellement, peinture pour étagères et cadre.

1 Faites un croquis sommaire de la structure. Il n'a pas besoin d'être très détaillé : il permet simplement de vérifier que l'étagère tiendra bien dans l'espace disponible, et vous aidera à évaluer le matériel nécessaire.

2 Coupez la cornière à la bonne longueur en la maintenant dans un étau ou bien un établi portable.

3 Si le châssis est constitué de deux unités, boulonnez ensemble les deux montants verticaux du centre.

4 Montez les cadres de côté en posant les montants verticaux au sol pour boulonner les traverses. Ajustez les renforts d'angle aux traverses supérieure et inférieure, puis à chaque intersection.

5 Boulonnez les traverses latérales à la structure du fond, sans oublier les renforts d'angle.

6 Redressez la structure et construisez la seconde partie.

7 Découpez et placez les étagères.

8 Poncez légèrement le châssis au papier de verre et passez deux couches de peinture brillante.

UN BON TRUC
Pour éviter les pertes, les chutes de cornières peuvent être aboutées en recouvrant le joint d'un fragment de cornière et en boulonnant le tout. Cela assure plus de rigidité à l'ensemble.

Traverse
Plaque d'angle
Montant vertical
Cornière horizontale
Doubles montants verticaux
Étagère

Pour protéger le sol, vous pouvez ajouter des sabots en plastique aux pieds des cornières. Le rayonnage peut être transformé en éléments roulants en y ajoutant des roulettes.

Dressoir à vaisselle

Vous pouvez présenter de jolies assiettes dressées sur une étagère en fixant une baguette de bois ou en creusant une rainure dans l'étagère. Une baguette de 6 × 10 mm ou une rainure de 6 mm de profondeur et 10 mm de largeur conviendront pour la plupart des assiettes.

Outils : limande, crayon, marteau à tête fine, petit pinceau. Pour rainurer : scie circulaire et ciseau à bois ou gouge.
Matériel : colle à bois, pointes fines de 15 mm, baguette, peinture ou vernis. Mastic ou pâte à modeler. Pâte à bois pour la rainure.

1 Pour déterminer l'emplacement de la baguette ou de la rainure, présentez une assiette sur l'étagère et faites-la tenir debout avec du mastic ou de la pâte à modeler. De loin, vérifiez si l'angle est satisfaisant.

2 Tracez une ligne le long de l'étagère, là où se trouvera la base de l'assiette.

3 Clouez la baguette contre le trait avec des pointes fines. Autre méthode : avec une scie circulaire, creusez une rainure le long de la ligne en repassant plusieurs fois et en utilisant un guide qui sera rajusté à chaque passage. Vous pourrez avoir besoin d'une gouge pour adoucir la rainure.

4 Terminez en passant une couche de peinture ou de vernis.

5 Pour empêcher les assiettes de rouler en bout d'étagère, ajoutez un morceau de baguette de chaque côté de l'étagère, ou encore comblez la rainure avec un tasseau de bois ou de la pâte à bois.

Ajouter un rebord
Sur des étagères étroites un rebord peut être utile si vous avez à dresser de grandes assiettes. Collez et clouez un chant plat de bois dur dépassant d'environ 6 mm du bord de l'étagère.

Fixer un rayonnage ou un placard sur un mur

Si vous voulez construire un rayonnage ou un placard sur un mur bien droit, les panneaux latéraux peuvent être fixés au mur sur des tasseaux. Pour l'esthétique, les tasseaux sont posés à l'intérieur de la structure.

Vous pouvez renforcer la stabilité d'une structure très large par un panneau central fixe, les tasseaux de renfort étant placés de part et d'autre. Les panneaux doivent être droits et d'équerre par rapport au mur du fond.

Il peut arriver qu'il faille poser les panneaux de côté avec un certain angle, pour tenir compte de la pente d'un toit ou d'un mur. On fixe de la même manière en adaptant les angles des panneaux et des étagères au cas précis.

VÉRIFIER QU'UN MUR EST VERTICAL

Vérifiez que le mur est vertical avec un niveau à bulle ou un fil à plomb. Si, sur la hauteur du rayonnage, le mur a plus de 15 mm d'inclinaison (si son «fruit» est plus important), la meilleure solution est de couper la partie arrière du panneau latéral pour l'ajuster approximativement au mur avant de le fixer. Il risquerait sinon de se trouver décalé par rapport au tasseau.

CHOIX DES PANNEAUX

Le matériau le moins coûteux pour les panneaux latéraux est le panneau de particules de 16 mm mélaminé ou recouvert d'un décor bois. Il n'est pas nécessaire de le peindre, ce qui simplifie le travail. Le panneau de particules plaqué bois devra être poncé ou verni après avoir été coupé aux dimensions. Vous pouvez vous procurer des panneaux mesurant en moyenne 2,50 × 1,20 m (les dimensions sont variables).

Vous pouvez employer du contreplaqué de même épaisseur beaucoup plus cher, mais qui peut être verni pour donner un fini bois naturel.

DIMENSIONS DES TASSEAUX

Les petites structures, celles dont les panneaux latéraux ne dépassent pas 1,20 m de haut, peuvent être fixées au mur avec des tasseaux ayant une section d'environ 25 × 25 mm (les dimensions varient suivant les essences).

Pour les éléments hauts, utilisez des tasseaux de 25 × 50 mm fixés à plat le long du mur.

Les tasseaux doivent être assez solides pour ne pas plier une fois en place, et assez épais pour résister au passage des vis au travers du panneau.

Pour la fixation dans les différents types de mur, voir p. 226 à 229.

RENFORCER DES PANNEAUX

Les panneaux latéraux doivent être fermement arrimés sur le devant pour ne pas s'écarter et risquer de faire tomber les étagères.

Ils peuvent être fixés de deux façons : soit en vissant les étagères en haut et en bas du rayonnage avec des équerres, soit en vissant les tasseaux au sol et au plafond, les panneaux latéraux étant eux-mêmes vissés aux tasseaux.

Pour les rayonnages très hauts, fixez une ou deux étagères intermédiaires aux panneaux latéraux avec des cornières.

UN BON TRUC
Faites couper les panneaux latéraux et les étagères à dimension par le fournisseur. Cela vous garantit que les angles sont d'équerre et que la mélamine ou le placage bois ne seront pas écaillés.

Outils : niveau à bulle, fil à plomb, équerre, scie, tournevis, perceuse et forets hélicoïdaux, foret au carbure de tungstène pour chevilles murales, crayon, marteau.
Matériel : panneaux latéraux, tasseaux de 5 cm de section, vis à tête fraisée pour fixer les tasseaux au mur, chevilles murales, vis à tête fraisée pour fixer les panneaux aux tasseaux, cache-tête pour vis, étagères, chutes de contre-plaqué et de carton, équerres (voir p. 160).

FIXATION DES TASSEAUX AU MUR

1 Tracez sur le mur, à l'aide d'un grand niveau à bulle, une ligne verticale correspondant au bord intérieur du panneau latéral.

2 Si l'ensemble ne va pas du sol au plafond, tracez sur cette verticale les limites inférieure et supérieure du panneau.

3 Coupez un des tasseaux à dimension. Pour les structures allant jusqu'au plancher, faites reposer la base du tasseau sur la plinthe.

Si le tasseau croise une moulure, coupez-le en deux et raccordez de part et d'autre.

4 Percez et fraisez des trous dans le tasseau pour les vis destinées au mur.

Percez au moins deux trous dans les tasseaux mesurant jusqu'à 90 cm de long, trois jusqu'à 1,50 m et quatre au-dessus. Percez un trou à chaque extrémité à 15 cm du bord, et espacez les autres en équilibrant l'écartement.

5 Introduisez une vis dans chaque trou du tasseau, bien maintenu le long de la verticale tracée sur le mur. Vérifiez la hauteur.

6 Tapez avec un marteau sur la tête de chaque vis pour marquer l'emplacement sur le mur.

7 Percez soigneusement les trous.

8 Introduisez les chevilles et vissez le tasseau au mur.

Si, au fur et à mesure du vissage, vous constatez que le mur n'est pas aussi rectiligne que vous l'aviez prévu, calez le tasseau avec des chutes de contre-plaqué ou de carton placé entre celui-ci et le mur.

9 Posez les autres tasseaux de la même manière.

MISE EN PLACE DES PANNEAUX LATÉRAUX

1 Si le mur est oblique ou vraiment irrégulier, taillez la tranche du panneau sur l'arrière jusqu'à ce qu'il soit à peu près ajusté.

2 Coupez les angles inférieurs pour les ajuster à la plinthe.

3 Découpez éventuellement le panneau pour l'ajuster au niveau de la moulure.

4 Faites-vous aider pour bien aligner les panneaux latéraux aux tasseaux.

Sur les bords du panneau, éliminez toutes les aspérités qui empêcheraient de le placer au fond.

5 Marquez l'emplacement des vis de fixation sur les tasseaux.

Sur un mur qui présente des creux et des bosses, marquez l'emplacement des vis à l'endroit où elles auront une bonne prise dans le tasseau.

Comptez trois trous pour les structures n'excédant pas 1,20 m de haut, et jusqu'à six pour celles qui couvrent le mur sur toute sa hauteur. Évitez de venir buter sur les vis qui maintiennent le tasseau au mur.

6 Retirez le panneau latéral du mur, percez et fraisez des trous pour les vis.

7 Introduisez les vis dans les trous et remettez le panneau en place.

8 Marquez l'emplacement des vis sur le tasseau et amorcez les trous à la perceuse.

9 Vissez les panneaux latéraux aux tasseaux et couvrez les vis avec des cache-tête.

RENFORCEMENT DU BORD EXTÉRIEUR

Vous pouvez rendre rigide le bord extérieur de la structure par l'une des deux méthodes suivantes. Si la structure ne va pas jusqu'au plancher ou au plafond, utilisez la première méthode.

Fixer un rayonnage ou un placard sur un mur (suite)

Fixation aux étagères du haut et du bas

1 Mesurez la distance entre les faces internes des panneaux latéraux à partir de l'emplacement des tasseaux muraux.

2 Coupez les étagères à cette longueur.

3 Ajustez une étagère en haut de la structure et une autre en bas.

Fixation des tasseaux au plancher et au plafond

1 Vissez les tasseaux sur les lattes de plancher à angle droit du mur et au ras des tasseaux muraux.

2 Vissez le bas des panneaux sur les tasseaux du plancher.

3 Fixez des tasseaux au plafond (voir p. 245) et vissez le haut des panneaux de la même manière.

MISE EN PLACE DES ÉTAGÈRES

Si vous voulez que le fond des étagères touche le mur, vous devrez découper les angles sur l'arrière, afin que les tasseaux puissent s'y encastrer. Mais, dans certains cas, un petit espace au fond ne sera pas gênant, par exemple si les étagères contiennent des livres ou des vêtements. Installez les étagères.

Rayonnage à cloisonnements verticaux

Les séparations verticales renforcent les étagères et créent un cloisonnement commode pour séparer un espace d'un autre.

Dans la mesure où les cloisonnements empêchent les étagères de fléchir sous une charge importante, ils sont recommandés pour les rayonnages de longue portée.

Les cloisonnements doivent répartir le poids sur quelque chose de solide, sinon les étagères continueront à fléchir. Il n'y a donc aucun avantage à fixer un cloisonnement au milieu du rayonnage s'il n'y a pas de continuité jusqu'au sol pour reprendre réellement une partie des charges.

QUATRE FAÇONS DE METTRE EN PLACE LES CLOISONNEMENTS

1 Les séparations peuvent être correctement fixées aux étagères supérieure et inférieure avec des vis pour panneau de particules de 4 cm ou des clous tête d'homme enfoncés par-dessus dans l'étagère supérieure, et par-dessous dans l'étagère inférieure. Les fixations doivent tomber au centre des séparations et non pas sortir à côté. Vous percerez donc de petits trous au travers des étagères pour guider vis ou clous.

Les étagères ne dépassant pas 15 cm de large nécessitent deux fixations par séparation, par-dessus et par-dessous ; les étagères plus larges exigent une fixation de plus tous les 15 cm.

2 Fixez les séparations aux étagères avec des tourillons (voir p. 162).

3 Fixez les séparations aux étagères à l'aide de deux petites cornières (voir p. 160), en haut et en bas. Elles seront invisibles sur l'angle inférieur d'un des côtés de la séparation.

4 Des séparations n'exigeant pas de fixations peuvent être réalisées

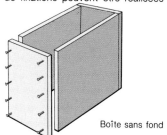

Boîte sans fond

dans du bois massif plus épais (5 cm ou plus).

MISE EN PLACE DES SÉPARATIONS

La hauteur des séparations verticales doit correspondre exactement à la distance séparant les étagères. Les étagères se déformeront si les séparations sont trop grandes ou trop petites. Les étagères doivent être coupées d'équerre.

1 Prévoyez l'emplacement des séparations et faites couper leurs éléments d'équerre et aux dimensions exactes par votre fournisseur.

2 Faites couper à la cote tous les autres morceaux, pour qu'ils soient prêts à être assemblés.

3 Numérotez chaque étagère de haut en bas avec un crayon gras. Portez également sur chacune « haut », « bas » et « devant », pour qu'il n'y ait pas de confusion en construisant la structure.

4 Si l'écart entre les étagères est variable, marquez sur chaque séparation le numéro des étagères correspondantes.

5 Empilez les étagères de telle sorte que la face supérieure de l'étagère du dessous soit en contact avec la face inférieure de l'étagère du dessus. Repérez avec un crayon et une équerre l'emplacement de la séparation sur les chants des étagères.

Tracez deux traits correspondant à l'épaisseur de la séparation.

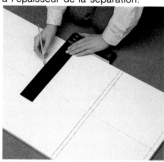

6 À partir des repères faits sur les chants des planches à plat, tracez sur la face, avec une équerre, deux traits correspondant à l'épaisseur de la séparation. Les fixations seront centrées entre ces deux lignes.

7 Répétez ce processus de marquage pour chaque paire d'éta-

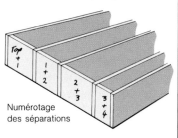

Numérotage des séparations

gères, haut et 1, 1 et 2, 2 et 3...

8 Au sol, dressez les séparations et les étagères sur leur « dos » dans l'ordre de numérotation.

Déplacez les séparations à une extrémité des étagères pour pouvoir prendre des mesures précises.

Si la structure est trop haute ou trop large, vous pouvez corriger l'erreur en réduisant la hauteur ou la largeur d'une ou plusieurs séparations.

9 Si vous réalisez une structure indépendante, marquez les points d'assemblage correspondant sur les quatre panneaux extérieurs formant le caisson. Assemblez-les, puis défaites les fixations.

10 À partir d'une de ces quatre méthodes de fixation, assemblez au sol les étagères et les séparations, dans l'ordre des numéros.

11 Pour les structures autonomes, complétez le montage en reliant les panneaux latéraux en haut et en bas. Vérifiez le parallélisme des étagères et l'équerrage de leurs extrémités. Fixez-les aux côtés avec des équerres.

12 Pour les étagères et séparations qui doivent s'encastrer dans un renfoncement entre deux panneaux déjà fixés, soulevez l'ensemble monté au sol, glissez-le dans son emplacement, puis fixez l'extrémité des étagères aux montants verticaux avec des équerres.

SUPPORTS D'ÉTAGÈRES EN MONTANTS DE BOIS

Si vous ne voulez pas faire descendre les séparations verticales jusqu'au sol, le poids des étagères peut être supporté par des montants de bois fixés à l'étagère inférieure.

Ajustez les montants sous l'étagère, à l'arrière et à l'avant, au ras du bord. Fixez-les avec des équerres ou des tourillons, ou encore en vissant au travers de l'étagère dans le montant.

Lorsqu'il s'agit d'un renfoncement, il n'est pas nécessaire de fixer les montants aux panneaux latéraux. Dans le cas contraire, chevillez les montants aux panneaux latéraux.

La taille des montants varie en fonction de la charge de l'étagère.

LONGUEUR DE L'ÉTAGÈRE	SECTION DU MONTANT
Jusqu'à 90 cm	5 × 2,5 cm
De 90 cm à 1,50 m	7,5 × 2,5 cm
Au-dessus de 1,50 m	10 × 2,5 cm

Construire un placard type

Un placard, quel qu'il soit, n'est pas autre chose qu'un caisson composé d'un dessus, d'un dessous et de deux côtés, le tout assemblé. Très souvent, il s'y ajoute un fond, collé et cloué sur le chant des autres côtés, qui lui procure une rigidité supplémentaire. Cet ensemble de base peut être équipé d'étagères et de portes.

Les panneaux de particules de 16 mm d'épaisseur surfacés mélaminés ou plaqués de bois sont les matériaux les plus courants et les moins chers pour réaliser des placards. Si vous utilisez un autre matériau, plus épais et plus résistant que le panneau de particules, il supportera de plus lourdes charges et les travées d'étagères ou les dessus pourront avoir une portée plus longue sans points d'appui intermédiaires (voir p. 170).

DIMENSION DES ÉLÉMENTS

Si le dessus du placard est visible, construisez le caisson de telle manière que la partie supérieure repose sur le chant des côtés. Le dessous, lui, sera disposé entre les côtés. Cela dissimule au maximum le chant des panneaux. Seuls les chants latéraux en partie supérieure restent visibles et demanderont une finition avec une bande de chant en placage bois ou en matière plastique (voir p. 152).

Selon ce principe, les côtés seront de même dimension, mais le dessus sera plus long que le dessous, puisqu'il faudra ajouter au premier l'épaisseur des deux côtés.

Pour réaliser un caisson, quelle que soit sa profondeur, de 122 × 76 cm dans du panneau de particules de 16 mm plaqué il vous faudra les découpes suivantes par : dessus : 1,25 m de longueur par

la profondeur du caisson; base : 1,20 m de longueur par la profondeur du caisson; côtés : 74,5 cm de longueur par la profondeur du caisson.

ACHAT DES MATÉRIAUX

Pour que le caisson soit à angle droit devant et derrière, il est primordial qu'au départ chaque découpe soit d'équerre.

La meilleure façon pour que les panneaux soient coupés d'équerre et que les cotes soient respectées est de les faire découper par votre fournisseur. Sa scie à panneau coupe sans faire d'éclats sur les chants, ce qui n'est pas le cas lorsqu'on découpe un panneau avec des outils de bricolage.

Avant d'acheter les panneaux, vérifiez que les deux faces sont bien nettes et que les bandes de placage bois ou en plastique adhèrent fermement sur les chants. Vérifiez également que le panneau est bien plan.

Les chants non plaqués des panneaux standard sont en général bruts, avec quelques éclats sur les bords. Il faut les retravailler pour obtenir des chants lisses, que l'on pourra terminer avec des bandes de placage.

Prévoyez environ 15 mm de chaque côté pour cette opération. Afin de ne pas faire de dépenses inutiles, tenez-en compte dès la conception. Cela peut éviter d'acheter un panneau de dimensions supérieures.

UN BON TRUC

Prévoyez de préférence les caissons un peu plus courts que la longueur des panneaux standard, 1,20 m pour un caisson de 1,25 m, afin de disposer de la différence pour la rectification éventuelle des chants.

De même, vous pouvez fabriquer un placard de 1,25 m de large en découpant le dessus et le dessous dans un panneau de 2,25 m. Les côtés pour un placard de 76 cm de haut peuvent être découpés dans un panneau de 1,55 m.

En procédant ainsi, vous réaliserez des économies substantielles.

ASSEMBLAGE DU CAISSON

Quand les éléments ont été découpés avec exactitude, ils

peuvent être assemblés avec des équerres sur chant, des cornières ou des tasseaux (voir p. 160).

Les équerres sont susceptibles de poser des problèmes si elles sont disposées dans les angles intérieurs. Elles peuvent, par exemple, empêcher les livres de se tenir verticaux.

Si vous vous sentez capable de

percer avec une grande précision, les tourillons (voir p. 162) résoudront ce problème; ils permettent un assemblage solide et des angles intérieurs dégagés.

Il existe trois manières d'obtenir des angles intérieurs nets :
— des tourillons à tous les angles;

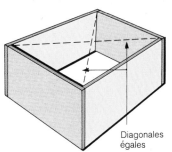

— des tourillons en partie supérieure et des équerres sous un fond surélevé;
— des équerres sur un dessus abaissé et sous un fond surélevé. Avec un fond surélevé ou un dessus abaissé, on ajoute en général une plinthe en bas et une corniche en haut pour cacher les fixations. L'une et l'autre doivent être dans le même matériau que le placard et fixées avec de petites équerres.

Un fond surélevé peut également dissimuler des roulettes, par exemple pour un bloc de rangement mobile.

Les tiroirs

Si l'élément de rangement doit contenir une série de tiroirs, prévoyez-le dès le départ, car leur forme déterminera la construction du caisson. Les tiroirs seront placés à bonne hauteur, afin que leur manœuvre ne soit pas gênée par les éléments d'assemblage.

CONTRÔLE DE L'ÉQUERRAGE

Une fois l'élément assemblé, posez-le sur sa tranche, afin de contrôler son équerrage. Mesurez la distance

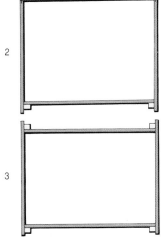

Diagonales égales

d'un angle à l'autre selon les deux diagonales. Les deux distances doivent être identiques.

Si une diagonale est plus longue que l'autre, desserrez les vis des équerres, repoussez l'angle de la plus grande diagonale doucement mais fermement jusqu'à ce que les mesures correspondent. Resserrez les équerres.

Dans le cas d'un assemblage par tourillons, prenez les mesures après avoir posé la bande de chant thermocollée, puis placez le caisson dans un serrre-joint.

FINITION DU FOND

Lorsque l'élément est d'équerre et que la colle des tourillons est sèche, on peut appliquer un fond arrière, qui apportera une rigidité supplémentaire, empêchera également le contenu du placard de tomber à l'extérieur.

Si vous utilisez du panneau de fibres ou du contre-plaqué, posez le caisson sur le panneau de façon que les deux côtés du caisson coïncident avec deux côtés du panneau. Tracez les deux autres côtés et découpez.

Fixez le fond avec un filet de colle vinylique, puis en clouant dans les chants du caisson avec des fines pointes tête d'homme de 25 mm.

Pose d'une porte à charnières sur un placard

Il existe dans le commerce un large choix de portes de styles et de tailles différents, soit en bois massif, soit en panneaux de particules plaqués. Les formats correspondent généralement aux dimensions des éléments de cuisine.

Tenez compte, si possible, de ces dimensions : vous réduirez considérablement votre travail en utilisant des portes toutes faites, au lieu de les concevoir et de les fabriquer vous-même. Les portes sur mesure peuvent être réalisées avec du panneau de particules mélaminé ou plaqué, ou encore dans du contre-plaqué, mais celui-ci risque de se déformer, surtout en dessous de 12 mm d'épaisseur.

LES CHARNIÈRES

Les charnières sont en général vendues et utilisées par paires.

Les charnières de portes de placards sont de plus petite taille que celles destinées aux portes de communication. Plus la charnière est longue, plus la porte sera stable.

Pour éviter de faire éclater le bois, disposez les charnières à une distance de 1 fois à 2 fois et demie leur longueur par rapport aux angles de la porte.

Une porte dépassant 1 m de haut, réalisée dans un matériau léger comme du contre-plaqué de 15 mm, a besoin d'une troisième charnière centrale pour maintenir un bon alignement sur l'encadrement. Les portes hautes et plus lourdes seront montées soit avec deux charnières de 75 mm, soit avec trois de 65 mm.

AJUSTEMENT D'UNE PORTE À CHARNIÈRES

Que vous utilisiez une porte toute faite ou de votre fabrication, assu-

TABLEAU DE CORRESPONDANCE DES CHARNIÈRES ET DES PORTES

HAUTEUR DE LA PORTE	NOMBRE DE CHARNIÈRES	TAILLE DES CHARNIÈRES (DROITE, À AILETTE OU DÉPORTÉE)	NOMBRE ET TAILLE DES CHARNIÈRES INVISIBLES RÉGLABLES
Jusqu'à 40 cm	2	4 cm	2 × 25 mm
De 40 à 75 cm	2	5 cm	2 × 25 mm
1 m	2 ou 3	5 cm	2 ou 3 × 25 mm
1,25 m	2 ou 3	5 cm	3 × 25 mm ou 2 × 35 mm
1,50 m	3	5 ou 6,5 cm	3 × 25 mm ou 2 × 35 mm
1,80 m	3	5 ou 6,5 cm	3 × 35 mm
2 m	3	6,5 cm	3 × 35 mm
2,30 m	3 ou 4	6,5 cm	3 × 35 mm
2,50 m	4	6,5 cm	3 ou 4 × 35 mm

rez-vous qu'elle correspond bien à l'ouverture de l'élément avant de poser les charnières.

PORTES AFFLEURANTES

Pour les portes qui sont posées à fleur du cadre, il faut prévoir un jeu de fonctionnement entre la porte et le cadre.

Pour les charnières à entailler, laissez 2 mm de jeu de chaque côté. À cet espace créé par la charnière correspond un espace identique côté fermeture, ce qui permet à la porte de se fermer correctement.

Pour les charnières simplement vissées en surface, sur la porte

et le montant, le jeu doit être de l'épaisseur de la charnière, plus 2 mm.

PORTES À RECOUVREMENT

La taille de la porte à recouvrement dépend du type de charnière que vous utilisez, ainsi que de la largeur de recouvrement.

Avec une charnière invisible

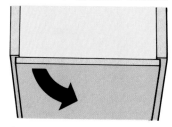

réglable, la porte doit recouvrir le cadre d'environ 15 mm, selon l'épaisseur du matériau employé pour la porte. La largeur de recouvrement nécessaire est indiquée sur l'emballage de la charnière.

Certains modèles de charnières déportées peuvent déterminer les

dimensions des portes à recouvrement. Par exemple, avec une charnière déportée fixée sur la surface de la porte, la porte doit être suffisamment décalée pour que la charnière puisse se fixer sur le chant du caisson.

Ainsi, les nœuds de ce type de charnières se prolongent au-delà du meuble, permettant à la porte de s'ouvrir à 180°. Particulièrement utile pour les meubles à tiroirs et étagères comportant plusieurs portes adjacentes. Les modèles sont variés.

LES VIS DE CHARNIÈRES

La plupart des charnières sont percées et fraisées pour recevoir des vis de 4 ou 6 mm de diamètre.

Souvent, le fraisage est légèrement plus petit et la tête de la vis ne s'y encastre pas complètement, ce qui empêche la porte de se fermer parfaitement. Dans ce cas, plutôt que de refraiser les trous, utilisez des vis d'un diamètre plus faible.

POSE DES DIFFÉRENTS TYPES DE PORTE

Une porte de placard à charnières doit être posée sur un cadre ou un panneau vertical. Elle peut recouvrir le cadre (porte à recouvrement ou en applique) ou s'insérer à l'intérieur (porte à fleur ou au nu du cadre). Certaines charnières doivent être posées dans un logement entaillé à la fois dans la porte et le cadre ; d'autres se vissent directement, et sont donc faciles à poser. Dans le chant des panneaux de particules, du contre-plaqué et des panneaux de fibres de densité moyenne (M.D.F.), les vis ne tiennent pas. Avec ces matériaux, les portes doivent être équipées de charnières posées en applique, à moins qu'un cadre en bois massif n'ait été prévu. Ce tableau propose quelques types de charnières convenant à des types de porte.

TYPE DE PORTE	TYPE DE CHARNIÈRE
Porte à recouvrement Panneau de particules (sans alaise en bois).	Charnière invisible réglable.
Contre-plaqué ou M.D.F. (sans alaise en bois, mais avec cadre apparent).	Charnière déportée.
Porte et encadrement en bois massif (ou porte et encadrement en panneau de particules mélaminé ou plaqué, avec alaise en bois).	Charnière à ailette, charnière droite, charnière déportée, charnière invisible, charnière piano.
Double porte sur le même plan Panneau de particules (sans alaise en bois).	Charnière invisible réglable.
Contre-plaqué ou M.D.F. (sans alaise en bois, mais avec cadre apparent).	Charnière déportée.

TYPE DE PORTE	TYPE DE CHARNIÈRE
Porte et encadrement en bois massif (ou bien porte et encadrement en panneau de particules avec une alaise en bois).	Charnière déportée, charnière invisible réglable.
Portes affleurantes Panneau de particules (sans alaise en bois ; cadre en bois massif ou alaisé).	Charnière en applique seulement.
Porte et cadre en bois massif (ou porte et cadre en panneau de particules mélaminé ou plaqué avec alaise en bois).	Charnière à ailette, charnière droite, charnière en applique, charnière piano.
Double porte affleurante sur le même plan Porte et cadre en bois massif (ou porte et cadre en panneau de particules mélaminé ou plaqué, avec alaise en bois).	Charnière à ailette, charnière droite, charnière en applique.

CHOIX DES CHARNIÈRES APPROPRIÉES

TYPE DE CHARNIÈRE	DESCRIPTION	MODE DE FIXATION	AVANTAGES/INCONVÉNIENTS
Charnière invisible réglable 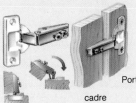 Porte / cadre	Deux tailles de boîtiers : 26 et 35 mm. Avec ou sans ressort pour maintenir la porte fermée ou ouverte à 90°.	Utilisez un trépan pour usiner le logement du cylindre dans la porte. Utilisez une perceuse avec un trépan monté sur un mandrin équipé d'un foret de guidage.	La charnière est réglable une fois en place pour que la porte s'ajuste au cadre. Prévu pour le panneau de particules et le panneau de fibres de densité moyenne. Fourni avec un gabarit, mais un bon matériel est nécessaire pour le perçage.
Charnière droite  Porte / cadre	De 15 mm à 15 cm. Les placards sont en général équipés en 5 cm.	Utilisez un ciseau pour réaliser le logement des charnières.	Non réglable une fois posée. Plus difficile à poser que la charnière à ailette. Résistance élevée.
Charnière à ailette 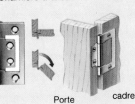 Porte / cadre	De 4 à 7,5 cm ; acier zingué. Même fonctionnement que la charnière droite.	Vissez l'ailette sur le cadre et l'autre partie sur la porte.	Pas d'entaille. Non réglable une fois posée. Moins résistante qu'une charnière droite. Pour les portes légères.
Charnière en applique 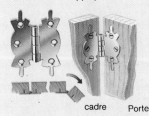 cadre / Porte	Différents dessins disponibles ; chromée ou en acier cuivré.	Montez sur les plats de la porte et du cadre avec des vis à tête bombée.	Pratique sur le contre-plaqué ou le panneau de fibres de densité moyenne. Non réglable une fois posée. Peu résistante. Pour les portes légères.
Charnière déportée 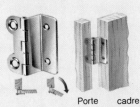 Porte / cadre	De 5 à 20 mm, en version décorative ou partiellement cachée.	Fixation variable suivant la forme.	Pour les portes légères. Non réglable une fois fixée. Permet une ouverture à 180°. Certains modèles conviennent pour les rangements avec tiroirs.
Charnière piano 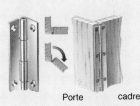 Porte / cadre	En longueurs de 1,75 et 2 m, à couper à la scie à métaux à la longueur de la porte. Disponible en cuivre, laiton, acier chromé, aluminium et plastique.	Les modèles courants minces se vissent directement sur le chant des portes et des cadres en bois massif.	Ajustement facile, grâce à la longueur de la charnière fixée sur toute la hauteur de la porte ; non réglable une fois en place.
Charnière à broches Porte / cadre	Charnière dégondable en deux parties.	Percez des trous dans le chant de la porte et du cadre, introduisez les tiges filetées, la partie pivot sur la porte. Vissez.	Réglable une fois posée, en vissant ou dévissant la tige filetée. Utilisable dans le panneau de particules si les perçages sont remplis de colle vinylique avant vissage. Laissez sécher avant réglage ou utilisation. Pour portes légères.

Compartiments de hauteurs différentes

Pour ranger du matériel hi-fi et vidéo, vous pouvez avoir besoin de compartiments de hauteurs dif-

férentes : l'un pour les disques, un autre pour les cassettes vidéo, un troisième pour les cassettes audio, avec d'autres compartiments pour l'équipement lui-même.

Le même principe peut être utilisé pour ranger des livres de différentes tailles ou des piles de linge.

Si vous faites une séparation verticale à l'intérieur d'un placard de base, celui-ci se trouvera divisé en deux parties, chacune ayant ses propres étagères placées à la hauteur souhaitée.

Si les étagères sont soutenues par des taquets, ceux-ci devront être décalés dans la séparation centrale, de façon à ne pas se trouver au même niveau que les

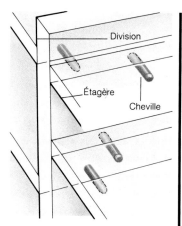

taquets du compartiment adjacent. Si toutes les étagères se trouvent

à différentes hauteurs, les taquets devront être simplement disposés en chicane, verticalement. Si vous voulez toutefois que deux étagères se trouvent placées à la même hauteur sur toute la largeur du rangement, décalez les taquets horizontalement. Les tablettes se trouveront alors au même niveau.

Fixez la séparation verticale avec des tourillons (voir p. 162) ou des équerres (voir p. 160).

Le rangement peut être équipé d'une porte ; il faut que celle-ci soit affleurante au cadre et que les étagères soient suffisamment en retrait pour permettre sa fermeture.

Cette technique est utilisable pour les rayonnages (voir p. 175).

Pose d'un abattant sur un meuble de rangement

Un abattant posé sur un rangement peut être fixé avec des charnières en haut ou en bas, selon son sens d'ouverture.

Les tablettes abattantes sont souvent utilisées pour créer un plan de travail, pour un bar, par exemple.

Les magasins de bricolage vendent des abattants en bois massif ou en panneau de particules.

Si vous avez besoin d'un abattant sur mesure, découpez-le dans

un panneau de particules plaqué, en finissant les chants avec des bandes de chant en placage de bois thermocollant ou des alaises en bois massif. Montez les charnières sur l'abattant de la même manière que sur une porte verticale (voir p. 178), en plaçant les charnières en haut ou en bas.

POSE D'UN SYSTÈME D'ARRÊT

Pour être maintenu une fois ouvert, un abattant exige deux arrêts. Une tablette abattante doit aussi être équipée d'un système d'arrêt, pour éviter qu'elle ne s'ouvre à plus de 90° en arrachant les charnières et en endommageant les parties inférieures. À l'horizontale, elle servira de surface de travail d'appoint.

Les systèmes les plus courants sont les coulisses d'arrêt, où le bras porteur glisse à l'intérieur du rangement quand l'abattant est fermé, et les compas articulés dont le bras se replie dans le placard.

Les coulisseaux à frein peuvent être utilisés sur les abattants lourds, pour les empêcher de des-

cendre brutalement. Certains modèles possèdent des limiteurs d'ouverture qui permettent de maintenir l'abattant ouvert à d'autres angles que 90°.

On peut aussi utiliser les charnières invisibles réglables (voir p. 179), munies de loqueteaux qui maintiennent les portes ouvertes.

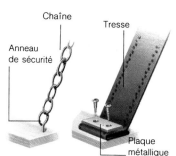

On peut préférer des systèmes légers à partir de chaînettes, de cordages ou de sangles. Les deux premiers sont fixés avec des pitons, et les sangles avec des petites plaques métalliques vissées dans l'abattant et dans le rangement.

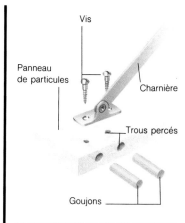

FIXATION DANS UN PANNEAU DE PARTICULES

Pour fixer des vis dans un abattant en panneau de particules, percez des trous dans le chant du panneau au niveau où vous poserez les vis, puis enfoncez des tourillons encollés.

Une fois que la colle est sèche, percez des avant-trous sur l'abattant, au niveau des tourillons.

Réalisation d'un panneau d'accrochage

Un panneau d'accrochage mural peut être fixé au mur de la cuisine, pour y suspendre des ustensiles,

ou de l'atelier, où il servira de présentoir à outils.

Fixez le panneau de fibres sur un cadre de 15 mm d'épaisseur, ce qui laissera de l'espace derrière pour les crochets. Des tasseaux intermédiaires ne sont nécessaires que si le panneau mesure plus de 50 cm de haut.

Une moulure d'encadrement décorative en bois massif peut être fixée en bordure.

Les crochets sont introduits à l'horizontale dans les perforations, puis basculés en position d'accrochage ; ils doivent pouvoir supporter des poids assez importants, comme des poêles en fonte.

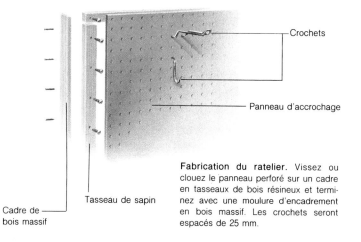

Fabrication du ratelier. Vissez ou clouez le panneau perforé sur un cadre en tasseaux de bois résineux et terminez avec une moulure d'encadrement en bois massif. Les crochets seront espacés de 25 mm.

Réalisation de portes de placards coulissantes

Les portes coulissantes sont plus simples à réaliser et à installer que les portes à charnières, mais une partie du placard reste fermée. Les portes larges coulissent mieux que les portes hautes et étroites.

Deux types de rails sont disponibles : l'un pour les petites portes de placards muraux ou de bibliothèques, l'autre pour les grands placards et les penderies.

RAILS POUR PETITES PORTES

Les petites portes légères, en contre-plaqué ou en bois massif, sont équipées de doubles rails en matériaux synthétiques vendus en grandes longueurs, et découpables avec une scie à denture fine du type scie à métaux. On les pose sur toute la longueur du placard.

Le système consiste en une feuillure peu profonde pour la traverse basse et en une feuillure plus profonde pour la traverse haute. Achetez des profilés qui correspondent à l'épaisseur de la porte.

Chaque partie est vissée de façon que le bord soit bien d'aplomb avec le devant du placard. Les vis de fixation doivent être encastrées pour que la porte coulisse librement.

> **UN BON TRUC**
>
> De la poussière peut toujours se glisser à l'intérieur du rail du bas, et, dans ce cas, elle est difficile à retirer. Si vous coupez le rail à environ 2 cm de l'extrémité, vous pourrez facilement balayer la poussière.

Largeur des portes

Un placard doit avoir au moins deux portes coulissantes. Leur largeur doit permettre, à leur jonction, une superposition de 3 à 5 cm.

Pour calculer la largeur des portes, mesurez la longueur intérieure entre les côtés du placard, ajoutez la superposition nécessaire et divisez par le nombre de portes.

Exemple pour deux portes :
Largeur intérieure totale du placard : 1,20 m ; superposition : 5 cm ; soit 1,20 m + 5 cm = 1,25 m pour 2 portes = 62,5 cm par porte.

Exemple pour trois portes :
Largeur intérieure totale du placard : 1,55 m ; deux superpositions de 5 cm ; soit 1,55 m + 5 cm + 5 cm = 1,65 m pour 3 portes = 55 cm par porte.

Hauteur des portes

Mesurez la distance du rail inférieur au bord du rail supérieur (A). Ajoutez la profondeur du rail inférieur (B). Une porte de cette hauteur peut être soulevée et logée à l'inté-

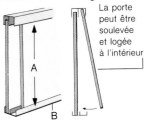

La porte peut être soulevée et logée à l'intérieur

rieur. Si vous frottez une bougie sur la tranche inférieure des portes, elles coulisseront en douceur.

Poignées de manœuvre

Des poignées sont indispensables pour faire coulisser les portes.

Elles existent en modèles ronds ou rectangulaires. Mais on peut aussi faire de simples découpes (rondes ou rectangulaires) dans l'épaisseur des portes.

RAILS SUPÉRIEURS

Les grandes portes coulissantes de penderies et de placards doivent de préférence être équipées de

systèmes de rails suspendus : chaque porte, équipée de roulettes, coulisse sur une glissière en aluminium. Le bas de la porte est guidé par un rail en U fixé au sol.

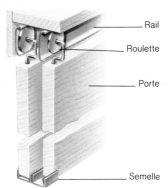

Rail
Roulette
Porte
Semelle

Les portes étroites et légères tendent à se décrocher si on les manœuvre un peu brusquement. Il est donc préférable de prévoir des portes ayant au minimum 40 cm de large et de ne pas utiliser des matériaux légers pour les portes ayant moins de 50 cm de large. Les panneaux de particules de densité moyenne (M.D.F.) et les panneaux de particules surfacés conviennent à ce type de portes. Un choix de rails de différentes longueurs est disponible dans le commerce.

Fixation des loqueteaux sur un placard

La pose de loqueteaux magnétiques au niveau de la poignée d'un placard permet une ouverture instantanée, sans forcer sur la porte ou ses gonds.

LOQUETEAUX MAGNÉTIQUES

Les portes affleurantes et les portes à recouvrement peuvent être équipées de loqueteaux magnétiques. Les grands loqueteaux ayant un aimant puissant, choisissez le loqueteau en fonction de la taille de la porte.

1 Vissez l'aimant sur le bord du placard. Si la porte est à recouvrement, fixez-le au ras de l'ouverture. Si la porte est affleurante, reculez-le à l'intérieur, d'une distance égale à l'épaisseur de la porte.

2 Placez la plaque métallique sur les aimants, fermez la porte, et

appuyez doucement au niveau de la plaque, qui laissera une légère marque sur la porte.

3 Ouvrez la porte, posez la plaque et amorcez les trous à la vrille.

4 Vissez la plaque.

5 Si c'est nécessaire, ajustez l'aimant en dévissant légèrement les vis et en corrigeant la position pour une bonne juxtaposition.

LOQUETEAUX À ROULEAU

1 Vissez la contre-plaque à l'intérieur du rangement. Dans le cas d'une porte à recouvrement, positionnez le loqueteau au ras de l'ouverture.

S'il s'agit d'une porte affleurante, reculez le loqueteau à l'intérieur d'une distance égale à l'épaisseur de la porte.

2 Vissez la gâche sur la porte à la même hauteur et suffisamment au bord pour que le loqueteau se bloque lorsqu'on ferme la porte.

3 Ajustez en desserrant les vis sur la contre-plaque et la gâche.

LOQUETEAUX À BILLE

Une fois posés, les loqueteaux à bille en plastique ou en laiton sont presque invisibles, mais ils ne sont utilisables que sur des portes affleurantes. Ils ne sont pas recommandés pour les panneaux de particules.

1 Marquez l'emplacement du loqueteau au centre sur le chant de l'ouvrant.

2 Percez un trou exactement au diamètre du corps du loqueteau.

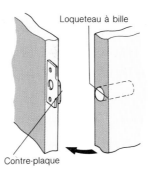

Loqueteau à bille

Contre-plaque

3 Introduisez le loqueteau dans le trou jusqu'à ce que la bille affleure le chant de la porte. Protégez la bille avec un morceau de bois.

4 Fermez la porte jusqu'à ce que la bille touche le bord du rangement. Marquez le centre et tracez un petit trait horizontal.

5 Mesurez la distance du centre de la bille à la porte et marquez précisément sur la ligne tracée l'endroit où doit se trouver le centre du trou de la contre-plaque.

6 Disposez la contre-plaque à plat, faites une marque autour.

7 Creusez cet emplacement selon l'épaisseur de la contre-plaque. Accentuez légèrement la profondeur sur le bord avant. Vissez la contre-plaque et pliez-la le long de son entaille.

Montage de tiroirs en plastique en kit

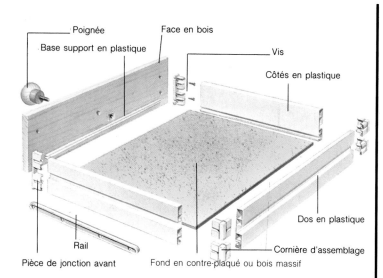

- Poignée
- Face en bois
- Base support en plastique
- Vis
- Côtés en plastique
- Dos en plastique
- Rail
- Cornière d'assemblage
- Pièce de jonction avant
- Fond en contre-plaqué ou bois massif

On peut réaliser un tiroir à partir d'un kit en plastique auquel on ajoute une face et un fond en bois. Pour réaliser côtés et dos, des profilés de plastique extrudé sont coupés à dimension et assemblés avec des joints d'angle.

La face du tiroir peut être achetée toute faite ou fabriquée en bois ou en panneau de particules plaqué bois. Le fond peut être découpé dans du contre-plaqué ou du bois massif.

Pour la fixation dans le placard, il existe également des glissières en plastique.

DIMENSIONS DE LA FACE

À partir d'un kit, on peut réaliser des tiroirs de n'importe quelle dimension, mais le fonctionnement sera meilleur s'ils sont plus profonds que larges.

La face est généralement prévue pour s'adapter sur le devant d'un rangement ; mais elle peut être également posée sur le côté, si vous envisagez d'ajouter une porte.

La face peut être de même hauteur que les côtés en plastique, ou plus haute. Si vous installez une série de tiroirs, cette hauteur dépendra du nombre de tiroirs à insérer dans l'espace disponible.

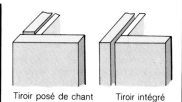

Tiroir posé de chant   Tiroir intégré

Mesurez l'encombrement nécessaire à la série de tiroirs, puis déterminez leur taille. Avant la coupe, vérifiez la hauteur des faces.

Une bonne méthode consiste à dessiner un plan de l'ensemble sur un panneau. Un jeu de 3 mm environ entre les tiroirs est nécessaire.

Si vous choisissez le panneau de particules pour réaliser les faces, pensez à ajouter l'épaisseur de la bande de chant, environ 2 mm par face. Les faces peuvent être de dimensions différentes d'un tiroir à l'autre.

Outils : équerre, crayon, scie à dos, tournevis, mètre métallique, niveau à bulle, tasseau en bois.

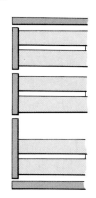

Matériel : voir croquis (ci-contre, à gauche).

ASSEMBLAGE DU TIROIR

1 Une fois le plan terminé, achetez tous les éléments (voir le croquis en haut à gauche) et suivez les instructions de montage fournies avec le kit. Il va s'agir d'assembler les côtés, ainsi que les faces avant et arrière, pour former le cadre extérieur (assemblez en collé-cloué si tous les éléments sont en bois).

Les côtés et le dos doivent être d'équerre ; marquez soigneusement les lignes de coupe avec le crayon et l'équerre.

Utilisez une scie à dents fines (scie à métaux, par exemple).

Si les angles ne sont pas parfaitement d'équerre après la coupe, rectifiez à la râpe ou au rabot.

2 Coupez la face du tiroir au format et plaquez les chants bruts (voir p. 152). Vissez les raccords de plastique et le support du fond.

3 Mesurez la largeur et la longueur du fond de façon qu'il s'adapte aux glissières. Assurez-vous que les quatre angles sont bien d'équerre, car le fond maintient le tiroir à angle droit. Coupez le fond à dimension, que vous glisserez après en place dans les rainures des côtés.

4 Lorsque tout s'assemble bien,
démontez, collez les assemblages d'angle et remontez le tiroir. Appuyez légèrement sur les angles et laissez sécher la colle.

POSE DES GLISSIÈRES

L'ajustement des tiroirs aux glissières est simple, si l'intérieur du placard est d'aplomb. Toutefois, si des éléments de structure du meuble gênent, il faudra prévoir un remplissage avant de pouvoir visser les glissières.

1 Demandez à quelqu'un de vous tenir le tiroir à la bonne hauteur. Poussez le tiroir et tracez une ligne sur le côté du placard où s'appuie soit le haut, soit le bas du tiroir.

2 Vérifiez l'horizontale à l'aide d'un niveau.

3 Retirez le tiroir. Présentez une chute de profilé en plastique perpendiculairement à la ligne tracée

et marquez la position exacte de la glissière.

4 Coupez un tasseau, placez-le debout entre le fond du placard et la ligne inférieure que vous venez de tracer. Il vous servira de cale pour maintenir la glissière pendant que vous la visserez.

Si vous posez plusieurs tiroirs, commencez par le haut ; vous couperez le tasseau au fur et à mesure pour soutenir chaque glissière.

Raccordement de deux placards

Vous pouvez avoir besoin de raccorder un rayonnage ou un placard à un autre, par exemple pour agrandir une installation existante en ajoutant un élément supplémentaire.

Si les éléments sont bas, il suffit de les juxtaposer. Mais quand les éléments sont hauts, ils ont tendance à s'écarter. Des vis de liaison en plastique peuvent être utilisées pour réunir solidement les deux éléments. Elles sont prévues pour raccorder deux panneaux de 16 mm, mais peuvent être utilisées sur une profondeur maximale de 4 cm et minimale de 2,5 cm.

Outils : serre-joints, crayon, perceuse, foret (un peu plus grand que le diamètre de la vis de liaison), deux pièces de monnaie.
Matériel : deux vis de liaison en plastique.

1 Accolez les deux éléments. Dans le cas où vous construisez deux éléments qui seront raccordés, placez l'un sur l'autre les deux côtés à relier.

Maintenez l'ensemble bien serré, à l'aide des serre-joints.

2 Marquez l'emplacement des vis sur l'un des panneaux.

3 Posez les deux panneaux sur un autre panneau de bois et percez un trou légèrement plus grand que le diamètre des vis.

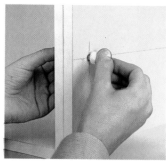

4 Introduisez les deux moitiés de la vis de liaison. Vissez avec une pièce de monnaie (au lieu d'un tournevis, qui peut abîmer la fente).

Plans de travail pour cuisine et atelier

Il existe deux sortes de plans de travail, les uns en bois, les autres en panneau de particules plaqué bois ou revêtu de stratifié.

Les plans en bois massif, généralement en bois résineux, sont en fait en bois lamellé-collé, dans une largeur de 60 cm et une épaisseur de 2,5 cm. Les panneaux plaqués font en général 60 cm de large, 2 à 3 m de long et, le plus souvent, 2,5 cm d'épaisseur.

Le chant avant peut être arrondi ou droit. Les chants latéraux ne sont pas toujours plaqués et des bandes de chant thermocollées ne sont pas toujours disponibles dans la teinte des faces. Aussi, lorsqu'un chant doit être visible, il est préférable de se procurer un panneau dont les chants sont plaqués.

PROTECTION CONTRE L'HUMIDITÉ

Tous les plans de travail étant exposés à l'humidité, il faut les protéger soigneusement. Pour du bois massif ou un panneau de particules plaqué, utilisez un vernis au polyuréthanne.

Les surfaces stratifiées doivent être protégées sur leurs chants, où l'âme du panneau est exposée à l'humidité.

Si l'évier ou le bac ne sont pas encastrés à fleur, mais reposent sur le plan de travail avec un rebord, la découpe doit être aussi proche de la cuve que possible. Protégez le chant avec plusieurs couches de vernis, jusqu'à ce que cela soit complètement étanche. Avant d'encastrer définitivement l'évier, retournez-le et déposez un cordon de mastic sanitaire sur le pourtour du rebord. Mettez en place.

RACCORDEMENT DE DEUX PLANS DE TRAVAIL

Lorsqu'un retour à angle droit est nécessaire, un joint entre les plans est indispensable. L'opération se complique du fait que la plupart des murs sont rarement à angle totalement droit. De plus, l'autre extrémité du plan de travail se trouve calée contre le mur ou le côté d'un élément fixe. Les mesures doivent donc être exactes.

Un joint peut éventuellement se dissimuler sous le rebord d'un évier ou d'un bac.

1 Voyons d'abord le cas d'un plan de travail sans découpe. Tracez des repères au dos et fixez-le le long du mur (voir le dessin ci-dessous).

2 L'angle exact que forment les deux plans de travail ne peut se déterminer qu'une fois le second plan ajusté au mur. Aussi prévoyez une marge de 25 mm.

3 Utilisez des cales pour soulever le second plan au-dessus de celui qui est fixé et pour le maintenir à l'horizontale sur toute la longueur.

4 Tracez en dessous une droite qui suit le mur, coupez et ajustez.

5 Remettez-le en place (toujours surélevé) et tracez une ligne par en dessous, le long du chant, à l'aplomb du plan de travail déjà fixé.

Utilisez une équerre afin de prolonger ce trait sur les chants, tirez une droite entre les deux. Entaillez le plan de travail sur cette marque avec une lame bien affûtée et coupez la chute.

6 Poncez le chant découpé, afin que le joint soit bien net. Vernissez abondamment pour rendre le chant étanche.

7 L'assemblage entre les deux plans de travail doit être soutenu et bloqué de manière définitive, soit avec trois ou quatre tourillons (voir

p. 162), soit avec un tasseau de 7,5 cm de large vissé par en dessous et reliant les deux plans. Utilisez au minimum trois vis de chaque côté.

RACCORDEMENT D'UN CHANT DROIT AVEC UN CHANT ARRONDI

Si les plans de travail ont des chants arrondis, utilisez un joint en plastique à l'angle de jonction des deux plans.

Coupez le joint à la largeur de travail et vissez-le sur le bord droit. Formez un cordon de mastic silicone le long de la courbe du joint et pressez fermement le bord arrondi du plan de travail.

POSE DES PLANS DE TRAVAIL

Avant de fixer les plans, prévoyez tous les évidements nécessaires aux équipements, car vous ne pourrez plus les réaliser après la pose.

Support arrière

Le bord arrière d'un plan de travail doit être soutenu sur toute sa longueur.

Il se peut que les rangements placés au-dessous possèdent une traverse supérieure. Dans ce cas, on peut la visser directement dans le mur et fixer le plan de travail dessus. Si ce n'est pas le cas, il faut ajuster un tasseau de section de

5 × 2,5 cm et prévoir dans les meubles bas, à l'arrière, des découpes pour le passage du tasseau. Fixez chaque élément de

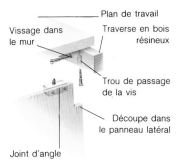

Plan de travail
Vissage dans le mur
Traverse en bois résineux
Trou de passage de la vis
Découpe dans le panneau latéral
Joint d'angle

meuble sur le tasseau avec des équerres (voir p. 160).

Vissez dans le mur au travers du tasseau, ainsi que dans le plan de travail, aux extrémités et tout le long à intervalles réguliers (environ 60 cm).

Support avant

L'avant du plan de travail doit également être soutenu. Le moyen à utiliser dépend de la structure des rangements. Si une traverse a été prévue, vissez au travers sous le plan de travail. S'il n'y en a pas, utilisez des équerres ou des petites consoles en acier pour relier les éléments verticaux du meuble au plan de travail.

Les plans qui relient les éléments bas, occupés notamment par les lave-linge et lave-vaisselle, n'ont pas besoin de renfort.

Si vous avez l'intention de disposer un plan de travail au-dessus d'une chaudière ou d'une tuyauterie de chauffage, demandez conseil à un chauffagiste. Une ventilation spéciale ou des matériaux résistant à la chaleur seront peut-être nécessaires.

ENCASTREMENT D'UNE CUVETTE D'ÉVIER

Pour éviter que les lamelles de bois d'un plan de travail en lamellé-collé ne cassent autour d'une découpe de cuvette, il est préférable de le visser en place avant de réaliser la découpe.

Si la découpe est trop rapprochée d'un mur, ajustez le plan au mur, puis éloignez-le suffisamment pour utiliser les outils de coupe.

Chaque fois que c'est possible, utilisez le gabarit du fabricant pour réaliser une découpe. S'il n'y en a pas, mesurez soigneusement la surface à découper avant de couper. Présentez la cuvette au-dessus du tracé pour bien vérifier que la découpe n'est pas trop grande. Pour la découpe, voir p. 152.

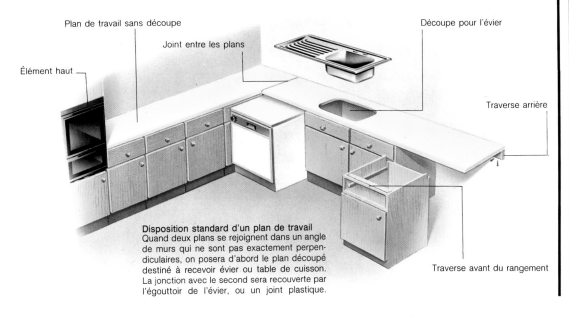

Plan de travail sans découpe
Joint entre les plans
Élément haut
Découpe pour l'évier
Traverse arrière
Traverse avant du rangement

Disposition standard d'un plan de travail
Quand deux plans se rejoignent dans un angle de murs qui ne sont pas exactement perpendiculaires, on posera d'abord le plan découpé destiné à recevoir évier ou table de cuisson. La jonction avec le second sera recouverte par l'égouttoir de l'évier, ou un joint plastique.

Ajuster un plan de travail à un mur irrégulier

Un plan de travail recouvrant plusieurs éléments de cuisine s'ajuste rarement au mur avec exactitude. Avant de le découper, fixez les éléments bas aux murs, avec les accessoires de pose. N'oubliez pas que les panneaux latéraux peuvent avoir besoin d'être découpés en certains endroits pour le passage des plinthes ou des tuyauteries.

Une fois les éléments posés, poussez le plan de travail contre le mur. Des jours apparaîtront, en particulier dans les angles.

Les écarts jusqu'à 1 cm peuvent souvent être comblés en intervenant directement sur l'enduit du mur. Utilisez un burin, un disque abrasif monté sur une perceuse, ou un ciseau à bois hors d'usage. Égalisez la surface avec un enduit prêt à l'emploi (voir p. 235).

Si un carrelage est prévu, l'épaisseur des carreaux sera généralement suffisante pour absorber les irrégularités. Sinon, utilisez un mastic, ou couvrez le jour d'une parclose.

Si les vides dépassent 1 cm, il faut adapter le panneau au profil du mur.

LA MÉTHODE DU TRAÇAGE

La méthode est la même pour les panneaux verticaux et horizontaux. Durant le traçage, il est essentiel de positionner le panneau aussi près que possible de sa place définitive.

Assurez-vous que le chant avant du panneau vertical est parfaitement droit avant de commencer à tracer.

Demandez à quelqu'un de vous aider à immobiliser le panneau pendant que vous tracerez.

Outils : un morceau de bois de 2,5 × 1,5 cm environ, de la longueur de l'interstice le plus large, crayon, scie sauteuse électrique ou scie égoïne.

1 Mesurez l'espace entre le mur et le panneau ou le plan de travail, là où l'écart est le plus grand. Coupez le morceau de bois à cette longueur.

2 D'une extrémité, appuyez fermement le bois contre le mur, la face bien à plat sur le plan de travail.

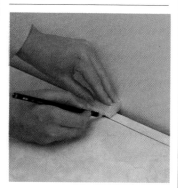

3 Placez la pointe du crayon contre le bois, vers vous, de façon

que la mine touche à la fois le bois et le plan de travail.

4 Déplacez le morceau de bois le long du mur, d'un bout à l'autre, de façon que le crayon reporte sur le plan de travail le profil du mur. Si vous voulez un report exact, ne penchez ni le crayon ni le bois.

5 Coupez en suivant exactement le tracé, à la scie sauteuse ou à la scie égoïne. Le plan s'adaptera alors parfaitement au profil du mur.

6 Les petits interstices peuvent être cachés par des quarts-de-rond (voir ci-dessous) ou comblés avec du mastic ou un cordon de colle mastic au pistolet.

POSE DES BAGUETTES DE FINITION

Les petits interstices ou les éclats sur les chants des panneaux peuvent être dissimulés par des petites baguettes en bois, de section carrée, rectangulaire ou quart-de-rond. Achetez à la dimension capable de couvrir l'interstice le plus petit possible. Clouez la baguette sur le plan de travail.

Outils : petite scie égoïne, étau ou serre-joint, perceuse et mèche, marteau, chasse-clou.
Matériaux : baguette en bois de la longueur du plan de travail, clous, pâte à bois étanche.

1 Coupez la baguette aux dimensions, peignez ou poncez-la avant de la fixer.

2 La plupart des baguettes de finition étant en bois feuillu, percez de petits trous tous les 30 cm environ. Cela empêchera la baguette de se fendre et les clous de se tordre. Percez des trous de même diamètre dans le plan de travail (s'il est mélaminé, mais non s'il est plaqué bois). Maintenez la baguette contre le mur quand vous percez un plan de travail mélaminé.

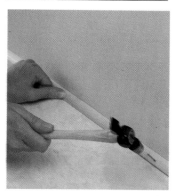

3 Maintenez la moulure fermement contre le mur en suivant les irrégularités et clouez-la sur le plan de travail.

4 Éventuellement, encastrez les têtes des clous dans le bois avec un chasse-clou et rebouchez avec de la pâte à bois étanche.

Remplissage des espaces entre les éléments

La largeur des éléments de cuisine ou de penderie ne correspond pas toujours exactement aux dimensions de la pièce où ils sont installés. L'espace inutilisé peut être consacré à un rangement supplémentaire.

Un espace étroit entre deux éléments peut servir au rangement des plateaux ou à un sèche-torchons.

Un espace plus large peut être réparti également sur deux endroits différents, mais il peut aussi être utilisé pour installer un rangement supplémentaire. La fabrication des placards et des penderies (voir p. 177 à 179) vous permettra de résoudre la plupart des problèmes, la plus grande difficulté étant d'assortir les éléments standard.

ADAPTER UN ÉLÉMENT DE MÊME SÉRIE

Lorsque vous avez à combler un espace intermédiaire avec un élément plus petit, les façades, le plan de travail, la porte, la face du tiroir et les accessoires externes doivent s'harmoniser.

Si les éléments sont déjà pré-

assemblés, achetez une porte supplémentaire ou une face de tiroir et adaptez-les à une structure que vous aurez réalisée vous-même.

Si les éléments sont à monter soi-même, achetez-en un dont les cotes seront les plus proches possible et coupez-le à dimension.

Pour couper un élément à monter vous-même, étudiez-en d'abord

la conception, afin d'être capable de refaire les assemblages une fois que vous aurez coupé les panneaux à dimension. Seules les structures horizontales ont besoin d'être modifiées.

Si les portes sont planes, coupez du côté de l'ouverture plutôt que de celui des charnières. Cela vous

évitera de poser les charnières une nouvelle fois et, sans doute, de refaire les chants.

Si les portes sont mélaminées ou plaquées bois, prenez bien soin avant de scier de marquer la ligne de coupe avec une lame tranchante, cela pour éviter des éclats sur les chants. Lorsque vous coupez avec une scie manuelle, placez la face de la porte vers vous. Avec une scie électrique, faites le contraire : une scie électrique coupe de bas en haut.

Vous pourrez éventuellement retirer la bande de chant contrecollée sur la partie coupée avec un ciseau à bois ou un couteau et la recoller sur votre meuble. Si c'est impossible, achetez une bande de chant d'une teinte approchante ou bien utilisez une pâte à bois teintée. Autre possibilité : collez et clouez une fine baguette de finition.

Les portes décoratives en bois ne peuvent généralement pas être réduites de plus de 5 cm en largeur ; cela dépend de la largeur des montants de côté et du type d'assemblage. Demandez conseil avant d'acheter. Si vous réduisez légèrement une porte, équilibrez

bien les coupes de chaque côté.

Si même une porte remise à dimension ne tient pas dans l'espace à habiller, commandez-en une spécialement chez le fabricant ou chez un menuisier. Vous pouvez également choisir une porte plane, non assortie.

FACES DE TIROIR

Le même problème se pose pour les faces de tiroir : seules les faces sans décor seront faciles à découper.

PROLONGEMENT D'UN PLAN DE TRAVAIL

Si vous rénovez une installation, achetez un panneau pouvant couvrir toute la longueur, quitte à devoir le couper pour l'ajuster (voir p. 183).

Si le plan de travail est déjà fixé aux éléments, vous pouvez éventuellement en racheter une petite longueur et le relier au précédent par des tenons (voir p. 162).

Autre possibilité : changez complètement de matériau et, par exemple, utilisez du bois massif.

DEUXIÈME PARTIE : TECHNIQUES, OUTILS ET MATÉRIAUX

COLLES

Collages

PRÉPARATION DES SURFACES

Les surfaces à coller doivent être bien dégraissées, sèches (quelques colles adhèrent aux matériaux humides) et très propres. Coller une couche de crasse sur une autre les rendra sans doute inséparables, mais pas les matériaux qui sont dessous. Dépolissez les surfaces lisses.

Bois
Décapez peinture ou vernis (voir p. 101) et vieille colle sèche. Passez le bois au papier de verre et dépoussiérez-le. Donnez aux surfaces jointives une légère rugosité qui facilite la prise de la colle.

CHOIX D'UNE COLLE D'ASSEMBLAGE

Un assortiment minimal de colles permet pratiquement tous les collages chez soi. Pour les petites surfaces ne supportant pas de grosses charges, une colle universelle suffira. Une colle époxyde ou cyanoacrylate conviendra pour réparer céramiques, verres, métaux, et une colle vinylique à bois pour les travaux de menuiserie.

Renseignez-vous auprès de votre fournisseur, à qui les fabricants remettent le catalogue de leurs colles à usage spécifique, et lisez attentivement les cas d'utilisation de chaque colle. La liste ci-dessous n'a qu'un caractère général pour orienter le choix d'une colle à utiliser pour les travaux les plus courants sur différents matériaux. On y trouvera également les solvants ordinaires permettant de nettoyer l'excédent de colle fraîche. Certains fabricants proposent des solvants pour éliminer des colles sèches.

Réparations courantes dans une maison
Colles dites universelles. Liquides, transparentes ou compactes blanches, incolores au séchage. Elles sont généralement fabriquées pour coller le papier et le carton. Mais la plupart étant à base de résines synthétiques, elles ont des formules variées qui permettent de les utiliser également pour certains autres matériaux ne devant guère supporter de lourdes charges. Les unes, outre le papier et le carton, collent le feutre, les tissus; d'autres le cuir, le P.V.C., des plastiques, la céramique... Les fabricants l'indiquent sur l'emballage. Elles sont présentées en pot, en tube, en étui ressemblant à un bâton de rouge à lèvres pour les colles «solides» réservées aux papiers et cartons.
Solvant : acétone (dissolvant de vernis à ongles) ou alcool à 90°, alcool à brûler, selon les fabrications.

Bois et panneaux
La traditionnelle colle forte à chaud des menuisiers a tant cédé devant les colles chimiques modernes que l'expression «chauffer la colle» devient incompréhensible pour nombre de nos contemporains. Les colles à bois, pour la plupart vinyliques, sont blanches, mais deviennent transparentes en séchant. Elles peuvent coller tous les bois et leurs dérivés, contre-plaqués, lattés, agglomérés, ainsi que l'Isorel. On peut les utiliser sur le carton et le papier, mais pour ces matières mieux vaut utiliser des colles sans eau pour éviter de les détremper et de les déformer. Ces colles vinyliques à prise normale ou rapide sont vendues en tube et en pot. Il en est de particulièrement étudiées pour résister à la chaleur, d'autres à l'humidité (colle vinylique avec durcisseur, colle à bois polyuréthanne ou marine). Elles se vendent en pot pour les travaux de menuiserie et d'ébénisterie.
Solvants : consultez le mode d'emploi.

Tissus
Pour les tissus, on dispose de colles vinyliques et de colles latex. Les colles vinyliques, plus courantes, pâteuses pour ne pas couler à l'encollage, ne tachent pas.

Les colles latex, pour les tissus naturels, laissent une trace mais assurent un collage très résistant.
Nettoyage : linge humide avant séchage.
Certaines collent cuir et tissu. Non vinyliques, elles sont à prise rapide.

Stratifiés, mousses et cuirs
Les collages de ces matériaux se font avec une colle au Néoprène (caoutchouc synthétique et solvants). Très résistantes, elles ne craignent ni le gel, ni l'eau, ni la chaleur, supportent bien les huiles et les produits de nettoyage. Mais elles sont délicates à appliquer, car ce sont des colles à double encollage, séchage ouvert et prise instantanée (voir encadré). Il faut donc positionner avec précision les pièces à assembler avant de les mettre en contact et les presser pour les coller, car on ne peut plus rectifier la position d'une pièce par rapport à l'autre. Les colles au Néoprène ne nécessitent ni presse ni serre-joint. Il suffit de maroufler l'assemblage pour obtenir un excellent collage sur toute la surface.

Ces colles sont utilisées pour des placages de bois, des revêtements de bordures métalliques, des tissus enduits, des céramiques, du caoutchouc, du liège. On peut coller des plastiques, mais auparavant, pour ces matériaux, il faut faire un essai, car les solvants risquent de les attaquer (le polystyrène expansé est détruit par le solvant de ces colles).

La présence de solvant exige certaines précautions lors du collage : ne pas fumer et travailler loin de toute flamme nue, dans un local bien aéré.
Liquides ou en gel, ces colles se vendent en tube ou en pot.
Solvants : les fabricants proposent des nettoyeurs pour colle fraîche et des solvants pour colle sèche. On peut essayer un nettoyage à l'acétone ou au diluant cellulosique.

Plastiques souples
Les colles sont peu nombreuses. Le P.V.C. souple, appelé aussi vinyle, se répare avec un morceau de même matière à l'aide d'une colle pour plastique souple.

Le polyéthylène (feuilles dont on fait des sacs, des serres) ne se colle pas, mais il peut se souder à chaud. Des colles uréthanes peuvent s'utiliser sur les plastiques souples et durs.
Solvants : trichloréthylène, diluant cellulosique.

Plastiques durs
La plupart des colles pour plastiques ne sont utilisables que sur des matériaux durs (P.V.C., A.B.S., polystyrène dur, etc.). Ces colles agissent par dissolution du plastique, qui redurcit après évaporation du solvant (P.V.C., polystyrène choc), ou par accrochage (colles à 2 composants pour A.B.S.).

Polystyrène expansé
N'employez pas de colle pour plastique sur du polystyrène expansé, certains solvants pouvant l'attaquer. Utilisez une colle spécifique à ce matériau (Néoprène à solvant alcool).
Nettoyage au chiffon humide, à l'alcool à 90° ou à l'alcool à brûler.

Céramiques, faïences, porcelaines, verre, métaux
Pour ces matériaux, trois types de colles se sont imposés : les époxydes, les acryliques et les cyanoacrylates.

Époxydes et acryliques sont à deux composants séparés : une résine et un durcisseur.
Pour les colles époxydes, on mélange par moitié juste la quantité nécessaire de résine et de durcisseur avant l'emploi. On pratique le double encollage. Il existe des époxydes à prise normale et d'autres à prise rapide. La température ambiante a une grande importance sur les temps de prise et de séchage. La colle laisse une ligne visible.
Nettoyage au white-spirit avant séchage.
Pour les colles acryliques, on encolle une surface de résine, l'autre de durcisseur.
Nettoyage : essuyez la colle fraîche au chiffon; grattez la colle sèche à l'aide d'une lame.
Pas de mélange pour les *colles cyanoacrylates.* À utiliser sur de petites surfaces; une goutte et le collage est instantané. Les deux surfaces en contact doivent se juxtaposer parfaitement, la colle ne comblant pas les vides. Le collage est très peu visible sur verre, mais il ne résiste pas à l'eau. Manipulez avec précaution. Les doigts englués se collent très vite. Pour les décoller, trempez-les dans une eau savonneuse chaude. À ne pas laisser à la portée des enfants.

Nettoyez immédiatement à l'acétone toute colle renversée, ou utilisez un nettoyant spécifique vendu sous forme de gel en tube.

LIRE LE MODE D'EMPLOI

Dans le mode d'emploi des colles, il est des termes qu'il faut connaître.
Simple collage : colle sur une seule des pièces. *Double encollage :* colle sur les deux pièces. *Séchage ouvert* ou *préséchage* ou *pose différée :* pièces encollées séparément qu'on laisse sécher le temps indiqué avant assemblage. *Temps ouvert :* temps pendant lequel on peut déplacer une pièce par rapport à l'autre sans que la colle perde ses qualités. *Temps de séchage :* temps de durcissement de la colle. *Collage définitif :* moment où l'on peut utiliser les pièces collées. *Temps de prise :* temps pendant lequel il faut maintenir les pièces en pression l'une contre l'autre (presse, serre-joint, ruban adhésif ou prise à la main) sans les bouger pour que le collage soit manipulable.

Papiers et cartons
Nettoyez à la gomme à effacer. Une tache de graisse superficielle peut s'enlever au tétrachlorure de carbone (détachant pour tissu) ou par frottement à la mie de pain.

Faïences, porcelaines, céramiques et plastiques
Lavez au détergent et à l'eau. Nettoyez les taches rebelles au liquide à nettoyer la vaisselle ou à la poudre à récurer, à l'aide d'une brosse. Rincez et séchez. Puis frottez au chiffon non pelucheux ou utilisez un séchoir à cheveux. Laissez les parties poreuses éliminer leur humidité résiduelle.

Métaux
Lavez au détergent. Fers et aciers doivent être séchés immédiatement pour éviter l'oxydation. Éliminez toute trace de rouille à la brosse métallique fine, à la toile émeri, à la laine d'acier ou par application d'un stabilisateur de rouille.

ENCOLLAGE
Étalez la colle liquide au pinceau plat et la colle gel à la spatule crantée, qui est, en général, fournie avec la colle. La spatule égalise l'épaisseur correcte de colle et la strie. Certains tubes sont vendus avec une petite spatule à visser en lieu et place du bouchon.

Le pistolet à colle se charge de bâtonnets de colle solide qu'un élément chauffant fait fondre et qui sort en filet par l'embout applicateur. Il permet d'étendre un mince ruban, un filet de colle ininterrompu ou, manœuvré par à-coups, une succession de plots de colle. Ce qui est économique quand on a plusieurs collages à effectuer.

NETTOYAGE
Lors des collages, évitez de laisser sur les pièces l'excédent refoulé par la pression. Certaines colles font des taches difficiles à enlever. Une colle à bois sèche laisse une trace visible sous un vernis clair. Gardez toujours à portée de main un chiffon pour nettoyer la colle fraîche. Il y a des colles qui s'éliminent à l'eau, mais pour la plupart il faut un dissolvant particulier. Une colle durcie doit en général être grattée.

Outils de serrage

Pour nombre de collages, il faut une mise sous presse qui immobilise les pièces assemblées le temps du séchage. Les pièces sont serrées soit dans un étau, soit, souvent, à l'aide de presses et de serre-joints. Il faut toujours intercaler des taquets de bois (martyrs) entre elles et les éléments de serrage.

PRESSES EN G

L'outil le plus usuel est la presse en G, dont un patin est fixe, solidaire du bâti, et l'autre, plus ou moins orientable selon qu'il est monté sur rotule ou non, se trouve en bout de vis. Ils se trouvent en plusieurs tailles avec des ouvertures de 40 à 250 mm et des profondeurs de 25 à 115 mm. Pour les petits collages ne nécessitant qu'une faible pression, utilisez des presses de marqueterie de 50 à 100 mm de serrage, moins chères.

Il vaut mieux disposer d'au moins une paire de presses dans des tailles différentes.

TRIPLE PRESSE À TROIS VIS

C'est une presse en C possédant un patin perpendiculaire aux deux autres, tous trois en bout de vis, pour collage sur chant.

PRESSES DE MENUISIERS À MANCHE

Elles travaillent sur le même principe que les presses en G et ont une plus grande ouverture (de 100 à 300 mm) et une plus grande profondeur (50 à 100 mm). Le patin mobile et sa vis sont montés sur une pièce coulissant sur une barre d'acier. Cette pièce se bloque et se débloque en quelques tours de vis seulement, d'où une grande rapidité de pose et de dépose.

SERRAGE DE PIÈCES DE GRANDES DIMENSIONS

Différents types d'outils sont conçus pour la mise sous presse de collage sur pièces de grandes dimensions (une porte, par exemple). Ils sont en général assez onéreux, mais, à l'exception des grands serre-joints (que l'on trouve parfois en location), ils ont plusieurs utilisations qui peuvent justifier la dépense.

UN BON TRUC
Pour le collage des objets en terre cuite, céramique, faïence ou porcelaine, utilisez une colle époxyde (2 composants à mélanger) à prise rapide ou une colle acrylique (résine + durcisseur séparés). Leur prise rapide autorise un temps de serrage court (1 à 3 min.), donc un maintien possible à la main.

IMPROVISER DES PRESSES

Objets pesants
Un grand objet plat peut être mis sous presse en le plaçant en sandwich entre deux plaques de contre-plaqué. Posez des objets lourds (dictionnaires ou seau plein d'eau ou de sable).

Ceinture de ficelle et blocs de bois
Bricolez une presse d'encadreur avec une solide ficelle et huit petits blocs de bois. Disposez les blocs deux par deux à l'extérieur du cadre, vers le milieu de chaque côté. Protégez les angles avec de forts cartons ou des morceaux de cuir. Serrez la ficelle autour de l'ensemble, puis déplacez les blocs de bois vers un coin. Ils tendront la ficelle et assureront le serrage. Prenez garde à ne pas endommager les joints aux angles du cadre.

Tourniquet
Un cadre de fenêtre, de chaise, peut être mis sous presse à l'aide d'un tourniquet. Entourez l'objet avec la ficelle nouée de façon assez lâche. Passez un bâton entre les deux longueurs de ficelle et tendez-la à l'aide de ce tourniquet sur des cartons de protection placés sur le cadre, comme pour le garrot d'une scie. Bloquez le bâton pour garder la tension le temps du séchage. On peut utiliser le tourniquet en ceinturant l'objet et en faisant une boucle autour du bâton avec la ficelle.

Presse à sangle en nylon
C'est une très solide sangle dont on entoure les pièces au collage. Serrée énergiquement, elle se

bloque par une boucle. Cette sangle peut servir également à arrimer une charge sur la galerie d'une voiture.

Serre-joint à pompe

Ce serre-joint a une ouverture de 300 à 1 000 mm et une profondeur de 80 ou 100 mm. Le rail et le coulisseau sont en fonte malléable.

Calages difficiles

Le plus difficile, lorsqu'on doit recoller les morceaux d'une poterie ou d'une pièce de vaisselle, est de les immobiliser pendant le temps de séchage de la colle.

Cette page suggère quelques moyens de le faire que l'on peut adapter à des objets de tailles différentes et de formes qui les rendent difficiles à mettre sous presse.

BOÎTE À SABLE

1 Remplissez une boîte de sable fin que l'on peut se procurer chez tous les marchands de matériaux de construction ou dans les boutiques d'accessoires pour animaux familiers.

2 Calez l'objet dans le sable, la partie cassée en haut, bien placée pour faciliter le collage.

3 Appliquez un film de colle époxyde sur chacune des faces de la cassure. Faites attention à ne pas en mettre trop, car des grains de sable pourraient y adhérer.

4 Mettez les surfaces encollées en contact. Pressez. Vérifiez avec l'ongle que le joint est parfaitement lisse, sans bourrelet ni décroché.

5 Laissez en place le temps nécessaire pour le séchage.

CARREAU DE CÉRAMIQUE CASSÉ

Un carreau de céramique cassé peut se recoller aisément sur une surface de travail plane. La réparation n'en vaut vraiment la peine que pour un carreau irremplaçable.

1 Posez les morceaux de carreau brisé sur une feuille de carton. Appliquez un film de colle époxyde sur les deux faces de la cassure. Reconstituez le carreau pressé pour avoir un bon jointoiement. Vérifiez la correction avec l'ongle.

2 Essuyez au solvant ou au white-spirit l'excédent de colle sur la face émaillée.

3 À l'aide de ruban adhésif, fixez précautionneusement le carreau recollé sur le plan de travail afin de l'immobiliser, et laissez en l'état le temps de séchage.

4 Enlevez l'excédent de colle sur le dos du carreau par grattage à la lame de rasoir.

FIXATION AU MASTIC

1 Pour recoller le pied d'un verre, posez celui-ci sens dessus dessous sur le plan de travail. Collez soigneusement un peu de mastic sur le moignon de pied, près de la cassure.

2 Étalez un film de colle cyanoacrylate « spéciale verre » sur les deux faces de la cassure et pressez le pied sur le verre. Vérifiez avec l'ongle le jointoiement des morceaux.

3 Tirez le mastic vers le haut sur le pied et pressez-l'y pour qu'il le maintienne en place. Le mastic ne doit pas empêcher la lumière d'arriver jusqu'à la colle, celle-ci devant rester exposée à la lumière du jour.

4 Laissez en place environ un quart d'heure, le temps de prise, puis retirez le mastic.

FIXATION D'UNE ANSE

1 Pour recoller l'anse d'un broc, d'une théière, de toute poterie de grande taille, étalez un film de colle époxyde sur les deux faces de la cassure. Replacez l'anse avec soin. Pressez.

2 Vérifiez avec l'ongle que le jointoiement est parfait.

3 Tendez du ruban adhésif par-dessus l'anse. Veillez à ce que la tension soit égale de part et d'autre. Collez les extrémités du ruban sur le corps de la poterie de part et d'autre de l'anse.

4 Mettez un second morceau de ruban adhésif en diagonale pour plus de sécurité. Laissez en place 12 heures environ pour un bon séchage de la colle.

LE TIROIR-ÉTAU

1 Pour réparer une assiette cassée net en deux morceaux, placez le plus grand, cassure en haut, dans un tiroir entrouvert. Refermez le tiroir pour bloquer la pièce.

2 Étalez un film de colle époxyde ou cyanoacrylate sur les deux faces de la cassure. Mettez délicatement en place le second morceau de l'assiette. Vérifiez avec l'ongle la correction du joint.

3 Laissez l'assiette dans cette position le temps de séchage de la colle. Éliminez l'excédent de colle par grattage à la lame de rasoir ou au cutter. Les lames doivent être neuves.

ÉLASTIQUE SERRE-JOINT

Si la pression à exercer est légère, bagues et bracelets de caoutchouc font de bons serre-joints pour les petits objets de forme incommode. Des bandes découpées dans des chambres à air de vélo ou d'auto feront le même usage pour des objets de plus grande taille.

DEUXIÈME PARTIE : TECHNIQUES, OUTILS ET MATÉRIAUX

PORTES, FENÊTRES ET VOLETS

Comment sont faites les portes

Les deux conceptions courantes de portes d'habitation sont les portes menuisées (à panneaux) et les portes planes. Dans ces catégories, il existe des portes extérieures, épaisses, pour résister aux intempéries et aux effractions, et des portes intérieures, plus légères.

La porte menuisée comporte un cadre et des traverses entourant des panneaux de bois massif, de contre-plaqué ou de verre.

La porte plane a un cadre plus léger, une âme en latté, en panneaux de particules, en lattes de sapin verticales régulièrement espacées, ou en carton alvéolé. Cadre et âme sont recouverts sur les deux côtés par un contre-plaqué trois plis, à peindre. Les faces sont parfois en placage de bois noble. Les moins chères ont des parements en panneau de fibres dur. L'âme a des renforts de bois massif pour la pose de la serrurerie.

Les dimensions standard des portes extérieures sont, pour une hauteur de 200 cm : 70 ou 80 cm de large ; en 215 cm de haut : 80 ou 90 de large ; en 220 et 225 de haut : 80, 90 et 100 cm de large. Celles des portes intérieures, 204 ou 211 cm de haut et 63, 73 ou 83 cm de large. Une porte à panneaux peut se réduire sur tout son pourtour d'environ 30 mm en hauteur et autant en largeur. Une porte plane se réduit moins facilement en largeur, 10 à 20 mm. On peut acheter une porte seule pour ne changer qu'un vieux vantail ou un bloc-porte, c'est-à-dire porte et huisserie. L'huisserie est le cadre en bois massif solidaire du mur, avec une feuillure taillée en plein bois sur laquelle se bloque la porte fermée. Elle reçoit les paumelles et la gâche de la serrure.

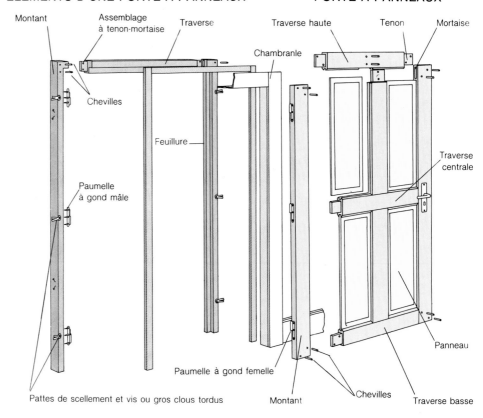

ÉLÉMENTS D'UNE PORTE À PANNEAUX

Montant — Assemblage à tenon-mortaise — Traverse — Chambranle — Chevilles — Feuillure — Paumelle à gond mâle — Paumelle à gond femelle — Pattes de scellement et vis ou gros clous tordus

PORTE À PANNEAUX

Traverse haute — Tenon — Mortaise — Traverse centrale — Panneau — Montant — Chevilles — Traverse basse

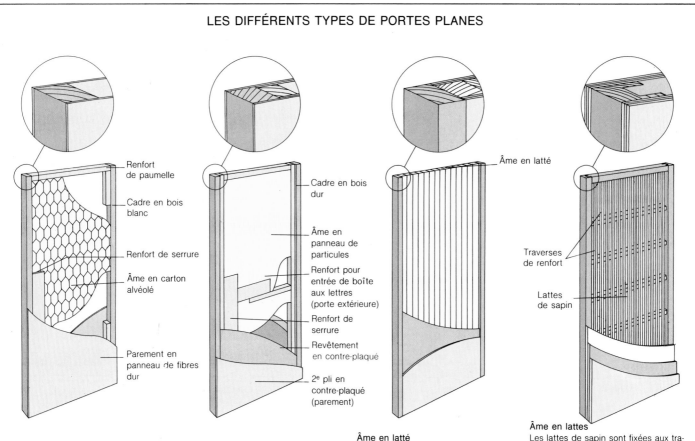

LES DIFFÉRENTS TYPES DE PORTES PLANES

Renfort de paumelle — Cadre en bois blanc — Renfort de serrure — Âme en carton alvéolé — Parement en panneau de fibres dur

Cadre en bois dur — Âme en panneau de particules — Renfort pour entrée de boîte aux lettres (porte extérieure) — Renfort de serrure — Revêtement en contre-plaqué — 2e pli en contre-plaqué (parement)

Âme en latté

Âme en latté — Traverses de renfort — Lattes de sapin

Porte légère
Porte légère : l'âme est en carton alvéolé, le cadre en bois blanc et le parement en panneau de fibres dur.

Âme en panneau de particules
L'âme en panneau de particules augmente le poids, la rigidité et la résistance au feu de la porte. Le revêtement en contre-plaqué a un pli extérieur en chêne ou autre bois décoratif.

Âme en latté
Plus léger et plus rigide que le panneau de particules, le latté offre une assez bonne résistance au feu. Cadre et parement sont identiques à ceux de la porte à âme en panneau de particules.

Âme en lattes
Les lattes de sapin sont fixées aux traverses du haut et du bas du cadre, leur chant parallèlement aux parements, ce qui leur donne plus de solidité. Plusieurs traverses de renfort, régulièrement réparties sur la hauteur, maintiennent leur écartement et leur rigidité.

CHOIX D'UN MODÈLE DE PORTE

En achetant une porte neuve, essayez de l'harmoniser avec le style de la maison et le modèle des portes existantes. Dans les constructions d'avant-guerre, les portes sont généralement menuisées. Dans les constructions modernes, elles sont le plus souvent planes. Il vaut mieux conserver une certaine unité à l'ensemble.

Les portes d'entrée ou de service sont exposées aux intempéries et aux tentatives d'effraction. Choisissez donc une véritable porte extérieure. Plus elle sera solide, mieux elle remplira son rôle de protection et plus elle durera longtemps.

Les portes intérieures sont plus légères et, à qualité de fabrication égale, moins chères que les portes extérieures. Les portes planes sont meilleur marché que les portes menuisées.

Les portes sont en principe vendues non ferrées, c'est-à-dire sans paumelles ni serrure. On doit acheter celles-ci à part et assurer leur mise en place. De même, les verrous et les plaques de propreté sont à ajouter au prix de la porte.

Portes à planches jointives

Portes rustiques de style campagnard, elles sont en lames de sapin ou de chêne rainurées, languetées et assemblées par des traverses avec écharpe en Z.

Portes extérieures menuisées

Les modèles les plus chers sont en bois dur (chêne, iroko ou autre bois tropical). Elles sont revêtues d'une finition extérieure transparente (vernis ou lasure). Il existe également des portes extérieures plus courantes, en bois résineux notamment, à peindre ou à vernir. Les modèles les plus perfectionnés comportent des renforts métalliques destinés à limiter les déformations sous l'action des variations climatiques et de la différence entre les ambiances intérieure et extérieure.

Portes coupe-feu

Une porte coupe-feu est une porte plane avec une âme en panneau de particules. Elle peut résister au feu pendant un quart d'heure ou une demi-heure. Pour la chaufferie, elle est en tôle de fer à double paroi avec âme en panneau de particules arrêtant le feu pendant 30 minutes. Ces portes ne sont efficaces qu'avec une huisserie en bois dur et un joint d'étanchéité coupe-feu. Ces portes font l'objet d'un procès-verbal d'essais décerné par un laboratoire agréé.

Portes à haute sécurité

Portes d'entrée ou de service, elles sont doublées d'une tôle d'acier, ferrées de serrures cinq points et de renforts de paumelles. On peut modifier une huisserie classique pour recevoir ce type de portes. Mais il peut être moins onéreux et plus sûr d'acquérir un bloc-porte tout équipé.

Portes planes extérieures

Moins chères que celles à panneaux, elles ont des parements en contre-plaqué «extérieur» (marqué «NF. Extérieur CTBX»), dont les plis extérieurs peuvent être un placage décoratif. Vernissez-les ou peignez-les pour une meilleure protection contre les intempéries. Elles comportent parfois une partie vitrée (oculus). Elles se déforment plus facilement que les portes menuisées.

Portes «persiennées»

Montées sur cadre, parfois avec traverse centrale, en bois, plastique dur ou métal. Leur corps est fait de lames étroites espacées. Uniquement en portes intérieures, elles existent en différentes dimensions et s'utilisent comme portes de placard, ou portes de séparation pliantes.

Portes-fenêtres à imposte

Ce type de porte comporte une imposte ouvrante. Elle s'ouvre comme une porte ordinaire. Fermée, une manœuvre de la poignée bascule le panneau supérieur, qui tourne selon un certain angle sur la traverse centrale et apporte une ventilation tout en protégeant des intrus. Elle est généralement en P.V.C. et vitrée à petits carreaux.

Portes menuisées intérieures

Les portes intérieures menuisées peuvent être en chêne massif ou en bois tropical, à vernir, ou encore en résineux à vernir ou à peindre. Pleines, elles comportent généralement quatre traverses moulurées et trois panneaux. Vitrées, elles comportent un soubassement plus ou moins haut, un panneau de bois et un vitrage à grands ou petits carreaux.

Portes coulissantes

Quand l'ouverture d'une porte sur gonds est gênante, on peut utiliser une porte standard sur un chemin de roulement haut et bas.

Certains chemins de roulement permettent une fermeture hermétique du vantail sur l'huisserie.

Portes-fenêtres

Portes extérieures à double battant, en général harmonisées avec les fenêtres.

Elles comportent un soubassement étroit, en bois ou contre-plaqué, et sont vitrées sur presque toute leur hauteur, le plus souvent à petits carreaux.

Portes intérieures planes

Ce sont les moins chères de toutes. Parements en panneau de fibres, en contre-plaqué ou en stratifié. Certains modèles comprennent un oculus.

Les portes palières ont une âme en panneaux de particules et des parements plaqués chêne ou acajou, à vernir.

Portes-fenêtres coulissantes

Pour une ouverture sur balcon, terrasse ou jardin. Un cadre en aluminium ou en bois comporte deux vantaux vitrés, l'un fixe, l'autre mobile, sur galets, s'effaçant derrière le premier.

Porte à double vantail

On peut utiliser ce type de porte si l'on manque de place pour l'ouverture d'une porte ordinaire. Elle en a l'apparence mais elle comprend deux vantaux qui s'articulent sur des charnières et se replient l'un sur l'autre. Généralement en bois ou en tôle d'acier, elle peut se poser seule ou par paire avec quatre demi-battants.

Portes moulées

Ces portes, uniquement à usage intérieur, sont des portes planes imitant les portes menuisées. On donne aux parements — en général en panneaux de fibres — un relief qui rappelle les panneaux et les traverses d'une porte en bois massif. On peut obtenir un aspect similaire par collage de moulures en bois sur une porte plane.

Portes en verre sur cadre aluminium

Portes d'extérieur, portes d'entrée ou de service, ces portes se montent sur une huisserie classique, en bois. Elles sont constituées par un double vitrage opaque dans un cadre en aluminium. Le modèle courant comporte une traverse centrale avec entrée de boîte aux lettres. Sur d'autres modèles, sans traverse, le verre occupe toute la surface.

Porte accordéon

C'est la porte idéale pour gagner de la place ou séparer une pièce par une cloison mobile. Suspendues à un chemin de roulement, les lames se plient en accordéon. Certains modèles ont une meilleure rigidité grâce à un guidage complémentaire au sol. Les lames peuvent être en bois, en contre-plaqué, en plastique...

Comment changer une porte intérieure

Avant d'acheter une nouvelle porte, mesurez la hauteur et la largeur de l'encadrement. Procurez-vous une porte de taille identique ou légèrement supérieure. Certes, une porte peut être un peu recoupée, puis rabotée, mais il ne faut pas que la coupe soit trop importante : ne coupez pas une porte de 2,25 m pour la mettre en place dans une huisserie de 2 m, car l'ensemble de la structure serait déséquilibré. En général, les portes intérieures ont une épaisseur de 34 à 37 mm.

Pour une porte à panneaux menuisée, on comptera jusqu'à 3 mm de moins que l'encadrement sur chacun des côtés, 2 mm pour une porte plane.

Vous pouvez enlever jusqu'à 20 mm autour d'une porte à panneaux, mais surtout pas plus de 10 mm pour une porte plane, au risque de la fragiliser.

Les portes planes contiennent des renforts de bois pour fixer paumelles et serrures. Leurs emplacements sont marqués sur les chants de la porte.

Lorsque vous posez paumelles et serrures, tenez compte de l'emplacement des renforts ; ils déterminent l'ouverture de la porte. Si vous voulez changer la porte de sens, la plupart sont réversibles en les pivotant (voir p. 195).

Vous aurez besoin de trois paumelles de 75 ou 100 mm de long. La pose sera plus facile si vous choisissez une taille adaptée au gond déjà fixé sur l'huisserie.

Si vous posez une porte plane, procurez-vous des paumelles en acier chromé. Une porte à panneaux, plus lourde, nécessite des paumelles en acier trempé.

Outils : crayon, mètre ruban, équerre, trusquin, ciseau à bois de 19 ou 25 mm, maillet, rabot, scie à denture fine ou scie égoïne, cutter. perceuse et mèches, tournevis, établi étau.
Matériaux : porte et trois paumelles, vis adaptées (vérifiez que la tête de la vis pénètre complètement dans le trou de la paumelle).

RETIRER LES VIS GRIPPÉES

Pour dévisser une vis récalcitrante, grattez la peinture ou passez une couche de décapant sur la tête de la vis, ou encore utilisez un tournevis électrique. La lame chauffée d'un tournevis ordinaire peut aussi amorcer le dévissage.

1 Dégagez délicatement la porte sans endommager les encoches des paumelles sur le cadre. Glissez des cales sous la porte pour supporter le poids pendant que vous retirez les vis.

2 Déballez la porte. Les portes à panneaux sont parfois protégées par des renforts sur les chants. Détachez-les en les soulevant avec la lame d'un ciseau à bois. Les montants de la porte ont souvent des débords pour protéger les angles avant la pose.

3 Pour enlever les débords, qui seront sciés, il faut que vous posiez la porte à plat sur un établi ou sur des tréteaux. Assurez-vous que l'ensemble est stable.

4 À l'aide d'une équerre et d'un crayon, tracez sur le débord une ligne de coupe dans l'alignement du haut et du bas de la porte. Prolongez-la sur le chant.

5 Utilisez une scie à denture fine ou une scie égoïne et faites attention à ne pas entamer le bord de la porte.

6 Après avoir relevé les dimensions de l'huisserie existante pour vous rendre compte des différences, maintenez la porte contre l'encadrement pour pouvoir marquer les endroits à ajuster.

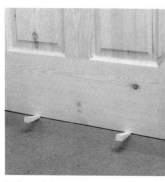

7 Quand la porte est positionnée au centre, glissez dessous des

RÉPARER UNE PORTE QUI GRINCE OU QUI COINCE

Si une porte grince ou s'ouvre mal, les paumelles doivent manquer de lubrifiant. Pour y remédier, ouvrez grand la porte et glissez en dessous une cale qui l'empêche de bouger. Vous pouvez aussi utiliser un tournevis ou un burin qui vous servira de levier pour écarter les paumelles l'une de l'autre de 1 ou 2 cm. Il n'est pas nécessaire d'enlever complètement la porte. Nettoyez l'axe de la paumelle et la rondelle à sa base avec un chiffon imbibé de pétrole ou de white-spirit. Versez

quelques gouttes d'huile dégrippante sur l'axe et enlevez la cale pour que la porte reprenne sa position. Laissez l'huile se répandre dans la paumelle en faisant pivoter la porte.

Si la porte coince, c'est que le bois a travaillé avec l'humidité. Enduisez le chant de la porte de craie, en haut et en bas, puis refermez-la. À certains endroits, la craie s'est déposée sur les montants. Rabotez la porte à l'endroit où la craie s'est effacée, jusqu'à ce qu'elle se ferme bien.

cales en bois biseautées pour l'ajuster à la bonne hauteur.

8 Au crayon gras, tracez une horizontale à l'aplomb de l'encadrement. Elle indiquera l'espace nécessaire tout autour. Une porte à panneaux demandera environ 3 mm pour permettre au bois de jouer. Pour une porte plane, on comptera 2 mm. Si l'encadrement est d'équerre, il ne sera pas nécessaire de tailler tous les côtés. Mais si ce n'est pas le cas ou s'il y a beaucoup de bois à couper, il vous faudra équilibrer.

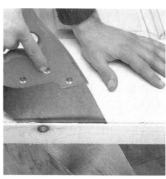

9 S'il y a plus de 5 mm environ à éliminer, posez la porte à plat sur des tréteaux et sciez le long de la ligne. Terminez au rabot.

10 Pour raboter, maintenez la porte sur la tranche, dans un établi-étau. Protégez la tranche inférieure de la porte en la posant sur une planchette. Rabotez ensuite la tranche supérieure jusqu'au trait de crayon.

11 Rabotez les grands côtés dans le sens du fil du bois. Les copeaux tomberont d'eux-mêmes. Au contraire, si vous rabotez à contrefil, la lame aura tendance à s'accrocher dans le bois.

12 Rabotez le haut et le bas de la porte en partant de l'extrémité vers le centre. Cela évitera d'endommager les chants du montant lorsque vous raboterez à contresens du fil.

13 Positionnez la porte dans l'encadrement, toujours sur des tasseaux, et vérifiez que l'espace est respecté sur toute la périphérie.

14 Lorsque la porte s'ajuste bien, donnez un léger coup de rabot sur les bords de chaque montant, vers l'arrêt de porte, sur le bâti.

15 Maintenez la porte dans l'encadrement pour marquer l'emplacement des paumelles. Si les renfoncements sur le dormant sont de la bonne taille, tracez les repères correspondants sur le chant de la porte. Si ce n'est pas le cas, agrandissez le logement avec un ciseau à bois comme expliqué ci-dessous et tracez les repères correspondants sur le chant.

16 Positionnez la paumelle femelle sur le chant de la porte en respectant les repères de hauteur précédemment établis et tracez le contour au crayon.

17 Marquez l'épaisseur de la partie plate avec un trusquin (pour obtenir une précision indispensable au bon fonctionnement de la porte, utilisez un trusquin de menuisier pour positionner les trois paumelles sur une même ligne).

18 Délimitez le tour de l'entaille à faire avec un ciseau à bois tenu verticalement. Ensuite, faites une série d'entailles tous les 5 mm environ, perpendiculairement au sens du fil (le côté biseauté de la lame est en dessous). Éliminez soigneusement les copeaux avec la partie plate du ciseau dans le sens du fil. Creusez ainsi une encoche dont la profondeur corresponde à l'épaisseur de la paumelle.

19 Présentez les paumelles dans leur logement, marquez l'emplacement des fixations avec une pointe carrée et fixez une vis seulement dans chaque paumelle.

20 Maintenez la porte ouverte sur des cales et vissez les paumelles au dormant — toujours avec une seule vis. Chaque tête de vis doit affleurer la paumelle. Si une tête dépasse, elle empêchera forcément la porte de se fermer convenablement. Si des vis sont mal ajustées au dormant, utilisez des chevilles de bois que vous placerez à l'intérieur des anciens trous.

21 Vérifiez que la porte s'ouvre en grand et se ferme facilement. Si elle se ferme mal, les emplacements des paumelles doivent être ajustés (voir « La porte ferme mal », p. 201).

22 Lorsque la porte pivote correctement, insérez les vis restantes.

Pose de portes intérieures

PORTES DE COMMUNICATION CLASSIQUES

Elles se posent comme les portes d'entrée, généralement avec trois paumelles, en raison de leur poids plus léger. Dans une construction moderne aux portes normalisées, quelques coups de rabot ou de râpe suffisent pour les ajuster. Le jeu de fonctionnement est de 1 ou 2 mm. Au bas, il dépend de la planéité du sol (ou de la hauteur de la moquette), que la porte doit effleurer sans frottement. Si la moquette est très épaisse, essayez de remplacer les paumelles ordinaires par des paumelles à gonds à spirale qui élèvent la porte à l'ouverture. Mais ces paumelles sont difficiles à trouver car elles ne sont pas fabriquée en grandes séries comme les paumelles ordinaires.

Dans les vieilles maisons aux portes réalisées sur mesure, il faut, le plus souvent, retailler une porte neuve. Prenez la mesure du bâti et choisissez sur catalogue ou avec le fournisseur la porte qui conviendra. En général, si la porte est à peindre, choisissez-la plus petite et collez-clouez des languettes de bois sur ses chants pour la mettre à dimension. Si vous la voulez couleur naturelle, prenez-la plus grande et retaillez-la.

PORTES PORTEFEUILLE

Elles se posent comme une porte ordinaire, à quelques détails près.

1 Si les deux parties de la porte sont séparées, réunissez-les par trois jeux de paumelles à fiche bouton. La partie de la porte pivotant sur le bâti se monte sur celui-ci à l'aide de trois jeux de paumelles ordinaires.

2 Lorsque deux portes portefeuille sont posées comme une porte à deux vantaux se fermant au milieu, collez et clouez verticalement sur le chant — côté serrure — de l'une d'elles un tasseau de 40 x 15 mm de section qui formera feuillure, sur laquelle s'appuiera l'autre porte. Si les chants sont à recouvrement, le tasseau est inutile.

3 Posez une serrure à larder sur la seconde porte, avec une poignée.

PORTES ACCORDÉON

Souvent conçues pour remplacer une grande porte à deux vantaux entre deux pièces, elles peuvent ne pas nécessiter de guide au sol, et être simplement suspendues à un chemin de roulement fixé en partie supérieure. Ouvertes, elles occupent bien moins de place que des portes classiques. Vendues en kit, elles sont accompagnées d'une notice de montage. Avant d'entreprendre ce travail, vérifiez le bon équerrage du bâti en place. Les deux diagonales doivent être rigoureusement égales. Dans le cas contraire, confiez la pose à un spécialiste.

Outils : double mètre, niveau à bulle, règle plate, crayon, poinçon, perceuse ou chignole et mèches, tournevis, scie à métaux.
Matériel : porte accordéon en kit.

1 Mesurez la hauteur et la largeur de l'ouverture et commandez la porte.

2 Tracez une ligne au milieu de la traverse supérieure du bâti.

3 Positionnez le rail sur cette ligne et marquez au poinçon l'emplacement des vis.

4 Retirez le rail et percez les avant-trous des vis. Si la traverse a moins de 20 mm de haut, transpercez-la et fixez les vis dans la maçonnerie avec des chevilles.

POSE DE PAUMELLES À FICHES À HÉLICE

Elles se posent et ont un sens d'ouverture comme les paumelles ordinaires (voir p. 194). Pour ces modèles dégondables, on dit qu'elles ont une main (*main droite* pour une paumelle destinée à une porte pivotant sur la droite en s'ouvrant, et *main gauche* pour une paumelle destinée à une porte pivotant sur la gauche en s'ouvrant).

Pour que la porte ne se bloque pas sur le bâti, chanfreinez la traverse supérieure de la porte, côté paumelle, sur une longueur et avec une pente suffisantes pour permettre la rotation de la porte et son élévation.

5 Faites glisser le rail sur les galets de nylon en haut des portes.

6 Posez le rail et la porte, puis vissez le rail en vous faisant aider.

7 Coupez à dimension les moulures masquant le rail si elles sont comprises dans le kit et vissez-les.

8 Fixez la porte sur le côté fermé et posez les butées d'arrêt et le loquet suivant la notice de montage.

PORTES COULISSANTES

Leur pose permet un gain de place dans un couloir ou une petite pièce. Il faut que le mur sur lequel elles s'effacent soit libre et aussi large que la porte.

Pose de portes intérieures (suite)

Les modèles sont divers. La pose sera plus facile avec un type de porte se fixant au mur plutôt qu'au plafond. Choisissez si possible un modèle où les crochets de suspension sont dissimulés sous un coffrage. Sinon, vous pourrez en réaliser un avec des baguettes de pin, une bande de contre-plaqué ou de panneau de fibres, et le peindre.

Outils : double mètre, niveau à bulle, crayon, scie à tenons, rabot ou râpe, ciseau, maillet, tournevis, couteau de peintre, chignole ou perceuse, mèche à bois, métal et béton, fraises.
Matériaux : colle, reboucheur (plâtre) ; deux tasseaux de 75 mm de large, de même épaisseur que la plinthe et d'une longueur égale à la hauteur de la porte ; un tasseau identique d'une longueur légèrement supérieure à deux fois la largeur de la porte ; vis à tête fraisée de 50 × 4 mm et chevilles correspondantes ; mécanisme de coulissement ; porte plane légère ; poignée (appelée aussi béquille) ou bouton de porte.

La liste des outils et matériaux peut être différente selon les modèles de portes à poser.

UN BON TRUC
Achetez une porte neuve (on en trouve à bas prix), plutôt que de réutiliser l'ancienne, ce qui vous demanderait un travail délicat pour rendre invisibles les logements des paumelles et serrure (voir p. 196).

1 Dégondez la vieille porte.

2 Retirez les paumelles du cadre. Rebouchez les mortaises en y collant des languettes de bois taillées à dimension et faisant à peine saillie sur la surface du montant. Maintenez-les en place par deux pointes qui seront retirées après séchage de la colle. Poncez jusqu'au niveau du montant.

3 En faisant levier avec un vieux ciseau à bois, retirez le couvre-joint ou le chambranle encadrant le bâti.

4 Rebouchez les trous éventuels dans la maçonnerie avec du plâtre ou un enduit intérieur.

CHOIX DES PAUMELLES

Paumelle à gonds
C'est la paumelle classique (appelée aussi « paumelle de Paris ») des portes intérieures et extérieures des locaux d'habitation. Son avantage essentiel est la facilité du dégondage de la porte.
Sur les huisseries métalliques, le gond mâle est soudé à l'huisserie, le gond femelle se fixe par trois vis sur la porte.

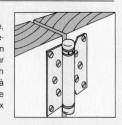

Charnière à ressort
Grâce à cette charnière, la porte se referme d'elle-même. Elle existe en modèle à effet simple pour porte s'ouvrant dans un sens et en dispositif à double effet pour porte s'ouvrant dans les deux sens.

Charnière en T
Elle est également appelée penture anglaise. S'utilise dans les maisons de style rustique, comme les pentures à gonds, dont elle diffère par l'enfichage du type charnière.

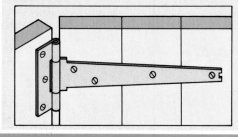

Paumelle à fiche hélice
Conçue sur le même principe que les paumelles à gonds classiques, mais les bases du gond de la fiche sont taillées en spirale, ce qui soulève la porte d'une dizaine de millimètres lors de son ouverture. Grâce à ce système, il est possible d'ouvrir la porte sur une moquette ou un tapis épais sans l'abîmer. (Voir aussi l'encadré p. 193.)

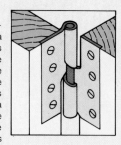

Fiche à broche
Cette fiche est en acier avec une finition correspondant au type d'emploi :
— zinguée ou nickelée pour les ouvrages extérieurs (fenêtres et portes extérieures) ;
— laitonnée pour des ouvrages intérieurs (portes et meubles).
La longueur des broches peut aller de 37 mm pour une fenêtre à 61 mm pour une porte palière.

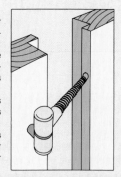

Fiche à bouton
Cette paumelle s'articule comme une charnière et la fiche se termine à sa partie supérieure par un bouton. La broche dégondable permet de retirer la porte sans dévisser les paumelles. Des portes et des fenêtres anciennes en sont encore équipées.

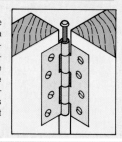

---

5 Vissez à tête noyée les deux hauteurs de tasseau sur les montants du bâti après avoir raccourci les plinthes. Le sommet doit affleurer le bord de la feuillure.

6 Vissez le troisième tasseau à la traverse du bâti et au mur sur lequel la porte doit s'effacer à l'ouverture. Utilisez le niveau à bulle pour obtenir une horizontalité parfaite. Espacez les vis d'une trentaine de centimètres et noyez les têtes dans le bois. Dans un mur, une cloison en maçonnerie ou dans un panneau de plâtre, percez en utilisant une mèche à béton au diamètre correspondant aux chevilles dans lesquelles se vissera le tasseau.

7 Sur ce tasseau, vissez le chemin de roulement de la porte coulissante. Vérifiez l'horizontalité au niveau à bulle.

8 Vissez le système de suspension (traverse supérieure de la porte).

9 Posez la porte. Vissez les guides au sol selon les instructions de la notice de montage.

10 Posez la poignée ou le bouton de porte sur chaque face de la porte, à un endroit permettant de manœuvrer facilement la porte.

GRANDES PORTES COULISSANTES

Deux portes coulissantes peuvent « habiller » un grand mur nu dans lequel est percée une large baie.

Si la largeur du mur de part et d'autre de la baie le permet, les deux portes montées sur un rail unique s'effacent sur chacun des murs et se ferment au milieu de la baie. Si le dégagement est insuffisant, montez les deux portes sur un double rail. À l'ouverture, elles s'effaceront en glissant l'une devant l'autre.

DÉCAPAGE DES PORTES

Des entreprises (voir « Réparation et restauration de meubles », pages jaunes de l'annuaire téléphonique) décapent les portes dans un bain de soude caustique.

Le procédé, rapide et efficace, fait gagner du temps et évite un travail fastidieux et pénible qui comporte certains dangers pour un particulier non équipé.

La peinture est enlevée dans le moindre recoin de moulure sans aucune trace sur le bois.

Mais ce procédé présente néanmoins un inconvénient : il peut faire jouer les assemblages et déformer la porte.

Il ne convient pas à toutes les portes.

Les unes sont d'un prix trop bas, et il est alors préférable d'en acheter des neuves. D'autres au contraire sont trop fragiles pour être soumises à un tel traitement, qui peut les déformer définitivement. Prenez l'avis de l'entreprise de décapage.

Changer le sens d'ouverture d'une porte intérieure

Pour une meilleure utilisation de la surface d'une pièce, après un nouvel arrangement mobilier par exemple, il peut se révéler utile, voire nécessaire, de changer le sens d'ouverture d'une porte.

Cette opération, qui peut paraître simple à première vue, pose en réalité un certain nombre de problèmes, augmentés en quantité et en difficulté si l'on désire fixer la porte sur le parement opposé du mur. Ce travail réclame en effet l'intervention de professionnels. Suivant l'épaisseur des murs, il faut soit créer une nouvelle feuillure pour recevoir le bâti, le fixer, faire les raccords nécessaires (enduit, peinture, papier, couvre-joint, etc.) et reboucher l'emplacement initial, soit déposer l'huisserie pour la retourner ou y créer une feuillure par ajout de baguettes et de moulures et, de toute façon, changer la position du ferrage, de la serrure et de la gâche.

Nous nous contenterons donc ici de traiter le cas des portes planes dont on veut changer le sens d'ouverture en restant du même côté du mur ou de la cloison.

Ce travail est à la portée de tous s'il est abordé avec méthode. Pensez à l'avance aux étapes différentes de la réalisation et réunissez tous les outils et accessoires nécessaires.

Outils : coins en bois, tournevis (un gros et un plus fin), scie à tenons, rabot, marteau, papier de verre, crayon, ciseau à bois, équerre, maillet, cutter, vrille moyenne.

Matériaux : environ 1 m linéaire de latte très mince (environ 2 mm) de 20 mm de largeur, de la colle à bois, des pointes fines à tête d'homme, quelques vis neuves des dimensions de celles existantes, un peu de graisse minérale.

1 Ouvrez la porte à 90°. Dégondez-la après l'avoir « décollée », éventuellement en utilisant un coin.

2 Dévissez complètement les paumelles, les parties mâles du bâti, les autres parties de la porte.

3 Après avoir mesuré très exactement l'écart entre le sol et la première paumelle, reportez cette mesure sur le montant de l'huisserie opposé. Faites de même pour les deux autres paumelles.

4 À l'aide de l'équerre, tracez les limites des entailles à faire pour y loger les paumelles (parties « mâles »).

5 Avec le ciseau à bois, en vous aidant éventuellement du maillet (la paume de la main devrait d'ailleurs suffire), enlevez entre les marques l'épaisseur de bois nécessaire et correspondant à celle des branches de paumelles. (Pensez à supprimer l'arête au droit du nœud de la paumelle.)

6 Présentez la paumelle et vissez, sans aller jusqu'au bout. Il peut arriver que vous ayez besoin d'un

Les portes planes sont avant tout des portes conçues pour un usage intérieur (portes de communication ou portes palières).

La normalisation française sur ces produits ne concerne d'ailleurs que les portes intérieures. Certains fabricants proposent des portes planes à usage extérieur. Il faut s'assurer dans ce cas que le collage et le revêtement extérieur, généralement en contre-plaqué, sont capables de résister à une atmosphère humide.

Ce type de porte, de par sa conception, a tendance à se déformer beaucoup plus facilement qu'une porte extérieure en bois massif. Cette déformation, quand elle est importante, entraîne des défauts d'étanchéité à l'air et à l'eau.

Il est préférable de choisir une porte d'entrée conçue pour le contact avec l'extérieur.

peu de jeu au moment du dernier réglage.

7 Présentez la porte. Faites-vous aider ou calez-la le temps de vérifier le positionnement de la paumelle (« femelle ») sur le chant de la porte. Il devrait correspondre exactement à l'emplacement ancien mais se situer à côté de celui-ci.

8 Tracez les limites de la paumelle femelle en utilisant l'équerre. Vous procéderez de la même façon pour les deux autres.

9 Dégagez ensuite l'entaille et marquez la place des vis.

10 Vissez comme dit plus avant.

Note : il s'agit d'inverser le sens du pêne de la serrure « à larder ».

En effet, dans ce type de serrure, le fonctionnement du pêne est aidé par deux ressorts hélicoïdaux, un sur la queue du pêne lui-même, le second sur un poussoir situé à l'arrière et coulissant dans un guide. Il suffit de repousser ce dernier en comprimant le ressort pour

Changer le sens d'ouverture d'une porte intérieure (suite)

dégager le pêne. La découpe du passage dans la têtière permettant d'inverser la position du pêne, réintroduisez-le à l'envers, remettez-le en place après avoir effacé le poussoir. Votre serrure « à gauche » est devenue « à droite », ou vice versa.

11 Pour inverser la serrure, après avoir enlevé la béquille ou le bou-ton, dévissez la têtière, procédez à l'opération décrite ci-dessus. Revissez la serrure et remettez la béquille en place.

12 Une fois que vous aurez regondé la porte, avec sa serrure, il sera facile de positionner la gâche préalablement déposée du montant d'huisserie.

13 Manœuvrez la porte dont le pêne laissera des traces sur le montant.

Appliquez la gâche à cet emplacement pour qu'il corresponde avec la découpe que vous tracerez exactement. Le contour va en effet vous permettre de creuser au ciseau le logement du pêne.

Cette opération assez facile devra néanmoins être réalisée avec soin.

14 Comme pour les paumelles, utilisez le ciseau mais avec plus de force pour préparer ce logement, enlevez toutes les saillies pouvant gêner le bon fonctionnement (cutter). Vissez la gâche en place.

15 Il reste maintenant à reboucher les emplacements des ferrages déposés.

Pour les paumelles, équarrissez les extrémités du logement des branches. Relevez-en les dimensions, taillez dans la latte mince les pièces correspondantes. Enduisez-les de colle. Mettez en place. Assurez-en le maintien avec quelques pointes que vous n'enfoncerez pas complètement.

16 Pour reboucher l'emplacement de la gâche, procédez de la même façon, après avoir toutefois comblé plus ou moins grossièrement le logement du pêne.

17 Dès que vous estimerez les pièces bien collées, après avoir enlevé les clous, vérifiez-en la planéité, utilisez le papier de verre pour parfaire l'opération. Bouchez au mastic chaque fois que cela paraît nécessaire, et repeignez.

Serrures à mortaiser

La plupart des portes intérieures ont des serrures à mortaiser. Les portes standard neuves vous sont proposées, en général, avec la mortaise déjà taillée. Celles qui ferment à clé sont munies d'un pêne dormant et d'un loquet. Quand la clé est tournée, les leviers font glisser le pêne dormant dans la position fermée. Plus il y a de leviers, plus la serrure est difficile à crocheter. Les serrures à un ou deux leviers, comme on en trouve sur les portes d'intérieur, sont facilement crochetables.

Sur les portes extérieures sont montées de solides serrures mortaisées à pêne dormant et loquet. Elles comportent jusqu'à six ressorts de leviers qui ne fonctionnent qu'avec une clé compliquée et un mécanisme à gorges. Le nombre de leviers est généralement indiqué sur la têtière.

ENTRETIEN

Lubrifiez les serrures deux fois par an avec du graphite en poudre et de l'huile fine. Les serrures à mortaiser, ou à larder, peuvent être aisément enlevées pour le nettoyage et l'entretien.

POSE D'UNE SERRURE À MORTAISER

Outils : crayon, équerre, vilebrequin, mèche à bois au diamètre de l'épaisseur du coffre de la serrure, ruban adhésif, maillet, ciseau à la largeur du coffre et ciseau de la plus grande largeur possible ; pinces, poinçon, perceuse ou chignole, mèches à bois, scie à guichet ou à lames multiples, tournevis.

Matériau : serrure à larder (ou à mortaiser).

1 Positionnez la serrure en la plaquant contre une face de la porte. Sa place normale est à hauteur de la traverse centrale d'une porte menuisée.

Sur une porte plane, la position du renfort est souvent marquée sur le chant de la porte.

2 Marquez sur la porte les dimensions du coffre de la serrure et reportez la hauteur sur le chant de la porte avec l'équerre.

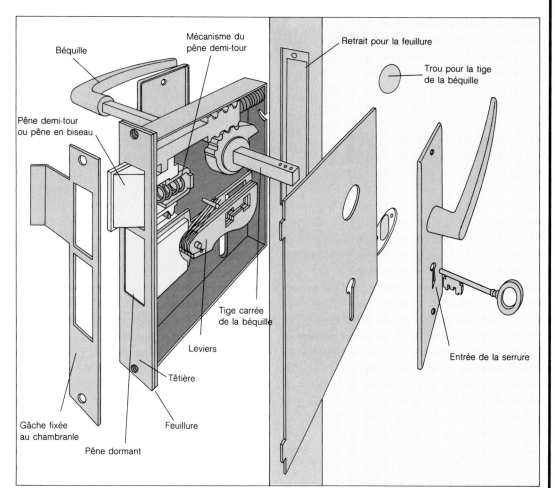

Béquille

Mécanisme du pêne demi-tour

Retrait pour la feuillure

Trou pour la tige de la béquille

Pêne demi-tour ou pêne en biseau

Tige carrée de la béquille

Leviers

Têtière

Entrée de la serrure

Gâche fixée au chambranle

Feuillure

Pêne dormant

3 Tracez la médiane longitudinale de la mortaise sur le chant entre les traits délimitant la hauteur.

CHOIX DES SERRURES ET DES VERROUS

On distingue deux types de poses pour les serrures et les verrous. Les serrures en applique sont vissées sur la face intérieure de la porte. Le montage est aisé, mais, tenues simplement par les vis, ces serrures peuvent être arrachées assez facilement. Les serrures à larder sont logées dans l'épaisseur de la porte. Leur pose est plus difficile mais garantit une sécurité plus importante.

VERROU DE SÛRETÉ

Ce verrou se pose en applique. Le pêne est actionné par une clé de l'extérieur et par un bouton de l'intérieur. Ce verrou convient lorsqu'il est monté sur des portes d'entrée équipées d'une serrure à pêne dormant.

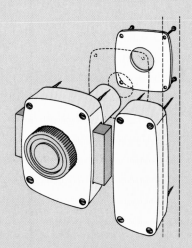

VERROU DE SÛRETÉ À PÊNE DORMANT

Ce verrou se pose en applique et est plus sûr que le simple verrou de sûreté. Porte fermée, un tour de clé bloque le pêne de l'intérieur comme de l'extérieur. Il existe différents modèles, dont les dimensions sont adaptées à la largeur des montants de porte. Il convient également pour les portes d'entrée équipées d'une serrure à larder à pêne dormant.

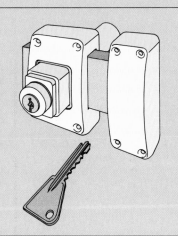

SERRURE À LARDER À PÊNE DORMANT

Le pêne ne peut être actionné que par la clé. Le panneton de celle-ci, cranté, libère la queue du pêne d'une série de butées et le pêne peut se mouvoir. Plus il existe de butées, plus le crochetage de la serrure est difficile. Les plus sûres ont cinq butées et une gâche de type boîtier.

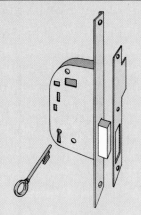

SERRURE À LARDER À PÊNE DEMI-TOUR

Le pêne demi-tour est simplement actionné par une béquille. Ce type de serrure convient aux portes de communication ou pour une chambre de jeunes enfants dont l'accès vous est ainsi toujours possible.

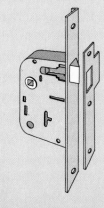

SERRURE À LARDER À DEUX PÊNES

Elle comporte un pêne demi-tour, actionné par une béquille, et un pêne dormant qui verrouille la porte par le jeu d'une clé. Elle doit avoir cinq butées pour assurer une bonne sécurité. Il existe des modèles verticaux pour les portes à montant étroit.
Convient pour les portes de service, équipées également de verrous en bas et en haut de porte.

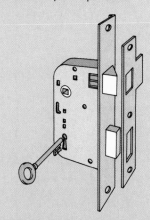

SERRURE EN APPLIQUE À DEUX PÊNES

Se visse sur la face intérieure de la porte. Simple à poser, elle comporte deux pênes. Ne convient pas pour les portes d'entrée. Elle se monte sur une porte de service avec verrous en bas et en haut de porte ou, en modèle courant, sur une porte intérieure.

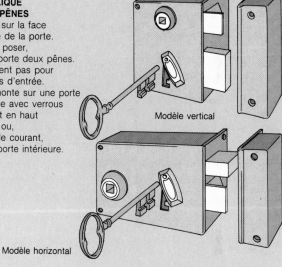

Modèle vertical

Modèle horizontal

SERRURE AVEC PÊNES DORMANTS À MENTONNETS

Une paire de pênes dormants à mentonnets se bloquent à l'intérieur de la gâche et ne peuvent être dégagés que par la manœuvre de la clé. La serrure est à larder.
Convient pour les portes coulissantes à cadre en bois (sur terrasse ou balcon). Les portes coulissantes à cadre métallique sont livrées avec leurs serrures.

SERRURE À CONDAMNATION LATÉRALE

Cette serrure se monte sur les portes de garage, en particulier sur des portes basculantes. Une clé à double panneton actionne la serrure de l'intérieur et de l'extérieur. Il existe également des modèles de ce type avec trois points de condamnation (une tige métallique verticale renforce le dispositif latéral).

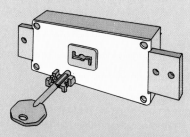

Serrures à mortaiser (suite)

4 À l'aide du ruban adhésif, marquez sur la grosse mèche à bois la profondeur du coffre. Percez une série de trous bord à bord et centrés sur la médiane tracée, jusqu'à cette profondeur. Maintenez la mèche bien d'équerre verticalement et horizontalement avec le chant de la porte. Un aide vérifiera qu'elle est bien horizontale.

5 Avec le ciseau étroit, formez les petits côtés et le fond de la mortaise. Avec le ciseau large, terminez les grands côtés, pour que le coffre s'ajuste sans forcer dans son logement.

6 Tournez la clé pour sortir le pêne dormant du coffre. Logez le coffre et dessinez sur le chant de la porte la silhouette de la têtière. Retirez le coffre en vous aidant d'une pince pour agripper le pêne.

7 Au ciseau, façonnez la mortaise où se logera la têtière. La têtière

devra être au niveau de l'épaisseur de la porte.

8 Appliquez la serrure sur la face de la porte, parallèlement à sa position définitive. Au poinçon, marquez le centre du fouillot et du trou de passage de la clé.

9 Percez la porte de part en part, au diamètre du fouillot et du trou de passage de la clé. Donnez à

l'entrée de clé sa forme correcte (passage du panneton) à la scie à guichet ou en perçant deux petits trous et en dégageant le bois restant à la scie.

10 Le pêne toujours sorti, mettez en place la serrure et vérifiez que la clé et la poignée fonctionnent correctement.

11 Vissez la têtière sur le chant de la porte.

12 Poussez le carré dans la serrure par la béquille (ou le bouton) qui lui est solidaire et vissez les plaques de béquille (ou de bouton) de chaque côté de la porte.

13 Vissez de chaque côté de la porte les plaques d'entrée de serrure si ces entrées ne sont pas sur les mêmes que les béquilles.

14 Pêne sorti, poussez la porte jusqu'à ce que les pênes s'appli-

quent au bâti. Marquez la position du pêne dormant et du demi-tour sur ce bâti. Reportez le tracé à l'intérieur de la feuillure du montant. Mesurez la distance entre le bord de la porte et l'axe longitudinal du pêne dormant. Reportez cette distance sur le bâti à partir du fond de la feuillure.

15 Au ciseau étroit, exécutez les deux mortaises qui recevront le demi-tour et le pêne dormant. Vérifiez que la porte ferme correctement ; sinon, élargissez les mortaises autant que nécessaire.

16 Positionnez la gâche par rapport aux mortaises. Tracez son contour.

17 Creusez une mortaise à la profondeur de la gâche qui, une fois posée, doit être de niveau avec le montant. Vérifiez que la porte ferme bien. Vissez la gâche.

Pose d'accessoires de portes

Un certain nombre d'accessoires sont généralement posés sur une porte d'entrée : entrée de boîte aux lettres, poignée (pouvant être incorporée sur l'entrée de boîte aux lettres), sonnette, heurtoir, numéro de la maison parfois.

Leur installation est simple. Mais, pour poser une entrée de boîte aux lettres, une scie sauteuse avec lame à chantourner remplacera avantageusement la scie à guichet.

ENTRÉE DE BOÎTE AUX LETTRES

Outils : crayon, règle graduée, mèches à bois jusqu'à 10 ou 15 mm de diamètre, scie sauteuse ou scie à guichet, ciseaux, papier de verre, tournevis, petite clé à molette, scie à métaux.
Matériaux : entrée de boîte aux lettres et autres accessoires.

1 Choisissez l'emplacement de l'entrée de boîte aux lettres : horizontalement sur la traverse centrale ; verticalement sur le montant de porte, côté serrure.

2 Placez l'entrée de boîte aux lettres à l'endroit choisi et utilisez-la comme gabarit pour le traçage.

3 Mesurez les dimensions du volet et du mécanisme à ressort. Reportez-les, pour délimiter le contour de la découpe, à l'intérieur du dessin fait sur gabarit. La coupe doit être décentrée pour permettre le logement du mécanisme.

4 Avec une mèche de 10 ou 15 mm, percez la porte aux quatre angles du dessin du gabarit. Sciez

le long des traits. La lame à chantourner doit être plus longue que l'épaisseur de la traverse.

5 De chaque côté de la coupe, marquez la position des boulons de fixation pour percer leur logement.

6 À partir de la face extérieure de la porte, percez des trous borgnes de 15 mm de diamètre et 15 mm de profondeur pour loger les pattes de fixation de l'entrée de boîte aux lettres.

7 Avec une mèche de même diamètre que les vis de fixation, continuez le perçage jusqu'à traverser la porte. Poncez les bords des trous au papier de verre.

8 Posez l'entrée de boîte aux lettres sur la porte. Serrez les écrous des vis d'assemblage à l'aide d'une clé à molette.

9 Si ces vis dépassent des écrous, coupez-les au ras de ces derniers, à l'aide de la scie à métaux. Limez les bavures.

HEURTOIR

1 Plaquez le heurtoir à la place choisie sur la face extérieure de la porte et appuyez-le avec force pour que les pattes de fixation y laissent de légères marques. Percez les trous pour les pattes et les vis.

2 Passez les vis dans les pattes, au dos du heurtoir. Posez l'ensemble.

3 Vissez les écrous, serrez-les. Si les vis dépassent, sciez-les pour qu'elles affleurent les écrous.

POIGNÉES, BOUTONS DE PORTES ET AUTRES ACCESSOIRES

La serrurerie décorative offre un très grand choix de modèles, du plus sophistiqué au plus simple. Les matériaux utilisés sont multiples : fer forgé, martelé, bronze, laiton, acier, aluminium, céramique, bois, plastique... Mais, quels que soient le modèle et la matière, chaque pièce a une fonction bien définie.

Poignées pour serrure à encastrer

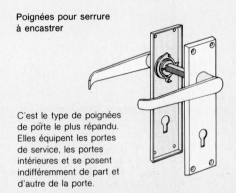

C'est le type de poignées de porte le plus répandu. Elles équipent les portes de service, les portes intérieures et se posent indifféremment de part et d'autre de la porte.

Poignées pour bec-de-cane à encastrer

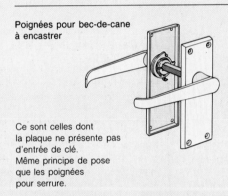

Ce sont celles dont la plaque ne présente pas d'entrée de clé. Même principe de pose que les poignées pour serrure.

Poignées pour serrure avec bouton de condamnation

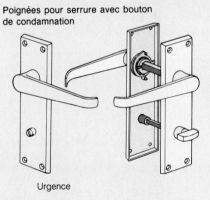

Urgence

Conçues pour les salles de bains, les W.-C. La serrure se verrouille par un bouton, de l'intérieur de la pièce. Mais le carré du bouton est fendu en bout pour permettre l'ouverture de l'extérieur en cas d'urgence avec un tournevis.
Pour ce type de serrure, tenez compte de la main et du sens d'ouverture.

Boutons de porte

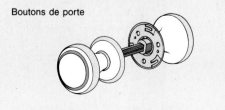

Pour serrures bec-de-cane encastrées ou en applique. Ils s'utilisent si la place disponible permet de les tourner sans frotter la main sur l'huisserie.

Boutons de porte pour serrures en applique

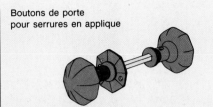

Remplacent les poignées sur une serrure bec-de-cane, avec une rosace seulement du côté extérieur de la porte.

Boutons de porte pour salles de bains et W.-C.

Mécanisme de verrouillage

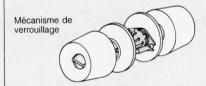

Au centre du bouton, côté intérieur, un mécanisme de verrouillage empêche d'ouvrir de l'extérieur.

Entrée de boîte aux lettres et volet intérieur

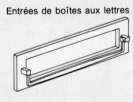

Une entrée standard se pose au milieu de la porte d'entrée. Côté intérieur, un volet améliore la finition et protège des courants d'air.

Entrées de boîtes aux lettres

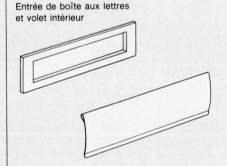

HORIZONTALE. L'entrée de la boîte aux lettres est munie d'une poignée qui permet de manœuvrer la porte. Elle peut servir de heurtoir.

VERTICALE. L'entrée de la boîte aux lettres se prolonge par une plaque avec le heurtoir et le passage du cylindre d'un verrou.

Bouton central

Pour fermer la porte derrière soi.
Se pose souvent au-dessus d'une entrée de boîte aux lettres placée en milieu de porte.

Heurtoirs

Ils se placent sur la porte d'entrée à la place d'une sonnette. Il existe une grande variété de modèles.

Plaques de propreté

Plaques décoratives qui protègent la porte côté serrure des marques de doigts. Les modèles les plus courants sont en laiton, en plastique ou en métal chromé.

Entrée de clé

Pour enjoliver le trou de passage du canon d'une serrure. Le cache protège des courants d'air.

Tirette

Placée à l'extérieur, sous le cylindre d'un verrou, elle permet de tirer et de fermer la porte derrière soi.

Bouton de sonnette

Il peut être en métal ou en plastique. Il se fixe sur l'encadrement de la porte.

Poignée de porte

Peut se placer côté intérieur ou côté extérieur de la porte d'entrée.

Chiffres

Le numéro de la maison peut être composé de chiffres en laiton, en bois, plastique ou porcelaine, vissés ou collés sur la porte d'entrée.

Remédier aux défauts des portes

LA PORTE COLLE AUX MONTANTS DE L'HUISSERIE

Défaut généralement dû à une accumulation de peinture sur les chants de la porte et de l'huisserie. Il s'aggrave par temps humide. Si ce n'est pas trop grave, suiffez les épaisseurs de la porte avec une bougie. Si cela ne suffit pas, il faudra décaper la peinture des chants de la porte et de la feuillure de l'huisserie.

1 Attendez qu'il fasse chaud et sec pour décaper la peinture.

2 Séchez le bois décapé au pistolet à air chaud ou au sèche-cheveux avant de le repeindre.

3 Poncez les surfaces décapées au papier de verre et vérifiez si la porte s'ouvre et se ferme aisément.

4 Vérifiez, à l'aide d'un couteau ordinaire, si l'espace libre est suffisant entre l'huisserie et la porte. Porte fermée, la lame doit passer facilement tout autour d'elle. Aux endroits où la lame est bloquée, rabotez le chant de la porte.

5 Poncez, appliquez une couche d'apprêt et peignez le chant de la porte. Laissez sécher la peinture avant de fermer la porte.

LE BAS DE LA PORTE COINCE

Quand une porte d'entrée ou de service frotte et se coince sur le sol, c'est souvent à cause de l'humidité absorbée par le chant du bas, non peint.

1 Attendez un temps sec et dégondez la porte. Séchez complè-

tement le bois à l'aide d'un pistolet à air chaud ou d'un sèche-cheveux.

2 Si le gauchissement est important, couchez la porte sur un établi. Tracez un trait sur l'une des faces de la porte et rabotez en partant des extrémités vers le milieu.

3 Appliquez une couche d'enduit et peignez de la couleur de la porte.

LE HAUT DE LA PORTE COINCE

Les portes se coincent moins fréquemment en haut que sur les côtés ou au bas. Vous pourrez raboter le chant supérieur sans dégonder la porte. Elle doit être bien immobilisée, ouverte, pendant que l'on travaille debout sur un escabeau.

LA PORTE GRINCE

Graissez les gonds avec un lubrifiant en aérosol. Ouvrez et fermez plusieurs fois la porte pour une bonne répartition du lubrifiant. Mais mieux vaut dégonder et enduire les fiches de graisse ou de vaseline.

Remettez la porte en place. Essuyez soigneusement le surplus de lubrifiant ou de graisse.

LA PORTE CLAQUE

Il n'existe pas d'autre remède que la pose d'un ferme-porte hydraulique sur la face intérieure. Ce dernier est souvent fourni avec un gabarit permettant le perçage correct des logements pour les vis de fixation en haut de la porte et sur la traverse supérieure de l'huisserie.

1 S'il n'y a pas de gabarit avec la notice de montage, positionnez le mécanisme en haut de la porte, côté paumelles, et marquez l'emplacement des vis de fixation.

2 Percez les trous et vissez le mécanisme en place. Puis vissez le support du bras-pivot sur le plat de l'huisserie. S'il y a un chambranle, évidez l'emplacement au ciseau.

3 Connectez le bras-pivot au ferme-porte et, à l'aide de la vis de réglage, réglez la vitesse et la force de fermeture de la porte.

FENTES SUR UNE PORTE

Les panneaux de portes anciennes se fendent parfois. La solution varie selon que la porte est peinte ou vernie.

Porte peinte

Rebouchez la fente avec un mastic à bois, poncez, puis peignez.

Porte vernie

Si les fentes sont larges, un mastic à bois (ou un reboucheur) est inesthétique. Il est préférable de resserrer le panneau à l'aide de tourillons fixés dans les montants pour fermer les fentes.

1 Nettoyez les lèvres de la fente, enlevez toute trace de peinture.

2 Percez à la mèche à bois de 6 mm trois trous dans l'épaisseur du montant de porte jusqu'au niveau du chant du panneau. Mesurez la largeur du montant et marquez avec du ruban adhésif la profondeur sur la mèche.

3 Coupez des tourillons de 6 mm de diamètre et longs de 20 mm de plus que la largeur du montant.

4 Injectez de la colle à bois dans les trous et dans la fente. Enfoncez les tourillons. En s'appuyant sur le bord du panneau, ils fermeront la fente. On peut serrer l'ensemble jusqu'au séchage de la colle avec des presses à sangle (voir p. 187).

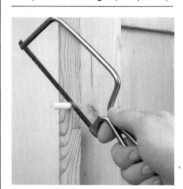

5 Nettoyez les bavures de colle au chiffon humide. Laissez les tourillons dépasser jusqu'à séchage de la colle, puis sciez-les au ras du chant de la porte.

LE PÊNE N'ENTRE PAS DANS LA GÂCHE DE LA SERRURE

Une porte légèrement gauchie par l'humidité peut désaligner serrure et gâche. Si ce désalignement est faible, on le corrige en agrandissant la gâche à la lime. Si cela se révèle insuffisant, il faut déposer la gâche,

la repositionner et la revisser. Quand le désalignement n'est pas très important, bouchez les trous de vis par des tourillons en bois, arasez et percez de nouveaux avant-trous aux emplacements voulus.

LA SERRURE EST GRIPPÉE

Par l'entrée de clé, le fouillot et les passages des pênes de la têtière, vaporisez un lubrifiant dans la serrure. Si le grippage persiste, déposez la serrure, retirez la plaque de couverture de l'arrière du coffre et

graissez légèrement le mécanisme.
Avant de graisser, notez la position des pièces afin de les replacer correctement si elles ont été déplacées.
Pour les serrures de type Yale, employez de la poudre de graphite et non de la graisse, qui retient les poussières.

L'HUISSERIE EST BRANLANTE

Une porte qui claque trop souvent finit par ébranler l'huisserie. Consolidez les scellements par trois vis qui traverseront chaque montant et la maçonnerie.
Les vis doivent avoir au moins 80 mm de long et être chevillées dans le mur.

Outils : perceuse à percussion, marteau, tournevis.
matériaux : vis, chevilles, mèche à béton.

1 Avec une mèche à béton, percez le montant et le mur derrière. L'idéal est de percer dans un matériau compact (pierre, brique ou carreau de plâtre par exemple), et non sur un joint.

2 Enfoncez au marteau la fixation munie de sa cheville jusqu'à ce que la cheville se bloque sur la maçonnerie, puis vissez à fond la fixation pour ancrer la cheville.

LA PORTE FERME MAL

Quand une porte ferme difficilement et a tendance à se rouvrir comme sous l'effet d'un ressort, il faut rechercher la cause du côté des paumelles.
Le problème est généralement dû à la trop grande profondeur de l'une des mortaises. Une paumelle doit affleurer le bois.

1 Repérez la paumelle en cause et dégondez la porte.

2 Grattez la peinture dans les fentes de vis. Dévissez la paumelle et déposez-la.

3 Découpez aux dimensions de la paumelle un ou plusieurs morceaux de carton et appliquez-les au fond de la mortaise jusqu'à ce que la paumelle revissée affleure le bois. Revissez et remettez la porte.

Têtes de vis saillantes

Parfois l'effet de ressort de la porte est dû simplement à des têtes de vis qui dépassent, soit parce que les vis sont fixées de travers, soit parce que les têtes de vis sont trop larges pour se loger dans les trous fraisés de la paumelle.

Retirez les vis ; remplacez-les par des vis dont la tête correspond au fraisage. Des vis du diamètre au-dessous peuvent suffire. Si elles ne mordent pas dans le bois, diminuez le diamètre des trous en y enfonçant des allumettes.

Vous pouvez également garder les vis d'origine en agrandissant les fraisages avec une fraise à métaux montée sur une perceuse électrique tournant à grande vitesse.
Si le vissage a été fait de travers, déposez la paumelle, bouchez les trous de vis par des tourillons encollés. La colle sèche, percez de nouveaux avant-trous et revissez la paumelle correctement.

Paumelles mal positionnées

Les paumelles placées sur le montant de l'huisserie sont posées trop près du fond de la feuillure. La

porte se bloque contre l'huisserie avant de se fermer complètement.

1 Déposez les paumelles et bouchez les trous de vis avec des tourillons en bois encollés.

2 Percez de nouveaux avant-trous de vis pour poser les paumelles à leur place correcte.
La porte étant fermée, le saillant des gonds doit être le même sur la face de la porte et sur le devant du montant de l'huisserie.

BOIS POURRI SUR UNE PORTE

Le bois des portes extérieures qui n'ont pas été protégées par une peinture ou un vernis est sujet au pourrissement (développement des champignons), surtout dans la partie basse, près des assemblages. En intervenant à temps, on peut y appliquer un mastic à bois pour extérieur.

1 Par temps chaud et sec, grattez le bois pourri et, si possible, mettez à nu le bois sain. Attendez que le bois soit bien sec (l'usage d'un pistolet à air chaud peut faciliter l'opération) avant d'utiliser un mastic à bois pour extérieur (mastic à deux composants).

2 Appliquez le mastic à bois pour extérieur pour remplacer le bois pourri.

Remédier aux défauts des portes (suite)

La couche de mastic doit faire légèrement saillie sur la surface du bois. Attendez le séchage (environ 30 minutes), puis poncez pour ramener au niveau du bois.

3 Appliquez un produit de traitement préventif autour de la zone pourrie, après avoir enlevé la couche de peinture.

4 Laissez sécher le produit de préservation et appliquez une finition sur la porte (peinture, vernis ou lasure).

LE MONTANT DE L'HUISSERIE POURRIT

L'huisserie d'une porte extérieure pourrit souvent au bas des montants, près du seuil.
La seule réparation réellement satisfaisante est le remplacement de la partie pourrie par une pièce de bois neuve.

1 Sondez au tournevis la hauteur de l'attaque. À environ 10 cm au-dessus, coupez sur le montant en biseau à un angle de 45° environ. Utilisez une scie universelle à cause de la maçonnerie.

2 Descellez la partie coupée du mur et du sol. Elle viendra d'autant plus facilement que le bois est plus friable. Nettoyez la maçonnerie.

3 Coupez la pièce de rechange à longueur et en biseau en vous guidant sur la partie coupée. Si vous ne pouvez pas réaliser vous-même cette feuillure, la partie neuve peut être faite de deux pièces de bois formant feuillure, collées et vissées.

4 Appliquez sur les faces de la coupe en contact et sur la pièce de rechange un produit fongicide. Percez les trous de vis qui la traverseront pour le scellement. Faites de même dans le mur. Enfoncez les chevilles dans le mur et fixez la pièce de rechange.

5 Percez à 45° vers le haut (donc perpendiculairement au biseau) la pièce de rechange et le bâti, près de leur raccordement. Enfoncez-y un tourillon en bois préalablement encollé. Après séchage de la colle, poncez pour mettre de niveau.

UN ANGLE DE LA PORTE FROTTE SUR LE SOL

Ce défaut peut être dû soit à des paumelles ayant pris du jeu, soit à l'assemblage du cadre de porte qui tient mal. Ouvrez à demi la porte et soulevez-la par la poignée pour situer l'endroit du jeu (aux paumelles ou à un assemblage).

Jeu aux paumelles

Si les paumelles jouent dans leur logement, dégondez, dévissez les paumelles, calez des allumettes dans les trous de vis et assurez-vous que les vis tiennent. Sinon, utilisez des vis d'un diamètre supérieur. Il faudra peut-être agrandir le fraisage des paumelles pour le logement des têtes de vis (voir p. 201).
Si les paumelles sont usées, remplacez la rondelle spéciale placée entre les deux parties de chaque paumelle ou utilisez un fil de laiton comme rondelle de friction.

Jeu dans les assemblages

Il faut recoller, mettre sous presse et recheviller le cadre.

1 Dégondez la porte, désassemblez le cadre. Travaillez avec précaution pour ne pas casser les assemblages à tenon et mortaise.

2 Encollez tenons et mortaises, et assemblez le cadre. Si vous n'avez pu le démonter, injectez de la colle à bois dans les assemblages.

3 Sur le chant de la porte, enfoncez des petits coins en bois aux extrémités des tenons pour éviter un nouveau décollement.

4 Percez la traverse et le tenon, et chevillez avec un tourillon en bois encollé qui immobilisera le tenon. Sur une porte d'entrée ou de service, utilisez une colle à bois pour travaux extérieurs.

5 Serrez le cadre à l'aide de serre-joints à pompe, de presses à sangle, de serre-joints dormants...

6 Arasez les chevilles, poncez et appliquez une finition.

LA PORTE EST GAUCHIE

Dégauchir une porte en place

On peut tenter de redresser une porte gauchie sans la dégonder. L'accès sera condamné.

1 Fermez la porte en intercalant des morceaux de tasseau entre la face de la porte et la feuillure. Maintenez les tasseaux en place à l'aide de ruban adhésif pendant l'opération.

2 Redressez la partie qui bombe en vissant en diagonale sur la traverse et le montant de l'huisserie une longueur de tasseau de forte section qui appuie sur la porte.

3 Si la porte est bombée en son milieu, placez les morceaux de tasseau sur les traverses haute et basse de la porte et vissez le long tasseau en travers du milieu de la porte.

Dégauchir une porte dégondée

Si le défaut ne peut être corrigé porte en place, dégondez la porte et posez-la à plat sur un parquet en bois.
Posez les morceaux de tasseau sous la porte aux endroits où normalement elle s'appuie sur la feuillure et corrigez le gauchissement en pressant la partie bombée vers le sol à l'aide d'un tasseau de forte section vissé au plancher d'un grenier désaffecté (ainsi vous ne vous soucierez pas des trous de vis qui abîmeront le plancher); ou bien, si le gauchissement est peu important, posez pendant quelques jours un poids sur la surface courbée de la porte.

CHOIX D'UN MODÈLE DE FENÊTRE

Pour choisir une fenêtre, il faut tenir compte des fenêtres qui s'ouvrent sur la même façade, avec lesquelles elle devra s'harmoniser. Plus généralement, il faut prendre en compte l'architecture de la maison et également les matériaux avec lesquels elle a été construite. Votre façade ne devra pas être par trop différente de celles de vos voisins.

Toute fenêtre comporte des parties fixes et des châssis mobiles, et peut être fabriquée avec divers matériaux (voir page suivante).

FENÊTRES DE TOITURE

Ces fenêtres sont très pratiques pour équiper des combles d'ouvertures. Beaucoup de fabricants en proposent des modèles variés dans plusieurs dimensions.

Houteau

Petit châssis qui permet de donner un certain caractère à une toiture.

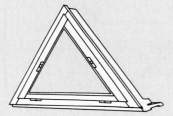

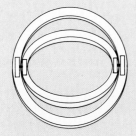

Œil-de-bœuf

Le système d'ouverture est basculant et ferré sur pivots à freins.

Fenêtre de toit à poignée basse accessible

Selon les modèles, elle peut s'ouvrir par rotation ou par projection et rotation. Certains modèles sont à double vitrage isolant posé en usine avec un châssis à retournement complet. Néanmoins, l'étanchéité de liaison avec la toiture entraîne parfois des modifications de la charpente, et dans ce cas-là des renforts sont à prévoir.

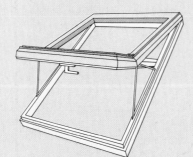

FENÊTRE BASCULANTE

Conçue pour les pièces exigeant une bonne ventilation et un éclairage important, elle est surtout utilisée dans les bureaux, les écoles, les cuisines... Une fois ouverte, elle dégage la tablette intérieure et autorise des vantaux carrés de grandes dimensions.

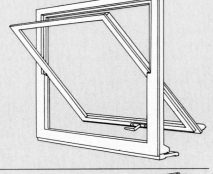

FENÊTRE COULISSANTE

Souvent métallique, elle équipe les baies de grandes dimensions. Elle s'ouvre sans empiéter sur l'espace intérieur et s'adapte aux «designs» modernes.

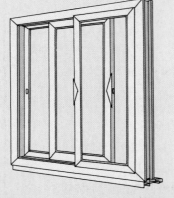

FENÊTRE CLASSIQUE

Fenêtre à deux vantaux en bois ou en P.V.C. qui peuvent être munies de croisillons intégrés ou rapportés. Les modèles en bois comportent parfois des petits bois.

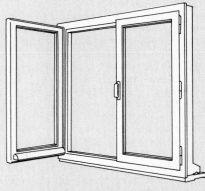

FENÊTRE CLASSIQUE CINTRÉE

Cette fenêtre traditionnelle, à l'instar de la fenêtre classique, est facilement dégondable.

PORTE-FENÊTRE À IMPOSTE EN P.V.C.

Sa faible conductivité et sa facilité d'entretien ont concouru au développement de ce matériau. De plus, la combinaison de la porte et de la fenêtre en P.V.C. s'inscrit dans le cadre de l'architecture moderne.

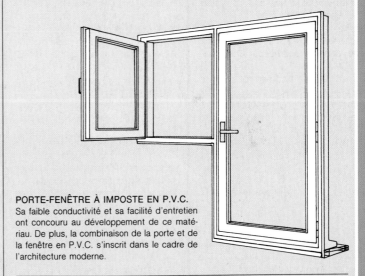

PORTE-FENÊTRE À DEUX VANTAUX

Cette porte-fenêtre est très souvent montée dans son bâti avec paumelles et serrure de sûreté. Elle peut être en bois exotique, en résine de synthèse (panneaux pleins) ou en P.V.C.

Quel matériau pour votre fenêtre

Une fenêtre comporte une « menuiserie » traditionnellement en bois, ou métallique (acier ou aluminium) ou bien en P.V.C. Le vitrage peut être simple, double ou même triple. L'isothermie des double et triple vitrages a pour conséquence une isolation phonique appréciable. Pratiquement, tous les modèles aujourd'hui sont disponibles dans les deux versions : isolantes ou non.

Menuiserie en bois
La menuiserie traditionnelle en bois, outre sa chaude beauté, a un bon pouvoir d'isolation. Les modèles courants sont en pin, en sapin ou en bois exotique rouge. Les plus belles sont en chêne. La plupart sont à peindre, les plus belles à vernir. Presque toutes sont traitées en usine. Pour celles dont ce n'est pas le cas, il est conseillé de leur appliquer une lasure qui assure une bonne protection de surface.

Les dimensions des fenêtres sont normalisées. Pour remplacer une vieille fenêtre, assurez-vous qu'elle est aux normes. Sinon, il faudra faire fabriquer la nouvelle sur mesure ou desceller le dormant de l'ancienne et mettre le tableau aux normes.

Menuiserie en acier
Le métal est livré galvanisé à chaud par immersion, recouvert d'une couche d'antirouille. Il reste à peindre. Dans les anciennes fenêtres, l'acier n'est pas galvanisé et peut rouiller. Ces menuiseries sont résistantes et donnent une impression de légèreté. Leur pouvoir d'isolation est médiocre et elles sont sujettes à une condensation excessive. Repeignez-les régulièrement.

Menuiseries en aluminium
Ces menuiseries donnent une grande légèreté aux fenêtres. Le métal est souvent anodisé, donc protégé contre l'oxydation, et garde une belle apparence sans nécessairement être peint.

Elles peuvent souffrir de la condensation. Cela est atténué pour les modèles à rupture thermique (mousse isolante noyée entre les faces des châssis). Les fenêtres sont en général à double vitrage.

Menuiseries en P.V.C.
Elles sont belles, pratiques, durables, et leur décor imite parfois le bois. Elles ne gauchissent pas, ne pourrissent ni ne se corrodent et ne nécessitent aucun entretien autre qu'un lavage régulier. En général fourrées de mousse isolante, elles offrent une bonne isolation thermique, sans condensation.

Il existe une grande variété de styles (fenêtres traditionnelles, cintrées, coulissantes...). Assurez-vous à l'achat de la bonne fixation du ferrage, car elles ne peuvent recevoir de vis qu'en certains points.

Remplacement d'une fenêtre en bois

Dans une construction ancienne les menuiseries extérieures en bois peuvent, pour de multiples raisons, donner plus rapidement que le gros œuvre des signes de vieillissement, et spécialement les fenêtres. Leur conception, leur position, le fait qu'elles incorporent un vitrage les rendent plus vulnérables que les panneaux pleins comme les portes ou les volets.

La cause principale de ce vieillissement prématuré est, en premier lieu, l'état de la peinture sur le parement extérieur soumis aux intempéries, et particulièrement sur le jet d'eau des vantaux ouvrants et la pièce d'appui du cadre dormant. Ces éléments transversaux, plus épais que les montants, situés à la partie basse du vitrage, recueillent les eaux de pluie qui ruissellent et que les trous de buée, en général obturés, n'évacuent plus.

L'absence de la protection offerte par la peinture entraîne une dégradation du bois, dont la surface devient plus ou moins spongieuse et par suite conserve une partie de l'humidité reçue qui elle-même accentue le processus. S'ajoutent à cette cause de détérioration l'éventuel mauvais état des joints entre bois et maçonnerie, la rouille des pièces de ferrage et de scellement, entre autres.

Pour tous ces motifs, vous pouvez être amené à changer une ou plusieurs fenêtres. Pour conserver une certaine unité esthétique, il n'est pas envisageable de remplacer les éléments en mauvais état par un autre matériau que le bois.

Avant de déposer la fenêtre existante, assurez-vous des dimensions de l'ouverture dans la maçonnerie, entre les tableaux et de feuillure à feuillure pour la largeur, et entre la sous-face du linteau et la surface de la pièce d'appui maçonnerie pour la hauteur. Si ces mesures correspondent à des cotes standardisées, vous n'aurez aucune difficulté à vous procurer la fenêtre de remplacement. Dans le cas contraire, et si seule la largeur de la baie est supérieure à celle du modèle neuf, il est possible d'épaissir le dormant. Si hauteur et largeur sont supérieures ou inférieures à celles de l'ensemble industrialisé, il vous faudra faire fabriquer votre fenêtre par un menuisier et la poser vous-même ou confier ces deux opérations à un professionnel.

En général, les fenêtres préfabriquées sont vendues non vitrées. Laissez-les dans cet état pendant tous les travaux de remplacement. C'est seulement lorsque vous en aurez complètement terminé que vous pourrez procéder au vitrage, après avoir, bien entendu, déposé les vantaux. En revanche, ne placez pas le dormant en feuillures sans avoir traité les surfaces en contact avec la maçonnerie (fongicide antiparasite, première couche de peinture).

Outils : ciseau à froid, marteau, pince arrache-clous, scie égoïne, scie à métaux, quelques serre-joints d'assez grande dimension (au minimum de l'épaisseur du mur), seau, auge à maçonner, truelle, langue-de-chat, pistolet à joints, tournevis, niveau à bulle, crayon de charpentier, un ou deux pinceaux.

Matériaux : fenêtre neuve (ouvrants et cadre dormant), éventuellement chants plats pour augmenter la largeur du cadre, pattes à scellement et vis correspondantes, ciment et sable ou mortier sec prêt à l'emploi, plâtre à prise rapide, mastic bitumineux, joints bitumineux genre « Compriband », cales bois, baguettes couvre-joints, pointes moyennes à tête d'homme, peinture protectrice antiparasite, peinture à l'huile, dégrippant.

DÉPOSE DE LA VIEILLE FENÊTRE

1 Pour éviter tout risque d'accident, il est prudent d'enlever les parties vitrées. Pour ce faire, déposez d'abord les vantaux. Cette manœuvre devrait s'effectuer sans difficulté en faisant jouer chaque vantail de droite à gauche et en le poussant vers le haut après l'avoir ouvert à 90°. Si vous constatiez une gêne quelconque, instillez au préalable quelques gouttes de dégrippant dans les paumelles.

Dans le cas d'un châssis fixe, vous devrez déposer la vitre. S'il s'avérait qu'il vous faille la briser pour l'enlever, n'oubliez pas de mettre des gants de cuir ou de grosse toile.

2 En sondant les contours du dormant avec le ciseau à froid, localisez les pattes à scellement, dégarnissez-les après avoir cassé le mortier de scellement. Utilisez un ciseau à froid bien affûté pour cette opération, car il s'agit souvent de mortier à fort dosage de ciment, plus résistant que le reste de la maçonnerie, béton armé excepté.

3 Enlevez le cadre dormant des feuillures en prenant les précautions nécessaires pour abîmer le moins possible le rejingot de l'appui maçonnerie.

4 Récupérez autant que faire se peut les pattes à scellement en les dévissant du dormant.

AGRANDIR UNE BAIE
Vous pouvez, si vous le désirez, agrandir ou même percer une ouverture dans un mur dans le cadre de travaux de rénovation ou d'agrandissement. Renseignez-vous à la mairie des possibilités légales pour les modifications d'ouvertures en façade.

Cela dit, pour la création d'une ouverture dans un mur pignon ou dans un mur goutterau, cette opération doit être précédée d'un étaiement. Si le plancher prend son appui dans le mur qui recevra la fenêtre, disposez des étais entre le sol et le plancher. N'espacez pas trop les étais et faites-les reposer sur une base solide. Vous devrez observer les mêmes règles si l'ouverture existe déjà.

Avant de commencer le percement, assurez-vous du choix de l'emplacement et de la « faisabilité » des travaux (évitez d'ouvrir une baie sous une poutre maîtresse...).

Prenez des précautions : la stabilité du mur est en jeu.

La partie supérieure de l'ouverture devra être constituée d'un solide linteau porteur, qui prendra son appui de part et d'autre de l'ouverture dans le mur.

Prévoyez l'évacuation des gravats et l'endroit où ils seront réunis. Travaillez de préférence de l'intérieur vers l'extérieur, cela facilitera leur dégagement. Procédez de haut en bas en utilisant un burin et une masse.

POSE DE LA FENÊTRE NEUVE

1 Élargissez suffisamment le logement de la patte en l'approfondissant en queue d'aronde. Vous aurez à l'utiliser pour le scellement de la nouvelle fenêtre. Nettoyez très soigneusement les feuillures existantes. Si la dépose de l'ancien cadre a entraîné quelques déchets de maçonnerie, procédez à la ou aux réparations nécessaires, utilisez du mortier de ciment ou de chaux mais jamais de plâtre en dehors des raccords d'enduit intérieur. N'omettez pas d'humidifier légèrement les matériaux avant qu'ils reçoivent le mortier.

2 Présentez la fenêtre neuve dans le vide de baie (cadre et châssis s'il s'agit d'un seul vantail, ou cadre seul dans les autres cas). Calez-la provisoirement. Marquez sur le cadre l'emplacement des pattes à scellement. Faites sauter les cales et déposez la fenêtre.

3 Vissez les pattes aux emplacements repérés. S'agissant de pattes récupérées, il ne sera vraisemblablement pas nécessaire de les couder. Dans le cas contraire, formez les pattes avant de les visser sur la fenêtre ; vous éviterez ainsi d'arracher les vis en forçant pour le pliage. S'il était nécessaire de fixer des chants sur les côtés du cadre, cette opération devrait, bien entendu, être faite d'abord. Sciez les chants à la longueur relevée sur le dormant. Vissez-les en évitant les emplacements futurs des pattes à scellement que vous aurez reportés sur les chants. Faites un avant-trou à la vrille ou à la perceuse.

Choisissez des vis à tête fraisée de longueur suffisante pour pénétrer dans le dormant d'au moins 15 à 18 mm.

4 Imprégnez les chants rapportés ou les parties du cadre qui vont se trouver en feuillure — si elles n'ont pas été prépeintes. Ne cherchez pas à étaler des couches trop épaisses de protection ou de peinture. Passez plutôt deux ou trois fois plus légèrement. Laissez sécher complètement. Pensez à nettoyer le ou les pinceaux que vous aurez utilisés (voir « Entretien des brosses, rouleaux et tampons », p. 110).

5 Collez le joint type « Compriband » sur la périphérie du dormant. Mettez la fenêtre en place. Si la fenêtre n'est pas vitrée, maintenez-la en utilisant les serre-joints (au minimum deux par montant, voir p. 187), sans trop les forcer. Vérifiez au niveau la verticalité et l'horizontalité. Donnez alors un quart de tour supplémentaire aux serre-joints.

6 Préparez le mortier de scellement pour le garnissage des pattes et des joints. Il ne devra être ni trop sec ni trop liquide.

7 Après avoir protégé le sol, avec des vieux journaux par exemple, scellez les pattes en procédant par couches successives si les logements sont profonds.

8 Utilisez les temps morts pour garnir les feuillures tant à l'intérieur qu'à l'extérieur.

Laissez toujours 7 à 8 mm au minimum entre la surface du garnissage et la surface du mur ou du tableau de baie. Vous en aurez besoin pour bien accrocher votre enduit de plâtre intérieur et pour établir votre cordon de mastic bitumineux à l'extérieur.

Ne négligez pas ce conseil.

9 En attendant que le mortier de scellement ait fait sa prise et après avoir chargé le pistolet avec la cartouche de mastic, vous pouvez garnir le joint extérieur. Appuyez bien l'extrémité de l'embout du pistolet sur la surface du tableau pour que le mastic pénètre mieux dans le joint. Dès que vous aurez terminé, enlevez immédiatement les plus grosses bavures.

Vous risqueriez de déstabiliser le mastic si vous le faisiez trop tard.

10 Préparez la quantité de plâtre de raccord nécessaire pour réparer l'enduit à l'endroit des pattes et garnir les feuillures intérieures. Observez scrupuleusement les conseils d'emploi du fabricant. Ne faites pas une pâte trop liquide : vous aurez peu de surface à traiter et vous ne pourrez pas projeter votre plâtre. Lissez-le immédiatement après sa mise en place.

11 Vous pouvez maintenant vitrer les vantaux.

APPUIS DE FENÊTRE

Tous les appuis de fenêtre présentent une rainure (larmier ou goutte-d'eau) pour éviter le ruissellement des eaux de pluie sur le mur d'allège de la fenêtre. Nettoyez ce larmier fréquemment. Si des fentes se forment entre le dormant de la fenêtre et le mur extérieur, bouchez-les avant que l'eau ne puisse s'y infiltrer avec un produit spécial. Bien que ce joint durcisse, il doit rester souple pour suivre les mouvements dans la structure d'une maison.

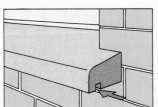

Gouttes-d'eau ou larmiers : grattez la saleté ou la peinture sur une profondeur de 6 mm.

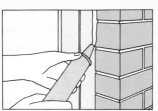

Fissures : appliquez en forçant un joint spécial dans la fente entre le dormant et le mur.

VITRE FÊLÉE

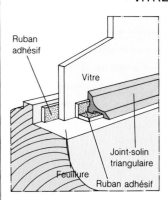

Si vous démontez une fenêtre, pensez à vérifier le vitrage, il peut être fêlé ou simplement descellé. Par ailleurs, les fenêtres anciennes possèdent souvent des verres minces. À l'occasion d'un changement, et si la feuillure est assez profonde, remplacez-les par des verres plus épais (3 ou 4 mm) ; vous y gagnerez de la solidité et peut-être une meilleure isolation acoustique.

Si vous ne vous sentez pas capable de poser une vitre à l'aide de mastic traditionnel, vous pouvez opter pour la pose d'un joint-solin. Il s'agit d'un joint en caoutchouc synthétique de section triangulaire qui se colle dans la feuillure à la place du mastic, telle une parclose.

Le montage se réalise par l'intermédiaire d'un ruban adhésif double face qui assure la liaison et l'étanchéité entre la fenêtre et la vitre. En cas de bris de vitre, il est indispensable de changer l'adhésif, mais le joint, lui, est récupérable.

Pose d'un entrebâilleur de fenêtre

Il peut être intéressant de disposer d'un système qui permette de ventiler une pièce de service ou d'habitation sans pour autant ouvrir complètement la fenêtre. Or, si certaines fenêtres modernes industrialisées comportent d'origine un tel système, des modèles plus anciens n'en sont pas toujours équipés. Pour pallier cette absence, il est possible de fixer sur des fenêtres existantes des entrebâilleurs.

Il en existe de différents modèles. Celui qui a été choisi ici présente le double avantage d'être facilement,

donc rapidement, posé et de permettre de donner à l'ouvrant des positions variables sans grande manipulation.

Les opérations décrites ensuite correspondent à la mise en place de l'entrebâilleur sur un châssis à un vantail. Il est facile de transposer la description pour une fenêtre à deux vantaux ; le dormant, ici, correspondant au deuxième vantail dans l'autre cas.

Outils : vrille moyenne, tournevis, poinçon, crayon.
Matériaux : vis à tête fraisée, entrebâilleur.

1 Choisissez l'emplacement de l'entrebâilleur en présentant les deux parties de l'appareil ensemble, celle comportant le « zigzag » appliquée sur le dormant, la boule qui doit le recevoir sur le montant du vantail. Marquez avec le poinçon la position des vis au travers des trous de la platine de la « boule ».

2 Avec la vrille, percez les deux avant-trous sur deux tiers de la longueur des vis.

3 Vissez la boule.

4 Présentez la deuxième partie de l'entrebâilleur sur le dormant après l'avoir fixée sur la boule du vantail.

5 Marquez la position des vis. Matérialisez à l'aide du poinçon et faites l'avant-trou à la vrille.

6 Vissez la platine du « zigzag ».

7 Vérifiez le bon fonctionnement de l'ensemble.

Réparer les parties pourries d'une fenêtre

Une méthode simple pour éliminer les parties pourries d'une fenêtre en bois — bien que peu connue et très peu utilisée — consiste à appliquer successivement des produits spécifiques pour le bois : liquide durcisseur, reboucheur extrêmement efficace et de courts bâtonnets pour traitement préventif du bois. La méthode ne convient que pour les bois peints.

Outils : vieux ciseau à bois de 10 à 15 mm de large ; grattoir, pistolet à air chaud, vieille brosse queue-de-morue ou pouce de 10 à 15 mm pour l'application du durcisseur, couteau de peintre, perceuse électrique ; mèches à bois de 10 mm de diamètre ; ponceuse ; pinceaux.
Matériaux : l'ensemble de réparation, un produit de traitement.

1 Décapez la peinture à l'air chaud ou au décapant chimique et au grattoir pour mettre à nu l'étendue de la partie pourrie.

2 Au ciseau, éliminez le bois pourri jusqu'à trouver le bois sain. N'entamez pas celui-ci.

3 Le bois doit être sec. S'il est simplement humide, séchez-le rapidement au pistolet à air chaud que vous munirez d'une buse avec écran pour protéger la vitre de la chaleur. S'il est saturé d'humidité, laissez-le sécher naturellement, une quinzaine de jours environ.

4 Le bois étant bien sec, imbibez-le copieusement de durcisseur liquide, lequel pénètre dans le bois, le durcit en le séchant, donnant ainsi un fond solide au reboucheur. Appliquez du durcisseur jusqu'à refus. Veillez à bien imprégner le bois en bout, où les fibres absorbent rapidement l'humidité. Il ne reste plus qu'à laisser durcir toute une nuit.

5 Malaxez une petite quantité de reboucheur suivant le mode

d'emploi. Au couteau de peintre appliquez-le le plus rapidement possible pour remplir les cavités creuses dans le bois. Le reboucheur commence à durcir en 5 minutes environ.

6 Amenez à niveau en une succession de couches. En raison de la vitesse du durcissement, même les cavités les plus profondes doivent être comblées en peu de temps.

7 Lissez autant que possible le durcisseur. Celui-ci sera sec en 30 minutes environ. Poncez-le pour le mettre au niveau du bois. Utilisez une ponceuse à disque ou, mieux, une ponceuse vibrante, moins délicate à manier pour obtenir une surface plane.

8 Dépoussiérez. Appliquez du reboucheur aux endroits où vous constatez des manques. Poncez de nouveau.

9 Dans le bois, tout autour de la réparation, percez des trous de 10 mm de diamètre, environ 20 mm de profondeur et espacés de 5 cm.

Autant que possible, percez ces logements (destinés aux courts bâtonnets) le long des zones vulnérables, telle la traverse d'appui.

10 Enfoncez les bâtonnets et scellez ceux-ci au reboucheur.

Tant que le bois restera sec, les bâtonnets demeureront inactifs. Mais dès que l'humidité pénétrera le bois, ils libéreront à ce moment-là un fongicide, lequel empêchera le pourrissement.

11 Appliquez une couche d'apprêt, une sous-couche et deux couches de peinture glycérophtalique ou, mieux, de peinture microporeuse destinée aux bois en extérieur, car elle permet la respiration du bois tout en le préservant de l'humidité, ce qui réduit les risques de cloquage et d'écaillage.

Remplacement d'une partie pourrie

La méthode traditionnelle de réparation d'une fenêtre atteinte par la pourriture est le remplacement de la partie touchée par une pièce de bois saine. Elle reste nécessaire dans deux cas : lorsque la fenêtre est vernie ou teintée ; quand l'ampleur des dégâts est telle que la résistance de la fenêtre en est très affectée. Le bois à utiliser doit être de préférence de la même essence que celui de la fenêtre.

REMPLACEMENT D'UNE SECTION DU DORMANT

Outils : crayon, équerre à combinaisons multiples, scie à tenons ou scie universelle, ciseau à bois de 15 ou 20 mm de large ; maillet, étau ou presse d'établi ; perceuse électrique et mèches à bois, rabot.
Matériaux : longueur de chevron égale à celle du bois à remplacer ; produit de traitement polyvalent incolore ; vis à tête fraisée, zinguée, d'environ 50 mm de long ; chevilles en bois de même diamètre que les têtes de vis ; colle à bois étanche (type marine), peinture ou lasure.

1 Marquez les traits de coupe de la partie du dormant à enlever à 5 cm environ au-delà de la partie touchée. Tracez deux traits perpendiculaires (au tableau et côté feuillure). Puis deux autres à 45° pour avoir deux coupes en sifflet.

2 Sciez le long des traits de coupe aussi loin que possible. La maçonnerie peut empêcher de scier très loin et assez profond sur la section définie par les traits de coupe.

3 Terminez la coupe au ciseau bien affûté. Essayez d'obtenir une coupe nette, rectiligne et bien plane.

4 Présentez la pièce de rechange sur la partie évidée et reportez sur sa face inférieure les traits de coupe pour scier aux mesures.

5 Sciez la pièce de rechange ; corrigez à la scie et au rabot pour qu'elle s'ajuste à sa place. Laissez légèrement déborder les surfaces du dormant de la traverse.

6 Traitez au produit polyvalent toute la pièce de rechange et les sections du dormant mises à nu. Laissez sécher.

7 Collez la pièce à sa place et maintenez-la aux serre-joints en G jusqu'à séchage de la colle.

8 Percez les avant-trous des vis d'assemblage à environ 12 cm l'un de l'autre.

Agrandissez ces trous au même diamètre que les têtes de vis et sur une profondeur d'environ 13 mm pour noyer les têtes assez profondément dans le bois.

9 Vissez à fond et scellez les trous au-dessus d'elles à l'aide de chevilles de bois encollées. Enfoncez-les au maillet.

10 Rabotez la pièce de rechange pour la ramener au niveau du dormant.

Poncez au papier de verre et bouchez tous les vides au reboucheur pour boiseries extérieures.

11 Appliquez enfin une peinture ou une lasure.

RÉPARER UN CHÂSSIS VITRÉ

Outils : tournevis ; scie à panneaux ; établi étau pliant ; rabot, perceuse et mèche à bois de 6 mm de diamètre, butoir de profondeur, brosse à peindre, presses à sangle ou tourniquet (voir p. 187).
Matériaux : pièce de bois aux dimensions permettant le remplacement de la partie pourrie du châssis, produit de traitement incolore, colle à bois type marine ; chevilles de bois de 6 mm de diamètre ; peinture.

1 Si la partie pourrie se trouve sur le bord d'un élément du châssis vitré, dégondez le battant affecté. (Les manipulations devront se faire avec précaution pour garder intact le vitrage.)

2 Coupez la largeur de rive où se trouve le bois pourri. Sciez droit.

Remplacement d'une partie pourrie (suite)

3 Coupez la pièce de remplacement légèrement plus grande.

4 Traitez préventivement le bois neuf et la surface de coupe mise à nu sur le châssis. Avant d'appliquer

le produit, protégez l'établi avec de vieux journaux et ventilez la pièce.

5 Encollez la pièce de remplacement et positionnez-la. Maintenez-la en place par des presses à sangle

ou des serre-joints jusqu'à la prise de la colle.

6 Renforcez la réparation par un chevillage. Percez à travers les deux bois collés des trous borgnes.

Enfoncez au maillet des chevilles de bois, encollées. Avant le perçage, limitez la profondeur du logement des chevilles, soit à l'aide de la butée d'arrêt montée sur la perceuse, soit en marquant la profondeur sur la mèche par un morceau de ruban adhésif.

7 La colle sèche, coupez les chevilles et rabotez la pièce de remplacement pour la mettre de niveau, sur face et sur chant, avec le bois du châssis. Bouchez tous les petits vides pouvant subsister au reboucheur pour bois extérieur.

8 Peignez, vernissez ou teintez le bois nu comme le reste de la fenêtre.

Fenêtres qui coincent

Quand une fenêtre est difficile à ouvrir ou à fermer, examinez-la afin de découvrir l'origine du problème.

ACCUMULATION DE PEINTURE

Au fil des ans, l'accumulation des couches de peinture diminue le jeu entre dormant et battant.

1 Dégondez les battants. Au pistolet à air chaud ou au décapant chimique, décapez les vieilles peintures sur les chants.

2 Replacez les châssis vitrés. Vérifiez que l'espace entre eux et le

dormant est d'environ 2 mm. Si c'est le cas, repeignez.

3 Si ce n'est pas le cas, marquez les endroits où cet espace serait trop faible. Dégondez de nouveau pour raboter plus à l'aise. Au rabot ou à la rape, nivelez le chant. Remettez en place et repeignez.

BOIS GONFLÉ

L'humidité est souvent à l'origine de cette anomalie.

1 Décapez la peinture par temps sec, laissez sécher le bois naturellement. Pour un résultat plus rapide, séchez au pistolet à air chaud.

2 Assurez-vous que l'espace entre châssis, vitre et dormant est bien d'environ 2 mm. Si c'est nécessaire, dégondez et rabotez les chants des battants.

3 Repeignez la fenêtre en veillant à ce que le mastic autour des carreaux soit bien recouvert de peinture.

FERMETURE COMPLÈTE DIFFICILE

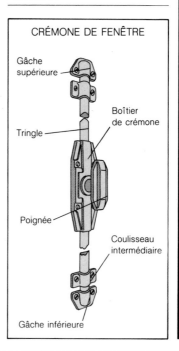

CRÉMONE DE FENÊTRE

Gâche supérieure
Tringle
Boîtier de crémone
Poignée
Coulisseau intermédiaire
Gâche inférieure

Si vous ne pouvez pas obtenir une fermeture complète sans forcer, les tringles de la crémone sont peut-être dans un mauvais alignement.

1 Desserrez légèrement les vis de fixation et manœuvrez la crémone. Si le coincement a disparu, c'est que le coulisseau appuyait sur la tringle, empêchant celle-ci de fonctionner normalement.

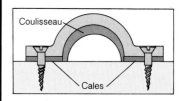

Coulisseau
Cales

2 Interposez sous la base du coulisseau une cale de carton ou une mince feuille métallique avant de resserrer les vis.

3 Avant de refermer la fenêtre, nettoyez la gâche inférieure avec une aiguille pour évacuer les déchets qui peuvent l'obstruer et gêner la pénétration de la tringle.

Jeu dans les assemblages d'une fenêtre

La réparation d'assemblages branlants aux angles d'une fenêtre peinte peut se faire à l'aide d'équerres d'acier. Celle d'une fenêtre vernie ou teintée, couleur naturelle, par chevillage.

ÉQUERRES

On trouve des équerres d'acier coudées sur plat en diverses dimensions. Choisissez-les assez longues pour se visser dans le bois sain, au-delà des parties endommagées, et avoir une solide fixation. Avant de placer une équerre, réparez le bois endommagé à l'aide d'un reboucheur à base d'époxyde.

Outils : petits coins en bois, cutter, ciseau à bois, petite brosse à peindre, papier de verre.
Matériaux : équerres, vis à tête fraisée, zinguée, de 25 mm de long ; peinture d'apprêt antirouille ; pâte à bois (reboucheur extérieur) ; peinture.

1 Enfoncez des coins de bois entre le dormant de la fenêtre et le cadre du châssis vitré pour bien resserrer celui-ci. Ou bien dégondez le battant et resserrez le cadre à l'aide de longs serre-joints à pompe, de serre-joints dormants, de presses à sangle ou de tourniquets.

TAILLER DES COINS EN BOIS

Des coins en bois sont toujours utiles pour les travaux de bricolage où il est nécessaire de maintenir fermement en place une pièce à coller ou pour toute autre opération où il vous faudra une cale.

Coupez un tasseau de 15 x 20 mm de section à 10 cm de long. Tracez la diagonale sur une face. Bloquez le tasseau dans un étau ou une presse d'établi et sciez sur la diagonale pour obtenir deux cales.

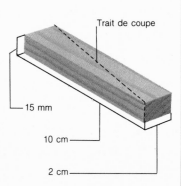

Trait de coupe
15 mm
10 cm
2 cm

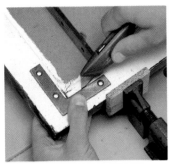

2 Positionnez une équerre, face intérieure ou extérieure du cadre (ou une sur chaque face). Marquez le contour au cutter.

3 Au ciseau, creusez le logement de l'équerre de façon que sa surface soit légèrement au-dessous du niveau du cadre.

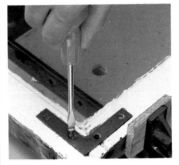

4 Vissez l'équerre, passez la sous-couche de peinture antirouille.

5 Masquez à l'aide d'un reboucheur pour extérieur. Poncez. Passez deux couches de peinture.

CHEVILLAGE

Des chevilles en bois encollées dans l'assemblage donnent une réparation invisible et très solide.

Outils : tournevis ; serre-joints en G ou établi ; grands serre-joints à pompe ou serre-joints dormants, ou presse à sangle, ou tourniquets ; perceuse, mèches à bois de 6 mm, maillet ; scie à panneaux, papier de verre, brosse à peindre.
Matériaux : chevilles de 6 mm de diamètre, colle à bois type marine, vernis ou teinte.

1 Dégondez le battant. Bloquez-le à plat au valet sur l'établi, ou sur une table (serre-joints en G).

2 Resserrez le cadre à l'aide des grands serre-joints (à pompe, dormants), sangles ou tourniquets.

3 Percez trois logements de chevilles : un sur la face du montant

qui traversera la mortaise du montant et le tenon de la traverse ; les deux autres, sur le chant du montant au-dessus et au-dessous du tenon et s'enfonçant jusqu'à l'épaulement du tenon. Il se trouvera enserré entre deux chevilles.

4 Au ciseau, ménagez une ou deux rainures le long des chevilles pour l'évacuation de la colle en surplus. Encollez le trou et les chevilles. Enfoncez les chevilles au maillet. Essuyez la colle qui déborde des trous.

5 Attendez que la colle soit prise et sciez les chevilles.

6 Après séchage de la colle, poncez et passez un vernis ou un produit teintant.

Fissures entre murs et fenêtres

Des fissures entre les murs et les fenêtres peuvent provoquer l'apparition de pourriture sur le dormant et d'humidité autour des fenêtres dans la pièce.

COLMATAGE AU MASTIC

Les fissures de 10 mm de large peuvent se colmater au joint aux silicones.

Outils : couteau, petit tournevis, chiffon propre.
Matériaux : cartouche de joint aux silicones et son pistolet applicateur.

1 Coupez l'extrémité de la cartouche en biseau afin d'avoir un cordon de joint assez épais. Enfoncez le tournevis dans la buse et la cartouche pour crever la pellicule

qui assure l'étanchéité de la fermeture.

2 Ouvrez la fissure au burin, si nécessaire. Essuyez au chiffon le dormant ainsi que le mur de part et d'autre de la fissure. Injectez un cordon de joint, si possible sans interruption d'un coin à l'autre de

la fenêtre. Le joint doit être appliqué dans l'angle formé par la jonction du mur et du dormant.

3 S'il est nécessaire de lisser le joint, faites-le avec le doigt mouillé.

4 Le joint peut se peindre après qu'une peau s'est formée (1 à 3 semaines après la pose), mais ce n'est pas indispensable.

COLMATAGE AU MORTIER

Si la fissure a plus de 1 cm de large, elle peut être colmatée au mortier. Utilisez un mortier déjà préparé, à gâcher avec de l'eau, ou préparez-le vous-même.

Outils : petit pulvérisateur ; petite truelle ou couteau de peinture, chiffon propre.
Matériaux : eau, mortier, joint aux silicones.

1 Mouillez l'intérieur de la fissure. Un pulvérisateur pour l'arrosage des plantes convient bien.

2 Appliquez le mortier à la truelle ou au couteau de peinture. Faites-le pénétrer dans la fissure et lissez-le au niveau du mur.

3 Il faudra attendre 2 ou 3 jours que le mortier soit bien durci avant que vous fassiez un joint aux silicones.

MASTIC AUX SILICONES

Le mastic aux silicones se trouve au rayon de bricolage de n'importe quel commerçant. Il existe trois teintes principales : blanc, brun et incolore.

Il est présenté en tubes munis d'une buse de plastique ou en cartouche avec un piston à vis, qui est plus pratique. Pour des applications très importantes, il faut une cartouche s'insérant dans un pistolet applicateur, qui est un outil peu cher.

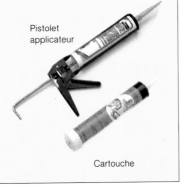

Pistolet applicateur

Cartouche

Problèmes des fenêtres à cadre métallique

ROUILLE

Les cadres des vieilles fenêtres en acier rouillent souvent. Si le mastic sec tombe par morceaux, commencez par l'ôter soigneusement au couteau à démastiquer (voir p. 211) et retirez le carreau de verre.

Outils : grattoir ou petite brosse à peindre (réformée) pour application de décapant, petit burin à métaux, brosse métallique, brosse à peindre.
Matériaux : dérouillant chimique, sous-couche pour métaux ferreux (à base de zinc), peinture glycérophtalique, white-spirit. Éventuellement, décapant peinture et reboucheur à base d'époxyde.

1 Décapez la peinture au grattoir ou au décapant chimique.

2 Au burin, éliminez le plus de plaques de rouille possible, puis

brossez le métal avec une brosse métallique ou à la perceuse électrique équipée d'une brosse coupelle à fils d'acier.

3 Brossez le cadre pour le nettoyer de la poussière et des particules de rouille. Bouchez les trous au reboucheur à base d'époxyde et laissez sécher.

4 Appliquez le dérouillant chimique. Portez des gants.

5 Quand il est sec, appliquez une sous-couche à base de zinc pour métaux ferreux.

6 Si nécessaire, reposez le vitrage en utilisant un mastic pour cadre métallique (voir p. 213).

DORMANT FAUSSÉ

La déformation n'est peut-être pas simplement due à une accumulation de peinture ou de rouille. Si

tel est le cas, nettoyez et repeignez le dormant. Si celui-ci est déformé sans cause visible, il est impossible de le redresser. Nettoyez-le, ainsi que le châssis du battant, à l'eau savonneuse et séchez-les parfaitement. Puis appliquez un gros cordon de joint aux silicones sur le dormant. Mouillez à l'eau savonneuse et fermez-le en l'appuyant bien sur le dormant, puis rouvrez immédiatement. Le joint s'est moulé sur les deux cadres et remplit parfaitement l'espace entre eux. Laissez un temps de prise. Ôtez au couteau le joint qui déborde.

NON-ADHÉRENCE DE LA PEINTURE SUR LE GALVANISÉ

Parfois la peinture s'écaille peu de temps après son application sur l'acier galvanisé d'une fenêtre.

1 Enlevez la peinture au décapant chimique jusqu'à atteindre la couche de galvanisation.

2 Poncez à la toile émeri humide et nettoyez au chiffon propre, humide. Laissez sécher.

3 Après séchage, frottez au chiffon propre imbibé de white-spirit, puis appliquez une sous-couche pour zinc.

4 Repeignez (deux couches) avec une peinture glycérophtalique.

CONDENSATION

Avec les fenêtres métalliques survient le problème posé par la condensation. La meilleure solution est de remplacer la fenêtre par une autre en bois ou en P.V.C. Vous pouvez aussi opter pour une fenêtre en aluminium à rupture thermique dont la face extérieure des éléments métalliques est séparée de la face intérieure par un isolant.

Vous pouvez également poser un double vitrage (voir p. 262) et le compléter par un aspirateur de buée.

Réparation d'un vitrage scellé au plomb

Le vitrage de portes et de fenêtres peut s'inspirer de la technique des vitraux et se composer de petits panneaux de verre coloré.

TRAITEMENT DES FUITES

Vernis de polyuréthanne

1 Marquez au crayon gras le point où se trouve la fuite, afin de la réparer par beau temps.

2 Grattez le plomb pour dépoussiérer le joint entre métal et verre.

3 Au pinceau fin, appliquez largement le long du joint du vernis de

polyuréthanne incolore pour extérieur. Veillez à sceller soigneusement la face extérieure du carreau.

4 Pressez le plomb, en appuyant dessus simultanément de part et d'autre du battant. Essuyez le vernis sur le plomb et le carreau avec un linge humecté de white-spirit.

Mastic
Si le vernis ne fait aucun effet, utilisez du mastic mou de vitrier pour cadre de châssis métallique.

1 Soulevez légèrement à l'aide d'un ciseau les lèvres du joint en

plomb du panneau de verre. Il peut être nécessaire, pour mener à bien cette opération, de couper le plomb à l'une de ses jonctions avec ses voisins. Coupez au cutter ou à la pince coupante de côté.

2 Grattez le vieux mastic pour en ôter le plus possible et dépoussiérez.

3 Appliquez le nouveau mastic.

4 Resserrez les lèvres du joint en plomb en exerçant une contre-pression du plat de la main sur l'autre face du vitrage.

5 S'il a fallu couper le plomb, recollez-le en place avec une colle acrylique à mélanger à l'usage (résines plus durcisseur) (voir p. 186).

6 Essuyez l'excédent de mastic sur le plomb et le carreau.

Verre fêlé
Si la fêlure est mineure, il est peut-être inutile de remplacer le carreau. Essayez d'injecter quelques gouttes de colle pour le verre dans la fêlure.

Le remplacement des petits panneaux de verre cassés dans un tel vitrage est un délicat travail de spécialiste. Vous aurez peut-être intérêt, dans ce cas, à faire appel à un professionnel.

Déformations, gauchissements
Sortez le vitrage de son châssis. Il peut être bloqué par du vieux mastic comme une simple vitre (voir p. 211) ou par des parcloses et du mastic tout à la fois. Dévissez les parcloses ou déclouez-les en les soulevant doucement. Étendez le battant sur une surface plane et pesez bien à plat sur les plombs.

Remplacement d'une vitre

Mesurez la largeur du cadre à garnir en haut et en bas et les hauteurs des deux côtés. S'il y a une différence chaque fois entre les deux mesures, ne retenez que les plus petites. Pour commander le verre, indiquez toujours la largeur d'abord, puis la hauteur.

Posez des vitres de 3 mm d'épaisseur s'il s'agit de petits carreaux, de 4 mm pour des vitres dont la longueur est de 1,20 m au maximum ; de 6 mm au-delà. Pour les très grandes surfaces (grande baie vitrée et portes coulissantes, sur jardin par exemple), il faudra poser des glaces de sécurité.

Pour les châssis en bois, utilisez un mastic traditionnel à l'huile de lin ou un mastic acrylique, à raison de 1 kg environ pour 3,75 m de feuillure. Il existe un mastic teinté brun pour les fenêtres qui ont un verni en bois naturel.

Le vitrage d'une porte se remplace comme celui d'une fenêtre, sauf pour les portes intérieures dont les carreaux sont maintenus par des parcloses.

Outils : gants de cuir, lunettes de protection, coupe-verre, marteau, couteau à démastiquer ou vieux ciseau à bois, tenailles, couteau à mastiquer (dit aussi couteau feuille de laurier) ; pelle à ordures et balayette ; brosse à peindre.
Matériaux : sous-couche d'apprêt, mastic, pointes de vitrier, vitres.

VERRE BRISÉ

Pour se débarrasser du verre cassé, le mieux est de le jeter dans un conteneur de récupération de bouteilles. Sinon, enveloppez-le dans des journaux, en indiquant sur le paquet : « verre cassé » et jetez-le à la poubelle.

RETRAIT DE LA VITRE

1 Étalez sur le sol des journaux pour récupérer les morceaux et les éclats.

2 Mettez des gants, portez des lunettes et fermez bien vos chaussures à semelles épaisses pour éviter les coupures (projections d'éclats et bris de verre qui jonchent le sol).

3 Au coupe-verre, entaillez la vitre sur son pourtour au plus près du mastic.

4 Ouvrez la fenêtre et, de l'extérieur, cassez le carreau au marteau en commençant par le haut. Essayez d'avoir de grands morceaux.

5 Après avoir retiré la plus grande partie de la vitre, enlevez le mastic

et le verre restant au ciseau ou au couteau à démastiquer. Placez cet outil contre le mastic. À petits coups de marteau, enfoncez-le et déplacez-le au fur et à mesure que le mastic se détache. Prenez soin de ne pas entamer le bois. Ôtez les pointes (tête d'homme, triangle ou losange) à la tenaille. Enlevez les vieilles pointes incrustées et laissez la feuillure nette et lisse pour la pose de la nouvelle vitre.

6 Dépoussiérez. Passez une couche d'apprêt sur une fenêtre en bois. Elle est inutile sur cadre métallique, à moins que celui-ci soit sensible à la rouille. Laissez sécher.

Si la fenêtre doit rester dans cet état durant une nuit, obturez-la avec de l'Isorel, du contre-plaqué ou avec une feuille de polyéthylène (voir encadré en bas de page).

POSE DE LA NOUVELLE VITRE

1 Pétrissez le mastic pour le ramollir. S'il colle aux doigts, humidifiez vos mains ou éliminez un peu de son huile de lin en le roulant sur du papier journal.

2 Prenez une boule de mastic en main et écrasez-la du pouce dans la feuillure, sur une épaisseur d'environ 3 mm, sur tout le pourtour du châssis.

3 Placez le carreau. Pressez doucement et régulièrement pour l'enfoncer dans le mastic, bien parallèlement à la feuillure. N'exercez cette pression que près du bois, jamais au milieu de la vitre

MASTIC ENDOMMAGÉ

Un vieux mastic tend à se fissurer et finit par se détacher par morceaux.

Mieux vaut remplacer tout le mastic que tenter de combler les endroits où il manque.

Démastiquez au couteau ou au ciseau, comme indiqué. Arrachez si possible les pointes rouillées et remplacez-les. Dépoussiérez, appliquez une sous-couche de peinture dans la feuillure, puis mastiquez comme il est dit pour le remplacement du carreau.

qui pourrait voler en éclats et provoquer de graves blessures.

4 Fixez le carreau par des pointes de vitrier plantées à un intervalle de 25 cm environ. Pour cela, utilisez le couteau à démastiquer ou le ciseau comme un marteau. Enfoncez les pointes du dos de la lame en faisant glisser l'outil sur la vitre. La tête des pointes doit saillir d'environ 5 mm.

Mesurez vos gestes.

5 Remettez du mastic sur la face de la vitre de façon à recouvrir les pointes et faites un chanfrein entre verre et bois. Lissez au couteau à mastiquer. Faites les angles à 45°. Mouillez la lame du couteau si le mastic colle trop pour bien lisser et faire des arêtes nettes. L'arête sur le carreau doit être à même hauteur que le bord de la feuillure visible à l'extérieur de la vitre.

6 Laissez durcir le mastic environ 2 semaines avant d'entreprendre de le peindre.

OBTURATION D'URGENCE

Il est parfois impossible de remplacer immédiatement une vitre fêlée ou cassée. Dans le premier cas, collez provisoirement un ruban adhésif, transparent de préférence, qui assurera l'étanchéité et vous permettra de bénéficier de la lumière naturelle.

S'il y a cassure, il faut s'isoler en obturant le châssis. Tendez une feuille de polyéthylène épais fixée par des baguettes en bois clouées ou vissées. Pour décourager les intrusions et améliorer votre confort thermique, si vous n'avez pas de volets, découpez aux mesures un panneau de contre-plaqué et clouez-le ou vissez-le sur le châssis.

Quel type de volets choisir ?

LES VOLETS BATTANTS OU CONTREVENTS

Ces volets constituent le type le plus ancien et le plus classique. Ils se posent de préférence en feuillure et se rabattent en façade. Ils sont composés d'un ou deux vantaux qui pivotent autour de gonds scellés dans la maçonnerie. Ils peuvent être pleins ou constitués partiellement ou en totalité de lames horizontales inclinées laissant l'air circuler. L'assemblage se

fait dans un cadre, sur barres et écharpes (le Z) ou à emboîtures en partie supérieure et inférieure, avec ou sans écharpe. En position ouverte, ils sont nécessairement maintenus par des arrêts tourniquets ou des arrêts dits «têtes de bergère» que l'on scelle ou visse dans le mur.

Ces accessoires sont indispensables pour que le vent ne les repousse pas. On les trouve en dimensions et épaisseurs standard

(épaisseur : 22, 28, 31, 35 mm) chez les fabricants spécialisés. Dans les maisons anciennes, où il est rare que les baies correspondent à la dimension standard, on aura recours à la fabrication

sur mesure ou en kit à monter soi-même. Pour les volets rustiques, il est toujours possible de les faire à partir de planches ou de lames de parquet.

LES PERSIENNES ET JALOUSIES

Les vantaux sont ici en nombre variable suivant la largeur des baies ; les panneaux articulés qui pivotent par rotation viennent se replier contre la tapée dans l'épaisseur de la baie. Fermés, ils offrent une bonne sécurité. Les jalousies suspendues à un rail en partie haute et maintenues dans un guide en partie basse sont discrètes, qu'elles soient ouvertes ou rabattues. Mais en position fermée, elles laissent des jours triangulaires, car les panneaux se replient en accordéon. La sécurité est donc très moyenne et ce type de volets est plutôt conseillé en étages.

Les volets roulants

Ils se composent d'un tablier de bois, plastique ou aluminium, suspendu à un organe d'enroulement logé dans un coffre et sont commandés de l'intérieur sans qu'on ait à ouvrir la fenêtre. Les lames inaltérables et isolantes sont agrafées entre elles par emboîtement. Des coulisses glissières en U, fixées de chaque côté de la baie, maintiennent le tablier. L'arbre d'enroulement est une pièce importante. De préférence en acier galvanisé, il doit comporter un arrêt de fin de course haut et bas qui permet d'éviter au tablier soit de rentrer complètement dans le coffre, soit de s'enrouler à l'envers ou même de se décrocher. Le maniement peut se faire par sangle, chaînette ou, plus agréablement, par tringle oscillante et manivelle. Vous pouvez aussi adapter une manœuvre électrique. Dans ce cas, un moteur est incorporé dans le tube d'enroulement du volet.

Des volets préfabriqués monobloc ont été conçus pour pouvoir s'ajuster à toutes les ouvertures, même là où aucune place n'a été prévue pour un volet. Le plus petit coffre existant sur le marché mesure 8 cm en façade, 10 cm en profondeur («Isobloc Super», de Filtrasol). Ils sont vendus en kit et vous pouvez, avec un peu de méthode, les poser vous-même sans trop de difficultés.

Outillage et accessoires

Il vous faudra une scie à métaux (pour ajuster les lames), un tournevis et une perceuse avec forets acier et béton (pour fixer les glissières latérales). Quelques améliorations techniques renforcent les

qualités d'isolation, telles qu'un tablier en P.V.C. double paroi et des coulisses équipées de joints brosses qui évitent les résonances et empêchent le tablier de battre par grand vent. En rez-de-chaussée, il est prudent de prévoir un verrou sur la dernière lame, en même temps qu'un mécanisme autofreinant qui interdit de soulever le tablier d'une simple poussée.

Le caisson contenant l'arbre d'enroulement peut être placé à l'intérieur ou à l'extérieur. La dernière solution présente des avantages au plan de l'isolation thermique et phonique, mais entraîne souvent des complications dans la conception et l'exécution des linteaux destinés à protéger le mécanisme. Les dimensions du caisson dépendent de l'importance du volet. Les volets à lames d'aluminium et monoparois sont moins encombrants que les volets roulants en bois. Des variantes peuvent intervenir dans la forme des volets roulants : les lames peuvent se composer d'une simple feuille ou d'un véritable volume alvéolaire à double paroi. Certains systèmes d'accrochage des lattes entre elles permettent de laisser filtrer air et lumière entre les lames.

LE BLOC-BAIE

Il s'agit d'un ensemble monobloc composé d'une fenêtre isolante et d'un volet roulant ou battant. C'est une solution intéressante lorsque la fenêtre nécessite une réfection, ou lorsque l'on souhaite percer une baie dans un mur. Ses capacités d'isolation thermique et acoustique sont très performantes.

CHOIX DU MATÉRIAU ET ENTRETIEN

Le bois

C'est le matériau traditionnel. Il combine les qualités de chaleur, de robustesse et d'esthétique. Le coût des volets en bois est fonction de la variété choisie, le plus souvent bois exotique. Les volets standardisés industriels reçoivent un traitement insecticide, fongicide et hydrofuge, mais leur durée de vie dépendra de l'entretien régulier qu'on assurera soi-même après la pose. Dépoussiérage et lavage avec une eau savonneuse chaque année, renouvellement du film protecteur, chaque année pour les vernis, tous les 5 à 7 ans pour la peinture, tous les deux à trois ans pour les lasures suivant l'exposition.

D'une manière générale, les produits brillants et clairs résistent mieux que les produits mats et foncés aux attaques du soleil. Les volets industriels sont pour la plupart en P.V.C. (résine de synthèse). Les volets en P.V.C. ont de nombreux avantages : ils sont inaltérables, ne se déforment pas, ne sont pas attaqués par les insectes. Un seul reproche cependant : les teintes ont tendance à se ternir sans que l'on puisse les rafraîchir par un coup de peinture.

Le plastique

Léger et solide, il est de plus en plus largement utilisé. Il propose des coloris agréables dont la tenue dans le temps s'est améliorée. Son entretien est pratiquement nul : un coup d'éponge.

Le métal

L'aluminium laqué ou anodisé n'a plus à être protégé. Il n'exige qu'un lavage périodique et peut être traité par le fabricant de façon à prendre à s'y tromper l'aspect du bois. L'acier est employé sous forme de tôle noire ou blanche galvanisée ou en alliage inoxydable. C'est un matériau robuste et économique mais qui nécessite une protection efficace antirouille et une remise en peinture régulière.

KIT VOLET ROULANT

Ce type de volets à monter soi-même se fixe, en général, à l'extérieur, en applique sous le linteau. En P.V.C., il nécessite un outillage courant.

Outils : perceuse et forets, scie à métaux, tournevis.
Matériel : le colis comprend le mécanisme d'enroulement monté sur roulement à billes, l'enrouleur, pivotant avec sa sangle, deux glissières en aluminium, un coffre et les lames de tablier en P.V.C. blanc, la visserie nécessaire et la notice de pose.

Relevez les dimensions exactes de vos fenêtres et conformez-vous à la notice de pose pour l'ajustement exact du volet.

Dimensions pour les fenêtres :
— largeur maximale : 2,20 m ;
— hauteur maximale : 2,65 m.
Options :
— treuil de relèvement ;
— barres de renfort.

Rôles des volets

PROTECTION CONTRE L'EFFRACTION

Ils constitueront une protection efficace s'ils sont équipés d'un système de verrouillage. Hormis les volets blindés, qui vous assurent une parfaite sécurité (voir encadré « La protection des volets », p. 222), les volets métalliques ou les volets en bois plein constituent les modèles les plus efficaces. Les volets battants en bois peuvent être équipés d'une poignée de sécurité dite « à double tour », employée également pour les portes-fenêtres. Disponibles en kit, vous pouvez les poser vous-même grâce à la notice d'installation (Rosa). Certains sont équipés de deux dispositifs anti-sciage à la fabrication. D'abord, il y a des tringles d'acier horizontales dans l'épaisseur du panneau ; ensuite, des renforts d'acier se trouvent dans les écharpes (Gimm, Rosa).

PRÉSERVATION DE L'INTIMITÉ

Avantage évident la nuit, qui permet aussi de maintenir la fraîcheur pendant le jour. Les persiennes peuvent être munies d'un système de projection « à l'italienne » qui leur confère les avantages du store et vous met à l'abri des regards indiscrets. Enfin, les volets atténuent les bruits extérieurs.

ISOLATION THERMIQUE

Les volets jouent un rôle pour l'isolation thermique en conservant la chaleur des habitations la nuit lorsque la température baisse. Un isolant rigide glissé entre deux épaisseurs de multiplis constitue un bon ensemble isotherme (5 cm). Les persiennes ou volets en bois présentent les meilleures qualités isothermiques.

Fabriquer un volet avec des lames de parquet

Si la baie de votre habitation destinée à recevoir l'huisserie de fenêtre n'est pas aux normes standard, vous devrez avoir recours à un menuisier pour réaliser votre fenêtre. Il en va de même pour vos volets, à moins que vous les fabriquiez vous-même.

Pour la réalisation d'un volet en lames de parquet, il vaut mieux utiliser un bois résineux plutôt qu'un bois de chêne. Le chêne est plus beau mais, excessivement sec, il n'absorbera pas les variations importantes et reste un support de finition moins bon que le résineux. En outre, les eaux de pluie risquent d'entraîner des coulées de tanin. Des volets de ce type exigent donc un entretien régulier. Il est préférable de choisir un châtaignier ou une autre essence qui ne contient ni poches de résine ni nœuds.

Enfin, traitez-les avec un fongicide et un produit hydrofuge.

Outils : crayon ou pointe à tracer, mètre ruban, vrille, tournevis, marteau, rabot, scie électrique (sauteuse ou circulaire) ou scie égoïne.
Matériel : lames à parquet de 23 mm d'épaisseur (pin, chêne, châtaignier), tasseaux de 20 x 60 mm environ pour les barres et l'écharpe, deux pentures avec leurs vis de fixation, colle à bois pour extérieur (de type urée-formol).

2 Assemblez les lames par collage des rainures dans les languettes jusqu'à obtenir la largeur voulue. Prévoyez une lame de plus pour pouvoir ensuite éliminer la languette et la rainure des lames d'extrémité. Maintenez les lames dans les serre-joints ou tout autre système de serrage (presse à cadre, sangles, etc.) jusqu'au séchage de la colle. Amenez le volet à sa largeur exacte en sciant les deux lames d'extrémité sur toute leur longueur. Veillez à ce que la largeur restante soit identique pour les deux lames.

1 Sciez les lames à parquet à la longueur correspondant à la hauteur du volet en supprimant la languette ou la rainure en bout des lames.

3 Réalisez les deux barres et l'écharpe avec les tasseaux pour former un Z. Avant fixation sur le volet, chanfreinez éventuellement le bord supérieur des chants du Z (c'est plus esthétique). Utilisez pour cela un rabot et faites un chanfrein à 45°.

Fixez les deux barres et l'écharpe sur le volet avec des vis à bois ou des vis de type V.B.A. Veillez à ce que sa fixation soit placée entre les trous de fixation des pentures qui viendront se placer sur l'autre face du volet, au même niveau que les deux barres.

4 Fixez les deux pentures sur l'autre face du volet, en vis-à-vis des deux barres du Z. Utilisez des vis de sécurité avec des têtes sans empreinte. Après un préperçage à travers le volet et la barre, les vis s'enfoncent au marteau et sont serrées définitivement à l'aide d'une clé 6 pans qui s'insère dans l'extrémité de la vis.

5 Protégez le chant haut du volet qui est en bois de bout, en fixant dessus une moulure en forme de L, qui sera collée et vissée. À défaut de cette protection, l'eau pénétrera dans le bout des lames et les fera gonfler et se déformer.

6 Finissez le volet en appliquant, sur toute sa surface, une lasure pigmentée en 2 ou 3 couches. Si vous voulez peindre le volet, utilisez de préférence une peinture acrylique microporeuse.

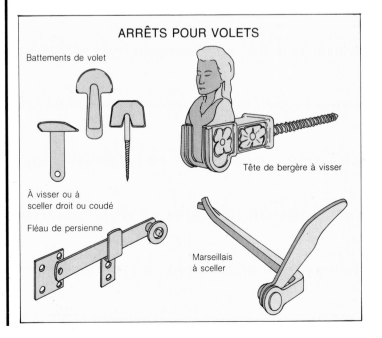

ARRÊTS POUR VOLETS

Battements de volet

À visser ou à sceller droit ou coudé

Tête de bergère à visser

Fléau de persienne

Marseillais à sceller

Finition des volets

En matière de revêtement du bois, trois choix sont possibles.

Lés lasures

Ce sont des produits spéciaux microporeux qui protègent le bois tout en le laissant respirer, lui conservant son équilibre hygrométrique. Elles sont tout indiquées pour les volets mais peuvent également être employées pour toutes les menuiseries extérieures. Ni peintures ni vernis, elles conservent une élasticité permanente au revêtement et constituent une véritable soudure moléculaire avec celui-ci. Elles sont pour la plupart insecticides et fongicides. Leur bonne tenue est d'un an et demi à deux ans. Elles impliquent donc un entretien régulier pour éviter noircissement et pourriture. Les appliquer est très facile si cela est fait à temps.

Les vernis

Ils respectent l'état naturel du bois. Leur durée est estimée à 2 ans. Ils constituent la plus fragile des finitions. Il faut en appliquer plusieurs couches et renouveler régulièrement les applications.

Si vous attendez trop longtemps, ils se craquellent ou se décollent par plaques ; il faut alors les décaper et passer à nouveau deux ou trois couches.

Les peintures

Elles sont actuellement plus résistantes. Leur durée est de 5 ans environ. Elles nécessitent un bon décapage préalable ou un brûlage des couches successives. Il est recommandé, voire indispensable, de nourrir le bois avec une couche d'impression ou à l'aide d'un produit bouche-pores, pour permettre une meilleure adhérence des couches suivantes.

Réfection partielle d'un volet

Outils : brosse métallique ou grattoir, tréteaux.
Matériaux : décapant et enduit si nécessaire.

1 Démontez le volet et posez-le sur deux tréteaux. Si la peinture est ancienne, décapez-le.

2 Brossez ou poncez la surface jusqu'à ce qu'elle soit lisse, exempte de parties écaillées et de vieille peinture.

3 Si le bois est vermoulu à certains endroits, rebouchez les trous. Employez pour cela une pâte résineuse spéciale ou une pâte à bois synthétique. Cette dernière assure une meilleure réaction au fil du temps parce qu'elle suit les variations du bois du volet, bien mieux qu'un enduit classique. Rebouchez profondément.

4 Une fois l'enduit sec, poncez à l'abrasif.

Sauver un volet pourri

Estimez le degré de pourriture en sondant le bois avec une pointe de couteau. Si le bois résiste à l'opération, c'est qu'il peut encore être traité avec un produit fongicide à badigeonner.

Pour les parties détruites relativement petites, on peut les remodeler avec un mastic époxy. Sinon, il faudra procéder à un travail de menuiserie, rapporter des éléments de bois neuf ou changer le volet.

Rénover des volets métalliques

Outils : brosse métallique, pinceau.
Matériaux : peinture antirouille, peinture décorative.

1 Dégondez vos volets et posez-les à plat sur un grand établi.

2 Décapez-les avec une brosse métallique.

3 Appliquez ensuite une couche de peinture antirouille.

LES FERMETURES

Pour l'habillage de vos fenêtres, choisissez une fermeture en fonction de son encombrement, de son usage et du type d'habitation. Les volets ne sont pas les mêmes selon que l'on habite en région parisienne, en Alsace ou dans le midi de la France, néanmoins, les types de volets suivants sont les plus répandus : volets battants ou contrevents, persiennes, volets roulants et jalousies.

VOLET PERSIENNÉ
Ces modèles facilitent la ventilation des locaux lorsque les fenêtres restent ouvertes derrière les persiennes closes.

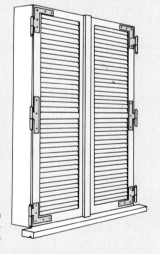

En bois exotique rouge, les montants et traverses du volet à lames américaines sont assemblés par tenons et mortaises. Les lames sont assemblées en rainures. Les pentures en équerre constituent les éléments de quincaillerie.

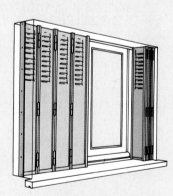

PERSIENNES
En métal, les lames sont soudées sur fers profilés.

En plastique, les lames verticales sont en P.V.C. L'armature est métallique et les paumelles en acier.

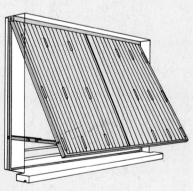

Persienne en métal

Persienne en bois-plastique à projection

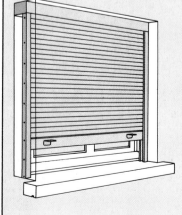

VOLETS ROULANTS
De plus en plus sophistiqués, ces volets ont désormais un coffre à faible encombrement qui s'adapte facilement aux ouvertures. Ils sont en aluminium, en bois, en plastique ou en P.V.C.

Ils peuvent être manœuvrés par tringle oscillante à manivelle, par tirage direct ou grâce à un moteur électrique. Dans ce cas, le moteur est solidaire de l'axe d'enroulement et la commande s'effectue à l'aide d'un interrupteur encastré.

Il existe des modèles à projection.

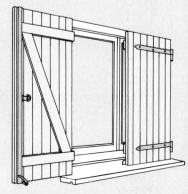

VOLETS BATTANTS
Il s'agit du traditionnel volet en Z. Les barres et écharpes sont vissées sur le tablier. Des pentures de sécurité sont assemblées au volet à l'aide de boulons à tête large. Généralement en sapin du Nord, ces volets battants peuvent être montés avec toute sorte de pentures (à queue de carpe, par exemple) en acier bichromaté ou zingué.

Afin d'éviter que les volets se mettent à battre sous l'effet du vent, vous pouvez les fixer efficacement en position ouverte grâce aux « têtes de bergère » (voir encadré p. 213).

DEUXIÈME PARTIE : TECHNIQUES, OUTILS ET MATÉRIAUX

PROTECTION DE LA MAISON

10 règles pour éviter le vol

Se protéger contre l'intrusion des cambrioleurs est presque impossible. Face à un arsenal de matériels de plus en plus sophistiqués, les malfaiteurs sont de mieux en mieux armés. La meilleure des serrures finit toujours par leur céder et les systèmes d'alarme ne les empêchent pas obligatoirement d'entrer. Mais les statistiques prouvent que la majorité des intrus abandonnent au bout de quelques minutes et s'enfuient si une sirène se met à hurler. Une bonne sécurité est donc surtout dissuasive : il faut leur compliquer la tâche pour les dissuader d'entrer, et, s'ils pénètrent quand même, les inciter à déguerpir au plus vite. De la serrure toute simple aux systèmes de « domotique » sophistiqués, l'éventail des solutions est large. Il appartient à chacun de mesurer l'étendue du risque qu'il court et d'adopter la solution la mieux adaptée à ses besoins et à ses moyens.

Faites le tour de toutes les voies d'accès possibles. Les portes et les fenêtres sont le plus souvent utilisées, mais un soupirail ou une lucarne sont souvent bien assez larges pour que s'y glisse un corps agile.

D'autre part, n'oubliez pas que les assureurs imposent des normes : si votre porte n'est pas équipée d'une serrure de sécurité, si vous avez laissé une fenêtre ouverte, s'il n'y a pas trace d'effraction, vous risquez d'avoir des difficultés à vous faire rembourser.

LES EXIGENCES DES ASSUREURS

Presque toutes les compagnies d'assurances ont des exigences précises : les locaux doivent être équipés de serrures de sûreté, voire de portes blindées ou de systèmes d'alarme. Les volets doivent être fermés pendant la nuit et les ouvertures accessibles doivent être protégées. La « clause d'habitation » imposée par les compagnies pour les résidences secondaires stipule que vous ne devez pas vous absenter plus de 90 nuits dans l'année.

TOUT FERMER À CLÉ ?

Autant il est impératif de bien boucler toutes les issues, autant il est généralement déconseillé de multiplier les serrures à l'intérieur d'une maison. En effet, une fois dans la place, les cambrioleurs n'hésitent pas à fracturer tout ce qui leur résiste. Ne rangez pas vos objets de valeur dans un joli secrétaire fermé à clé : au désagrément du vol, vous pourriez ajouter celui d'une réparation coûteuse. Installez dans un endroit accessible, mais dissimulé, un mini-coffre scellé où vous rangerez argent et bijoux.

1 Les visiteurs
N'ouvrez pas la porte aux démarcheurs ou enquêteurs sans avoir demandé à vérifier leur identité professionnelle.

2 Le répondeur téléphonique
Si vous vous absentez pour quelque temps, évitez de laisser un message trop précis sur votre répondeur. Informés de la durée de votre absence, les cambrioleurs sauront quand agir sans risque.

3 Les fenêtres
Les fenêtres du rez-de-chaussée sont particulièrement vulnérables. En maison individuelle, six cambrioleurs sur dix s'introduisent par là. Si vous ne voulez pas vous astreindre à fermer en permanence les volets, équipez-les de barreaux solides ou de vitres anti-effraction.
Pensez aussi aux fenêtres accessibles du toit, à celles qu'un tuyau de descente d'eau ou un arbre proche pourraient permettre d'atteindre, au soupirail de la cave...

4 Appentis et outils
Mieux vaut éviter de fournir aux cambrioleurs des outils pour leur faciliter la tâche : si vous conservez une échelle à l'extérieur de la maison, fixez-la sur un support spécial et verrouillez-la avec un cadenas. Il est en effet très facile de pénétrer dans une maison par le toit, en soulevant quelques tuiles. Mettez également sous clé tous vos outils de jardin.

5 Le garage
S'il est attenant à la maison, ses grandes portes peuvent représenter un point faible : veillez à bien les défendre et équipez systématiquement la porte de communication d'une serrure de sécurité.

6 Vos clés
Ne mentionnez jamais votre adresse sur votre porte-clés. En cas de perte ou de vol d'un sac à main ou de papiers portant votre adresse, faites immédiatement changer toutes vos serrures et n'acceptez pas de rendez-vous à l'extérieur si on vous téléphone qu'on les a retrouvés... Cela peut être une ruse pour vous faire sortir de chez vous et en profiter pour s'y introduire.

7 La porte d'entrée
C'est le plus souvent par là que l'on pénètre chez vous (surtout si vous habitez en appartement). Vérifiez l'état et la composition du panneau. Un blindage est la meilleure sécurité contre ce type d'agression, mais une bonne serrure, des renforts de paumelles et des cornières anti-effraction sont déjà une bonne protection.

8 Bijoux et objets de valeur
Méfiez-vous des cachettes trop classiques. Enfermez papiers et objets de valeur dans un coffre, chez vous ou à la banque.

9 La boîte aux lettres
Débordant de courrier et de prospectus, elle signale votre absence à l'œil exercé d'un cambrioleur. Demandez au gardien de conserver votre courrier ou à une voisine de la vider régulièrement.

10 Tatouez vos biens
Si vous voulez dissuader les cambrioleurs d'emporter des objets de valeur (chaîne hi-fi, téléviseur, magnétoscope, appareil photo...), sachez que vous pouvez les faire marquer suivant le même principe que le tatouage des automobiles. S'ils portent un numéro d'identification indélébile, ils deviennent difficilement négociables. Une plaque apposée sur la porte d'entrée avertit les malfaiteurs que vos biens sont marqués et qu'il est donc inutile d'entrer.

Renforcement de la porte d'entrée

En appartement, les cambrioleurs s'attaquent d'abord à la porte d'entrée. S'ils n'ont pas réussi à la fracturer au bout de 2 ou 3 minutes, la plupart d'entre eux renoncent et passent chez le voisin. En maison particulière, ils entrent plus souvent par la fenêtre (60 % des cas).

Une fois sur deux, ils emploient des moyens rudimentaires : enfoncement de la porte d'un coup d'épaule, pied-de-biche ou démonte-pneu pour la faire sortir des gonds, ou crochetage de la serrure. L'usage de fausses clés ou de parapluies sophistiqués est assez rare et plutôt le fait des professionnels de la cambriole à la recherche d'objets de valeur. La première chose à faire est donc de vous assurer de la solidité de votre porte et de sa résistance à l'enfoncement et au crochetage. Elle dépend de la solidité du panneau, du chambranle, des gonds et de la serrure.

PANNEAUX ET CHAMBRANLES

Selon la préfecture de police, l'entrée principale doit être une porte pleine en métal ou en bois massif de 40 mm d'épaisseur au minimum, fixée sur un chambranle de même composition. Les panneaux vitrés, quand ils existent, ne doivent pas mesurer plus de 120 mm de large, pour ne pas permettre à un intrus de s'y glisser. Sinon, il faut utiliser du verre de sécurité ou les protéger par des barreaux ou par une grille.

LES SERRURES

Les modèles rudimentaires (clés à gorge, notamment) sont très faciles à crocheter, et les cambrioleurs rivalisent d'ingéniosité avec les fabricants pour trouver de nouvelles techniques leur permettant de venir à bout de serrures jadis réputées inviolables. Des nouveautés sans cesse plus performantes apparaissent sur le marché : verrouillage électronique ou clés magnétiques sont pratiquement impossibles à forcer avec les moyens classiques, mais leur coût est élevé. Plutôt que de remplacer l'ensemble de la serrure, il est souvent possible d'ajouter des dispositifs bénéficiant des derniers perfectionnements (barillet spécial, blocage de tringle, alarme de porte...) qui présentent l'avantage d'être moins onéreux et de décontenancer les malfaiteurs.

LE LABEL A2P

Décerné par un organisme dépendant des sociétés d'assurances, le label A2P est décerné à des serrures ayant passé avec succès différents

tests de résistance. Suivant leurs performances, les modèles peuvent porter une, deux ou trois étoiles, correspondant notamment à leur temps de résistance à différents instruments (5, 10 ou 20 minutes). Quand vous changez de serrure, sélectionnez de préférence un modèle portant ce label.

PROTECTION DES BÂTIMENTS ANNEXES

Abris de jardin et ateliers

Les loquets dont sont équipés la plupart des abris préfabriqués n'offrent qu'une faible résistance. Si vous y entreposez du matériel de valeur ou même de simples outils, veillez à en renforcer la fermeture, mais il est inutile d'installer des serrures de sécurité dans un local dont les murs sont légers. Veillez simplement à ce que le loquet ne soit pas fixé à la porte par des vis accessibles de l'extérieur.

Portes de garage

Si votre garage communique avec la maison, il faut qu'il présente les mêmes garanties de sécurité que la porte d'entrée. C'est difficile. Mieux vaut donc équiper la porte de communication d'une serrure de sûreté.

En cas d'absence prolongée, prévoyez de renforcer la fermeture de votre porte de garage.
- Une porte accordéon peut être bloquée de l'intérieur à l'aide d'une barre de fer posée sur des crochets.
- Les portes pivotantes ou basculantes sont en général munies de systèmes de verrouillage. Mieux vaut qu'ils comportent plusieurs points d'ancrage. Sinon, deux serrures et un cadenas suffisent à les condamner.

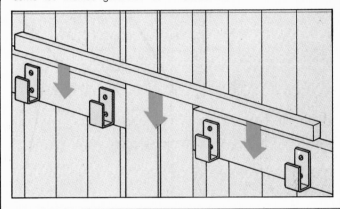

LES GONDS

Ils doivent être suffisamment solides pour supporter le poids de la porte (tenez-en compte si vous souhaitez la recouvrir d'un blindage, voir p. 220, 221) et protégés par des renforts de paumelles contre l'action d'un pied-de-biche.

Pour assurer une fermeture convenable de votre porte d'entrée, diverses solutions sont possibles. Les plus efficaces exigent l'intervention d'un serrurier, mais certains dispositifs peuvent être posés par n'importe quel bricoleur un peu habile.

Serrures : des solutions à plusieurs niveaux

CHANGEMENT DE SERRURE

Les modèles de serrures sont nombreux. La vôtre peut être une serrure en applique (voir dessins), horizontale ou verticale, ou une serrure mortaisée incrustée dans le chant de la porte (voir p. 198). Dans tous les cas, il est possible de l'échanger contre un modèle offrant une meilleure sécurité, soit en démontant la serrure tout entière, soit en faisant l'échange du barillet.

Changer de clé sans changer de serrure

Si votre porte est équipée d'une serrure ancienne dont la clé peut être reproduite dans n'importe quel « clé-minute », mieux vaut la remplacer par un dispositif moderne. Le plus simple consiste à échanger le cylindre contre un modèle plus récent qui fonctionne avec une clé plate, une clé à pompe ou une clé magnétique. Vous le ferez très facilement si votre serrure comporte un barillet aux normes européennes. C'est le cas pour la plupart des serrures mortaisées.

Outil et matériel : tournevis ; nouveau barillet.

1 Dévissez la vis transversale qui maintient le cylindre.

2 Dégagez celui-ci de la serrure en le tirant.

3 Introduisez le nouveau barillet dans la serrure et vissez-le en place.

Changer une serrure en applique

Avant toute chose, vous devez démonter l'ancienne serrure. Pour la remplacer, vous pouvez choisir une simple serrure en applique plus perfectionnée (dans ce cas, prenez garde de ne pas égarer la goupille démontée) ou un modèle de sécurité à trois ou cinq points dont le bloc serrure principal est de même nature que la vôtre (horizontale ou verticale). Il en existe de nombreux modèles en kit.

Outils : tournevis, marteau, pince, mètre à ruban, mastic à bois, perceuse.
Matériel : serrure neuve, vis à bois.

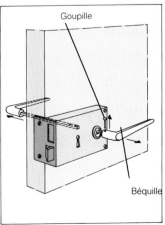

Goupille

Béquille

1 Retirez la goupille et démontez la poignée.

Serrures : des solutions à plusieurs niveaux (suite)

2 Dévissez les vis de fixation de la têtière et du coffre.

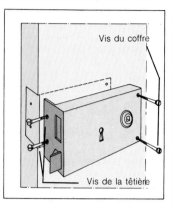

Vis du coffre

Vis de la têtière

3 Tirez sur la serrure pour l'extraire de son logement.

4 Mesurez les dimensions de la nouvelle serrure. Au besoin, rebouchez les trous de fixation de l'ancienne avec un mastic à bois que vous poncerez soigneusement.

5 Mettez en place la nouvelle serrure en vérifiant bien que pêne et gâche s'enclenchent correctement. S'il s'agit d'une serrure de sûreté, reportez-vous à notre leçon de pose spécifique.

POSE D'UN VERROU

Outils : tournevis, mètre à ruban, perceuse avec mèche à bois.
Matériel : Verrou neuf, quatre vis à bois.

1 Mesurez l'épaisseur de votre porte et notez bien son sens d'ouverture (à main droite ou à main gauche).

2 Choisissez votre nouveau verrou en fonction de ces critères. La longueur du canon doit être au moins égale à l'épaisseur du panneau.

3 Tournez le verrou en position ouverte et mesurez l'espace entre l'extrémité du pêne et l'axe du canon.

Reportez cette cote, en y ajoutant environ 3 mm, sur la face avant de la porte, à la hauteur ou vous souhaitez placer votre verrou (en général, à 1,50 m du sol).

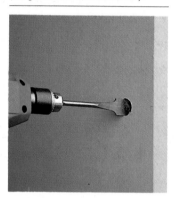

4 En commençant par l'extérieur de la porte, percez un trou à

l'emplacement ainsi déterminé à l'aide d'une mèche à bois ou d'une scie-cloche. Le diamètre du trou doit correspondre à celui du canon du verrou (23 à 25 mm).

5 Si vous utilisez une perceuse, dès que la pointe du foret apparaît de l'autre côté, interrompez le perçage et reprenez-le sur l'intérieur : cela vous évitera de faire éclater les fibres du bois à la sortie de la mèche.

6 Mettez votre verrou en place en introduisant son canon dans le trou. Déterminez à l'aide d'un niveau sa

position horizontale, marquez l'emplacement des vis de fixation à l'aide d'une pointe et fixez le verrou à l'aide de quatre vis à bois.

7 Faites fonctionner le mécanisme pour vérifier que rien ne gêne la course du pêne, laissez ce dernier en position fermée (il est alors sorti au maximum), positionnez la gâche en vis-à-vis et fixez-la à l'aide de quatre vis à bois.

SURVERROU ÉLECTRONIQUE

Le surverrouillage consiste à bloquer la tringle de la serrure. C'est donc un complément électronique d'une serrure de sûreté. Sa fonction est de verrouiller la serrure, qui elle-même verrouille la porte. Ces « superverrous » intègrent entre autres des caractéristiques électroniques : une gestion par microprocesseur, une veille automatique au repos, un contrôle et une reconnaissance des codes, une information sur l'état de la pile...

Serrures de sûreté

POSE D'UNE SERRURE DE SÛRETÉ

Une serrure de sûreté permet d'actionner, à l'aide d'une seule clé, tout un dispositif de fermeture comprenant, en plus du pêne, deux verrouillages verticaux en haut et en bas de la porte (serrure trois points) et, éventuellement, plusieurs verrous supplémentaires (serrures cinq points ou plus) et des barres horizontales.

L'intervention d'un serrurier est recommandée, surtout pour les serrures sophistiquées, mais un bon bricoleur peut assurer lui-même la mise en place de certains modèles. Dans tous les cas, le renforcement d'une porte avec une serrure de sûreté doit être complété par un dispositif de protection des gonds (renforts de paumelles et cornière anti-effraction), sinon l'investissement serait inutile.

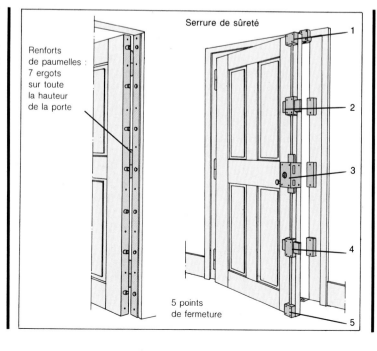

Renforts de paumelles : 7 ergots sur toute la hauteur de la porte

Serrure de sûreté

5 points de fermeture

Profitez de cette opération pour vérifier le bon fonctionnement de la porte, nettoyez et graissez ses axes et changez éventuellement les rondelles de friction des paumelles.

Outils : tournevis, crayon, scie à métaux, perceuse.
Matériel : tréteaux, mastic à bois, papier de verre fin, nouvelle serrure.

1 Choisissez une serrure correspondant au sens d'ouverture de la porte.

2 Sortez la porte de ses gonds et posez-la à plat sur deux tréteaux. Au besoin, aidez-vous, pour cette opération, d'un levier glissé sous la porte.

3 Démontez l'ancienne serrure, nettoyez son emplacement et rebouchez les trous de vis et éventuellement celui du passage de la

DES SERRURES SANS CLÉ

À l'ère de l'électronique, clé et trou de serrure n'ont plus de raison d'être. Il est facile de leur substituer d'autres instruments de commande : la carte magnétique, le boîtier de télécommande en sont des exemples. Dans le premier cas, la commande d'ouverture est transmise à la serrure à l'aide d'un contact magnétique ; dans le second, c'est une transmission radio.

Un système à cartes magnétiques fonctionne déjà avec succès dans l'hôtellerie. À son arrivée, le client ne reçoit plus une clé, mais une carte qui lui permet d'ouvrir la porte de sa chambre. Ces cartes sont codées et leur code est modifié automatiquement dès que le client quitte l'hôtel. De cette façon, un client qui aurait omis de rendre sa carte ne peut plus pénétrer dans la chambre, ce

qui permet de remédier aux vols, relativement fréquents, pratiqués à l'aide de clés «oubliées» ou de fausses clés. Le personnel chargé du service utilise également des cartes lui donnant accès soit à toutes les chambres, soit à un étage. Chaque dispositif d'ouverture est relié à un micro-ordinateur qui enregistre les heures de toutes les entrées et sorties.

L'utilisation d'une carte n'implique pas obligatoirement une manœuvre électrique de la serrure. Celle-ci peut se faire à l'aide d'une poignée, le dispositif électronique en assurant le blocage.

Vous pourrez trouver dans le commerce des serrures mécaniques avec verrouillage (ou plutôt surverrouillage) électronique à l'aide de cartes à code changeable.

de gonds. Il existe des ergots simples ou des plaquettes à deux ergots.

Outils : crayon, perceuse et mèches (taille selon les indications du fabricant), ruban adhésif, maillet, ciseau à bois, tournevis.
Matériel : une paire de paumelles de renfort.

1 Ouvrez grand la porte et marquez le centre du chant assez près des deux gonds en haut et en bas.

2 Percez un trou dans le chant de la porte (profondeur et diamètre selon les indications du fabricant). Enroulez du ruban adhésif autour de la mèche. Ce qui vous permettra de repérer la profondeur.

3 Fichez la paumelle dans le trou. Fermez partiellement la porte pour que le loquet laisse une empreinte sur le chambranle.

4 À cet endroit, percez un trou dans le chambranle correspondant au dépassement du loquet, en comptant une marge supplémentaire. Vérifiez que la porte se ferme facilement. Si nécessaire, agrandissez le diamètre ou la profondeur du trou.

5 Ouvrez la porte et maintenez la plaque sur le trou. Tracez les contours et évidez au ciseau à bois un espace pour que la plaque s'ajuste au ras du chambranle.

Vissez la plaque avec les vis fournies.

Les cornières antipinces

Il s'agit de fers en L ceinturant le tour extérieur de la porte et destinés à empêcher une pince-monseigneur de s'insinuer entre le battant de la porte et son cadre.

La plupart du temps, vous devrez ajuster la longueur des fers aux dimensions de votre porte. Découpez-les à l'aide d'une scie à métaux. Pour l'angle, mieux vaut pratiquer une découpe en L que faire un assemblage en biseau.

Outils : scie à métaux, tournevis, perceuse, étau.
Matériel : quatre cornières, vis à douille à tête lisse.

1 Préparez le passage des vis dans votre porte à la perceuse.

2 Insérez les vis dans les trous ainsi pratiqués en veillant à ce que le vissage s'effectue à l'intérieur.

3 Mettez les cornières en place.

---

clé à l'aide d'un mastic à bois que vous poncerez soigneusement une fois sec pour éviter toute aspérité.

4 Commencez par poser la serrure principale : marquez son emplacement et procédez comme pour un verrou (voir ci-contre). Positionnez-la à environ 1,10 m du sol.

5 Installez ensuite les crémones haute et basse et sciez-les à la bonne longueur pour qu'elles s'ajustent exactement à la hauteur de votre porte.

6 Fixez les verrous intermédiaires en les ajustant sur les crémones. Vérifiez que le mécanisme fonctionne avant de remonter la porte.

7 Marquez l'emplacement des gâches et commencez par fixer les logements verticaux, en bas et en haut de la porte, puis mettez en place toutes les autres gâches.

BLOCAGE DE LA TRINGLE

Pour renforcer l'efficacité d'une serrure trois points, certains dispositifs additionnels permettent de bloquer la tringle en position fermée pour empêcher la serrure de fonctionner. C'est une sécurité accrue et un moyen de contrôler l'accès à votre domicile : vous pouvez ainsi confier vos clés, mais vous assurer que la personne à qui vous les avez remises ne pourra pas pénétrer chez vous quand vous ne le voulez pas. Certains dispositifs électroniques comportent un code que l'on peut changer à tout moment.

Blocage mécanique
La méthode la plus simple consiste à réaliser ce blocage à l'aide d'un verrou additionnel, placé à contresens par rapport à la serrure. En position fermée, il vient s'engager

dans un logement (ou pontet) fixé sur la tringle.

1 Percez la tringle à l'aide d'un foret à métaux et fixez-y le pontet.

2 Fixez le verrou sur la porte de façon que le pêne, en position fermée, vienne se loger dans le pontet quand la serrure principale est verrouillée (tringle en position haute si le verrou est au-dessus de la serrure principale, en position basse dans le cas inverse).

Blocage électronique
Suivant le même principe, un petit appareil électronique se place sur la tringle, mais au lieu d'être muni d'une clé, comme le verrou du cas précédent, il comporte un cadran sur lequel on compose un code personnalisé (les combinaisons sont multiples) qui permet d'ouvrir le verrou pour débloquer la tringle.

DISPOSITIFS ANNEXES

Verrous plus barre
Pour une porte d'entrée à double battant, il faut équiper chaque panneau de fermetures de sécurité à trois points ou plus : les verrous sont placés sur le battant ouvrant, le battant fixe portant les gâches. En cas d'absence prolongée, une barre de sécurité transversale renforce la solidité de la fermeture.

Les renforts de paumelles
Les renforts de paumelles sont des ergots qui, fixés sur le chant de la porte, du côté des gonds, viennent s'encastrer dans des logements creusés dans le chambranle et interdisent ainsi tout déplacement vertical de la porte pour la faire sortir de ses gonds. Pour une protection efficace, il faut utiliser autant de ces renforts que la porte compte

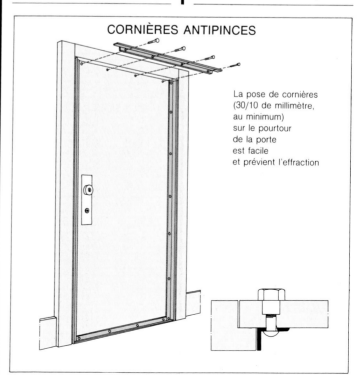

CORNIÈRES ANTIPINCES

La pose de cornières (30/10 de millimètre, au minimum) sur le pourtour de la porte est facile et prévient l'effraction

Blindage d'une porte à simple battant

Le premier accès à une habitation, quelle qu'elle soit, demeure la porte d'entrée. Une protection de médiocre qualité expose une maison à des dégâts matériels souvent irréparables. La seule solution vraiment efficace consiste alors à la blinder.

Les blindages les plus efficaces recouvrent également les chants et le cadre.

Dans tous les cas, la pose d'un blindage augmente considérablement le poids d'une porte (voir encadré p. 221). C'est une lourde charge pour les paumelles (vous pouvez envisager de les changer). Si vous n'êtes pas un bricoleur confirmé, mieux vaut recourir à un spécialiste.

Vous pouvez toutefois trouver des kits de blindage adaptables sur des portes à simple battant de 70 à 93 cm de large et équipés de paumelles spéciales.

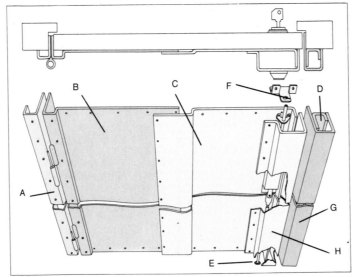

Outils : perceuse, scies à métaux et à bois, rabot, tournevis, mètre, foret à métaux, lime ronde.

Matériel : kit de blindage, tréteaux, cale (4 à 5 mm d'épaisseur), crayon.

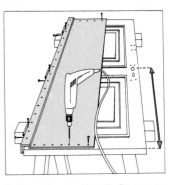

et sciez. Si la coupe n'est pas droite, terminez au rabot.

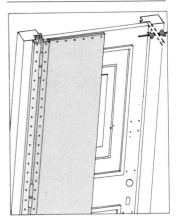

8 Présentez la pièce B. Percez en correspondance des renforts, et fixez-la (vis 4 × 30 et 4 × 40). Préparez la porte pour la pièce C portant la serrure, et percez.

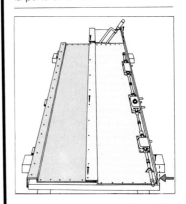

9 Installez la porte sur ses gonds, vérifiez le fonctionnement. Un espacement de 4 mm doit rester entre la porte et le bâti.

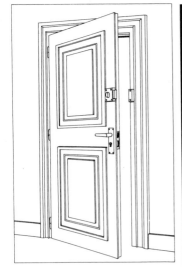

1 Démontez d'abord la porte, puis déposez charnières mâles et femelles, gâches, serrures et bourrelets existants.

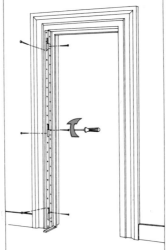

3 Présentez, calez (en maintenant la cale avec le bout du pied) et fixez comme indiqué avec des vis de 4 × 40 et 4 × 30.

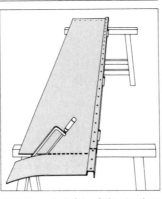

5 Tirez un trait à la règle et sciez ; puis limez pour ébarber.

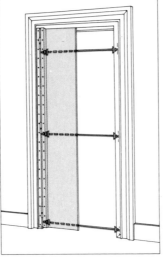

6 Remettez la pièce B dans ses gonds, fermez et prenez les dimensions par rapport à la flèche (en déduisant 4 mm).

AVERTISSEMENT

Pour améliorer la compréhension des conseils de pose, reportez-vous au croquis en haut de page.

7 Reportez ces dimensions sur votre porte du côté des paumelles

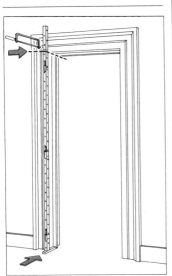

2 Présentez la pièce A posée sur une cale de 4 ou 5 mm, tracez au crayon le niveau supérieur du cadre et sciez à la scie à métaux.

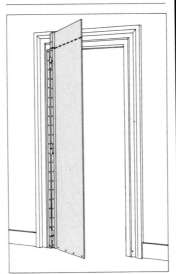

4 Placez la pièce B sans la fermer, tracez 3 mm plus court que la pièce A comme indiqué sur l'illustration par le pointillé.

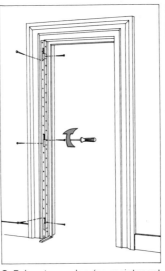

10 Positionnez la pièce C en laissant 3 mm environ de retrait du chant de la porte. Vissez et sciez la partie qui dépasse en haut.

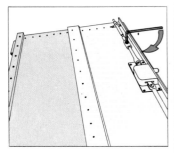

11 Positionnez la tringle supérieure et réglez-la en fonction de la hauteur, fixez la bague qui la maintient avec la clé.

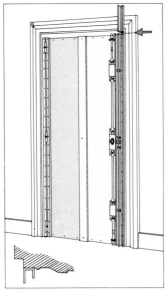

12 Remettez la porte sur ses gonds et vérifiez le fonctionnement

de l'ouverture et de la fermeture. Présentez la pièce B en correspondance avec les pènes de serrure.

Tracez, coupez et fixez en prenant garde de ne pas dépasser le bord du bâti.

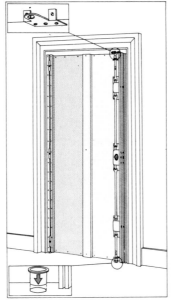

13 Tracez les points haut et bas. Vissez la gâche haute sur le bâti. Pour la partie basse, percez le sol, en prenant garde s'il y a de la moquette au sol de ne pas l'effilocher.

Pour le béton, le carrelage, la pierre, le ciment, utilisez un foret à béton Ø 6 mm et faites plusieurs trous sur le tracé avec une perceuse électrique à percussion.

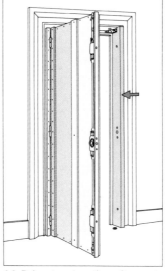

14 Présentez la pièce G sur la pièce D, tracez et coupez 40 mm plus haut que la porte, puis fixez avec des vis à bois de 4 × 30 sur le bâti et des vis à métaux sur la pièce D.

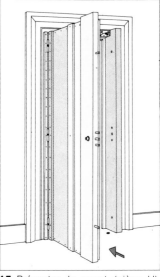

15 Présentez le capot (pièce H) sur la porte et coupez à la même hauteur que la pièce G, puis fixez-la avec des vis à métaux. Ainsi le fonctionnement de la serrure est dissimulé et reste discret.

AVANT DE BLINDER VOTRE PORTE

Si vous désirez blinder votre porte (recouvrement de toute la surface de la porte d'une tôle d'acier), vérifiez très attentivement son état, car il faut savoir qu'une tôle d'acier d'une épaisseur de 1,5 mm pèse 12 kg au mètre carré. Blinder une porte standard (2,10 × 0,90) nécessite une tôle de... 22 kg. Les paumelles doivent être dans ce cas particulièrement résistantes pour supporter cette charge supplémentaire.

En outre, il faut penser aux inconvénients dus aux dimensions de cette plaque, aux difficultés à la transporter et aux outils spéciaux de perçage que ce travail requiert.

Dispositifs anti-agressions

Certains malfaiteurs déterminés n'hésitent pas à s'introduire dans des appartements quand ils sont occupés. Bien souvent, ils se contentent de sonner à la porte. Évitez d'ouvrir la vôtre à n'importe qui et, pour vous en assurer, équipez-vous d'un dispositif de surveillance : chaîne, entrebâilleur ou viseur optique. Il peut aussi arriver qu'un cambrioleur s'introduise dans la maison pendant que les occupants dorment. Dans ce cas, un dispositif d'alarme protégeant les accès pourra les faire renoncer.

POSE D'UN VISEUR OPTIQUE

Il s'agit d'un tube métallique contenant un viseur panoramique (judas). De longueur réglable, certains modèles s'adaptent à l'épaisseur de toutes les portes. Pensez toutefois à vérifier l'épaisseur de la vôtre avant l'achat.

1 Choisissez un viseur dont la longueur corresponde à l'épaisseur de la porte. Repérez son emplacement (il se situe à 1,50 m du sol environ et au centre du panneau... Tout dépend naturellement du champ de vision que vous voulez surveiller).

2 Commencez le perçage à l'extérieur de la porte et surveillez le débouchement du foret sur l'autre face.

3 Cessez la rotation quand le foret apparaît et reprenez le perçage par l'intérieur de la porte, cela évitera les éclats de bois aux abords du trou.

4 Démontez le viseur optique, qui se sépare en trois pièces.

5 Introduisez le viseur dans le trou par l'extérieur, puis la douille par l'intérieur en interposant la bague.

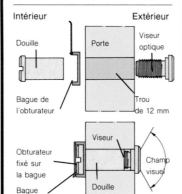

6 Vissez ces deux éléments l'un sur l'autre et bloquez l'ensemble à l'aide d'un tournevis glissé dans les crans de serrage de la douille.

Dans le même esprit, certains portiers de villas contrôlent sur écran vidéo qui sonne au portail (caméra et récepteur).

CHAÎNE OU ENTREBÂILLEUR

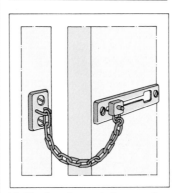

L'utilisation d'une chaîne ou d'un entrebâilleur permet d'ouvrir la porte (pour recevoir un pli par exemple) sans laisser le passage au visiteur. Les entrebâilleurs à chaîne (ou à tige) se fixent par

simple vissage sur le dormant et le battant. Attention à la longueur de la chaîne : il ne faut pas qu'une main puisse se glisser à l'intérieur pour la décrocher. Il faut également utiliser des vis de grande longueur pour qu'elles résistent à une poussée violente.

L'entrebâilleur à tige est plus efficace : il est constitué d'une barre à coulisse qui limite l'ouverture et peut être débloqué uniquement

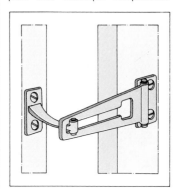

lorsque l'on referme la porte.

Certains entrebâilleurs sont améliorés par un dispositif de protection sonore : un signal d'alarme se déclenche lorsque l'on tente de forcer le passage.

Protection des fenêtres

Au rez-de-chaussée, sous les combles, et bien sûr en maison individuelle, les fenêtres sont particulièrement vulnérables. Il suffit en effet de casser ou de découper un carreau et de tourner la crémone pour pénétrer chez vous.

Il faut protéger les fenêtres les plus accessibles par de solides volets et ne pas oublier de les fermer. Un simple loquet ne suffit pas, il est très simple de le crocheter. Renforcez-en la fermeture à l'aide de barres de fer amovibles bloquant les volets en position fermée.

Grilles en fonte ou barreaux constituent une bonne protection lorsqu'ils ne gênent pas la vue. Équipez-en la porte d'entrée si elle comporte une imposte, ainsi que les lucarnes, le soupirail de la cave...

Pour être vraiment efficaces, les barreaux doivent avoir une section de 4 cm, être espacés de 11 à 12 cm au maximum et être scellés sur une profondeur de 8 cm.

Pour vous protéger efficacement, faites placer des barreaux à toutes les ouvertures accessibles. Les barreaux ne doivent pas être espacés de plus de 10 cm, et avoir une section de 4 cm.

LES FENÊTRES À DEUX BATTANTS

Une astuce très simple permet de bloquer la crémone pour empêcher les intrus de la manœuvrer de l'extérieur.

1 Percez avec une perceuse équipée d'un foret à métaux un trou dans la tringle, hors de portée de la poignée (c'est en général au niveau du système d'ouverture que les voleurs cassent la fenêtre), en pénétrant également dans le châssis.

2 Coupez à la longueur du trou un clou à tête plate.

3 Lorsque vous vous absentez, glissez un clou dans le trou : la tringle est bloquée et ne peut plus coulisser.

LES FENÊTRES COULISSANTES

Portes-fenêtres et fenêtres coulissantes sont en général équipées de poignées à serrure de sûreté. On peut y ajouter des verrous de blocage, les protéger par des stores métalliques verrouillés, ou les équiper de verre anti-effraction.

La plupart des volets en fer ou en bois se ferment à l'aide d'un simple loquet qu'il est très facile de soulever de l'extérieur avec une lame. Certaines persiennes en fer composées de plusieurs vantaux ne laissent aucun interstice une fois clos. Il est plus difficile et bruyant de les forcer. Lorsque vous vous absentez pour quelque temps, vous pouvez renforcer cette fermeture à l'aide de barres de fer posées sur des ergots métalliques et bloquées en place à l'aide de vis papillon. Vous pouvez blinder des volets en réutilisant ceux existants.

Volets blindés

Comme la porte, les volets peuvent être blindés et équipés de serrures de sûreté sans que leur aspect extérieur soit modifié. Réalisés aux mesures des fenêtres, ces volets sont en principe posés par les professionnels.

Vitres à toute épreuve

Deux solutions pour qui ne veut ni fermer ses volets ni se retrancher derrière des barreaux :
— Un film transparent adhésif collé à l'intérieur des vitres et soudé au cadre : il n'est pas totalement incassable, mais retarde l'intrusion de 5 à 15 minutes suivant la qualité de la pose et les moyens employés par les cambrioleurs. De plus, fixé à l'intérieur du panneau, il retient en place les morceaux de verre brisés. Un phénomène déroutant pour les intrus.
— Un verre synthétique indestructible mécaniquement et très résistant thermiquement : ni la hache, ni la pioche, ni la masse ne parviennent à le casser (mais elles l'endommagent). Commercialisé depuis trois ans, ce produit dérivé de l'industrie spatiale peut remplacer n'importe quel verre à vitres, car, contrairement aux verres

armés de haute sécurité, il est plus léger et sensiblement de même épaisseur qu'un carreau ordinaire. De plus, on peut l'utiliser pour des doubles vitrages. Il offre alors d'intéressantes propriétés d'isolation thermique et phonique. Toutefois, si vous envisagez une telle installation, pensez à renforcer le châssis, s'il y a lieu ; sinon, il est inutile d'investir une somme importante dans du verre inattaquable.

Pavillons : prenez garde au toit

Dans une maison isolée ou au dernier étage d'un immeuble, le toit constitue un moyen d'accès facile pour un cambrioleur un peu agile. Il lui suffit en effet de soulever quelques tuiles pour s'introduire dans les combles et, de là, gagner les autres pièces de la maison. Les matériaux d'isolation ne sont pas un obstacle : le plus souvent, un coup de pied suffit pour les traverser. Si les combles ne sont pas habités, il faut barricader la porte d'accès ou cadenasser la trappe. Pour des greniers aménagés, un système d'alarme sera efficace.

Veillez également à empêcher l'escalade en faisant placer des grilles ou des pointes spéciales autour des conduites d'eau faciles à escalader, et ébranchez régulièrement les arbres situés à proximité de la maison qui pourraient permettre de gagner le toit.

Choix d'un système d'alarme

Une protection mécanique, si perfectionnée soit-elle, n'empêche pas des cambrioleurs de s'introduire dans un local s'ils disposent de suffisamment de temps (dans une maison isolée, par exemple). En revanche, un système d'alarme est un moyen de dissuasion efficace, surtout lorsque l'intrus ne sait pas quelles réactions l'alerte va déclencher.

Les premiers systèmes d'alarme apparus sur le marché laissaient souvent à désirer, car ils se déclenchaient pour un rien, alertaient sans raison le voisinage, se déchargeaient rapidement et pouvaient facilement être déconnectés par les cambrioleurs, qui en connaissaient bien la technologie. Les systèmes modernes, beaucoup plus perfectionnés, sont devenus parfaitement fiables. S'il leur arrive de se déclencher inopinément, c'est presque toujours à la suite de mauvaises manipulations.

L'éventail des produits proposés est très large, de la sirène de porte en kit aux installations complexes capables de déclencher une série de réactions graduées en fonction de la nature de l'intrusion. Comment choisir la solution la mieux adaptée à son propre cas ? C'est une question de bon sens autant que de budget. Une installation très sophistiquée, donc coûteuse, ne se justifie que pour protéger des objets de valeur et implique une discipline quotidienne : il faut à tout prix éviter les fausses alertes pour ne pas indisposer le voisinage ni décourager les intervenants.

Consultez votre assureur : il connaît la valeur du patrimoine garanti et recommande des moyens de protection. Faites réaliser des devis détaillés par plusieurs entreprises de sécurité et faites-vous bien préciser la nature du matériel fourni et les conditions de son entretien. Prenez des renseignements auprès d'autres utilisateurs avant de vous décider.

LE PRINCIPE

Quel que soit le matériel, le principe de son fonctionnement est toujours le même. Un système d'alarme se compose d'appareils chargés de détecter les instrusions et d'un dispositif d'alerte pouvant déclencher une sirène, une sonnerie, une lumière, un appel téléphonique ou toutes sortes d'autres réactions.

Dans certains cas, détection et alarme sont regroupées dans un même appareil à usage ponctuel fonctionnant à pile, très facile à poser, mais d'une efficacité limitée. Beaucoup de voleurs savent comment désarmer ces appareils. Seuls les systèmes intégrés assurent une protection vraiment efficace, mais leur coût est élevé. Il en existe plusieurs sortes.

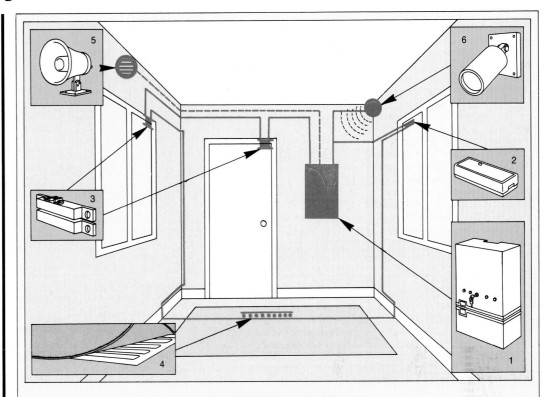

1. La centrale de veille. 2. Le détecteur de chocs, qui se fixe sur toutes les issues susceptibles d'être forcées et notamment sur les vitres. 3. Le contact d'ouverture, qui se place sur les portes et les fenêtres. Lorsqu'une ouverture se produit, cela annule le champ magnétique et, par suite, déclenche l'alarme. Il existe des modèles encastrables plus esthétiques. 4. Détecteur de contact pour tapis et moquette : de faible épaisseur (2 mm) ; ce film de plastique se glisse sous un tapis. Dès qu'une charge de plus de 3 kg le comprime, ses contacts déclenchent l'alarme. 5. Alarme sonore : sirène électronique. 6. Détecteur à infrarouges : lorsque l'environnement ne permet pas d'utiliser les détecteurs radars (niveau sonore trop élevé ou parois vitrées), on préconise l'emploi de détecteurs à infrarouges.

Les réseaux câblés

Un circuit formant une boucle relie tous les points d'accès possibles à une centrale de contrôle chargée de déclencher l'alerte dès qu'une anomalie se produit sur la boucle.

La porte d'entrée, les fenêtres accessibles sont équipées de contacteurs qui, en cas d'ouverture ou de choc, déclenchent sirènes ou sonneries. Ce dispositif est relativement peu coûteux, mais contraignant à poser et peu esthétique, puisqu'il faut faire courir des fils dans toute la maison. En outre, certains de ces systèmes d'alarme de la première génération étaient peu fiables : il suffisait d'une fenêtre peu jointive, d'une vibration un peu trop forte (passage de camion, orage, vent violent), ou de parasites sur les lignes pour que les sirènes se mettent à hurler. Désormais, certains de ces systèmes, vendus en kit, comprennent à la fois des contacts magnétiques d'ouverture, des contacts de sol que l'on glisse sous les tapis et des radars plus ou moins sophistiqués.

Les réseaux radio

La contrainte du « bouclage » disparaît avec les nouvelles installations électroniques dans lesquelles la centrale communique par radio avec les dispositifs de détection. Un système de codage complexe assure l'inviolabilité des fréquences utilisées et évite les interférences des autres dispositifs radio pouvant fonctionner dans le voisinage (police, radio-taxis, etc.). Un ordinateur central pilote l'ensemble du dispositif et est en liaison permanente avec tous les systèmes de détection, à l'intérieur de la maison ou dans le jardin.

Ces appareils protègent la maison en l'absence d'occupants, mais prévoient également une surveillance par zones offrant la possibilité de neutraliser certaines alertes pour circuler librement dans certaines parties d'un local, tout en en conservant d'autres sous surveillance.

L'ordinateur est également capable d'analyser le danger et de réagir de façon hiérarchisée. Déclencher systématiquement une sirène qui incommode le voisinage mais ne l'incite pas forcément à réagir n'est en effet pas la meilleure solution. La centrale prévoit des interventions graduées : diffusion de messages enregistrés de plus en plus catégoriques pour prévenir l'intrus qu'il est sous surveillance, puis déclenchement d'alarmes lumineuses et sonores, et enfin alerte téléphonique sur plusieurs numéros. La plupart du temps, les malfaiteurs rebroussent rapidement chemin. Si le courant est coupé, la plupart des sytèmes disposent de batteries leur assurant une bonne autonomie. Et si le fil du téléphone est sectionné, une alerte se déclenche instantanément. Il est également possible de mettre en route un processus d'alerte de l'intérieur de la maison si quelqu'un va tenter de vous agresser, par exemple, soit en pressant un bouton antipanique, soit en manœuvrant une commande à distance portée autour du cou. Cette solution est recommandée pour les personnes âgées, toujours à la merci d'une chute.

VEILLEZ À L'ENTRETIEN
Contrairement à bien des appareils ménagers, un système d'alarme ne fonctionne que rarement. Il faut donc penser à vérifier régulièrement qu'il est en état de marche ou souscrire un contrat d'entretien pour être sûr que, le moment venu, il ne restera pas muet. En revanche, s'il a tendance à se mettre en route sans raison, faites vérifier tous les contacts et changez ceux qui posent problème.

Détecter l'intrusion

Lors d'une intrusion, deux systèmes de détection peuvent être utilisés : la détection périmétrique et la détection volumétrique. Dans le premier cas, il s'agit d'encercler la maison d'une ceinture protectrice permettant de repérer toute effraction.

Dans le second, les appareils utilisés surveillent un volume donné : l'ensemble d'une pièce, une cage d'escalier ou le perron de la maison, par exemple. Dans la plupart des installations modernes, les deux techniques sont très souvent combinées.

PROTECTION PÉRIMÉTRIQUE

Des contacts magnétiques placés sur les battants des portes et des fenêtres ou sous un tapis alertent la centrale dès que l'on ouvre la porte ou marche dans un couloir. Un choc violent ou le sectionnement du fil d'alimentation déclenchent également l'alarme.

PROTECTION VOLUMÉTRIQUE

Elle est assurée par des dispositifs optiques situés en hauteur et sur-veillant l'ensemble d'une zone : un seul détecteur peut couvrir plusieurs pièces. Il s'agit de systèmes utilisant le rayonnement d'ondes pour détecter la présence d'un corps étranger dans leur zone de surveillance : radars classiques (système doppler) et appareils à ultrasons fonctionnant par réflection, ou émetteurs de rayons infra-rouges qui réagissent aux changements de température. En effet, quand un corps humain pénètre dans une pièce, la température de son corps est différente de celle de l'air ambiant. Il est possible de régler ces appareils très précisément pour que le passage d'un animal domestique ne les déclenche pas.

Tous ces systèmes présentent l'avantage, par rapport à l'exemple précédent, de surveiller des zones pouvant comporter plusieurs issues, donc de limiter le nombre de détecteurs. En revanche, ils n'interviennent qu'après effraction, quand les intrus sont déjà dans le local. C'est pourquoi, la plupart du temps, les systèmes d'alarme utilisent à la fois protection périmétrique et protection volumétrique.

Demain, la domotique

Un ordinateur central relié par radio à des terminaux divers peut avoir de nombreuses fonctions dont la surveillance n'est qu'un aspect. Elles relèvent de la «domotique», nom savant désignant l'utilisation de l'informatique dans la maison. Elle a d'ores et déjà fait son apparition sur le marché et vous pouvez trouver des systèmes complexes offrant des possibilités illimitées et à peine plus chers qu'un système d'alarme perfectionné. L'ordinateur, très simple d'utilisation, pilote toute une série d'opérations définies par le consommateur lui-même, et il imprime, sur une bande de contrôle, toutes ses interventions.

Il assure la protection de la maison, comme un système d'alarme normal. Il peut enregistrer plusieurs numéros de téléphone à composer en cas d'alerte et jusqu'à ce que quelqu'un réponde. Un message vocal prévient alors l'interlocuteur de la nature du problème. Il peut de même vous signaler qu'on a sonné à la porte durant votre absence, qu'une fenêtre est mal fermée, que vous avez oublié d'éteindre la lumière dans une pièce...

Il peut aussi programmer une installation de chauffage (allumage à heure fixe ou variable, réglage de la température, etc.), déclencher l'arrosage de la pelouse, surveiller la température du congélateur, détecter une fuite de gaz, etc., et réagir suivant la procédure que vous aurez choisie dans chaque cas. En effet, le système est extrêmement souple et permet à chaque utilisateur de déterminer lui-même quelles opérations il souhaite voir effectuer par l'ordinateur et de lui indiquer une marche à suivre : il peut, par exemple, se faire alerter par téléphone, où qu'il se trouve, si la température de son congélateur remonte au-dessus du niveau normal de conservation des aliments ; faire appel à une société de sécurité si une intrusion a été détectée. Pendant les vacances, il peut demander à l'ordinateur d'allumer et d'éteindre la lumière dans

différentes pièces dans un ordre sans cesse modifié, pour simuler une présence dans la maison et même d'arroser ses plantes, s'il dispose d'un dispositif d'irrigation automatique.

On peut imaginer bien d'autres domaines d'intervention, du chauffe-biberon déclenché par les pleurs du bébé au réveil à heures différentes de tous les occupants d'un logement en passant par quantité d'applications culinaires... La domotique n'en est encore qu'à ses débuts, mais elle a déjà sa place dans les foyers.

Système de surveillance et d'automation de l'habitat
Cet appareil décèle une présence, peut en simuler une pour décourager des rôdeurs, détecte les risques majeurs (incendie, inondation, fuite de gaz).

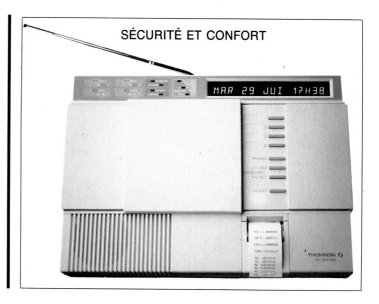

SÉCURITÉ ET CONFORT

MAR 29 JUI 17H38

THOMSON SÉCURISCAN

MINUTERIES ET PROGRAMMATEURS

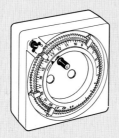

Programmateur journalier ayant un pouvoir de coupure de 3500 watts. Il permet la mise en marche et l'arrêt de tous les appareils ménagers raccordés à une prise de 16 ampères.

Programmateur électronique journalier possédant quatre possibilités de marche et quatre possibilités d'arrêt par jour. Le mouvement d'horlogerie à quarts apporte une très grande précision et un silence de fonctionnement.

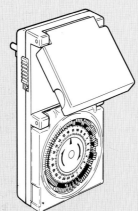

Programmateur journalier spécial pour milieux humides (salle de bains, cuisine, buanderie...). Deux couvercles protègent la prise de courant et le disque des projections d'eau. Modèle programmable par tranche de 15 minutes.

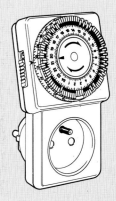

Programmateur journalier doté d'un mouvement d'horlogerie à moteur synchrone. La stabilité et la précision de ce type d'appareil sont fonction du nombre de périodes distribuées par le réseau alternatif d'E.D.F.

DEUXIÈME PARTIE : *TECHNIQUES, OUTILS ET MATÉRIAUX*

MURS, PLAFONDS ET CHEMINÉES

Identification des murs et des plafonds

Pour fixer solidement quelque chose sur un mur, il vous faudra utiliser des vis ou des boulons qui conviennent aussi bien au poids de l'objet à accrocher qu'au type de mur auquel ils sont destinés. Vous avez à votre disposition un large choix de chevilles et de systèmes de fixation pour fixer solidement des objets lourds ou légers sur des murs ou des plafonds en matériaux très différents.

Sur des murs solides, un nombre suffisant de vis de 5 mm de diamètre, fichées dans des chevilles bien enfoncées à travers plâtre et maçonnerie et judicieusement réparties, seront capables de supporter la plupart des objets courants dans une maison. Mais il faudra utiliser des vis de 6, 8 ou 10 mm de diamètre pour fixer des placards muraux, des meubles à tiroirs, des radiateurs, des étagères destinées à des objets lourds comme des livres ou des piles d'assiettes, des lavabos ou des réservoirs de chasse d'eau.

Quand un mur supporte déjà les charges transmises par l'ossature horizontale (solives, poutres de plancher), il est possible d'y accrocher d'autres charges plus ou moins lourdes.

Si un objet lourd, comme un placard mural, n'est pas assez large pour couvrir l'écartement entre les deux montants d'une cloison, il faudra le centrer et le fixer sur un seul montant.

Si vous désirez fixer un objet peu volumineux mais lourd entre deux montants bois d'une cloison, il vous faudra fixer solidement une planche entre ces deux montants, en utilisant des chevilles à expansion dans la maçonnerie, et visser l'objet sur la planche.

REPÉRER L'OSSATURE EN BOIS DANS LA MAÇONNERIE

Reportez-vous aux descriptions de murs creux (voir p. 227) pour avoir une idée de l'écartement et de la taille des montants de bois.

Pour localiser un montant dans une cloison en plâtre sur lattis ou en plaques de plâtre, il est judicieux d'utiliser un détecteur de métal aimanté pour trouver la ligne de clous qui fixent les lattes ou les plaques de plâtre. Il comporte un voyant lumineux qui s'allume chaque fois que l'appareil passe sur un objet métallique tel que clou, tuyau ou câble électrique, permettant ainsi un repérage facile. On pourra également tapoter la surface du mur pour repérer les endroits où il sonne plein, puis essayer, avec un poinçon, de préciser la position du montant ou de la latte.

Enfin, on pourra aussi percer un petit trou dans le mur et en sonder la texture avec un fil de fer (voir page suivante).

COMMENT RECONNAÎTRE LES COMPOSANTS D'UN MUR

MATÉRIAUX	OÙ LES TROUVER ?	ESSAIS ET CHOIX DE SYSTÈMES DE FIXATION
Briques	Murs creux, gros murs extérieurs, gros murs intérieurs.	Les briques pleines à l'intérieur de la maison sont, en général, recouvertes d'une couche de plâtre de 10 à 25 mm d'épaisseur. Vérifiez, en perçant, s'il y a de la brique sous le plâtre. La poussière sera d'abord grisâtre, puis rougeâtre ou jaune, au fur et à mesure que la mèche s'enfoncera dans le mur. Utilisez les fixations pour murs pleins (p. 228).
Pierre naturelle	Murs pleins extérieurs	La face interne du mur est parfois plâtrée ou recouverte d'un lattis et de plâtre (voir p. 227). Sur un joint de mortier, reconnaissable à la poussière grise ou jaunâtre qui en tombera, utilisez les fixations conseillées (p. 228).

MATÉRIAUX	OÙ LES TROUVER ?	ESSAIS ET CHOIX DE SYSTÈMES DE FIXATION
Parpaings de béton	Murs extérieurs, murs porteurs	La face intérieure est plâtrée. Les agglos ne sont pas trop résistants. Utilisez des chevilles pour matériaux creux. Dans les maisons construites depuis 1960, les parpaings en béton cellulaire utilisés en isolation sont faciles à percer. Choisissez des chevilles à enfoncer au marteau (p. 228) ou des chevilles à pas hélicoïdal (p. 229), spéciales pour béton cellulaire.
Linteau en béton	Au-dessus des ouvertures dans les murs (habituellement pour portes, fenêtres, cheminées)	La surface du linteau est plâtrée. Le matériau est extrêmement dur et nécessite une perceuse à percussion ou un perforateur électropneumatique. Choisissez la cheville convenable (p. 228-229).

TYPES DE GROS MURS

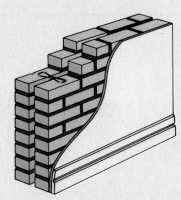

Murs creux
Il s'agit de murs périphériques extérieurs des maisons construites aux environs de 1920. Ces murs sont composés de deux cloisons indépendantes séparées par une cavité de 50 mm et à une épaisseur totale de 280 mm. La cloison extérieure peut être construite en briques, en pierres naturelles ou en briques reconstituées. Le mur de refend qui reçoit le solivage supérieur et la charpente du toit peut être fait de briques ou de parpaings.

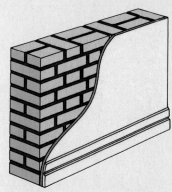

Murs extérieurs pleins
Les murs extérieurs sont construits en briques pleines ou en pierres. Les murs de briques ont une épaisseur pouvant aller de 22 cm (longueur d'une brique) à 34 cm (une brique en longueur, plus une brique en largeur). Ils devraient comporter à leur base, et dirigé vers l'extérieur, un système d'évacuation de l'humidité interne, placé juste au-dessus du niveau du sol. Les murs de pierre ont une épaisseur qui va de 30 à 50 cm.

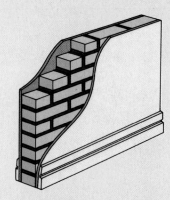

Murs intérieurs pleins
Ce sont des cloisons de séparation constituées soit de briques pleines posées à plat dans le sens de la largeur, soit d'éléments en béton cellulaire, soit enfin de parpaings de béton ordinaire. Les deux parements sont en général enduits de plâtre sur une épaisseur de 12 à 20 mm, amenant ces cloisons à une épaisseur totale de 135 à 150 mm. Certaines de ces cloisons sont porteuses (et reçoivent les charges transmises par l'ossature).

COMMENT RECONNAÎTRE DES MURS ET DES PLAFONDS CREUX

MATÉRIAUX	OÙ LES TROUVER ?	ESSAIS ET CHOIX DE SYSTÈMES DE FIXATION
Plaques de plâtre	Murs mixtes comportant une isolation sur pan de bois, murs doublés d'un isolant, murs alvéolaires, cloisons en pans de bois, plafonds.	Un mur alvéolaire ou doublé d'un matériau isolant ne sonne pas forcément creux à la percussion s'il est enduit d'une couche de plâtre, tapissé ou peint. La perceuse pénétrera rapidement dans une cloison creuse ou composée de matériaux légers. Pour y fixer des objets légers, utilisez des attaches pour murs creux ou plafonds (p. 229). Pour des objets lourds, vissez dans l'ossature bois ou directement dans la maçonnerie des murs composites. Pour les fixations sur doublage de plaques de plâtre, utilisez des «crochets X» pour les charges inférieures à 5 kg, des chevilles nylon à expansion pour celles inférieures à 30 kg et des chevilles métalliques à expansion pour des charges de 30 à 50 kg.
Panneaux de fibres dures, contre-plaqué, panneaux d'aggloméré	Portes alvéolaires (isoplanes), panneaux décoratifs (p. 244), doublage de murs.	Utilisez le cadre en bois massif là où c'est possible. Sinon choisissez les systèmes de fixation prévus pour les objets légers (p. 229).

MATÉRIAUX	OÙ LES TROUVER ?	ESSAIS ET CHOIX DE SYSTÈMES DE FIXATION
Lattis et plâtre	Murs intérieurs des maisons construites avant 1920, plafonds des maisons construites jusqu'aux environs de 1940.	Vérifiez en perçant en différents endroits pour apprécier l'épaisseur du plâtre et la présence du lattis. Le plâtre est mou et se détache parfois. Pour fixer des objets légers, utilisez des systèmes de fixation comme ceux décrits p. 229. Pour des objets lourds, fixez-les dans l'ossature, le lattis n'étant pas assez résistant.
Briques plâtrières (briques creuses minces)	Cloisons intérieures de doublage des murs extérieurs ou de séparation.	La cloison est épaisse d'environ 7 à 9 cm (5 cm de brique plus les enduits de plâtre de chaque côté). Le trou percé varie selon que l'on tombe dans un joint entre deux briques, sur une partie creuse ou sur une des cloisons transversales de la brique. Utilisez alors des chevilles de type universel pour matériaux creux ou pleins (p. 229).
Carreaux de plâtre	Cloisons intérieures de séparation ou de doublage.	Cloison pleine ou alvéolée de 5 à 7 cm d'épaisseur. À percer avec une mèche à béton mais sans percussion. Utilisez des chevilles pour matériaux pleins ou des chevilles spéciales pour plâtre ou béton cellulaire.

TYPES DE MURS CREUX ET DE PLAFONDS

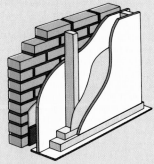

Mur mixte avec une isolation entre pans de bois
Le parement intérieur est constitué d'une plaque de plâtre. Les poteaux verticaux ont généralement une largeur de 10 cm et une épaisseur de 5 cm et sont placés tous les 40 cm. Le revêtement du côté du vide est fait d'un contre-plaqué. Entre ce contre-plaqué et le parement en plaques de plâtre, on place le matériau isolant thermique.

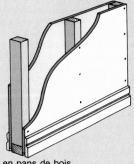

Cloison en pans de bois
En général, on trouve ce type de mur à l'intérieur. Il est composé d'une ossature en sciage (poteaux verticaux entretoisés) et recouvert de plaques de plâtre de chaque côté. Les poteaux ont une largeur de 7,5 cm, une épaisseur de 5 cm et sont espacés de 60 cm. Ce type de mur peut être porteur (cas des maisons à ossature bois) ou non.

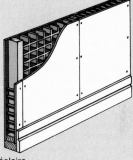

Mur alvéolaire
Des panneaux en plaques de plâtre sont vissés sur une ossature de bois. Ils se composent de deux plaques de plâtre emprisonnant un remplissage alvéolaire en carton imprégné de résine. Les poteaux verticaux sont écartés de 0,90 à 1,20 m et ont une épaisseur de 4 cm. L'épaisseur totale de la cloison est donc de 5 à 6,5 cm.

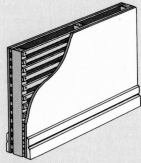

Murs en lattis et plâtre
En général dans les maisons bâties avant 1920. Le plâtre, qui a 25 mm d'épaisseur environ, est mélangé à du crin de cheval pour augmenter sa résistance. Les lattes sont clouées sur des poteaux verticaux d'une section de 10 × 5 cm et d'une hauteur de 50 cm environ. Si le mur est un mur porteur, il est renforcé par des entretoises posées en diagonale entre les poteaux verticaux.

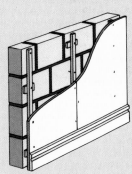

Murs doublés d'un isolant
Ce sont des murs en briques ou en parpaings présentant une face recouverte de plaques de plâtre. Les lattes sont soit espacées de 40 cm et recouvertes de plaques de plâtre d'une épaisseur de 1 cm, soit espacées de 60 cm et recouvertes de plaques d'une épaisseur de 1,5 cm. Elles peuvent recevoir un matériau isolant entre la maçonnerie et les plaques de plâtre.

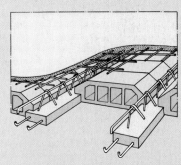

Plancher-plafond en poutrelles et hourdis
Ce type de plancher facile à mettre en œuvre est constitué de poutrelles en béton armé ou en profilé métallique soutenant des hourdis (blocs creux en aggloméré de béton ou en terre cuite). Le tout est lié par une chape de béton, armé ou non. Lors de la mise en œuvre, l'ouvrage doit être parfaitement étayé par de nombreuses chandelles pour éviter tout fléchissement.

Fixer un objet sur un mur en maçonnerie

La méthode la plus courante pour accrocher un objet sur un mur en maçonnerie consiste à utiliser des vis et des chevilles.

Les chevilles en plastique de forme tronconique conviendront au calibre de la plupart des vis. Pour percer le mur, choisissez une mèche à béton dont le diamètre sera celui de la cheville.

Percez un trou légèrement plus profond que la longueur de la vis.

Les chevilles de plastique ou de fibre striées sur toute leur longueur et d'un diamètre uniforme ne conviendront que pour un seul calibre de vis.

Outils : perceuse électrique (utilisez une perceuse à percussion ou un perforateur électropneumatique pour des maçonneries dures telles que les constructions de béton ou de briques) ; mèches à béton du même diamètre que la cheville que vous utiliserez (choisissez une mèche spéciale si vous vous servez d'une perceuse à percussion) ; crayon ; poinçon ; lunettes protectrices ; tournevis ; marteau ; et, si possible, un détecteur de métaux.

Matériels : vis de bonnes dimensions ; chevilles ou produit de remplacement.

1 Positionnez sur le mur à l'endroit désiré l'objet à attacher, marquez au crayon l'emplacement de la première cheville, en pointant le crayon dans l'un des trous destinés à suspendre l'objet.

2 Vérifiez que le trou qui sera destiné à la cheville ne rencontre pas de câble électrique ou de tuyau.

La plupart des câbles ou tuyaux sont placés soit horizontalement, soit verticalement dans les murs. Il est donc préférable de ne pas percer directement au-dessus, au-dessous, ou sur les côtés d'un interrupteur ou d'un équipement électrique quelconque. Un détecteur de métal (voir p. 226) révélera les endroits où passent des câbles ou des tuyaux. L'allumage de l'ampoule électrique du détecteur en présence d'un métal permettra d'établir le tracé des tuyaux et câbles.

SYSTÈMES DE FIXATION POUR MURS PLEINS

MATÉRIEL	DESCRIPTION	UTILISATION
Clou pour maçonnerie	Clou en acier trempé qui pénètre et tient dans la brique et les agglomérés. Ne convient pas pour la brique creuse, le béton ou la pierre dure. Sa longueur est comprise généralement entre 1,5 et 10 cm.	Il constitue un moyen rapide pour fixer des pièces de bois sur un mur en briques. Choisissez une longueur qui permette de l'enfoncer d'au moins 1,5 cm derrière l'objet à fixer s'il s'agit d'une maçonnerie nue. S'il s'agit d'un mur recouvert de plâtre, il faudra enfoncer le clou sur au moins 2,5 cm.
Vis à bois et chevilles 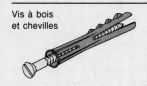	Cheville de fibre ou de plastique qui s'ajuste dans le trou percé dans la maçonnerie ; la vis qui passe dans l'attache de l'objet se visse dans la cheville. Ces chevilles existent dans des longueurs variant de 1,5 à 9 cm.	Pour des objets légers, des vis de 3 à 5 mm de diamètre ainsi que des chevilles correspondantes seront suffisantes. Pour des objets plus lourds, il faudra choisir des vis et des chevilles de 8 à 10 mm. La vis devra être assez longue pour pénétrer au moins des deux tiers de sa longueur dans la maçonnerie après l'attache de l'objet et la couche de plâtre.
Système à enfoncer au marteau ou chevilles à clou 	Vis à filetage spécial, d'une utilisation facile, prête à l'emploi dans un manchon de nylon. Elle peut être enfoncée au marteau dans le trou préalablement percé. Longueurs usuelles : de 5 à 16 cm pour fixer des objets de 0,5 à 10 cm d'épaisseur.	Un moyen sûr et rapide pour fixer des lattes ou des planches de bois sur des briques ou du béton. Le trou devra avoir une profondeur supérieure de 0,5 à 1,5 cm à la longueur de la vis. Ainsi, pour une vis de 5 cm destinée à supporter un objet de 1 cm d'épaisseur, le trou dans le mur devra avoir une profondeur minimale de 5,5 cm.
Fixation pour cadres ou châssis 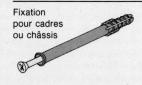	Longue vis, prête à l'emploi, dans un manchon de nylon. Le trou est percé dans le mur, à travers le châssis ou le cadre à fixer. Les longueurs doivent être suffisantes pour fixer de façon sûre des châssis d'une épaisseur variant de 2 à 11 cm.	Un moyen sûr et recommandé pour fixer des cadres neufs de portes ou de fenêtres. À titre indicatif, la profondeur du trou dans la maçonnerie doit être au moins de 5 fois le diamètre de la cheville. Ainsi, un trou de 1 cm de diamètre doit avoir une profondeur dans la maçonnerie au moins égale à 5 cm.
Boulon expansif ou à ancrage 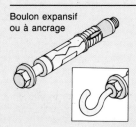	Boulon avec manchon de métal segmenté. Ce manchon s'ajuste dans le trou percé dans la maçonnerie, et lorsque le boulon est mis en place, les segments s'écartent pour adhérer solidement aux parois du trou. Les diamètres de ces boulons varient de 0,5 à 2,5 cm et ils ont des longueurs permettant de fixer des objets de 1 à 12 cm d'épaisseur. La tête du boulon peut recevoir un écrou avec une rondelle.	Un système de fixation très solide et fiable, convenant pour des objets tels que placards, portes de garage, charpentes d'appentis ou clôtures... Un boulon sans tête (appelé aussi boulon perdu) traverse l'objet à fixer, avant d'être vissé dans le manchon de métal. Un boulon à tête saillante vient alors se placer dans le trou et l'objet à attacher y est suspendu avant que l'écrou et la rondelle ne soient mis en place. Le trou dans la maçonnerie doit être de diamètre supérieur à celui du trou dans l'objet à suspendre, en général de 0,5 cm de plus que le diamètre du boulon.
Boulon expansif ou à ancrage avec manchon d'acier 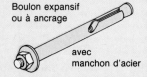	Boulon d'acier avec une extrémité expansive pour adhérer et s'ancrer dans les parois d'un trou. Ces boulons portent des écrous. Il en existe de différentes tailles selon les objets à fixer, de 0,5 à 12 cm d'épaisseur.	Système de fixation facilement et rapidement posé, convenant pour des choses lourdes, comme cadres de portes ou de fenêtres, rampes d'escaliers et mains courantes. Le trou peut être percé en même temps dans la maçonnerie et l'objet à fixer puisqu'il aura le même diamètre sur toute sa longueur. Les diamètres des boulons sont compris en général entre 0,5 et 2 cm.
Matériau de scellement 	Poudre composée de ciment mélangé à de la fibre de verre pour former une pâte et être utilisée pour garnir un trou dans une maçonnerie. Certaines, à base de résine, sont prêtes à l'emploi. Les produits à base d'amiante ne sont plus proposés dans le commerce.	Mélange utilisé pour fixer des objets dans des trous trop larges, par exemple résultant du dérapage d'une mèche sur une surface trop dure. Suivez les instructions du fabricant.

QUELQUES TYPES DE CHEVILLES

Cheville de plastique
Cheville tronconique à ailettes avec extrémité fendue pour permettre l'expansion, et cannelures pour empêcher la rotation de la cheville dans le trou. Des oreillettes flexibles empêchent que la cheville s'enfonce trop profondément.

Cheville à nervures
Un des premiers modèles de cheville de plastique tronconique encore utilisés. Sans cannelures, mais des nervures longitudinales peu profondes empêchent sa rotation dans le trou.

Cheville striée
Cheville cylindrique de plastique avec nervures longitudinales peu profondes. Peut être achetée en un seul morceau.

Cheville en fibre
Cheville cylindrique en fibre dure compressée. Vendue en différentes longueurs. Peut être coupée de longueur avec un couteau. Ne convient pas dans les endroits humides.

3 Sur une surface lisse, comme celle d'un mur en plâtre, faites un petit trou avec un clou ou un poin-çon à l'endroit choisi pour avoir un point de départ quand vous commencerez à percer. Sans cette précaution, la mèche pourrait glisser et endommager la surface du mur (voir p. 141).

4 Faites une marque sur la mèche (ruban adhésif de couleur) correspondant à la profondeur du trou à percer, de telle sorte que vous puissiez savoir quand vous aurez atteint cette profondeur. Certaines perceuses électriques comportent, d'origine, une jauge de profondeur. Pour les autres, vous pourrez utiliser un dispositif d'arrêt qui se glisse sur la mèche.

5 Utilisez une vitesse moyenne pour percer des petits trous dans la brique ou des agglomérés, une vitesse inférieure pour les grands trous ou pour percer dans la maçonnerie dure. Si le trou doit avoir un diamètre supérieur à 15 mm, faites au préalable un trou pilote de 5 mm de diamètre.

6 Percez en exerçant une pression constante et en maintenant la perceuse à angle droit avec le mur.

7 En cours de travail, retirez la perceuse du trou de temps en temps. Cela permet l'évacuation de la poussière et des débris, et également le refroidissement de la mèche. Faites attention à ne pas toucher la pointe brûlante.

SYSTÈMES DE FIXATION POUR MURS CREUX, PLAFONDS ET AGGLOMÉRÉS

FIXATIONS	DESCRIPTION	UTILISATION
Chevilles à ancrage en plastique 	Ces chevilles fonctionnent par obstacle en formant un renflement au dos de la paroi. Il en existe de diverses formes, mais elles ont toutes une collerette qui les retient contre la cloison. Elles forment un tortillon ou s'écartent pour s'accrocher.	Pour toutes les parois creuses (plaques de plâtre, parpaings, doublage en plaques d'aggloméré trop mince pour offrir une bonne prise à un simple vissage...). Leur longueur doit être choisie en fonction de l'épaisseur de la paroi.
Vis et cheville expansive en caoutchouc	La vis s'ajuste dans un écrou placé lui-même dans un manchon de caoutchouc qui sera comprimé pour adhérer au dos de la plaque. Ces chevilles sont vendues avec ou sans la vis. Leurs tailles usuelles sont destinées à des vis de longueurs comprises entre 2 et 5 cm.	Un moyen solide pour attacher des objets sur des plaques de plâtre, du contre-plaqué, des panneaux de fibres dures, de la tôle, du verre ou du plastique jusqu'à 4,5 cm d'épaisseur. La cheville protège la vis des vibrations, de la rouille, de l'eau, du courant électrique.
Vis et cheville expansive en métal ajouré 	Une cheville de métal avec un écrou soudé à son extrémité. Elle comporte des languettes qui, en se repliant, forment des ailettes destinées à s'agripper au dos de la plaque. Leurs tailles usuelles conviennent pour des vis de 2 à 6,5 cm de longueur et leurs diamètres varient de 0,8 à 1,5 cm.	Un moyen sûr pour attacher des objets lourds sur des panneaux de fibres dures, des plaques de plâtre, des panneaux d'agglomérés de fibres de bois, du contre-plaqué jusqu'à une épaisseur de 3,5 cm.
Vis avec plaquette de métal pivotante	Une vis à métaux attachée à une plaque pivotante. Quand la vis est en place, la plaquette bascule et se place perpendiculairement à la vis. Cette plaquette est perdue si l'on retire la vis. Elle est vendue avec piton ouvert ou fermé. Les tailles usuelles conviennent pour des vis de 5 à 8 cm de longueur.	Un système de fixation convenant à des plaques de plâtre et des murs en lattes et plâtre. La cavité doit avoir au moins 3,5 cm de diamètre ou doit être plus importante pour des dimensions supérieures. À utiliser pour la fixation d'objets au plafond.
Plaquette de métal à ressort 	Une vis à métaux s'insérant entre des ailettes de métal sur ressort. Les deux ailettes sont repliées le long de la vis au moment de l'insertion et s'écartent derrière le panneau. Elles sont perdues si la vis est retirée, et sont vendues avec piton ouvert ou fermé.	Un très bon système de fixation pour des plaques de plâtre, des murs en lattes et plâtre ou des plafonds. La cavité doit avoir au moins 4,5 cm ou doit être plus profonde pour des dimensions supérieures. Ce système sert surtout à suspendre un objet au plafond.
Chevilles pour installations électriques 	Chevilles en plastique dont le corps est un tube creux cerné par une succession d'anneaux. Leur extrémité apparente est soit un pas de vis normalisé (∅ 7 mm × 150) compatible avec ceux des divers accessoires électriques (boîte de dérivation, interrupteur et autres appareils étanches, colliers à embase...), soit une boutonnière prête à recevoir un collier de fixation pour tube passe-fils.	Ces chevilles s'adaptent à tous les matériaux non friables, pleins ou creux (béton, parpaings, briques...). Après perçage, la pose se fait simplement en enfonçant la cheville avec une bouterolle (elle doit être fournie avec les chevilles) pour ne pas détériorer le filetage. Celles pour collier se posent au maillet. Il suffit ensuite de visser l'appareillage ou d'y glisser les colliers.

MODÈLES SPÉCIAUX DE CHEVILLES

En forme de flèche à ailettes
Cheville légère en plastique qui s'écarte à l'arrière de la paroi pour se fixer au dos du mur. Pour attacher des objets légers.

Cheville à expansion
Les ailettes s'écartent également à l'arrière de la paroi. Les chevilles de petite dimension conviennent à des vis ∅ 4 mm pour des portes alvéolées. Celles de plus grande dimension sont à utiliser avec des vis ∅ 6 à 8 mm et sont destinées à la fixation d'objets d'un poids moyen.

Cheville à filetage extérieur
Cette cheville en plastique se visse dans le trou préalablement percé, grâce à son propre filetage extérieur. Utilisable dans des agglomérés poreux, ayant tendance à s'effriter.

Cheville de nylon en forme de pétales
Les branches s'écartent comme les pétales d'une fleur derrière le panneau. À utiliser pour des cavités étroites.

Cheville en nylon
La cheville est fendue sur presque toute sa longueur et les deux moitiés forment des ailes. Pour attacher des objets sur des plaques de plâtre, particulièrement sur des cloisons intérieures.

Chevilles spéciales plaques de plâtre
Conçues spécialement pour des fixations rapides mais solides dans les cloisons en plaques de plâtre, ces chevilles ont un corps métallique portant un très large pas de vis. Leur extrémité à trois pointes facilite la pénétration dans le matériau si on les utilise dans le carreau de plâtre ou le béton cellulaire.

Cheville à stries hélicoïdales
Cheville en nylon comportant des stries hélicoïdales en saillie qui entraînent son vissage quand on l'enfonce au marteau et l'empêchent de ressortir même si la vis vient à être retirée. À utiliser pour fixer solidement des objets dans des matériaux poreux.

Fixer un objet sur un mur en maçonnerie (suite)

9 Passez la vis à travers l'objet à fixer, puis vissez à fond.

FIXER UNE PLANCHE SUR UN MUR EN MAÇONNERIE

Utilisez des vis (à tête fraisée si nécessaire).

La longueur des vis doit être suffisamment importante pour traverser la planche, puis la couche de plâtre d'environ 1,5 cm d'épaisseur en général, et enfin pour pénétrer d'aù moins 2,5 cm dans les briques du mur.

8 Lorsque le béton a été percé à la profondeur voulue, enfoncez la cheville. Pour une cheville à stries longitudinales, il est recommandé de mettre la vis en place et de l'y fixer en vissant un ou deux filets avant d'enfoncer cheville et vis dans le plâtre jusqu'à ce que la cheville affleure la surface du mur, sinon elle pourrait faire craquer le plâtre. Si la cheville pénètre trop bien, le trou est trop grand et doit être garni d'un produit à scellement.

1 À travers la planche, percez des trous d'un diamètre égal à celui de la vis. Fraisez le bord du trou si c'est nécessaire.

Clou marqueur

2 Positionnez la planche en la maintenant contre le mur et faites une marque à l'une des extrémités en passant par le trou.

3 Avec une mèche à béton, percez dans le mur un trou convenant à la cheville (voir p. 228).

4 Ajustez la cheville et fixez provisoirement la planche en n'utilisant la vis que partiellement.

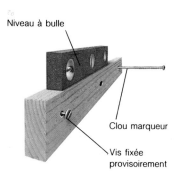

Niveau à bulle

Clou marqueur

Vis fixée provisoirement

5 Posez un niveau à bulle sur une planche horizontale (ou servez-vous d'un fil à plomb sur un poteau vertical) pour vous assurer que la position est correcte pendant que vous repérez la position du trou à l'autre extrémité.

6 Percez un trou pour la 2e cheville. Vissez provisoirement à travers la planche et marquez la position des autres trous.

7 Lorsque les trous sont faits, vissez à fond la planche sur le mur.

Comment suspendre un tableau

La façon la plus simple de suspendre un tableau léger ou de poids moyen est de se servir d'un crochet du type «crochet X» que l'on cloue dans le mur. Ces crochets sont assez solides pour qu'on y accroche en toute sécurité de lourds tableaux, à condition toutefois que le plâtre soit sain et l'attache sûre. Un cadre lourd peut être suspendu à deux crochets placés près des extrémités de la corde et ce, de préférence à un seul crochet central. Il peut également être suspendu sur une vis à tête ronde, vissée dans une cheville (voir p. 228) ou sur une grosse latte (voir dessin à droite). Il est conseillé d'utiliser deux crochets pour un tableau de grande taille car le poids

supporté par un seul point central provoque une extension verticale qui augmente considérablement le poids du tableau.

REPÉRER L'EMPLACEMENT SUR LE MUR

À cause de la tension qui s'exerce sur la corde du tableau lorsqu'il est suspendu, il est difficile de délimiter l'emplacement exact du crochet qui sera utilisé, surtout si vous avez défini un niveau bien précis et si vous voulez que la corde soit cachée.

1 Tenez le tableau sur le mur à l'endroit exact où vous souhaitez l'accrochez et marquez-en légère-

ment sur le mur les angles supérieurs.

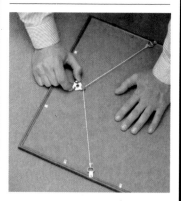

2 Posez le tableau, faites une marque au milieu du haut et utilisez le crochet pour tirer la corde, jusqu'à ce qu'elle soit bien tendue.

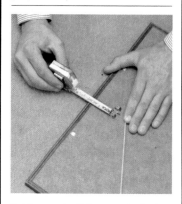

3 Mesurez la distance entre le dessus du crochet et le bord supérieur du tableau.

4 Mesurez et faites un repère au milieu des marques tracées sur le mur, puis reportez, à partir de ce

repère et vers le bas, la distance mesurée en 3. Marquez ce point sur le mur et enfoncez-y le crochet, de façon que sa partie supérieure corresponde exactement à la marque.

SUSPENDRE UN TABLEAU LOURD SUR UNE LATTE

Pour suspendre un cadre lourd, on peut utiliser deux lattes taillées dans la même pièce de bois. Une moitié sera fixée sur un mur, l'autre au dos du tableau.

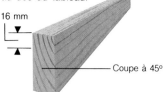

16 mm

Coupe à 45°

Prenez une planche de 20 mm d'épaisseur, de 50 mm de largeur après rabotage, et de longueur légèrement inférieure à la largeur du cadre. Tracez une ligne sur une des faces, à 16 mm de l'arête. À la scie circulaire, coupez la planche

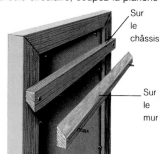

Sur le châssis

Sur le mur

le long de l'arête en respectant un angle de 45° par rapport à l'axe

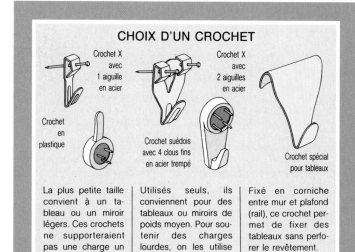

CHOIX D'UN CROCHET

Crochet X avec 1 aiguille en acier

Crochet X avec 2 aiguilles en acier

Crochet en plastique

Crochet suédois avec 4 clous fins en acier trempé

Crochet spécial pour tableaux

La plus petite taille convient à un tableau ou un miroir légers. Ces crochets ne supporteraient pas une charge un peu plus lourde.

Utilisés seuls, ils conviennent pour des tableaux ou miroirs de poids moyen. Pour soutenir des charges lourdes, on les utilise par paire.

Fixé en corniche entre mur et plafond (rail), ce crochet permet de fixer des tableaux sans perforer le revêtement.

longitudinal. Vissez une partie de la latte ainsi coupée sur le dos du cadre au tiers supérieur de celui-ci, l'angle aigu à l'extérieur et pointant vers le bas.

Vissez l'autre partie de la latte sur le mur, la partie biaise vers le haut, à l'inverse de la partie fixée sur le cadre. Vous pouvez alors accrocher le tableau en positionnant l'une sur l'autre les deux coupes biaises.

INSTALLER UNE CIMAISE POUR DES TABLEAUX

Une cimaise est une moulure de bois que vous fixez sur le mur. Tracez au crayon une ligne avec une règle plate et un niveau à bulle. La cimaise peut être clouée directement sur le mur avec des clous à béton. Si le mur est trop dur, il faudra choisir des vis à tête fraisée de 5×50 mm et des chevilles. Sur une cloison de séparation, vous pouvez clouer la cimaise sur les poteaux ou utiliser des vis et des chevilles comme décrites p. 233. Il est important que les têtes de vis soient fraisées, que les clous soient enfoncés dans le mur au chasse-clou. Recouvrez les têtes de vis ou de clous avec une pâte à bois. Dans les angles, chanfreinez les extrémités de la même manière que les plinthes (voir p. 252).

Fixation d'un miroir sur un mur

Les miroirs non encadrés ont une épaisseur de 4 à 6 mm. Les miroirs non pourvus de trous de fixation peuvent être fixés avec des coins ou des attaches coulissantes. Les miroirs encadrés se suspendent comme les tableaux ; les petits miroirs légers par des attaches pour sous-verre ou par collage.

FIXATIONS POUR MIROIR

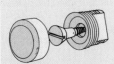

Cabochon
La base filetée est fixée au mur par vissage et le cabochon se visse dessus.

Attache d'angle
Il en existe de différentes tailles. Si les vis sont trop courtes, élargissez les trous à la perceuse pour prendre des vis plus grandes.

Attache coulissante
Les petites attaches sans lumière pour la base du miroir. Celles comportant la lumière qui permet à la vis de coulisser se placent sur les côtés et/ou sur le dessus du miroir.

Coussinets adhésifs double face
Vendus avec des miroirs à éléments carrés ou rectangulaires ne dépassant pas 30 cm de côté. Ils sont adhésifs sur les deux faces.

FIXER UN MIROIR AVEC DES ATTACHES COULISSANTES

Prenez deux attaches ou davantage pour la base du miroir. Même procédé, avec des attaches coulissantes, pour la partie supérieure, ainsi que pour les côtés.

Outils : perceuse et mèche pour maçonnerie, niveau à bulle, règle plate, crayon, tournevis et éventuellement pointe à tracer.
Matériel : attaches ordinaires et attaches coulissantes avec rondelles de métal et de plastique, chevilles de longueurs correspondant à celles des vis utilisées, et pâte pour scellement (voir p. 228).

1 Avec un niveau à bulle et une règle plate tracez une fine ligne horizontale à la base du miroir.

2 Placez et maintenez le miroir contre le mur, la base sur le trait de crayon et marquez légèrement les positions des 4 coins et de l'arête supérieure.

3 Mesurez la distance entre la base d'une attache inférieure et le trou destiné à la vis. Puis marquez l'endroit du trou au-dessus de la ligne horizontale de la base du miroir.

4 Percez les trous pour les attaches de base.

5 Fixez les attaches avec les rondelles de plastique pour protéger le dos du miroir.

6 Mesurez la distance entre le haut de l'attache supérieure et le trou destiné à la vis. Reportez cette distance sur le mur, à 5 cm en dessous du haut du miroir.

7 Percez les trous pour les attaches et enfoncez les chevilles. Puis vissez en plaçant une rondelle de plastique entre l'attache et la tête de la vis et une rondelle de métal entre le dos et le mur.

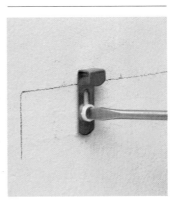

8 Maintenez l'attache, la vis étant positionnée sur la partie inférieure de l'entaille avec juste assez de jeu pour pouvoir faire coulisser l'attache quand on la poussera.

9 Placez le miroir sur les attaches de base et maintenez-le dans cette position pendant que vous faites coulisser les attaches supérieures à leurs places pour fixer le miroir.

FIXER UN MIROIR AVEC DES VIS

On peut trouver dans le commerce des vis spéciales de laiton pour miroir, avec des rondelles de nylon fraisées et des cabochons de couleurs et de formes différentes qui se vissent dans la tête de la vis. Mais il sera plus économique de prendre des vis à bois ordinaires s'ajustant dans une rondelle-cuvette en plastique avec des cabochons-pressions blancs ou chromés. Utilisez des rondelles de plastique souple entre le dos du miroir et le mur. Celles-ci estomperont les inégalités qui peuvent exister sur le mur, et permettront la circulation de l'air derrière le miroir, réduisant ainsi les risques d'humidité par condensation. N'utilisez pas de rondelles de caoutchouc qui se désagrègent en vieillissant.

Outils : perceuse et mèche à maçonnerie, niveau à bulle, règle plate, crayon, tournevis, une pointe à tracer.
Matériel : quatre vis à miroir ou des vis à bois de 4 cm ou plus. Des chevilles correspondant aux vis choisies et de la pâte pour scellement, quatre rondelles de robinet, quatre rondelles-cuvettes en plastique, quatre cabochons-pressions pour têtes de vis.

1 Servez-vous d'un niveau à bulle et d'une règle plate pour tracer au crayon une fine ligne horizontale marquant le haut du miroir.

2 Posez le miroir sur le mur, aligné sur la ligne tracée au crayon et repérez la position des trous de fixation sur le mur. Si les trous sont trop petits pour le crayon, utilisez une pointe à tracer.

3 Percez l'un des trous supérieurs et enfoncez la cheville.

4 Fixez provisoirement avec la vis que vous ne visserez que partiellement, pendant que vous vérifiez la position des autres trous de vis.

5 Percez les autres trous et enfoncez-y les chevilles.

6 Fixez le miroir en plaçant une rondelle de plastique à chaque vis entre le miroir et le mur et une rondelle-cuvette sous chaque tête de vis. Ne vissez pas les vis à fond, car le miroir se briserait.

7 Posez les cabochons sur les têtes de vis.

Fixation d'un miroir sur un mur (suite)

FIXER UN MIROIR AVEC DES COUSSINETS ADHÉSIFS

Si nécessaire, recouvrez la surface du mur de plaques de plâtre de 1 cm d'épaisseur ou de contre-plaqué. Ne collez pas les miroirs en plaques sur du papier peint ou sur de la peinture cloquée. Pour poser une seule plaque de glace, tracez sur le mur une fine ligne horizontale comme guide d'alignement de sa base. Pour poser une série de plaques, commencez par la rangée du bas et clouez légèrement sur le mur une baguette de bois qui vous servira de guide. Collez les coussinets adhésifs dans les angles des plaques, près des bords, et enlevez la pellicule de protection recouvrant

l'autre face du coussinet. Avec beaucoup de soin, positionnez le miroir, puis appuyez-le d'une forte pression sur le mur. Le positionnement doit être parfait dès la mise en place, car la glace ne peut plus être enlevée pour un meilleur réglage.

COMMENT PERCER UN TROU DANS UN MIROIR

Placez le miroir face réfléchissante en dessous, sur une surface plane, et utilisez un stylo à encre de Chine pour marquer la position des trous qui doivent se trouver à plus de 2,5 cm des bords. Pour un grand miroir, espacez les trous de 30 à 50 cm. Choisissez une mèche à verre, un vilebrequin ou une perceuse électrique tournant à petite vitesse. Commencez chaque trou en faisant un petit creux dans le verre. Puis entourez chaque marque de trou d'un bourrelet de mastic ou de pâte à modeler et remplissez le cratère de térébenthine, de white-spirit ou d'huile

de paraffine. Il faut que le cratère reste plein pendant que vous percez, jusqu'à ce que la mèche ait traversé le miroir. Finissez d'élargir le trou sur l'autre côté.

Comment faire un trou dans un mur extérieur

Vous pourriez avoir à percer un trou dans un mur de briques pour y encastrer un aérateur ou un claustra de ventilation. S'il s'agit d'un mur creux, il faudra traverser la cavité avec un conduit ou un manchon (voir page ci-contre). Vous aurez peut-être aussi à découper le matériau isolant qui se trouverait dans la cavité. Commencez le trou en perçant verticalement et en traversant le mur. Il vous faudra une mèche d'au moins 25 cm pour un mur plein ou de 28 cm au minimum pour un mur creux.

Outils : perceuse électrique à percussion (modèle lourd) ou perforateur électropneumatique, mèches à béton extra-longues et normales, massette, ciseau à froid, crayon ou craie, lunettes de protection, meule, ficelle, couteau.
Matériel : pour un mur creux, conduit ou manchon, sac de mélange à sec pour mortier.

1 Marquez les contours extérieurs du trou à l'endroit requis, sur l'intérieur du mur. Laissez suffisamment de place autour du trou pour pouvoir engager l'aérateur.

2 Assurez-vous qu'il n'y a pas de tuyaux ou de câbles électriques dans le mur. S'il s'agit d'un mur à ossature bois, assurez-vous que vous n'allez pas couper un élément porteur (voir p. 226).

UN BON TRUC
Si le trou est carré ou rectangulaire, essayez de faire coïncider ses mesures avec un aussi grand nombre possible de briques entières pour faciliter l'enlèvement des briques. Si le trou est rond, faites le tracé autour d'une brique centrale entière.

3 Transposez le tracé des contours sur le mur extérieur. Repérez-vous sur des points fixes comme une fenêtre ou un tuyau de descente, ou percez de l'intérieur et au centre de votre tracé, ce qui vous donnera le centre à l'extérieur du mur.

4 Si vous n'avez pas déjà percé un trou, faites-le à partir de l'intérieur. Pour un trou carré ou rectangulaire, percez à chaque angle du tracé. Retirez la mèche de temps en temps pour la refroidir et pour enlever la poussière.

5 Lorsque vous creusez le trou, portez des lunettes pour protéger vos yeux. Découpez et enlevez le plâtre en suivant le contour marqué à l'intérieur. Utilisez une massette ou un ciseau. Grattez et enlevez le mortier entre les briques pour les

desceller. Travaillez sur les deux faces du mur et affûtez les outils coupants dès qu'ils commenceront à s'émousser.

6 Dans un mur creux, bourrez la partie inférieure de la cavité avec des chiffons pour éviter la chute des débris. Si le mur est garni d'un matériau isolant, coupez ce matériau avec un couteau ou une scie à guichet.

7 Lorsque le trou est complètement ouvert, ajustez-y la gaine ou le manchon (pour un aérateur ou un claustra) qui traversera le vide du mur. Vérifiez que toutes les parties de la gaine s'appliquent bien, avant de les sceller avec du mortier.

UN BON TRUC
Quand un isolant granuleux commencera à tomber lorsque vous ouvrirez une brèche dans le mur, bourrez avec de la laine de verre en nappes tout autour de la cavité pour maintenir l'isolant en place.

INSTALLER UN CLAUSTRA

Un claustra utilisé pour la ventilation d'un mur est, en général, placé, soit en hauteur sous le plafond, soit à la base du mur sous le plancher. Les claustras sous-plancher sont placés à une distance minimale de 15 cm du sol lui-même et si possible en dessous du niveau des joints hydrofuges. Certains claustras sont faits en terre cuite, d'autres sont en acier galvanisé ou en plastique, mais ils ont tous une épaisseur d'une, deux ou trois briques. La quantité d'air qu'un claustra laisse passer dépend des types de trous dont il est percé. Un claustra endommagé constitue un chemin pour rats et souris qui peuvent pénétrer dans la maison

sous le plancher. Ne le bouchez pas provisoirement, car cela diminuerait l'aération sous le plancher et pourrait entraîner des moisissures dans les solives et les planchers.

1 Pour mettre en place un claustra neuf supplémentaire, faites un trou dans le mur, aux dimensions requises (voir explications précédentes). Si le claustra se trouve sous le niveau du plancher, vous ne pourrez travailler que de l'extérieur.

2 Pour remplacer un claustra défectueux, enlevez l'ancien en grattant le mortier de scellement avec un ciseau et un marteau.

3 Vérifiez la présence ou l'absence d'un remplissage isolant dans un mur creux (voir explications), et replacez-le si nécessaire.

4 Avant de placer le claustra, humidifiez les matériaux autour du trou. Étalez du mortier sur la base du trou, ainsi que sur le dessus et les côtés du claustra neuf. La mise en place d'un claustra parallélépipédique dans un vieux mur demandera une couche de mortier plus épaisse.

5 Placez le claustra dans son logement, en le tapotant avec le manche de la truelle. Enlevez l'excès de mortier des joints et lissez-les autour du claustra.

6 Passez une baguette ou un fil de fer à travers les ouvertures du claustra pour vous assurer qu'il n'y a pas de mortier dans les trous, ni derrière, pour le passage de l'air.

7 Si le trou est apparent dans une pièce, faites des finitions soignées sur le pourtour de l'ouverture avec un enduit spécial. Habillez cette dernière d'une grille en plastique ou en métal que vous collerez ou que vous visserez et chevillerez.

PLACER UN CONDUIT DANS UN MUR CREUX

Dans ce cas, il est nécessaire d'utiliser, derrière le claustra, un conduit pour empêcher le flux d'air de se perdre dans le vide. On peut se procurer des conduits en terre cuite, conçus pour cet usage. Choisissez un conduit rectiligne pour un claustra placé sous le joint hydrofuge. Pour un claustra placé au-dessus, choisissez un conduit incliné dont l'ouverture haute sera placée en parement intérieur.

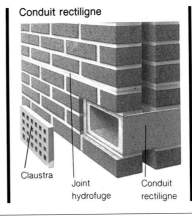

Conduit rectiligne

Claustra — Joint hydrofuge — Conduit rectiligne

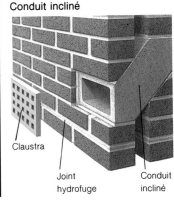

Conduit incliné

Claustra — Joint hydrofuge — Conduit incliné

Choix de l'emplacement d'un aérateur et montage

Un aérateur aspire l'air vicié à l'intérieur d'un local et le rejette à l'extérieur. Certains peuvent inverser ce mouvement et envoyer de l'air frais dans la pièce. Ces aérateurs ne

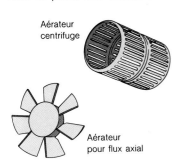

Aérateur centrifuge

Aérateur pour flux axial

sont que de deux types : l'aérateur pour flux axial, qui comporte des pales plates semblables à celles d'une hélice, et l'aérateur centrifuge ou tangentiel, qui se présente sous la forme d'un long cylindre. Ces deux modèles peuvent être montés soit dans un mur, soit dans un plafond. Seuls les aérateurs du premier type peuvent être montés dans une fenêtre. Les aérateurs installés dans un mur évacuent l'air vicié par un simple trou. Ceux qui sont placés dans un plafond évacuent l'air par un conduit au-dessus du plafond qui aboutit lui aussi dans un trou. Les aérateurs montés dans les fenêtres sont, en général, moins chers et plus faciles à installer, mais comme leurs moteurs sont plus petits, ils risquent davantage d'être endommagés par des vents forts. Tous les modèles d'aérateurs fonctionnent électriquement et sont mis en marche soit par un interrupteur placé sur l'aérateur lui-même avec une tirette ou cordon, soit par un interrrupteur séparé placé sur le mur. La consommation électrique est généralement faible : environ 40/100 watts par heure. Un aérateur équipé d'un interrupteur à tirette est plus indiqué pour une salle de bains. Toutefois, un interrupteur mural devra quand même être placé à l'extérieur de la pièce pour satisfaire aux règlements sur les équipements électriques des salles de bains.

AÉRATEUR MURAL ET AÉRATEUR DE FENÊTRE

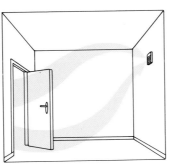

1 Placez-le aussi haut que possible, en face de la porte ou de la plus importante entrée d'air, de telle sorte que le flux traverse directement la pièce. Ne le placez pas dans un endroit qui ne sera que partiellement aéré, dans une fenêtre proche d'une porte par exemple.

2 S'il y a une chaudière ou un appareil de chauffage à gaz dans la pièce, assurez-vous qu'ils bénéficient chacun d'une ventilation indépendante. Sinon, quand portes et fenêtres seront fermées, l'aérateur pourrait rejeter dans la pièce l'air vicié et les fumées de la chaudière ou du chauffage.

3 Faites un trou dans le mur à l'endroit choisi (voir p. 232) ou dans la fenêtre (voir p. 234) ou dans le plafond, et mettez en place tous les conduits nécessaires.

4 Ajustez la bride extérieure et la grille ainsi que la bride intérieure et le carter de l'hélice.

5 Préparez le schéma d'installation en vous basant pour choisir l'emplacement de la boîte de branchement sur la longueur du fil équipant l'appareil. Placez celle-ci dans la pièce s'il s'agit d'une salle de bains, n'importe où dans un autre cas.

6 Suivez les instructions du fabricant. Faites toutes les connexions électriques nécessaires avant

AÉRATEUR DANS UN MUR

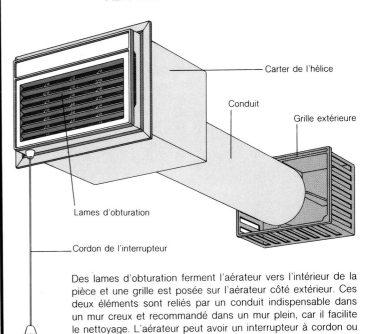

Carter de l'hélice

Conduit

Grille extérieure

Lames d'obturation

Cordon de l'interrupteur

Des lames d'obturation ferment l'aérateur vers l'intérieur de la pièce et une grille est posée sur l'aérateur côté extérieur. Ces deux éléments sont reliés par un conduit indispensable dans un mur creux et recommandé dans un mur plein, car il facilite le nettoyage. L'aérateur peut avoir un interrupteur à cordon ou un interrupteur séparé placé sur un mur.

AÉRATEUR DANS UNE FENÊTRE

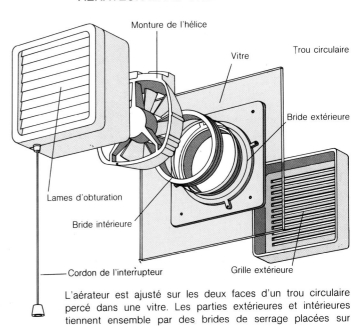

Monture de l'hélice

Vitre

Trou circulaire

Bride extérieure

Lames d'obturation

Bride intérieure

Cordon de l'interrupteur

Grille extérieure

L'aérateur est ajusté sur les deux faces d'un trou circulaire percé dans une vitre. Les parties extérieures et intérieures tiennent ensemble par des brides de serrage placées sur chaque face du trou.

Choix de l'emplacement d'un aérateur et montage (suite)

d'ajuster la bride intérieure et les lames d'obturation. Certains modèles sont d'origine équipés d'une prise à broches. Utilisez le câble recommandé par le fabricant (habituellement 1,5 mm²) avec isolant P.V.C. et câble gainé, soit à deux fils pour un aérateur à double isolation, soit à trois fils pour un aérateur dont l'installation exige une prise de terre.

7 Ajustez la grille et les lames d'obturation à l'intérieur de la pièce.

MONTER UN AÉRATEUR DANS UN PLAFOND

Le montage est identique à celui de l'aérateur placé dans un mur, à l'exception du trou d'aspiration qui doit se situer au plafond.

Les conduits peuvent être commandés avec l'aérateur, de même que la grille murale ou le capot destinés à l'extérieur du mur ou du toit.

Pour le plafond de l'étage supérieur, le conduit peut traverser le grenier. Il sera maintenu par des attaches spéciales pour tuyaux vissées sur les solives.

Pour les étages inférieurs, le conduit pourra se dissimuler dans un coffrage ou dans le faux plafond. Si les conduits traversent des zones froides, ils devront être isolés pour éviter toute condensation. Cette isolation est aussi utile pour réduire les bruits de fonctionnement. Si le conduit est très long, la capacité d'aspiration de l'aérateur sera proportionnellement réduite (en principe de 10 % pour un mètre de conduit ; un conduit coudé réduira encore cette capacité).

DÉCOUPER UNE VITRE POUR PLACER UN AÉRATEUR

Pour la pose d'un aérateur dans une fenêtre classique, il est recommandé de découper la vitre posée à plat pour éviter de casser le verre et simplifier les manipulations. Replacez ensuite la vitre dans le cadre du vantail. Toutefois, vous pouvez pratiquer cette découpe sur la vitre montée.

Si vous ne désirez pas faire le trou vous-même (ou si vous cassez le verre en le coupant) achetez un nouveau panneau et faites découper le trou par un professionnel.

Outils : compas à découper le verre, gants de peau, pinces, tournevis, mètre ruban en acier, marqueur ou stylo à encre de Chine.

1 Utilisez le marqueur ou le stylo à encre de Chine pour tracer sur la vitre l'emplacement approximatif du trou à la dimension requise. Assurez-vous que l'espace autour du trou sera suffisant pour loger l'aérateur et son carter.

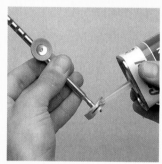

2 Huilez la tête du coupe-verre.

3 Alignez le coupe-verre et la partie centrale à ventouse de telle sorte que l'écartement soit égal à la moitié du diamètre du trou.

4 Placez le coupe-verre sur la vitre, la ventouse coïncidant avec le centre du trou à percer.

5 Maintenez fermement la partie à ventouse pendant que vous déplacerez la tête coupante.

6 Réduisez le rayon de 2 cm environ et découpez un 2ᵉ cercle concentrique.

7 En tenant la tête coupante perpendiculairement à la vitre, faites un quadrillage d'entailles rapprochées à l'intérieur du deuxième cercle.

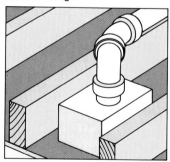

8 Commencez le trou en tapotant la partie quadrillée. C'est le verre du cercle intérieur qui tombera le premier. Vous pourrez utiliser la pince pour enlever les morceaux qui resteraient en place.

9 Faites tomber également les morceaux restant autour du cercle extérieur.

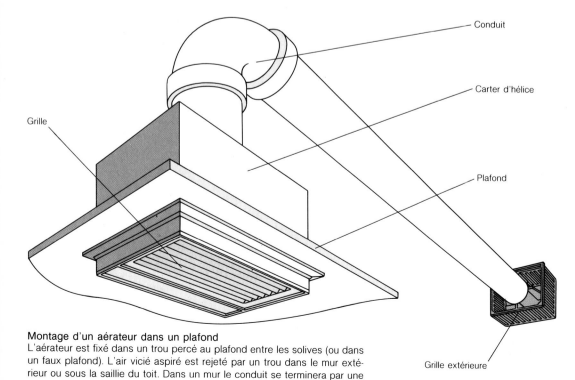

Grille

Conduit

Carter d'hélice

Plafond

Grille extérieure

Montage d'un aérateur dans un plafond
L'aérateur est fixé dans un trou percé au plafond entre les solives (ou dans un faux plafond). L'air vicié aspiré est rejeté par un trou dans le mur extérieur ou sous la saillie du toit. Dans un mur le conduit se terminera par une grille murale. Sur un toit, il sera protégé par un capot de cheminée.

Pièce à l'étage

Le conduit peut traverser le grenier.

Rez-de-chaussée

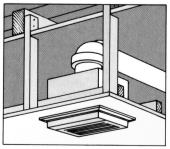

Un faux plafond peut être nécessaire pour cacher le conduit.

Refaire un enduit de plâtre

De grandes crevasses, des trous, des surfaces dont le plâtre s'effrite et tombe sont les marques des dommages causés par l'humidité ou le temps et peuvent généralement être réparés de façon rapide et économique avec du plâtre.

Pour regarnir des petites surfaces en mauvais état, reportez-vous p. 102.

Deux types de plâtre peuvent être utilisés :
— le plâtre ordinaire fin, à prise rapide, mélangé à de l'eau et appliqué en deux couches (une sous-couche et une couche de finition) ;
— le plâtre à modeler, de même qualité que le plâtre fin, mais à prise quasi immédiate, sauf lorsqu'il contient un adjuvant.

Ne réparez pas des dommages causés par l'humidité avant que la cause de cette humidité n'ait été décelée et supprimée. Si de

grandes crevasses se reforment après la réparation, faites appel à un entrepreneur ou à un expert, car celles-ci peuvent être le résultat de mouvements du sous-sol entraînant ceux du bâtiment.

Si l'effritement laisse apparaître une cavité sous le plâtre, il est probable que le mur est fait de plaques de plâtre ou, dans une vieille construction, de lattes et de plâtre. Il faudra utiliser d'autres modes de réparation (voir p. 236, 237).

APPLICATION DU PLÂTRE

Outils : ciseau, massette, brosse, grand pinceau ou pulvérisateur pour plantes d'appartement, cuvette en plastique, bâton en bois pour le malaxage, règle en bois, truelle à plâtre, taloche.

Matériaux : plâtre pour sous-

couche, plâtre de finition, matériel de nettoyage, eau froide pour le mélange.

1 Enlevez au ciseau le vieux plâtre en agrandissant la place abîmée.

2 Brossez le fond pour enlever la poussière et les débris. Dès que vous voyez les briques, mouillez à l'eau la surface découverte.

3 Mettez l'eau dans une cuvette, saupoudrez de plâtre (2 volumes de plâtre pour 1 volume d'eau). Malaxez et laissez reposer. «Gobetez» la surface à enduire en projetant à la truelle le plâtre liquide.

4 Lorsque le mélange commence à épaissir, garnissez et appliquez le plâtre avec la truelle en allant de bas en haut et en maintenant un

---

LES ENDUITS

Autrefois, lorsque les constructions étaient réalisées en pierres ou en briques pleines, les couches de finition étaient pratiquement inexistantes.

De nos jours, avec les matériaux modernes, moins esthétiques et souvent plus poreux, il est nécessaire de recouvrir les murs d'un enduit de plâtre ou de mortier. Il s'agit très souvent d'une composition de chaux, de ciment et de sable, parfois c'est une peinture spéciale, ou bien encore un enduit spécial à base de matière plastique.

Quelle que soit sa nature, l'enduit a un double rôle : il protège le mur contre les intempéries tout en le laissant «respirer» et il doit avoir un aspect décoratif.

Presque tous les enduits de finition nécessitent un support plan et en bon état. Seuls les enduits épais peuvent être appliqués sur un mur brut en briques ou en parpaings. La qualité de la finition, sa durabilité, son aspect dépendent en partie du soin de la mise en œuvre.

LES ENDUITS TRADITIONNELS

Les enduits traditionnels ont l'avantage de respecter les caractéristiques locales, les matériaux de base étant extraits dans la région.

Classiques mais plus résistants sont les enduits de chaux, ou mortiers de chaux, notamment ceux que l'on exécutait avec de la chaux grasse.

C'est de la chaux vive allongée d'une quantité convenable d'eau. On trouve encore ce produit dans les coopératives agricoles sous le nom de «fleur de chaux», et ce peut être l'occasion de réaliser un enduit qui laissera ressortir la couleur naturelle du sable. Pour ce faire, il convient d'appliquer deux couches d'enduit de natures différentes.

La première couche est constituée d'un mortier bâtard, mélange de ciment, de chaux et de sable. En principe, 1 m^3 de sable demande 300 kg de ciment et 150 kg de chaux. Appliquez cette sous-couche d'accrochage sur le mur et laissez-la sécher 2 à 3 semaines avant de passer à la couche de finition.

S'il s'agit d'un sable de rivière blanc et pur, faites un mélange moitié sable, moitié chaux grasse. Pour un sable de carrière argileux et jaune, mélangez une part de chaux grasse pour quatre part de sable.

LES ENDUITS MODERNES

Les enduits modernes sont des produits prêts à l'emploi. Pour certains, il suffit d'ajouter la quantité d'eau nécessaire ; pour d'autres, le gâchage est effectué par le fabricant, seule l'application restant à faire. Mais tous présentent des avantages tant par leurs qualités que par leur facilité de mise en œuvre.

Tous ces produits sont hydrofugés, ce qui protège les murs des intempéries. Certains, à base de plastique, ont une élasticité dans le temps qui leur permet de supporter les fissures du mur sans qu'elles apparaissent en surface. Toutes les couleurs sont possibles, et les enduits sont teintés dans la masse.

Enfin, ils s'appliquent au rouleau, à la truelle, à la spatule ou à la machine, en couche épaisse dont on peut travailler la surface pour obtenir l'aspect souhaité.

Les enduits modernes peuvent être des préparations faites à partir de matériaux traditionnels mélangés à des adjuvants, ou bien de matériaux nouveaux comportant une adjonction de silicates. Voir ci-dessous quelques-uns de ces enduits.

Les plâtres hydrofugés

Le plâtre hydrofugé est un produit dérivé du plâtre traditionnel, mais les adjuvants incorporés en font

un enduit moderne que l'on peut utiliser en extérieur. Coloré dans la masse, il n'est pas nécessaire de le peindre, et son application n'exige pas de sous-couche, il s'accroche directement sur la brique ou le parpaing. Il doit être projeté à l'aide d'une machine pneumatique qui nécessite l'intervention de professionnels.

Les ciments-pierres

Ce sont des produits à base de ciment, chargés de silicates, hydrofugés et contenant un plastifiant. L'aspect obtenu est semblable à celui des enduits traditionnels quand on utilise, par exemple, une tyrolienne pour réaliser un mouchetis, mais la résistance est nettement supérieure. Toutefois — comme pour tous les mouchetis — l'action du soleil et du vent peut «griller» l'enduit en éliminant l'eau trop rapidement. On remédie à cela en humidifiant le support, puis en pulvérisant de l'eau sur l'enduit terminé pendant les 2 ou 3 premiers jours de séchage.

Dans cette catégorie, vous trouverez des enduits de parement hydrauliques monocouches qui s'appliquent à la truelle directement sur la brique ou le parpaing. Leur désignation de «monocouches» ne doit pas vous induire en erreur : il est toujours préférable de mettre une première couche d'accrochage (le gobetis), sur laquelle on applique l'enduit.

Nota : Lorsqu'un mur doit recevoir une peinture ou un enduit plastique, la surface doit présenter un aspect plan qui nécessite un premier enduisage avec un mortier de surfaçage spécial.

Les enduits synthétiques

Ce sont des produits à base de résines synthétiques accompagnées de charges diverses destinées à donner un grain à la surface. Présentés en pâte, ces enduits sont prêts à l'emploi. Leur grande élasticité leur permet de couvrir les fissures et de supporter des chocs thermiques importants. Ils peuvent être teintés et ils s'appliquent au rouleau comme une peinture sur un fond bien préparé. Malgré leur faible épaisseur (2 à 3 mm) comparée à un enduit traditionnel, ce sont des produits sérieux bénéficiant souvent d'une garantie décennale.

Dans cette catégorie, il existe également des enduits synthétiques épais qui exigent deux opérations consécutives souvent confiées à deux personnes différentes : l'une étale le produit à la truelle en couche mince, sans chercher à obtenir un aspect régulier ; l'autre passe un rouleau sur l'enduit frais pour assurer un grain de surface uniforme.

Enfin, certains enduits synthétiques comportent des agrégats de marbre ou de pierres colorées qui leur donnent un aspect décoratif caractéristique.

Refaire un enduit de plâtre (suite)

angle de 45° entre l'outil et le mur. Prenez soin de ne pas presser le plâtre en tenant la truelle à plat, il retomberait dès que vous relâcheriez la pression.

5 Reconstituez l'enduit de la surface endommagée en appliquant plusieurs couches légères. Attendez entre chaque couche que le plâtre soit pris (mais non sec) avant d'appliquer la suivante.

6 Appliquez la sous-couche jusqu'à environ 3 mm du nu du mur, et égalisez les points saillants en passant la règle en bois dessus. Il faut que celle-ci repose sur le plâtre ancien qui entoure la surface reprise. Tirez ensuite la règle vers le bas en un mouvement zigzagant.

7 Lorsque la sous-couche est sèche (environ 2 heures après l'application), préparez le plâtre de finition comme précédemment et remuez jusqu'à ce que le mélange soit parfait, mais pas au-delà.

8 Utilisez la truelle et projetez le plâtre (que vous aurez au préalable laissé reposer pendant 15 à 30 minutes) sur la sous-couche, sous un angle fermé.

9 Lorsque la couche de finition est prise (environ 20 minutes après l'application), lissez-en soigneusement la surface, que vous humidifierez avec un pinceau ou à un pulvérisateur pour plantes d'appartement. Pour ce faire, utilisez la truelle sous un angle fermé et procédez par larges mouvements d'avant en arrière.

UTILISER UN PLÂTRE À MODELER

Outils : burin, marteau-masse, brosse à main, spatule ou plâtroir ; éventuellement papier de verre fin ou ponceuse électrique ; masque, grand pinceau, couteau à enduire.
Matériau : plâtre à modeler.
Il est aussi possible d'utiliser un enduit de lissage en dernière couche.

1 Enlevez au burin le plâtre qui se décolle ou s'effrite.

2 Brossez pour enlever la poussière et les débris.

3 Mélangez le plâtre et appliquez-le sur le mur avec une spatule ou un plâtroir.

4 Garnissez des trous profonds en couches d'une épaisseur maximale de 5 cm. Laissez prendre chaque couche avant d'appliquer la suivante.

GÂCHAGE DU PLÂTRE À MODELER

Le mélange se compose d'un volume d'eau pour un volume et demi de plâtre. En préparation plus liquide (finition), un volume d'eau pour trois quarts de volume de plâtre. En préparation épaisse, un volume d'eau pour deux volumes et demi de plâtre.

5 Lorsque le plâtre est complètement sec, lissez-le au papier de verre fin ou à la ponceuse électrique (portez un masque et des lunettes pour vous protéger de la poussière). Si le mur doit être peint, garnissez le dessus de la cavité sur

au moins 3 mm avec une couche plus liquide ou une couche d'enduit, pour donner une belle finition. Appliquez-le avec un grand pinceau, à mouvements montants, puis étalez-le à coups légers. Lorsqu'il commence à sécher, lissez-le avec le couteau à enduire.

Rebouchage dans un mur de lattes et plâtre

Pour reboucher des petits trous et des fissures dans un mur de lattes et plâtre, procédez de la même manière que dans un mur de plâtre (voir p. 102). Si le trou est assez grand pour que les lattes soient dénudées, la réparation sera différente selon que les lattes seront intactes ou cassées.

LES LATTES SONT INTACTES

1 Passez sur les lattes un fixateur de fond afin de rendre leur surface moins absorbante.

2 Garnissez le trou avec plusieurs couches de plâtre (voir p. 235). Si vous utilisez du plâtre ordinaire à prise rapide, choisissez la qualité « sous-couche » plutôt que « finition ».

LES LATTES SONT CASSÉES

Réparez-les ; si le trou ne dépasse pas 8 cm, bouchez avec du papier froissé et garnissez de plâtre.

1 Pour réparer les lattes, utilisez un morceau de grillage ou de métal déployé. Coupez-le avec des

pinces coupantes, puis repliez les extrémités sur les lattes saines, éta-

blissant un pont sur les lattes brisées. Si le trou est petit, prenez une boule de papier journal trempé dans de l'eau. Travaillez-la avec du plâtre liquide.

TRAITEMENT D'UNE SURFACE IMPORTANTE

Si une grande surface de plâtre s'est détaché des lattes, retaillez les bords de la surface endommagée pour obtenir un contour régulier et réparez avec un morceau de

plaque de plâtre (voir p. suivante). Si la plaque est bien moins épaisse, clouez une épaisseur supplémentaire de lattes sur la plaque, de telle sorte que vous n'ayez besoin que d'une fine couche de plâtre de finition. Si la plaque est plus épaisse, enlevez les lattes de la surface à réparer. Clouez le morceau de plaque (côté gris vers l'extérieur) sur l'ossature de bois supportant les lattes. Garnissez les

fentes autour de la plaque avec un produit à reboucher (voir p. 102). Finissez la surface de la réparation avec une couche de plâtre lissé.

Comment réparer et renforcer des arêtes

Lorsqu'on garnit de plâtre un angle extérieur, il est difficile d'avoir à la fois une surface plane et un angle droit. Le travail sera exécuté en deux opérations en utilisant une latte de bois comme guide.

Outils : ciseau, massette, latte de bois tendre de 50 × 20 mm, plus longue que la surface qui doit être regarnie, règle à araser, clous pour maçonnerie, marteau, brosse, truelle de plâtrier, taloche, grand pinceau ou vaporisateur pour plantes d'intérieur, niveau à bulle à lecture horizontale et verticale, truelle d'angle (voir étape 9), gants de caoutchouc.
Matériaux : plâtre (voir p. 235), éventuellement arête en métal déployé.

1 Retirez le plâtre qui s'effrite jusqu'à obtenir une surface saine et brossez pour enlever les débris de la surface endommagée.

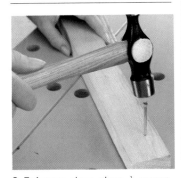

2 Enfoncez deux clous à maçonnerie dans la latte, plus près d'un bord que de l'autre, et placez-les de telle sorte qu'ils s'enfoncent soit dans les joints du mortier entre les briques, soit dans le plâtre sain, bien au-delà des limites de l'endroit à réparer.

3 Tenez la latte verticalement contre l'endroit endommagé, les clous éloignés de l'angle. Servez-vous d'une règle tenue le long du mur adjacent pour mettre la latte à clouer au nu du plâtre entourant l'endroit dégarni.

4 Clouez la latte sur le mur sans enfoncer entièrement les clous.

5 Plâtrez la surface dégarnie avec un plâtre ordinaire et arasez l'enduit en suivant l'arête de la latte.

6 Lorsque le plâtre a séché, enlevez les clous et retirez précautionneusement la latte du mur en évitant d'effriter l'arête du plâtre neuf par un mouvement intempestif.

RÉPARER UN ANGLE ENDOMMAGÉ

Si un angle menace de s'effriter, renforcez-le avec une arête en métal déployé avant de replâtrer le mur. Cette arête se compose de deux bandes de mailles de métal galvanisé, formant un angle droit de chaque côté d'une bande centrale arrondie. Traitez les extrémités coupées avec une peinture d'apprêt pour métal ainsi que tout endroit du maillage de métal galvanisé endommagé au cours des travaux. Ajustez l'arête métallique sur l'angle à réparer avec des points de plâtre déposés tous les 6 cm environ de chaque côté. Servez-vous d'une règle à araser et d'un niveau pour vous assurer de la verticalité du joint. Appuyez fortement le maillage sur le mur et vérifiez avec la règle que la

bande centrale n'est pas en saillie par rapport à la surface plâtrée. Cette bande centrale peut être utilisée en guise de règle d'appui au lieu de prendre une latte de bois.

7 Clouez la latte sur l'autre côté de l'angle, puis plâtrez de la même façon le reste de la surface endommagée.

8 Si vous terminez avec un plâtre à finition, utilisez la latte de la même façon que précédemment.

9 Il sera plus facile de finir l'arête de l'angle avec une truelle spéciale. Arrondissez l'arête légèrement avec une truelle de plâtrier. Avant que le plâtre ne soit pris, utilisez un gant de caoutchouc. Après l'avoir mouillé, vous ferez glisser vos doigts sur l'arête pour l'arrondir.

Réparer des trous dans des plaques de plâtre

Des défauts peuvent être réparés de la même manière que dans un enduit de plâtre. Des trous moyens, jusqu'à 10 ou 12 cm de diamètre, devront être renforcés au dos pour bloquer la cavité avant de les regarnir de plâtre. Des trous plus grands, de diamètre égal ou supérieur à 12 cm, ou une surface endommagée en plusieurs endroits, ne pourront être réparés de façon satisfaisante avec un remplissage de plâtre. Ce qui est endommagé devra être retiré et remplacé.

FAIRE UN RENFORT AU DOS D'UN TROU

Outils : cutter, mèche pour perçage, spatule.
Matériaux : un morceau de plaque de plâtre, de la ficelle (de 15 à 20 cm de longueur), un long clou ou une cheville de bois, du plâtre (voir

p. 102) ou un produit adhésif pour obturation. Éventuellement du plâtre pour finition.

1 Découpez les contours du trou avec un cutter.

2 Découpez un morceau de plaque de plâtre. Ce morceau devra être assez étroit pour passer en biais dans le trou, mais assez grand

pour déborder d'au moins 2,5 cm de chaque côté du trou.

3 Percez-y un trou dans le milieu et faites-y passer une ficelle de 15 à 20 cm de longueur.

4 Nouez le clou ou la cheville de bois à l'extrémité de la ficelle pour qu'elle soit maintenue à l'arrière de la plaque de renfort. L'envers de certaines plaques de plâtre peut

être de couleur blanche ou ivoire. Faites une boucle à l'autre extrémité de la ficelle pour qu'elle soit facile à retenir.

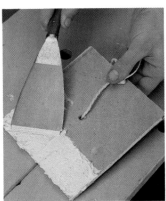

5 Appliquez un peu de plâtre ou de produit adhésif sur le devant de la pièce (côté gris).

Réparer des trous dans des plaques de plâtre (suite)

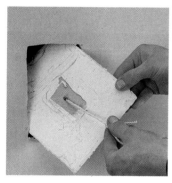

6 Faites passer la pièce recouverte de plâtre à travers le trou, puis, en vous servant de la ficelle, positionnez la plaque au fond du trou.

7 Tenez la ficelle tendue pendant que vous garnissez le trou. Laissez une épaisseur pour une couche de finition si nécessaire, pour égaliser avec les alentours.

8 Lorsque le plâtre est pris, coupez la ficelle au ras de la surface et appliquez la couche de finition.

AJUSTER UNE PIÈCE EN PLAQUE DE PLÂTRE

Outils : cutter à ébarber ou scie à guichet, spatule à large lame ou truelle de plâtrier, crayon, règle à araser, niveau à bulle, équerre, marteau, papier abrasif fin ou moyen, éponge, mètre ruban en métal.

Matériaux : un morceau de plaque de plâtre ou une chute de la même épaisseur que celle de la plaque endommagée, deux longueurs de lattes à ajuster étroitement entre des montants (la section des lattes est, en général, de 50 à 75 mm pour une cloison de séparation ou de 50 × 25 mm pour un mur avec isolant), quatre clous de 75 mm, des clous galvanisés à tête large pour plaque de plâtre, des serre-joints, du calicot, du produit pour joint ou du plâtre de finition.

1 Vérifiez qu'il ne se trouve pas de tuyaux ou de câbles électriques derrière la plaque. Servez-vous d'un cutter ou d'une scie à guichet pour découper la plaque à partir du milieu de la partie endommagée vers les côtés pour atteindre les montants supportant le panneau.

2 Utilisez une règle ou un niveau à bulle pour tracer, sur la plaque, les arêtes des montants verticaux.

RÉPARER DES ANGLES ENDOMMAGÉS

Des angles extérieurs de plaques de plâtre peuvent être réparés de la même façon que les angles d'un mur de plâtre (p. 237).

Renforcez les angles avec un calicot armé pour joints, scellé par un mélange adéquat (p. 240).

Laissez sécher un ou deux jours, puis poncez et préparez cette surface pour appliquer un revêtement décoratif ; peinture, papier peint, vinyles, panneaux de liège, carreaux de faïence, lambris, etc.

3 Tracez deux lignes horizontales parallèles, en travers du panneau entre les montants, à environ 5 cm au-dessous et au-dessus de la surface endommagée. Vérifiez que ces lignes sont bien à angle droit.

4 Découpez et enlevez le carré délimitant le secteur à réparer.

5 Sur chaque côté de l'ouverture, tracez une ligne verticale pour indiquer la moitié de la largeur du montant (généralement 2,5 cm) et entaillez cette ligne en vous servant de la règle et du cutter.

6 Enlevez le plâtre sain le long de la ligne entaillée, de façon à mettre à nu la demi-largeur du montant.

7 Ajustez les deux lattes en travers des montants, en haut et en bas de l'ouverture. Les lattes seront posées sur chant, la dimension la plus large vers l'extérieur, de telle sorte qu'une moitié (2,5 cm) se trouvera sous la plaque existante, l'autre moitié restant visible, et recevra les clous.

8 Maintenez les lattes puis enfoncez les clous de 75 mm en biais pour qu'ils traversent les lattes et se plantent dans les montants.

9 Mesurez la surface et coupez un morceau de plaque. Mettez ce morceau, côté gris à l'extérieur, si le mur est plâtré, sinon côté ivoire.

10 Clouez le morceau sur le cadre de bois, avec des clous pour

plaques de plâtre. Placez les clous à intervalles de 15 cm et à une distance minimale de 1,5 cm du bord de la pièce. Enfoncez-les bien dans l'épaisseur de la plaque afin que les têtes ne soient pas saillantes, mais faites attention à ne pas endommager le papier qui recouvre la plaque de plâtre.

11 Poncez légèrement les bords avec du papier abrasif pour enlever toutes les inégalités.

12 Garnissez les joints avec du plâtre de la couleur de la plaque, comme décrit p. 240.

RÉPARATION AUTOUR D'UN INTERRUPTEUR OU D'UNE PRISE

Coupez d'abord le courant. Déconnectez en notant la position des différents fils. Vous pourrez réparer de petites crevasses ou des trous peu importants avec du plâtre ordinaire, que la prise soit installée dans un enduit de plâtre ou dans une plaque de plâtre (selon le processus indiqué p. 102). Si les dégâts sont plus importants, vous choisirez l'une des méthodes décrites ci-dessus. Attendez, pour remonter votre installation, que le plâtre soit bien sec.

Les plaques de plâtre

Les plaques de plâtre se composent d'un cœur de plâtre aéré inclus entre deux couches de carton résistant. Elles sont surtout utilisées pour habiller des murs intérieurs ou des plafonds ou construire des cloisons de séparation. Elles peuvent être clouées sur des montants de bois ou des poutres, vissées sur des supports métalliques ou collées directement sur des murs de maçonnerie. Il y a différents types de plaques de plâtre et elles ont des épaisseurs variées. Leur longueur est comprise, le plus souvent, entre 2 et 3,60 m. Leur largeur peut aller de 0,60 à 0,90 et 1,20 m. Leur épaisseur va de 9,5 à 23 mm.

Les types les plus répandus de plaques de plâtre sont décrits dans le tableau ci-contre. D'autres types comprennent des plaques ignifugées (vermiculite et fibre de verre sont ajoutées au plâtre composant l'angle de la plaque). D'autres plaques résistant aux moisissures sont utilisées pour doubler la charpente des toitures (sorte de bitume ajouté au plâtre composant la plaque et compris, de surcroît, entre deux couches de papier hydrofuge). Lorsque vous voulez réparer une plaque de plâtre, demandez un échantillonnage au marchand de matériaux pour trouver ce qui conviendra le mieux.

MANIPULER LES PLAQUES DE PLÂTRE

Les plaques standard, disponibles à l'unité, sont généralement livrées par deux, le côté gris à l'extérieur. La bande qui les relie sert à identifier le type et la taille des plaques. Le transport de panneaux entiers nécessite la présence de deux personnes. Portez la plaque sur chant pour éviter de la déformer et manipulez-la avec précaution, car vous pourriez endommager les couches de papier sur les deux faces ou sur les chants. Stockez les plaques

à plat. Si elles gauchissent, il sera difficile de les fixer sur des murs ou des plafonds. Si vous les empilez, choisissez une surface sèche et plane et ne dépassez pas 1 m de hauteur. Lorsque vous retirez une plaque se trouvant sur une pile, évitez de la traîner.

CHOIX D'UNE PLAQUE DE PLÂTRE

TYPES DE PLAQUES	DESCRIPTION	ÉPAISSEUR	LONGUEUR DES FIXATIONS
Plaques standard	Avec une face grise à bords francs pour être plâtrée et une de couleur ivoire pour être peinte ou recevoir du papier peint. Vous pouvez placer suivant le besoin l'une des deux faces à l'extérieur sans inconvénient. La face ivoire a des bords adoucis pour être traités spécialement, ou des bords chanfreinés pour former des joints décoratifs en «V» ou des bords francs, dans le cas d'un revêtement de bois ou de plastique.	9,5; 10; 12,5; 13; 15; 18 et 23 mm.	Pour une épaisseur de 9,5 mm, des vis de 3 cm, et pour une épaisseur de 12,5 mm, des vis de 4 cm.
Plaques avec isolant thermique	Ce sont des plaques standard de 9,5 mm, doublées de différents isolants (polystyrène expansé, polyuréthanne ou laine minérale). Ces plaques sont utilisées en doublage de murs extérieurs ou de plafond et le côté ivoire est apparent, mais elles peuvent se trouver avec le parement à plâtrer vers l'intérieur de la pièce. Elles peuvent être munies d'un pare-vapeur placé entre la partie plâtre et l'isolation. Elles sont généralement collées aux murs par un mortier adhésif.	De 4 à 11 cm, en fonction de l'épaisseur de l'isolant.	Fixations par système de collage.
Plaques spéciales pare-vapeur	Une catégorie de plaques de plâtre a été spécialement conçue pour résister à la vapeur d'eau. Le dos de ces plaques a été renforcé par l'adjonction d'un film de polyester métallisé. Elles ne peuvent être collées.	En fonction du type (9,5 et 12,5 mm).	En fonction du type. Plus ou moins 6 cm.
Cloisons de doublage	Dans les constructions, on peut utiliser une autre technique d'isolation thermique que la plaque avec isolant collée sur le mur. Il s'agit de plaques de plâtre standard vissées sur une ossature métallique. Dans le vide laissé par cette ossature, il est loisible de loger différents types d'isolant.	Environ 5 cm.	Vis galvanisées de 6 cm.

RÉALISATION D'UNE CALE

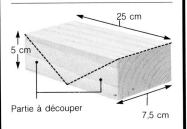

25 cm

5 cm

Partie à découper

7,5 cm

Vous pouvez faire une cale élévatrice avec un morceau de bois tendre de 25 × 7,5 × 5 cm. Tracez à l'équerre les lignes de coupe, en partant des angles supérieurs du bloc pour rejoindre le centre de la base. Coupez les deux morceaux triangulaires inutiles, pour obtenir un outil qui fonctionne comme un va-et-vient. Lorsqu'une plaque de plâtre est positionnée d'un côté, vous l'amènerez à sa place définitive en actionnant, avec le pied, la cale glissée sous l'autre côté et reposant sur l'arête créée au découpage.

COUPER UNE PLAQUE DE PLÂTRE

Mettez la face ivoire sur le dessus et utilisez une scie égoïne à denture fine ou un cutter. L'opération à la scie est plus lente. Sur une grande longueur, soutenez la partie déjà sciée pour éviter une cassure.

Pour couper avec un cutter, tracez tout d'abord au couteau une ligne profonde sur le côté ivoire. Puis posez une règle plate sur le dos de la plaque, le long de la ligne, et pliez la plaque en arrière pour ouvrir l'entaille.

Poncez légèrement les côtés sciés ou coupés avec un papier de verre moyen. Pour le montage d'interrupteurs et boîtes de dérivation, servez-vous d'une scie à guichet.

Garnir des joints de plaques de plâtre

Si vous habillez de plaques de plâtre tout un mur destiné à être peint ou tapissé, la face ivoire des plaques devra se trouver vers l'intérieur de la pièce. Utilisez des plaques à bords effilés pour obtenir des joints aussi plans que possible. Si vous avez à couper une plaque, assemblez les bords droits de la même manière que les bords effilés. Ne confondez pas des bords effilés avec des bords chanfreinés. Si vous deviez être amené à donner une couche de plâtre de finition à une plaque, n'omettez pas, lors de la mise en place, de tourner la face grise vers vous.

Bord effilé

Bord droit

Bord chanfreiné

ASSEMBLAGE DES PLAQUES À BORDS EFFILÉS

Le mélange pour joint (ou mortier) peut être utilisé durant 30 minutes après avoir été malaxé. Si vous mélangez la valeur d'un quart de seau, vous pourrez connaître, à partir du nombre de joints remplis, la quantité totale dont vous aurez besoin. Avant de commencer à garnir les joints, obturez (par exemple) toutes les fentes qui aurait plus de 3 mm de largeur avec la même composition, mais plus épaisse.

Outils : cuvette ou seau, baguette ou spatule en bois pour mélanger, truelle de plâtrier, spatule large, ciseaux ou cutter, éponge, grand pinceau.
Matériaux : composition pour joints, calicot pour joints, eau froide, apprêt étanche pour plaques de plâtre.

1 Mélangez la poudre à de l'eau froide avec la spatule en bois. Mesurez au préalable, comme indiqué sur le paquet. Puis laissez reposer le mélange de 2 à 3 minutes avant de tourner à nouveau jusqu'à obtention d'une consistance épaisse et crémeuse.

2 Utilisez la spatule large ou la truelle pour faire pénétrer le mélange dans les joints en l'étalant en couche fine de chaque côté. Évitez les débordements.

3 Coupez à la mesure une longueur de bande et, pendant que le mélange est encore humide, positionnez-la et appuyez-la sur le joint en utilisant la truelle. Pressez bien pour chasser les bulles d'air.

4 Après 5 minutes, appliquez une autre couche du mortier sur le ruban, en débordant plus largement. Égalisez au nu de la plaque de plâtre.

5 Avant que le mélange ne commence à prendre, humectez une éponge et servez-vous-en pour égaliser les joints et enlever tout excès de mélange, en évitant toutefois de déplacer le ruban.
Rincez l'éponge de temps en temps pour éviter l'accumulation de produit.

6 Servez-vous d'une spatule pour recouvrir la tête des clous d'une préparation épaisse.

7 Quand la première couche de mélange a séché, appliquez une autre couche, encore plus large (25 à 30 cm), et égalisez les bords (voir dessin).

8 Lorsque la surface est totalement sèche, préparez-la pour la décoration en appliquant une ou deux couches d'apprêt étanche sur la totalité de la surface.

JOINTOIEMENT ET FINITIONS DES FACES DE PLAQUES DE PLÂTRE

Pour faire ces travaux, utilisez du calicot tissé et un produit de finition spécialement choisi pour cette surface. Appliquez le plâtre de la même façon que du plâtre ordinaire pour finitions. Il faut l'utiliser pendant la demi-heure qui suit la préparation. Ce délai passé, il serait trop épais. C'est un travail délicat qui ne devrait être entrepris que sur de petites surfaces, par exemple une réparation dans un vieux mur de plaques de plâtre.

Outils : truelle de plâtrier, ciseaux ou cutter, grand pinceau ou vaporisateur pour plantes d'intérieur, cuvette en plastique, baguette ou spatule de bois pour mélanger.
Matériaux : produit de finition pour plâtre, ruban de jute, eau froide.

1 Mélangez le plâtre de la même manière qu'un plâtre ordinaire.

2 Forcez le plâtre dans les joints entre les plaques à bords droits, posées à joints vifs. Étalez le plâtre en couche mince de chaque côté du joint sur une largeur totale de 10 cm environ.

3 Coupez à la longueur voulue une bande de calicot et appliquez-la sur le plâtre, le long du joint.

4 Appliquez une seconde couche de plâtre le long du joint.

5 Appliquez du plâtre sur les surfaces entre les joints, de façon à recouvrir la totalité du mur d'une fine couche de plâtre d'environ 5 mm d'épaisseur.

6 Appliquez une deuxième couche de même épaisseur et, lorsqu'elle a commencé à prendre, humectez-la et polissez-la à la truelle jusqu'à ce que la surface soit lisse et plane.

Faire une cloison de refend à ossature de bois

Cette cloison est constituée de plaques murales fixées sur chaque face d'une ossature de bois faite de montants verticaux pris entre des traverses horizontales en haut (chapeau) et à la base (semelle).

Les plaques utilisées sont, en général, des plaques de plâtre (voir p. 239) placées face ivoire à l'extérieur. Les instructions qui sont données sont valables pour des plaques de 12,5 mm d'épaisseur correspondant à des hauteurs ne dépassant pas 2,40 m. Des plaques plus fines nécessiteraient des montants plus rapprochés (à intervalles

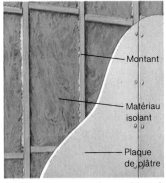

Montant

Matériau isolant

Plaque de plâtre

de 40 cm) pour que l'ensemble soit suffisamment solide. Une cloison d'une hauteur supérieure à 2,40 m exige des montants de 10 cm de large.

Pour améliorer l'isolation phonique, interposez une couche de laine de verre ou de roche d'une épaisseur minimale de 75 mm entre les plaques de revêtement. Pour une isolation encore meilleure, construisez la cloison, en utilisant deux épaisseurs de plaque de plâtre de chaque côté, et décalez les joints entre les plaques.

Outils : fil à plomb, crayon, chutes de bois de 7,5 × 5 cm, poinçon, marteau, tournevis, niveau à bulle, perceuse électrique et mèches, établi portable, règle, scie égoïne ou cutter, cale élévatrice (p. 239), outils pour les joints (p. 240), papier de verre moyen et, si possible, scie à guichet et arrache-clou.

Matériaux : plaques de plâtre (12,5 mm d'épaisseur et 1,20 m de large), rouleaux de laine de verre pour isolation (épaisseur minimale 75 mm); traverses de bois de 7,5 × 5 cm, de longueur suffisante pour constituer semelle et chapeau; montants pour des entraxes de 0,60 m et entretoises, clous de 10 cm, vis de 8 × 100 mm; pattes de fixations pour l'ossature (voir p. 228) ou vis et chevilles; clous de 4 cm pour plaques de plâtre; joints et enduit spécial pour plaques; si possible voliges pour plafond (10 × 5 cm), bande de 7,5 cm de largeur de tissu imprégné d'un produit hydrofuge, chevilles expansives ou vis et chevilles pour parquet solide; carreaux de panneaux de fibres dures ou de vinyle; des

planches pour les encadrements des portes de 25 × 100 cm environ; des planches d'habillage; des moulures pour encadrements et des pointes de 5 cm.

TROUVER DE SOLIDES POINTS D'ANCRAGE

Si possible, alignez la cloison sur les lames du parquet, de telle sorte qu'elle se trouve perpendiculaire aux solives supportant ces lames (comment localiser une solive ou un madrier, p. 245). Mais, si la cloison doit se trouver à angle droit avec les lames du parquet, essayez de l'aligner sur une solive du parquet.

Si cette solution est impossible, soulevez les lames du parquet (voir p. 269) à environ 1 m d'intervalle et clouez « en biais » entre les solives des longueurs de traverses d'une section minimale de 10 × 5 cm. Placez le chapeau de la même façon, c'est-à-dire de sorte qu'il puisse être fixé soit perpendiculairement aux solives du plafond, soit parallèlement à celles-ci. Si le chapeau doit être placé entre deux solives parallèles, ajustez entre elles des entretoises de la même façon que pour celles du parquet, mais en partant du grenier ou de l'étage supérieur.

OÙ MONTER VOTRE CLOISON

Avant de monter votre cloison, assurez-vous que la transformation projetée sera conforme aux règlements en vigueur concernant l'habitat. Le responsable de la mairie vous expliquera les formalités à suivre.

Si la pièce créée par la cloison doit être une pièce d'habitation, chambre à coucher par exemple, il faut qu'il y ait des ouvertures et une aération suffisante. Si vous ne tenez pas compte de ces obligations, vous risquez des ennuis avec l'administration, qui vous obligera à vous y conformer.

Si la nouvelle pièce n'est pas destinée à être habitée, une salle de bains par exemple, une fenêtre ne sera pas nécessaire, mais il faudra y installer un aérateur monté dans un mur avec conduit débouchant sur l'extérieur (voir p. 233).

MONTER L'OSSATURE

1 À l'aide d'une chute de 75 mm, marquez chaque extrémité du chapeau aux endroits choisis. Placez la

chute perpendiculairement au mur, le long ou au droit d'une solive.

2 Faites descendre le fil à plomb des points marqués au plafond et repérez-les sur le parquet pour définir la position de la semelle.

CONSTRUCTION D'UNE CLOISON DE SÉPARATION

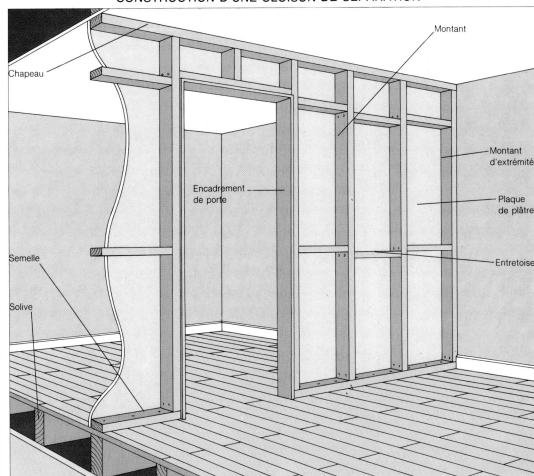

Chapeau

Montant

Encadrement de porte

Montant d'extrémité

Plaque de plâtre

Semelle

Solive

Entretoise

La semelle peut correspondre à une solive, comme le montre cette illustration, ou être fixée perpendiculairement aux solives, en alignement des lames du parquet.

Faire une cloison de refend à ossature de bois (suite)

3 Clouez provisoirement la semelle en enfonçant légèrement des clous espacés de 60 cm. Prenez des clous de 10 cm et enfoncez-les dans les solives. Vous pouvez également utiliser des vis de 10 cm pour avoir une fixation solide. Interposez une feuille de matériau hydrofuge entre le parquet et la semelle pour empêcher d'éventuelles remontées d'humidité.

4 Percez les solives ou les entretoises au travers du plafond et vissez, provisoirement, la traverse du haut, avec des vis de 10 cm.

5 Utilisez un fil à plomb pour vérifier l'alignement des traverses haute et basse à chaque extrémité. Puis serrez les vis à fond.

6 Marquez sur le côté visible de la semelle l'emplacement des montants, leurs axes étant espacés de 60 cm, en prenant en compte la largeur et la position de la porte (voir ci-dessus).

7 Tracez une ligne au centre des 5 cm de la chute. Placez-la perpendiculairement sur la semelle. Faites coïncider les deux axes. Marquez alors les bords extérieurs de chaque futur montant sur la semelle.

8 Mesurez et coupez les montants.

9 Si nécessaire, pratiquez une entaille dans la plinthe pour chacun des montants d'extrémité de la cloison ou entaillez ces montants eux-mêmes pour y loger les plinthes.

10 Poussez et mettez en place contre le mur les montants d'extrémité. Vérifiez leur verticalité avec un niveau à bulle. Comblez les vides avec des cales en panneaux de fibres dures ou du vinyle.

11 Fixez les montants sur les murs en utilisant des pattes de fixation de 10 cm ou des vis et des chevilles (voir p. 228).

12 En utilisant un des repères extérieurs déjà tracés sur la semelle, fixez provisoirement une cale. Contre cette cale, appuyez la base d'un montant pour faciliter le clouage.

13 Vérifiez l'aplomb du montant dans les deux plans.

14 Clouez chaque montant sur les traverses haute et basse en enfonçant obliquement les clous de 10 cm (voir p. 161), 2 clous d'un côté et 1 seul de l'autre.

15 Marquez l'emplacement des montants sur le parquet.

16 Entretoisez les montants avec des traverses horizontales placées à mi-hauteur. Posez-les obliquement ou décalez les traverses adjacentes pour pouvoir clouer les extrémités à travers les montants.

17 Mettez également en place des traverses supplémentaires destinées à supporter le poids d'objets divers et repérez la position de ces traverses sur les bords des montants pour transférer les marques sur les plaques à venir.

18 Faites passez tout le câblage électrique dont vous pourriez avoir besoin.

HABILLER L'OSSATURE AVEC DES PLAQUES DE PLÂTRE

1 Coupez chaque plaque (voir p. 239) pour qu'elle ait 15 mm de moins que la hauteur sol-plafond.

CRÉER UNE EMBRASURE

Procurez-vous les portes avant de construire et de revêtir les cloisons.

Mesurez la hauteur à partir du plancher et non pas à partir de la semelle. Positionnez la porte autant que possible, au plus près d'un mur adjacent, contre le dernier montant.

Fixez les montants encadrant la porte, en laissant 2 ou 3 mm de jeu pour son montage en plus de l'épaisseur du chambranle autour de la porte.

N'oubliez pas la traverse haute.

Ce chambranle doit avoir la même épaisseur que les montants plus celle d'une plaque de plâtre de chaque côté, habituellement 10 cm.

Dans le cas où la porte comporte une imposte, il faut que vous prévoyez également son habillage.

Pour terminer la mise en place, sciez et enlevez la partie de la semelle en pied de l'ouverture.

2 Ajustez et fixez les panneaux entiers, en commençant par une face de la cloison. Conservez les panneaux de faible largeur ou ceux qui ont besoin d'être recoupés, pour terminer le long des murs.

3 Fixez les plaques, la face adéquate à l'extérieur.

4 Alignez le bord de chaque panneau sur le milieu du montant en vérifiant l'aplomb.

5 Serrez la plaque contre le plafond avec la cale élévatrice, pendant que vous la clouez sur l'ossature de bois sur son pourtour et sur les entretoises.

6 Plantez des clous spéciaux pour plaques de plâtre à 15 mm des bords, en les espaçant de 15 cm. Enfoncez-les jusqu'à ce que la tête du clou fasse un léger creux dans la plaque.

7 Avec les marques sur le sol, un fil à plomb et une règle, tracez la position du montant correspondant à l'axe de la plaque. Clouez-la.

8 Amenez la dernière cloison à buter contre le mur, pour recouvrir le dernier montant. Si le mur contre lequel vient s'appuyer la plaque n'est pas d'aplomb, relevez les irrégularités avec une pointe et recoupez la plaque pour qu'elle s'ajuste.

9 Procédez de la même façon pour l'habillage du second parement de la cloison.

10 Garnissez les joints entre les plaques (voir p. 240), en choisissant les matériaux correspondant au revêtement choisi à l'extérieur.

11 Placez une moulure tout autour de la pièce si besoin est (voir p. 252). Placez également une moulure autour du cadre de la porte.

Pose d'un plafond en plaques de plâtre

La manière la plus simple de mettre en place un nouveau plafond consiste à clouer des plaques de plâtre standard (voir p. 239) à la sous-face des solives. Lorsque leur écartement est inférieur ou égal à 40 cm, choisissez des plaques de 9,5 mm d'épaisseur, ainsi que des clous galvanisés de 3 cm. Pour un écartement de 60 cm, choisissez des plaques de 12,5 mm d'épaisseur et des clous de 4 cm.

Si le plafond est recouvert de carreaux de polystyrène, ils peuvent être laissés en place car ils constituent une isolation supplémentaire. Mais il faudra que vous localisiez les solives du plafond (voir p. 245) et que vous utilisiez des clous assez longs pour traverser les différentes couches de matériaux du plafond et s'enfoncer d'au moins 25 mm dans le bois.

Si vous pouvez démolir le vieux plafond, vous pourrez repérer les différents circuits électriques et clouer directement sur les solives.

Il vaut mieux poser les plaques de plâtre la face ivoire vers le bas, car elles pourront alors être peintes ou tapissées, après que les joints auront été bouchés, et qu'elles auront reçu une couche d'apprêt (voir p. 235). La face grise des plaques nécessiterait une couche de plâtre de finition avant d'entreprendre la décoration.

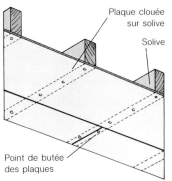

Plaque clouée sur solive

Solive

Point de butée des plaques

Positionnez les plaques pour que leurs longueurs soient perpendiculaires aux solives, leurs largeurs venant buter au milieu des solives. Décalez les plaques. Les plaques placées sur le pourtour du plafond, en contact avec les murs, devront peut-être être ajustées si ces murs ne sont pas d'aplomb.

Pour soutenir la plaque de votre côté pendant que vous clouez, ser-

vez-vous d'un étai spécial en forme de T. Pour fabriquer cet accessoire, prenez un tasseau de 4 cm de côté, de la hauteur de la pièce, ainsi qu'un morceau de bois plat de 60 cm de longueur (une chute de lame de parquet, par exemple) que vous fixerez sur l'extrémité du tasseau. Pour atteindre le plafond en toute sécurité, et facilement, votre tête se trouvant à environ 15 cm, servez-vous de la partie basse d'un échafaudage, ou de planches d'échafaudage reposant sur deux escabeaux ou des caisses de bois solides.

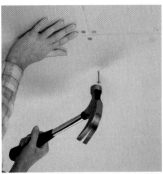

Clouez comme indiqué pour l'habillage de l'ossature d'une cloison, p. 241.

Lorsque toutes les plaques ont été clouées sur les solives, bouchez les joints qui subsistent entre elles (voir p. 244).

(voir p. 239)

DÉPOSER UN VIEUX PLAFOND

Avant de commencer, videz la pièce au maximum et collez du papier adhésif autour des portes, des ouvertures de placards, de tiroirs.

Faites un trou dans le plafond avec un marteau, puis décollez les vieilles plaques avec un levier. Vous pouvez aussi faire tomber le plâtre et les lattes en les martelant, à moins que vous ne cassiez les lattes au fur et à mesure que vous avancez. Arrachez les clous ou enfoncez-les complètement dans les solives. Pour avoir moins de poussière, mouillez les lattes et le plâtre avec un rouleau à peinture ou un pulvérisateur.

Réparations de plafonds et corniches

Les plafonds aujourd'hui sont souvent en plaques de plâtre, mais on trouve encore des plafonds en plâtre sur lattis dans des maisons anciennes. Les fissures et les trous de ces deux types de plafond peuvent se réparer comme ceux des murs (p. 235).

FISSURES AU POINT DE RENCONTRE MUR-PLAFOND

La façon la plus simple de boucher des fissures entre mur et plafond consiste à poser une baguette (moulure décorative). Pour fixer cette baguette, prenez de la colle ou du mastic spécial selon le matériau constitutif de la baguette. Enfin, on peut utiliser un ruban couvre-joint (calicot), posé sur la

fissure et recouvert d'un mélange spécial pour joint ou d'un enduit de remplissage.

Choisissez de préférence des produits à base de gel de cellulose.

TRAITER UN BOMBEMENT DANS LE PLAFOND

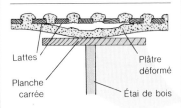

Lattes

Planche carrée

Plâtre déformé

Étai de bois

Dans les plafonds en lattes et plâtre, le plâtre se déforme parfois et se détache du lattis pour former un bombement marqué.

Essayez de repousser le plâtre déformé dans sa position normale en utilisant pour cela un carré de contre-plaqué ou d'aggloméré cloué sur un étai de bois (voir plus haut).

Pour recoller le plâtre déformé, il faudra accéder par le dessus par le grenier ou en soulevant les lames du parquet dans la pièce du dessus (voir p. 269).

Nettoyez à l'aspirateur la surface entre les solives correspondant au renflement. Faites couler sur cette

aire du plâtre pratiquement liquide (voir p. 235). Ce plâtre devrait recoller le plafond au lattis et remplacer les parties de plâtre cassées ou déplacées.

Laissez l'étai en place jusqu'au séchage complet du plâtre. Si cette méthode ne donne pas de bons résultats ou si vous ne pouvez accéder au plafond par le dessus, enlevez le plâtre décollé et réparez-le avec une plaque de plâtre (voir p. 237).

Un plafond qui présente des renflements sur une grande surface devra être démoli et refait.

RESTAURER UNE CORNICHE

Une vieille corniche est souvent surchargée. Si la corniche a été peinte avec une autre peinture, il faudra vous servir d'un décapant.

1 Enlevez les couches accumulées de badigeon en détrempant d'abord une petite surface avec de l'eau chaude projetée au pulvérisateur pour plantes d'appartement. Répétez cette opération durant une demi-heure.

2 Enlevez la peinture avec un vieux tournevis, en faisant attention de ne pas abîmer la mouluration.

3 Retirez au pinceau le badigeon décollé.

RÉPARER UNE CORNICHE ABÎMÉE

Si des morceaux de la corniche se sont détachés, on peut souvent faire une réparation avec du plâtre à modeler. Mélangez ce plâtre avec de l'eau pour obtenir une pâte épaisse. N'en préparez que peu à la fois parce qu'il durcit en 3 minutes environ. Humectez la surface de la corniche, puis servez-vous du plâtre pour remodeler la moulure en procédant par petites couches et en utilisant une gouge ou un petit couteau pour refaire les détails.

CHOIX D'UN REVÊTEMENT POUR UN MUR OU UN PLAFOND

Des matériaux variés peuvent être utilisés à la place du papier peint ou des carreaux de céramique pour recouvrir murs et plafonds. Certains sont décoratifs et pratiques et servent à recouvrir un matériau isolant ou des équipements (tuyaux, etc.) ou à masquer des murs inégaux ou rugueux.

Ne cherchez jamais à masquer de cette façon des traces d'humidité. Cherchez et réparez-en la cause (p. 424) et laissez sécher complètement le mur ou le plafond avant de poser le revêtement. Vous trouverez dans ce tableau différents matériaux susceptibles de vous aider.

MATÉRIAUX	DESCRIPTION ET UTILISATION	DIMENSIONS TYPES	AVANTAGES ET INCONVÉNIENTS
Plaques de plâtre	Voir p. 239. Utilisées à la fois comme matériau de construction et substitut de plâtre, ainsi que pour l'habillage d'un isolant. Il existe de nombreux types correspondant à des usages différents.	Longueur : de 2 m à 3,60 m — Largeur de 0,60 à 1,20 m — Épaisseur : 9,5 à 12,5 mm.	Ces plaques peuvent constituer une couche de plâtre de finition ou être tapissées ou peintes, mais les joints doivent être égalisés et bouchés. Un revêtement de plaques de plâtre sur des tasseaux aura une épaisseur (4 cm environ) qui permet le montage et démontage des supports et des équipements électriques.
Panneaux muraux décoratifs en plaques	Panneaux de fibres dures ou, plus cher, contre-plaqué, avec un côté façonné ou lisse. Ce côté peut être du papier, du placage de bois, un vinyle ou un laminé imperméable. Sur les panneaux de fibres dures, un motif peut être émaillé au four. Panneaux utilisés dans les cuisines et les salles de bains. Les motifs carrelage sont demandés car ces panneaux sont meilleur marché, plus légers et plus rapidement fixés que des carreaux de céramique.	Longueur : 2,50 m — Largeur : 1,22 m — Épaisseur : 3 mm (panneaux de fibres dures) ou 5 mm (contre-plaqué).	Ces panneaux peuvent être collés sur le mur avec un adhésif si la surface du mur est tout à fait plane, ou fixés et cloués sur des tasseaux de bois, ou logés dans un cadre de plastique ou d'aluminium. Les panneaux doivent être préparés avant la pose (p. 247). Couper ces panneaux pour les assembler est difficile à réaliser proprement. Les équipements électriques devront être déplacés et remontés.
Lambris de bois ou à joint en « V »	Frises étroites qui s'ajustent dans le sens de la longueur, en général rainées et bouvetées. Utilisées pour recouvrir murs et plafonds. Les frises sont en bois plein, le plus souvent en bois tendre ou reconstituées avec une face en placage de bois, de plastique ou de papier façonné. On peut également acheter ce lambris en bois dur.	Longueur : 2,40 m à 3 m — Largeur : 10 cm ou 9,5 cm avec une surface utile de 9 cm — Épaisseur : 10 à 13 mm.	Les planches sont clouées, agrafées ou vissées sur des tasseaux. Préparez-les aux mesures de la surface à recouvrir (p. 249). Réservez un espace pour la ventilation entre mur et lambris dans les pièces où il y a de la condensation. Démontez les équipements électriques ; vous pourrez les dissimuler sous le lambris.
Lambris de P.V.C.	Planches étroites, blanches, creuses, en plastique, similaires au lambris de bois. Particulièrement indiquées pour murs et plafonds de cuisines ou de salles de bains. Revêtement qui peut être utilisé à l'extérieur. Des moulures assorties sont disponibles.	Longueur : 2,33 m — Largeur de couverture : 100 mm — Épaisseur : 10 mm.	Ces lambris sont fixés sur des tasseaux avec des attaches invisibles selon les instructions du fabricant. Des moulures de P.V.C. peuvent être utilisées pour une finition nette des joints et des angles. L'entretien est simple : on les nettoie avec un chiffon humide.
Carreaux de brique	Carreaux faits de terre cuite, d'agrégat ou de plastique pour imiter la brique. Utilisés pour des revêtements décoratifs. Existent en différents motifs, selon la pose des briques (p. 428). Des carreaux taillés en « L » sont disponibles pour les angles sortants. On peut les poser à l'extérieur, mais ils doivent être protégés avec une couche de produit hydrofuge.	Longueur : 2,15 m — Largeur : 65 mm — Épaisseur : 13 mm.	Les carreaux se posent sur le mur avec le produit adhésif recommandé par le fabricant ou avec du mortier. Des joints de même épaisseur doivent être respectés et doivent être dans le même alignement horizontal. Les carreaux de terre cuite peuvent être coupés avec un coupe-carreaux ou une griffe ; les autres sortes avec un coupe-matériaux électrique.
Pierre	Carreaux faits de pierre reconstituée pour simuler la pierre naturelle. Utilisés pour des revêtements décoratifs de murs posés en lits réguliers comme des briques ou en mosaïque (p. 428). On peut se procurer des formes irrégulières pour les motifs de bordure. Ce revêtement peut être utilisé à l'extérieur, mais doit être recouvert d'une couche de produit hydrofuge.	Longueurs : 30 cm/23 cm et 15 cm — Largeur 15 cm ou Longueurs : 20 cm/15 cm — Largeur 10 cm — Épaisseur : 15 mm.	Les pierres sont collées sur le mur avec le produit adhésif recommandé par le fabricant, ou avec du mortier sable ciment (p. 446). La surface du mur doit être plane. Les rangées faites avec des pierres de tailles régulières doivent être horizontales. Les pierres peuvent être coupées avec une scie à pierre ou un coupe-matériaux électrique.
Carreaux de liège	Carrés de liège de faible épaisseur, dans une présentation naturelle ou recouverts d'une couche d'un produit étanche et lavable. Utilisés pour des revêtements muraux décoratifs, partout où l'on désire des couleurs et une texture naturelles.	30 cm × 30 cm — Épaisseur : 3 mm	Le mur doit être tout à fait plan. Les carreaux constituent un isolant phonique et thermique. Laissez-les dans la pièce à laquelle ils sont destinés 24 heures avant la pose, pour les conditionner à l'ambiance. Ne conviennent pas pour des cuisines ou salles de bains, à moins d'être résistants à la vapeur. À proscrire près d'une source de chaleur.
Plaques de polystyrène expansé	Carreaux légers, de plastique blanc, unis ou avec motifs imprimés utilisés pour des plafonds. Peuvent être joints avec une émulsion. Les types récents sont ignifugés et présentent moins de risques que les types anciens, mais évitez de les poser près de sources importantes de chaleur (par exemple au-dessus d'un chauffe-gaz situé à moins de 1,20 m).	30 × 30 cm ou 60 × 60 cm — Épaisseur : 10 mm.	Collées au plafond avec un produit adhésif spécial ou avec un produit recommandé par le fabricant. Ces plaques constituent un moyen bon marché et facile pour cacher des imperfections et procurent une isolation thermique et phonique.
Carreaux de fibres compressées et carreaux de plastique	Des plaques de fibres, avec une face blanche (quelquefois perforées) ou des plaques de plâtre plus fibres. Peuvent être unies ou à motifs imprimés. Certains types s'emboîtent avec rainures et languettes. Ils sont beaucoup plus lourds que le polystyrène expansé et sont le plus souvent utilisés dans des cadres de plafonds suspendus.	30 × 30 cm ou 60 × 60 cm — Épaisseur : 13 mm ou 19 mm.	Les plaques carrées sont fixées avec le produit adhésif recommandé par le fabricant. Celles qui s'emboîtent se fixent sur une ossature avec des crampons invisibles ou des clous. À la différence des plaques de plâtre, ces carreaux peuvent être posés d'une seule main. Ils constituent une bonne isolation phonique et peuvent être aussi parfois décoratifs.

Déplacer les équipements électriques

Dans les pièces que l'on a l'intention de revêtir de plaques de plâtre ou de lambris fixé sur une ossature de bois, les interrupteurs et les prises de courant doivent être au préalable démontés, puis remontés.

Avant de déposer tout équipement électrique, coupez le courant.

Si vous avez à déplacer une prise de courant ce sera une bonne occasion pour remplacer une prise simple par une prise double ou triple si nécessaire. Ou encore en profiter pour placer une prise supplémentaire sur le parcours du câble.

ÉQUIPEMENTS ÉLECTRIQUES ENCASTRÉS

La plupart des interrupteurs ou des prises de courant sont encastrés.

Seul, le couvercle est apparent sur la surface du mur tandis que la boîte de montage est dissimulée dedans. Dans les murs qui doivent recevoir de nouveaux revêtements, ces boîtes doivent donc être rapprochées du nu extérieur pour que les connections terminales soient toujours enfermées.

Si vous avancez la boîte, remplissez le vide laissé derrière elle avec des cales de bois et fixez-la solidement avec des vis traversant ces cales et aboutissant dans des chevilles enfoncées dans la maçonnerie d'au moins 25 mm (voir p. 228).

Il faudra peut-être renforcer, avec des tasseaux, les bords du trou découpé dans le revêtement pour recevoir la boîte de montage. Celle-ci est généralement équipée de tenons séparables pour une fixation dans des plaques de plâtre.

ÉQUIPEMENTS ÉLECTRIQUES EN SAILLIE

Si un interrupteur ou une prise de courant est placé en saillie avec

seulement un trou pour l'entrée du câble dans la boîte de montage, prévoyez également un cadre en tasseaux autour du trou permettant de visser la boîte. Percez le revêtement pour passer le câble.

Si l'interrupteur doit être placé sur un cadre ouvert, remplacez ce cadre par une boîte de montage pour enfermer, en toute sécurité, les connections terminales et ainsi éviter tout risque d'incendie.

ÉQUIPEMENTS ÉLECTRIQUES AU PLAFOND

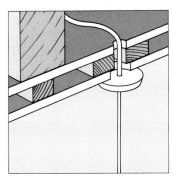

Un éclairage électrique au plafond peut être traité de la même façon. La rosace sera remontée sur le revêtement et vissée sur un cadre de tasseaux entourant la sortie du câble. La rosace peut être largement déplacée, avant que le câble ne soit tendu et les connections assujetties. Si le câble est trop court, intercalez une boîte de raccordement et du câble supplémentaire (voir p. 366).

DISSIMULER UN INTERRUPTEUR

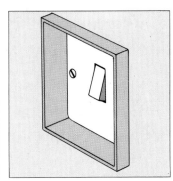

Si vous posez du lambris, les interrupteurs et les prises peuvent être laissés en place et seulement encadrés d'une baguette de telle sorte qu'ils se trouvent dissimulés dans un renfoncement.

ATTENTION !
Ne déplacez pas une prise ou un interrupteur en tirant sur le câble et en le refixant sur le revêtement sans déplacer aussi la boîte de montage. Ce serait en contradiction avec les directives de sécurité car les connections terminales se trouveraient dénudées et pourraient être la cause d'incendie.

Localisation de solives dans un sol ou un plafond

Le bâti de bois qui constitue une cloison ou le revêtement d'un plafond doit être fixé sur de solides solives. Celles-ci sont des madriers parallèles de 6 cm d'épaisseur minimale posés perpendiculairement d'un mur à l'autre. Espacées de 40 à 60 cm en général, elles peuvent ne l'être que de 35 cm pour un plafond de grenier.

LOCALISER LES SOLIVES DU SOL

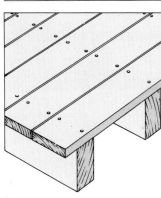

Vous trouverez la position des solives en repérant les alignements de clous qui fixent les lames du parquet. Celles-ci sont toujours perpendiculaires aux solives.

LOCALISER LES SOLIVES À PARTIR DU DESSUS DU PLAFOND

À partir de l'étage supérieur, il suffit de marquer leurs positions au travers du plafond. Servez-vous d'un

poinçon pour transpercer le plafond de chaque côté d'une solive, aux deux extrémités. Mesurez la largeur d'une solive et la distance entre elles. Marquez, à ses extrémités, la position d'une autre solive, au travers du plafond. Du dessus, joignez les marques pour connaître la position des premières solives, puis mesurez et marquez la position des autres. Pour avoir un marquage rapi-

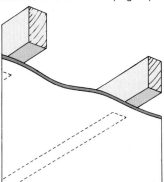

de, servez-vous d'un cordeau tendu et enduit de craie (voir p. 131).

LOCALISER LES SOLIVES À PARTIR DU DESSOUS DU PLAFOND

Dans un rez-de-chaussée, il vous faut trouver les solives à partir du dessous du plafond.

Dans le cas d'un plafond en plâtre sur lattis, on peut utiliser un détecteur de métal (à louer dans un magasin de bricolage) pour rechercher les solives à partir de la sous-face. La lampe témoin du détecteur s'allume quand on passe celui-ci sur du métal, une tête de clou par exemple. On pourra donc repérer l'emplacement des tuyaux métalliques ou du câblage électrique passant le long des solives.

Toujours à partir de la sous-face, il est possible de détecter les solives, en tapotant le plafond. Un

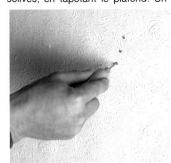

son plein devrait correspondre à un madrier. Contrôlez avec un poinçon. Avec cet outil, faites ensuite une série de trous le long d'une solive et marquez la ligne correspondante au cordeau. À partir de cette ligne, vous pourrez, en mesurant, marquer les autres solives et contrôler au poinçon.

Doublage d'un mur de plaques de plâtre

Si un mur plein a perdu son enduit, vous pourrez le recouvrir « à sec » avec des plaques de plâtre plutôt que d'essayer de l'enduire à nouveau. Les plaques seront clouées sur un bâti de bois fixé au mur. Vous pourrez, si vous le désirez, interposer un matériau isolant dans le bâti avant de placer les plaques de plâtre. Un mur plâtré peut être recouvert à sec dans le but de dissimuler des défauts de tuyauterie ou d'y fixer un matériau isolant. Les plaques « thermiques » qui ont un doublage de polystyrène isolant peuvent être fixées directement sur le mur, à condition que celui-ci soit plan. Elles y sont maintenues collées et clouées à l'aide de fixations spéciales (voir p. 228). Un bâti de bois est obligatoire pour une surface présentant des irrégularités. Il doit être monté de telle façon que le mur soit redressé.

CALCUL DU NOMBRE DE PLAQUES NÉCESSAIRES

Mesurez la hauteur du mur de chaque côté et ne tenez compte que de la plus grande. Mesurez également la largeur au sol et au

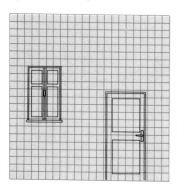

plafond. À partir de ces mesures, tracez à l'échelle, sur du papier millimétré, un plan du mur. Puis portez-y la position des portes, fenêtres ou autres ouvertures non recouvertes de plaques. Marquez la largeur des plaques sur le dessin. Si les largeurs ne s'ajustent pas de façon précise, repositionnez les plaques pour que de petites largeurs (chutes) puissent être utilisées exactement à chaque extrémité. Prévoyez des morceaux de plaque pour le dessus des portes ainsi que pour le dessus et les allèges des fenêtres.

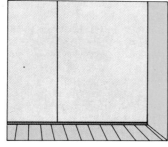

Il n'est pas nécessaire que les plaques soient de la hauteur exacte du mur ; on laisse d'habitude un interstice d'environ 25 mm à la base pour tenir compte de la dilatation. Ce vide sera recouvert par la plinthe.

Si la hauteur du mur dépasse considérablement la longueur d'une plaque, décalez les panneaux en plaçant alternativement un panneau long sur le haut du mur, puis un panneau court, de façon que les joints horizontaux ne concordent pas.

Il est préférable de fixer les plaques verticalement. Mais elles peuvent être fixées horizontalement si cela convient mieux aux dimensions du mur.

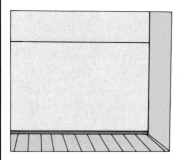

Lorsque vous aurez décidé de la position des panneaux complets ainsi que des morceaux de raccord, vous pourrez totaliser la quantité nécessaire pour le mur. Si vous avez plus d'un mur à couvrir, procédez de même pour chacun d'eux.

FIXATION DES TASSEAUX SUR LES MURS

Enlevez tout ce qui se trouve sur le mur (supports de cadres ou de tringles à rideaux par exemple que vous remettrez en place par la suite). Tous les interrupteurs et les prises de courant devront être avancés (p. 245) et il faudra probablement déposer aussi les moulures encadrant fenêtres et portes pour les replacer sur le revêtement.

Dans le cas d'un mur plâtré, n'y touchez pas si le plâtre est sain, mais enlevez au burin et au marteau toutes les bosses.

Si l'enduit est crevé ou s'il se détache du mur, enlevez-le complètement.

Le premier travail consistera à déterminer la partie la plus saillante du mur pour mettre le bâti de bois au niveau de cette partie.

Outils : crayon ou craie, fil à plomb, triple mètre métallique à ruban, marteau et tournevis, scie égoïne, scie à guichet, mèches et vrilles, établi portable, cutter, mèche à fraiser, mèche à béton.

Matériaux : tasseaux sciés de 2,5 × 5 cm de section, traités avec un produit de protection pour le bois, clous pour maçonnerie ou chevilles à enfoncer au marteau (voir p. 228), dont la longueur sera supérieure d'au moins 1 cm aux épaisseurs additionnées du tasseau et du plâtre (s'il y a lieu), morceaux de panneaux de fibres dures pour servir de cales, plaques de plâtre et clous pour plaques (voir p. 239). Matériau isolant et semences, punaises ou adhésif.

1 Posez un tasseau sur chant, contre la base du mur et marquez-en l'épaisseur sur le sol avec le

crayon. La ligne devra se prolonger sur toute la largeur du mur.

2 Prenez un tasseau d'une longueur égale à la hauteur du mur et posez-le à plat, verticalement, à une des extrémités du mur.

3 Servez-vous d'un niveau à bulle ou d'un fil à plomb pour vérifier la verticalité du tasseau. Déplacez-le le long du mur et marquez sur le sol chacun des points situés en dehors de la ligne horizontale tracée en « 1 ».

4 En prenant comme repère la marque du tasseau vertical la plus éloignée du mur, tracez un second trait sur le sol, parallèle au premier.

5 En utilisant un fil à plomb et un tasseau, reportez au plafond la seconde ligne tracée au sol.

RECHERCHE DU POINT LE PLUS SAILLANT DU MUR

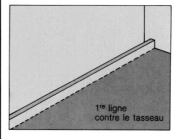

1re ligne contre le tasseau

1er trait : appuyez un tasseau à plat contre le mur et tirez un trait sur le sol le long du bois.

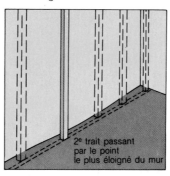

2e trait passant par le point le plus éloigné du mur

2e trait : déplacez le tasseau vertical sur le mur, faites une marque sur le sol, à chaque fois qu'il se trouvera en dehors de la première ligne. Tracez une deuxième ligne, parallèle à la première, passant par les marques les plus éloignées. La

différence qui pourrait exister entre les deux lignes parallèles au sol sera probablement minime (quelques millimètres).

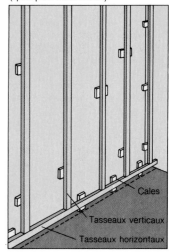

Cales
Tasseaux verticaux
Tasseaux horizontaux

Ajustage des tasseaux : fixez sur le mur un tasseau horizontal, juste au-dessus du sol, en utilisant des cales pour l'aligner avec le 2e trait. Prenez un fil à plomb pour reporter ce 2e trait sur le plafond et comme pour le bas, placez un tasseau en haut du mur. Puis fixez les éléments verticaux, en alignement de ceux du sol et du plafond. Utilisez des cales si nécessaire.

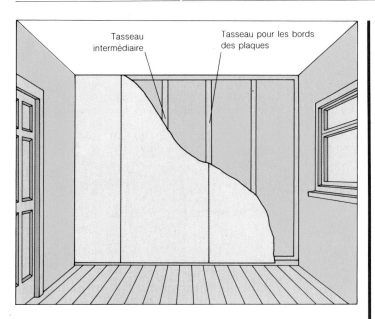

Tasseau intermédiaire

Tasseau pour les bords des plaques

6 Utilisez des clous de maçonnerie ou des chevilles à clou (à enfoncer au marteau) tous les 0,60 m environ, pour clouer un tasseau horizontal à la base du mur, à 2,5 cm au-dessus du niveau du sol.

Pour le clouer au bon emplacement, alignez l'arête extérieure du tasseau sur le 2e trait tracé au sol, en plaçant des cales du bois contre le mur si nécessaire.

7 Fixez de la même manière un tasseau en haut du mur.

8 Vérifiez au fil à plomb que les deux tasseaux horizontaux sont bien alignés. Ajustez le tasseau supérieur si nécessaire.

FIXATION DES TASSEAUX VERTICAUX

1 En vous guidant sur votre plan à l'échelle, tirez des lignes sur le mur, aux endroits où les plaques doivent se rejoindre. Les axes des tasseaux verticaux devront correspondre aux lignes de jonction des plaques.

2 Marquez la position des tasseaux verticaux intermédiaires, situés à égale distance des tasseaux d'extrémité.

3 Coupez les éléments verticaux, pour qu'ils s'ajustent entre les deux tasseaux horizontaux.

4 Fixez d'abord aux endroits marqués les tasseaux d'extrémité. Avant d'enfoncer complètement les clous, vérifiez, au fil à plomb, l'aplomb de chaque tasseau et son alignement avec les traverses du haut et du bas. Posez des cales d'épaisseur si nécessaire.

5 Si tout est conforme, finissez d'enfoncer les clous (ou autres fixations).

6 Placez de la même façon les tasseaux verticaux intermédiaires en les clouant.

7 Encadrez les fenêtres et les ouvertures des portes. Assurez-vous de leurs alignements vertical et horizontal.

8 Clouez de petites longueurs de tasseaux autour des interrupteurs ou des prises, pour le vissage des plaques extérieures.

9 Si vous désirez accrocher des objets lourds, posez des tasseaux supplémentaires aux points d'ancrage. Précisez leur position en traçant un trait horizontal sur le tasseau et les montants voisins.

10 Si vous désirez mettre un matériau isolant sous le revêtement, placez-le maintenant et clouez-le entre les tasseaux (placez un petit morceau de carton sous la tête du clou). Vous pouvez également utiliser un produit adhésif, ou le bloquer entre les tasseaux si ce sont des plaques rigides ou semi-rigides.

FIXATION DES PLAQUES DE PLÂTRE SUR LE BÂTI

Coupez les plaques (p. 239) à des dimensions telles qu'il subsiste un vide de 15 mm environ entre la base de la plaque et le sol. Clouez les plaques sur les tasseaux, avec des clous spéciaux de la façon indiquée précédemment, p. 241. Bouchez ensuite les interstices entre les plaques (voir p. 240).

Panneaux décoratifs en doublage

Il y a trois façons de recouvrir un mur avec des panneaux décoratifs :
— les fixer directement sur le mur avec un produit adhésif ;
— les fixer par l'intermédiaire d'un bâti plastique ou métallique ;
— les fixer sur un bâti bois.

Pour des panneaux hydrofuges destinés aux salles de bains, on utilisera le système le plus répandu : profilés de P.V.C. ou d'aluminium. Les panneaux s'encastrent dans les profilés qui sont cloués, vissés ou collés sur le mur.

Avec un bâti de bois, les plaques sont généralement collées sur les tasseaux. Mais elles peuvent être clouées avec des pointes adéquates si les motifs de la plaque permettent de recouvrir les têtes d'un enduit ou si les rainures entre les carrelages permettent de masquer le clouage.

Préparez le bâti de bois pour les panneaux, de la même façon que

pour le revêtement en plaques de plâtre (voir p. 246), mais prenez des tasseaux sciés de 2 × 4 cm. La plinthe peut rester en place et servira d'appui aux panneaux décoratifs. Calculez le nombre de panneaux nécessaires de la même façon que pour le revêtement de plaques de plâtre, mais laissez un interstice de 5 mm pour la dilatation en haut et en bas.

On peut recouvrir d'un quart-de-rond l'interstice laissé au-dessus d'une plinthe (voir p. 149). Choisissez des bandes de panneaux de faible largeur pour finir les angles.

PRÉPARATION ET COUPE DES PANNEAUX DÉCORATIFS

Quel que soit le procédé de fixation que vous allez utiliser, les panneaux décoratifs doivent être préparés avant d'être fixés sur le mur. Humidifiez le dos des panneaux de

bois (et non de contre-plaqué) avec de l'eau claire. Il vous faudra un peu plus d'un litre pour un panneau de 2,44 × 1,22 m.

Posez deux panneaux de bois humide ou de contre-plaqué sec, dos à dos, sur une surface plane, dans la pièce où ils seront fixés et laissez-les ainsi durant au moins 48 heures. Sinon les plaques pourraient se dilater sur le mur, ce qui aurait pour conséquence des renflements et des déformations.

Avant de couper les panneaux, assurez-vous bien de l'exactitude des mesures. Aux endroits où le panneau butera sur le plafond ou le mur adjacent, il faudra en tracer les contours. Aux endroits où un panneau coupé vient buter sur un autre, il faudra que la coupe soit bien rectiligne pour donner un joint correct (bien que sur un panneau avec impression le joint puisse être bouché à l'enduit).

Pour faire la meilleure coupe possible, fixez un tasseau sur le panneau avec des serre-joints et servez-vous-en comme guide. Si vous coupez à la scie égoïne (p. 152), travaillez sur le panneau face dessus et sciez en course descendante pour ne pas endommager la surface.

Si vous coupez à la scie électrique (voir p. 153), travaillez au contraire le panneau face vers le sol.

Après la coupe, égalisez les bords avec du papier de verre fin, roulé autour d'une pierre à poncer.

COLLAGE DES PLANCHES DÉCORATIVES SUR UN MUR

La surface du mur doit être plane. Si elle est légèrement inégale, la méthode décrite pourra tout de même procurer une bonne adhérence, si l'intervalle entre le mur et

Panneaux décoratifs en doublage (suite)

le panneau n'est pas supérieur à 5 mm.

Arrachez la vieille tapisserie et la vieille peinture (voir p. 99-101) et assurez-vous que le mur est propre et sec. Si le plâtre est neuf, il faudra attendre au moins deux mois jusqu'à ce qu'il soit dur et sec. Sur des surfaces absorbantes telles que les briques ou le plâtre, passez d'abord au pinceau un fixateur de fond.

Outils : crayon de charpentier, bâton de craie, fil à plomb, mètre à ruban, équerre, règle de 5 mm d'épaisseur, pistolet à mastic, scie à fine denture, papier de verre fin et bloc à poncer. Peut-être également mèche, vrille, scie égoïne.
Matériaux : frises décoratives et cartouches de colle-mastic du type Néoprène.

1 Travaillez à partir du plan (voir estimations p. 245) que vous aurez tracé à l'échelle, mesurez et marquez la position des frises. Utilisez le fil à plomb pour marquer un pointillé vertical que vous tracerez définitivement avec l'équerre. Laissez un vide d'environ 5 mm en haut et en bas du panneau.

2 Numérotez la position de chaque élément sur le mur.

3 Coupez les planches aux mesures voulues (voir p. 151) en reportant au crayon, devant et derrière, le numéro de la position de chacune d'elles sur le mur.

4 Pour réaliser des découpes pour des interrupteurs ou des prises de courant, relevez et marquez soigneusement leurs positions sur les planches (voir p. 151). S'il s'agit d'un trou de forme spéciale, faites d'abord un gabarit en carton.

5 Choisissez l'endroit où vous fixerez la première planche (le long d'une porte ou d'une fenêtre pour une hauteur totale ou un angle, mais de toute façon, faites des repères à l'endroit voulu). Appliquez l'adhésif sur le mur aux endroits marqués, en cordon continu le long des bords verticaux de la planche. Encollez ensuite, entre les bandes verticales, en longs pointillés horizontaux, en laissant des intervalles de 1,5 cm entre les points de colle, les bandes horizontales étant distantes de 40 cm environ.

6 Avec le fil à plomb, vérifiez si les planches sont bien verticales.

7 Pour réserver un vide d'environ 5 mm à la base, posez un tasseau de bois de cette épaisseur sur le sol, le long du mur (s'il n'y a pas de plinthe), et calez chaque planche verticale sur cette baguette avant de la coller.

8 Appuyez fortement la planche sur le mur à la place marquée, en la poussant en place avec votre poing (ne pas mettre de colle sur la face externe de la planche).

9 Retirez la planche du mur. Une partie de la colle y aura adhéré, ce qui donnera un assemblage solide et rapide.

10 Posez la planche sur sa face externe et laissez-la ainsi 10 à 20 minutes, jusqu'à ce que la colle commence à sécher.

11 Lorsque la planche est prête, remettez-la en place. Une fois l'assemblage réalisé, on ne peut plus rectifier la position. Poussez-la fortement à sa place, comme vous l'aviez fait précédemment.

12 Après un laps de temps de 15 min. environ, appuyez à nouveau sur toute la surface de la planche.

13 Continuez à placer des planches de la même manière pour couvrir la totalité du mur à habiller.

14 Ajustez une moulure (voir p. 148-149) sur le vide laissé au-dessus de la plinthe.

CLOUER DES PLANCHES SUR UN BÂTI DE BOIS

Placez les clous tête d'homme à 15 mm des bords environ. Commencez par planter un clou à mi-hauteur, puis vérifiez au fil à plomb que la planche est bien verticale avant de clouer le bord opposé. Enfoncez les clous en commençant toujours par le milieu de la hauteur pour éviter toute déformation. Utilisez un petit chasse-clou. Couvrez les têtes avec un point de pâte à bois de coloris assorti.

RECOUVRIR UN MUR AVEC DES BRIQUES DÉCORATIVES

Des briques très plates sont collées sur un mur intérieur en rangées simulant un assemblage de briques et rejointoyées de la même façon que les murs de briques, ou laissées telles et peintes par la suite.

Enlevez la plinthe et préparez la surface du mur comme vous le feriez pour une décoration quelconque. Passez un fixateur de fond sur le mur, en suivant les instructions du fabricant portées sur le contenant. Lorsque vous aurez choisi votre motif, posez deux ou trois rangs de briques plates sur le sol et assortissez les teintes.

Pour savoir combien de briques plates seront nécessaires pour une rangée, préparez une « pige » à l'aide d'un tasseau sur lequel vous porterez les marques correspondant à la pose : 22 cm pour les briques, 1 cm pour chaque joint. Placez le tasseau horizontalement sur le mur et reportez-y les joints préalablement tracés. Sur un autre tasseau, faites des marques distantes de 65 mm (une largeur de brique plus un joint de mortier). Placez ce tasseau verticalement sur le mur (vérifiez l'aplomb au fil à plomb) pour savoir combien il vous faudra de hauteur de briques.

Si la hauteur ne comporte pas un nombre exact de rangées, vous laisserez un petit interstice au pied du mur. Pour cela, posez un tasseau plat en guise de base pour le premier rang (éventuellement, calez-le pour le mettre de niveau). Une autre solution consiste à partir avec un rang de briques plates debout. Mesurez avec soin et portez sur le mur une

Briques « debout »

ligne horizontale qui représentera le haut du premier rang. Il faudra certainement recouper certains éléments. Il est aussi possible de jouer sur la largeur des joints pour arriver à un nombre de rangées entières.

Fixation des panneaux sur le mur

Utilisez une spatule ou une truelle à joint pour la colle. Vous pourrez vous servir de baguettes de 1 cm entre chaque rang et garnir ensuite ces joints au mortier. Ou alors, vous pourrez faire des joints verticaux au mortier, au fur et à mesure de la pose, et finir le joint horizontal avant de commencer un autre rang. Vérifiez fréquemment avec un niveau à bulle l'horizontalité des rangs. Utilisez la pige pour vérifier que la partie supérieure de chaque rang est à la bonne hauteur.

Si vous utilisez du mortier, finissez de jointoyer (voir p. 434) lorsque le mortier commence à durcir. Lorsqu'il est complètement sec, brossez la surface pour enlever les bavures.

Préparer un mur pour poser des lambris

MODES D'ASSEMBLAGE DES FRISES

Frises à moulure « grain d'orge »
Lorsque l'assemblage rainure-languette est réalisé entre deux frises, une saignée en forme de « V » reste visible à chaque joint. La largeur de la surface couverte par une planche est, en général, de 9 cm.

Frises à « grain d'orge » et méplat
Frises du même genre ; après assemblage, les lambris paraissent être séparés par une languette. Ces frises ont la même taille, et la largeur couverte par chaque élément est sensiblement la même.

Double lambris
La face apparente est moulurée sur les bords et au centre (grain d'orge avec méplat ou mouchette) ce qui donne l'impression d'un lambrissage à lames étroites. La planche est plus large que les autres types, 12 cm pour une largeur couverte de 11 cm.

Frises à mouchette
Ce décor est le plus couramment rencontré. Après assemblage, une fine moulure demi-ronde sépare les parties planes des lambris. Les largeurs utiles les plus courantes sont de 7, 8 ou 9 cm. Il est possible d'assembler, sur un même mur, plusieurs largeurs de lambris de façon aléatoire pour rompre la monotonie d'un espacement trop régulier.

Planches à double rainure
Chaque lambris comporte une rainure sur chant des deux côtés. Leur fixation se fait uniquement avec des clips. Les lambris sont reliés entre eux par des languettes de bois à emboîter dans des rainures, ce qui permet de varier les effets décoratifs. Existe en pin et autres bois massifs ou encore en aggloméré surfacé ou plaqué. Diverses largeurs sont disponibles.

Les lambris ou frises (voir p. 244) sont longs et étroits et, la plupart du temps, assemblés sur leur longueur. Il existe différents types d'assemblages (voir croquis).

Ils sont fixés sur des tasseaux scellés au mur ou au plafond, et perpendiculaires aux frises.

Les lambris existent en diverses qualités. Les plus courants, en pin, sont classés de A à E selon qu'ils sont sans défaut, sans nœud ou au contraire très noueux et même déformés ou gercés. Ces lambris existent aussi avec une face apparente teintée et vernie en usine. Cette présentation autorise la création de décors personnalisés en mariant divers coloris.

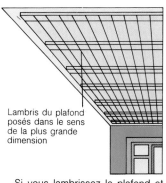

Lambris du plafond posés dans le sens de la plus grande dimension

Si vous lambrissez le plafond et un mur, commencez par le plafond.

Si vous disposez les lambris suivant la longueur de la pièce, celle-ci paraîtra plus grande.

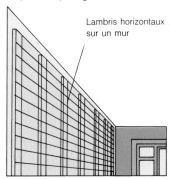

Lambris horizontaux sur un mur

Disposés horizontalement sur un mur, ils feront paraître la pièce plus longue et verticalement, ils la feront paraître plus haute.

ACHAT ET PRÉPARATION DES PLANCHES

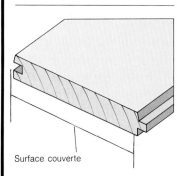

Surface couverte

Calculez le nombre de planches nécessaires de la même manière que pour les plaques de plâtre,

mais souvenez-vous que la largeur apparente des planches est plus grande que la largeur réelle après la pose, à cause de l'encastrement de la languette. Pour une seule pièce, prenez toute la surface en une fois et assurez-vous qu'ils sont bien similaires. En effet, des caractéristiques comme les nœuds ou les veines du bois peuvent varier d'un paquet à l'autre.

Achetez-les environ 3 semaines avant et stockez-les à plat dans la pièce où ils seront posés. L'humidité interne des planches s'équilibrera avec celle de la pièce et diminuera les risques de disjonction par contraction du bois.

FIXATION DES TASSEAUX AU PLAFOND

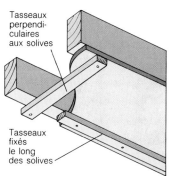

Tasseaux perpendiculaires aux solives

Tasseaux fixés le long des solives

Utilisez des tasseaux en sciage de 24 × 24 ou 24 × 30 mm, traités avec un produit insecticide et fongicide. Vissez-les à plat contre le plafond sur les solives et utilisez des vis à têtes fraisées. Les vis doivent être assez longues pour pénétrer d'au moins 25 mm dans les solives.

Si vous souhaitez poser vos planches perpendiculairement aux solives, placez les tasseaux en les alignant sur l'axe des solives. Fixez les tasseaux à des intervalles de 40 à 60 cm.

Servez-vous d'une équerre pour vérifier que les angles du plafond sont bien droits. Si tel n'était pas le cas, utilisez un cordeau imprégné de poudre bleue, pour marquer des traits au plafond qui vous serviront de repères pour positionner les extrémités des tasseaux.

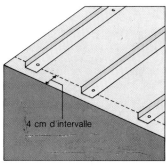

4 cm d'intervalle

Ne placez pas l'extrémité des tasseaux directement contre le mur, car vous auriez des difficultés pour y clouer les planches. Laissez un intervalle de 4 cm environ.

Préparer un mur pour poser des lambris (suite)

Lorsque vous ajustez des tasseaux successifs, servez-vous d'un mètre

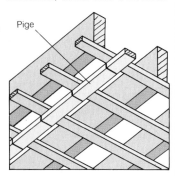

Pige

pour vérifier que chaque tasseau est bien parallèle au voisin.

Vérifiez avec une règle tenue perpendiculairement à deux tasseaux qu'ils sont au même niveau et, au besoin, posez des cales.

Si un tasseau descend trop bas, à cause d'un bombement du plafond, il faudra le raboter pour le mettre au niveau des autres.

FIXATION DE TASSEAUX SUR UN MUR

Utilisez des tasseaux en sciage de 4 × 2 cm de section, traités contre les parasites. Fixez-les sur le mur avec des chevilles enfoncées au

marteau ou des vis à têtes fraisées et des chevilles (p. 228). Posez les tasseaux à intervalles de 40 à 50 cm pour des frises de 1 cm d'épaisseur, ou à intervalles de 50 à 60 cm pour des planches de 12 à 15 mm d'épaisseur.

Les fixations devront être assez longues pour pénétrer d'au moins 25 mm dans le mur.

Pour des frises posées verticalement, fixez les tasseaux horizontalement.

Pour être sûr d'avoir une surface plane et nivelée pour le revêtement, trouvez le point le plus saillant du mur (voir p. 245), à partir duquel vous tracerez sur le sol ou sur la plinthe une ligne qui servira de guide pour vérifier le bon nivellement des tasseaux verticaux.

Ajustez ceux-ci de la façon indiquée page 245, à : « Recouvrement d'un mur à sec... ». Lorsque vous aurez à poser des tasseaux horizontaux, vérifiez avec un niveau que chaque tasseau est bien horizontal.

Vérifiez également que toutes les surfaces des tasseaux sont bien au même nu. Pour cela, prenez un niveau ou un fil à plomb dont vous laissez aller la pointe sur la ligne marquée.

COMMENT ÉTABLIR UNE VENTILATION

Dans les cuisines et les salles de bains, où la condensation est forte, il faut laisser l'air circuler derrière les lambris.

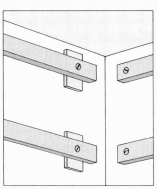

Posez des cales de bois ou de contre-plaqué mince, derrière les tasseaux horizontaux pour écarter ces derniers du mur. Laissez également une ouverture en haut et à la base du lambrissage. Avec des tasseaux verticaux, un courant d'air s'établit automatiquement si vous avez pris la précaution de laisser une fente de 3 mm en haut et en bas du lambris.

Dans les cuisines et les salles de bains, posez, de préférence, des frises verticalement pour éviter que l'eau ne puisse stagner

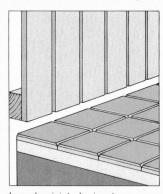

dans des joints horizontaux.

Arrêtez le lambrissage légèrement au-dessus d'un plan de travail dans une cuisine pour éviter des remontées d'humidité et laissez au moins 25 mm (ou davantage) au-dessus d'une baignoire.

Le lambrissage d'un plafond peut être coupé court de façon à laisser un vide tout autour permettant la dilatation du bois et la ventilation.

Recouvrir un mur avec des lambris de bois

Laissez un petit vide de 3 mm environ entre les planches et le mur. Cela permet la dilatation de la planche et c'est nécessaire partout où une ventilation s'impose (voir ci-dessus). Si la ventilation n'est pas indispensable, les fentes peuvent être recouvertes d'une moulure, d'une baguette ou d'un quart-de-rond (voir p. 149) selon votre choix.

Rapprochez les équipements électriques du parement, si nécessaire (voir p. 245), ou laissez-les en place et habillez leur pourtour de telle sorte qu'ils se trouvent encastrés dans le lambris.

Si vous ne pouvez arrêter le lambris aux abords d'une cheminée ou d'un chauffe-eau, protégez de toute façon les bords des frises avec une bande métallique, par exemple.

Lorsque vous posez le lambris horizontalement sur le mur, commencez par la base.

Outils : niveau à bulle, règle d'acier, mètre à ruban métallique, marteau, chutes de frises, maillet.

Si possible également : scie sauteuse électrique, tournevis, chasse-clou avec une tête fine, rabot, pige faite faite d'un tasseau sur lequel vous aurez reporté les largeurs de deux ou trois planches ajustées, équerre, paire de tenailles.

Matériaux : frises, clous, attaches, vis ou colle pour panneaux (voir à droite). Également moulure (p. 149) et pâte à bois.

FIXER LES FRISES SUR LES TASSEAUX

Vissées

Procédé utilisé en général seulement pour fixer les planches non assemblées, mais indiqué aussi partout où il faudra démonter les planches pour accéder à un équipement dissimulé sous le lambris. Utilisez des vis de 30 mm à têtes rondes ou fraisées.

Clouées

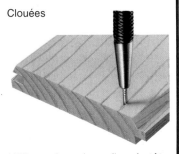

Utilisez des clous fins à tête d'homme ou des agrafes pour pan-

neaux de 3 cm de longueur. Placez-les à 3 cm maximum du bord. Enfoncez-les verticalement et servez-vous du chasse-clou. Laissez la tête du clou au niveau de la surface ou légèrement enfoncée puis recouvrez-la de pâte à bois.

Les clous dont la tête reste apparente peuvent être disposés de façon à former un motif régulier.

Clouées
invisiblement

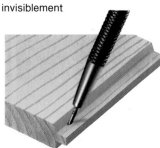

C'est un procédé de clouage tel que les clous fixant le lambris ne peuvent être vus. Il ne convient que pour les planches comportant rainures et languettes. Utilisez des clous fins à tête d'homme ou des agrafes à panneaux.

Utilisez le chasse-clou lorsque la tête du clou atteint la planche, puis enfoncez le clou jusqu'à ce que, seule, sa tête affleure. Si le clou est trop enfoncé, vous risquez de faire éclater la languette.

Posez et clouez des frises verticales avec la languette à votre

droite, si vous êtes droitier, la languette à gauche si vous êtes gaucher. Posez et clouez les frises horizontales avec la languette vers le haut.

Les premières frises en contact avec le mur (verticales ou horizontales) ne pourront qu'être clouées de façon apparente.

Fixation par clips

Ces clips métalliques s'ajustent dans la rainure de la planche et se clouent sur les tasseaux. La planche suivante cache le clip lorsque sa languette est en place dans la rainure. La dernière planche d'une rangée devra être clouée visiblement ou collée. Il existe différents modèles de clips. Certains conviennent spécialement pour les dernières planches du revêtement. Utilisez clips et clous inoxydables partout où existent des risques de condensation.

Lorsque vous désirez clouer de façon invisible des frises minces (du pin par exemple), percez un avant-trou dans la planche pour éviter de faire éclater la languette. Un chasse-clou magnétique sera d'une aide précieuse, spécialement lorsque vous travaillerez en plafond.

Lorsque vous aurez commencé à enfoncer un clou en biais dans une languette, protégez celle-ci en utilisant une chute que vous aurez découpée pour le passage de la pointe ; ainsi, vous risquerez moins de faire éclater la languette, et de devoir tout recommencer.

Ajustez cette planchette sur la languette, autour du clou que vous enfoncez.

FRISES AUTOUR DE PORTES ET FENÊTRES

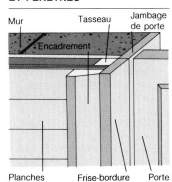

Mur — Tasseau — Jambage de porte — Encadrement — Planches — Frise-bordure — Porte

Enlevez les encadrements des portes et des fenêtres (voir p. 252). Ajustez un tasseau vertical le long d'un jambage, en laissant assez de place pour pouvoir poser une frise en bordure permettant de couvrir le tasseau et les extrémités des planches horizontales. Vous pouvez

éventuellement choisir une frise-bordure assez large pour déborder la surface lambrissée et vous donner un appui sur lequel l'encadrement viendra se positionner. Faites de même autour des fenêtres.

Pour habiller de lambris un encadrement de fenêtre dans un mur épais, assemblez les angles extérieurs selon l'une des méthodes décrites (voir croquis de droite).

FIXATION DE PLANCHES SUR LES TASSEAUX D'UN MUR OU D'UN PLAFOND

1 Placez le premier lambris perpendiculairement aux tasseaux du mur ou du plafond à environ 5 mm de l'angle formé avec le mur adjacent. Si vous utilisez des clips pour la fixation, rabotez la languette et placez le côté raboté contre le mur. Sinon, ajustez sur le mur le côté rainuré.

2 On devra vérifier au niveau la verticalité de toutes les premières frises. Pour les frises horizontales, utilisez également le niveau.

3 Clouez la première latte à chaque intersection avec un tasseau horizontal de l'ossature.

4 Prenez la deuxième lame et mesurez la distance séparant l'extrémité inférieure de la première lame posée et le sol. Diminuez cette cote de 1 cm et sciez la deuxième latte.

5 Posez ensuite la chute de cette latte à côté de la première. Au fur et à mesure, clouez ces lattes (voir 3). Mesurez alors la distance séparant l'extrémité inférieure de cette seconde latte et le sol, puis sciez une troisième latte.

ABOUTER DES FRISES LONGITUDINALES

Les frises sont habituellement de longueur suffisante pour être utilisées entières dans le sens de la longueur pour le revêtement vertical des murs.

Quand elles sont placées au plafond ou sur des murs, mais horizontalement, les frises doivent être butées en bout l'une contre l'autre. Quand vous avez à placer de cette façon deux frises, recoupez les extrémités à l'équerre si nécessaire et faites la jonction sur une solive.

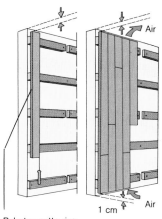

Air

1 cm — Air

Rabotez cette rive pour qu'elle épouse la forme d'un mur adjacent

6 Posez la chute de cette troisième latte près du plafond, à côté de la latte n° 2, et préparez-vous à assembler la quatrième latte...

ASSEMBLAGE DES FRISES DANS LES ANGLES

On procédera de différentes façons selon la nature de l'angle : rentrant ou sortant (pour un manteau de cheminée, par exemple).

Angles rentrants

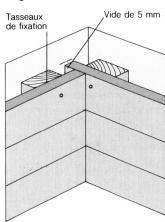

Tasseaux de fixation — Vide de 5 mm

Pour un lambrissage horizontal, placez un 1er rang de frises le long du mur, en laissant un intervalle de 5 mm avec l'extrémité de la planche. Posez les autres frises de la même manière, puis celles du mur à l'équerre, en les faisant buter

Tasseaux de fixation — Vide de 5 mm

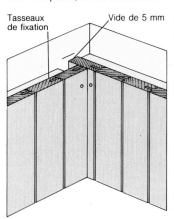

sur les planches déjà en place (voir p. 149). Même méthode pour le lambrissage vertical.

Angles sortants

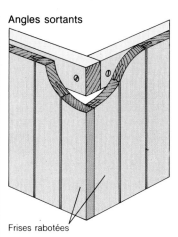

Frises rabotées

Pour assembler des frises verticales en angle sortant, vous pouvez les raboter sur un côté, pour enlever languette ou rainure et ensuite les faire buter à angle droit.

Une autre méthode consiste à masquer l'angle avec une moulure.

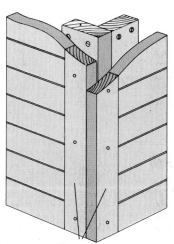

Tasseaux verticaux

Pour un lambrissage horizontal, ajustez sur l'angle sortant des tasseaux verticaux, et vous y clouerez les frises.

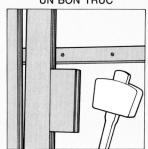

Si une frise oppose de la résistance pour se mettre en place, martelez-la doucement avec un maillet, en interposant une chute entre la frise elle-même et le maillet. Placez la rainure de la chute sur la languette de la frise que vous ajustez.

Évitez de poser et d'assembler trop étroitement des lambris dans des cuisines ou des salles de bains, car l'humidité va provoquer le gonflement et la dilatation du bois.

Déposer et reposer des plinthes

Les plinthes de bois s'enlèvent normalement d'un mur, mais cette opération peut être difficile si elles ont été vissées ou clouées directement dans la maçonnerie. Si vous désirez remettre en place la même plinthe, il faudra évidemment l'enlever avec davantage de soin que si vous la remplaciez.

ENLEVER UNE PLINTHE

Outils : pince arrache-clou, chutes de contre-plaqué pour servir de coins. Également : marteau et burin, lame de scie, tournevis.

1 Si du plâtre fait saillie sur le dessus de la plinthe, enlevez-le au burin.

2 Si vous ne remplacez qu'une partie de la plinthe, regardez si la planche à enlever est recouverte par une autre dans un angle rentrant. Dans ce cas, enlevez la planche qui chevauche partiellement l'autre. Vous pouvez aussi commencer à décoller la plinthe à un angle sortant, à l'endroit où elle bute sur le cadre de la porte.

3 Tenez le levier près de son extrémité recourbée et insérez la lame derrière la plinthe, puis placez une chute de contre-plaqué derrière la pince, pour protéger le mur.

4 Détachez la plinthe du mur et insérez un coin. Déplacez le levier d'un mètre et continuez de la même façon, jusqu'à ce que toute la plinthe soit détachée.

5 Si la plinthe est difficile à détacher, placez un coin pour maintenir une ouverture, regardez derrière la plinthe et vérifiez les fixations.

6 Si la fixation est une vis, sondez doucement la face externe de la plinthe pour trouver la tête de la vis (probablement recouverte d'enduit). Dévissez-la, si vous le pouvez, sinon coupez-la derrière la plinthe avec un marteau et un burin ou une lame de scie.

7 Si la plinthe est clouée, vous pouvez la déclouer à l'aide du levier, mais vous risquez de l'endommager. Si vous désirez la refixer, coupez le clou de la même manière que la vis.

8 Si vous la réutilisez, chassez les clous par l'arrière pour éviter de l'abîmer.

RAJUSTER UNE PLINTHE

Le plâtre descend rarement jusqu'en bas d'une plinthe. Lorsque vous désirez en changer, choisissez-en une de la même largeur, pour éviter d'avoir à reprendre le plâtre. Vous pouvez également augmenter la hauteur de la nouvelle plinthe en y ajoutant une moulure (voir p. 143). Si la nouvelle plinthe n'arrive pas au nu du plâtre ou du revêtement existant, il faudra poser une cale de bois derrière pour l'amener à l'épaisseur voulue.

Si le plâtre atteint le sol, fixez la plinthe avec vis et chevilles, en traversant le plâtre pour aboutir dans la maçonnerie. Passez au préalable une couche de produit fongicide au dos de la plinthe. Taillez les angles si nécessaire (voir à droite). Avant de refixer la plinthe, posez-la à plat sur le sol et reportez sur le devant la position des points de fixation, pour pouvoir clouer plus facilement.

Replacez la pointe en utilisant si possible les anciens points de fixation.

DIFFÉRENTS TYPES DE FIXATION

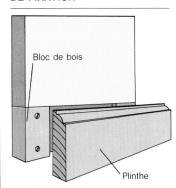

Bloc de bois

Plinthe

Les plinthes peuvent être collées avec une colle-mastic de type Néoprène, clouées ou vissées.

Un système assez répandu consiste en un morceau de planche appelé base. Ces bases sont clouées ou vissées sur le mur à des intervalles variant de 45 à 60 cm.

Fixez-les avec des clous ou avec des vis et chevilles.

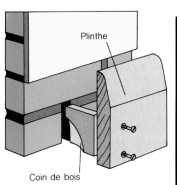

Plinthe

Coin de bois

Un autre système est constitué d'un coin de bois appelé « tampon ». Si un tampon de bois est endommagé, enlevez-le en vous servant d'une grande vis que vous y aurez d'abord placée. Servez-vous d'elle comme d'une poignée et sortez le coin de son logement en vous aidant d'un levier ou d'un marteau à panne fendue. Il faudra que vous fassiez un nouveau coin.

FAIRE UN TAMPON

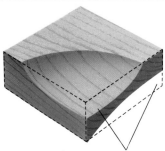

Coins opposés et retaillés

Utilisez du bois traité pour faire un nouveau coin aux dimensions de l'ancien. Évidez au rabot les angles opposés, comme montré sur le croquis, pour obtenir un creux dans le coin qui aidera à le tenir fermement pour le mettre en place.

RETAILLER LES COINS D'UNE PLINTHE NEUVE

Avant de fixer une nouvelle plinthe, retaillez les extrémités destinées à habiller des angles sortants ou rentrants. Si une plinthe vient buter sur un chambranle de porte qui n'est pas d'aplomb, mesurez et marquez l'angle à couper en biseau.

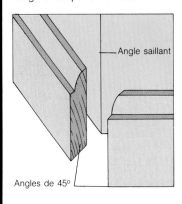

Angle saillant

Angles de 45°

Pour un angle saillant, coupez d'onglet les deux plinthes, pour

qu'elles se rencontrent à 45° (p. 161).

Pour un angle rentrant, la plinthe sera taillée pour qu'elle chevauche l'autre, comme décrit ci-dessous.

1 Ajustez une plinthe dans l'angle rentrant et clouez-la.

2 Présentez la deuxième plinthe qui vient buter à angle droit sur la première et tracez son profil sur l'extrémité de la première plinthe.

3 Retirez du mur la première plinthe et enlevez l'extrémité.

4 Ajustez les plinthes, la deuxième, non retaillée, venant buter dans l'angle et la première s'appliquant dessus.

> **VIDES SOUS LES PLINTHES**
> Un vide d'environ 5 mm entre la plinthe et le sol peut avoir son utilité si vous désirez y glisser de la moquette.
>
> Mais si le vide existe sous une plinthe nouvellement posée, parce que le sol n'est pas de niveau, clouez de la moulure quart-de-rond ou une moulure autocollante (p. 149) à la base de la plinthe contre le sol. Ne clouez pas la moulure sur les planches d'un parquet, parce qu'elles se dilatent et se contractent plus que les plinthes et qu'une autre fissure pourrait apparaître.

JUXTAPOSITION DE PLINTHES DROITES

Si vous devez juxtaposer deux plinthes droites, ne les faites pas buter l'une sur l'autre, à joints vifs. Mais aboutez-les, après avoir coupé d'onglet les deux extrémités que vous ferez chevaucher.

REMETTRE UNE PLINTHE SUR UN MUR CREUX

Une plinthe qui doit être posée sur un mur creux (une cloison ou un mur à revêtement sec) se fixe sur les montants et la semelle de l'ossature bois. Localisez les montants avec un détecteur à métal (voir p. 226). Clouez la plinthe en utilisant des clous de 65 mm.

RÉPARER UNE MOULURE SUR UNE PLINTHE

S'agissant d'une vieille construction, vous ne pourrez peut-être pas retrouver le même profil que celui de la plinthe ou du cadre à réparer.

Une moulure similaire, faite spécialement à la demande par un artisan, vous reviendra très cher. Vous pouvez exécuter ce travail vous-même avec une défonceuse ou une toupie si vous êtes équipé de ce

type d'outil. Si vous ne possédez pas ce matériel, vous pourrez le louer ou vous le procurer chez un professionnel.

Vous pourrez aussi remplacer une petite longueur de plinthe en fabriquant vous-même un grattoir avec une vieille lame de scie. Découpez l'extrémité de la lame pour lui donner le profil requis et coincez la lame entre deux morceaux de bois ou de contre-plaqué taillés en forme de «L», ce qui permettra de respecter un angle droit par rapport à la plinthe pendant la durée du travail. Passez ce grattoir, lentement, sur la pièce de bois choisie pour obtenir la moulure que vous désirez.

Si une petite section ou un ornement de moulure décorative est endommagé ou manquant, faites un moulage sur une partie intacte. Faites cette empreinte avec de la pâte à modeler spéciale ou un produit à moulage thixotrope. Après durcissement du moule, détachez-le et coulez dedans un mélange de résine avec durcisseur et poudre de bois. Ajustez ce moulage et collez-le en place. Faites les retouches avec de la pâte à bois.

Enlevez une moulure ou une cimaise en la détachant de la partie sur laquelle elle est fixée, au maillet et avec un large ciseau à bois.

Commencez au milieu, du côté le plus long, et déclouez doucement la moulure, en agissant d'un côté puis de l'autre. Placez des coins de bois dur entre le mur et la moulure dès qu'elle se soulève.

La trace laissée par une cimaise retirée peut être difficile à dissimuler si le plâtre n'est pas au même niveau en partie apparente et sous la cimaise.

Refixez des moulures, vieilles ou neuves, avec des clous très fins. Enfoncez la tête avec un chasse-clou et bouchez les trous avec une pâte à bois. Pour les moulures fines, utilisez des clous en acier autocassants. Enfoncez ces clous par petits coups de marteau puissants et brefs en maintenant le clou entre les doigts. Dès qu'ils sont enfoncés dans le support, cassez la partie non enfoncée par un coup de marteau en biais.

Mise en place d'une cheminée préfabriquée

La description des travaux qui va suivre suppose que la pièce dans laquelle vous voulez installer votre cheminée dispose d'un conduit de fumée. Il est préférable que le modèle que vous allez choisir ait un conduit qui s'arrête au niveau du plafond.

Choisissez votre cheminée en tenant compte de la position de ce conduit. En effet, si votre choix se porte sur une cheminée d'angle et que le conduit soit au centre du mur, vous ne pourrez pas, sans inconvénient, «traîner» les poteries de raccordement partant de la cheminée. Les coupes sont toujours délicates à réaliser, les angles trop fermés gênent inutilement le tirage; enfin, il faut supporter les éléments entre le départ et le raccordement sur le conduit.

Dans le cas suivant, la cheminée sera installée au milieu d'un panneau et raccordée verticalement à un conduit existant, dont la section est au minimum de 4 dm² et qui ne dessert que ce foyer.

D'autre part, les règles de sécurité font une obligation de doubler les cloisons légères sur lesquelles on adosse des cheminées à foyer ouvert. Il est conseillé de réaliser ce doublage en éléments de béton cellulaire assemblés au ciment-colle et dont l'épaisseur sera au minimum de 7 cm pour des cloisons de briques plâtrières ou de carreaux de plâtre, et de 10 cm pour des plaques de parement ou du bois.

Le modèle retenu comporte un emplacement de 10 cm destiné à recevoir ces éléments de béton cellulaire. Le vide éventuel de 3 cm (10 − 7) devra se situer à l'arrière du doublage.

Dans tous les cas, des instructions et des plans de montage précis et détaillés seront fournis avec le «kit» que vous achèterez. Les indications données ici n'auront volontairement qu'un caractère polyvalent et sont destinées à s'adapter à des modèles divers.

Outils : équerre métallique de maçon, fil à plomb, niveau à bulle, «cordex», crayon de charpentier, double mètre bois ou ruban, latte rectiligne et bien dressée, truelle de briqueteur, marteau, gros pinceau pour humidifier les matériaux, seau en caoutchouc ou en métal.

Matériaux : éléments de la cheminée, éléments de béton cellulaire, briques creuses, ciment fondu ou réfractaire, sable tamisé, ciment ordinaire, ciment-colle, plâtre à modeler, filasse.

1 En utilisant le fil à plomb, reportez sur le sol l'axe du conduit de fumée. Pour ce faire, vous placerez une des branches de l'équerre contre le mur, de façon que la seconde corresponde à la pointe du plomb. Avec le crayon, matérialisez la ligne déterminée par la branche de l'équerre perpendiculaire au mur. C'est à partir de cet axe que vous tracerez et installerez tous les éléments de la cheminée.

2 Définissez sur le sol l'emprise du soubassement avec une équerre, un double mètre, une règle et un crayon, et, dans ce périmètre, posi-

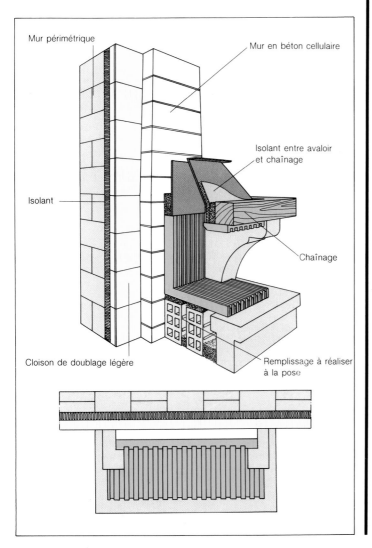

Mur périmétrique

Mur en béton cellulaire

Isolant entre avaloir et chaînage

Isolant

Chaînage

Cloison de doublage légère

Remplissage à réaliser à la pose

Mise en place d'une cheminée préfabriquée (suite)

tionnez très précisément l'arrivée ou les arrivées d'air frais, qui peut provenir soit du sous-sol ou du vide sanitaire, soit de la pièce voisine (à la condition que ne s'y trouvent pas de matériaux combustibles), ou encore, au travers de la cloison ou du mur d'adossement. Les gaines d'arrivée seront constituées de briques plâtrières de 5 cm d'épaisseur, sciées à la longueur nécessaire.

3 Montez ensuite les éléments du doublage au mortier de ciment-colle. Si le mur sur lequel est adossée la cheminée est suffisamment épais (plus de 15 cm), il n'est pas nécessaire de bâtir le doublage jusqu'au plafond, le fond de la cheminée suffira.

4 En tenant compte des arrivées d'air frais, remplissez l'espace entre plancher et dalle foyère de briques creuses et de mortier de ciment. Sur le blocage, vous dresserez une chape en ciment fondu pour recevoir la dalle.

5 Mettez en place les éléments constitutifs du foyer (dalle foyère, cœur et éventuellement contre-

cœur) avec du mortier de ciment fondu (un volume de ciment pour deux volumes de sable). Assemblez les jambages au ciment-colle. Ne posez pas d'élément à sec.

6 Positionnez ensuite l'avaloir sur les jambages et le fond du foyer. Il sera liaisonné avec les éléments sur lesquels il repose avec un mortier comme il est indiqué au point n° 5.

7 En avant de l'avaloir, placez le fronton. Il est préfabriqué en matériaux différents toujours adaptés au modèle de la cheminée. Il est destiné à assurer la protection de la poutre décorative en bois.

8 Suivent maintenent trois opérations importantes bien qu'elles soient imperceptibles :
a) le doublage de l'avaloir en laine de roche, pour permettre sa libre dilatation ;
b) le positionnement de la poutre-linteau avec ses encastrements dans la cloison d'adossement (rebouchage au plâtre) ;
c) le coulage du chaînage entre l'avaloir et la poutre-linteau (bois ou pierre) destiné à assurer la stabilité générale de l'ensemble et à protéger la poutre. Comme la poutre, il peut être ancré dans la cloison d'adossement si celle-ci le permet.
Il sera réalisé en plâtre à modeler et filasse ou en mortier composé comme indiqué précédemment à la séquence n° 5.
Nota : Dans le cas d'une poutre en pierre, le chaînage devra venir en surépaisseur de cette dernière d'environ 3 cm pour assurer une meilleure stabilité.
Au moment du coulage du chaînage, étayez le linteau de pierre

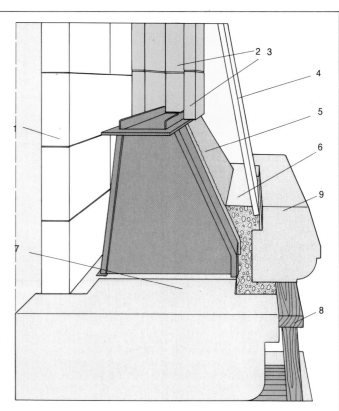

1. Mur de doublage. 2 et 3. Raccordement de l'avaloir au conduit en boisseaux de terre cuite. 4. Hotte en matériaux ininflammables. 5. Doublage de l'avaloir en laine de roche sur toute la périphérie. 6. Chaînage : en mortier (1/3 ciment fondu, 2/3 pouzzolane), en plâtre à modeler armé de filasse. 7. Bain de mortier destiné à liaisonner l'avaloir avec les éléments du foyer. 8. Support-étai sous le linteau et le fronton au moment du coulage du chaînage entre l'avaloir et la poutre-linteau. 9. Poutre-linteau en pierre.

et le fronton à partir du socle de la cheminée. Pour ce faire, utilisez une planche placée horizontalement sous les éléments à supporter que vous appuierez sur deux morceaux de latte assez longs pour cela, placés verticalement et réglés en hauteur par deux coins glissés sous leur pied.

9 Raccordez enfin l'avaloir au conduit par l'intermédiaire de boisseaux, en terre cuite de préférence, et de la section dudit avaloir. Si la hauteur ne permet pas l'utilisation d'un nombre exact d'éléments entiers, terminez avec un boisseau préalablement scié à la tronçonneuse. Si le conduit d'évacuation n'est pas de la section de l'avaloir, commencez comme indiqué ci-dessus et terminez avec des briques pleines de fumisterie.

Au niveau de ce raccordement, proscrivez tout angle vif et prévoyez au contraire une courbure sans discontinuité.

10 La hotte qui viendra habiller l'avaloir et le conduit que vous aurez construit devra être réalisée en matières ininflammables (staff, briques, plâtre, etc.).

RECOMMANDATIONS

● Avant d'installer votre cheminée, assurez-vous que le sol sur lequel vous la placerez est capable de supporter le poids total du modèle choisi.

Si ce sol est constitué de solives en bois supportant un plancher également en bois, il convient de l'isoler du foyer futur. Pour ce faire, la solution la plus simple consiste à couler entre les solives et à la place du plancher une dalle de béton, très légèrement armé pour la partie reposant sur la poutraison.

● Après la construction de votre cheminée, attendez environ 1 semaine avant de l'utiliser. N'y faites pas de grands feux au début, agissez progressivement pour ne pas soumettre l'ensemble à des chocs thermiques trop importants.

ISOLATION DE LA MAISON

ISOLATION THERMIQUE

L'isolation thermique des habitations est indispensable. Elle a pour objet de freiner la fuite des calories vers l'extérieur et de protéger la maison contre les atteintes atmosphériques (chaleur, froid, pluie). Elle débute par le choix des matériaux de construction, en tenant compte de leur prix, de l'isolation acoustique qu'ils procurent et de leur réaction au feu. Les différentes actions possibles ne sont liées à aucune forme d'énergie et s'appliquent à tous les éléments de la maison : murs, terrasses, toits, sols, ainsi qu'aux parties vitrées. Les matériaux isolants varient selon l'élément concerné.

Isolation par l'extérieur

Elle permet d'opérer une rénovation de la façade tout en la protégeant également contre le gel, l'eau de pluie ou l'ensoleillement. Cette méthode permet de bien corriger les ponts thermiques.

LES MURS

Diverses possibilités existent mais demandent le plus souvent l'intervention d'un professionnel qualifié. En outre, si 2 ou 3 cm d'isolant améliorent le confort d'un local, des épaisseurs plus importantes peuvent être nécessaires selon les zones géographiques d'implantation, les modes de chauffage ou la nature des murs. On distingue plusieurs méthodes.

Application d'enduits isolants

Des panneaux isolants, généralement des plaques de polystyrène expansé, éventuellement rainurées pour accroître l'accrochage de l'enduit, sont fixés au mur mécaniquement ou par collage au moyen d'un mortier-colle.

Ces plaques sont recouvertes d'un treillis de fibres de verre ou métallique (fixé mécaniquement dans ce cas). Ensuite, on projette dessus un enduit à base de ciment et de chaux, ou de résine synthétique (enduit de parement).

Cette technique doit être employée sur des murs secs, nettoyés, et dont les fissures ont été préalablement rebouchées.

Les bardages

Les bardages utilisés pour protéger les murs comprennent une ossature verticale fixée au mur qui supporte les éléments de parement (ardoises, bois, bardeaux, tuiles de terre cuite, pierres, mousse à haute densité de chlorure de polyvinyle avec des particules minérales...) adaptés à l'aspect architectural de la maison.

Entre cette ossature et la paroi, un matelas hydrofuge est fixé contre le mur.

Le matelas isolant est réalisé avec des panneaux de fibres minérales (laine de verre ou de roche) ou de matière plastique alvéolaire.

Entre le matelas isolant et le bardage, prévoyez une lame d'air cor-

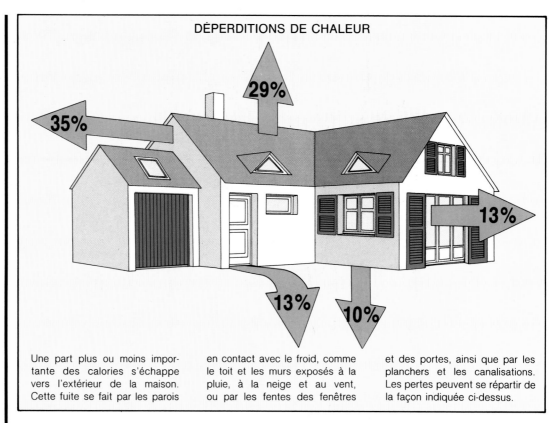

DÉPERDITIONS DE CHALEUR

29%

35%

13%

13%

10%

Une part plus ou moins importante des calories s'échappe vers l'extérieur de la maison. Cette fuite se fait par les parois en contact avec le froid, comme le toit et les murs exposés à la pluie, à la neige et au vent, ou par les fentes des fenêtres et des portes, ainsi que par les planchers et les canalisations. Les pertes peuvent se répartir de la façon indiquée ci-dessus.

respondant à un espace libre de 3 cm ; elle constitue une barrière évitant que l'eau n'atteigne l'isolant. L'évacuation de cette eau doit être prévue pour chaque obstacle horizontal qui empêcherait son passage à la base du bardage.

Autres méthodes

Il est possible d'employer une vêture faite d'éléments préfabriqués en usine. Elle est formée d'un isolant (polystyrène expansé moulé) et d'une plaque de parement (tôle, polyester armé, P.V.C.) chevillée au mur. On peut aussi appliquer, en plusieurs couches, des enduits isolants composés de mortiers additionnés de particules de matériaux isolants (vermiculite exfoliée, billes de polystyrène expansé...). Ces enduits sont deux fois moins efficaces que les isolants classiques et ne sont à recommander que comme compléments d'isolation.

LES TERRASSES

L'isolation d'une toiture en terrasse requiert l'intervention d'un spécialiste, d'autant plus que l'étanchéité de la toiture est soumise à une garantie décennale qui ne peut être accordée que par un professionnel. Deux techniques sont à retenir.

Isolation sur l'étanchéité

C'est le procédé de « toiture inversée », appliqué lorsque l'étanchéité est en parfait état. Il consiste à poser sur l'étanchéité existante des panneaux isolants en polystyrène extrudé spécial à bords feuillurés, pour assurer un recouvrement entre eux. Ces panneaux sont lestés d'une protection lourde, constituée en général de gravillons. Ces panneaux isolants, de 5 à 10 cm d'épaisseur, doivent être posés de la manière la plus jointive possible.

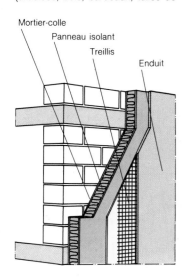

Mortier-colle
Panneau isolant
Treillis
Enduit

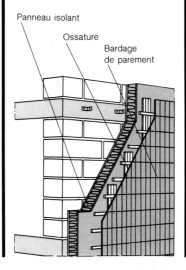

Panneau isolant
Ossature
Bardage de parement

Gravillons (protection lourde)
Isolant
Dallage
Étanchéité

Isolation sous l'étanchéité

Dans ce cas, la pose de l'isolant est combinée avec une rénovation de l'étanchéité. Les panneaux isolants (fibres minérales ou de polystyrène extrudé) sont placés sur un pare-vapeur, puis recouverts d'une ou plusieurs couches d'étanchéité. On installe ensuite une protection lourde en gravillons, ou bien un dallage si une circulation est prévue sur la terrasse.

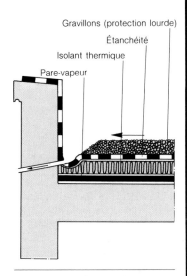

Gravillons (protection lourde)
Étanchéité
Isolant thermique
Pare-vapeur

LES REMONTÉES CAPILLAIRES

Elles se traduisent par des taches s'étendant à partir de la base des murs, sur une hauteur pouvant dépasser 1,50 m. Les travaux requis pour mettre en œuvre des procédés d'assainissement sont affaire de professionnels.

Pour arrêter ce phénomène, il faut éloigner les eaux des murs de soubassement extérieurs grâce à un drainage. Il est aussi possible de réaliser :

— **une chape en mortier hydrofuge** par des reprises en sous-œuvre.

Exécutez une saignée sur toute l'épaisseur du mur par tranches de 1 m de long. Remplissez de mortier fortement dosé et hydrofugé ou de mortier époxy (résine de synthèse). Cependant, ce travail est long et délicat et sa mise en œuvre peut s'avérer difficile pour certains matériaux. Il est préférable de n'employer cette technique que lorsque les autres solutions sont restées sans effet ;

— **l'injection d'un produit d'étanchement** dans la masse du mur. Ce produit spécial, soluble dans l'eau, rend étanche la maçonnerie en se polymérisant et crée ainsi une barrière continue contre les remontées capillaires.

Débutez l'opération à une hauteur située à environ 15 cm du sol extérieur, hors d'atteinte des eaux de rejaillissement. Percez des trous de 15 cm en quinconce à l'extérieur du mur (mais parfois aussi à l'intérieur), d'un diamètre de 40 mm environ, inclinés vers le bas de 30° environ et arrêtés à 5 cm du bord opposé du mur.

Les trous sont nettoyés et remplis de produit d'étanchement, par injection à haute pression, de manière que l'imprégnation des murs soit homogène. Pour être efficace, cette injection doit de préférence être faite quand le mur n'est pas gorgé d'eau, en période sèche. Pour des murs très épais, les injections seront effectuées des deux côtés de la paroi.

Afin d'être totalement efficace, la barrière étanche ainsi constituée doit être continue, sinon les remontées capillaires pourraient continuer à se produire à travers les zones non protégées.

La pose de siphons atmosphériques peut compléter les divers traitements. Il s'agit de petits tubes cylindriques en céramique ou en plastique poreux, scellés à espaces réguliers dans la maçonnerie à la base des murs, généralement à l'extérieur. Ils se chargent de l'humidité du mur et, après condensation, l'écoulent vers l'extérieur. Ce procédé n'est efficace que s'il est mis en place lors de la construction : les manques de contact entre les parois des drains et la maçonnerie nuisent à leurs performances théoriques.

LES INFILTRATIONS D'EAU

Commencez par vérifier s'il n'y a pas lieu de modifier la résistance à la pénétration des eaux de pluie des murs concernés : soit en créant une cloison de doublage intérieur (ce qui n'empêchera pas la dégradation des murs), soit en posant un bardage extérieur, soit encore en appliquant un produit de revêtement imperméable sur la face extérieure des murs.

Au préalable, le support doit être soigneusement préparé : brossage des mousses, des vieilles peintures poudreuses et des parties d'enduit non adhérentes, rebouchage des fissures. Cette préparation du support devra être exécutée conformément aux indications des fabricants de produits de traitement, et être choisie en fonction du support et des résultats attendus. Le traitement du revêtement se présente sous deux formes.

Traitement de surface

Il est utilisé lorsque les infiltrations d'eau sont dues à des défauts superficiels (faïençage de l'enduit, porosité du matériau).

Pour lutter contre la porosité des matériaux, on emploie des hydrofuges de surface, généralement incolores, comme les silicones, dont la fonction est d'imperméabiliser un support poreux sans en modifier la teinte. Toutefois, la longévité de ces produits est limitée à environ 5 ans.

On les classe en deux types principaux selon l'état du support à traiter :

— **les silicones en solution dans un solvant**, qui ont un bon pouvoir de pénétration dans les matériaux secs. Ce qui en exclut l'application sur mur humide ;

— **les siliconates en solution dans l'eau**, dont l'application provoque une réaction entre l'eau, le gaz carbonique de l'atmosphère et la chaux contenue dans le revêtement. Cette réaction a pour résultat de rendre le revêtement imperméable. Les siliconates ont une très bonne pénétration dans les supports humides, mais ils ne conviennent pas à toutes les

maçonneries et doivent être appliqués par temps sec, car une pluie survenant avant la fin des travaux activerait la réaction chimique mais en éliminant une partie du produit de traitement.

Les produits de traitement de surface s'appliquent en commençant par le haut du mur, en une ou deux couches, à l'aide d'une brosse, d'un rouleau ou encore d'un pistolet à peinture.

Revêtements d'imperméabilisation « élastiques »

Ce type de revêtements est à utiliser lorsqu'il existe des fissures non stabilisées dans le revêtement ou dans la maçonnerie.

À base de résines synthétiques, ils peuvent être renforcés par une armature en toile de verre et, dans ce cas, sont considérés comme des revêtements d'étanchéité car ils peuvent résister à des fissures dont l'ouverture dépasse 1 mm. Ils sont appliqués en deux couches, à la brosse ou au rouleau. En tout état de cause, il faut respecter les conditions d'application données par le fabricant, tant pour la préparation du support que pour les conditions de température ou d'humidité au moment de la mise en œuvre.

LES SOUS-SOLS

Les sols contiennent souvent de l'eau (ruissellement des eaux de pluie, eaux de rejet, rupture de canalisations), c'est pourquoi l'origine de l'eau et la nature du terrain déterminent la méthode à appliquer.

Lorsque le sous-sol est noyé ou risque de l'être parce qu'il est situé au niveau d'une nappe phréatique, il faut envisager le rabattement de cette nappe ou la réalisation d'un cuvelage étanche. Dans ce cas, il est impératif de confier la réalisation des travaux à une entreprise spécialisée.

Si le sous-sol est au-dessus de la nappe phréatique et si l'eau d'infiltration est une eau de circulation, il faut établir un diagnostic précis tenant compte de la pente du terrain, de la nature du sol et de l'origine de l'eau.

Ainsi vous pourrez, selon le cas, envisager l'une des solutions qui suivent.

Éloignement des eaux de ruissellement de la maison

Cette solution permet de protéger le sous-sol si le site s'y prête. Pour cela, vous réaliserez à proximité des murs de façade un dallage superficiel dont la pente de 1 à 2 cm/m dirigera l'eau vers des caniveaux et des bouches de collecte, elles-mêmes reliées à un réseau d'écoulement ou à un puits perdu. On peut ajouter sous ce dallage un isolant hydrofuge qui ne risque pas de se gorger d'eau.

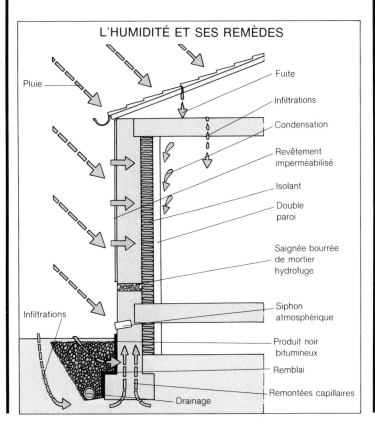

L'HUMIDITÉ ET SES REMÈDES

Pluie
Infiltrations
Fuite
Infiltrations
Condensation
Revêtement imperméabilisé
Isolant
Double paroi
Saignée bourrée de mortier hydrofuge
Siphon atmosphérique
Produit noir bitumineux
Remblai
Remontées capillaires
Drainage

Isolation par l'extérieur (suite)

Renforcement de l'étanchéité du sous-sol

Un mur de sous-sol de bonne qualité est construit en béton banché ou en blocs de béton soigneusement jointoyés. Un enduit au mortier de ciment appliqué côté terrain, badigeonné au moins deux fois de « produit noir », complète le dispositif. Un enduit imperméable à l'intérieur n'empêche pas l'eau de pénétrer dans le mur et de suinter.

Le produit noir est un produit à base de bitume qui, appliqué au rouleau, en deux couches croisées, améliore l'imperméabilisation d'une paroi.

Renforcement de l'étanchéité par l'extérieur

Elle se réalise avec un mortier de ciment, après dégagement du mur.

Le support doit être parfaitement nettoyé et débarrassé de toutes les particules non adhérentes. Avant l'application, il doit être humidifié, mais ne doit pas ruisseler.

1 Projetez à la truelle un «gobetis d'accrochage» de quelques millimètres d'épaisseur dosé à 600 kg de ciment par mètre cube de sable.

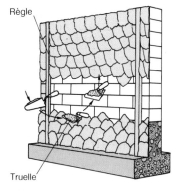

Règle

Truelle

2 Appliquez une première couche d'enduit de mortier dosé à 500 kg de ciment par mètre cube de sable. L'épaisseur de cette couche doit être de 1,5 cm environ. C'est ce que l'on appelle le corps d'enduit. La surface est simplement dégrossie et dressée entre règles.

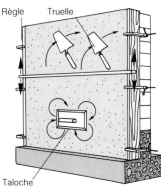

Règle   Truelle

Taloche

3 Une ou deux semaines après, appliquez une couche de lissage de 5 à 7 mm faite d'un mortier un peu plus faiblement dosé (400 kg de ciment par mètre cube de sable). Finissez à la taloche.

PRÉVENIR UNE RUPTURE DE CANALISATION

La rupture des canalisations d'assainissement à proximité des constructions est souvent due au tassement du sol. Afin de pallier ce genre de rupture, le remblai autour du bâtiment doit être exécuté avec soin ; la canalisation reposera sur un lit de sable bien damé. Un raccord par manchon avec joints de caoutchouc, de part et d'autre du mur, autorise un léger mouvement et limite les risques de cassure. Le principe est identique lorsqu'un regard se trouve à la jonction des canalisations intérieure et extérieure du bâtiment, le regard entraînant la canalisation.

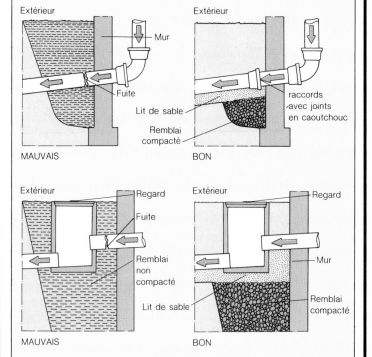

Extérieur — Mur — Fuite — MAUVAIS

Extérieur — raccords avec joints en caoutchouc — Lit de sable — Remblai compacté — BON

Extérieur — Regard — Fuite — Remblai non compacté — MAUVAIS

Extérieur — Regard — Mur — Lit de sable — Remblai compacté — BON

L'étanchéité de l'enduit à base de ciment peut· être améliorée par adjonction d'un adjuvant hydrofuge. En général, il s'agit d'un liant organique en poudre ou en granulés que l'on mélange dans l'eau de gâchage du mortier. Suivez les instructions du fabricant.

Vous pouvez aussi appliquer sur le mur dégagé par l'extérieur un revêtement en feuilles hydrofuges adhésives. Ces plaques collées jointivement sont surmontées d'un couvre-joint et sont posées jusqu'à la semelle de fondation afin d'amener les eaux vers le drain.

Le drainage

Les drains servent à éviter, en période pluvieuse, que le sous-sol soit noyé. Ils doivent par conséquent canaliser l'eau avant qu'elle ne pénètre dans les murs, en la transportant en un point où elle pourra s'écouler.

Le drainage est composé de tuyaux perforés protégés par un filtre. Il doit comporter des regards de visite aux changements de direction. La tranchée au fond de laquelle le drain est disposé sera creusée de manière que la canalisation, une fois posée, présente 1 cm/m de dénivellation entre le point de collecte et le point d'évacuation, qui devra pouvoir fonctionner en permanence.

Lorsque le drain est placé contre des murs du sous-sol fondés sur semelle, la canalisation doit être située entre le niveau du dallage du sous-sol et celui de la surface supérieure de la semelle de fondation. En aucun cas la semelle de fondation ne doit être dégagée.

Lorsque le drain est à une certaine distance du mur, le point bas pourra être situé au-dessous du niveau de fondation, si cela ne nuit pas à la stabilité de la construction.

Les regards de visite permettent la vérification du fonctionnement du drain et, éventuellement, son curage. Il existe des regards en éléments de béton préfabriqués superposables.

Le filtre, partie essentielle du drain, doit laisser passer l'eau et empêcher les éléments solides de venir boucher le tuyau de drainage. Il peut être réalisé en matériaux granuleux (sable, graviers, cailloux, pouzzolane), en disposant les éléments les plus fins à la partie supérieure de la tranchée. Il existe aussi

---

LES PONTS THERMIQUES

Les parois sont le plus souvent composées d'éléments hétérogènes, de nature différente, placés côte à côte. Chaque matériau ayant ses caractéristiques thermiques propres, il en résulte des variations locales d'isolation. C'est le cas de poutrelles de béton incluses dans la maçonnerie, de profilés métalliques ou de poutres en bois soutenant un plafond, d'appuis de fenêtre, etc. Les éléments moins isolants que la partie courante constituent des points faibles appelés ponts thermiques, qui laissent échapper des calories. Il convient d'y remédier en cherchant à assurer la continuité de l'isolation. Les traitements extérieurs (étanchéité, couvertures...) permettent d'en résorber la plupart.

Vous pourrez aussi agir en employant des isolants intégrés, hydrofuges et imputrescibles (polystyrène, polyuréthanne ; voir croquis ci-dessous).

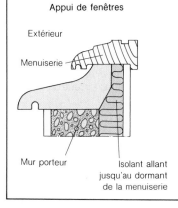

Appui de fenêtres

Extérieur — Menuiserie — Mur porteur — Isolant allant jusqu'au dormant de la menuiserie

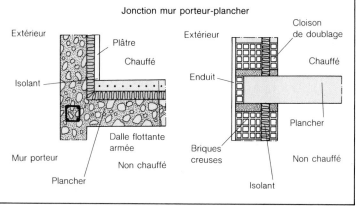

Jonction mur porteur-plancher

Extérieur — Plâtre — Chauffé — Isolant — Mur porteur — Plancher — Dalle flottante armée — Non chauffé

Extérieur — Cloison de doublage — Chauffé — Enduit — Plancher — Briques creuses — Isolant — Non chauffé

dans le commerce des textiles imputrescibles qui évitent la réalisation d'un filtre. Dans ce cas, le textile est amené à jouer le rôle de filtre enveloppe de manière continue le tuyau et les cailloux formant le drain.

Enfin, vous pouvez vous procurer des systèmes de filtres complets, préfabriqués, qui s'appliquent directement sur les parois enterrées avant la mise en place du remblai. Leur efficacité est variable selon les marques et les sols dans lesquels ils sont employés.

SYSTÈME DE DRAINAGE

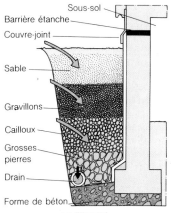

traditionnel

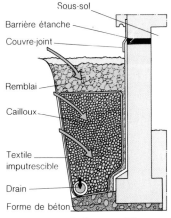

avec textile imputrescible

ISOLANTS TRADITIONNELS ET COMPOSITES

Isolants traditionnels

ISOLANTS			PAROIS À ISOLER				
Type	Densité kg/m³	W/m. ºC	Mur	Toiture sur combles	Combles perdus	Sol sur cave ou vide sanitaire	Dalle flottante
Fibres minérales	20 à 300	0,041	●	●	●		●
Polystyrène expansé moulé classes 1 - 2 - 3 - 4	10 à 30	0,039 à 0,044	●	●	●	●	●
Polystyrène thermocomprimé	12 à 35	0,036 à 0,041	●	●	●	●	●
Amiante (panneaux)	70 à 200	0,040 à 0,046	●				
Perlite expansée	45 à 100	0,050	●			●	
Polystyrène expansé extrudé	28 à 40	0,029 à 0,035	●			●	●
Verre cellulaire	120 à 140	0,050 à 0,055	●	●	●	●	●
Fibragglo	300 à 600	0,12 à 0,16	●			●	●
Vermiculite	65 à 125	0,042			●		
Mousse de polyuréthanne Plaques et blocs expansés en continu	30 à 60	0,029 à 0,033	●	●	●		●
Chlorure de polyvinyle	25 à 48	0,031 à 0,034	●	●	●	●	●
Mousse formo-phénolique	30 à 80	0,012 à 0,033	●	●	●	●	●

Isolants composites

COMPLEXE ISOLANT		PAROIS À ISOLER				
Isolant	Autres composants	Mur	Toiture sur combles	Combles perdus	Sol sur cave ou vide sanitaire	Dalle
Fibres minérales forte densité	Plaque de plâtre	●				
Polystyrène expansé moulé	Fibragglo	●			● (coffrage perdu)	● (coffrage perdu)
Polystyrène expansé thermocomprimé	Plaque de plâtre	●				
Mousse polyuréthanne	Au choix (plâtre, bois...)	●				
Mousse phénolique	Plaque de plâtre	●				
Plancher préfabriqué (isolant : polystyrène)	Poutrelles Dalle préfabriquée			●	●	●

Les matériaux isolants se présentent sous différentes formes et ont des caractéristiques variables qui les rendent plus ou moins adaptés aux éléments à isoler dans la maison.

Isolation par l'intérieur

Moins onéreuse et plus aisée à mettre en œuvre, l'isolation par l'intérieur peut venir en complément des constructions déjà, pourvues d'une isolation thermique répartie. C'est-à-dire de murs constitués de briques creuses spéciales avec de nombreuses alvéoles, de blocs de béton cellulaire ou encore d'agrégats expansés.

Quel que soit l'élément de l'habitation sur lequel une isolation thermique est appliquée, il ne faut pas oublier de remédier au préalable aux problèmes d'humidité (remontées capillaires, infiltrations, fuites), aux problèmes de condensation, de tenir compte des ponts thermiques, et d'utiliser le pare-vapeur. Les éléments rapportés isolants n'en seront que plus efficaces.

LES MURS

Les doublages isolants pour les murs sont de quatre types distincts :

Les panneaux simples
Ils sont réalisés en matériau rigide à feuillures, en polystyrène ou en polyuréthanne, ou bien encore en matériau semi-rigide composé de fibres minérales, et munis d'un pare-vapeur. Ils sont installés entre le mur et une contre-cloison (briques creuses, carreaux de plâtre ou autre matériau) construite devant cet isolant.

Dans ce cas, l'isolant doit être maintenu verticalement sur le mur soit par collage, soit par des fixations spéciales. Le pare-vapeur du matériau isolant est situé du côté du local chauffé. La continuité de ce pare-vapeur sera assurée par des bandes adhésives s'il est solidaire du panneau isolant, ou par des recouvrements suffisants s'il est séparé de l'isolant.

Il existe également des matériaux isolants à injecter ou à insuffler dans le vide entre le mur et la cloison de doublage. Cette solution est assez difficile à réaliser et, si vous souhaitez y avoir recours, il est préférable de vous adresser à un spécialiste.

Les épaisseurs d'isolants sont variables : en construction neuve, celles des doublages varient généralement de 5 à 10 cm. En construction ancienne, ces épais-seurs sont réduites pour ne pas diminuer la place disponible des pièces, mais elles ne devraient pas être inférieures à 3 cm.

Les panneaux sandwiches
Également produits en usine, ils sont pourvus d'un double parement et sont mieux adaptés à l'isolation des murs humides ou irréguliers. On les applique par vissage sur des tasseaux en ménageant une lame d'air de 3 cm.

Les panneaux composites
Ils sont fabriqués en usine et sont constitués d'une plaque, ou de carreaux, de plâtre sur laquelle a été collé un panneau d'isolant. Les plus répandus sont à base de polystyrène expansé, de fibres de verre,

Isolation par l'intérieur (suite)

Doublage (panneau de laine de verre de forte densité collé sur une plaque de plâtre) appliqué sur le mur.

de mousses polyuréthanne, phénoliques ou de P.V.C.

Ils doivent comporter un pare-vapeur collé sur la plaque de plâtre du côté du matériaù isolant.

Les compléments d'isolation

Sous cette appellation sont regroupés des matériaux isolants minces (3 à 6 mm) présentés en plaques ou en rouleaux. Ils sont constitués d'agglomérat de liège, de polystyrène expansé (avec ou sans doublage aluminium) ou de polystyrène extrudé, plus performant. Ils ne peuvent assurer une isolation poussée mais ils sont suffisants pour supprimer les effets de paroi froide (voir encadré ci-contre).

Ce type de matériau se pose par collage sur des murs sains, non poudreux et parfaitement plans. Ils reçoivent ensuite un parement.

LA CONDENSATION

Le phénomène de condensation se produit essentiellement à l'intérieur des locaux où l'air ambiant contient de l'humidité sous forme de vapeur d'eau invisible ; c'est le cas de la cuisine et de la salle de bains. Lorsque l'air se refroidit, cette vapeur d'eau se condense et se transforme en fines gouttelettes sur les murs et sur les vitres. Si l'eau se condense sur les murs, surtout dans les pièces où il n'y a pas d'émission de vapeur d'eau, c'est la preuve que ces murs sont mal isolés.

Afin d'y remédier, il faut ventiler les pièces en assurant le renouvellement de l'air. Vous réglerez également le chauffage pour équilibrer la température de l'ensemble de la maison.

Enfin, vous vérifierez l'isolation thermique des murs extérieurs et notamment s'il y a présence de ponts thermiques décelables par les «dessins» qui se forment sur les murs.

POSE D'UN ISOLANT MINCE

Outils : règle métallique, mètre, cutter, maroufle en plastique.
Matériaux : plaques en polystyrène extrudé, colle pour isolant, primaire d'accrochage.

1 Utilisez la colle pour isolant mural à raison de 300 g/m².

2 Affichez la plaque sur la surface encollée.

3 Découpez le joint par chevauchement des deux plaques.

4 Maroufez à la spatule en partant du centre vers les lisières.

5 Arasez au cutter le long des plinthes et au plafond.

6 Appliquez le primaire d'accrochage, indispensable avant tous travaux de décoration finale.

LES COMBLES

Pour l'isolation des combles habitables, n'oubliez pas de préserver la ventilation de la charpente et de protéger l'isolant par un pare-vapeur. En outre, choisissez une épaisseur d'isolant adaptée à votre région et assurez la continuité de la surface isolante.

Les rampants

L'isolation des rampants, ou sous-faces de la pente du toit, peut être conçue de plusieurs manières selon les matériaux choisis :
— avec des rouleaux de feutre isolant fixés sur la charpente entre et sur les chevrons. Le parement est réalisé ensuite avec des plaques de plâtre ou des panneaux de particules comportant éventuellement une face décorative ;
— avec des rouleaux de feutre isolant fixés sur la charpente entre les

chevrons et complétés par un doublage isolant qui fait office à la fois d'isolant et de parement ;
— avec des doublages de grande épaisseur fixés sur la charpente.

Les cloisons de redressement

Les cloisons de redressement peuvent être exécutées avec des plaques sandwiches analogues aux doublages de murs, formées d'un panneau isolant collé entre deux panneaux de particules. Ces cloisons, comme les doublages, doivent comporter un pare-vapeur, qui sera situé du côté du local chauffé. Vous les fixerez par vissage ou par clouage, sur une ossature en bois ou en métal.

Dans une habitation à combles perdus, l'isolation est effectuée au niveau du plancher du dernier étage. Veillez à la continuité de la surface isolante, prévoyez la pose d'un pare-vapeur, empêchez le déplacement de l'isolant et protégez-le contre les compressions et les chocs. Assurez-en aussi la ventilation. En général, il est possible de placer l'isolant sur le sol des combles.

Divers matériaux sont adaptés à ce genre d'isolation : le polystyrène expansé en granulés, la vermiculite en paillettes et les billes de verre soufflé... Déversez quelques sacs du produit sur le plancher ou entre les solives pour former une couche de plusieurs centimètres d'épaisseur qui sera aplanie à l'aide d'un râteau ou d'une planchette. La laine de roche en vrac est soufflée grâce à un appareillage approprié.

Vous pourrez utiliser des isolants vendus en rouleaux, telle la laine de verre ou la laine de roche, ou bien encore des panneaux de polystyrène ou de polyuréthanne auxquels il convient d'associer un parement coupe-feu en raison de leur mauvaise résistance au feu.

ISOLATION DES COMBLES HABITABLES

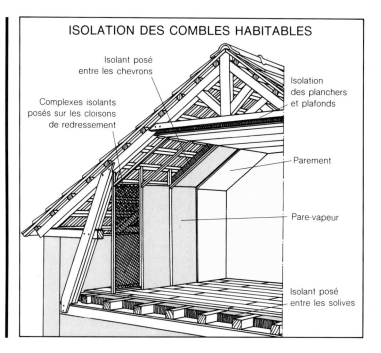

Isolant posé entre les chevrons

Isolation des planchers et plafonds

Complexes isolants posés sur les cloisons de redressement

Parement

Pare-vapeur

Isolant posé entre les solives

ISOLATION EN ROULEAUX FIXÉS PAR LES SUSPENTES

Outil : perceuse.
Matériels et matériaux : suspentes, cavaliers de maintien, rails métalliques, cordeau. Rouleaux de laine de verre, plaques de plâtre.

La seconde couche, qui a un pare-vapeur, est embrochée sur la première.

1 Tracez sur les chevrons l'emplacement des suspentes. Commencez par celles qui sont dans les angles et tendez un cordeau qui matérialisera le plan des autres suspentes. Alignez-les parallèlement aux pannes avec un écartement régulier.

2 Une première couche de laine de verre, embrochée sur les suspentes, est disposée en lés verticaux (charpente traditionnelle).

3 Placez les cavaliers de maintien. Ils assureront la fixation de l'isolant et serviront aussi aux rails métalliques placés perpendiculairement aux chevrons. Sur ces rails, vous fixerez les panneaux de finition (des plaques de plâtre vissées, par exemple).

(cave, vide sanitaire...). Adoptez les mêmes solutions que pour les planchers sous terrasse, avec toutefois des matériaux isolants bruts.

Vous pouvez utiliser des panneaux isolants mis en place au moment du coffrage ou posés ultérieurement. Il s'agit de panneaux composites à base de fibres de bois, de polystyrène expansé, ou de panneaux rigides en matière plastique alvéolaire ou en fibres minérales. La fixation sur le plancher existant est faite mécaniquement.

Vous pouvez également projeter des produits à base de matériaux isolants sur le plafond du local situé au-dessous. Parmi ces produits, on emploie le plus souvent les fibres minérales, les produits minéraux expansés, les matières plastiques alvéolaires. On les associe à un

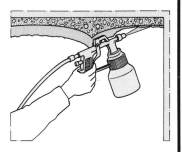

liant (ciment, résine synthétique, colles diverses) destiné à en assurer la fixation. Cependant, cette solution, qui s'adapte aux irrégula-

rités de la construction et résiste bien aux chocs, s'adresse au bricoleur averti.

LES SOLS

Lorsque des pièces se situent sur un sous-sol, un vide sanitaire, un local non chauffé, un garage..., il est souvent indispensable de réaliser une isolation thermique.

Plancher isolant
Cette isolation thermique obtenue avec des «planchers à isolation thermique intégrée» est intéressante dans les cas de vides sanitaires ou de pièces sur sous-sol, car elle est aisée à mettre en œuvre et le matériau est à l'abri de toute détérioration.

Il est possible de procéder également à la pose d'éléments préfabriqués, constitués de différentes parties alliant des isolants (polystyrène expansé) à des poutrelles métalliques sur lesquelles est directement coulée la dalle de compression en béton.

De même, vous pouvez choisir de faire un revêtement de sol sur isolant. L'inconvénient de cette solution est qu'elle requiert une garde au sol importante, ce qui provoque un décalage avec les pièces voisines si ce revêtement n'est pas étendu de manière homogène sur tout l'étage.

Le revêtement de sol comprend, en général, trois éléments :

Si l'épaisseur du matériau choisi n'est pas suffisante, procédez à la pose en double épaisseur. S'il y a des solives, ajustez la première couche à l'espace entre les solives à même le sol. Ensuite, déroulez une seconde couche perpendiculairement à l'axe de la première, en passant au-dessus des solives. Cette pose en couches croisées

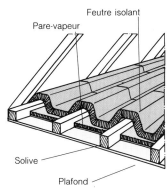

nécessite l'utilisation de deux isolants de présentation différente. Seul l'isolant placé entre les solives doit être muni d'un pare-vapeur, dirigé vers le sol.

LES PLAFONDS

En ce qui concerne les plafonds, l'isolation s'effectue en sous-face du plancher, soit pour améliorer l'isolation des locaux au-dessous (c'est le cas des planchers sous

terrasse), soit pour améliorer l'isolation des locaux situés au-dessus (c'est le cas des planchers sur sous-sol, des vides sanitaires, des garages, etc.).

PLANCHER SOUS TERRASSE

Afin de diminuer au minimum la hauteur des pièces, vous pourrez employer des doublages isolants analogues à ceux utilisés pour les murs. La pose de ces isolants se fera soit directement sous le plancher (le plafond), soit sur des tasseaux de bois vissés au préalable.

Si vous disposez d'une hauteur suffisante sous plafond, vous aurez la possibilité de réaliser un faux-plafond (plaques de plâtre, fibres minérales...) sur lequel sera disposé un isolant (feutre de fibres minérales) dont la souplesse facilitera la pose. Le matériau isolant sera soit fixé en sous-face du plancher, soit posé sur l'ossature destinée à soutenir le faux-plafond. Il sera posé de manière jointive avec le pare-vapeur en sous-face. L'ensemble matériau isolant et faux-plafond aura une épaisseur minimale de 7 à 10 cm.

PLANCHER SUR LOCAL NON CHAUFFÉ

Dans ce cas, il s'agit d'améliorer l'isolation des pièces situées au-dessus de locaux non chauffés

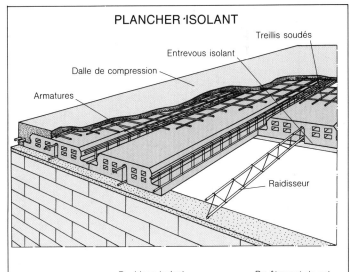

PLANCHER ISOLANT

Treillis soudés
Entrevous isolant
Dalle de compression
Armatures
Raidisseur

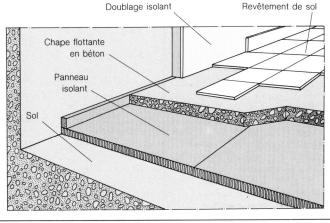

Doublage isolant
Revêtement de sol
Chape flottante en béton
Panneau isolant
Sol

Isolation par l'intérieur (suite)

— *les panneaux isolants en fibres minérales* ou en matière plastique alvéolaire de 3 à 5 cm d'épaisseur, posés sur le sol ;
— *une forme en béton* ou en mortier de ciment de 3 à 5 cm d'épaisseur avec peut-être une armature métallique, déterminée en fonction de la compacité de l'isolant ;
— *un revêtement de sol collé* ou scellé.

Dans certains cas, un revêtement de sol peut être fait avec des formes de béton isolant qui permettent de résorber les inégalités du sol. Elles doivent avoir une épaisseur relativement importante pour que l'amélioration de l'isolation thermique soit sensible.

LES CONDUITES

L'isolation thermique des conduites (tuyaux d'eau chaude, etc.) permet d'éviter les déperditions de calories ainsi que le gel des canalisations dans les locaux non chauffés.

Vous effectuerez cette isolation en entourant les conduites de bandes enveloppantes souples de laine de verre. Veillez à ce qu'il y ait un léger chevauchement des spires pour éviter les ponts thermiques. Il existe également des gaines de mousse avec ou sans face isolante d'aluminium, prêtes à poser.

Revêtement de tuyaux avec des bandes de fibres de verre

Outils et matériaux : chiffon humide, ciseaux. Bandes de fibres de verre ou minérales, ruban adhésif ou ficelle.

1 Nettoyez les tuyaux de la pièce (cave, salle d'eau) avec un chiffon humide et laissez sécher.

2 Les bandes de calorifugeage s'enroulent en spires autour des tuyaux. Faites chevaucher les spires sur 1 ou 2 cm.

3 Travaillez les bandes par longueurs de 5 m environ si les tuyaux sont proches d'un mur. Couvrez bien les coudes des tuyaux, car ils sont plus sensibles au gel.

4 Pour assembler deux bandes, posez la nouvelle bande sur la précédente et enrubannez.

5 Entourez tout robinet d'arrêt se trouvant sur le tuyau en laissant seulement apparaître la manette de commande.

Isolation de tuyaux avec des manchons de mousse isolante

Outils et matériaux : chiffon humide, ciseaux. Manchons de mousse (correspondant à la taille du tuyau), ruban adhésif.

1 Essuyez les tuyaux avec le chiffon et laissez sécher.

2 S'il s'agit d'une cave, isolez d'abord les tuyaux partant du réservoir. Les manchons, vendus en longueur de 1 m, sont fendus tout le long et se glissent autour des tuyaux. Plaquez le premier manchon tout contre le réservoir pour que le joint de connection soit couvert et fixez-le soigneusement avec du ruban adhésif. Puis aboutez le nombre de manchons nécessaires.

3 Enrubannez les jonctions en bout et les fentes pour assurer une parfaite isolation. S'il y a un robinet d'arrêt, découpez soigneusement et scotchez.

4 Si vous désirez les peindre, utilisez une émulsion, mais jamais de laque cellulosique en aérosol, qui attaque mousse et plastique.

Les fenêtres et les huisseries

Les menuiseries extérieures, fenêtres, volets, portes, associées aux châssis ainsi qu'aux vitrages, sont des éléments à prendre en compte dans l'isolation thermique. Il faudra aussi éliminer toutes les fuites se produisant par diverses fentes. En outre, à ce niveau, l'amélioration de l'isolation thermique est souvent étroitement liée à l'amélioration de l'isolation acoustique.

LES FENÊTRES

L'isolation porte sur tous les constituants de la fenêtre :

Le châssis

L'isolation est différente en fonction du matériau employé (bois, métal, P.V.C.). Il existe également des châssis fabriqués avec des profilés isolants : profilés métalliques en aluminium, en résine de synthèse ou en P.V.C. avec remplissage d'isolant. Les châssis présentant la meilleure isolation sont en P.V.C. ou en résine de synthèse.

Le vitrage

La faible résistance thermique des vitres peut être résolue par l'emploi d'un double vitrage qui évitera des déperditions thermiques importantes.

Il s'agit de deux vitres séparées par une lame d'air déshydratée qui améliore considérablement la résistance thermique du vitrage.

L'ensemble est monté en usine sur des profilés en métal ou en P.V.C.

Le survitrage, fixe ou mobile, consiste à ajouter une deuxième vitre sur le châssis de la fenêtre. Elle est posée contre la vitre existante et maintenue à un écartement de 6 mm ou plus par un intercalaire appliqué sur le pourtour. Cet intercalaire en profilé d'aluminium contient un déshydratant qui absorbe l'humidité contenue dans l'air emprisonné, afin d'éviter toute condensation. L'ensemble est plaqué contre l'ouvrant par des taquets ou des vis. Un joint en élastomère assure la fixation et l'étanchéité. Pour le survitrage mobile, des charnières assurent l'ouverture de la deuxième vitre. La pose d'un survitrage exige que la vitre existante soit bien mastiquée. Dans la plupart des cas, il faut la déposer et la remettre en place avec un mastic butyle et des parcloses.

Enfin, une autre possibilité est l'emploi de la double fenêtre ou de la fenêtre à vantaux dédoublés. Cette solution n'est à envisager que si les murs sont très épais.

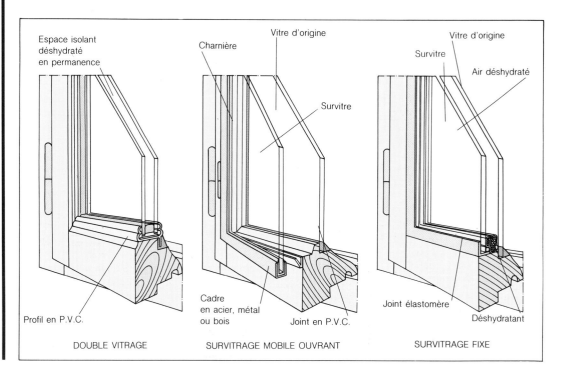

DOUBLE VITRAGE   SURVITRAGE MOBILE OUVRANT   SURVITRAGE FIXE

Le calfeutrage

Les fuites d'air au niveau des portes et des fenêtres sont à l'origine d'importantes déperditions de chaleur. Si vous voulez améliorer l'isolation thermique de votre logement, il vous faut limiter ces fuites. Le seul calfeutrement des fenêtres peut conduire à une économie d'énergie évaluée en moyenne à 5 % en habitation collective et à 8 % en individuelle. Avant d'envisager de poser un double vitrage ou un survitrage, pensez à améliorer l'étanchéité à l'air de vos menuiseries. Il s'agit de réduire les fuites d'air sans chercher à les éliminer totalement, pour des raisons d'hygiène, voire de sécurité.

CHOIX ET POSE D'UN JOINT

Il existe sur les menuiseries anciennes des jeux parfois importants au niveau des jonctions entre vantaux (ouvrants) et dormants. L'air s'infiltre par ces interstices. Pour s'opposer à son passage, il faut interposer un joint étanche. Il en existe de nombreux modèles disponibles dans les rayons spécialisés : joints à languettes, joints tubulaires, bandes de mousse à coller, joints métalliques à clouer, mastics silicone (voir encadré, p. 264). Leur pose est assez aisée, mais quel que soit le joint que vous utilisez, vous devez respecter quelques principes de mise en œuvre. Le joint ne se pose pas n'importe où dans la feuillure.

Une fois fixé, il ne doit pas empêcher le fonctionnement normal de la fenêtre. En particulier, les dispositifs de récupération et d'évacuation d'eau doivent continuer à assurer leur fonction. Pour ce faire, il est essentiel de placer le joint vers l'intérieur par rapport à la gorge de récupération d'eau. Dans le cas contraire (figure 1.1), l'eau stagnant dans cette gorge risque d'être refoulée vers l'intérieur du logement et de ruisseler sur le mur d'appui. La position optimale de la garniture d'étanchéité est donc :
— soit intermédiaire, juste derrière la gorge de récupération (figure 1.2) ;
— soit intérieure, sous le recouvrement des vantaux (quand il existe).

Le joint doit également travailler dans de bonnes conditions pour être efficace et avoir une durée de vie acceptable. En particulier, il faut éviter de le soumettre à des cisaillements qui tendent à l'user prématurément et à le décoller. Le mode de travail adapté aux joints disponibles dans les rayons de bricolage est la compression.

DE LA THÉORIE À LA PRATIQUE

Les principes exposés vont être plus ou moins facilement mis en pratique selon l'état et la conception de la fenêtre.

La fenêtre est un produit qui a beaucoup évolué depuis les années 50. Il en existe de nombreux modèles. Toutefois, en schématisant, on peut regrouper les fenêtres non isolantes au sein de deux grandes familles.

Les fenêtres de type traditionnel

Elles équipent la plupart des logements construits avant les années 60. Leur conception est simple. En particulier, les vantaux ne viennent pas recouvrir le dormant.

Sur les liaisons verticales, en rive et entre vantaux, le joint d'étanchéité est posé sans difficulté en fond de feuillure, collé sur le dormant par exemple. Sur la traverse basse, la mise en œuvre du joint est plus délicate.

Deux solutions sont a priori envisageables :
— la première consisterait à placer le joint en avant de la gorge de récupération d'eau, au niveau du plan de contact vertical entre vantaux et dormant. Cette solution, la plus simple du point de vue de la pose, est cependant à rejeter pour garantir la salubrité de la menuiserie (figure 1). Attention ! certains guides conseils la recommandent pourtant ;
— la deuxième solution (figure 2.1) consiste à coller un joint à languette en V en position intermédiaire, sur la traverse du dormant. Bien que le joint travaille en cisaillement, cette solution est meilleure

que la précédente. Comme elle est assez pratique, on peut l'admettre, à condition d'être prêt à remplacer le joint souvent. Renforcez le collage par quelques agrafes.

Les fenêtres de type moderne

Il s'agit de fenêtres fabriquées à partir des années 50. Depuis elles n'ont cessé d'évoluer, de se perfectionner, pour déboucher sur les fenêtres à haute isolation. Le modèle à simple vitrage schématisé ci-dessous est ancien et couramment rencontré en rénovation.

Contrairement à la fenêtre traditionnelle, le parement intérieur des vantaux est en saillie par rapport au dormant. Les traverses basses des vantaux comportent une feuillure qui vient en recouvrement sur le dormant. Ce recouvrement est l'endroit idéal de pose d'un joint à coller. Le joint travaille en effet en compression simple et est en plus bien protégé de l'eau, ce qui ne peut qu'accroître sa durée de vie.

Pour les parties verticales, procédez comme indiqué précédemment.

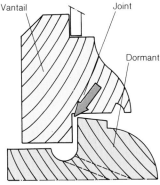
Solution à éviter   (fig. 1.1)

Vantail — Joint — Dormant

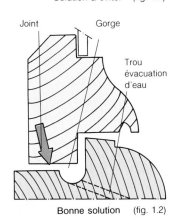
Bonne solution   (fig. 1.2)

Joint — Gorge — Trou évacuation d'eau

FENÊTRE TRADITIONNELLE

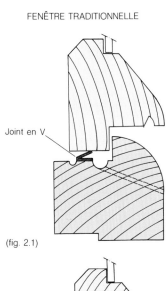
Joint en V
(fig. 2.1)

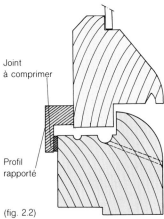
Joint à comprimer
Profil rapporté
(fig. 2.2)
Coupe : traverse basse

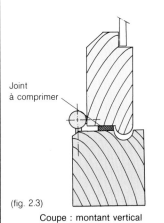
Joint à comprimer
(fig. 2.3)
Coupe : montant vertical

UN BON TRUC

Si vous décidez de repeindre vos fenêtres, enlevez les joints au préalable et profitez-en pour les changer. Les solvants contenus dans les peintures détériorent généralement les joints ou les rendent inefficaces (durcissement).

Attention ! sur des fenêtres recouvertes d'une lasure (produit de type Bondex ou autre), poncez et dégraissez la fenêtre avant d'appliquer le joint. Ces produits peuvent contenir des substances grasses qui empêchent une bonne adhérence du joint.

LES VOLETS PROTÈGENT

Les volets, pleins ou roulants, ménagent contre la fenêtre une lame d'air en position fermée, ce qui a pour effet de diminuer les déperditions thermiques à travers la baie vitrée. Une bonne fermeture étanche les réduit de 15 à 20 %.

FENÊTRE DE TYPE MODERNE

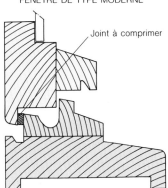
Joint à comprimer
Coupe : traverse basse

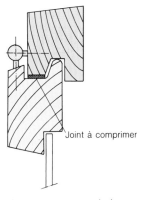
Joint à comprimer
Coupe : montant vertical

Le calfeutrage (suite)

POSE D'UN JOINT ADHÉSIF

Outils et matériaux : ciseaux ou cutter, papier de verre, éponge. Dégraissant (trichloréthylène), rouleau de joint d'une longueur correspondant au périmètre des vantaux (moins la largeur si la partie haute de la fenêtre n'est pas calfeutrée).

1 Commencez par nettoyer la fenêtre pour que les endroits où sera posé le joint soient parfaitement propres. Si la peinture est en bon état, un nettoyage à l'éponge humide puis un dégraissage au trichloréthylène seront suffisants. Si la peinture est en mauvais état, poncez jusqu'au bois et appliquez une nouvelle couche de peinture si la fenêtre est en bois tendre (sapin ou similaire). Dépoussiérez bien après le ponçage.

2 Appliquez le joint en suivant les recommandations portées sur l'emballage. Ne tirez pas sur le joint en l'appliquant.

3 Appuyez fortement sur le joint avec le pouce pour que l'adhésion soit parfaite.

4 Vérifiez en fermant la fenêtre que le joint ne rend pas cette manœuvre trop difficile.

POSE D'UN JOINT SILICONE MOULÉ SUR PLACE

Outils et matériaux : papier de verre, éponge, cutter ou couteau bien aiguisé. Dégraissant (trichloréthylène), une ou plusieurs cartouches de mastic silicone selon la longueur à étancher, un flacon de primer, ou primaire (sauf sur peinture bien adhérente), des bandes de démoulage.

1 Si la peinture est encore bien adhérente, nettoyez et dégraissez soigneusement les endroits où sera appliqué le mastic. Si la peinture est en mauvais état, mettez le bois à nu. Appliquez le produit spécial (le primer ou primaire) vendu avec le mastic.

Le support doit être bien sec au moment de l'application du mastic.

2 Coupez la base de la cartouche au diamètre correspondant à la largeur du joint. Commencez par les joints les moins larges.

3 Appliquez le mastic en un cordon régulier aux endroits prévus. L'épaisseur du joint doit être supérieure à celle du vide à combler entre l'ouvrant et le dormant. Ainsi, le joint est légèrement écrasé quand on referme la fenêtre et il travaille correctement en compression.

4 Avant de refermer la fenêtre, recouvrez délicatement le mastic encore frais par les bandes de démoulage.

5 Refermez la fenêtre pour écraser et mouler le joint.

6 La polymérisation du joint demande environ 24 h, mais la fenêtre peut être manœuvrée 3 h après l'application du mastic.

ATTENTION À LA VENTILATION

Dans les logements anciens en particulier, ce sont généralement les passages d'air entre les profils des fenêtres qui assurent le renouvellement d'air nécessaire à la salubrité de l'habitation.

Les textes réglementaires actuels exigent que le volume d'air soit renouvelé une fois par heure dans les pièces principales (séjour, salle à manger, chambres), et deux fois par heure dans les autres pièces (cuisine, salle de bains).

Pour respecter cette condition nécessaire à la salubrité des locaux, il faut absolument éviter, s'il n'existe pas de système de ventilation autre que les fenêtres, d'obturer systématiquement toutes les ouvertures (portes et fenêtres) de l'habitation. Dans une pièce trop bien calfeutrée, et notamment dans les pièces humides (cuisine et salle de bains), l'atmosphère confinée se charge en humidité et en gaz carbonique et s'appauvrit en oxygène, au détriment de l'hygiène de la pièce et de la santé des occupants. Un calfeutrage excessif est plus dangereux dans les pièces où est installé un appareil à flamme vive (poêle, cheminée à foyer ouvert, chauffe-eau).

Avant de poser un joint d'étan-chéité sur vos fenêtres, vérifiez le principe de ventilation de votre logement :
— s'il existe des bouches d'entrée d'air dans les pièces principales, c'est que la ventilation a été prévue sans tenir compte des fuites d'air des menuiseries. Vous pouvez dans ce cas calfeutrer vos fenêtres sans crainte de confinement ;
— si vous bénéficiez d'une ventilation naturelle accélérée (ventilateurs dans les salles d'eau et hotte aspirante dans la cuisine) ou d'une ventilation mécanique contrôlée (entrées d'air autoréglables et stabilité du débit d'air), vous pouvez calfeutrer vos fenêtres ;
— si des entrées d'air ont seulement été prévues dans les pièces humides (cas le plus général dans l'habitat ancien), les pièces principales ne sont ventilées que par les passages d'air entre les profils des fenêtres. Il faut alors éviter de calfeutrer complètement la fenêtre et, pour ce faire, ne pas obturer sa partie haute (liaison entre les traverses hautes des ouvrants et du dormant). Ce passage d'air n'aura pas d'incidence sur le confort thermique et empêchera surtout un confinement de l'atmosphère.

LES DIFFÉRENTS JOINTS

Les bandes de mousse
Très utilisées par les particuliers, elles le sont beaucoup moins par les professionnels. Les mousses les plus compressibles (polyuréthanne à cellules ouvertes, polyéthylène) sont aussi les moins durables, alors que les mousses a priori les plus résistantes (caoutchouc à cellules fermées, Néoprène) sont plus difficiles à compresser et peuvent à la limite gêner la fermeture.

Les profilés massifs, à languettes ou tubulaires, à coller à l'intérieur des feuillures
Ces profilés sont constitués d'une semelle adhésive prolongée soit par une languette à replier en V, soit par un tube souple. Les profilés à languettes formant un V sont livrés en bandes non pliées. Le profilé est appliqué de façon que le V obtenu après pliage soit ouvert vers l'extérieur. Ils présentent une faible résistance à la compression.

Les profilés tubulaires sont en général aisément compressibles (à noter que certains profilés tubulaires sont remplis d'une mousse).

Les profilés métalliques à clouer et à agrafer
Ils comportent deux parties en métal inoxydable : une semelle sur laquelle sont clouées les pointes et une languette qui assure la compensation des jeux.

Les systèmes mastics
Il s'agit d'une solution efficace, le mastic occupant tout le volume des jeux entre ouvrant et dormant. La mise en œuvre comporte souvent l'application d'un primaire d'adhérence sur les supports destinés à recevoir le mastic et d'un primaire antiadhérent sur la surface opposée.

Les profilés massifs, à lèvres ou tubulaires, tenus en rainure à l'intérieur des feuillures
Il s'agit de garnitures constituées d'un talon souple, à encastrer dans une rainure, et d'une languette assurant la compensation des jeux. Un rainurage est nécessaire, c'est pourquoi ils ne sont pratiquement utilisés que par les professionnels.

ISOLER LES BAS DE PORTE

Pour obturer l'espace, parfois important, qui se trouve au bas d'une porte entre le sol et le panneau, on se sert de plinthes automatiques.

Trois systèmes existent : la plinthe-balai (la plus simple et la moins onéreuse), la plinthe à charnière et la plinthe à guillotine. Ce dernier modèle est le plus sophistiqué ; lorsque l'on ferme la porte, un bouton actionne le mécanisme intérieur, qui abaisse un joint de caoutchouc, tel un rideau vertical, et le met en contact avec le sol. Cette manœuvre ne se produit qu'en fin de fermeture et permet un libre fonctionnement de la porte, sans frottement et sans usure prématurée des joints. Ce modèle, efficace, est peu répandu.

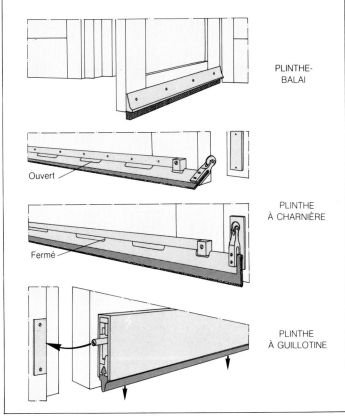

PLINTHE-BALAI

Ouvert

Fermé

PLINTHE À CHARNIÈRE

PLINTHE À GUILLOTINE

ISOLATION DES HUISSERIES

Les menuiseries ou huisseries industrielles font l'objet d'un classement A.E.V. (étanchéité à l'air, étanchéité à l'eau et étanchéité au vent) où chaque élément reçoit un coefficient 1, 2 ou 3, établi en fonction de ses caractéristiques. Ainsi, selon la zone géographique et l'orientation de la façade qui reçoit la fenêtre, vous choisirez une menuiserie adaptée et codifiée : A1, E2, V3, par exemple.

CLASSEMENT A.E.V.

PERMÉABILITÉ À L'AIR

A1 (normale)	Fenêtres ou portes-fenêtres laissant passer au plus un débit d'air de 60 m³/h/m² pour des vents compris entre 45 km/h et 55 km/h.
A2 (améliorée)	Fenêtres ou portes-fenêtres laissant passer au plus un débit d'air de 20 m³/h/m² pour des vents compris entre 55 km/h et 80 km/h.
A3 (renforcée)	Fenêtres ou portes-fenêtres laissant passer au plus un débit d'air de 7 m³/h/m² pour des vents compris entre 80 km/h et 100 km/h.

ÉTANCHÉITÉ À L'EAU

E1 (normale)	Si la fenêtre reste étanche pour une pression correspondant à un vent inférieur à 55 km/h.
E2 (améliorée)	Si la fenêtre reste étanche pour une pression correspondant à un vent de 80 km/h.
E3 (renforcée)	Si la fenêtre reste étanche pour une pression correspondant à un vent inférieur à 100 km/h.
EE (exceptionnelle)	Si la fenêtre reste étanche pour une pression correspondant à un vent de 100 km/h.

RÉSISTANCE AU VENT

V1 (normale)	Flèche inférieure à 1/200 sous un vent de 100 km/h, ne s'ouvre pas sous une pression brusque de vent de 135 km/h.
V2 (améliorée)	Flèche inférieure à 1/200 sous un vent de 145 km/h, ne s'ouvre pas sous une pression brusque de vent de 190 km/h.
V3 (exceptionnelle)	Flèche inférieure à 1/200 sous un vent de 170 km/h, ne s'ouvre pas sous une pression brusque de vent de 220 km/h.

ISOLATION ACOUSTIQUE

Les bruits sont formés par un ensemble de sons graves, moyens et aigus qui produisent des vibrations d'intensité et de fréquence variables, se propageant à des vitesses différentes selon les milieux (air, liquide, solide). Le niveau sonore se mesure en décibels perçus (dB [A]), et peut provoquer une gêne ou un malaise s'il est trop élevé. On y remédie par une isolation acoustique adaptée à l'origine et à la nature du bruit. Cela demande parfois des travaux importants requérant des connaissances précises ; aussi, n'hésitez pas à prendre conseil auprès de spécialistes acousticiens.

Les bruits aériens extérieurs

Il s'agit essentiellement des bruits de la circulation routière et de celui des avions. Vous les combattrez en renforçant l'isolation des combles par des panneaux de laine minérale denses et épais, et en agissant sur la façade pour laquelle le label « Confort acoustique » prévoit un isolement minimal de 33 à 42 dB (A). Veillez également à l'étanchéité des fenêtres et sachez qu'en ce domaine, plutôt qu'un double vitrage sur un châssis unique, il est préférable de poser une double fenêtre à vitres épaisses. Les doubles vitrages et les survitrages doivent être équipés de vitres d'épaisseur différente (4 et 6 cm ou 6 et 8 cm par exemple), pour éviter les effets de résonance.

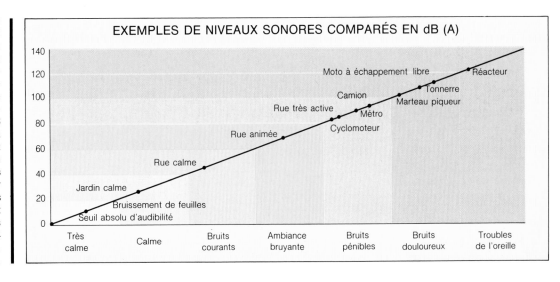

EXEMPLES DE NIVEAUX SONORES COMPARÉS EN dB (A)

Les bruits aériens intérieurs

Ils correspondent aux bruits provenant des locaux voisins (radio, télévision, voix) transmis par les cloisons et les diverses conduites. Pour les atténuer, vous utiliserez notamment des panneaux de particules isolantes et des doubles parois garnies de laine minérale ou végétale, en ménageant un vide entre les deux parois. En ce qui concerne les planchers, une isolation efficace est obtenue par une dalle en béton ou des dalles flottantes, au besoin sur matelas d'air. Une chape spéciale, composée

d'agrégats de caoutchouc liés par un polymère en émulsion, peut être également tirée à la règle, sur la dalle de béton, avant la pose du revêtement. Au plafond, la fixation d'un faux-plafond suspendu étanche, avec dans l'intervalle un matelas de laine minérale, amortira les résonances.

Les bruits dus aux chocs, aux pas, aux chutes d'objets seront amortis en premier lieu par l'isolation contre les bruits aériens. Vous en réduirez encore la nuisance grâce à des revêtements.

Bruits aériens

Bruits d'impacts et d'équipements divers

UN BON ISOLANT... L'AIR

Il existe des revêtements muraux phoniques et thermiques constitués d'une mousse compacte de latex à cellules d'air microsphériques, recouverte d'une couche minérale, en rouleaux.

Ce type de revêtement améliore très sensiblement le confort acoustique d'une pièce, diminue le phénomène d'écho à l'intérieur de la pièce, et supprime également les phénomènes d'humidité par condensation.

Outils : spatule crantée, règle métallique, maroufle, cutter.
Matériaux : rouleau de revêtement en mousse, colle mastic polystyrène.

3 Affichez la face mousse contre le mur, en partant toujours du haut vers le bas.

1 Découpez en prévoyant une marge de 5 cm par rapport à la hauteur du mur.

2 Encollez le mur à l'aide de la spatule crantée à raison de 300 g/m².

4 Arasez sur la plinthe. Ensuite maroufflez soigneusement (à la spatule ou au rouleau en caoutchouc dur) de haut en bas, pour bien assurer le transfert de la colle déposée sur le mur vers la mousse.

5 Après avoir déposé un peu de colle sur les bords des lés, laissez sécher 24 heures si le fond est absorbant, sinon 4 jours, avant de traiter les joints au mastic. Une sous-couche de dalle flottante en laine minérale, une moquette sur les planchers et les parquets à lames massives ou à panneaux procurent une bonne isolation. En revanche, évitez les revêtements de sol en mosaïque et en plastique. Pour les carrelages, prévoyez des sous-couches.

Les bruits d'équipements ménagers

Ils sont issus des divers équipements de la maison (lavabos, chaudière, appareils ménagers, plomberie), qu'ils soient les sources ou les agents de transmission du bruit. Afin de vous en prémunir, achetez des appareils insonorisés ; évitez de les placer directement sur le sol ou contre un mur en interposant des matériaux antivibratoires

(plaques de liège ou de caoutchouc, chevilles de fixation à corps en élastomère souple).

En ce qui concerne la plomberie (tuyauterie, alimentation et évacuation de l'eau, chauffage), employez des matériaux résilients (c'est-à-dire qui résistent aux chocs) pour la fixation des conduites, isolez les tuyaux des murs, faites passer les

tuyaux traversant les murs dans des fourreaux souples, choisissez des robinets silencieux et agissez sur la régulation de la pression de l'eau, de telle sorte qu'elle soit entre 1,5 et 3 bars. Enfin, en ce qui concerne l'aération, évitez le passage direct de l'air à travers le mur et prévoyez des conduits munis d'absorbants.

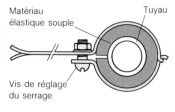

Matériau élastique souple

Tuyau

Vis de réglage du serrage

Fixations élastiques des canalisations

DEUXIÈME PARTIE : TECHNIQUES, OUTILS ET MATÉRIAUX

SOLS
ET ESCALIERS

Quelle sorte de plancher avez-vous ?

Il y a deux sortes de planchers : les planchers suspendus, qui sont construits à une certaine distance du sol, et ceux qui reposent directement sur le sol. Les planchers des étages supérieurs sont évidemment suspendus.

PLANCHERS SUSPENDUS

Les planchers suspendus sont, en général, constitués de lames de parquet reposant sur des solives. Celles-ci ont une section minimale de 60 × 160 cm et sont espacées de 40 à 60 cm, selon leur hauteur et leur épaisseur. Elles peuvent être scellées dans des vides prévus dans les murs extérieurs de la construction ou posées sur une sablière (au minimum de même section que la solive) fixée aux murs par des pattes à scellement.

Les alvéoles réservées dans la maçonnerie devront toujours se trouver au-dessus du joint d'étanchéité, pour prévenir les remontées d'humidité dans le bois. Les solives des étages peuvent aussi se loger dans des alvéoles ou sur des sablières.

Les solives longues ont besoin d'un appui en leur milieu.

Cet appui peut être un muret (avec joint d'étanchéité) pour le rez-de-chaussée.

Pour les étages, c'est souvent une cloison de séparation qui supportera les solives du plancher supérieur.

Les lames du plancher sont posées perpendiculairement aux solives et sont fixées par des clous (deux par solive).

Dans la plupart des maisons récentes, les lames du plancher ont une épaisseur de 20 mm et comportent rainures et languettes pour éviter que des fentes n'apparaissent entre elles, au séchage.

Dans les maisons construites avant la Première Guerre mondiale, on trouve souvent des lames plus épaisses, n'ayant ni languettes ni rainures.

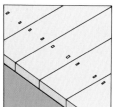

Lames ordinaires

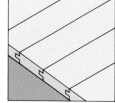

Lames de parquet avec languettes et rainures

Planchers en panneaux de fibres

Dans les maisons construites après 1960, on peut trouver des planchers en panneaux de fibres, à la place des planchers en bois. Ces panneaux existent en plusieurs épaisseurs et peuvent avoir plusieurs tailles. Les plaques peuvent présenter des bords rectilignes ou des bords rainés et languettés. Les panneaux de fibres se clouent sur des solives distantes de 40 à 60 cm environ, selon leur taille et leur épaisseur.

Ventilation

La sous-face des planchers en rez-de-chaussée doit être ventilée afin qu'ils restent bien secs et ne pourrissent pas.

On scellera des grilles ou des claustras dans les murs à un niveau inférieur à celui du repos des solives pour permettre une libre circulation de l'air. Ces ouvertures ne devront jamais être obturées.

CONSTRUCTION D'UN PLANCHER SUSPENDU

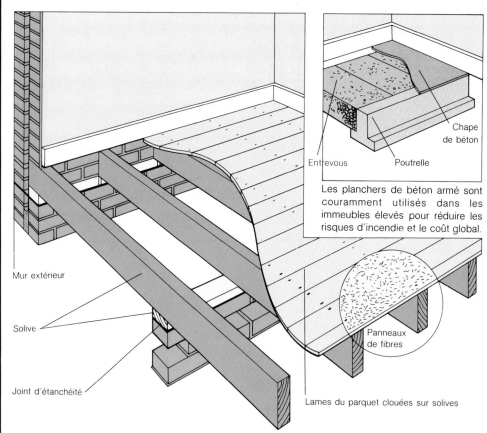

Chape de béton

Entrevous   Poutrelle

Les planchers de béton armé sont couramment utilisés dans les immeubles élevés pour réduire les risques d'incendie et le coût global.

Mur extérieur

Solive

Joint d'étanchéité

Panneaux de fibres

Lames du parquet clouées sur solives

CONSTRUCTION D'UN PLANCHER MODERNE À MÊME LE SOL

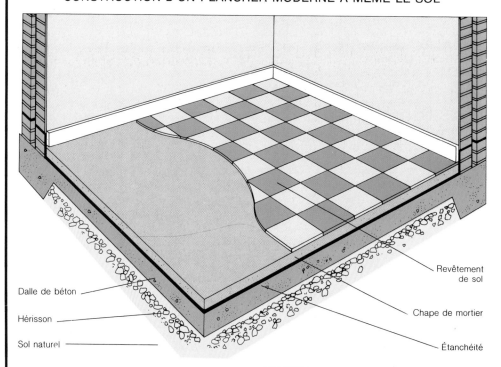

Revêtement de sol

Dalle de béton

Hérisson

Chape de mortier

Sol naturel

Étanchéité

PLANCHER À MÊME LE SOL

Dans les vieilles maisons, on peut trouver des pierres plates, des carrelages ou d'autres matériaux noyés dans le sol, avec ou sans mortier.

Les sous-planchers qui ont moins de 50 ans ont probablement été coulés en béton et, s'ils ont été construits après 1945, on y aura incorporé un joint d'étanchéité contre l'humidité. Ce joint pourra être d'asphalte, d'émulsion de bitume ou de polyéthylène.

DANGER SOUS LES PLANCHES

L'espace vide laissé sous un plancher suspendu est tout indiqué pour y faire passer des câbles électriques, des tuyaux d'eau ou de gaz. Il faudra donc, si vous désirez planter des clous, que vous alliez repérer l'emplacement éventuel des câbles ou des tuyaux. Aussi, ne prenez pas des clous plus longs que nécessaire si vous avez à fixer quelque chose.

Dépose et pose d'une lame de parquet

Il s'agit de savoir, tout d'abord, si les lames sont rainées et languettées ou si elles sont à bords droits. Vous vous en assurerez en passant entre elles une fine lame de canif. Si les lames sont à bords droits, le canif s'enfoncera complètement, sans difficulté.

Outils : canif à lame fine, mèches à bois et vrilles, scie à guichet, ciseau solide ou levier, marteau, tournevis. Également, pour des lames rainurées, scie circulaire portable (ou ciseau à large lame et maillet) ou scie à guichet.

Matériaux : clous pour planchers de 50 ou 75 mm, 8 vis n° 8 de 75 mm, morceaux de latte de 40 sur 40, de 10 cm plus longs que la largeur des planches.

CONSEIL DE SÉCURITÉ

Si vous interrompez le remplacement d'une lame de votre plancher, reposez cette dernière dans sa position initiale, sans la fixer. Ainsi, vous éviterez que quelqu'un ne trébuche dans le trou ouvert.

DÉPOSE D'UNE LAME DE PARQUET À BORDS DROITS

Avant de déposer la lame, il faut la couper à chaque bout avant une solive, dont les lignes de clous permettent de repérer le centre.

1 Percez un trou de 10 mm près du bord pour commencer, et finissez la coupe à la scie à guichet.

2 Commencez par une extrémité, déclouez la lame et soulevez-la en insérant un ciseau ou un démonte-pneu sous la planche.

3 Une fois que vous aurez décloué la lame, passez le manche d'un marteau en dessous, aussi loin que possible de la partie détachée, et donnez un coup sec sur la panne du marteau. Cela produira une onde de choc qui provoquera l'arrachement des clous.

4 Déplacez le manche du marteau, en remontant vers l'extrémité encore clouée, et recommencez l'opération jusqu'à ce que la lame soit entièrement déclouée.

DÉPOSE D'UNE LAME DE PARQUET À LANGUETTE

Pour ce genre de lames de parquet, il faut enlever la languette de chaque côté.

Si des lames adjacentes doivent être déposées, il suffit d'enlever uniquement la languette de la dernière lame du groupe.

1 Le meilleur outil est une scie circulaire portable. Ajustez sa profondeur de coupe de telle sorte que la lame dépasse légèrement sous la languette.

2 Placez la scie entre les lames, puis mettez-la en marche et dépla-

cez-la le long des lames en la guidant avec vos deux mains.

Vous pouvez également détacher la languette avec un ciseau et un maillet.

Autre possibilité : vous pouvez essayer de scier la languette à la main, après avoir percé un trou.

Enfin, vous pouvez acheter (ou louer) dans le commerce une scie spéciale pour parquets.

REMÉDIER AU GRINCEMENT OU AU JEU DU PLANCHER

Un plancher grince parce qu'il n'est pas bien ajusté sur ses solives. Lorsque quelqu'un marche dessus, il fait ressort sous le poids, en frottant sur la lame voisine.

Le grincement peut être provisoirement diminué en faisant pénétrer du talc dans les interstices. Mais tous les planchers mal ajustés ne grincent pas, surtout lorsque les interstices entre les lames sont très larges.

Une lame se décloue lorsque un ou plusieurs clous, destinés à la fixer sur la solive, jouent librement dans l'alvéole, par suite de vibrations ou de mouvement de la solive sous la lame. Retirez le clou, s'il est toujours en place, en prenant des tenailles.

Refixez la lame avec une vis assez longue pour combler le trou laissé par le clou (une vis de 50 mm devrait convenir). La vis maintiendra solidement la lame et, comme elle s'ajuste exactement dans le même trou que le clou, elle ne risquera pas de toucher un câble ou un tuyau.

---

3 Les languettes enlevées, vous devez apercevoir les solives entre les lames. Enlevez maintenant la lame comme vous avez procédé pour les lames non rainurées.

POSE D'UNE LAME DE REMPLACEMENT

Achetez de nouveaux clous ou utilisez des clous spéciaux pour planchers. Vous ne pouvez pas clouer la lame à ses extrémités sur une solive puisqu'elle aura été sciée juste avant.

1 Vissez un court tasseau sur le côté de la solive, le dessus de ce tasseau correspondant avec le dessous des lames de parquet.

2 Clouez la lame sur le tasseau.

Autre possibilité : si vous avez de vieux plafonds, il sera plus sage de visser les lames, car les vibrations résultant du clouage pourraient les endommager. Le vissage permet d'accéder plus facilement aux câbles et tuyaux.

Réparation d'un parquet

Les lames du parquet peuvent être si gravement endommagées qu'il faille les enlever (voir p. 269) et les remplacer par des neuves.

Les lames neuves devraient avoir exactement la même épaisseur et la même largeur que les vieilles. Or les dimensions des lames vendues dans le commerce peuvent être plus petites et moins larges que les anciennes.

Il vous sera peut-être impossible de trouver du bois qui soit exactement de l'épaisseur qui convient. Si le sol doit être poncé (voir p. 274), il n'y aura pas grande importance à ce que les lames neuves soient légèrement plus épaisses que celles qui sont en place. Un sérieux ponçage nivellera facilement le tout.

Dans les autres cas, utilisez des lames légèrement plus minces et mettez-les à niveau en plaçant sur les solives des chutes de panneaux de fibres dures ou de contre-plaqué que vous agraferez avant de clouer dessus les lames neuves.

Si vous avez un plancher en lames rainées et si plusieurs de celles-ci placées côte à côte sont abîmées, achetez des lames neuves du même type.

Mais ne confondez pas les lames rainées avec les frises pour lambrissage. Ces dernières sont vendues pour un usage décoratif sur murs et plafonds. Elles sont faites d'un matériau beaucoup plus léger et ne conviennent pas pour un plancher.

Outils : scie, marteau, ciseau et perceuse électrique avec des mèches de 2 mm.

Matériaux : lames de parquet, clous de 50 ou 75 mm spéciaux pour parquets, peut-être des chutes de panneaux de bois en fibres dures ou de contre-plaqué, et des agrafes pour panneaux.

POSE DE LAMES À BORDS DROITS

1 Coupez le bois à la même longueur que la vieille lame.

2 Mettez les lames neuves en place et clouez-les sur chaque solive avec des clous inarrachables.

POSE DE LAMES RAINÉES

1 Coupez la nouvelle lame à la longueur voulue et faites sauter sa languette au burin ou au rabot.

2 Posez-la en faisant buter le côté dont vous avez enlevé la languette contre le côté rainé d'une lame en place. Cette rainure est bouchée avec la languette de la lame endommagée (voir p. 269).

3 Coupez la deuxième lame, posez-la sur les solives et tapotez-la pour la mettre en place.

Continuez avec les autres lames.

4 Lorsque vous arriverez à la dernière lame, il faudra probablement enlever sa languette, car elle vous gênerait pour mettre la lame en place.

Mais il existe un « truc » qui convient parfois : faites sauter la partie inférieure de la rainure de l'avant-dernière lame. Il vous sera peut-être possible de mettre alors en place la dernière lame sans avoir à enlever la languette.

5 Fixez les lames sur les solives avec des clous pour planchers. Vous trouverez la position des solives en vous guidant sur les lignes de clous dans le parquet.

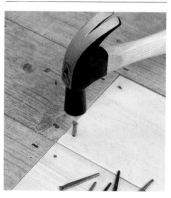

6 Si vous devez enfoncer des clous près du bord d'une lame, percez d'abord un avant-trou d'un diamètre plus petit que celui du clou.

Plancher en panneaux de fibres

Si un plancher est trop endommagé pour être réparé, vous pouvez le remplacer complètement par des panneaux de fibres agglomérées.

Les panneaux d'aggloméré pour planchers sont vendus en trois épaisseurs (16, 19 et 22 mm) et ont des dimensions variables. Si la distance entre les centres des solives ne dépasse pas 45 cm, choisissez des plaques de 19 mm.

Comme ces panneaux sont lourds, choisissez-les plus petits, à moins que vous n'ayez quelqu'un pour vous aider.

Les panneaux pour planchers se vendent rainés et languettés sur les quatre rives.

Fixez les panneaux sur les solives avec des clous inarrachables ou des clous torsadés. Prenez des clous de 55 mm pour une épaisseur de 19 mm et des clous de 60 mm pour une épaisseur de 22 mm.

Avant de commencer le travail, localisez la position des solives sous les lames. Les rangées de clous constituent une bonne indication, mais il vaut mieux soulever une lame pour vous en assurer.

Évaluez l'épaisseur des panneaux compatible avec l'écartement des solives, ainsi que le nombre dont vous aurez besoin. Vous devrez être prêt pour la réception des panneaux lorsqu'on vous les livrera. Un mauvais entreposage peut les déformer.

Posez-les à plat, à l'intérieur de la maison.

UN BON TRUC

Si vous voulez vous réserver un accès à une jonction de câble ou à des tuyaux de chauffage central, fixez le panneau qui le recouvre avec des vis, beaucoup plus faciles à enlever que les clous. Si vous posez des panneaux à l'étage ou au grenier et si vous pensez que le plafond en dessous est faible, percez des avant-trous dans les panneaux. Cela évitera des vibrations quand vous clouerez au marteau.

Outils : scie circulaire, scie pour plancher, marteau, pinceau pour appliquer l'adhésif, chiffon pour

---

PRÉCAUTIONS AVANT LE DÉBUT DES TRAVAUX

Un des murs de la pièce peut être une cloison creuse élevée sur le plancher déjà installé. Il est possible que ce mur soit implanté sur une solive. Dans ce cas, il faudra clouer un tasseau de 50 x 50 mm sur le côté de la solive pour pouvoir y appuyer le panneau.

Si la cloison a été montée entre deux solives, il n'y aura pas de point d'appui pour le panneau

et il faudra poser une solive supplémentaire. Réservez ce travail à un spécialiste.

Les solives sont, en général, placées à intervalles réguliers. Ainsi, vous pourrez savoir si la cloison se trouve sur une solive. Si ce n'était pas le cas, vous auriez plutôt intérêt à ne pas commencer les travaux avant qu'ait été posée une solive supplémentaire.

---

essuyer les traces de colle et crayon.

Matériaux : panneaux de fibres, morceaux de bois de section 50 x 50 mm, clous inarrachables de 75 mm, colle à bois.

1 Commencez le travail en enlevant suffisamment de lames pour pouvoir placer le premier rang de panneaux de fibres.

2 S'il n'y a pas assez de place entre la plinthe et la solive pour y pousser le panneau, enlevez, si possible, la plinthe du mur.

3 Commencez à poser les panneaux dans un angle.

4 Il faut réserver un espace de 10 mm autour de la pièce pour permettre la dilatation des panneaux par temps humide. Si vous avez enlevé la plinthe, il vous sera facile de vous assurer que cet espace est bien respecté au moment de la pose.

Sinon, poussez à fond le panneau contre le mur, sous la plinthe. Faites un trait de crayon le long de la plinthe, puis retirez le panneau pour l'ajuster à la bonne distance.

PANNEAUX DE FIBRES À BORDS FRANCS

1 Posez ces panneaux avec leur côté le plus long parallèle aux solives. Ils reposeront sur les solives en longueur, les largeurs s'appuyant sur une entretoise.

2 Les entretoises sont des tasseaux de section carrée placés entre les solives et fixés avec des clous inarrachables enfoncés en pomme, à travers l'entretoise, pour se planter dans la solive.

3 Si la largeur des panneaux ne convient pas à l'écartement des solives, recoupez-les à la largeur voulue. Si cette recoupe implique trop de gaspillage, posez des panneaux rainurés qui n'ont pas à être recoupés.

4 Clouez les plaques en plaçant les clous tous les 30 cm, à 10 mm du bord. Sur les solives intermédiaires, clouez tous les 60 cm.

PANNEAUX À RAINURES ET LANGUETTES

1 Clouez les panneaux à rainures et languettes perpendiculairement

aux solives. Enfoncez quatre clous dans chaque solive, les premiers à 10 mm de chaque bord et les autres équidistants.

2 Le panneau doit être soutenu aux extrémités. Enlevez donc à la scie tout ce qui dépasse.

3 Clouez sur le côté de la solive un tasseau (50 × 50 mm) en l'alignant

sur le dessus, et fixez le panneau suivant ce tasseau.

FINITION DU TRAVAIL

Enduisez les bords de tous les panneaux en contact avec une colle à bois, puis pressez-les fortement les uns contre les autres. Essuyez les traces de colle sur la surface avec un chiffon humide. Si vous devez vous servir d'un marteau pour assembler des panneaux à rainures et languettes, intercalez un morceau de bois pour éviter d'endommager les arêtes.

À la fin d'une rangée, recoupez le panneau pour qu'il s'ajuste.

Utilisez la coupe pour commencer la rangée suivante, afin que les joints ne coïncident pas.

Reposez la plinthe si vous l'aviez enlevée.

Préparer un parquet pour poser un revêtement

La plupart des gens savent qu'une préparation est indispensable avant de peindre un mur ou de le tapisser, mais ils ont tendance à croire qu'un revêtement de sol peut se poser sur n'importe quelle surface.

Un revêtement de vinyle ou de liège révélera toute aspérité dans le support et ne sera donc pas absolument plan. Même la moquette s'usera plus rapidement sur les aspérités. Un matériau posé sur un support bien préparé sera plus agréable à regarder et durera plus longtemps.

La structure est-elle fiable ?

Assurez-vous d'abord du bon état du sol. Si vous avez une sensation d'instabilité en y marchant, il se peut qu'une solive soit défectueuse et il faudra faire appel à un entrepreneur.

Toute trace d'humidité dans le sol doit être supprimée, car l'humidité pourrait attaquer le nouveau revêtement. Les lames branlantes doivent être refixées et celles qui sont endommagées, remplacées.

Enlever les vieux clous

La plupart des sols sont parfaitement sains. Toutefois, des clous d'un précédent revêtement peuvent avoir été oubliés.

Si vous vous servez d'un marteau, placez un morceau de carton

ou de bois mince sous sa panne pour protéger le support. Toutefois, le meilleur outil reste l'arrache-clou. Il possède un manche et une lame comme un tournevis, mais la lame est plus large, légèrement recourbée, et à une entaille en V. Glissez le V sous la tête du clou et poussez sur le manche.

Le support parfait

Vous pouvez créer un support parfait pour toutes les sortes de revêtements en recouvrant le sol de panneaux de fibres dures. Cela peut sembler inutile, ennuyeux et cher, mais cette opération n'est pas difficile à réaliser, elle n'augmente pas beaucoup le coût total, et cela assure un excellent résultat. Les panneaux de fibres dures vont niveler les lames qui se soulèvent sur les bords, couvriront les fentes entre les planches et dissimuleront les petites imperfections. Ils couvriront également les vieilles taches et les traces de produits d'entretien.

RECOUVRIR UN PLANCHER AVEC DES PANNEAUX DE FIBRES DURES

Choisissez des panneaux de 3 mm d'épaisseur pour recouvrir un plancher. Les plus grands sont encombrants, prenez donc des panneaux de 1,30 × 0,68 m. Posez-les avec la face lisse en dessous. Cela permet-

tra un meilleur ancrage de la colle.

Les clous inarrachables constituent la meilleure fixation. Ils présentent des stries horizontales sur la tige pour assurer une meilleure prise.

Après avoir posé les panneaux, il est nécessaire d'attendre au moins une nuit avant de poser le revêtement de sol.

Outils : marteau, scie à guichet, grand pinceau plat, récipient avec repères pour mesurer les liquides, cuvette ou seau.

Matériaux : feuilles ou panneaux de fibres dures de 3 mm d'épaisseur, clous inarrachables de 19 mm (environ 250 g) et eau (pour l'humidification des plaques).

1 Il faut donner aux plaques un degré d'humidité conforme à celui de la pièce (procédé appelé conditionnement). Sinon, les plaques pourraient se déformer.

Étalez au pinceau sur le côté à mailles 1/2 litre d'eau pour des plaques d'une superficie de 1,22 m², et laissez reposer celles-ci

COMMENT ENLEVER UN VIEUX REVÊTEMENT

Il n'est pas toujours nécessaire d'enlever le vieux revêtement avant de poser le nouveau. De vieux carrelages ou un parquet solidement collés peuvent former la base d'un nouveau sol.

Mais les moquettes, les plaques de vinyle ou tout autre revêtement qui n'adhère plus bien doivent être enlevés.

Une bêche de jardin constitue un excellent outil pour soulever les revêtements qui commencent à se décoller, carreaux de vinyle ou vieux linos, par exemple. Sa lame présente un bord tranchant que vous pouvez pousser sous le revêtement.

Le long manche de la bêche

constitue un bon levier. Vous pouvez travailler debout. Pour une grande surface, il sera préférable de louer une machine à décoller.

Si quelques carreaux sont abîmés ou manquants, enlevez les parties endommagées avec un burin et une masse (portez des lunettes de protection). Puis remplacez-les par des carreaux neufs (voir p. 277). Vous pouvez aussi remplir les cavités avec du sable et du ciment, ou acheter un mélange tout prêt dans le commerce.

Si un sol carrelé est dans un très mauvais état, il vaut mieux appeler un entrepreneur.

Préparer un parquet pour poser un revêtement (suite)

empilées et parfaitement à plat, côté à mailles sur côté à mailles, sur le sol de la pièce où elles seront posées durant au moins 48 heures (ni plus, ni moins).

Elles vont peu à peu s'ajuster à l'humidité de la pièce et continueront de sécher lorsqu'elles seront clouées, en se tendant comme une peau de tambour pour former une surface parfaite sous le revêtement que vous allez poser.

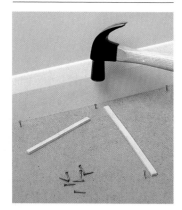

2 Commencez à poser les plaques dans un angle de la pièce et à les clouer le long d'un bord, à 13 mm de ce bord. Travaillez en plantant les clous obliquement et en avançant comme pour dessiner une pyramide (voir diagramme à droite). Les clous doivent être distants de 15 cm le long des bords et de 23 cm au milieu du panneau.

Coupez des tasseaux aux longueurs appropriées et utilisez-les

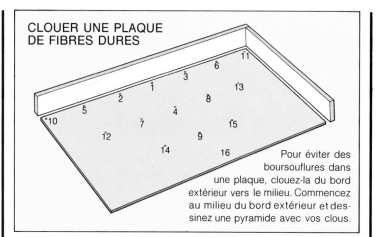

CLOUER UNE PLAQUE DE FIBRES DURES

Pour éviter des boursouflures dans une plaque, clouez-la du bord extérieur vers le milieu. Commencez au milieu du bord extérieur et dessinez une pyramide avec vos clous.

comme guides pour avoir un espacement correct des clous.

3 Faites buter la seconde plaque contre la première, et commencez à clouer le long de ce bord.

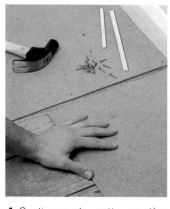

4 Continuez de cette manière jusqu'au bout de la rangée, où vous aurez à retailler une plaque pour l'ajuster.

Il n'est pas nécessaire de le faire avec précision le long de la plinthe.

Jusqu'à 5 mm, les fentes n'auront pas d'importance. Elles seront recouvertes de toute façon par des carreaux ou les bandes qui tiennent une moquette.

Utilisez la chute de la plaque précédente pour commencer la rangée suivante, pour éviter non seulement le gaspillage, mais aussi l'alignement des joints à travers la pièce.

5 Lorsque la pièce est presque entièrement recouverte, recoupez chaque plaque à la largeur voulue pour les ajuster dans l'espace restant.

LES PANNEAUX DE FIBRES DURES COMME REVÊTEMENT

Ces panneaux utilisés comme seul revêtement sont tout à fait convenables pour des jeunes couples débutant dans un premier logement dont le sol laisse à désirer.

Pour cet usage, posez les panneaux la face lisse sur le dessus.

Achetez des plaques de 3 mm d'épaisseur, d'une superficie de 90 ou de 60 cm², et travaillez-les comme de grands carreaux (voir p. 275), en commençant au centre de la pièce et en allant vers les bords extérieurs.

Si vous ne trouvez pas de plaques carrées, demandez à votre fournisseur de vous en découper à vos dimensions. Une fois posées, appliquez sur les plaques deux ou trois couches de vernis pour sol. Étalez la première couche avec un chiffon de lin.

Ragréer un sol pour la pose d'un revêtement

Un sol peut présenter trois inconvénients compromettant la pose d'un revêtement : il peut être humide ; s'il est en béton, il peut s'effriter ; il peut être irrégulier.

Le sol est-il humide ?

Si le sol est humide, il vous sera impossible d'y poser un revêtement. Les moisissures attaqueront et détruiront le revêtement lui-même ainsi que tout adhésif utilisé pour le coller. L'humidité dans un sol n'est pas toujours évidente, mais si un plancher posé directement sur le sol date d'avant la Seconde Guerre mondiale, il est vraisemblable qu'il n'aura pas de joints d'étanchéité et qu'il faudra le traiter.

Les manières de remédier à l'humidité dans les sols sont indiquées p. 424.

Un remède au phénomène de pulvérulence

Un sol en béton peut présenter un phénomène nommé pulvérulence. La poussière se reforme continuellement à sa surface, quelle que soit la fréquence des balayages.

Vous pouvez diminuer ce phéno-

mène en appliquant sur le sol un durcisseur, suivant les instructions du fabricant. Vous pouvez aussi vous servir d'un adhésif dilué.

Le plus efficace est de faire une chape de mortier sur la dalle de béton.

REMETTRE À NIVEAU UN SOL PLEIN

Si le sol plein présente de nombreux petits trous ou une dénivellation, utilisez un produit spécial appelé ragréage.

Un enduit de ragréage est un ciment gâché liquide qui s'étale de lui-même et comble les irrégularités d'une surface bosselée.

Outils : cuvette, brosse dure, petite truelle et taloche.
Matériaux : produit du commerce pour remettre les sols à niveau (à base d'eau), savon en poudre, eau, ou peut-être un mélange tout prêt (sable plus ciment) et de l'adhésif.

1 Nettoyez le sol en le frottant avec la brosse dure et une solution savonneuse. Rincez et laissez sécher à fond.

2 Tous les trous d'une profondeur supérieure à 5 mm doivent être bouchés avec un mélange de sable et de ciment. Des packs de mortier auxquels vous ajoutez simplement de l'eau conviennent très bien.

Pour assurer une bonne liaison, passez d'abord une couche d'impression d'adhésif sur l'endroit qui doit être bouché. Ajoutez un peu de cet adhésif au mortier.

3 Bouchez les petites entailles avec un peu de produit spécial et laissez soigneusement sécher avant d'appliquer une couche plus importante du même produit. Humectez le sol, sans le saturer, avant d'étaler le produit à base d'eau.

4 Dans une cuvette, mélangez la poudre avec l'eau pour former une substance liquide. Versez le mélange sur le sol et étendez-le à la petite truelle. Il s'étalera de lui-même en une surface plane parfaitement de niveau. Si vous avez fait trop de mélange, il se solidifiera dans les 15 minutes suivantes.

5 Étalez le mélange à l'aide de la truelle si la surface n'est pas absorbante. Les marques de la truelle disparaîtront en séchant. Vous pourrez, en général, marcher sur le sol 2 heures après avoir appliqué le mélange. Il sera prêt à recevoir le revêtement 8 ou 10 heures plus tard.

CHOIX DES REVÊTEMENTS DE SOL POUR LES DIFFÉRENTES PARTIES DE LA MAISON

TYPE DE FINITION	POINTS POSITIFS	POINTS NÉGATIFS	ENTRETIEN
Panneaux de fibres dures Couleurs plaisantes, la face lisse est sur le dessus et on achève la finition en y passant une couche de vernis pour sols. 	Bon marché et facile à poser vous-même. Surface résistante pour chambres d'enfants. Les plaques trempées à l'huile sont les plus solides.	Toucher moins agréable que le bois. Certains pensent que ce revêtement est un pis-aller.	Balayez ou aspirez souvent pour enlever les poussières. Lavez avec un balai-éponge et un produit détergent doux. Poncez légèrement les surfaces usées et repassez du vernis si nécessaire.
Parquets poncés et vernis Une finition qui convient aux lames en bon état et sans fissures. On ponce le sol avec une ponceuse électrique qui peut être louée pour un jour ou un week-end. 	Bon marché et très simple à faire vous-même. Une surface plaisante qui peut être recouverte d'un tapis épais.	Poncer un parquet est un travail bruyant et sale. La surface terminée est sonore sous les pas. Si le parquet est au rez-de-chaussée, il peut laisser passer l'air si les lames ne sont pas rainées et languettées.	Balayez ou aspirez souvent pour enlever les poussières qui peuvent faire des éraflures à la surface. Essuyez les taches avec un chiffon humide. Passez du polish régulièrement. Poncez légèrement les endroits usés et revernissez-les. Les tapis sont recommandés pour protéger le parquet.
Carreaux de vinyle Grande variété de couleurs, de motifs et de prix. Existent en imitation céramique, bois, pierre, aussi bien qu'en d'autres variétés moins chères.  Uni À motifs	Sains, faciles à nettoyer, résistants aux taches. Indiqués pour cuisines, salles de bains et peut-être chambres d'enfants.	Le vinyle lisse est glissant lorsqu'il est mouillé. Les variétés avec sous-couche de mousse, dans une gamme limitée de couleurs, sont plus chaudes, plus sûres et feutrent plus les bruits.	Comme pour le vinyle en nappes (ci-dessous). Mais ne mouillez pas trop en lavant, l'eau pourrait pénétrer dans les joints.
Dalles de liège Couleurs plaisantes. Matériau naturel, disponible dans des finitions variées, dépendantes du prix. Vendu en rouleaux ou en dalles. 	Plus plaisant et plus chaud que le vinyle. Spécialement traité et toujours verni ou paraffiné, le liège de sol est facile à nettoyer. Le liège recouvert de P.V.C. est le meilleur mais le plus cher.	Peut s'user dans les aires de passages intenses, à moins qu'il ne soit protégé par du P.V.C.	Aspirez ou balayez souvent pour enlever les poussières et lavez avec un détergent léger. Évitez de le tremper d'eau et n'utilisez pas de produits abrasifs.
Carreaux de céramique Le choix s'étend du carré conventionnel aux céramiques spéciales, de formes variées. Existent avec des surfaces antiglissantes. Carreaux Tomettes provençales	Matériau durable, facile à nettoyer, hautement résistant aux taches et produits divers. Grand choix de motifs et de couleurs.	Très cher. Les planchers de bois à l'étage doivent être renforcés avant la pose de ce matériau. Bruyant sous les pas. Froid si l'on y marche pieds nus. La vaisselle case en tombant dessus.	Enlevez les poussières de surface en balayant ou en aspirant, puis lavez avec un détergent non abrasif. Utilisez peu d'eau pour éviter les infiltrations sous le carrelage. Brossez pour enlevez les taches rebelles et les saletés incrustées sur les bords.
Vinyle en feuilles Deux types principaux : le vinyle lisse est meilleur marché ; le vinyle avec sous-couche de mousse ou de feutre est plus plaisant sous le pied. Grande variété de dessins et de couleurs.   Lisse Double	Facile à nettoyer. Résistant aux liquides (non acides) renversés. Revêtement bon marché pour cuisines, salles de bains et même chambres d'enfants.	Froid. Le vinyle lisse est glissant lorsqu'il est mouillé. Les variétés avec sous-couche sont plus chaudes, plus sûres et plus silencieuses sous les pas que le vinyle ordinaire.	Aspirez ou balayez pour enlever les poussières qui pourraient rayer la surface. Lavez au moins une fois par semaine avec un balai-éponge et un détergent doux. Appliquez du polish pour sol après la pose et repassez-le souvent. Vous pouvez faire disparaître les éraflures en passant un tampon de fine laine d'acier imprégné de white-spirit.
Moquette Grand choix de coloris et de prix. Disponible en moquette à poser, carrés de moquette et carreaux de moquette. 	Donne une impression de chaleur et de luxe. Variétés selon les usages : des escaliers, zones de passages intenses aux pièces sous-utilisées (chambre à coucher, par exemple).	Les moquettes de bonne qualité sont chères, et les moquettes ordinaires s'usent très vite. Le nettoyage est souvent difficile.	Aspirez fréquemment pour enlever les poussières qui pourraient nuire aux fibres. Enlevez les taches avec le détacheur approprié, ou shampouinez la moquette. Vous pouvez louer une shampouineuse électrique. Les carreaux de moquette peuvent être redisposés pour égaliser l'usure.
Parquet en lames ou en mosaïque Le parquet en lames épaisses peut servir à remplacer un revêtement endommagé. En lames fines, il se pose sur un revêtement existant. Le parquet mosaïque est un assemblage de petites lames.  Parquet en lames Parquet mosaïque	Luxueux et durable dans les salles de séjour, les salles à manger et les halls.	Cher, mauvaise résistance aux liquides renversés, donc non indiqué pour salles de bains et cuisines. Bruyant sous les pas.	Aspirez souvent pour éviter les éraflures. Les parquets vernis peuvent être essuyés avec un chiffon humide. Les parquets cirés devront être souvent encaustiqués. Une cireuse électrique facilitera cette tâche. Les tapis constituent la meilleure des protections.

Poncer et vernir un parquet

Vous pouvez, à moindres frais, avoir un parquet d'aspect agréable, en le ponçant avec une ponceuse électrique et en appliquant un vernis spécial. Vous pourrez ensuite disposer des tapis qui protégeront les zones de circulation.

Poncer un parquet est vraiment un travail simple, mais dur, et le ponçage dégage beaucoup de poussière. Aussi, portez un masque; sinon, la poussière pénétrera par vos voies respiratoires. Le ponçage est extrêmement bruyant. Choisissez donc des moments où vous risquerez le moins de déranger vos voisins.

Le ponçage s'effectue à l'aide de deux ponceuses, l'une à bande abrasive pour le gros du travail, l'autre à disque pour la finition (le long des murs, par exemple). Vous pouvez louer ces machines dans une entreprise de location (voir les pages jaunes de l'annuaire sous services de location, outils et équipements).

Il y a différentes sortes de bandes abrasives. Commencez avec des bandes à gros grain (vous pouvez vous dispenser de cette étape si les lames ne sont pas en trop mauvais état), puis continuez avec un grain moyen, et finissez avec un grain fin.

Lames neuves et endommagées

Sur des lames pratiquement neuves qui n'ont pas été tachées ou salies, le ponçage ne sera peut-être pas nécessaire avant d'appliquer le vernis. Nettoyez la surface en la frottant avec une brosse dure et un détergent dilué dans de l'eau chaude.

S'il y a des lames endommagées, il faudra les remplacer (voir p. 270), mais les neuves s'assortiront difficilement à la teinte des anciennes. Pour faire un travail impeccable, il vaut mieux remplacer une lame défectueuse dans un endroit bien visible par une autre du même âge prise dans un endroit moins exposé (cachée par un meuble ou un tapis, par exemple). Cette lame pourra, elle, être remplacée par une neuve sans inconvénient.

Un parquet rendu imperméable et étanche devra être balayé régulièrement, car la poussière contient des particules abrasives qui pourraient en rayer la surface.

Le vernis durera plus longtemps si vous faites un polissage sérieux une fois par an et un entretien plus léger une fois par mois.

Outils : masque pour le visage, chasse-clou et marteau à panne fendue, ponceuse pour sols, cache-oreilles, bandes abrasives (gros grain, grain moyen et grain fin), ponceuse à disque pour les bords, pinceau de 75 mm.
Matériau : vernis pour sols (brillant, satiné ou mat).

UN BON TRUC

Quand vous mettez en marche une ponceuse, la bande ponceuse commence à tourner, mais elle n'est pas en contact avec le sol avant que vous n'abaissiez un levier. Ne laissez jamais la ponceuse arrêtée avec la bande en marche et en contact avec le sol, car elle creuserait le parquet à l'endroit du stationnement.

Au moment où la bande attaque le bois, assurez-vous que la machine avance. Elle le fera d'elle-même, mais les gens inexpérimentés ont tendance à la retenir.

1 Enfoncez d'abord tous les clous dans le bois; sinon, ils déchireront la bande abrasive. Toute semence restant d'un revêtement de sol précédent doit aussi être enlevée.

2 S'il reste des traces de l'ancien vernis, enlevez-les avec un tampon de laine d'acier trempé dans du white-spirit, car le vernis empâterait les bandes abrasives.

3 Commencez sur un côté de la pièce, le dos appuyé au mur. Ne placez pas la ponceuse trop près de la plinthe, elle pourrait l'endommager.

4 Il est normal de marcher dans le sens de la longueur des lames. Le ponçage perpendiculaire au fil du bois entraînerait des éraflures. Mais si les bords des lames font saillie, faites les premiers rangs en passant en diagonale la ponceuse équipée de bandes à gros grain. Finissez avec un grain moyen, puis fin, et dans le sens du bois.

5 Pour un sol qui n'a pas à être poncé fortement, laissez avancer la machine à une allure lente et régulière jusqu'au bout de la pièce, en soulevant la machine avant qu'elle n'entaille la plinthe.

6 Redescendez-la et, la bande tournant toujours, tirez la ponceuse en arrière vers un point de départ. Soulevez la bande une nouvelle fois. Sur des sols très sales, travaillez d'avant en arrière de façon continue et sur environ 1 m, en déplaçant la ponceuse au fur et à mesure que le sol devient propre.

7 Lorsqu'une largeur correspond à celle de la machine, passez à la suivante et continuez jusqu'à ce que toute la pièce soit propre. Soulevez la bande abrasive lorsque vous changez de direction; sinon, vous pourriez endommager les lames.

PONÇAGE DES BORDS

Il restera tout autour de la pièce une bordure étroite que la ponceuse n'a pas pu atteindre. Cette bordure devra être nettoyée avec une ponceuse à disque. N'essayez pas de le faire avec une ponceuse à main, elle ne serait pas assez puissante. La ponceuse à disque pour les bords est un appareil beaucoup plus puissant.

1 Utilisez la ponceuse à disque sur tout le pourtour de la pièce, en fai-

---

sant attention à la peinture des plinthes.

2 Lorsque le ponçage est terminé, balayez pour enlever la poussière de bois. Ne mouillez pas.

3 Passez finalement sur le sol un chiffon de coton propre et sec, pour éliminer les dernières particules de poussière.

APPLICATION DU VERNIS

Pour être certain que le sol est prêt pour la finition, appliquez au pinceau un peu de vernis dans un endroit peu en vue et laissez sécher une nuit. Le lendemain, grattez-le avec le bord d'une pièce de monnaie. Si vous obtenez une poudre blanche, le vernis n'a pas « pris » convenablement. Cela signifie que la préparation du sol n'a pas été assez soigneusement exécutée et qu'il faudra poncer davantage.

1 Si le sol est prêt, appliquez le produit conformément aux instructions du fabricant.

2 Frottez le sol avec un tampon de fine laine d'acier pour enlever tous les grains de poussière avant d'appliquer la couche de finition.

PONÇAGE D'UN PARQUET COLLÉ

Le parquet collé en bandes ou en mosaïque peut aussi être poncé. Ces parquets sont disposés en motifs, de telle sorte que le fil du bois se trouve dans deux sens. Par conséquent, ces sols devront être poncés deux fois, la seconde fois à

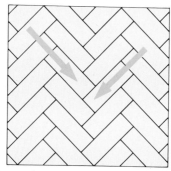

la perpendiculaire du premier ponçage. Un ponçage de finition avec une bande à grain très fin sera nécessaire.

Pose de dalles de vinyle ou de liège

Poser des dalles de vinyle ou de liège prend plus de temps que poser les mêmes matériaux en rouleaux, mais les dalles présentent bien des avantages. Elles sont plus faciles à manipuler, il y a moins de gaspillage si l'on est amené à faire des découpes autour d'un obstacle comme un foyer de cheminée, par exemple. Elles sont plus faciles à couper pour les ajuster et, enfin, si l'on commet une erreur, abîmer une dalle coûtera moins cher qu'endommager une grande surface.

Les dalles de vinyle sont disponibles dans une large gamme de coloris, de styles et de prix, depuis l'imitation d'ardoise jusqu'au vinyle lisse classique.

Pour calculer le nombre de dalles qu'il vous faudra, mesurez la longueur et la largeur de la pièce. Si elle comporte une baie ou un foyer de cheminée, calculez les surfaces séparément pour les ajouter ou les retrancher de la surface principale.

Sur chaque pack de dalles est indiquée la surface couverte, généralement 1 m². Divisez la surface de la pièce par la surface couverte par un pack. La réponse (arrondie au nombre entier supérieur) vous donnera le nombre de packs.

Le vinyle et le liège se posent de la même façon, en utilisant l'adhésif préconisé par le fabricant. Certaines dalles de vinyle sont auto-adhésives.

Outils : mètre à ruban, longueur de cordeau supérieure à celle de la pièce, craie, spatule pour l'adhésif, chiffon, cutter, éventuellement quelques chutes de panneaux de fibres dures et règle en métal.
Matériaux : dalles, adhésif (si les dalles ne sont pas auto-adhésives), white-spirit, si nécessaire, pour nettoyer les marques de colle.

OÙ COMMENCER À POSER

La pose de dalles se fait toujours à partir du centre de la pièce.

Comment trouver le centre

Mesurez deux murs opposés et marquez leur milieu, tirez un trait à la craie pour relier ces deux points. Mesurez la ligne tracée et mar-

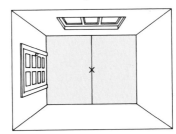

quez-en le milieu. Ce point est le centre de la pièce.

Si la pièce possède un foyer de cheminée, tracez la ligne à la craie parallèlement au mur où se trouve la cheminée (croquis).

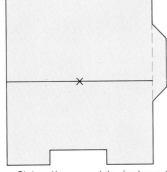

Si la pièce possède également un renfoncement pour une baie, neutralisez-le en traçant une ligne qui relie les deux extrémités du défoncé, et prenez vos mesures jusqu'à cette ligne.

Si la pièce a un périmètre plutôt irrégulier, choisissez un mur comme base. À 75 mm de ce mur, faites un trait de craie qui lui sera parallèle et marquez son milieu. Tracez un petit trait à la craie à angle droit avec le trait de base. Pour ce faire, utilisez une dalle comme guide.

Prolongez ce dernier trait sur toute la longueur de la pièce. Mesurez et marquez le milieu.

Point de croisement

Une fois tracé le trait de craie principal, tracez-en un second, à angle droit avec le premier. Pour cela, posez deux dalles sur le sol, chacune avec un côté aligné sur la ligne centrale et un angle sur le point central. Puis tirez un trait de craie à travers la pièce en passant par le centre et en suivant les bords des dalles.

PLACEMENT DE LA PREMIÈRE DALLE (DALLE CLÉ)

Il faut, à présent, décider de la position de la première dalle, ou dalle clé, qui déterminera la position de toutes les autres.

La dernière dalle de chaque rangée devra être découpée pour s'ajuster dans l'espace restant.

Normalement, toutes les dalles de bordure devraient être égales en superficie, soit la valeur d'au moins la moitié d'une dalle. Pour déterminer la meilleure position de la dalle clé, faites une série d'essais, à sec, sans utiliser de colle ni enlever la pellicule de protection des dalles auto-adhésives. Posez une rangée de dalles, à partir du centre vers tous les murs.

BATTRE UN TRAIT DE CRAIE

Pour bien des travaux, vous aurez à tracer une ligne au travers d'une pièce. Frottez de la craie sur un cordeau ou alors achetez un petit appareil qui enduira le cordeau. Attachez une extrémité du cordeau à un clou planté dans le sol et tenez l'autre extrémité du côté le plus éloigné de la pièce. Tendez le cordeau en le levant, puis laissez-le retomber. Il marquera un trait de craie sur le sol.

LES QUATRE POSITIONS POUR TROUVER LA DALLE CLÉ

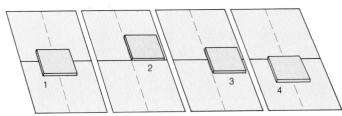

La dalle clé peut être placée dans l'une des positions déterminées de la façon suivante :
1 Sur le point central de la pièce.
2 Dans un des angles formés par les deux traits se croisant au centre.
3 Au centre, sur la ligne principale et sur un côté de la ligne transversale.
4 Au centre, sur la ligne transversale et sur un côté de la ligne principale.

CENTRER LES DALLES SUR UNE PARTICULARITÉ

1 Certaines pièces ont une particularité, comme une cheminée ou une baie dans un renfoncement. Pour obtenir un résultat attrayant, déplacez la ligne principale (en la gardant parallèle à la ligne d'origine) pour être sûr que les dalles seront axées sur la particularité de la pièce. Assurez-vous que vos coupes de dalles sur les bords seront les plus grandes possible.

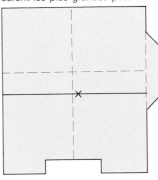

2 Une pièce peut avoir deux particularités. Dans ce cas, ajustez les deux lignes de base pour que les dalles soient axées sur ces deux points intéressants. Il n'est pas possible d'axer des dalles sur plus de deux points, sauf par accident.

UN BON TRUC

Il arrive qu'on ne puisse concilier deux positions de la dalle clé et l'obtention de demi-dalles pour le tour de la pièce. Dans ce cas, renoncez et revenez au projet d'un seul centre.

COLLAGE DES DALLES

1 Une fois choisi le meilleur agencement possible pour les dalles, mettez la dalle clé à sa place très précise et tracez un carré tout autour au crayon.

2 Dépoussiérez le sol, puis retirez la pellicule qui recouvre la dalle auto-adhésive. Ou étalez l'adhésif sur le sol avec une spatule.

3 Faites correspondre un côté de la dalle avec un de ceux du carré tracé au crayon et appuyez en déroulant la dalle. La dalle doit être exactement ajustée.

UN BON TRUC

Si les dalles présentent des rayures décoratives, posez-les à angle droit avec les rayures des dalles adjacentes.

Pose de dalles de vinyle ou de liège (suite)

4 Lorsque la première dalle est collée, continuez en partant de cette dalle et en allant vers le mur. Si vous étalez l'adhésif sur le sol, vous pouvez en recouvrir 1 m² à la fois. Les dalles doivent être positionnées de façon très précise, chacune venant buter contre sa voisine. Prenez grand soin d'avoir des joints en lignes rigoureusement droites, car vous auriez à tailler les dalles plus tard, pour éviter des interstices.

5 Si l'adhésif venait à suinter le long d'un joint, il faudrait l'essuyer immédiatement en utilisant un chiffon humecté d'eau ou de white-spirit, selon le produit utilisé.

COMMENT RECOUPER LES DALLES DE BORDURE

Les dalles coupées destinées à être placées en bordure peuvent être traitées de deux manières. La première donne les meilleurs résultats sur des surfaces encollées.

Méthode 1
Posez toutes les dalles, sauf un rang de dalles entières et un rang de coupées sur le pourtour de la pièce.

1 Placez la dalle à couper contre la dernière du rang, puis, par-dessus, une autre dalle entière que vous poussez contre le mur.

2 Tracez un trait de crayon sur la dalle à découper. Avec certaines dalles de vinyle ou de liège, vous n'aurez même pas à tracer un trait au crayon ; servez-vous d'un cutter, puis cassez la dalle en deux, en la pliant. Si la dalle ne casse pas, coupez-la en utilisant une règle en métal comme guide.

3 Les deux dalles changent de place à présent, la dalle coupée se retrouvant le long du mur. Laissez-les en place jusqu'à ce que vous ayez coupé toute la bordure, et collez toutes les dalles.

Méthode 2
Avec cette méthode, vous posez toutes les dalles complètes et traitez ensuite les dalles à couper pour la bordure. Ce qui ne laisse qu'une bande étroite de sol.

1 Placez la dalle à couper d'équerre sur la dernière dalle du rang. Placez une troisième dalle par-dessus et appuyée contre le mur.

2 Tracez un trait de crayon au travers de la dalle à couper. Servez-vous du cutter comme d'un crayon, puis cassez la dalle en la pliant en deux.

3 Si la dalle ne casse pas, utilisez une règle en métal comme guide.

4 La partie coupée de la dalle la plus proche du centre de la pièce remplira l'espace à combler. Mettez-la en place à la fin de la rangée et continuez à couper toutes les autres dalles de la bordure.

Dalles d'angle
Les dalles d'angle devront être découpées de la même manière, à la bonne longueur aussi bien qu'à la bonne largeur.

Encadrements de portes
Vous aurez à tracer 3 ou 4 lignes autour d'une moulure d'encadrement pour avoir un modèle correct.

DÉCOUPE ARRONDIE

Il s'agit d'une découpe autour d'un objet de forme irrégulière.

1 Pour déterminer la forme de la dalle autour du pied d'un lavabo, prenez une grande feuille de papier. Placez cette feuille sur la surface qui sera recouverte par la dalle et faites des pliures le long des joints avec les dalles adjacentes et autour du pied. Vous devrez peut-être entailler le papier si l'obstacle est vraiment irrégulier.

2 Posez le gabarit entier sur la dalle, tracez et coupez.

COUPE AUTOUR D'UN TUYAU

Un tuyau sortant du sol se trouve le long d'un mur ; vous aurez donc à couper une dalle de bordure.

1 Placez la dalle de bordure d'équerre avec la dernière dalle entière et faites-la buter contre le tuyau. Faites une marque au crayon. Placez le côté coupé de la dalle contre le mur en la faisant buter contre le tuyau. Faites une autre marque au point de contact.

2 Avec une équerre, tracez une ligne sur la longueur de la dalle à partir du repère sur le côté. Puis placez l'équerre sur le long côté, non coupé, de la dalle et tracez une autre ligne, qui coupera alors la première.

3 Les lignes se croisent à l'emplacement du tuyau. Percez un trou avec un vilbrequin (en plaçant la dalle sur un panneau de fibres dures), ou faites un trou d'une taille appropriée avec un cutter.

4 Avec le cutter, faites une entaille à partir du trou jusqu'au bord de la dalle, et mettez la dalle à sa place.

DALLES EN DIAGONALE

1 Pour poser des dalles suivant un motif en diagonale, faites-vous d'abord une pige à partir d'un morceau de latte peu épais, d'une longueur de 1 m, avec un clou à chaque extrémité. Un morceau de contre-plaqué ou de bois tendre conviendra très bien.

2 Marquez les lignes se croisant au centre de la pièce (voir «Où commencer à poser», p. 275).

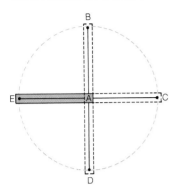

3 Plantez un clou sur la pige à l'endroit où les lignes se croisent (A) et marquez quatre points sur les lignes croisées (en B, C, D et E).

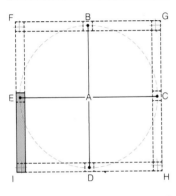

4 Plantez un clou sur la pige en B et reportez la longueur en F et G. Déplacez la pige sur C et reportez la longueur sur G et H. À partir de D, marquez H et I; et à partir de E, marquez I et F.

5 Tracez ensuite les diagonales à la craie sur le sol de G à I et de F à H.

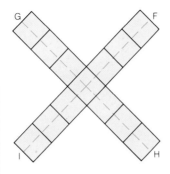

6 Posez des dalles non encollées pour obtenir des coupes les plus grandes possible sur les bords.

7 Collez toutes les dalles entières.

Dalles de bordure : méthode 1
Coupez un panneau de fibres dures, faites d'abord un gabarit.

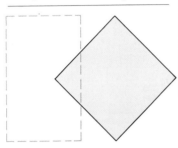

1 Coupez un panneau de fibres dures ou de carton, avec deux côtés opposés parallèles. La distance entre ces côtés doit être égale à la longueur de la diagonale d'une dalle (d'un angle à l'autre).

2 Placez la dalle à couper sur la dalle entière le plus près du mur.

3 Mettez un bord parallèle du gabarit contre la plinthe et tracez ou coupez le long du côté opposé la dalle qui se trouve sous le gabarit. Le morceau de dalle se trouvant le plus loin de la plinthe s'ajustera dans l'espace libre.

Dalles de bordure : méthode 2
Dalles en diagonale entourées d'une bordure d'éléments parallèles au mur.

1 Placez la première dalle au centre de la pièce pour avoir une bordure d'une largeur supérieure à celle d'une demi-dalle.

2 Posez toutes les dalles entières.

3 Coupez des dalles par moitié, d'un angle à l'autre et posez-les pour remettre au carré le motif en diagonale. Finalement, coupez les dalles de bordure parallèlement à leurs côtés, le long du mur, en les mesurant une à une.

DALLE DE VINYLE ENDOMMAGÉE

Mettez une feuille de papier aluminium sur la dalle et appuyez dessus un fer à repasser chaud.

Attendez que la chaleur ait pénétré la dalle (ce sera plus long sur du béton que sur du bois), puis soulevez un coin avec un couteau ou une spatule et enlevez la plaque.

Enlevez la colle restante avec une spatule chauffée à la lampe à souder, ou avec un décapeur thermique...

Collez une plaque neuve. Ne la faites pas glisser en place, car l'adhésif pourrait ressortir sur les bords.

Une surface plus grande peut être ramollie avec un décapeur thermique. Cette technique ne convient pas au liège, qui est un bon isolant contre la chaleur.

CRÉER UN MOTIF

Vous pouvez créer votre propre motif en combinant des dalles de deux ou plusieurs couleurs. Le plus simple est le motif en «jeu de dames», qui alterne couleurs claires et foncées. Mais beaucoup d'autres sont possibles.

Pour éviter des erreurs de pose, préparez sur papier votre motif à l'échelle.

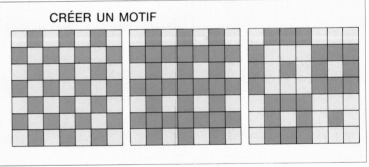

Pose de carreaux de céramique

Les carreaux de céramique ou de calcaire dur sont bien plus lourds que les autres types de revêtements. Un plancher de bois devra être renforcé avant la pose.

UN BON TRUC

Il est recommandé de ne pas marcher avant 24 heures sur les carreaux nouvellement posés. Comme peu de maisons peuvent s'offrir le luxe d'une cuisine ou d'une salle de bains inutilisables durant un délai aussi long, ne carrelez dans ce cas qu'une partie du sol à la fois.

Renforcer un plancher de bois

Recouvrez le plancher existant avec du contre-plaqué de qualité «extérieur». Cette sorte de contre-plaqué est capable de résister à l'humidité de l'adhésif. Vous le poserez de la même façon que les panneaux de fibres dures (voir p. 271), mais vous le visserez (au lieu de le clouer) tous les 30 cm.

Comment préparer une forme sur terre-plein

Les formes doivent être soigneusement nettoyées avec du détergent ménager et de l'eau, et remises à niveau si nécessaire.

Les nouveaux carreaux de céramique peuvent être posés sur les vieux ou sur des dalles de vinyle, à condition que ceux-ci soient bien collés. Pour les dalles de vinyle, il faudra toutefois les traiter avec une couche d'une impression spéciale que vous trouverez chez le vendeur de carrelage.

Comment calculer les quantités nécessaires

Pour estimer le nombre de carreaux, calculez la surface de la pièce. Si elle a un décrochement pour un foyer de cheminée, calculez-en la surface séparément et ajoutez-la ou retranchez-la de la surface principale.

Sur chaque paquet de carreaux est indiquée la surface couverte. Divisez la surface de la pièce par celle couverte par un paquet et vous obtiendrez le nombre de paquets nécessaires.

Coupe des carreaux de céramique

Les carreaux de céramique pour le sol ont, au moins, une épaisseur de 6 mm. Si on les compare aux carreaux pour les murs, qui ont une épaisseur de 4 mm, on peut en déduire qu'il faudra un outil de coupe plus puissant. Cet outil peut être acheté ou loué.

POSE DES CARREAUX

Outils : cuvette ou seau, truelle, couteau à colle cranté, chiffons, écarteurs pour les carreaux de 6 mm ou chevilles de bois, machine à couper les carreaux.
Matériaux : carreaux, ciment-colle, mortier liquide.

1 Placez les carreaux de la même façon que les dalles de vinyle (voir p. 275).

2 Commencez plutôt dans un angle qu'au centre de la pièce, encollez 1 m² environ et étalez le ciment-colle à la truelle en couche bien plane.

Pose de carreaux de céramique (suite)

3 Passez le couteau à colle, ce qui a pour effet de strier la surface et de laisser juste la quantité de colle nécessaire.

4 Placez les carreaux un à un, en les ajustant bien les uns par rapport aux autres. Cela assure un contact étroit du carreau avec le ciment-colle.

5 Il est possible de poser certains carreaux avec des joints importants. Il est alors essentiel que les espaces laissés entre eux soient très réguliers pour obtenir un bon résultat.

Des écarteurs de plastique sont vendus pour cet usage. Si vous voulez obtenir un effet spécial avec des joints plus larges, prenez des écarteurs très larges (6 mm, par exemple).

6 Essuyez toutes les traces de colle à la surface des carreaux. Servez-vous d'un chiffon humecté d'eau.

7 Évitez d'interrompre le travail, afin de ne pas avoir à sortir de la pièce en marchant sur les carreaux posés, bien que l'action de prise du ciment-colle soit rapide.

8 Les carreaux coupés devront être ajustés à la suite de la pose des carreaux entiers, sans attendre un temps de séchage après la pose de ces derniers.

9 Marquez au crayon sur le dessus du carreau l'endroit de la coupure. Coupez-le à l'aide d'une machine.

10 Préparez le mortier pour les joints et versez-le entre les carreaux. Faites pénétrer dans les joints avec le bord droit de l'étaleur.

11 Lissez les joints avec l'angle du couteau à colle pour obtenir une finition propre.

12 Enlevez le surplus sur les carreaux avec un chiffon humide, puis polissez avec un chiffon sec. Laissez sécher le mortier durant 1 heure environ, puis repassez un chiffon humide. Ne marchez pas trop sur le sol, attendez 48 heures après avoir fait les joints.

Pose de dalles de moquette

Les dalles de moquette offrent l'avantage de ne pas être fixées sur le sol. Vous pouvez les enlever et les déplacer quand vous le désirez.

Certaines dalles de moquette ne sont pas rigides et peuvent se disjoindre si la pose n'a pas été bien faite. Mais la plupart des dalles sont rigides et suffisamment lourdes pour tenir sur le sol. Il suffit de les placer les unes contre les autres et de coller (avec du double-face) la dernière rangée.

Il existe des dalles avec des motifs pour chambres d'enfants (voir p. 60) qui sont plombées et comprennent une sous-couche de bitume. Elles se posent bord à bord sans colle, « coincées » par les plinthes et la barre de seuil.

Les méthodes de pose varient légèrement selon les modèles.

Outils : mètre à ruban, cordeau plus long que la pièce, craie, règle d'acier, cutter grand modèle.
Matériaux : dalles de moquette, adhésif pour tapis, barre de seuil en métal (voir p. 283).

1 Si vous commencez à poser les dalles en partant d'un mur, vous risquez, en atteignant le mur opposé, de n'avoir plus qu'une mince bande de moquette à ajuster. Ces bandes étroites ne sont pas stables. Tracez avec le cordeau enduit de craie des marques pour délimiter le centre de la pièce.

2 Quelle que soit la méthode de pose, appliquez un adhésif pour tapis sur la première dalle, au milieu de la pièce. Ainsi, vous serez sûr que cette dalle ne sera pas déplacée pendant la pose, ce qui évidemment compromettrait le résultat final.

3 Posez les dalles en contrariant le sens du poil, ce qui vous donnera un effet de damier, même si toutes les dalles sont de la même couleur.

Certaines dalles ont une flèche au dos, pour montrer le sens du poil ; mais, quelquefois, vous aurez à le déterminer au toucher. La surface est lisse lorsque vous passez la main dans le sens du poil, elle est rugueuse dans le sens contraire.

Vous pouvez aussi poser toutes les dalles de manière que le poil aille toujours dans la même direction, ce qui donnera l'impression d'une moquette.

4 Posez le tendeur ou outil de remplacement sur le dessus d'une dalle de telle sorte que ses dents s'y agrippent, et poussez pour mettre la dalle à sa place.

5 Lorsque toutes les dalles entières ont été posées, mesurez les dalles de bordure pour les couper (voir « Dalles de vinyle », p. 276).

6 Marquez la ligne de coupe en faisant sur les bords opposés un repère au couteau sur le dessus de la plaque. Tournez la dalle, face sur le sol, posez une règle d'acier pour joindre les deux repères et coupez au cutter.

Coupez une planche de bois de 150 × 25 × 300 mm. Percez un trou au centre, d'une profondeur de 13 mm, et collez dans ce trou un bout de manche à balai. Enfoncez un clou à travers la planche dans le manche. Enfoncez quatre clous sur le devant de la planche.

7 Dans un passage de porte. Posez une barre de seuil en métal, comme pour une moquette normale.

UNE DALLE EST ABÎMÉE

Vous pouvez accidentellement endommager une dalle. Changez-la tout simplement.

Pose de vinyle en rouleaux

Le vinyle en rouleaux se fait dans différentes largeurs, les plus communes étant : 2 m, 3 m et 4 m.

Couvrir une pièce avec deux lés ou davantage est facile, car chaque lé est plus léger et plus manipulable qu'un lé très large qui recouvre toute la pièce. Mais il se peut qu'un ou plusieurs joints nuisent à l'apparence et laissent passer l'eau lors d'un nettoyage.

Les variétés de vinyle sur thibaude sont les plus faciles à poser, car elles épousent le sol et n'ont pas besoin d'être collées. Si vous avez à coller du vinyle en nappe, suivez les conseils donnés p. 276.

Avant de commander le vinyle, décidez de la façon dont il sera posé. Le mieux serait qu'il parte d'une fenêtre (de la fenêtre principale s'il y en a plusieurs). Les joints seront moins visibles que s'ils sont éclairés par le côté.

Il est préférable de recouvrir le sol avec des panneaux de fibres dures (voir p. 271) avant de poser le vinyle ; mais, si votre sol est en assez bon état, posez le vinyle perpendiculairement aux lames.

Si vous posez le vinyle parallèlement aux lames, assurez-vous qu'un bord du vinyle ne coïncide pas avec une fente du parquet.

Évitez d'avoir un joint aboutissant à un passage de porte ; c'est une aire de circulation intense.

Outils : mètre à ruban en métal, crayon tendre, longueur de cordeau supérieure à celle de la pièce, craie, petit bloc de bois ou compas, deuxième morceau de bois de 10 cm de long, ciseaux ou cutter, règle, tournevis et marteau.
Matériaux : vinyle pour recouvrir le sol, peut-être de l'adhésif, couteau à colle, barre de seuil et vis.

MARQUAGE DE LA LIGNE DE BASE

1 Tracez une ligne à la craie (voir p. 275), joignant les milieux des deux murs opposés qui recevront les extrémités des lés. Ce trait constitue la base à partir de laquelle vous pourrez travailler, car souvent les murs ne sont pas parallèles.

2 Si la première longueur de vinyle recouvre la ligne de base, tracez une deuxième ligne parallèle à la première, à un endroit où elle sera visible.

3 Coupez à la bonne dimension le premier lé de vinyle (la dimension de la pièce, plus 75 mm pour les adaptations).

4 Posez le vinyle sur le sol à environ 25 mm du mur sur le côté long, et parallèle au trait de craie. Laissez, à chaque extrémité, le surplus remonter un peu sur le mur.

MARQUAGE DU MUR DU CÔTÉ LE PLUS LONG

1 En deux ou trois points, marquez d'un trait de crayon le sol et le vinyle. Ce sont des points de repère qui vous permettront plus tard de replacer le vinyle dans sa position d'origine.

2 Déterminez à quel endroit du côté long l'espace entre le mur et le vinyle est le plus large. Coupez un petit morceau de bois à une longueur légèrement supérieure à cette mesure. Vous allez utiliser ce morceau de bois pour suivre les imperfections du mur, afin que le vinyle s'ajuste exactement.

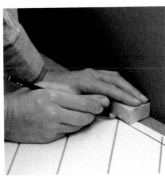

3 Placez le bloc de bois contre le mur, appuyez fortement le crayon contre le bois et déplacez ensemble bloc et crayon le long du mur. Vous tracerez ainsi une ligne sur le vinyle.

4 Coupez le vinyle le long du trait de crayon avec des ciseaux ou un cutter.

5 Remettez le vinyle en place en utilisant les points de repère pour un positionnement exact.

MARQUAGE DU MUR AUX EXTRÉMITÉS

1 Assurez-vous que le côté marqué (voir **1**, ci-dessus) est correctement placé le long du mur latéral, puis tracez une ligne à la craie, sur le sol, le long du mur opposé. Faites un repère sur le bord du vinyle et sur le sol. Écartez le vinyle de ce repère sur une longueur égale à celle du deuxième morceau de bois.

QUANTITÉS À ACHETER

Mesurez la pièce perpendiculairement à la direction choisie pour poser le vinyle, pour décider du nombre de lés.

Mesurez également la profondeur de tous les renfoncements. Pour une porte, mesurez jusqu'au milieu du seuil.

Pour chaque largeur de 2 m :
— il vous faudra un lé de 2 m de largeur.

Si la distance est de 3,50 m :
— vous aurez besoin de deux lés. 50 cm seront perdus.

Puis mesurez dans l'autre sens et multipliez par le nombre de lés.

Si la longueur est de 3,30 m :
— il vous faudra 6,60 m (3,30 multiplié par 2) + 7,5 cm de marge de sécurité sur chaque lé ;

au total : 6,75 m. Pour arrondir, il vous faudra acheter 7 m.

S'il y a un motif, il faudra un supplément pour le raccord du motif.

La quantité exacte variera selon la répétition du motif.

Commandez le revêtement à l'avance. Le vinyle pourra alors être entreposé verticalement (en rouleaux), durant au moins 2 jours, dans la pièce où il sera posé, de sorte qu'il sera à la température ambiante.

En hiver, la pièce devra être chauffée, le vinyle sera alors flexible et facile à poser, car il a en effet tendance à durcir au froid.

Pour la pose de ce revêtement, vous pouvez utiliser un trusquin.

2 En gardant le bord extérieur du vinyle sur le trait de craie, servez-vous du morceau de bois et du crayon pour reporter le contour du mur sur la feuille de vinyle.

3 Coupez en suivant cette ligne, puis servez-vous de la ligne tracée à la craie et des repères pour positionner exactement le vinyle. Il s'ajustera alors contre le mur d'extrémité.

COUPE DU DEUXIÈME LÉ

1 Le deuxième lé devra certainement être recoupé sur sa largeur. Faites la coupe sur le côté du mur, non sur le côté du joint.

2 Posez-le sur le sol, avec un bord touchant le mur, du côté où le mur est le plus proche du premier lé.

L'autre bord chevauchera le pre-

mier lé ; assurez-vous que la largeur de ce chevauchement est constante sur toute la longueur. Faites coïncider les motifs.

3 Coupez le lé à chaque extrémité en laissant le supplément nécessaire pour ajuster.

4 Faites un trait là où le deuxième lé repose sur le premier. Soulevez le deuxième lé et mesurez la largeur du chevauchement.

5 Placez de nouveau le vinyle à plat sur le sol et utilisez la règle et le crayon pour tracer une ligne parallèle au mur, à une distance égale à la largeur du chevauchement. Coupez le long de cette ligne.

6 Placez le vinyle en position et marquez les extrémités.

Pose de vinyle en rouleaux (suite)

FINIR LES ENTRÉES DE PORTES

1 Ajustez le vinyle autour du chambranle de la porte et jusqu'au milieu du seuil.

2 S'il n'y a pas de barre de seuil, vissez-en une, qui recouvrira le joint vinyle/revêtement au-delà de la porte.

DÉCOUPE D'UN DÉCROCHEMENT

1 Mesurez et coupez le vinyle pour garnir tout le décrochement, plus un supplément de 7 cm environ.

2 Posez-le sur le sol et remontez-le sur le mur de la cheminée.

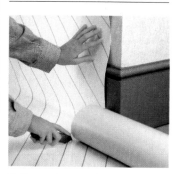

3 Coupez-le parallèlement au côté de la cheminée en laissant une

marge de sécurité. Laissez-le sur le sol du décrochement.

4 Enlevez le surplus sur le foyer lui-même, toujours avec une marge de sécurité.

5 Recoupez les bords pour que le vinyle s'ajuste bien dans le décrochement et autour de la cheminée. S'il s'agit d'une cheminée ouverte qui est toujours en service, ajustez le

vinyle autour du sol de protection.

COLLER LE VINYLE

Le vinyle sur thibaude n'a pas à être collé, car il épouse étroitement le sol et ne rétrécit pas une fois posé.

D'autres types de vinyle doivent être collés aussitôt posés. Si vous les laissez un moment tels quels, ne serait-ce qu'une nuit, ils peuvent rétrécir légèrement et des fentes peuvent se faire jour entre les deux lés eux-mêmes, aussi bien qu'entre les lés et le mur.

Utilisez l'adhésif livré ou recommandé par le fabricant et appliquez-le sur le sol avec un étaleur denté qui est livré avec l'adhésif. Pour du vinyle ordinaire, il faudra encoller toute la surface du sol. Le vinyle sur sous-couche ne sera collé que sur le tour de la pièce, sur 5 cm, et le long des joints où les lés de vinyle butent l'un contre l'autre.

Recouvrir une petite surface avec du vinyle

Vous y parviendrez très facilement en vous préparant d'abord un patron de papier.

Outils et matériaux : suffisamment de papier fort (papier kraft, par exemple) pour recouvrir le sol, éventuellement ruban adhésif transparent ou agrafes, crayon, punaises ou plombs, ciseaux ou cutter, morceau de bois de 4 cm, règle, vinyle en feuilles adhésif et couteau à colle.

1 Si le papier n'est pas assez grand pour couvrir la pièce, fixez deux morceaux ensemble avec du ruban adhésif ou des agrafes, mais faites des repères entre les deux morceaux, en différents points, pour pouvoir vérifier par la suite que les papiers n'ont pas glissé et changé de position.

2 Placez le papier sur le sol, les bords repliés en dessous. Maintenez-le en place avec des punaises (sur un plancher) ou avec des poids.

3 Pour l'ajuster autour d'obstacles, entaillez le papier à partir du mur vers l'intérieur.

4 Lorsque le papier est posé, ajustez-le tout autour de la pièce avec des ciseaux, et arrangez-vous pour qu'il soit à environ 15 mm du mur ou de la plinthe. Ajustez-le aussi autour des obstacles.

5 Taillez un petit morceau de bois de 4 cm environ et reportez cette mesure sur le bois pour qu'il n'y ait pas d'erreur par la suite.

6 Placez une extrémité du morceau de bois contre le mur, et le crayon à l'extrémité opposée. Faites glisser bois et le crayon autour de la pièce en traçant, de ce fait, le contour de la pièce.

7 Tracez aussi le contour d'obstacles importants, comme le pied d'un lavabo, par exemple.

8 Si vous rencontrez un tuyau, appliquez une règle sur quatre côtés opposés et tirez une ligne au crayon le long des bords extérieurs de la règle, de façon à tracer un carré.

DÉCOUPAGE DU VINYLE

1 Posez un métrage de vinyle, face sur le dessus, sur le sol d'une pièce plus grande. Placez-y le patron à l'aide d'un ruban adhésif.

2 Posez un bord extérieur du morceau de bois sur le trait de crayon

que vous avez tracé sur le patron, et le crayon sur le bord opposé, puis déplacez bois et crayon ensemble, pour tracez sur le revêtement le contour de la pièce.

3 Coupez le vinyle en suivant le trait de crayon et en utilisant une règle comme guide pour les parties droites.

4 Si vous avez tracé un carré autour d'un tuyau, marquez les diagonales du carré, ce qui vous indiquera son centre. Servez-vous d'une pièce de monnaie, par exemple, pour tracer un cercle du diamètre du tuyau et évidez-le au cutter.

5 Le morceau de vinyle sera exactement découpé aux dimensions de la pièce. Pour l'ajuster autour des obstacles, faites une entaille à partir du trou vers le bord le plus proche. Si vous suivez un tracé du motif (le joint creux d'une imitation de carrelage, par exemple), l'entaille sera invisible.

6 Collez le vinyle tout à fait normalement, à moins que vous n'ayez choisi un vinyle sur thibaude.

Pose d'un métrage de vinyle sans raccords

La plupart des pièces peuvent être recouvertes avec un seul métrage de vinyle sans raccords, si vous utilisez une largeur de 4 m, ou même de 3 m. La pose sans raccords donne un fini plus net et le revêtement durera plus longtemps parce qu'il n'y aura pas de joints qui s'ouvriront et s'endommageront.

En revanche, la pose d'un tel revêtement sera plus difficile. La largeur du matériau le rend peu maniable et très lourd.

Calculez la surface du revêtement nécessaire de la même façon que pour les lés plus étroits (voir p. 279), en retenant qu'il ne faudra qu'une seule longueur. Prenez vos mesures jusqu'au fond de tout renfoncement et la moitié du seuil de la porte. Pour faciliter la tâche autant que possible, le vinyle devra déborder de 10 cm sur tous les côtés (c'est-à-dire au total 20 cm de plus que les dimensions réelles de la pièce). Demandez à votre fournisseur de le couper aux mesures que vous aurez prises, même si vous devez payer le métrage arrondi au mètre supérieur.

Si vous devez le faire vous-même, essayez de trouver un espace assez grand pour poser le vinyle à plat. En dernier recours, la pelouse, par temps sec, fera l'affaire.

Coupez avec un cutter ou des ciseaux. Enroulez à nouveau le vinyle de telle sorte que la plus petite dimension devienne la longueur du rouleau, ce qui facilitera son transport dans la pièce. Roulez-le, côté imprimé à l'intérieur, ce qui est le sens du déroulage lorsque vous commencerez la pose.

Stockez le rouleau durant 2 jours dans la pièce à laquelle il est destiné, pour qu'il soit à sa température. Par temps froids, branchez le chauffage dans cette pièce ; sinon, le vinyle sera dur et cassant.

Outils : balai à soies souples, ciseaux, cutter, petit bloc de bois et peut-être règle de métal.
Matériaux : métrage de vinyle pour couvrir la pièce, adhésif (et couteau à colle sauf pour le vinyle sur thibaude), barres de seuil pour les ouvertures.

1 Le premier travail consiste à dérouler le vinyle. C'est une tâche difficile, et vous aurez certainement besoin de quelqu'un pour vous aider. Assurez-vous que c'est bien le côté le plus long qui s'ajuste au mur le plus long.

2 Si le revêtement présente un dessin très accusé, ajustez-le de telle sorte que les lignes principales du motif soient perpendiculaires au mur où se trouve la porte par laquelle vous entrerez le plus souvent dans la pièce.

Fiez-vous à votre œil : le dessin semble droit, il est droit !

Terminer proprement la pose d'un vinyle contre un mur n'est pas une entreprise facile et demande une certaine pratique. Il vaut mieux ne pas se tromper quand on pose un revêtement cher dans une grande pièce.

Exercez-vous donc avec des chutes de vinyle jusqu'à ce que vous ayez le tour de main.

Pressez-le bien contre le mur avec votre bloc de bois pendant que vous le couperez au plus près en vous aidant de la règle métallique.

Assurez-vous que la main qui tient la règle est suffisamment éloignée du cutter.

---

3 Étant donné qu'ajuster les bords représente un travail très difficile, placez la nappe de vinyle à nouveau contre le mur le plus long (puis contre le mur d'en face, en lui faisant faire un tour complet, si nécessaire), pour voir si les murs opposés sont parallèles.

4 Pour la pose, le vinyle doit être absolument à plat sur le sol. Passez dessus un balai à soies souples, pour avoir une bonne planéité.

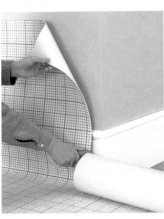

5 Pour ajuster le vinyle suivant la découpe d'une cheminée, demandez à votre aide de le tenir pendant que vous ferez une coupe parallèle à celle-ci. Gardez toujours une marge de sécurité de 5 cm supplémentaires qui est nécessaire pour les ajustements avant finition.

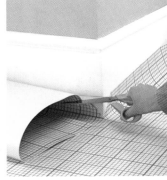

6 Posez le revêtement sur le sol en le rabattant sur les côtés, puis coupez d'abord le surplus qui remonte sur la cheminée, en laissant toujours une marge de 5 cm supplémentaires.

7 Pour appliquer le revêtement dans les angles rentrants, enlevez aux ciseaux un petit triangle au coin du revêtement. Quand vous pousserez le vinyle sur le sol, il formera un V qui lui permettra de s'adapter dans l'angle. Mais il faudra retirer exactement la surface nécessaire. Commencez par découper un petit triangle.

8 Pour ajuster le vinyle au mur, coupez d'abord au cutter la partie remontant sur le mur, mais vous en garderez une marge de 2,5 cm.

9 Poussez le vinyle fortement contre la plinthe en vous servant du petit bloc de bois.

10 Placez la pointe du cutter à l'endroit exact où le vinyle rencontre la plinthe et déplacez la lame du couteau le long de la plinthe en formant un angle de 45°

---

avec le mur. Cette façon de couper permet un ajustement étroit.

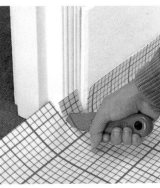

11 Pour découper le revêtement autour d'un chambranle de porte, faites une série d'entailles verticales dans l'angle entre le chambranle et le sol. Enlevez l'excédent. Dans l'embrasure de la porte, coupez le vinyle à la moitié de la profondeur de cette embrasure.

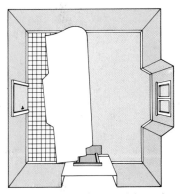

12 Lorsque le vinyle a été posé, collez-le sur le sol, à moins que ce ne soit du vinyle sur thibaude, qui n'a pas à être collé entièrement, mais simplement aux quatre angles.

Enroulez la nappe de vinyle sur sa moitié environ, pour appliquer la colle sur le sol (voir «Risques d'incendies», p. 276).

13 Replacez le vinyle et appliquez-le sur le sol avec le balai. Puis encollez l'autre moitié de la pièce en opérant symétriquement.

14 Finissez par le seuil en y posant une barre métallique.

COUVRIR DES GRANDES PIÈCES

Un revêtement sans raccords ne peut être posé dans une pièce dont les dimensions sont supérieures à 4 m. Il faudra couvrir le sol avec deux ou trois longueurs supplémentaires de 2, 3 ou 4 m, en calculant bien quelles dimensions entraîneront le moins de gaspillage.

Ne mélangez jamais différentes largeurs dans la même pièce ; elles ont été manufacturées sur plusieurs machines et les teintes pourraient ne pas être uniformes.

Les moquettes

La moquette est un revêtement textile souple qui recouvre toute la surface du sol. Ce terme de «moquette», qui s'appliquait autrefois aux seuls tapis tissés, désigne maintenant les fabrications les plus diverses. Toutefois, on distingue deux qualités de moquette.

La moquette traditionnelle

C'est un produit tissé composé de fibres naturelles ou mélangées. Le support, ou dossier, est une toile de jute ou de coton dans laquelle les fibres sont tissées. L'ensemble ressemble à un tapis à points noués. Ce type de moquette ne se pose pas à même le sol, il faut placer dessous une thibaude, sorte d'épais tapis feutré. La moquette est alors tendue en périphérie sur des bandes à griffes préalablement fixées sur le sol.

La moquette synthétique

Il s'agit d'un produit plastique composé de fibres synthétiques (polyamides, polyacryliques, polypropylènes...) et réalisé par un procédé autre que le tissage. Par exemple : le tuftage, le nappage, l'aiguilletage, etc., sont des procédés utilisés pour planter des fibres dans le dossier, mais elles ne tiennent pas fermement. Pour les immobiliser, il faut recouvrir l'envers du tapis d'une couche thermoplastique, sorte de mousse de latex vulcanisée : c'est la thibaude incorporée.

CHOISIR LA POSE

La qualité d'une moquette et son lieu d'utilisation définissent en partie la méthode de pose. Aussi, une belle moquette de laine tissée implique une pose tendue, qui n'est pas à la portée du bricoleur débutant. Seul un professionnel peut réussir une pose parfaite, qui est une garantie de longévité.

Au contraire, une moquette sur mousse de latex s'accompagne d'une pose collée sur toute la surface (ou sur des bandes adhésives) plus facile à mettre en œuvre.

En outre, il existe des moquettes synthétiques en «grandes largeurs», ce qui permet aisément de recouvrir toute la surface d'une pièce sans réaliser de raccords.

Néanmoins, un rouleau de moquette de 4 m de long ne se manipule pas aussi facilement qu'un rouleau de papier peint !

PRÉPARATION DU SOL POUR LA POSE

La pose d'une moquette peut être exécutée sur tous les bords à condition qu'ils soient secs, plans et rigides.

Sur un ancien parquet

Vérifiez la tenue des lames. Reclouez-les éventuellement. S'il s'agit d'un parquet vétuste en très mauvais état, démontez-le et remplacez-le par des panneaux de particules cloués directement sur des lambourdes.

Les parquets cirés doivent être nettoyés afin d'éliminer la couche de cire, qui nuirait à l'adhérence de la colle ou du ruban adhésif.

Sur un bois fraîchement poncé

Passez une couche d'imprégnation à base de colle au Néoprène qui facilitera l'accrochage des autres produits.

Sur un carrelage ancien

Si les carreaux sont cassés, abîmés ou descellés, nettoyez le sol avec un shampooing. Sur un carrelage en terre cuite, si les carreaux sont poreux, il y a des risques de remontées d'humidité.

Sur un sol en terre ciment

Dépoussiérez, puis faites un ragréage.

La pose libre

Cette méthode de pose est relativement simple, la moquette étendue sur le sol et coupée au ras des plinthes n'adhère que par son propre poids.

Cette technique est réservée aux pièces de petites dimensions (salles de bains, par exemple) où la surface est réduite et où les nombreux accessoires qui reposent sur le sol contribuent à immobiliser le revêtement.

1 Déroulez la moquette, coupez les angles afin que le revêtement épouse les coins rentrants et saillants de la pièce.

2 Découpez ensuite les emplacements des appareils sanitaires.

3 Lissez toute la surface. Avec la paire de ciseaux fermée, marquez le revêtement en suivant l'angle formé par le sol et la plinthe, puis coupez l'excédent de moquette.

4 Au droit de la porte, fixez une bande de seuil métallique qui maintiendra la moquette et l'empêchera de se soulever.

LA MOQUETTE ONDULE

Si, après quelques semaines, vous constatez une légère ondulation du revêtement, fixez-le tout autour sur des bandes adhésives (rubans d'environ 5 cm de large spécialement destinés à cet usage).

1 Nettoyez le sol avec un chiffon imbibé de trichloréthylène, afin de supprimer toutes traces grasses.

2 Collez la bande adhésive sur le sol tout au long des plinthes, puis

enlevez le papier protecteur de la face supérieure et rabattez la moquette dessus.

3 Lissez fortement la surface, puis arasez de nouveau la moquette sur tout le pourtour.

La pose collée

Il faut apporter un grand soin à la préparation du sol, faute de quoi les imperfections de la surface se reproduiraient à travers le revêtement. D'autre part, avant de choisir une pose collée, il faut savoir qu'elle comporte un inconvénient : celui de la dépose.

LE CHOIX DE LA COLLE

Choisir la colle qui fixe la moquette est très important, car il faut qu'elle soit parfaitement adaptée à la nature du dossier et à l'enduction d'envers. Pour éviter toute mauvaise surprise, renseignez-vous auprès du fabricant de la moquette et utilisez le produit qu'il préconise.

Il s'agit en général de colle en solution alcool ou essence, à base de résines synthétiques. La pose devra se faire dans un local aéré et en l'absence de toute flamme. En revanche, les colles en dispersion aqueuse sans solvants sont ininflammables.

Étendez le produit à l'aide d'une spatule crantée dont le profil de la denture règle la consommation au mètre carré. Celle-ci peut varier de 150 à 500 g au m² suivant le type de produit. Toutes les spatules ne conviennent pas pour toutes les colles : utilisez l'outil adéquat.

DÉCOUPE ET MISE EN PLACE DES LÉS

Lors du calcul des métrages, pensez à toujours mesurer la pièce en milieu de feuillure de la porte d'accès. Prévoyez également 5 à 10 cm à relever le long des plinthes et 10 cm pour la réalisation des raccords. La plupart des moquettes actuelles sont proposées en 4 m de largeur, ce qui simplifie la pose et limite le nombre de raccords à faire. En outre, l'implantation des lés doit se faire perpendiculairement à la source de lumière diffusée par la ou les fenêtres. Ainsi, la lumière «efface» le raccord au lieu de l'accentuer.

Les lés devront être découpés dans le même sens. L'indication du «couchant de la moquette» figure très souvent au dos sous la forme d'une flèche.

Outils : règle métallique, cutter, mètre, spatule crantée, ciseaux, marteau, couteau à enduire.
Matériaux : moquette, colle à moquette à base de résines d'alcool.

1 Déroulez la moquette en la laissant remonter sur les plinthes (5 à 10 cm).

2 Procédez à la découpe du joint au cutter, en vous aidant de la règle métallique. Les deux épaisseurs sont coupées en une seule opération.

3 Repliez les lés en portefeuille, dans le sens de la largeur.

4 Encollez votre support à la spatule crantée en partant de la plinthe. Rabattez votre moquette et

procédez de même pour l'encollage de la seconde partie de vos lés.

5 De part et d'autre du raccord, massez fortement pour parfaire l'adhérence.

6 Pour la découpe en lisière, prenez appui sur un couteau à enduire après avoir marqué précisément l'endroit de la découpe. Effectuez au cutter les arasements en plinthe.

UN BON TRUC
Si vous aimez souvent changer de décor, ne collez pas votre moquette à même le sol.

Auparavant, déroulez une feuille de polyester non tissé sur toute la surface, elle protégera le sol de la colle (surtout s'il s'agit d'un parquet).

Pose d'une moquette avec thibaude

Cette moquette avec thibaude est bien plus difficile à poser que la moquette collée sur support de mousse. Pour qu'elle soit bien plane et qu'elle résiste à l'usure, la moquette doit être tendue lors de la pose.

Parvenir à la tension optimale est la partie la plus délicate du travail. Si vous ne tendez pas suffisamment la moquette, elle ne sera pas assez plane et se plissera quand vous déplacerez un meuble. Enfin, une moquette bombée par endroits sera non seulement peu flatteuse à l'œil, mais s'usera plus rapidement aux endroits saillants.

Il n'est probablement pas rentable de poser vous-même une moquette neuve. Le prix d'une moquette de bonne qualité est si élevé que la pose n'augmentera pas beaucoup la dépense totale. Les magasins de tapis incluent parfois la pose dans leurs prix.

Une moquette usagée est, en revanche, plus facile à poser, parce qu'elle a déjà été tendue. Si vous achetez une moquette d'occasion ou si vous déménagez et emportez votre moquette pour la replacer ailleurs, vous pourrez le vérifier. Mais c'est réalisable seulement si la moquette est assez grande pour recouvrir la pièce sans faire de raccords. Assembler une moquette qui doit être tendue constitue un travail de professionnel.

Outils : marteau et chasse-clou (ou marteau de solier-moquettiste ou «Vergez»), scie à araser, étau ou serre-joint, gants de protection, cutter (de préférence à lame courbe) ou ciseaux ; peut-être agrafeuse électrique (qui peut être louée), tendeur (qui peut être loué), burin propre ou spatule de cuisine en bois.

Matériaux : bande d'ancrage, clous ou colle, barre de seuil et vis ou colle, sous-couche (de feutre ou de mousse), agrafes ou pointes, moquette pour couvrir la pièce en un seul lé.

UN BON TRUC
Les carrelages, les sols en ciment ou en pierre doivent être ragréer avec un produit spécial lorsqu'ils sont en mauvais état. Sur un carrelage, passez auparavant une couche de colle au Néoprène diluée à 50 %. Elle permet une meilleure adhérence du produit de lissage.

FIXER LES BANDES D'ANCRAGE

1 Mesurez le périmètre de la pièce pour déterminer la longueur de bande d'ancrage nécessaire (vendue en longueur de 80 cm).

2 Placez les bandes d'ancrage les pointes vers le mur. Laissez un espace entre la bande et le mur un peu inférieur à l'épaisseur du tapis. Vous pourrez plus tard glisser le bord de la moquette arasée dans cet espace.

3 Clouez les bandes sur le sol. Avec un marteau à panne étroite, il vous sera possible d'enfoncer les clous sans endommager les griffes de la bande sinon, prenez marteau et chasse-clou.
Clouez en conservant le même espace entre chaque clou.

CHOISIR DES FIXATIONS POUR MOQUETTES

Pour poser une moquette, il y a quelques dizaines d'années, on la repliait tout autour en faisant un ourlet de 5 cm et on la clouait. Cette méthode peut encore être utilisée, mais elle a été remplacée par la méthode des bords adoucis. La moquette est retenue par des bandes d'ancrage (bandes de bois ou de métal).

Doubles barres de seuil
Utilisées pour couvrir les bords de deux moquettes posées dans des chambres adjacentes.

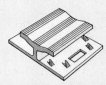

Grippers (attaches agrippantes)
Certaines attaches se présentent avec des clous prêts à être enfoncés dans le sol. Elles peuvent aussi être collées sur le sol avec de la colle vendue par le fabricant.

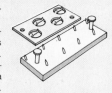

Agrafes d'angle
Pour des marches d'escalier. Ces agrafes se fixent à la jonction entre la marche et la contremarche. Elles peuvent servir à ajuster des largeurs standard de tapis d'escalier.

Barres de seuil
Dans les embrasures de porte, les barres de seuil (ou bordures de tapis) sont vissées, clouées ou collées sur le sol. Elles agrippent la moquette avec des pointes triangulaires et se replient sur le bord pour la protéger.

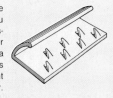

Tringles d'escalier
On recommence à les fabriquer. Les anciens modèles se trouvent dans des magasins de ventes d'occasions. Vérifiez si vous avez la quantité nécessaire. Placez ces tringles de façon visible.

Pose d'une moquette avec thibaude (suite)

OUTILS DESTINÉS À LA POSE DE MOQUETTES

L'outil le plus important du poseur de moquette se nomme un «coup de genou». Sa sole plate dentelée agrippe le tapis et sa large partie rembourrée est poussée avec le genou.

Ces outils, chers à l'achat, se louent à la journée.

L'agrafeuse, manuelle ou électrique, indispensable pour fixer les sous-couches sur du bois, se loue aussi.

Pour fixer une sous-couche sur un sol en béton, choisissez de la bande adhésive double face.

Un «Vergez» qui possède une panne étroite et lourde est utile pour fixer des bandes d'ancrage sur un plancher ou des escaliers, car il permet d'enfoncer les clous sans taper sur les pointes de fixation du tapis. Vous pouvez aussi utiliser un marteau et un chasse-clou.

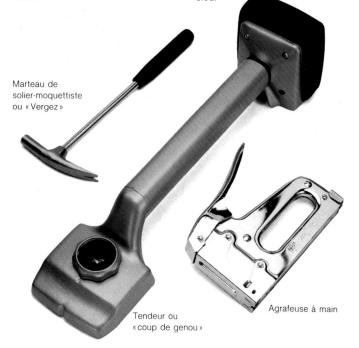

Marteau de solier-moquettiste ou «Vergez»

Tendeur ou «coup de genou»

Agrafeuse à main

4 Quand un radiateur vous gêne pour vous approcher du mur, placez les agrafes aussi près qu'il vous le permettra.

5 Lorsque vous arrivez dans un angle, coupez la bande à la bonne longueur avec une scie à métaux. Maintenez la bande dans un étau ou un serre-joint et faites attention aux pointes triangulaires. Des gants solides sont nécessaires.

6 Dans un angle, faites buter simplement une bande contre l'autre. Il n'est pas nécessaire de couper les bandes d'onglet.

7 Pour une surface incurvée, comme celle d'un bow-window, coupez la bande en morceaux courts qui épouseront la courbe.

8 Dans l'embrasure d'une porte, fixez une barre de seuil (appelée aussi bordure de tapis) au milieu du seuil.

POSE DE LA THIBAUDE

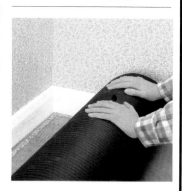

1 Déroulez une petite longueur de la thibaude dans un angle de la pièce : l'extrémité du rouleau et un côté sont contre la bande agrippante.

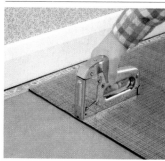

2 Fixez sur le sol les bords de la thibaude à l'agrafeuse ou avec un marteau et des clous. Sur du béton, utilisez une bande adhésive double face.

3 Continuez à dérouler la thibaude le long du mur de la pièce, en la lissant et en la fixant au fur et à mesure. Il faut qu'elle soit parfaitement à plat sur le sol.

4 Il n'est pas nécessaire de tendre la thibaude.

5 Il faudra poser la thibaude jusqu'au mur, même si la bande agrippante n'est pas contre le mur, à cause d'un radiateur, par exemple.

6 À l'extrémité de la pièce, coupez la thibaude au ras de la bande agrippante avec un cutter ou des ciseaux.

7 Lorsque vous aurez presque recouvert la pièce, retaillez le dernier lé à la longueur et à la largeur de l'espace qui reste à couvrir.

POSE DE LA MOQUETTE

1 Dans une pièce plus grande, coupez la moquette aux dimensions voulues. Ajoutez une marge de 15 cm sur les côtés, davantage si la moquette présente un dessin. Gardez les chutes de moquette pour d'éventuelles réparations.

Si possible, posez la moquette avec le poil dans le sens de la lumière, c'est-à-dire de la fenêtre principale vers le centre, ce qui évitera d'accentuer les inégalités. La surface doit vous donner l'impression d'être lisse quand vous passez la main sur la moquette en vous éloignant de la fenêtre.

2 Posez la moquette sur le sol de la pièce où elle doit être fixée. Si elle présente un motif, disposez-la pour que celui-ci soit placé perpendiculairement à la sortie et qu'il ne donne pas l'impression de partir en biais lorsqu'il est vu de l'entrée.

3 Faites des entailles sur le pourtour pour que la moquette s'ajuste dans les renfoncements. Dans les angles, coupez-la à angle droit. Laissez toujours une petite marge qui permettra une finition soignée.

4 Enlevez le surplus qui remonte sur les obstacles en réservant une marge.

5 À l'aide d'un cutter, enlevez soigneusement le surplus tout autour de la pièce en laissant une marge de 1 cm le long de deux murs jouxtant et une marge de 4 cm le long des deux autres murs.

UN BON TRUC

Pour ajuster la moquette dans un renfoncement, faites une entaille verticale dans chaque coin, puis appuyez bien la moquette sur le sol avant d'enlever le surplus. Il sera plus facile d'estimer ce que vous aurez à enfoncer entre plinthe et bande agrippante.

---

6 Commencez la pose dans un angle de la pièce, du côté où vous n'avez gardé qu'une petite marge. Passez vos doigts sur le dessus de la moquette, de telle sorte qu'elle s'accroche sur les pointes de la bande qui se trouvent le plus loin du mur.

7 Faites la même chose sur l'autre mur avec la faible marge.

8 Faites glisser la panne du marteau à plat sur le dessus de la moquette, en l'appuyant sur le rang de pointes et en forçant le supplément de tapis entre la bande agrippante et la plinthe.

9 Lorsque les deux premiers bords ont été fixés, agenouillez-vous sur

la moquette en vous adossant à l'un des deux murs. Enfoncez les dents du «coin de genou» dans la moquette devant vous et appuyez sur l'extrémité rembourrée pour pousser la moquette en avant. Déplacez-vous vers le mur d'en face en répétant l'opération une ou deux fois, jusqu'à ce que vous soyez près du mur.

10 Tendez encore une fois la moquette et accrochez-la avec votre main dans les pointes de la bande agrippante. Elle se contractera immédiatement et le restera quand le maximum de tension aura été atteint. Il faudra vous exercer pour obtenir une tension optimale sur toute la surface de la moquette.

11 Répétez cette opération trois ou quatre fois jusqu'à ce que la moquette soit fixée sur toute la longueur du mur. Puis faites un demi-tour et fixez-la le long du mur d'en face.

12 Quand l'accrochage sera terminé, les suppléments de moquette déborderont en remontant sur les murs. Enlevez-les en laissant encore une petite marge de 1 cm.

13 Poussez ce petit excédent entre la bande et la plinthe en vous

servant pour cela d'un burin propre ou d'une spatule de cuisine en bois. Faites attention de ne pas gratter la peinture de la plinthe si vous utilisez un burin.

14 Vérifiez également si l'excédent de moquette sur les deux autres murs a bien été résorbé.

15 Rabattez la partie de la barre de seuil en intercalant entre le marteau et la barre un morceau de bois ou de moquette pour éviter de masquer le métal de la barre.

POUR PROTÉGER LA MOQUETTE

La moquette une fois fixée, il se peut que la porte frotte sur le revêtement. Intercalez une rondelle d'épaisseur entre les deux parties des paumelles.

Vous pouvez également enlever la surépaisseur gênante à la base de la porte. Posez contre elle un morceau de bois de l'épaisseur à enlever. Servez-vous de ce morceau de bois comme d'un guide et déplacez-le avec un crayon le long de la porte, pour marquer la quantité

de bois qui devra être retirée.

Décrochez la porte et sciez ou rabotez la base. Si vous vous servez d'une scie égoïne, travaillez lentement pour éviter de faire éclater la surface de la porte. Si vous vous servez d'un rabot, bloquez la porte (madrier et cale) sur le chant, et rabotez vers le sol. Travaillez vers l'intérieur de chaque côté pour éviter de faire éclater les extrémités des montants. Après la coupe, finissez au papier de verre.

Réparer une moquette

Pour réparer un trou ou une partie usée dans une moquette, vous aurez besoin d'un morceau de la même moquette, légèrement plus grand que la surface abîmée.

Ce morceau peut être pris dans ce que vous aurez mis de côté lors de la pose. Sinon, il faudra découper une pièce, sous un gros meuble, par exemple. Le trou que vous aurez ainsi fait pourra être réparé avec un morceau de moquette différent, puisqu'il ne sera pas apparent. Les bords de la réparation ne devront pas être visibles. La différence de couleur entre la pièce et le reste de la moquette finira par s'estomper.

Outils : cutter et marteau.
Matériaux : pièce de moquette à base de latex, bande adhésive de 5 cm (si possible, double face), morceau de toile grossière plus grand que la surface à réparer (inutile pour des moquettes doublées d'une couche de mousse).

COUPER LA PIÈCE NEUVE

1 Placez la pièce neuve sur la partie endommagée, en faisant attention à respecter le sens du poil, en passant votre main sur la moquette et la pièce.

2 Tenez fermement la pièce sur la moquette et coupez avec un cutter en traversant les deux épaisseurs. Ainsi, vous serez sûr que trou et pièce auront la même dimension. N'entaillez pas la thibaude.

MOQUETTE NON COLLÉE

1 Roulez-la pour dégager le dessus et appliquez de la colle pour tapis autour des bords du trou et de la pièce sur environ la moitié de l'épaisseur du poil. Cela empêchera la trame du tapis de s'effiler.

2 Laissez un peu sécher la colle, puis insérez la pièce dans le trou.

3 Pour une moquette doublée de mousse, maintenez la pièce en

place avec de la bande adhésive de 5 cm de largeur.

Pour les autres moquettes, étalez de la colle pour tapis sur de la toile grossière dépassant les dimensions du trou de 5 cm. Collez la toile sur le dos de la pièce et sur la moquette qui entoure le trou.

4 Remettez la moquette, face extérieure sur le dessus, et pincez les bords de la pièce et du trou pour assurer une bonne adhérence.

5 Écrasez le raccord en tapant légèrement avec un marteau pour le rendre aussi peu apparent que possible. La différence de couleur, elle, subsistera un moment.

MOQUETTE AJUSTÉE ET MAINTENUE EN PLACE

1 Appliquez de la colle spéciale autour des bords du trou et des bords de la pièce, jusqu'à environ la moitié de l'épaisseur du poil, et laissez sécher.

2 Prenez quatre longueurs de bande adhésive double face, poussez-les en place dans le trou et collez-les sur le sol ou la sous-couche, à l'endroit où la pièce s'ajustera avec la moquette entière. Enlevez la protection de la bande adhésive. Posez la pièce à sa place et appuyez fortement.

3 Pressez les bords et tapez légèrement avec un marteau.

Pose d'un tapis sur un escalier

Les marches d'escalier sont souvent recouvertes d'une bande de tapis centrale, le bois visible sur le côté étant peint ou verni. Le tapis est vendu tout prêt à une largeur standard de 70 cm. Posez le tapis d'escalier avec beaucoup de soin. Si le travail n'est pas bien réalisé, cela provoquera des accidents. Recouvrir entièrement les marches est un travail délicat qu'il vaut mieux laisser à un professionnel, surtout si l'escalier est tournant.

Le tapis s'use de façon très irrégulière. Vous pouvez prolonger considérablement sa vie en le posant avec des agrafes d'angle ou des tringles d'escalier, qui vous permettront de le déplacer et de le reposer régulièrement, et en laissant, pour ce faire, un excédent de tapis. Les tapis pour escalier, comme les moquettes de chambre, nécessitent une thibaude ; on utilise un nappage pour escalier qui ne se présente pas en rouleaux.

Outils : mètre à ruban, crayon, marteau et chasse-clou ou « Vergez » (marteau de solier-moquettiste), cutter ou ciseaux, spatule de bois ou cuillère.

Matériaux : moquette pour marches, colle pour tapis, pointes pour tapis, nappage découpé pour sous-couches, bandes étroites de contre-plaqué ou panneaux de fibres dures, agrafes métalliques pour marches et joints pour les fixer.

CONSEIL DE SÉCURITÉ

Les éléments de nappage d'un escalier, qui pendent librement sur le bord de la marche, et les pointes triangulaires des agrafes sont également dangereux. Dans une maison habitée, le tapis devra être rapidement posé sur le nappage. Toute personne ayant à utiliser l'escalier durant les travaux devra se méfier.

ESTIMER LA LONGUEUR DU TAPIS

1 Pour décider de la longueur du tapis, mesurez le giron d'une marche (la partie sur laquelle vous marchez) et multipliez cette mesure par le nombre de marches.

2 Dans le cas d'un escalier tournant, qui présente donc des marches plus profondes à une extrémité qu'à l'autre, prenez la mesure de la partie la plus large. Dans certains cas, la première marche du bas est plus profonde que les autres ; tenez-en compte dans vos mesures.

3 Si un palier marque le tournant d'un escalier, mesurez sa profondeur et ajoutez-la aux mesures des marches. Si vous désirez que le tapis recouvre jusqu'au bout le palier, vous ajouterez sa longueur aux mesures déjà prises.

4 Mesurez à présent la hauteur d'une contremarche et multipliez cette dimension par le nombre de contremarches.

5 Additionnez toutes vos mesures. Cela donnera la longueur totale pour couvrir les marches. Ajoutez un supplément pour pouvoir déplacer le tapis afin d'égaliser son usure : giron de la première marche et hauteur de sa contremarche.

ESTIMER LA LONGUEUR DU TAPIS

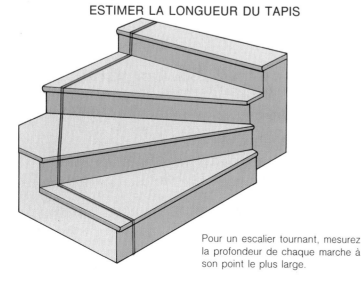

Pour un escalier tournant, mesurez la profondeur de chaque marche à son point le plus large.

PRÉPARATION DE L'ESCALIER

1 Si un vieux tapis vient d'être déposé, inspectez bien l'escalier pour voir s'il présente des défauts, et réparez-le.

2 Enlevez les vieux clous et pointes restant en place après la dépose du tapis.

3 Posez un élément de revêtement sur la première marche du haut, butant, d'un côté, contre la contremarche et dépassant, de l'autre, le nez de la marche.

4 Placez une bande d'ancrage pour escalier contre l'angle marche/contremarche. Clouez-la sur la marche, à travers le revêtement. Un marteau de solier permettra d'enfoncer les clous sans toucher aux dents de la bande. Vous pouvez aussi vous servir d'un marteau ordinaire et finir d'enfoncer les clous au chasse-clou. Clouez ensuite la bande sur la contremarche. Recommencez pour les autres marches, excepté pour celle du bas. Ne clouez pas de bande à l'endroit où la contremarche rencontre le sol.

POSE DU TAPIS

1 Déroulez le tapis et lissez-le de la main. Il est préférable que le sens du poil aille du haut de l'escalier vers le bas.

2 Enroulez à nouveau le tapis, le côté motif à l'intérieur.

3 Commencez au bas de l'escalier. Déroulez seulement une petite lon-

---

gueur de tapis. Si l'extrémité a tendance à s'effilocher, passez un peu de colle pour tapis sur le bord, sans en mettre sur l'endroit.

4 Recouvrez la marche du bas avec le tapis, face endroit posée à l'envers. Gardez le tapis bien parallèle aux côtés de la marche.

5 Posez la bande d'ancrage sur la marche et bloquez soigneusement le tapis en place avec des clous. Faites passer le tapis sur le nez de la marche et le long de la contremarche.

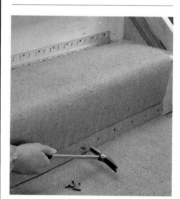

6 Maintenez-le à la base de la contremarche avec une bande de bois, de fibres dures ou de contre-plaqué en la clouant.

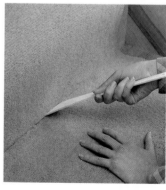

7 Repliez le tapis et ramenez-le à son point de départ, l'endroit sur le dessus cette fois. Fixez-le sur les deux rangs de pointes de la bande en le poussant avec une spatule. Vérifiez si le tapis tient en place.

9 Continuez en remontant et en fixant à chaque marche le tapis sur les deux rangées de pointes d'ancrage.

POSE D'UN TAPIS SUR UN ESCALIER TOURNANT

Poser un tapis sur un escalier tournant (ou balancé) est relativement difficile, à moins de choisir une qualité de tapis très souple.

1 Clouez des bandes d'ancrage sur la marche et la contremarche.

2 Taillez les éléments de nappage à la forme des marches. Ils seront plus larges d'un côté. Agrafez-les ou clouez-les en place, butant contre la bande agrippante sur la marche.

3 Commencez à poser le tapis à la base de l'escalier comme pour un escalier droit.

4 Appuyez le tapis sur les pointes avec une spatule de bois.

5 Sur la première marche balancée, faites monter le tapis sur la contremarche et clouez-le avec des pointes de 2,5 cm.

6 Repliez-le jusqu'à la marche du dessous et clouez-le.

POSE D'UN TAPIS SUR UN ESCALIER TOURNANT

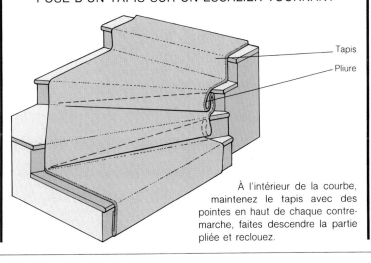

Tapis

Pliure

À l'intérieur de la courbe, maintenez le tapis avec des pointes en haut de chaque contremarche, faites descendre la partie pliée et reclouez.

7 Le balancement est très prononcé : il faudra peut-être découper le tapis, chaque morceau pouvant recouvrir deux à trois marches.

UTILISATION DE TRINGLES D'ESCALIER

1 Le fait d'utiliser des tringles ne change rien à la façon de procéder

pour la pose. Toutefois, leurs clips de fixation ne pourront pas retenir les éléments de nappage, qui devront obligatoirement être cloués.

Placez les clips des tringles contre les bords extérieurs du tapis, pour éviter qu'ils ne se déplacent à gauche ou à droite.

2 Pour donner un aspect soigné, placez des tringles sur les marches balancées ainsi qu'à la limite entre le sol et la première contremarche.

Traitement des paliers

PALIER MOQUETTÉ

Si le palier doit être complètement recouvert de moquette d'un mur à l'autre, arrêtez le tapis d'escalier en haut de la dernière contremarche. Coupez et enlevez l'excédent en gardant un supplément de 2,5 cm pour le replier. Clouez le tapis, sous le nez de la marche palière. Posez la moquette du palier comme une moquette de chambre, mais faites-la passer sur le nez de la marche palière et clouez-la sur le haut de la contremarche.

PALIER À MI-COURSE

Si l'escalier fait un angle de 90°, traitez les deux volées séparément. Recouvrez le palier intermédiaire avec du tapis d'escalier. Faites

buter le deuxième tapis sur le premier, retournez l'extrémité, et clouez. Si l'escalier fait un angle de 180°, le palier sera recouvert d'un métrage spécial de tapis d'escalier posé à angle droit avec les deux volées. Prolongez les deux tapis des volées jusqu'aux bords de la bande de tapis destinée au palier, coupez-les et clouez-les en place, sans mettre de sous-couche (thibaude). Ce surplus, caché par le tapis de palier, pourra éventuellement être déplacé par la suite, quand vous désirerez éviter une usure. Puis posez par-dessus le tapis de palier. Un espace peut rester sous le tapis de palier, entre les deux tapis des volées. Comblez-le avec des éléments de nappage ajustés et cloués. Clouez le tapis de palier tout autour, en repliant les deux extrémités.

PALIER ET ESCALIER

Sur un palier que vous ne désirez pas recouvrir entièrement de moquette, vous pouvez simplement prolonger le tapis d'escalier. Coupez-le et collez le bord pour éviter qu'il ne s'effiloche. Mettez une sous-couche sous le tapis de palier, qui retombera sur la dernière contremarche du haut. Terminez le bord du tapis avec une barre de seuil de métal et clouez-le sur ses bords.

PALIER ENTIÈREMENT RECOUVERT DE MOQUETTE

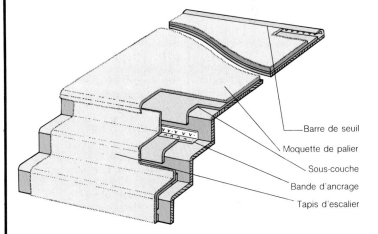

Barre de seuil

Moquette de palier

Sous-couche

Bande d'ancrage

Tapis d'escalier

PALIER ET ESCALIER RECOUVERTS DE MOQUETTE

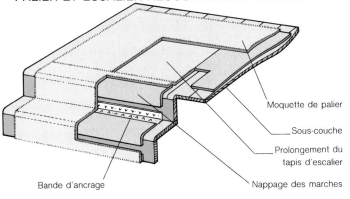

Moquette de palier

Sous-couche

Prolongement du tapis d'escalier

Nappage des marches

Bande d'ancrage

Déplacer un tapis d'escalier

Sur le devant de chaque marche, le tapis s'use très rapidement, surtout si sa qualité n'est pas de premier rang.

Cette usure peut être répartie en déplaçant le tapis de 7 à 8 cm dans le sens de la montée une fois par an, afin que toutes les parties du tapis subissent le même traitement sur une période de plusieurs années. Ce travail est plus facile si le tapis est retenu par des tringles plutôt que par des bandes d'ancrage.

Outils : petit levier pour enlever les pointes, marteau, spatule de bois.
Matériaux : bandes étroites de sous-couche, pointes pour tapis.

1 Déclouez le tapis ou enlevez la barre de métal le retenant en haut de l'escalier. Servez-vous d'un levier à enlever les pointes.

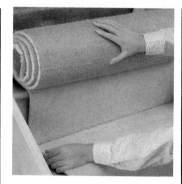

2 Repliez l'extrémité déclouée et commencez à rouler le tapis, ce qui le libérera des premiers rangs de pointes de la bande agrippante, mais il faudra le soulever pour le libérer des deuxièmes rangs de pointes. Ne tirez pas pour le libérer, vous risqueriez de le déchirer. Si le tapis est retenu par des tringles, enlevez-les tout simplement.

3 Une fois tout le tapis enroulé, commencez à le poser de la même manière que la première fois (voir p. 286), à la différence que vous allez partir de 7 à 8 cm plus bas, sur la première contremarche. Clouez le tapis au départ.

4 Remplissez l'espace ainsi créé avec une bande de sous-couche fixée sous la bande agrippante.

5 À l'endroit où s'arrête le tapis, en haut de l'escalier, repliez-le de 7 à 8 cm, et clouez-le.

6 Année après année, le supplément de tapis à la base deviendra plus court jusqu'à ce qu'il soit entièrement transféré en haut de l'escalier, où un double repli sera peut-être nécessaire.

Au pied de l'escalier, il sera cloué à la base de la première contre-marche. Si le tapis est toujours convenable l'année suivante, vous pouvez recommencer l'opération.

TAPIS NOUVELLEMENT POSÉ

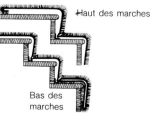

Haut des marches

Bas des marches

APRÈS DÉPLACEMENTS

Haut des marches

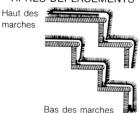

Bas des marches

ENLEVER LES TACHES SUR UN TAPIS

Essayer de traiter les taches le plus rapidement possible.

N'utilisez pas n'importe quel liquide et ne frottez pas le tapis, vous feriez pénétrer ou s'étaler la tache.

Enlevez en grattant avec une cuillère ou un couteau émoussé toute trace de produit solide. Épongez les liquides en y appuyant une serviette sèche ou un tampon d'ouate. Continuez jusqu'à élimination de toute trace d'humidité.

Si la tache subsiste, traitez-la selon sa nature. Une tache à base aqueuse (une boisson, par exemple) peut être enlevée avec du shampooing pour moquette ; une tache à base graisseuse (sauce, huile), avec un solvant pour nettoyage à sec, K2R ou similaire.

Lorsque vous vous servez de shampooing ou de solvant, mettez-en juste assez sur un chiffon pour humecter l'endroit de la tache. Si vous saturez le chiffon, vous ferez pénétrer la tache. Dès qu'un bout du chiffon est sale, changez pour un endroit propre. Allez de l'extérieur de la tache vers le milieu, pour éviter de l'étendre.

Finalement, couvrez l'endroit de la tache avec un gros tampon d'ouate sec que vous lesterez avec quelque chose de plat et de lourd (un annuaire, par exemple). L'humidité restante sera absorbée par la ouate.

Lorsque la tache traitée sera sèche, il sera peut-être indiqué de shampouiner toute la moquette pour avoir une couleur uniforme. Vous pouvez louer une shampouineuse électrique à la journée. Faites attention à ne pas trop mouiller la moquette, et sur-tout ne trempez jamais la face inférieure du tapis. N'essayez pas de nettoyer des moquettes synthétiques, car la chaleur abîmerait le poil.

Lissez le poil dans son sens naturel et maintenez une bonne aération dans la pièce jusqu'à séchage complet.

Vous pouvez vous procurer chez tous les fournisseurs ou loueurs de matériel de nettoyage un kit comprenant un assortiment de produits convenant aux différentes taches.

CONSEILS DE SÉCURITÉ

Beaucoup de solvants sont potentiellement inoffensifs. Certains sont inflammables, beaucoup dégagent des vapeurs toxiques. Aussi, soyez très vigilants si vous utilisez ce genre de détachants.

Travaillez dans une pièce bien aérée. Ne fumez pas et ne vous tenez pas près d'une flamme nue. Interdisez l'accès de la pièce aux enfants.

Ne mettez jamais un détachant dans un récipient qui ne soit pas celui d'origine. Un membre de la famille pourrait le prendre pour une boisson. Portez toujours des gants de caoutchouc pour protéger vos mains.

Gardez tous ces produits hors de portée des enfants.

Arrêtez le chauffage à air pulsé quand vous travaillez.

Alcools et spiritueux
Épongez avec une serviette sèche ou un tampon d'ouate. Nettoyez avec une éponge et de l'eau chaude. Laissez sécher ; passez un shampooing pour moquette. Traitez la tache qui subsisterait avec de l'alcool dénaturé.

Bière
Épongez avec une serviette et laissez sécher. Si des traces subsistent, traitez avec du shampooing pour moquette.

Boissons non alcoolisées
Tamponnez. Traitez avec un shampooing pour moquette. Les taches rebelles disparaissent souvent à l'alcool dénaturé.

Boue
Laissez sécher la tache. Brossez, puis aspirez. Nettoyez avec un shampooing pour moquette, si nécessaire.

Café
Épongez le plus gros du liquide. Séchez en tamponnant. Traitez la tache restante avec un shampooing pour moquette. Utilisez si nécessaire un solvant une fois le shampooing sec, pour enlever les taches de graisse provenant du lait ou de la crème.

Chewing-gum
Faites refroidir le chewing-gum avec des morceaux de glace placés dans un sac de plastique, ou utilisez un produit spécial pour ce faire. Puis cassez-le en morceaux et enlevez-les à la main. Le chewing-gum bouche les aspirateurs.

Chocolat
Grattez le chocolat avec un couteau et, s'il est liquide, épongez et séchez avec une serviette ou un tampon d'ouate. Nettoyez avec un shampooing pour moquette.

Cirage
Grattez et tamponnez avec un solvant. Finissez avec de l'alcool dénaturé. Nettoyez au shampooing pour moquette, si nécessaire.

Cire de bougie
Grattez pour enlever autant de cire que possible. Couvrez la tache restante avec du papier buvard ou du papier d'emballage. Touchez avec la pointe d'un fer à repasser chaud. Ne posez pas le fer sur la moquette, elle pourrait fondre. Déplacez le papier et recommencez jusqu'à ce que la cire soit complètement absorbée. Nettoyez les traces qui subsisteraient avec un détachant.

Colorant, teinture
Faites appel à un spécialiste.

Confiture, marmelade
Ramassez le dépôt à la cuillère. Essuyez la surface avec une serpillière rincée à l'eau chaude. Nettoyez au shampooing pour moquette. Enlevez les taches restantes avec un produit approprié choisi dans un kit de nettoyage.

Crème glacée
Grattez tout de suite et essuyez avec du papier absorbant. Traitez avec un solvant, une fois la tache sèche. Nettoyez avec un shampooing pour moquette.

Dentifrice
Grattez le dépôt avec une petite cuillère de l'extérieur vers l'intérieur, pour ne pas trop étaler la tache. Rincez à l'eau.

Encre (stylo à réservoir)
Une tache qui doit être attaquée sur-le-champ. Tamponnez avec du papier absorbant. Épongez à l'eau chaude pour enlever l'encre. Il faudra peut-être plus d'une application. Tamponnez bien à chaque fois. Traitez les petites taches restantes avec un produit approprié choisi dans un kit de nettoyage.

Excréments, vomissures, urine
Enlevez les déchets solides avec du papier. Grattez le reste avec une cuillère ou un couteau émoussé. Séchez avec un chiffon ou un tampon d'ouate ; épongez légèrement avec un shampooing pour moquette (ajoutez de l'acide acétique s'il s'agit d'urine). Si les dégâts sont graves, faites venir un spécialiste. On considère que les dégâts sont sérieux lorsque la tache pénètre sous le tapis et dans la sous-couche.

Goudron
Très difficile à enlever. Grattez et enlevez tout ce qui se détache. Traitez avec un solvant. Si la surface a durci, grattez-la pour permettre au solvant de pénétrer.

Pour les taches récalcitrantes, essayez de tamponner avec de l'huile d'eucalyptus ou avec un solvant pour nettoyer les pinceaux.

Jus de fruits
Épongez avec un chiffon propre ou du papier absorbant. Nettoyez avec du shampooing pour moquette.

Ketchup
Ramassez ou essuyez le dépôt. Évitez d'étaler la tache. Frottez doucement avec de la mousse de shampooing pour moquette. Essuyez avec une serpillière rincée à l'eau chaude et bien essorée. Travaillez toujours dans le sens du poil. Traitez les taches qui subsisteraient avec un solvant.

Lait
Une action immédiate est essentielle pour éviter que le lait ne pénètre dans le tapis, car il y laisserait une odeur persistante. Épongez à sec. Nettoyez avec un shampooing pour moquette. Si une tache persiste, utilisez un solvant. Cependant, seul un professionnel pourra empêcher les odeurs de remonter chaque fois que la pièce sera chauffée.

Matières grasses, huile
Enlevez le plus gros. Grattez les dépôts. Appliquez un solvant. Pour les grandes taches, voir la technique indiquée à «Cire de bougie».

Moutarde
Grattez le dépôt en évitant de trop l'agrandir. Épongez avec un chiffon humide. Traitez avec un shampooing pour moquette.

Œuf
Grattez le dépôt. Traitez ensuite avec un solvant pour nettoyage à sec ou un détachant approprié.

Paraffine
Ramassez immédiatement le produit répandu. Traitez la surface tachée avec un solvant.

Les taches de paraffine sont très difficiles à enlever. Sollicitez l'aide d'un spécialiste.

Parfums
Nettoyez avec un shampooing pour moquette et laissez sécher. Recommencez l'opération, si nécessaire.

Pâte à modeler
Grattez pour enlever le maximum de pâte, puis traitez le reste avec un solvant.

Peinture
Toutes les peintures doivent être traitées immédiatement. Une fois qu'elles sont sèches, elles sont pratiquement impossibles à enlever. Grattez pour retirer le dépôt et essuyez autant que vous le pouvez, puis traitez selon le type de peinture.

ÉMULSION
Épongez à l'eau froide, de l'extérieur vers l'intérieur de la tache. Réservez aux professionnels du nettoyage des moquettes les grandes taches d'émulsion séchée.

ACRYLIQUE
Essuyez avec des chiffons et épongez à l'eau chaude. Finissez avec de l'alcool dénaturé ou un solvant.

LAQUE OU PEINTURE À L'HUILE
Épongez avec du white-spirit ou un solvant. Si la peinture est sèche, ramollissez-la avec un nettoyant pour pinceaux. De grandes surfaces tachées demanderont l'intervention de professionnels.

Produits de maquillage, crèmes de base
TACHES HUMIDES ET FRAÎCHES
Enlevez tous dépôts et appliquez un solvant. Laissez sécher et traitez avec du shampooing pour moquette. Des taches récalcitrantes peuvent être traitées avec un produit choisi dans un kit de nettoyage.

TACHES SÈCHES
Brossez pour enlever la poudre qui s'est formée, puis utilisez un produit approprié choisi dans un kit de nettoyage.

Produit de maquillage pour les yeux
Humidifiez la tache, et traitez-la avec une goutte de produit détergent sur un tampon de coton. Rincez et traitez les taches récalcitrantes avec un solvant.

Produit pour métal (genre Miror)
Grattez ou essuyez le dépôt. Traitez avec un shampooing pour moquette additionné de quelques gouttes d'ammoniaque ménager.

Rouge à lèvres
Grattez le dépôt avec un couteau et utilisez un solvant. Vous pouvez également prendre un produit approprié choisi dans un kit de nettoyage ou un peu de solvant pour nettoyer les pinceaux.

Roussissement
Des marques de roussissement prononcées sont impossibles à enlever car les fibres sont endommagées. (Pour réparer une moquette, voir p. 285.) Pour des marques légères, taillez le poil avec des ciseaux ou rasez-le légèrement avec un rasoir. Vous pouvez aussi enlever les fibres qui se détachent avec une brosse dure, puis opérer des mouvements circulaires avec une brosse métallique ou du papier de verre pour camoufler les dommages.

Sang
TACHES FRAÎCHES
Épongez à l'eau froide. Séchez en tamponnant avec un chiffon. Nettoyez au shampooing pour moquette, si nécessaire.
TACHES SÈCHES
Elles ne disparaîtront pas complètement.

Stylo-bille
La rapidité d'intervention est essentielle. Tamponnez avec de l'alcool dénaturé sur un chiffon de coton. Faites attention à ne pas étendre la tache.

Sur un capitonnage de vinyle ou sur un revêtement mural, brossez immédiatement avec une brosse à ongles et de l'eau savonneuse (l'encre laissera une trace indélébile si vous ne pouvez l'enlever tout de suite).

Stylo-feutre
Certains stylos-feutres ont une encre à base d'alcool ; d'autres, une encre à base d'eau. De l'alcool dénaturé sur un tampon de coton enlèvera les encres à base d'alcool, reconnaissables à leur odeur forte. Mais ne mouillez pas trop, car l'alcool pénétrerait jusqu'à la sous-couche de mousse et pourrait décolorer la moquette. Pour les encres à base d'eau, servez-vous de shampooing pour moquette.

Suie
Aspirez la surface couverte de suie, mais seulement avec l'embout de l'aspirateur et non avec la brosse. Si c'est un tapis non cloué, secouez-le à l'extérieur. Ne brossez pas ; sinon, les marques s'étendront. Utilisez un solvant pour enlever toutes les petites traces. Faites appel à un spécialiste pour traiter de grandes surfaces.

Thé
Épongez autant que possible. Traitez avec du shampooing pour moquette. Enlevez les taches restantes lorsqu'elles sont sèches avec un solvant pour détacher la graisse du lait, si nécessaire.

Vernis à ongles
Ramassez le dépôt à la cuillère ; évitez d'étaler la tache. Humectez un tampon de coton avec de l'acétate d'amyle ou de l'acétone (ne prenez pas de dissolvant gras pour vernis à ongles) et tamponnez la surface tachée. N'utilisez ces produits que dans des endroits bien ventilés. Ne fumez pas. Faites d'abord un essai dans un endroit non exposé, car l'acétone peut abîmer les fibres synthétiques. Utilisez aussi peu de produit que possible, car l'excès pourrait endommager la sous-couche. Les traces de couleur qui resteraient peuvent être enlevées avec de l'alcool dénaturé. Servez-vous d'un solvant, si nécessaire.

Vin
FRAÎCHEMENT RÉPANDU
Épongez à sec, puis nettoyez avec du shampooing pour moquette. Ne saupoudrez pas la tache de sel, cela pourrait affecter les couleurs.
VIEILLES TACHES
Elles céderont peut-être à une solution de glycérine (moitié eau, moitié glycérine). Laissez agir 1 heure, puis rincez. Si les taches sont très vieilles, épongez-les avec de l'alcool dénaturé.

TACHES SUR DES MEUBLES CAPITONNÉS
La vitesse d'intervention est capitale pour traiter les taches efficacement. Prévoyez un assortiment de produits spécifiques.

La plupart des taches sur des capitonnages peuvent recevoir le même traitement que ceux décrits pour les tapis.

Où cela sera possible, traitez les taches à partir du dos du textile. Des housses détachables, par exemple, devront être enlevées avant traitement. Posez l'endroit du textile à détacher sur un chiffon propre et appliquez le solvant sur l'envers. Tous les velours, sauf le velours acrylique comme le dralon, doivent être traités par le teinturier.

Ne séchez pas les textiles artificiels. La chaleur peut les faire rétrécir et endommager certaines fibres.

Pose d'un parquet mince

Un parquet traditionnel dont l'assemblage des lames se fait par rainures et languettes se pose généralement sur des solives et des lambourdes. Les lames rainurées en bout assurent un montage parfait sans que les joints soient nécessairement alignés de manière à bien tomber à cheval sur une lambourde.

Mais la pose de ce parquet s'adresse essentiellement aux bricoleurs chevronnés, pour ne pas dire aux spécialistes.

Il existe cependant toutes sortes de revêtements en bois plus faciles à poser.

LES PARQUETS DE RECOUVREMENT

Appelés également parquets contrecollés, ils comportent des lames ou des dalles emboîtées les unes dans les autres par des rainures et des languettes, mais, à l'inverse des parquets traditionnels, ces éléments ne sont pas en bois massif. Ces parquets sont généralement composés de trois couches superposées, contre-collées entre elles. Seule la partie supérieure comporte une essence de bois décorative, les couches inférieures sont en bois, en contre-plaqué, voire en aggloméré.

Grâce à leur faible épaisseur, ces parquets conviennent au recouvrement des sols existants, sans entraîner de gros travaux de réfection. Tous les éléments s'assemblent entre eux par rainure et languette et, parfois, sans utiliser de colle ou de clous, ce qui permet de recouvrir un carrelage, un plancher, une moquette, etc., avec un outillage réduit. En outre, bien calibré en épaisseur et verni en usine, ce type de parquet n'exige pas d'opérations de finition de surface après la pose ; ponçage et vernissage sont inutiles.

RECOUVRIR LES ESPACES POUR LA DILATATION

Différentes formes de baguettes moulurées peuvent être achetées pour couvrir l'espace laissé tout autour des murs. Le quart-de-rond et la moulure adhésive (voir p. 149) sont deux formes possibles. Achetez une moulure de 19 mm de large pour dépasser largement l'espace à couvrir.

Appuyez fortement la moulure contre la plinthe et clouez-la avec des clous de 13 mm de plus que la largeur de la moulure. Ne clouez pas dans le sol.

Aux angles de la pièce, coupez la moulure d'onglet (utilisez pour cela une boîte à onglets).

Vous pouvez également acheter des bandes étroites de liège que vous trouverez chez un vendeur de parquet. Le liège sert à remplir l'espace laissé pour la dilatation et doit avoir la même épaisseur que la lame de bois.

LA MÉTHODE DE POSE

La pose « flottante » est très utilisée. Les panneaux ou les lames ne sont pas fixés au support mais reposent le plus souvent sur une couche de matériau isolant, ou même parfois sur un ancien revêtement (ancien linoléum, ancien parquet...), à condition qu'il soit véritablement plan.

La réalisation

La pose flottante d'un parquet à l'aspect traditionnel (mais qui se prête à toutes sortes de combinaisons décoratives) élimine le clouage, mais il faut réserver sur le pourtour de la pièce un espace qui permettra la dilatation du revêtement lors des changements de température. Un film de mousse en polyéthylène, déroulé sur le sol avant la pose, améliorera le confort et l'isolation thermique et acoustique. Il suffit de coller les lames entre elles pour assurer une cohérence. Les dimensions du parquet ci-dessous sont les suivantes : long. : 123 cm, larg. : 20,5 cm, épaiss. : 0,7 cm.

Outils : équerre, marteau, scie égoïne à denture fine, levier.
Matériaux : colle, fausses languettes, taquets, cales, cordeau.

1 Encollez la rainure d'embout de la première lame, du côté où viendra s'ajuster la lame suivante.

2 Après avoir disposé les taquets de jeu contre le mur, posez la première lame, rainure orientée vers le mur. Calez la lame en appui sur les taquets.

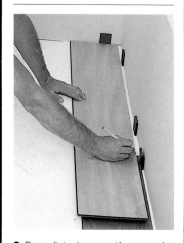

3 Pour finir la première rangée, retournez une lame à l'envers, en appui sur un taquet calé contre le mur et à cheval sur la lame posée. Marquez la longueur à couper.

4 Ces lames peuvent être posées avec ou sans joint décoratif (des baguettes moulurées à rainure et languette se collent sur toute la longueur des lames). Encollez la rainure de la première lame posée et celle du joint décoratif, enfoncez progressivement le joint dans la rainure.

5 Glissez les fausses languettes dans les rainures d'embout, après avoir encollé les rainures de chacune des lames. Nettoyez le surplus de colle avec une éponge humide.

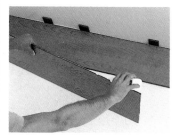

6 Il est impératif de décaler les joints d'extrémités en quinconce d'une rangée sur l'autre. Les rainures des lames du deuxième rang sont encollées sur toute la longueur.

7 Pour serrer les assemblages entre les rangées, utilisez la cale en

Un outillage simple pour mener à bien la pose de votre revêtement.

bois fournie par le fabricant. À la fin de la rangée, vérifier l'alignement à l'aide du cordeau.

8 Pour déterminer les recoupes en long de la dernière rangée de lames, ayez recours là aussi à la méthode du chevauchement à l'envers. N'oubliez pas les taquets, qui réservent un espace pour la dilatation.

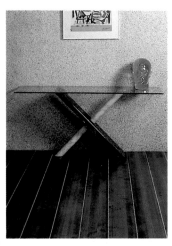

Les lames grises de ce parquet en frêne mises en valeur par les joints jaunes sont du plus bel effet et sont faciles à entretenir.

PASSAGES DÉLICATS

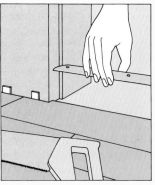

Encadrements de portes : la lame s'arrête en milieu de feuillure de porte ; utilisez une barre de seuil pour masquer la jonction avec le revêtement voisin.

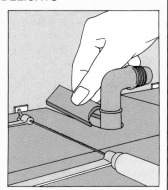

Tuyauterie : tracez la position du tuyau sur la lame et entaillez-la avec une scie à guichet ; replacez un morceau de la chute derrière le tuyau.

Pose d'un parquet mosaïque

Le parquet mosaïque est fait de minces et petites lamelles de bois, disposées selon un motif et pré-assemblées en plaques carrées.

Utiliser ce matériau constitue, pour un amateur, un moyen facile de poser son parquet. Il n'existe pas de parquet entier, prêt à poser.

Les morceaux de mosaïque de bois ont une épaisseur d'environ 8 mm et se présentent en panneaux carrés ou rectangulaires. Les panneaux carrés sont les plus courants et ont une surface de 12,5 × 12,5 cm. Les petites lames sont, en général, collées sur du feutre, du papier ou sur un filet à trame lâche. Certains panneaux sont assemblés avec du fil de fer et de la colle.

Les deux sortes sont flexibles et peuvent compenser des petites irrégularités du sol. Mais si le sol qui sert de support est très inégal, recouvrez-le avec des panneaux de fibres dures (voir p. 271).

Examinez les panneaux soigneusement. Rejetez tous ceux qui présentent des traces noires à leur surface. Ces taches se produisent quand les panneaux sont stockés avec la base de feutre de l'un reposant sur la surface de l'autre, au lieu d'être placés face à face. Ces marques noires sont difficiles à enlever.

Vérifiez si tous les panneaux sont bien de la même dimension. Si ce n'était pas le cas, vous auriez des fentes pratiquement invisibles dans votre parquet, mais qui collecteraient la poussière. Servez-vous d'un panneau pour vérifier un à un tous les autres, en les appliquant dos contre dos sur le panneau test. Faites pivoter chaque panneau de 90° pour vérifier si les angles sont droits. Examinez la surface pour détecter les éclats ou les éraflures.

Le bois absorbant l'humidité de l'air, achetez les panneaux au moins 2 jours avant de les poser et entreposez-les, déballés, dans la pièce où ils doivent être posés, afin d'éviter une dilatation ou une contraction soudaine.

Outils : mètre à ruban en acier, craie, établi, scie à dents fines, cutter, crayon, chiffons. Si possible également, bloc à poncer, papier de verre (grain moyen et fin), marteau, pinceau.

Matériaux : parquet mosaïque, adhésif avec couteau à colle, baguette moulurée ou bandes de liège pour les bords. Également clous minces pour clouer les moulures, vernis.

1 Les panneaux de mosaïque se posent de la même manière que les carreaux de vinyle (voir p. 275).

Disposez-les d'abord, sans colle, pour vous assurer la même largeur de carrés recoupés, tout autour de la pièce. Comme pour la plupart des parquets, il faudra laisser un intervalle de 15 mm entre le bord de la mosaïque et la plinthe pour ne pas gêner la dilatation du bois.

2 Quand c'est possible, posez les panneaux de telle sorte qu'ils puissent être recoupés entre les lamelles de bois, en coupant le support avec un cutter.

3 Si vous avez à couper le bois lui-même, maintenez le panneau sur un établi et utilisez une scie à dents fines.

4 La pose terminée, couvrez l'espace autour des bords extérieurs avec une moulure de bois ou garnissez-le avec des bandes de liège (voir p. 290).

5 Certains carrés de mosaïque sont préterminés et prêts à l'usage. D'autres devront être poncés, soit à la ponceuse électrique, soit à la main. Prenez du papier abrasif à grain moyen, puis fin. Ne vous servez pas d'une grosse ponceuse à parquet. Enfin, passez trois fines couches de vernis pour parquet.

RÉPARER UN PARQUET MOSAÏQUE ENDOMMAGÉ

Si un parquet mosaïque est endommagé, réparez-le en remplaçant un carré complet.

Il est judicieux de garder quelques carrés restant après la pose du parquet.

1 Si possible, coupez avec un cutter tout autour du carré endommagé et au travers du feutre ou du papier de support.

2 Soulevez le carré endommagé, bande par bande, à l'aide d'un vieux ciseau à bois. N'abîmez pas les carrés alentour. Si le trou ou les dégâts sont importants, commencez par l'intérieur du trou.

3 Grattez le vieux support et la colle restant en place.

4 Découpez avec son support un nouveau carré et collez-le en place.

Comment est construit un escalier

Un escalier se compose de marches (la partie sur laquelle vous marchez) et de contremarches (les pièces verticales entre les marches).

Les contremarches peuvent être clouées sur les marches ou assemblées à rainures et languettes sur une ou deux marches.

De chaque côté, l'escalier est fixé sur une pièce de bois appelée limon. Un limon est un madrier dont les deux côtés (supérieur et inférieur) sont parallèles, les extrémités des marches et des contremarches se logeant dans des entailles à l'intérieur du limon.

Un limon coupé en zigzag avec les marches reposant sur les sections horizontales s'appelle une crémaillère.

Le support côté mur est toujours un limon ; côté jour ou extérieur, on peut avoir affaire à des limons ou à des crémaillères. Les crémaillères sont plus faciles à réparer que les limons.

Sur le côté ouvert d'un escalier, la base des balustres verticaux est fixée sur le limon ou la crémaillère, leur partie supérieure étant assemblée sur la rampe.

De nombreuses maisons possèdent un placard sous l'escalier, le dessous de l'escalier étant visible. Ce peut être pratique si des réparations doivent être effectuées, même si la sous-face est recouverte de plâtre. Ce dernier, en effet, peut être facilement enlevé.

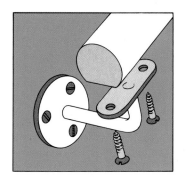

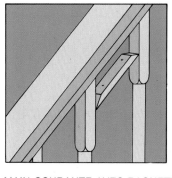

MAIN COURANTE
Elle est fixée sur le mur par l'intermédiaire d'un support (ci-dessus) ou vissée directement (ci-dessous)

MAIN COURANTE AVEC BAGUETTES
Les balustres sont fixés à la main courante entre des baguettes de bois ou cloués

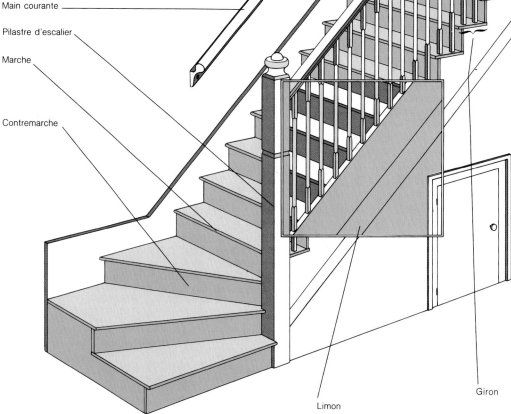

Rampe

Balustre

Main courante

Pilastre d'escalier

Marche

Contremarche

Limon

Giron

Remédier au grincement d'un escalier

Les escaliers grincent quand une marche et une contremarche ne sont pas solidement fixées et frottent l'une contre l'autre. Le remède à apporter est relativement facile lorsque le dessous de l'escalier est accessible et notamment lorsqu'il est occupé par un placard.

TRAVAILLER SOUS L'ESCALIER

La meilleure réparation consiste à visser et à coller des petits morceaux de bois sur la marche et la contremarche, par en dessous. Ces morceaux ont peut-être été omis lors de l'installation ou se sont peu à peu dévissés par suite des vibrations de l'escalier.

Outils : scie, étau ou serre-joint, poinçon, perceuse et mèches, tournevis, marteau.
Matériaux : morceaux de bois de 40 mm environ, de section triangulaire ou carrée et de 75 mm de longueur, colle à bois, quatre vis n° 8 par morceau de bois (choisissez une longueur de vis telle que celle-ci ne ressorte pas sur la marche), clous de 38 mm.

1 Percez quatre trous traversant chaque morceau de bois.

2 Présentez chaque morceau ainsi préparé à la jonction entre marche et contremarche, et faites des avant-trous dans l'escalier.

3 Étalez de la colle sur les surfaces à joindre.

4 Vissez les morceaux de bois sur l'escalier.

5 Si possible, renforcez le joint entre la contremarche et la marche du dessous, en y injectant de la colle à bois et en enfonçant des clous dans l'épaisseur de la marche, à partir du dessous de la contremarche.

DESSOUS D'ESCALIER INACCESSIBLE

Il est regrettable de démolir le plâtre recouvrant le dessous d'un escalier pour remédier à un grincement. Faites pénétrer du talc dans le joint responsable du grincement. Il agira comme un lubrifiant.

Si le grincement persiste, dévissez la contremarche.

Outils : vieux ciseau à bois, perceuse et mèche à fraiser, tournevis, spatule, papier abrasif.
Matériaux : colle à bois, vis à tête fraisée de 38 mm n° 8, pâte à bois (selon la couleur de l'escalier).

marche et la marche du dessus, en les écartant suffisamment pour pouvoir y mettre de la colle. Cela n'est possible que pour un escalier dont les marches et les contremarches ne sont pas assemblées.

1 Introduisez le ciseau à bois ou le tournevis entre le haut de la contre-

2 Injectez la colle à bois dans le joint sur la longueur de la marche.

3 Tous les 25 cm, percez des trous dans la marche et, dans leur prolongement des avant-trous dans la contremarche. Fraisez les trous de la marche, de telle sorte que les têtes de vis, une fois en place, se trouvent légèrement sous le niveau de la marche.

4 Couvrez les têtes de vis avec de la pâte à bois et poncez légèrement. Les traces seront probablement cachées par un tapis d'escalier. Si l'escalier est verni, prenez une pâte à bois de couleur assortie.

Réparation des balustres cassés

Selon la gravité du dommage, il sera possible ou non de conserver un balustre. Si un morceau s'en est détaché et que vous l'ayez gardé, vous pourrez enduire de colle les deux surfaces concernées et les maintenir avec un serre-joint.

Si le balustre est très endommagé, remplacez-le. Il est facile de réassortir des balustres de section carrée, mais des balustres façonnés au tour devront être commandés à un spécialiste, auquel vous confierez un ballustre intact.

Outils : maillet, ciseau à bois, scie à main ou scie sauteuse, marteau, étau.
Matériaux : balustre neuf, clous (de même longueur que ceux enlevés).

AUTRE POSSIBILITÉ : Le balustre peut être tenu en place à la base entre des baguettes de bois. Soulevez le balustre cassé et enlevez les baguettes.

3 Servez-vous du balustre cassé comme d'un gabarit pour reporter sa pente, à l'aide d'un crayon sur le balustre neuf.

Avant de le couper, assurez-vous de l'exactitude de vos dimensions.

4 Maintenez le balustre neuf dans un étau et coupez en suivant le repère marqué.

5 Sur une crémaillère, clouez la partie supérieure du balustre à la main courante et replacez-le dans sa mortaise sur la marche.

Sur un limon, servez-vous du vieux balustre pour coupez le neuf suivant l'angle voulu, et mettez ce dernier en place. La réparation ne sera pas aussi solide que le montage original et ne devrait être faite de cette façon que pour un ou deux balustres.

Si vous avez à remplacer une baguette, clouez-la en place. Vous pourrez atteindre un endroit peu accessible avec un chasse-clou.

1 Dégagez le balustre à sa base.

Sur une crémaillère, le balustre est placé dans une encoche de la marche et souvent retenu par un morceau de baguette moulurée. Si nécessaire, enlevez la moulure avec un ciseau à bois et sortez le balustre de son encoche.

Sur un limon, le balustre d'un vieil escalier peut être assemblé à mortaise ou cloué. Grattez la peinture pour vérifier le mode de fixation. Si c'est un assemblage à mortaise, utilisez une scie à main ou une scie sauteuse pour le scier à la base, en suivant la ligne du limon. S'il est cloué, déclouez-le.

2 Détachez la partie supérieure du balustre en le frappant avec un maillet pour le libérer de la main courante. S'il n'y a pas assez d'espace entre les balustres pour pouvoir se servir du maillet, prenez un morceau de bois dont vous placez une extrémité sur le balustre. Vous pourrez frapper avec le maillet sur l'autre extrémité.

AUTRE POSSIBILITÉ : Vous pouvez aussi dégager le balustre des baguettes de bois sous la main courante, si le montage le permet. Il ne devrait pas être cloué.

REFIXER DES BALUSTRES DÉTACHÉS

Les balustres sont, en général, cloués en pomme sous la main courante. Parfois ils sont ajustés dans une encoche sous la rampe ; les espaces sont comblés par des baguettes de bois.

Comment clouer le balustre
Si un clou joue dans son logement, arrachez-le et remettez un clou plus long et plus gros.

Si vous ne pouvez l'arracher, enfoncez un clou supplémentaire à un endroit différent. Sur des balustres minces, percez d'abord un avant-trou de faible diamètre.

N'utilisez pas de colle, vous devrez peut-être enlever le balustre par la suite.

Comment remplacer une baguette
Si, sous la rampe, une des baguettes est manquante, coupez une baguette neuve aux bonnes dimensions et clouez-la en place. Ne vous servez pas de colle. Un chasse-clou sera utile pour enfoncer les clous.

Les baguettes pour balustres peuvent être achetées dans des magasins de bricolage, mais elles peuvent ne pas convenir pour votre escalier.

Refixer ou monter une main courante

REFIXER UNE MAIN COURANTE

Un escalier pris entre deux murs est, en général, doté d'une main courante murale au lieu d'avoir une rampe à balustres. Elle peut être vissée directement sur le mur ou fixée par l'intermédiaire de supports qui parfois se descellent. Il faudra refixer la main courante.

1 Détachez la main courante du mur et repérez les endroits où les supports se descellent.

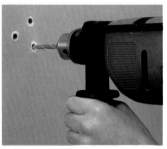

2 Si la main courante est fixée sur des supports métalliques, bouchez

les trous de vis, repercez les trous, placez des chevilles et remettez la main courante en place avec des vis de même taille que les premières. Vérifiez votre fixation, elle doit être absolument fiable. Sinon, repositionnez les supports et faites de nouveaux trous.
AUTRE POSSIBILITÉ : Si la main courante est vissée directement sur le mur, prenez des vis d'un diamètre supérieur à l'original et percez dans le mur des trous d'un diamètre un peu supérieur.

3 Si le mur autour de la cheville a été endommagé, reportez la nou-

velle fixation à un endroit légèrement différent. Les supports, eux aussi, devront être repositionnés sur la main courante. Garnissez d'enduit tous les trous visibles.

MONTER UNE NOUVELLE MAIN COURANTE

Si vous avez à monter une main courante murale neuve (peut-être par mesure de précaution), elle devra être parallèle au limon. Sinon, elle ne se trouvera pas partout à la même distance des marches.

1 Si vous montez une main courante sur supports, fixez d'abord

les supports sur la rampe et non sur le mur.

2 Mesurez, à partir des marches du bas et de celles du haut, la même hauteur, et faites les repères pour fixer le support du haut. Percez et chevillez, puis fixez le support avec une vis seulement. Procédez ensuite de la même façon pour le support du bas.
Laissez la rampe libre pendant que vous percez et chevillez les trous. Vissez en place les vis restantes.

Installer une échelle de grenier

La plupart des échelles de grenier sont en deux ou trois parties qui coulissent les unes sur les autres et se rangent à plat sur le sol.

Ces échelles sont faites d'un alliage d'aluminium léger et sont relevées ou abaissées avec une tringle. Elles existent dans une gamme de prix étendue.

Certaines échelles se font avec une rampe, d'autres peuvent être manœuvrées à partir du grenier. Des modèles spéciaux existent pour des greniers à ouverture verticale.

Une échelle peut être livrée avec un nouveau panneau de fermeture.

LES MESURES POUR L'ÉCHELLE

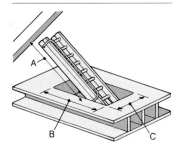

Les prospectus du fabricant vous donneront la hauteur nécessaire pour que l'échelle puisse pivoter à l'intérieur du grenier (A sur le schéma ci-dessus). Cette mesure est habituellement de 1,10 m au-dessus du sol du grenier. Il existe des échelles repliables, s'il n'y a pas assez de place. Les prospectus vous indiqueront également

la longueur minimale du panneau de descente (B) et sa largeur minimale (C).

Pour un accès facile au grenier, le panneau devra avoir environ 75 cm de longueur et 50 cm de largeur. Vous pouvez installer une échelle dans une ouverture plus petite, mais vous aurez des difficultés pour monter de gros objets.

Une échelle de grenier de taille standard aura une hauteur d'environ 2,60 m, mesurée du sol de la pièce (ou palier) à la partie supérieure des solives du grenier.

INSTALLER L'ÉCHELLE

Les échelles de grenier sont suspendues, en quelque sorte, au chevêtre qui forme une partie du panneau d'ouverture.

Lorsque vous travaillerez dans le grenier, vous aurez besoin d'un bon éclairage. Placez l'interrupteur sur le palier inférieur, avec une petite lampe témoin, qui indiquera si la lumière est allumée ou non dans le grenier.

Si les solives du grenier ne sont pas recouvertes de planches, placez et fixez des panneaux de fibres autour de l'ouverture afin de ne pas passer au travers du plafond.

ÉLARGIR LE PANNEAU D'OUVERTURE

L'ouverture sur le grenier peut être agrandie. Les maisons construites avant-guerre auront probablement une largeur d'ouverture qui s'étend

sur trois solives (environ 80 cm). Les solives de 60 cm laissent une ouverture suffisante. Pour allonger l'ouverture, il faudra repositionner un des chevêtres.

1 Le chevêtre est, en général, cloué sur une solive à chacune de ses extrémités. Commencez donc par le couper en son milieu. Une scie ordinaire avec un angle de lame ajustable conviendra très bien. Faites attention à ne pas couper de câbles électriques.

2 Déclouez les deux parties du chevêtre avec un vieux ciseau à bois, un marteau à panne fendue ou un levier.

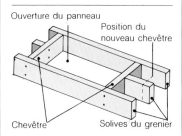

Ouverture du panneau
Position du nouveau chevêtre
Chevêtre
Solives du grenier

3 Dans une vieille maison, vous devrez recouper la solive du milieu pour obtenir une ouverture de longueur convenable. Une longueur de 60 cm ne l'impose pas.

4 Préparez un nouveau chevêtre à partir d'un madrier de 10 x 5 cm.

5 Clouez le chevêtre dans sa nouvelle position. Enfoncez des clous

de 15 cm dans les deux ou trois solives contre lesquelles il bute, mais vérifiez d'abord avec une équerre que le chevêtre se trouve bien à angle droit avec les solives.

6 Clouez avec des clous spéciaux un plafond fait d'une plaque de plâtre. Prenez des clous plus minces si vous fixez un panneau de lattes et plâtre.

7 Découpez proprement le plafond posé à la scie sauteuse ou à l'égoïne à dents fines, en l'ajustant au pourtour du nouveau panneau.

REPOSITIONNER LA PORTE DU PANNEAU D'OUVERTURE

Remplacez l'ancienne porte par une autre, plus solide, car certaines échelles sont partiellement supportées par un crochet sur la porte.

Si la porte existante repose sur une baguette autour de l'ouverture, enlevez-la avec un ciseau à bois.

Coupez une nouvelle porte dans du bois de 20 mm d'épaisseur, mais faites-la de 3 mm plus petite que l'ancienne, sur tout son pourtour, pour avoir du jeu.

Vissez deux paumelles de 50 mm, entaillées sur une extrémité de la porte, et fixez la porte sur le cadre à l'extrémité où l'échelle sera montée, de telle sorte que la porte s'ouvre vers le bas. Fixez les loqueteaux livrés avec le kit au côté opposé du cadre, et fermez la porte.

Remettez en place la baguette.

DEUXIÈME PARTIE : TECHNIQUES, OUTILS ET MATÉRIAUX

PLOMBERIE

Urgences en plomberie

S'agissant d'eau, tout incident ou accident constaté aura toujours pour origine une fuite. C'est pourquoi nos prédécesseurs avaient donné le pas au pratique sur l'esthétique et laissé les tuyauteries apparentes.

Si vous devez intervenir sur une installation de ce type vous localiserez immédiatement la fuite.

Si au contraire l'installation est encastrée, il vous faudra procéder par tâtonnement en vous souvenant que les traces humides visibles ne correspondent que rarement à l'emplacement réel de la fuite.

Infiltration à travers les murs

Si l'eau s'infiltre à travers le plafond ou les murs d'une pièce, elle provient certainement d'une canalisation trop ancienne ou rouillée.

Quel que soit le type d'installation auquel vous ayez affaire, dès que vous aurez repéré l'emplacement en cause fermez le robinet d'arrêt général.

Vidangez la canalisation en recueillant l'eau du robinet de purge si elle n'est pas directement évacuée.

FUITE SUR UN RACCORD

Fermez l'eau au robinet d'arrêt.

Tuyauterie fer

Démontez le raccord. Nettoyez parfaitement les filetages avec une brosse métallique.

Il est à noter que certains raccords-union sont équipés d'un joint en fibre, au lieu d'un bicône, qu'il vous faudra changer pour supprimer la cause de la fuite.

Tuyauterie cuivre

Raccord mécanique. Procédez comme sur tuyauterie fer en observant la plus grande prudence au moment du serrage des éléments. Toute déformation peut entraîner la réfection totale de l'assemblage.

Collet battu. En général, il est suffisant de changer le joint de fibre (sans jamais superposer deux joints), sinon vérifiez que les collets ne sont pas déformés ou qu'une impureté n'y est pas incrustée.

FUITE SUR LA TUYAUTERIE

Si la canalisation est ancienne n'hésitez pas à la changer, elle est vraisemblablement corrodée à peu près également sur toute sa longueur.

Procédez par tronçon entre deux raccords, mais n'intercalez pas de cuivre entre deux longueurs de fer. Si un tuyau cuivre peut en effet précéder un tuyau fer, le contraire n'est pas possible sans dommage.

Si vous êtes devant une canalisation fer récente, réparez la fuite en brasant le tuyau après l'avoir vidé de son eau.

Si la canalisation est en cuivre, remplacez tout simplement la partie incriminée.

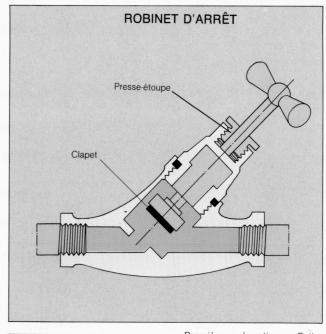

ROBINET D'ARRÊT

Presse-étoupe

Clapet

ROBINET D'ARRÊT

Toutes les interventions sur les distributions d'eau intérieures chaude ou froide obligent à couper l'eau au plus près de la conduite publique. Il faut donc absolument que le robinet d'arrêt général soit toujours en bon état de fonctionnement pour rendre immédiatement le service qu'on en attend. Mais comme son utilisation n'est qu'occasionnelle, il peut rester bloqué ou refuser de se fermer complètement au moment opportun.

Première précaution : Faites fonctionner le robinet de temps à autre pour vérifier son état.

Dégrippage du robinet d'arrêt

Au cas où les manœuvres de fermeture et d'ouverture s'avéreraient difficiles, utilisez un dégrippant quelconque et procédez par petites injections pour éviter de détériorer le clapet. Si vous constatez une amélioration sans pouvoir fermer complètement, essayez de chasser l'éventuelle impureté en effectuant les manœuvres le plus rapidement possible.

La distribution intérieure

Quels que soient les systèmes, individuel ou collectif, le principe de distribution d'eau courante s'est généralisé à la campagne comme dans les villes.

Le système individuel se compose d'une pompe qui, à partir d'un puits, refoule l'eau dans un réservoir d'où elle est redistribuée sous pression vers les points d'utilisation. Le système collectif fonctionne exactement de la même façon, si l'on excepte le réservoir, remplacé par « un château d'eau » situé au point le plus haut du relief naturel pour créer la pression qui permettra la distribution au travers du réseau public établi sous chaussée ou trottoirs. C'est sur ce réseau (voir p. 298) que sont branchées les canalisations privées. Après le robinet d'arrêt et le compteur, en principe logés ensemble dans un regard situé à l'intérieur de la propriété mais en limite de clôture,

ainsi plus facilement accessible pour l'employé chargé de relever la consommation, commence véritablement le réseau de distribution intérieure.

Passé les fondations du bâtiment, la canalisation est munie en principe d'un second robinet d'arrêt permettant d'éviter de sortir de l'immeuble en cas de nécessité. Après ce robinet-vanne, un autre robinet, mais de puisage celui-là, peut également servir de robinet de purge pour vider complètement les tuyaux lors d'une intervention sur le réseau intérieur. Si les niveaux le permettent, il sera pratique de construire sous ce robinet un petit regard installé sur la canalisation d'évacuation des eaux de pluie. Ce regard pourra être équipé d'une bonde siphoïde et d'une grille. Dans le cas contraire, laissez par prudence à proximité du robinet un seau pour recueillir les eaux

de purge. La canalisation dessert ensuite tous les appareils sanitaires et le ou les chauffe-eau. Normalement, ces appareils devraient être munis d'un robinet d'arrêt particulier permettant d'intervenir sans interrompre la distribution générale. Regrettablement, dans les bâtiments de construction moins récente, on constate rarement le respect de cette disposition, d'où l'intérêt du ou des robinets-vannes d'arrêt.

Dans un immeuble collectif, la distribution dans les appartements se fait à partir d'une colonne montante. La consommation d'eau de chacun des appartements est calculée par des compteurs individuels ou divisionnaires placés sur chaque branchement particulier après un robinet d'arrêt. Le principe du robinet de purge peut également être maintenu. Cette disposition permettra d'effectuer toute

réparation sans gêne pour les autres utilisateurs.

Entré dans les lieux après la construction, ou tout simplement locataire d'une maison individuelle ou d'un appartement, il est possible que vous ne connaissiez pas le tracé exact de l'installation donc l'emplacement des robinets que vous devrez manœuvrer dans le cas d'une réparation.

Trouver le robinet d'arrêt

Pour vous repérer, suivez le tuyau d'alimentation en partant du robinet d'eau froide que vous estimez le plus proche de l'arrivée.

Vous trouverez ainsi très facilement le compteur et le robinet-vanne d'arrêt.

Vous pourrez constater que le corps du compteur porte une flèche qui indique le sens de circulation de l'eau, le robinet d'arrêt devrait porter la même indication.

SCHÉMA D'UNE INSTALLATION SANITAIRE

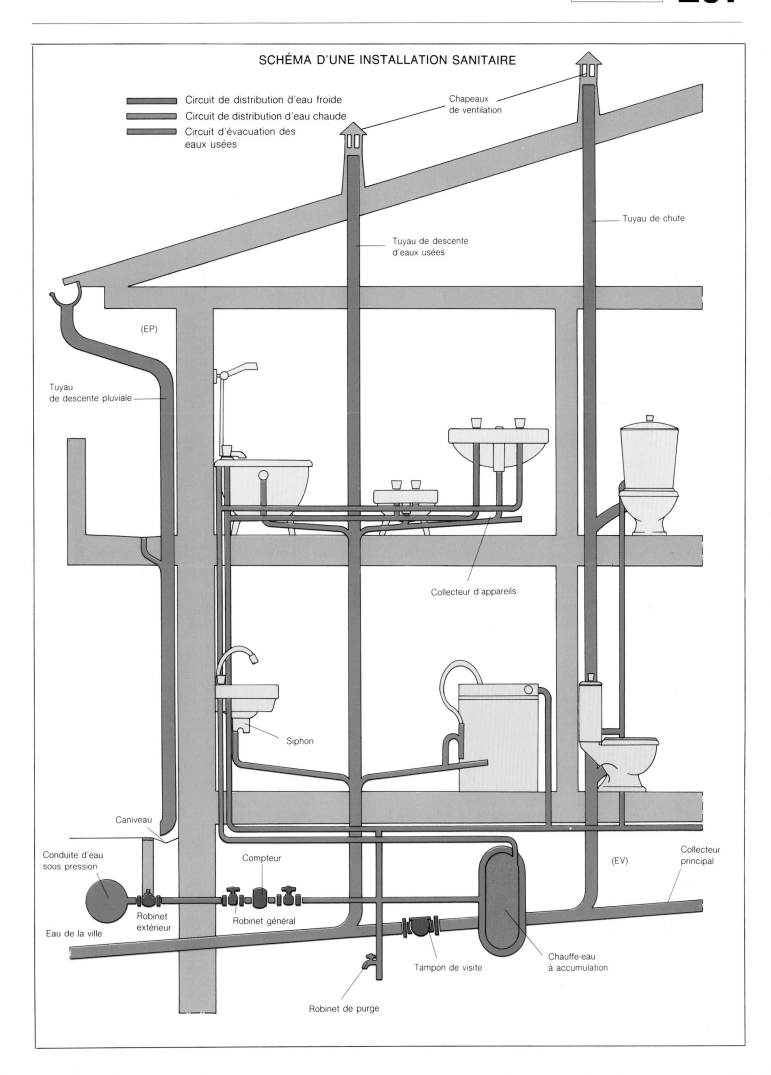

Circuit de distribution d'eau froide

Circuit de distribution d'eau chaude

Circuit d'évacuation des eaux usées

Chapeaux de ventilation

Tuyau de chute

Tuyau de descente d'eaux usées

(EP)

Tuyau de descente pluviale

Collecteur d'appareils

Siphon

Caniveau

Conduite d'eau sous pression

Compteur

(EV)

Collecteur principal

Robinet extérieur

Robinet général

Eau de la ville

Chauffe-eau à accumulation

Tampon de visite

Robinet de purge

La distribution intérieure (suite)

BRANCHEMENT SUR LE RÉSEAU PUBLIC DE DISTRIBUTION

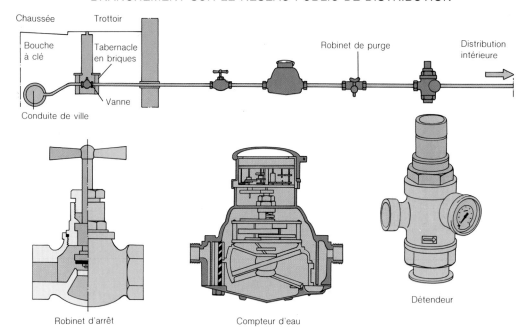

Chaussée — Trottoir
Bouche à clé
Tabernacle en briques
Vanne
Conduite de ville
Robinet de purge
Distribution intérieure

Robinet d'arrêt — Compteur d'eau — Détendeur

Les différents circuits d'eau dans une habitation

Il faut distinguer et traiter séparément les trois circuits suivants :

1 Les réseaux de distribution d'eau courante, qui alimentent tous les postes d'eau de la maison (eau froide et chaude) ;

2 Les circuits d'évacuation qui recueillent les eaux de pluie, les eaux usées (lavabo, baignoire, évier) et les eaux vannes (w.-c.) ;

3 Le circuit de chauffage.

LES RÉSEAUX DE DISTRIBUTION

Que ce soit pour l'eau froide ou l'eau chaude, les tracés des réseaux sont établis spécifiquement pour chaque habitation. Dans les maisons individuelles comportant une cave, le réseau eau froide, installé en plafond, forme une ceinture sur laquelle sont raccordés au passage les différents appareils, y compris ceux de production d'eau chaude. Si la maison comporte un étage, une dérivation (colonne montante) d'un diamètre plus important devra être installée. Elle distribuera l'eau au niveau supérieur. Cette colonne devra comporter au départ un robinet-vanne et un robinet de vidange permettant les interventions nécessaires sans incidence sur le fonctionnement du reste de l'installation.

Les canalisations

Les canalisations utilisées peuvent être réalisées en plomb, en acier, en cuivre, et depuis quelques années en matière plastique. Tout dépend de l'importance et de l'ancienneté de la construction.

Pour des raisons d'hygiène et de facilité lors des réparations, le plomb a été abandonné. C'est également pour des raisons de facilité à l'installation et au moment des réparations que le plastique remplace petit à petit le cuivre, qui avait lui-même remplacé l'acier.

L'eau chaude sera conduite aux postes d'utilisation ménagère ou sanitaire à partir du ou des appa-reils de production dans des tuyaux de mêmes matériaux que l'eau froide.

Ces appareils peuvent être de trois types.

Chauffe-eau instantanés

Alimentés par une dérivation (voir plus haut), ils réchauffent l'eau au fur et à mesure de son écoulement suivant les besoins. Les petits modèles sont en général installés dans les cuisines pour l'alimentation de l'évier. Les modèles plus gros sont placés dans les salles de bains (chauffe-bain). Ces appareils, quelle que soit leur capacité, fonctionnent au gaz de ville ou au gaz liquide (genre butane ou propane). Voir p. 337.

Chauffe-eau à accumulation

Deux types existent. Le premier, à chauffe directe, qui chauffe l'eau grâce à un groupe de résistances électriques isolées et interchangeable (corps de chauffe).

Le second dépendant du chauffage central, dont une dérivation vient alimenter un réchauffeur. Ce dernier est remplacé par une résistance électrique pendant les périodes d'arrêt du chauffage central.

Mais pour les deux types, il s'agit d'élever la température de l'eau contenue dans le réservoir et de la maintenir au même degré d'où un calorifugeage sérieux de la cuve.

Ces chauffe-eau restant branchés sur la canalisation d'eau froide sont donc toujours sous pression, et cette pression permettra l'alimentation des appareils, puisque l'eau chaude sera «poussée» par la froide. La sécurité du type à chauffe directe est assurée par un thermostat protégé par un groupe de sécurité.

Recommandation

Lorsqu'un chauffe-eau à accumulation doit rester un certain temps sans être utilisé hors période de gel, il n'est pas nécessaire de le vidanger. En revanche, il est impératif d'effectuer cette opération en hiver.

Le réseau d'évacuation (eaux)

EAUX DE PLUIE

Les systèmes et les formes de couvertures des immeubles ont tous pour objet principal de recueillir les eaux de pluie pour les diriger dans un collecteur d'évacuation.

À la périphérie d'un toit, vous rencontrez des gouttières de formes et de matériaux éventuellement différents. Sur une terrasse existent des rigoles-caniveaux dont le rôle est le même que celui des gouttières. Celles-ci et les caniveaux sont en légère pente et leur point bas correspond à la naissance de tuyaux de descente eux aussi de formes et de matériaux différents. Ces tuyaux de descente sont en général apparents ; ils peuvent cependant être intérieurs.

De toute façon, ils rejoignent un réseau public d'évacuation en ville, quelquefois à la campagne, mais peuvent également se déverser dans des fossés (il est rappelé que tout terrain inférieur se doit de recevoir les eaux de ruissellement des terrains supérieurs). De plus en plus, les réseaux d'évacuation sont séparatifs et les collecteurs d'eau de pluie ne pourront recevoir aucun autre affluent (eaux usées ou vannes). Il existe toutefois encore des réseaux unitaires qui collectent ensemble eaux usées et eaux de pluie.

Les descentes sont branchées sur les collecteurs par l'intermédiaire de regards borgnes qui devraient être construits de manière à permettre une certaine décantation (poussière, terre, feuilles, etc.), destinée à éviter les bouchons sur le parcours enterré. Il est également recommandé de munir les naissances de panier de

fil de fer et de balayer les toits à la période de chute des feuilles.
Note : Sous certaines conditions il est possible d'utiliser les descentes d'eau pluviale pour ventiler des conduites d'eaux usées.

EAUX USÉES

Il s'agit exclusivement des eaux évacuées des éviers, lavabos, baignoires et bidets. En principe, les évacuations de ces appareils se font dans une descente spécifique.

Il se peut qu'il en aille autrement et qu'on ait affaire à une chute intérieure unique eaux ménagères-eaux vannes. Ce système déconseillé, de moins en moins utilisé, est néanmoins supportable si les siphons des appareils répondent aux normes et s'il existe un système de ventilation efficace.

L'une et l'autre installation sont faites sur le même modèle. Elles prennent naissance dans le sous-sol ou le vide sanitaire, s'il en existe un, et se terminent hors toiture par un chapeau de ventilation. A chaque niveau, les différents appareils sanitaires et ménagers sont reliés à la chute par une canalisation collectrice et un siphon. Dans le cas d'une évacuation unitaire, la ventilation secondaire doit être reliée à ce collecteur.

CANALISATIONS

Les diamètres normalisés des canalisations sont indiqués ci-contre, bas de page, et valent quel que soit le matériau utilisé.

La fonte est toujours employée, grâce à sa stabilité, son inertie et ses qualités acoustiques, et malgré sa sensibilité aux chocs mécaniques. Elle est utilisée dans les chutes et les nombreuses pièces de raccord, culottes simples ou doubles, coudes, tés, etc., qui permettent tous les branchements. Les joints étaient réalisés en chanvre goudronné forcé dans l'espace entre le tube et la collerette, comblé avec de l'étain ou du ciment. Aujourd'hui, il existe des joints en caoutchouc d'un emploi beaucoup plus facile.

La mise en œuvre reste néanmoins très délicate et doit être réalisée par un professionnel.

Le grès est encore utilisé, mais de plus en plus rarement.

L'amiante ciment a connu ses heures de gloire avant l'arrivée des matières plastiques et on l'emploie encore volontiers pour les chutes et les parcours en tranchées. Les tuyaux moulés à cette fin sont reconnaissables au vernis qui en recouvre l'intérieur. Comme pour la fonte, il existe de multiples accessoires répondant à tous les besoins, et les raccordements se font également par des joints de caoutchouc ou de plastique.

Les matériaux plastiques

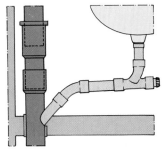

Raccordement d'un lavabo en tubes de P.V.C. collés.

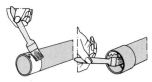

Nettoyez, encollez, emboîtez.

Le P.V.C., ou chlorure de polyvinyle, de couleur grise, est maintenant employé pour tous les réseaux d'évacuation, eaux pluviales, ménagères ou vannes. Ses défauts — mauvaise tenue à la chaleur, coefficient de dilatation élevé, très mauvaise absorption acoustique — sont largement compensés par sa légèreté, sa facilité d'assemblage par collage, sa résistance parfaite à la corrosion et son entretien nul. Il existe bien entendu là aussi toutes les pièces annexes désirables permettant la réalisation de tous tracés. Cependant, pour une meilleure sécurité, il est préférable lors d'une installation ou d'une grosse réparation de choisir les pièces portant la marque P.F. suivie d'un numéro, le sigle E.P. ou E.V. selon qu'il s'agit d'eaux pluviales ou usées.

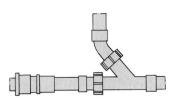

Raccordements de tuyaux de nature différente

Il est parfaitement possible d'utiliser sur un même réseau des tuyaux de matériaux différents. Exemple : chutes en fonte, grès, fibro-ciment et raccordement des appareils en P.V.C. ou polyéthylène. Il faudra simplement faire attention à la qualité du joint lors du raccordement.

Le polyéthylène permet la réalisation de canalisations semi-rigides de couleur noire. *Emplois :* adduction d'eau, raccordement évacuation appareils sanitaires. *Avantages :* excellente tenue aux acides et aux températures élevées, d'où son utilisation dans les laboratoires et les raccordements de machines à laver. *Inconvénients :* le polyéthylène n'est utilisable qu'avec des raccords mécaniques moulés non collables ; l'étanchéité n'est donc

assurée que par serrage ou thermosoudure, réalisable par un amateur.

LES RACCORDEMENTS SUR CHUTES VERTICALES

Les canalisations des chutes verticales prennent naissance dans le sous-sol ou dans le vide sanitaire et se terminent sur la toiture par le chapeau de ventilation. À chaque niveau une pièce de raccordement est prévue (culotte ou buse), qui collecte les évacuations des appareils.

La mise en œuvre

Les dispositions de l'installation des chutes restent, généralement, les mêmes quels que soient les matériaux employés. Seuls les joints — principe d'étanchéité et mise en œuvre — sont spécifiques à chaque type de tuyaux.

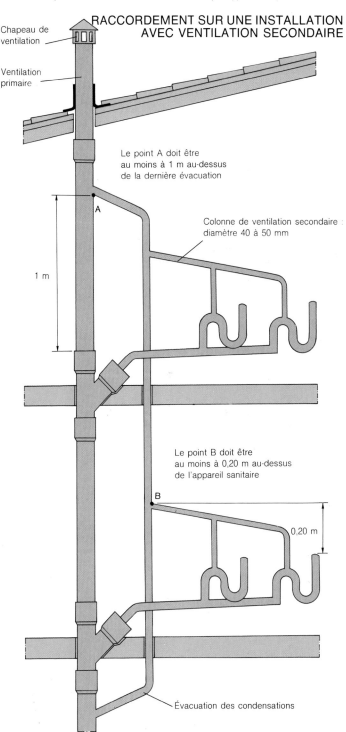

RACCORDEMENT SUR UNE INSTALLATION AVEC VENTILATION SECONDAIRE

Chapeau de ventilation

Ventilation primaire

Le point A doit être au moins à 1 m au-dessus de la dernière évacuation

A

1 m

Colonne de ventilation secondaire : diamètre 40 à 50 mm

Le point B doit être au moins à 0,20 m au-dessus de l'appareil sanitaire

B

0,20 m

Évacuation des condensations

Diamètres normalisés des canalisations

Chute des eaux vannes	Ø 90 à 100 mm
Chute des eaux usées	Ø 50 à 80 mm
Ventilation secondaire	Ø 40 à 54 mm
Évacuation lavabo, bidet	minimum Ø 30 mm
Évacuation baignoire, douche	minimum Ø 40 mm
Évacuation éviers	minimum Ø 40 mm

Plomberie : l'outillage

La plupart des outils de base utilisés en plomberie sont des outils universels, tels que clés et pinces.

Pour des travaux plus importants ou pour des réparations diverses, vous aurez besoin d'outils supplémentaires et plus spécialisés, qui vous permettront d'intervenir à bon escient. Pour les grandes transformations ou pour les réparations importantes, faites-vous aider par un professionnel.

Outillage pour battre les collets

Les principaux accessoires sont en principe groupés dans un coffret comprenant :
— une matrice, pour le serrage ;
— une toupie, utilisée pour évaser l'extrémité des tubes en cuivre ;
— un mandrin de forme cylindrique, utilisé pour aplatir les collets.

Un coupe-tube à molette

Il permet de sectionner les tubes en réalisant une coupe droite, bien perpendiculaire à l'axe.

Des ressorts à cintrer

Ressort spécial que l'on enfile sur le tube pour éviter son écrasement lors du cintrage. Il faut un ressort par diamètre de tube.

Une pince à cintrer

Pince à longues branches permettant de cintrer les tubes de différents diamètres. Un mors interchangeable autorise parfois le changement de diamètre sur une même pince.

Une paire de pinces multiprises

Outil qui présente des mâchoires montées sur un axe d'articulation réglable. Cette disposition autorise le serrage de pièces volumineuses telles les tuyauteries d'écoulement.

Une clé à molette

Utilisez de préférence un modèle extra-plat, plus facile à glisser dans les endroits d'accès difficiles. Un modèle dont les becs s'ouvrent à 40 mm s'adapte à tous les écrous.

Une clé spéciale lavabo

Clé à tête articulée qui permet de serrer et de desserrer les écrous des arrivées d'eau (chaude et froide) encastrés sous les lavabos.

Une pince à bonde

Pince à becs semi-circulaires qui permet de manœuvrer les bondes et les cuves des siphons sans les aplatir.

Une scie à métaux

Scie à métaux à lames interchangeables spécialement destinée au sciage des pièces.

Un rodoir

Petit appareil à main principalement composé d'un cône en escalier traversé par un axe muni à son extrémité inférieure d'une fraise coupante. En tournant le bouton moleté, la fraise coupe le métal du siège, qui retrouve ainsi une surface plane et propre.

Un furet

Câble souple dont l'une des extrémités porte une brosse métallique. S'utilise pour déboucher les canalisations engorgées.

Une pompe à main

Sorte de pompe à vélo de gros diamètre. Ajustée sur la bonde d'un évier, cet accessoire permet de créer une dépression qui débouche les canalisations.

Une lampe à souder

Pour assembler des pièces de métal entre elles par l'intermédiaire d'un alliage. Le choix d'une lampe à souder se fait en fonction du type de soudure à réaliser.

Une ventouse en caoutchouc

Elle est utile pour déboucher les canalisations engorgées. Plus sophistiqué, le furet rotatif remplit le même rôle.

Outillage divers

Pince-étau, clés plates, pinces...

Fuites aux robinets

Il existe plusieurs types de robinets, mais tous fonctionnent sur le même système et peuvent présenter les mêmes défauts dus soit à un usage intensif, soit au contraire à une non-utilisation prolongée. Parmi ces défauts, et hors les difficultés de manœuvre de la potence ou du volant, les robinets peuvent avoir des fuites.

Le bruit répété de la goutte tombant finit par devenir rapidement insupportable.

FUITE AU PRESSE-ÉTOUPE

Le robinet ouvert est secoué par un léger tremblement et un peu d'eau remonte le long de la vis de manœuvre.

Outils : deux clés à molette ou deux clés plates à fourche d'ouverture correspondante aux écrous du presse-étoupe et du corps du robinet. Un crochet fabriqué avec une tige métallique fine.
Matériaux : une petite longueur de filasse de chanvre, du suif (graisse de ruminant) ou du mastic spécial en vente dans les quincailleries.

1 Quel que soit le robinet sur lequel vous entendez faire la réparation, fermez la vanne générale.

2 Si le robinet défectueux est au point bas de l'installation, vidangez l'ensemble de la conduite.

3 Tentez de supprimer la fuite en vous contentant de resserrer l'écrou presse-étoupe sans forcer outre mesure, en utilisant une clé à molette ou la clé plate adéquate.

4 Remettez en eau sans omettre de refermer éventuellement le robinet de purge.

Le robinet continue de fuir

1 Recommencez les opérations décrites précédemment aux étapes **1** et **2**.

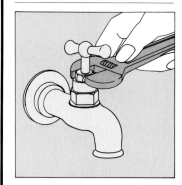

2 Dévissez le presse-étoupe et, pour éviter de dévisser également le corps du robinet, maintenez celui-ci avec la seconde clé à molette ou la seconde clé plate.

3 Lorsque le presse-étoupe est complètement dévissé, essayez d'extraire l'« étoupe », c'est-à-dire la filasse existante. Pour ce faire, ten-

tez d'en accrocher l'extrémité avec la tige métallique, au bout de laquelle vous aurez préalablement formé un petit crochet. De toute façon, enlevez la totalité de la vieille filasse.

4 Nettoyez ensuite soigneusement la cavité et le filetage.

5 Enroulez alors sur le filetage quelques brins de filasse enduits

de suif ou mieux de mastic spécial. Peut-être suffira-t-il que vous enduisiez le filetage de ce mastic.

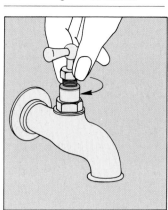

6 Replacez le presse-étoupe et commencez de le visser à la main. Quand l'opération devient trop difficile, utilisez une clé. Comprimez sans écraser la filasse neuve.

Remettez en eau l'ensemble de l'installation.

Si après cette réparation le robinet fuyait encore un peu, resserrez le presse-étoupe en prenant la précaution de maintenir l'écrou du corps avec la seconde clé.

ATTENTION : les robinets de puisage récents ne sont plus fournis avec de l'étoupe, mais avec un joint. Dans ce cas, s'il y a une fuite au presse-étoupe, procédez de la façon suivante.

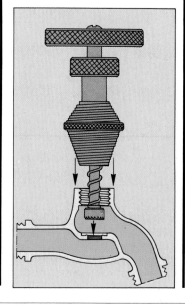

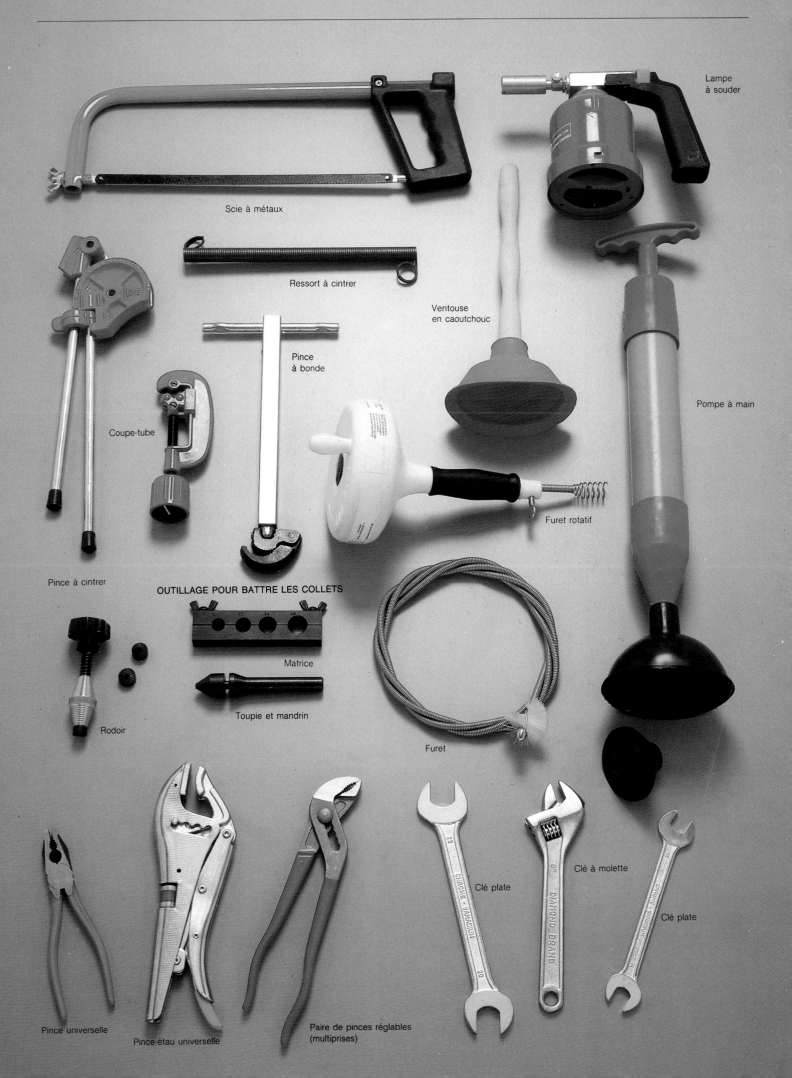

Scie à métaux

Ressort à cintrer

Lampe à souder

Pince à cintrer

Coupe-tube

Pince à bonde

Ventouse en caoutchouc

Pompe à main

OUTILLAGE POUR BATTRE LES COLLETS

Rodoir

Matrice

Toupie et mandrin

Furet rotatif

Furet

Pince universelle

Pince-étau universelle

Paire de pinces réglables (multiprises)

Clé plate

Clé à molette

Clé plate

Fuites aux robinets (suite)

CHANGER LE JOINT DU PRESSE-ÉTOUPE

1 Démontez le presse-étoupe.

2 Pour changer le joint du presse-étoupe, chassez la goupille et démontez le croisillon pour extraire le joint.

Cela dit, les joints ne se trouvent pas toujours facilement dans le commerce et il est plus commode de changer le mécanisme.

3 Pour retirer ce dernier, desserrez à l'endroit indiqué sur la photo.

UN BON TRUC
Si un robinet d'arrêt s'avère difficile à tourner, ne forcez pas. Appliquez quelques gouttes de dégrippant à la base de la poignée et attendez au moins 10 minutes avant de faire une autre tentative. Recommencez, si nécessaire.

Un robinet d'arrêt qui est ouvert depuis longtemps peut être bloqué. En cas d'urgence, cela peut être désastreux. Pour éviter cela, ouvrez et fermez le robinet d'arrêt complètement une ou deux fois par an. Après avoir ouvert un robinet d'arrêt, redonnez juste un quart de tour vers la fermeture, ce qui empêchera le blocage sans affecter le débit de l'eau.

FUITE AU CLAPET

Il s'agit ici du robinet qui goutte, ce qui signifie que le clapet est usé ou déformé et qu'il faut procéder à son remplacement.

UN BON TRUC
Si la réparation ne peut être faite immédiatement il est possible de supprimer le bruit fait par chaque goutte tombant dans l'évier, spécialement un évier en métal, dans un lavabo ou dans une baignoire. Il suffit de placer sous le bec du robinet une grosse éponge ou de nouer autour du corps du robinet un morceau de ficelle que vous laisserez assez long pour atteindre la bonde. Les gouttes d'eau glisseront sans bruit le long de la ficelle.

Surseoir trop longtemps à cette réparation peut entraîner la formation de taches (calcaire et rouille) difficiles à faire disparaître ensuite. Si c'est un mélangeur qui semble défectueux il faut évidemment changer les joints des deux robinets.

Si la fuite paraît importante et que vous n'ayez pas de clapet neuf, ni la possibilité d'en acheter rapidement, retournez le clapet ou fabriquez-en un avec une gomme d'écolier.

Outils : grande clé plate à fourche ou clé à griffe à molette. Éventuellement petite clé plate, une ou deux clés à molette, des chiffons pour amortir les mors (à intercaler entre mors et objets à dévisser ou à visser), deux tournevis avec lames de 0,5 cm et 1 cm de largeur, pince universelle.
Matériaux : joint de remplacement, clapet, vaseline. Peut-être aussi un dégrippant.

1 Coupez l'alimentation en eau. Vérifiez si le robinet en question est bien ouvert et bouchez soigneusement le trou de la bonde afin que rien ne vienne obstruer le conduit d'écoulement. Protégez également l'appareil au maximum.

2 Retirez le croisillon, ou poignée de robinet.

3 Dévissez l'écrou du corps du robinet en utilisant une clé à molette ou une clé à griffe dont vous aurez protégé les mors. Si l'écrou présente quelque résistance pour tourner, ne forcez pas, vous pourriez fausser la base du robinet ou soumettre à la torsion le conduit d'admission et même casser le lavabo. Instillez plutôt un dégrippant autour du joint, attendez environ 10 minutes pour lui permettre de l'imprégner, puis refaites une tentative. Vous devrez peut-être faire plusieurs opérations. Pour éviter de casser le lavabo, si vous sentez une résistance, maintenez fermement la base du robinet avec une clé pour tuyaux dont les mors auront été capitonnés et servez-vous de cette clé pour neutraliser la force appliquée à l'écrou en poussant dans la direction opposée.

4 Terminez de dévisser la tête du robinet à la main, sortez-la complètement. À son extrémité se trouve le clapet usé.

5 Vous pourrez le sortir de la cuvette porte-clapet en vous aidant d'un tournevis. Si le clapet est maintenu par une vis ou un écrou, retirez-le d'abord.

Si le mécanisme est trop endommagé, changez-le. (Rendez-vous chez votre fournisseur avec le mécanisme afin que le mécanisme neuf ait le même filetage.)

6 Remplacez le clapet par un neuf, identique, que vous enfoncerez bien dans la cuvette. N'utilisez pas de pince pour ce faire, vous pourriez blesser les bords du nouveau clapet. Revissez la vis ou l'écrou de fixation si c'est nécessaire.

7 Remettez la tête du robinet et revissez-la en la serrant avec une clé.

CHOIX DES ROBINETS

Malgré des aspects différents, presque tous les robinets fonctionnent de la même façon. Vous tournez la poignée pour ouvrir et obtenir de l'eau, vous tournez la poignée en sens inverse pour couper l'eau. À l'intérieur du robinet, un clapet vient se loger dans son siège pour obturer l'arrivée d'eau. Quand ce clapet est usé, le robinet commence à goutter (voir comment changer le clapet page ci-contre).

Les robinets pour évier ont généralement un diamètre de 12 mm pour être raccordés sur des tubes de 12/14.

Ceux des baignoires ont un diamètre de 15 mm pour raccordement sur du 16/18.

La plupart des robinets sont en laiton chromé, mais les modèles modernes présentent une large gamme de finition. Certains ont des poignées en plastique. Deux robinets qui ont un bec (ou col-de-cygne) commun constituent un mélangeur.

Les robinets peuvent être fixés à plat sur une surface horizontale (évier, lavabo, etc.) ou sur un plan vertical directement sur un mur. La plupart des mélangeurs ont deux arrivées, une pour l'eau chaude, l'autre pour la froide, et se fixent directement sur les appareils possédant également ces deux trous.

Robinet de puisage avec raccord au nez
Ce modèle non chromé peut être installé dans un garage, au sous-sol; dans ce cas, il peut servir de robinet de purge à l'extérieur, il servira à l'arrosage. Il est présenté ici pour être fixé à la verticale.

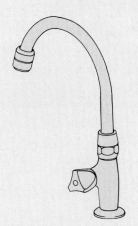

Robinet simple avec bec tube mobile
Même prescription de raccordement. Saillie 300 mm.

Mélangeur pour lavabo ou bidet
Monotrou à bec fixe, saillie 95 mm même section de raccordement.

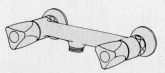

Mélangeur pour douche mural
Deux trous, même section de raccordement.

Mélangeur avec bec tube mobile
Saillie 95 mm. Même prescription.

Mélangeur bain-douche mural
Deux trous avec inverseur manuel.

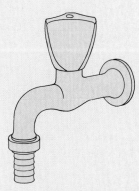

Robinet mural double service
Même type que ci-dessus mais plus moderne et chromé, possédant également un raccord au nez. Les deux modèles peuvent être raccordés à des tuyaux de 12/14 en cuivre ou 15/21 en fer, saillie 100 mm.

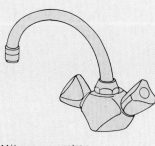

Mélangeur monotrou
Avec bec tube mobile, se fixant sur évier saillie maximale 240 mm.

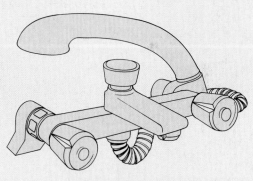

Mélangeur bain-douche sur gorge deux trous
Même section de raccordement. Le système de mélangeur à partir d'une double robinetterie est de plus en plus abandonné au profit du mitigeur. Il s'agit d'appareils remplissant la double fonction de robinet et de mélangeur. Ils se présentent sous l'aspect d'un court cylindre possédant une manette en saillie. Celle-ci peut s'orienter de bas en haut pour aller de la fermeture au débit maximum et de gauche à droite du plus chaud au plus froid pour obtenir la température désirée. Il va sans dire que ce type de mitigeur peut se retrouver sur toutes installations : évier, lavabo, douche, bain-douche et dans tous les types monotrous, deux trous, etc. Les sections de raccordement sont également standard.

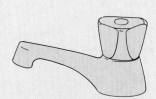

Robinet simple
En laiton chromé, même raccordement, saillie du bec 90 mm, brise-jet incorporé.
(Il existe un modèle similaire qui, en plus du brise-jet, possède un aérateur.)

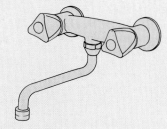

Mélangeur mural pour évier
Deux trous, bec tube mobile de 150 mm de saillie. Toujours même prescription de raccordement.

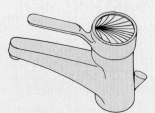

Mitigeur monotrou pour lavabo
Ces mitigeurs ne sont plus équipés de clapet caoutchouc mais très souvent de joints toriques ou de cartouches en céramique.

Mitigeur bain-douche mural à deux trous

Fuites aux robinets (suite)

REMPLACER UN BEC MOUSSEUR

1 Si vous constatez, quand vous ouvrez votre robinet, une pression un peu forte ou, au contraire, un filet d'eau qui s'écoule irrégulièrement et d'un seul côté du robinet, du calcaire obstrue le mousseur du robinet.

2 Dévissez d'abord la partie en bout de bec.

3 Ôtez le joint, la bague, et vérifiez immédiatement si le mousseur (ou tamis) est entartré.

4 Si c'est le cas, mettez le mousseur à détartrer dans un verre de vinaigre. Entre-temps, vous pouvez remonter un nouveau mousseur, par exemple un modèle à rotule, très pratique, et conservez alors le premier comme pièce de rechange.

RODAGE DU SIÈGE

Lorsque vous remplacez un joint, regardez le siège dans lequel le clapet est inséré. Si le siège est rouillé ou rayé par des poussières, le clapet ne remplira pas son rôle et le robinet continuera de goutter, même avec un clapet neuf.

Vous pouvez faire un rodage du siège métallique en utilisant un rodoir bien adapté.

Profitez de ce type de réparation pour vous constituer une réserve de joints de siège et de tête afin d'éviter d'être pris au dépourvu.

REMPLACER LES JOINTS TORIQUES D'UN ROBINET MÉLANGEUR

1 S'il y a une fuite aux joints toriques, démontez le col-de-cygne en opérant un mouvement de balancier après avoir enlevé la vis à sa base.

2 A l'aide d'un tournevis, ôtez les joints et remplacez-les par des joints neufs.

UN BON CONSEIL
Il faut éviter de travailler au-dessus des appareils émaillés. Il se révèle très difficile, si ce n'est impossible, de reprendre les éclats causés par la chute d'outils qui vous échapperaient.

ROBINETTERIE DE CUISINE
LES MITIGEURS À CARTOUCHE CÉRAMIQUE

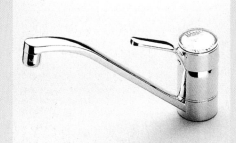

Mitigeur

La cartouche à disques céramiques règle l'ouverture et le débit de l'eau avec le plus extrême précision et garantit une étanchéité totale.

La pièce essentielle du mécanisme est composée de deux disques qui adhèrent parfaitement l'un à l'autre et ferment le débit sans laisser passer la moindre goutte.

Contrairement aux traditionnels joints caoutchouc, ces cartouches fabriquées en «céramique industrielle», matériau inusable, porté à une température de près de 1 500 °C, insensible au calcaire et aux impuretés de l'eau, garantissent à la robinetterie une fiabilité absolue et un bon fonctionnement définitif.

Mitigeur rouge (revêtement époxy)

Mitigeur avec douchette amovible bijets

MÉLANGEUR À DISQUES CÉRAMIQUES

Il est plus avantageux de remplacer un mécanisme traditionnel par un mécanisme à disques céramiques (voir encadré «Les mitigeurs à cartouche céramique», p. 304) dont la durée de vie est plus longue. L'étanchéité reste parfaite.

1 Après avoir ôté le croisillon, dévissez l'écrou du corps du robinet et sortez le mécanisme.

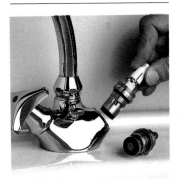

2 Introduisez et vissez le nouveau mécanisme à disques céramiques.

3 Replacez la tête de robinet (croisillon) et revissez-la.

REMPLACER LE JOINT TORIQUE D'UNE TÊTE DE ROBINET AVEC CACHE-VIS

1 Commencez par couper l'alimentation principale et enlevez la poignée du robinet et le mécanisme de la même façon que pour remplacer un clapet.

2 Tenez le mécanisme entre vos doigts et tournez l'axe dans le sens des aiguilles d'une montre pour dévisser et enlever la rondelle.

3 Dégagez à l'aide d'un tournevis le joint torique qui se trouve à l'extrémité supérieure du mécanisme.

4 Graissez à la vaseline le nouveau joint, remettez en place et remontez le robinet.

CHANGER LES JOINTS TORIQUES D'UN MÉLANGEUR DE DOUCHE

Quoique le «design» des mélangeurs varie en fonction des modèles, ils possèdent tous un système comportant ressort et clapet. Lorsque le bouton commandant le clapet est soulevé, celui-ci ouvre le circuit de la douche et condamne celui du robinet aussi longtemps que la douche fonctionne.

1 Les robinets de la baignoire fermés, enlevez le bouton du mélangeur de la douche et dévissez l'écrou du mécanisme avec une clé plate.

2 Sortez le mécanisme porte-clapet et repérez la position des rondelles et des joints toriques.

3 Séparez le bouton du reste du clapet en tournant dans le sens contraire des aiguilles d'une montre.
Peut-être aurez-vous à le maintenir avec une clé à molette.

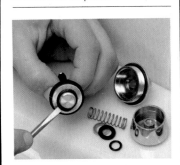

4 Retirez la tige et le tampon du clapet et enlevez le petit joint torique qui se trouve à la partie supérieure de la tige.

5 Graissez à la vaseline le joint torique neuf, de taille convenable, et mettez-le en place.

6 Remplacez tous les autres joints de caoutchouc et les joints toriques à la base de la tige et du tampon. Au préalable, il vous faudra retirer les joints usés.

FUITE SUR UN INVERSEUR DE BAIGNOIRE

Les mélangeurs sont des appareils qui fournissent de l'eau à la température désirée à partir de deux sources, un robinet d'eau chaude et un robinet d'eau froide ouverts simultanément et réglés de façon adéquate.

Il en est placé au-dessus des éviers, lavabos, bidets et baignoires. Dans ce dernier cas, les mélangeurs comportent en général une sortie robinet et une sortie douche ou douchette.

L'eau est dirigée vers l'une ou l'autre sortie par un inverseur. Il s'agit d'une pièce mobile interne manœuvrée de l'extérieur par une tige ou un bouton suivant les modèles.

Cette pièce mobile règle le débit de l'eau vers la sortie choisie en obturant l'autre. L'étanchéité du système est garantie par deux joints toriques placés à chaque extrémité du corps de l'inverseur.

L'utilisation régulière de l'inverseur, les différences de température usent et dégradent les joints. Vous vous apercevrez de leur mauvais état lorsqu'ils laisseront un filet d'eau s'écouler par le robinet quand l'inverseur sera en position «douche», par exemple. Il vous faudra donc les changer.

Profitez de cette occasion pour nettoyer l'ensemble des pièces avant de les remonter. Par la suite, si vous constatez que cette opération reste sans résultat, il faudra vous résoudre à remplacer l'inverseur lui-même.

Outils : clé à molette ou clé plate à fourche de l'ouverture convenable, clé multiprise, petit tournevis, chiffon sec et propre.
Matériaux : deux joints toriques du diamètre convenable, éventuellement un peu de vaseline.

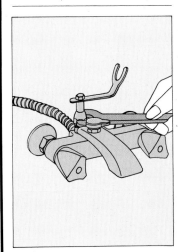

1 À l'aide d'une des deux clés, démontez le flexible de la douchette s'il est équipé d'un écrou. Dans le cas contraire, utilisez la pince multiprise dont vous aurez préservé les mors avec un vieux chiffon.

ROBINETTERIE DE SALLE DE BAINS

Description d'un mitigeur

Description d'un mélangeur

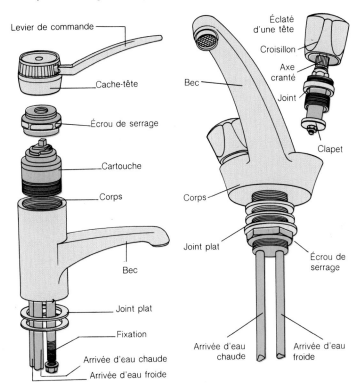

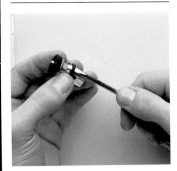

Levier de commande
Cache-tête
Écrou de serrage
Cartouche
Corps
Bec
Joint plat
Fixation
Arrivée d'eau chaude
Arrivée d'eau froide

Éclaté d'une tête
Croisillon
Axe cranté
Joint
Bec
Clapet
Corps
Joint plat
Écrou de serrage
Arrivée d'eau chaude
Arrivée d'eau froide

Ces types de robinets peuvent être installés sans travaux de plomberie avec flexibles souples et raccord sans soudure.

Fuites aux robinets (suite)

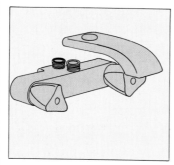

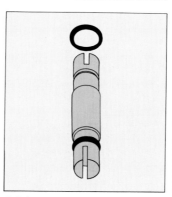

2 Démontez la manette ou le bouton de commande de l'inverseur, maintenant accessible.

3 Désaccouplez le mélangeur des tuyauteries d'arrivée d'eau chaude et froide (après avoir bien entendu au préalable fermé les robinets correspondants sur le réseau général).

4 Suivant le modèle :
a) Dévissez le nez du robinet en conservant le joint de fibre dont vous vous resservirez ;

b) Dévissez le départ de la douche à l'arrière du mélangeur.

5 Dégagez la partie mobile de l'inverseur. Avec le tournevis, enlevez, sans rayer le corps de l'inverseur, les vieux joints et placez les nouveaux.

S'ils opposent quelque résistance, ne les forcez surtout pas avec le tournevis, enduisez seulement d'un peu de vaseline les extrémités de l'inverseur.

6 Nettoyez l'intérieur du mélangeur (en vous aidant du tournevis, que vous entourerez de tissu).

7 Remontez le mélangeur en inversant les opérations précédentes, en ne forçant jamais ni vis ni écrou.

8 Vérifiez l'étanchéité. Si la fuite persiste, il faudra changer l'ensemble de l'inverseur.

Pannes de douches et douchettes

Une douche est par définition fixée au mur. Cependant, elle peut être de deux conceptions différentes. La première, la plus ancienne, composée d'un tuyau fixé au mélangeur se terminant à bonne hauteur par une pomme orientable ou non. La seconde, constituée d'un flexible vissé au mélangeur, mais glissant dans un tuyau fixé au mur dans les mêmes conditions que la précédente, et se terminant par une pomme.

Douchettes aux jets réglables : le tartre peut modifier leur débit.

Elle peut être placée dans une cabine au-dessus d'un receveur ou au-dessus d'une baignoire.

La douchette, elle, est de dimensions plus petites et visiblement destinée à une utilisation manuelle. À cause du support à crochets qui la recevait dans les modèles de mélangeurs anciens elle est encore appelée douche téléphone.

Ces deux modèles peuvent avoir des pannes empêchant leur bon fonctionnement : des ennuis de fixation, des fuites ou un mauvais écoulement de l'eau...

Outils : clé à molette, pince multiprise, perceuse, mèche à béton, une ou deux chevilles correspondant au matériau constituant la cloison, un ou deux colliers neufs pour le tube de la douche, aiguille à repriser ou foret très fin, chiffon sec, seau en plastique.
Matériaux ou matériels : acide chlorhydrique ou vinaigre, enduit expansif, tuyau caoutchouc pour flexible.

DOUCHE

Elle ne paraît plus bien fixée

1 Dévissez le demi-collier la fixant au mur, écartez le tuyau. Tentez de revisser l'autre demi-collier. Si cela se révèle être inefficace, dévissez totalement ce demi-collier et essayez d'extraire la cheville en place pour la remplacer par une de diamètre plus grand avant de revisser le demi-collier. Sinon, faites à la perceuse un nouveau trou, ni trop près ni trop loin du précédent, enfoncez une nouvelle cheville et revissez le demi-collier.

2 Extrayez la vieille cheville et rebouchez le trou avec de l'enduit expansif.

3 Remettez le tuyau en place, revissez le second demi-collier.

DOUCHE ET DOUCHETTE

Les robinets sont ouverts et l'eau coule mal à partir de la pomme

Celle-ci est très vraisemblablement entartrée. En utilisant une clé ou une pince, dévissez-la du flexible et, trou par trou, à l'aide de l'épingle ou du foret, nettoyez-la en enlevant le tartre sans déformer la surface perforée, ce qui provoquerait un jet multidirectionnel et anarchique (voir p. 307).

Si la pomme est en plastique, laissez-la tremper une journée environ dans du vinaigre pur, et terminez le nettoyage des trous avec l'aiguille, ou dans un mélange à parts égales d'eau et d'acide chlorhydrique, mais une heure seulement, et, après rinçage, terminez, si nécessaire, avec l'aiguille. Si vous n'obtenez pas d'amélioration sensible, il faut changer la pomme. Dans les deux cas, remettez la pomme en place, en n'oubliant pas le joint que vous aurez mis de côté et sans serrer à l'excès.

L'eau suinte le long du flexible

Le caoutchouc intérieur est en mauvais état, il faut le changer.

1 Avec la pince multiprise dévissez l'écrou à la base du flexible (protégez les mors avec un vieux chiffon).

2 Récupérez le joint et mettez-le en lieu sûr.

3 Dévissez également le flexible du côté de la douchette.

4 Libérez l'embout en utilisant une lame de couteau.

5 Sortez le tuyau caoutchouc et changez-le. Vérifiez en même temps l'entartrage des trous et nettoyez-les si nécessaire.

CHANGER LE TUYAU EN CAOUTCHOUC D'UN FLEXIBLE

1 Desserrez ici

2 Joint

4 Glissez une lame de couteau ici

3

5 Flexible — Tuyau souple — Embout

DÉBOUCHER LES TROUS D'UNE POMME ENTARTRÉE

Épingle

Assembler des tuyaux de cuivre

RÉALISER UN JOINT DE COMPRESSION

Une méthode facile, des résultats solides pour assembler de la tuyauterie de cuivre.

Serrer un écrou représente une étape critique du travail : il y aura une fuite si l'écrou n'est pas assez serré ou, au contraire, s'il l'est trop.

Outils : deux clés à molette avec des mors s'ouvrant jusqu'à 4 cm pour travailler sur des tuyaux de 28 mm. Ou, si vous n'en avez pas qui conviennent, deux clés plates à fourches, les alentours variant en fonction des écrous à ajuster.

Matériaux : joint de compression nécessaire pour l'assemblage.

1 Dévissez et enlevez un écrou du joint de compression. Observez de quelle façon la bague biconique est placée, puis enlevez-la également.

UN BON TRUC

Lorsque vous montez un raccord sur un tuyau vertical, servez-vous d'une pince à linge à ressort pour empêcher le glissement vers le bas de l'olive et de l'écrou, pendant que vous ajustez le tuyau.

2 Prenez une extrémité coupée et ébarbée du tuyau et faites-y coulisser l'écrou, puis la bague bicône ou « olive ». Assurez-vous que la bague biconique se trouve placée de la même façon qu'elle l'était dans l'assemblage (avec certains tuyaux, ce point est crucial ; avec d'autres, non).

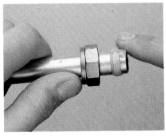

3 L'écrasement de la bague biconique assurant l'étanchéité, il n'est pas indispensable d'appliquer une pâte étanche sur la bague, ni sur l'extrémité du tuyau.

4 Enfoncez le bout du tuyau dans l'ouverture du manchon aussi loin que vous le pouvez. Puis faites glisser l'olive et l'écrou sur le raccord, et serrez l'écrou à la main.

5 Maintenez fermement le té avec une clé à molette pendant que vous imprimez à l'écrou un quart de tour avec l'autre clé. Serrez bien.

6 Maintenez les tuyaux dans les autres ouvertures du raccord, de la même façon.

LES DIAMÈTRES

Dans une installation d'eau, quand vous disposez de la même pression, le débit d'un robinet est fonction du diamètre de la canalisation sur lequel il se trouve.

Plus la canalisation est petite, plus la vitesse de circulation doit être faible (entre 0,5 m/s et 2 m/s).

Section × Vitesse = Débit

Lorsqu'on augmente la pression (3 bars, 4 bars...), vous augmentez aussi la vitesse de circulation de l'eau, ce qui engendre des bruits et des désordres. Pour réaliser une installation, il est donc préférable de choisir des canalisations de diamètres différents afin de respecter les débits sans que la vitesse soit excessive.

Avec des tubes cuivre, l'arrivée se fait en 20 × 22 mm ;
— le chauffe-eau en 18 × 20
— la baignoire en 16 × 18
— la douche en 14 × 16
— le lavabo en 12 × 14
— les W.-C. en 10 × 12
— l'arrosage extérieur en 20 × 22

Soudures et brasures

Dès que l'on se préoccupe de plomberie, on entend parler de soudure et de brasure. En réalité, souder, c'est assembler deux pièces métalliques par l'intermédiaire d'un métal d'apport, porté à son point de fusion. Pour le plombier, il s'agit principalement de chauffer des tubes et des raccords en cuivre.

La capillarité

C'est le phénomène qui permet à la sève d'un arbre de monter seule, jusqu'à l'extrémité de la plus haute branche. De très fins vaisseaux (les capillaires) se chargent d'aspirer la sève et lui communiquent cette ascension naturelle défiant la pesanteur. Ce même phénomène se produit en soudage. Rendu liquide par la chaleur, le métal d'apport coule et se trouve aspiré par le très faible espace existant entre le tube et son raccord, assurant ainsi la liaison après refroidissement de l'ensemble.

LA SOUDURE À L'ÉTAIN

Une lampe à souder fonctionnant au gaz butane produit une flamme suffisante pour effectuer cette soudure tendre.

Outil : lampe à souder.
Matériel : tampon de laine d'acier, pâte à souder antioxydante, chiffon, tubes et raccords.

1 Préparez l'assemblage en nettoyant les extrémités des tubes et les raccords avec un tampon de laine d'acier. N'utilisez ni toile émeri ni papier de verre, vous risqueriez de rayer le cuivre.

2 Enduisez ces mêmes extrémités de pâte à souder, qui protégera le métal décapé de l'oxydation due à la flamme. Sans cette précaution la soudure n'aura pas lieu.

UN BON TRUC
Avant de vous lancer dans l'exécution d'une installation, faites des essais sur des morceaux de tube et des raccords que vous pouvez souder puis dessouder plusieurs fois afin de vous faire la main.
Lorsque vous soudez deux pièces, essayez toujours d'avoir une surface de contact maximale.

3 Emboîtez tubes et raccords en les tournant légèrement pour bien répartir la pâte.

4 Lorsque le raccordement à exécuter possède plusieurs directions (par exemple, un raccord en té), préparez tous les tubes et emboîtez-les simultanément avant de commencer la soudure.

5 Chauffez l'ensemble. Ce type de soudure à l'étain se faisant à faible température (200 °C environ), le temps de chauffe reste court. Visuellement, on ne remarque presque rien : le cuivre s'échauffe mais ne change pas de couleur.

6 Pour situer la bonne température, éloignez la flamme et touchez le métal avec le fil d'étain. S'il fond au contact du cuivre, cela indique que la température requise est atteinte.

7 Rapprochez la flamme pour maintenir les pièces à température, puis éloignez la flamme pour souder. Présentez la soudure successivement sur tous les raccords d'un même assemblage. Ce n'est pas la flamme qui fait fondre le fil d'étain, mais seulement la chaleur des pièces.

8 Essuyez le soudage avec un tampon de chiffon mouillé et laissez refroidir l'ensemble sans y toucher. La soudure à l'étain est terminée.

LA BRASURE

Lorsque vous désirez une soudure ayant une résistance mécanique supérieure à l'étain, utilisez le brasage. Cette technique permet de remplacer le fil d'étain par une baguette métallique — généralement un alliage de cuivre — assurant une liaison plus performante.

Ce changement de métal d'apport impose quelques modifications, et notamment un générateur de chaleur plus puissant, capable de porter le cuivre à une température voisine de 700 °C.

Outil : lampe à souder.
Matériel : tampon de laine d'acier, baguette métallique de soudure (argent), flux antioxydant, tubes et raccords.

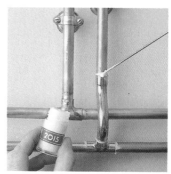

1 Préparez l'assemblage en nettoyant le cuivre à la laine d'acier et enduisez les extrémités des tubes de flux antioxydant approprié à la nature du métal d'apport.

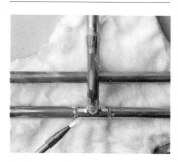

2 Ajustez tubes et raccords en évitant le contact des doigts, puis commencez à chauffer l'ensemble.

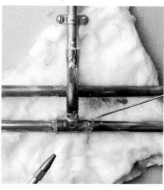

3 Promenez la flamme sur le raccord. Ne restez pas immobile, car il faut que toute la pièce monte en température également. Observez la couleur du cuivre. Il blêmit, puis devient rouge sombre. L'antioxydant se boursoufle et fond.

Éloignez légèrement la flamme et présentez la baguette de soudure préalablement trempée dans le flux. Au contact des pièces rougies, le métal d'apport coule entre les raccords pour assurer la soudure.

4 La brasure est terminée.

A noter : Si vous ne chauffez pas assez, la baguette de soudure colle sur le cuivre. Si vous chauffez trop, le cuivre devient cerise et fond sous le dard de la flamme.

UN BON TRUC
La technique de brasure avec une baguette en alliage d'argent est la même que celle réalisée avec une baguette de cuivre, mais le point de fusion de cet alliage étant inférieur à celui de la brasure cuivre, le soudage se fait plus facilement, surtout pour un non-initié. La brasure à l'argent assure un soudage parfait, qu'il est impératif d'utiliser pour des tuyauteries de gaz.

Si vous possédez un chalumeau suffisamment puissant, vous constaterez qu'il est aussi rapide et souvent plus facile de braser que de souder à l'étain. En outre, avec un générateur de chaleur adapté, vous ne serez jamais pris au dépourvu : les objets en fer ou en fonte pouvant être soudobraser, étape précédant le soudage du professionnel, appelé soudage autogène.

Raccords mécaniques

LE COLLET BATTU

Tous les problèmes de plomberie ne se résolvent pas avec un chalumeau. Il est également nécessaire de disposer d'un outillage adapté pour le façonnage des tubes en cuivre.

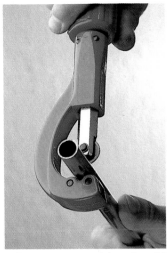

Pour couper un tube, l'emploi d'une scie à métaux semble s'imposer. En réalité, la coupe n'est jamais droite. La seule façon d'agir correctement nécessite un coupe-tube, sorte de serre-joint muni de roulette tranchante qui sectionne le tube progressivement, dans un plan qui est tout à fait perpendiculaire à son axe.

Procédez à l'ébarbage en retournant le coupe-tube. Dans un mouvement rotatif, l'alésoir élimine les bavures à l'intérieur du tuyau.

Raccordement d'une robinetterie

Le raccordement d'une robinetterie sur les circuits d'eau s'effectue par l'intermédiaire de raccords vissés, principe qui permet de démonter et de remonter un accessoire sanitaire sans faire intervenir le chalumeau.

La plupart du temps, il s'agit de raccords appelés raccords à « collets battus ».

Il s'agit de raccords filetés que l'on choisit en fonction de la dimension extérieure des tubes. Pour les assembler, une opération s'impose :

battre les collets, c'est-à-dire façonner l'extrémité des tubes pour former une collerette sur laquelle viendra s'appuyer le joint chargé de l'étanchéité du raccordement.

Outils : matrice pour mettre les collets, mandrin, toupie, marteau, clés. *Matériel :* tubes, rondelle en fibre.

1 Chauffez l'extrémité au chalumeau pour obtenir une couleur rouge et trempez-la dans l'eau froide. Cette opération recuit le cuivre et le rend malléable.

2 N'oubliez pas de placer l'écrou dans le tube recuit.

3 Placez le tube recuit dans la matrice, sorte d'étau à main comportant plusieurs emplacements destinés aux différents diamètres de tubes. L'extrémité du tube doit dépasser d'environ 2 mm la face de la matrice.

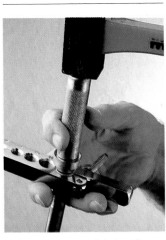

4 Serrez cette mâchoire fermement, puis, à l'aide d'une toupie conique et d'un marteau, frappez le tube pour qu'il épouse parfaitement la forme évasée de la matrice.

5 Desserrez les mâchoires, ouvrez la matrice et retournez-la. Serrez-la de nouveau sur le tube au ras de la collerette évasée, puis à l'aide d'un mandrin cylindrique, aplatissez la partie précédemment évasée afin d'obtenir une collerette bien plate, perpendiculaire à l'axe du tube.

6 Réalisez ainsi un collet battu à l'extrémité de chaque tube.

7 Rapprochez ensuite les deux raccords filetés, interposez une rondelle en fibre et bloquez l'ensemble avec deux clés pour obtenir l'étanchéité.

LE RESSORT À CINTRER

1 Chauffez le tuyau de cuivre sur toute la partie à cintrer, puis trempez-le dans l'eau froide.

2 Glissez le tuyau dans le ressort à cintrer.

3 En vous aidant du genou, exercez une pression afin d'imprimer une forme arrondie au tuyau.

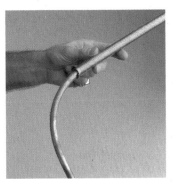

4 Enlevez le ressort, le tuyau est cintré.

COUDER AVEC UNE PINCE À CINTRER

1 Choisissez un tuyau de cuivre écroui.

2 Placez le tuyau sur le bloc-guide et choisissez l'angle de courbure.

3 Serrez les poignées de la pince, en les ramenant l'une vers l'autre, jusqu'à ce que le tuyau soit coudé comme vous le voulez.

UN BON TRUC

L'assemblage de différents tubes en acier de diamètres parfois différents est réalisé à l'aide de raccords vissés (coudes, tés, etc.). Mais évitez de multiplier la superposition de raccords, par exemple une réduction après un té.

TUYAUX D'ALIMENTATION ET D'ÉVACUATION

Le cuivre et le plastique (voir ci-dessous) sont les deux matériaux les plus utilisés dans la plomberie d'une maison. Les tuyaux de plomb ou d'acier galvanisé étaient d'un usage courant avant les années 40, mais ont été abandonnés depuis, il est cependant possible d'en trouver dans certaines constructions anciennes.

COMMENT DÉTERMINER LE TRAJET DES TUYAUX

Si vous devez faire un branchement spécial (par exemple le montage d'un lavabo supplémentaire dans une chambre à coucher), la manière la plus simple de procéder consiste souvent à se brancher par l'intermédiaire d'un raccord en té sur la canalisation principale.

Faites passer les tuyaux dans les endroits les moins visibles, le long du mur, dans un recoin, dans un placard mural, par exemple, ou sur la plinthe. Vous pouvez aussi utiliser un angle, le long d'une cheminée où la tuyauterie peut être encastrée et cachée. Si vous faites passer de la tuyauterie le long d'un mur extérieur, laissez un espace d'au moins 15 mm entre celle-ci et le mur, pour pouvoir la protéger du froid en hiver. Évitez, si possible, de faire passer la tuyauterie sous le parquet, le long d'une solive, à cause du nombre de lames qui devront être enlevées. Mais vous pourrez peut-être insérer et faire passer une conduite de plastique souple sous les lames.

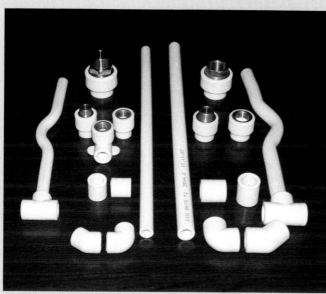

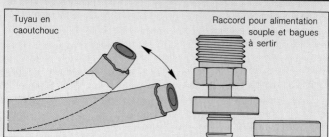

Tuyau en caoutchouc

Raccord pour alimentation souple et bagues à sertir

Si vous placez des supports pour le conduit sur le côté d'une solive, enfoncez-les à 5 cm au moins sous le niveau des lames pour éviter d'endommager les tuyaux dans le cas où vous enfonceriez des clous dans le parquet.

Si vous faites passer un tuyau sous le parquet dans le même sens que les lames, vous pouvez percer une solive d'un ou deux trous de 15 mm de diamètre afin d'y engager la ou les conduites.

LES MATÉRIAUX

La plupart des installations sont réalisées, en partant du compteur, avec des tuyaux en polyéthylène noir (semirigides) du type Socarex.

Ensuite, le réseau intérieur est en acier (fer) ou le plus souvent en cuivre (barres ou couronnes), écroui ou recuit.

Quelques tentatives sont faites avec des tuyaux en polypropylène rigides (blanc) du type Durette, thermosoudable.

Par ailleurs, il existe des tuyaux en matière plastique de couleur que l'on utilise pour le chauffage, noyés dans la dalle de béton.

Enfin, on trouve des tuyaux flexibles, en caoutchouc doublé d'une tresse métallique ou polyester.

Le circuit d'évacuation

Les tuyaux sont en cuivre ou en plastique (type Nicoll ou Wavin). Les descentes verticales sont en fonte ou en plastique.

ACCESSOIRES POUR TUYAUX

Une installation encastrée, si elle présente un grand avantage sur le plan esthétique, laisse à désirer sur celui de l'accessibilité, la déperdition calorique, etc.

À l'inverse, une installation apparente, même si elle permet des interventions moins coûteuses et plus rapides, est inesthétique.

Il existe une solution intermédiaire qui permet d'allier les avantages de chacune sans en rencontrer les inconvénients. Il s'agit de gaines habillant les canalisations apparentes.

Ces gaines peuvent être mises en place au moment de l'installation, ce qui est bien entendu préférable, mais elles peuvent être mises en place bien après que l'installation a été faite, masquant alors ce qui peut être inesthétique.

Elles se composent d'un fond très largement ajouré pouvant courir horizontalement en plinthe ou en haut des murs, verticalement autour des ouvertures, etc.

Sur ce fond vient se fixer par simple encliquetage un couvercle.

L'ensemble comme les accessoires (angles intérieurs et extérieurs, joints de dilatation, embouts, etc.) est réalisé en résine thermostatique pouvant être peinte.

LA POSE

Au moment de l'installation
Positionnez les fonds à partir du tracé futur de la canalisation, fixez-les avec des chevilles et des vis suivant les indications du fabricant.

Les fiches techniques sont fournies avec le matériel.

Après installation
Glissez les fonds derrière les tuyaux en place en créant des lumières supplémentaires dans la tringle basse à l'endroit des supports des tuyaux. Fixez ensuite comme indiqué pour les installations nouvelles.

Prévoyez des joints de dilatation
Ces gaines et leurs accessoires existent en plusieurs épaisseurs et plusieurs hauteurs et répondent ainsi à tous les cas posés par les différents types d'installation.

PARTICULARITÉS DES DIFFÉRENTS RACCORDS

La méthode de jonction doit être compatible avec le matériau de l'installation, mais certains raccords ou joints sont utilisables avec plusieurs sortes de tuyaux. Les facteurs entrant en ligne de compte seront donc : le prix, la disponibilité et la facilité avec laquelle on peut faire ou défaire le joint si nécessaire. Tous les raccords ne sont pas envisagés dans le comparatif.

Raccord bicône

Avantages : convient pour la tuyauterie de cuivre et certains plastiques. Se trouve pratiquement partout. Peut être réutilisé (avec un bicône neuf). Des raccords standard peuvent connecter des tuyaux de deux dimensions différentes : 15 mm avec un demi-pouce ou 28 mm avec un pouce (il faut un raccord spécial pour connecter du 22 mm avec du 3/4 pouce).
Inconvénients : plus cher que la plupart des autres joints. Présente un aspect inélégant. Difficile à serrer dans des endroits d'accès peu commode. Tenez compte du Ph de l'eau.

Joint instantané

Avantages : utilisé principalement pour les tuyaux de polybutylène, mais convient également pour la tuyauterie de cuivre et de P.V.C., de 15 et 22 mm de diamètre. Il peut être démonté et réutilisé, à condition de mettre de nouveaux anneaux à griffes et de nouveaux joints toriques. Le tuyau peut être simplement enfoncé dans ce raccord, qui n'est pas affecté par l'acidité de l'eau.
Inconvénients : plus cher que le joint capillaire soudé. Présente un aspect plutôt inélégant. Une fois enfoncé, le tuyau ne peut être retiré pour des modifications.

Joint capillaire soudé

Avantages : le meilleur marché de tous les joints. Donne un aspect net. N'est pas affecté par l'acidité de l'eau.
Inconvénients : ne peut être réutilisé une fois démonté. Plus difficile à mettre en place que les autres joints. Nécessite l'utilisation du chalumeau, qui constitue un risque d'incendie.

JOINT INSTANTANÉ

Une méthode simple et rapide pour assembler des tuyaux de cuivre. Les seuls outils nécessaires sont ceux utilisés pour l'ébarbage des tuyaux.

Poussez l'extrémité coupée et ébarbée d'un tuyau dans le manchon du raccord jusqu'à ce qu'il bute sur l'arrêt.

Ajustez, de la même manière, les autres tuyaux.

Joint rapide

Avantages : il n'est pas nécessaire d'utiliser des outils pour mettre en place ces joints, qui peuvent être démontés en les faisant tourner et en tirant pour les séparer. Ils peuvent resservir sans problème.
Inconvénients : ils sont chers et ne se trouvent pas partout comme d'autres modèles.

Des raccords spéciaux doivent être utilisés en présence d'eaux fortement acides.

Joint solvant

Avantages : présente un aspect net. Il forme un joint étanche qui ne fuit que très rarement. Son prix est sensiblement le même que celui des autres joints de plastique. Il n'est pas attaqué par l'eau acide.
Inconvénients : ne convient que pour des tuyaux de P.V.C. Il ne peut être réutilisé. Le solvant sèche vite et dégage des vapeurs non nocives. De plus, il faut attendre un certain temps pour remettre l'eau en circuit.

RACCORDS POUR TUYAUX

LES RACCORDS CUIVRE

Il est important de bien connaître le cuivre pour pouvoir effectuer des réparations ou des branchements simples et éviter ainsi de rompre l'uniformité d'une installation par l'incorporation (plus ou moins fiable d'ailleurs au niveau des jonctions) de matériaux différents de ceux employés initialement.

Le cuivre est résistant, esthétique et facile à travailler, mais son coefficient de dilatation est relativement élevé et il ne faut pas oublier d'en tenir compte au montage. Les passages en mur ou dans les planchers devront se faire en fourreaux (cuivre ou plastique), les colliers simples ou les tubes seront de dimensions telles qu'ils ne gêneront pas la dilatation. Enfin, les longueurs droites seront réalisées en tube écroui et en parties «accidentées» en tube recuit.

La jonction des tubes cuivre est réalisée par soudure ou en utilisant des raccords mécaniques.

Les raccords soudés par capillarité
Faciles à réaliser, ils sont extrêmement solides et parfaitement étanches, mais ils ne peuvent être démontés.

Les raccords par collets battus
Simples, durables et aisément démontables.

Les raccords à bagues biconiques

Les raccords par rondelles

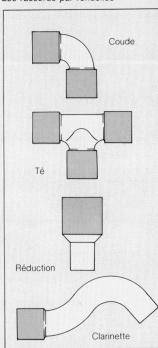

Coude

Té

Réduction

Clarinette

Raccords soudés par capillarité
Après avoir choisi le raccord correspondant exactement au diamètre du tube, nettoyez les parties à souder à la laine d'acier. Étalez-y de la pâte décapante. Assemblez le raccord sur le tube en faisant tourner légèrement le tube pour bien répartir la pâte. Chauffez le raccord et le tube à environ 200 °C. Éloignez la flamme. Présentez le fil de soudure sur le bord du raccord. Il fondra au contact des pièces chaudes. La soudure se répartira d'elle-même autour du raccord sous l'effet de la capillarité (voir p. 308).

RACCORDS À BAGUES BICONIQUES

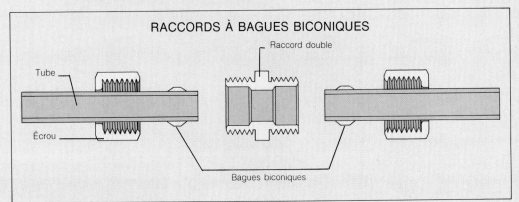

Tube

Écrou

Raccord double

Bagues biconiques

Raccords par collets battus
Ils sont réalisés à l'aide d'un raccord mâle, d'un écrou constituant la jonction et d'un joint placé entre les deux collets. Choisissez dans la matrice le trou correspondant au diamètre du tube. Placez-y celui-ci en le laissant déborder du côté fraisé d'environ 2 mm. Évasez l'extrémité du tube avec une toupie à frapper ou à visser. Desserrez la matrice et introduisez le tube à l'envers. Resserrez la matrice et aplatissez l'évasement avec un mandrin ou un marteau. Les deux collets sont battus. Il vous suffit de rapprocher le raccord mâle et l'écrou placés de part et d'autre des deux collets entre lesquels vous aurez interposé le joint de fibre et de visser le tout (voir p. 309).
Remarque : Il est nécessaire de chauffer le cuivre pour le recuire. Enfilez ensuite le raccord sur le tuyau avant de battre le collet.

Raccords à bagues biconiques
Ils se composent de la bague biconique (ou olive), rondelle de section triangulaire écrasée entre deux pièces filetées. S'agissant de la jonction de deux tubes, utilisez un raccord double, donc deux bagues et deux écrous. Dans les cas plus courants de raccords, tés, manchons ou tubes, et après avoir coupé le tube et l'avoir ébavuré, nettoyez l'extérieur et l'intérieur de l'extrémité à la laine métallique.

Enfin, placez l'écrou sur le tube puis la bague.

Serrez ensuite l'écrou qui écrasera la bague contre le raccord (utilisez deux clés pour éviter de déplacer le raccord).

Raccords par rondelles
Même principe que ci-dessus, les bagues de section triangulaire étant remplacées par des rondelles de section rectangulaire et les portées coniques des écrous et raccords par des portées plates.

LES AUTRES RACCORDS

Raccords américains
L'étanchéité est assurée par le serrage d'une rondelle d'acier incurvée et d'un joint en caoutchouc entre deux raccords standard à visser.

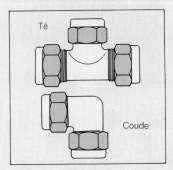

Té

Coude

Raccords instantanés
Ils sont démontables.

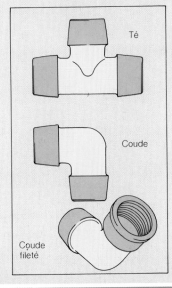

Té

Coude

Coude fileté

Raccord instantané avec bague Néoprène
Un manchon de plastique dans lequel le tuyau qui y est enfoncé est retenu par un anneau à griffe et un joint torique. Normalement, les écrous aux extrémités n'ont pas à être dévissés. Le tuyau de plastique est renforcé à son extrémité par un embout en acier inoxydable avant d'être mis en place.

Raccord avec solvant
Un manchon de plastique avec un arrêt intérieur inclus, à chaque extrémité. Utilisé avec des tuyaux P.V.C., «soudés» dans le manchon par un solvant spécial, recommandé par le fabricant de joints.

Raccord vissé
Raccord pour connecter des tuyaux à des robinets, cumulus et citernes (ou à des tuyaux aciérés) ; présente un filetage pour le visser à une extrémité.
Le filetage peut être interne (femelle) ou externe (mâle) et les joints filetés doivent être raccordés mâle sur femelle. Ces raccords vissés sont étanchéifiés grâce à un ruban «Teflon» enroulé trois fois dans le sens contraire des aiguilles d'une montre sur le filetage mâle.

Raccords par thermosoudage
Tubes, manchons et raccords en polypropylène se soudent à l'aide d'un appareil de soudage thermique électrique. Convient pour les canalisations d'alimentation d'eau.

Raccords de laiton en eau acide
Dans les endroits où l'eau distribuée est particulièrement acide, ne vous servez pas de raccords de laiton avant d'avoir consulté les services administratifs compétents, surtout si votre installation comporte des tuyauteries en cuivre.

Le laiton est un alliage de zinc et de cuivre ; en contact avec de l'eau très acide, il se produit une réaction chimique entre les deux métaux, le zinc se dissout graduellement et le raccord s'effrite.

Bien que l'eau douce ait tendance à être plus acide que l'eau calcaire, le phénomène n'est pas seulement circonscrit aux zones d'eau douce. De toute façon, des services spécialisés s'occupent de régulariser le taux d'acidité de l'eau.

Dans les endroits où il est probable que les joints sont attaqués, utilisez des raccords de bronze ou de métal spécial.

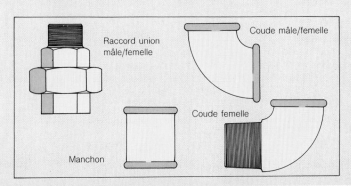

Raccord union mâle/femelle

Coude mâle/femelle

Coude femelle

Manchon

Assembler des tuyaux en plastique

FAIRE UN ASSEMBLAGE AVEC UN SOLVANT

La «colle» est une des méthodes pour assembler de la tuyauterie de plastique. Pour réaliser cette soudure à froid, travaillez dans un endroit bien aéré, si possible, car le solvant peut dégager des vapeurs nocives. Ne faites pas couler d'eau dans les tuyaux nouvellement assemblés et respectez un délai d'une heure pour l'eau froide et de quatre heures pour l'eau chaude.

Outils : crayon, papier de verre d'un grain moyen, chiffon propre, tissu propre.
Matériaux : produit dégraissant ou détachant, ainsi que «ciment solvant» pour tuyauterie indiqués par le fabricant. Le pinceau est livré, en général, avec le produit.

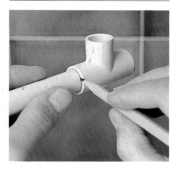

1 Enfoncez l'une des extrémités coupée et ébarbée (p. 309) dans l'ouverture du raccord, aussi profondément que possible. Ne forcez pas. Marquez la profondeur d'insertion avec un crayon.

2 Retirez le tuyau, frottez sa face externe au papier de verre jusqu'au trait de crayon pour le rendre rugueux.

3 Grattez l'intérieur du raccord de la même manière.

4 Nettoyez l'extrémité du tuyau et l'intérieur du raccord avec un chiffon et un produit dégraissant. Séchez avec un tissu propre.

5 Servez-vous d'un pinceau pour appliquer généreusement une couche uniforme de «ciment solvant» sur l'extrémité du tuyau. Soyez plus économe de ce produit dans les ouvertures du raccord.

6 Passez le produit en couches longitudinales plutôt que circulaires.

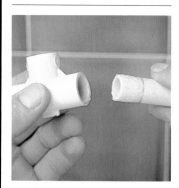

7 Enfoncez le tuyau à fond dans le raccord.

8 Maintenez en place durant 10 secondes environ. N'enlevez pas l'excédent de «ciment».

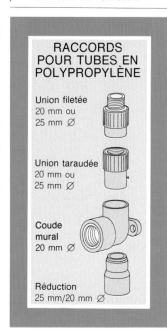

RACCORDS POUR TUBES EN POLYPROPYLÈNE

Union filetée
20 mm ou
25 mm Ø

Union taraudée
20 mm ou
25 mm Ø

Coude mural
20 mm Ø

Réduction
25 mm/20 mm Ø

LIAISON PAR THERMOSOUDAGE

Les tubes et les raccords en polypropylène se soudent par thermofusion dans la masse, ce qui leur confère une excellente étanchéité. Prévue pour l'alimentation d'eau, la mise en œuvre de ce système

1 Mettez en marche l'appareil de soudage thermique. Au bout de 15 minutes environ, la température requise est atteinte.

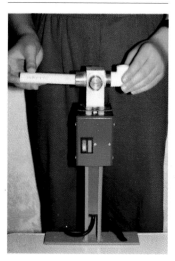

2 Enfichez le tube et le raccord sur les plots, de part et d'autre de l'appareil. Après 10 secondes, les surfaces en présence sont fondues.
Retirez les pièces.

de tubes plastiques est simple. Ils peuvent être coupés à la scie à métaux.

Outil : scie à métaux.
Matériel : gants, appareil de thermosoudage, tubes et raccords.

Appareil de thermosoudage (en location dans les centres de bricolage).

3 Présentez le tube et le raccord (mains gantées) et emboîtez-les. Pendant un court moment (5 secondes), il vous sera possible de bien les rajuster si cela se révèle nécessaire.

4 Après 2 minutes, la thermofusion est terminée. La liaison est absolument étanche et durable.

Réparer un tuyau, poser un robinet

Les tuyaux peuvent éclater par temps froid, car le volume de l'eau augmente de 10 % lorsqu'elle se change en glace. Si un tuyau (en plomb, par exemple) ne peut se dilater, par suite de la formation de deux bouchons de glace par exemple, la pression peut le fendre ou faire éclater un joint.

Les tuyaux métalliques souffrent davantage que les tuyaux en plastique.

RÉPARER UN TUYAU DE BRANCHEMENT FENDU

1 Coupez un morceau de tuyau souple, de longueur telle que le tuyau puisse recouvrir et déborder la partie endommagée, d'au moins 5 cm. Fendez-le sur toute sa longueur.

2 Enroulez la pièce de réparation sur le tuyau, de telle sorte que ses bords se rejoignent. Si le tuyau abîmé a un diamètre plus important que celui qui le recouvre, faites en sorte que la partie abîmée soit recouverte.

3 Fixez solidement la pièce sur le tuyau avec trois colliers de serrage ou entourez-le de fil de fer.

RÉPARER UN TUYAU AVEC UN RUBAN ADHÉSIF

1 Coupez l'alimentation en eau et vidangez le tuyau.

2 S'il s'agit d'un tuyau en plomb martelez les bords de la fente afin qu'elle se referme autant que possible.

3 Nettoyez autour de la fente avec du papier abrasif ou avec une lime. Le tuyau doit être parfaitement sec.

4 Recouvrez la fente en débordant de 3 cm environ sur ses extrémités avec du ruban adhésif renforcé. Utilisez de préférence un ruban adhésif vulcanisant, c'est-à-dire qui se soude de lui-même. Enroulez ce ruban en mordant à chaque tour sur sa demi-largeur.

5 Coupez une longueur de 15 cm de ruban adhésif et décollez le film protecteur. Repérez bien le côté collant, les deux faces présentant le même aspect.

6 Enroulez ce ruban (face collante vers le bas) autour du tuyau, en le faisant dépasser de 2,5 cm de chaque côté du ruban renforcé déjà en place et en l'étirant (environ trois fois sa longueur).

7 Terminez avec une dernière épaisseur de ruban renforcé sur la surface déjà protégée.

8 Attendez 2 heures avant de remettre le tuyau en eau.

9 Appelez un plombier pour le réparer aussitôt que possible.

10 Lorsqu'une réparation durable a été faite, protégez le tuyau avec un matériau isolant afin d'éviter de nouveaux dégâts causés par le gel (voir « Isolation des conduites d'eau », p. 262).
Notez que la pose de canalisations de plomb pour l'eau alimentaire est absolument interdite.

INSTALLER UN ROBINET EXTÉRIEUR

Un robinet avec le nez fileté sur un mur extérieur vous sera utile pour brancher un tuyau d'arrosage pour le jardin par exemple.

L'installation implique la pose d'un branchement sur le conduit principal, passant à travers le mur et aboutissant au robinet. Lorsque vous choisirez l'emplacement de celui-ci, pensez au fait que le niveau du plancher intérieur peut se trouver à 15 ou 25 cm sous celui du joint d'étanchéité (visible à l'extérieur) et que le branchement doit se situer au-dessus du robinet principal et du robinet de vidange.

Les instructions données ci-après conviennent pour un tuyau de cuivre branché à 1,5 cm sur un conduit principal, avec des joints de compression. D'autres matériaux ou joints peuvent être utilisés (p. 310-311). Faites des joints de compression.

Il n'est pas nécessaire de placer un robinet d'arrêt sur le branchement, mais cela vous permet de faire le travail en deux temps. Et, en hiver, vous pouvez couper l'alimentation du robinet et vidanger pour éviter les dommages causés par le gel.

Il existe des kits pour plomberie de jardin, avec tout le nécessaire pour ce genre de bricolage.

Enfin, pour faire les trous dans la maçonnerie, utilisez une perceuse électrique à percussion, équipée d'un foret à béton de 6 mm de diamètre, d'une longueur de 36 cm pour les avant-trous, ainsi que d'un foret à béton de 16 mm de diamètre et de 20 cm de longueur.

Outils : deux clés à molette, scie à métaux, lime demi-ronde, perceuse électrique avec des forets à béton pour fixer les vis, perceuse à percussion avec des forets à béton pour percer les murs (voir ci-

dessus), tournevis, deux pinces à linge à ressort, crayon à mine tendre, mètre à ruban, niveau à bulle.
Matériaux : ruban de Teflon, pâte à joint, enduit tout prêt pour les murs, robinet à nez coudé et fileté, robinet d'arrêt d'un même diamètre avec des écrous de raccordement, longueur de tuyau de cuivre correspondant à la position du robinet (normalement 1,20 m), tous les éléments de raccordement nécessaire, un té avec une extrémité lisse, deux coudes à 90° de même diamètre, plus un avec une plaque de fixation au mur.

POSITIONNER LE ROBINET

1 Marquez la position du robinet sur le mur extérieur de la cuisine, aussi près que possible du conduit principal.

2 Vérifiez que le robinet se trouve assez haut pour pouvoir placer un seau dessous.

3 Faites une autre marque pour le trou dans le mur, à environ 15 cm au-dessus de l'emplacement du robinet.

4 Mesurez la distance du trou à un point fixe (une fenêtre, par exemple), de telle sorte que vous puissiez localiser et vérifier la position du trou sur le mur intérieur.

5 Reportez la position du trou sur le mur intérieur. Vérifiez bien qu'il n'interfère pas avec tout autre équipement intérieur et qu'il se trouve au-dessus du niveau du robinet d'arrêt sur le conduit principal.

RÉALISER LE BRANCHEMENT À L'INTÉRIEUR

1 Fermez le robinet d'arrêt (dans le sens des aiguilles d'une montre).

2 Si un robinet de vidange se trouve au-dessus du robinet d'arrêt, ouvrez-le pour vidanger le conduit principal. Une casserole sera suffisante pour recueillir la quantité d'eau qui va s'écouler.

3 Tracez un repère sur le conduit principal, à la hauteur du futur trou sur le mur intérieur. Faites un deuxième repère, 2 cm plus haut.

Réparer un tuyau, poser un robinet (suite)

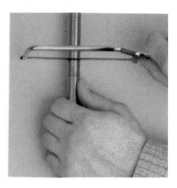

4 Avec une scie à métaux, coupez perpendiculairement le conduit principal le long du repère inférieur. S'il n'y a pas de robinet de vidange au-dessus du robinet principal, il va s'écouler un peu d'eau lorsque vous scierez le conduit.

5 Coupez également le long du repère supérieur et enlevez le segment de tuyau.

6 Servez-vous d'une lime pour ébarber les extrémités du tuyau et rectifiez la coupe si nécessaire.

7 Servez-vous de pinces à linge pour empêcher les bagues et olives de glisser le long du tuyau, ajustez le raccord en té sur le conduit principal, la sortie dirigée vers l'endroit que vous allez percer. Il est facile d'ajuster le té quand il présente une extrémité lisse (sans butée de tuyau).

8 Coupez une longueur de tuyau d'environ 15 cm et raccordez-la sur la sortie du té.

9 Fixez le robinet d'arrêt sur ce tuyau, la pointe de la flèche qui s'y trouve s'éloignant du conduit principal. Écartez le robinet du mur, de telle sorte que sa poignée puisse être tournée facilement. Posez les colliers de fixation.

10 Fermez le nouveau robinet en le tournant dans le sens des aiguilles d'une montre. Vous pouvez, à présent, rouvrir le robinet d'arrêt et redonner l'eau à toute la maison.

CONNECTER LE ROBINET EXTÉRIEUR

1 Servez-vous de la mèche pour faire un avant-trou dans le mur intérieur, en vous assurant qu'elle reste

bien perpendiculaire à ce mur quand vous percez.

2 Retirez la mèche de temps en temps pour la laisser refroidir et pour évacuer la poussière.

3 Prenez une mèche d'un diamètre plus grand, en attaquant alternativement les deux côtés du mur, de façon à obtenir un trou assez grand pour qu'un tuyau du robinet y passe aisément.

4 Relevez la distance entre le trou et le robinet d'arrêt que vous venez de poser.

5 Coupez une longueur de tuyau à cette mesure, avec un supplément pour l'ajuster dans le robinet d'arrêt et dans un raccord d'angle (enfoncez le tuyau aussi profondément que possible dans chaque raccord pour vérifier la longueur nécessaire).
Coupez une autre longueur pour traverser le mur.

6 Assemblez les deux longueurs de tuyau par un raccord coudé et

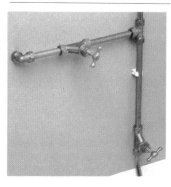

enfoncez dans le mur la partie qui mesure environ 36 cm.

7 Raccordez au robinet d'arrêt le côté libre. Le tuyau qui traverse la maçonnerie doit être gainé.

8 À l'extérieur du mur, retaillez le tuyau en n'en laissant dépasser que 2,5 cm.

9 Ajustez un raccord coudé sur la saillie du tuyau, en dirigeant sa sortie vers l'endroit prévu pour fixer le robinet.

10 Mesurez la distance entre la sortie du raccord et le futur robinet, et coupez une autre longueur de tuyau à cette mesure. Laissez un supplément pour l'ajuster dans les raccords.

11 Enfoncez le tuyau dans l'orifice du raccord coudé qui sera fixé au mur.

12 Enfoncez provisoirement l'autre extrémité du tuyau dans le raccord coudé en saillie, puis placez une bride sur le mur et marquez la position des trous pour les vis.

13 Enlevez et mettez de côté le coude avec la bride et l'extrémité du tuyau, puis percez et chevillez le mur.

14 Assemblez le tuyau et le raccord coudé en saillie et fixez la bride sur le mur.

MONTER LE ROBINET

1 Enroulez du ruban Teflon dans le sens contraire des aiguilles d'une montre sur le filetage de la queue.

2 Vissez le robinet, à fond, dans la sortie du coude fixé au mur. Ajustez le robinet pour qu'il soit bien dans une position verticale.

3 Ouvrez le nouveau robinet d'arrêt qui se trouve à l'intérieur de la maison et vérifiez tous les joints pour voir s'il n'y a pas de fuites. Revissez plus à fond si nécessaire.

4 Puis ouvrez le robinet extérieur que vous venez de monter et vérifiez son fonctionnement.

5 Remplissez de mousse polyuréthanne les cavités éventuelles autour des tuyaux dans le mur.

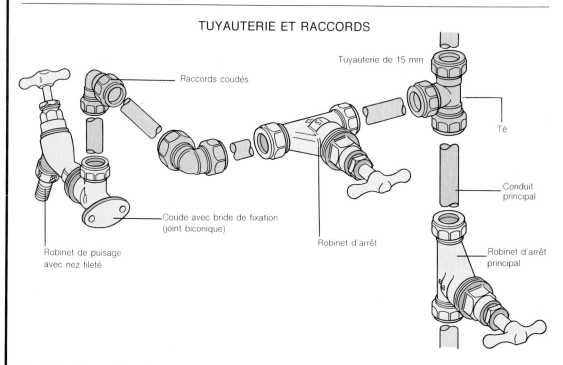

TUYAUTERIE ET RACCORDS

Raccords coudés

Tuyauterie de 15 mm

Té

Coude avec bride de fixation
(joint biconique)

Robinet de puisage
avec nez fileté

Robinet d'arrêt

Conduit
principal

Robinet d'arrêt
principal

Un robinet extérieur est alimenté par un tuyau, branché, en général, sur le conduit principal, par l'intermédiaire d'un raccord en té. Il n'est pas nécessaire d'avoir un robinet d'arrêt sur le tuyau de branchement.

Montage d'un conduit d'évacuation et d'un siphon

Avant 1939, les conduits d'évacuation et les trop-pleins pour éviers, lavabos, baignoires et citernes étaient en plomb ou en acier galvanisé. Puis on utilisa le cuivre jusque vers les années 60. Depuis, pour les installations neuves on utilise le plastique.

FAIRE UN RACCORD DE JONCTION AVEC JOINT

Ce genre de joint est utilisé pour relier des tuyaux de polypropylène. Certains fabricants recommandent de chanfreiner les extrémités des tuyaux avec un outil spécial. Les raccords peuvent resservir avec un nouveau produit pour joints.

Outils : scie à métaux, couteau tranchant, chiffon propre, journal, ruban adhésif, crayon. Éventuellement outil à chanfreiner.
Matériel : raccord.

1 Enroulez une feuille de papier journal autour du tuyau (la feuille se joignant bord à bord) comme guide pour la scie. Coupez le tuyau perpendiculairement, avec une scie à métaux.

2 Servez-vous d'un couteau bien affûté pour enlever les barbes de polypropylène et toutes les aspérités autour de la coupe.

3 Si le tuyau doit être chanfreiné, tracez une ligne à environ 1 cm du bord coupé. Chanfreinez jusqu'à cette marque.

4 Essuyez et enlevez la poussière à l'intérieur et à l'extérieur du raccord.

5 Sur un raccord de jonction avec joint Néoprène, dévissez cet anneau.

Joint d'étanchéité
Anneau de serrage

6 Assurez-vous que le joint d'étanchéité est bien placé, que rien ne dépasse à l'intérieur.

7 Enfoncez le tuyau dans le raccord jusqu'à ce qu'il bute. Cela réserve un intervalle de 1 cm environ à la base du tuyau qui permet la dilatation.

Vous pouvez aussi, s'il n'y a pas d'arrêt, enfoncer le tuyau aussi pro-

fondément que possible, faire une marque avec un crayon pour repérer la profondeur d'insertion, puis retirer le tuyau de 1 cm au-delà de cette marque, pour réserver le joint de dilatation.

8 Ajustez et fixez avec un anneau de serrage.

MONTER UN SIPHON

Tous les collecteurs d'eaux usées (provenant d'un évier, d'un lavabo, d'une baignoire, d'un lave-linge ou d'un lave-vaisselle) sont équipés d'un siphon, un coude dans la tuyauterie qui retient l'eau et empêche la remontée d'odeurs dans la pièce. Les anciens siphons étaient tout simplement constitués par un coude en U, de plomb, de cuivre ou de laiton, avec un bouchon à vis, permettant l'accès et le débouchage. Les siphons actuels sont, en général, en plastique et sont soit tubulaires, soit en forme de bouteille.

De taille standard, ils se montent entre l'orifice de sortie d'un évier, d'une baignoire ou d'un lavabo et son conduit d'écoulement.

CHOISIR UN CONDUIT D'ÉVACUATION

MATÉRIAU	UTILISATION ET MÉTHODE D'ASSEMBLAGE	ASPECT ET DISPONIBILITÉ
P.V.C. — Chlorure de polyvinyle	Pour évacuation de l'eau froide des toilettes. Assemblage par raccords instantanés ou raccords à joint Néoprène ou par solvant (p. 312).	Blanc, gris, marron et parfois noir. Vendu en longueurs de 3 ou 4 m. Coudes et raccords en té, disponibles. Également, coudes réglables.
P.V.C. plastifié	Pour évacuation d'eau chaude d'éviers, de baignoires, de lavabos et de machines à laver. Assemblage par joints instantanés ou raccords à joint ou par solvant (p. 310-311-312). Raccords à joint Néoprène pour jonction avec l'alimentation principale.	Gris, blanc, parfois noir. Vendu en longueurs de 4 m. Les raccords de jonction comprennent des réducteurs de cuivre et d'acier, ainsi que des segments-rallonges, des coudes réglables et des raccords pour alimentation principale.
Polypropylène	Pour écoulement d'eau froide (trop-pleins) et d'eau chaude d'éviers, de baignoires, de lavabos et de machines à laver. Assemblage uniquement par raccords instantanés ou jonction à joint Néoprène.	Blanc et noir. Présente une surface légèrement cireuse. Vendu par longueurs de 3 ou 4 m. Les raccords de jonction comprennent les raccords avec l'alimentation principale et les siphons.

RACCORDS SPÉCIAUX POUR TUYAUX D'ÉVACUATION

Raccord de jonction, avec joint Néoprène

Raccord de polypropylène avec bagues à visser, disponible en manchon rigide ou flexible. Le joint Néoprène est, en général, équipé et prêt à l'emploi. Peut être raccordé sur les conduits d'évacuation de cuivre, de plastique ou d'acier, mais ne vissez pas à fond.

Raccord instantané

Manchon rigide de polypropylène avec raccord instantané. Ne peut être connecté sur du cuivre, de l'acier ou du plastique sans la pose intermédiaire d'un raccord de jonction à joint. L'anneau de fixation est, en général, prêt à l'emploi.

Coude ajustable

Un raccord coudé, en deux pièces, fait de U.P.V.C. et de M.U.P.V.C. Il peut épouser toutes sortes d'angles permettant un bon ajustage pour des tuyaux d'évacuation collés par un robinet spécial.

RACCORDS TRADITIONNELS EN P.V.C.

Coude (femelle/femelle)

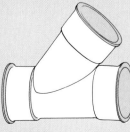

Culotte 45°

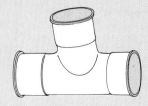

Té pied-de-biche (femelle)
Les raccords étant à coller, la mise en œuvre est très facile.

Montage d'un conduit d'évacuation et d'un siphon (suite)

Les siphons tubulaires se nettoient en dévissant la partie connectée à l'orifice d'évacuation de l'évier. Ceux qui sont en forme de bouteille présentent une partie inférieure amovible. Ils ne se montent que sur des lavabos et ne peuvent convenir pour un écoulement important.

Il existe différents types de siphons selon leur utilisation. Il peut également y avoir différentes sorties (verticales ou horizontales) et différentes profondeurs. Quel que soit leur type, leur rôle est de garder en fin d'écoulement un bouchon d'eau de 50 mm qui assure l'étanchéité aux odeurs.

Matériel : siphon de taille appropriée.

1 Vérifiez si l'écrou de serrage sur l'entrée du siphon est dévissé et si

la rondelle de caoutchouc est bien en place.

2 Placez l'entrée du siphon sur la sortie de l'écoulement et vissez l'écrou sur le filetage de la sortie.

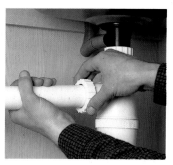

3 Raccordez la sortie du siphon avec le conduit d'évacuation par l'intermédiaire d'un raccord à joint à visser. Enfin, ouvrez le robinet pour vous assurer du montage.

CHOISIR UN SIPHON

Siphon tubulaire

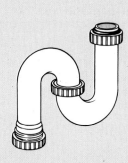

Un siphon en deux parties pour un évier ou un lavabo, avec une sortie en S (dirigée vers le bas). Ces siphons sont également disponibles avec une sortie en P (horizontale).

Siphon tubulaire télescopique en P

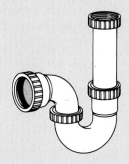

Un siphon pour évier ou lavabo possédant une admission réglable. Permet de placer deux éviers à des hauteurs différentes sur un tuyau d'évacuation déjà en place.

Siphon standard en forme de bouteille

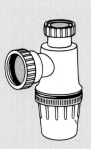

À n'utiliser que pour des lavabos dont la quantité d'eau évacuée est relativement faible. La plupart ont une sortie en P, mais un adaptateur en S peut être fourni à la demande.

Siphon télescopique en forme de bouteille

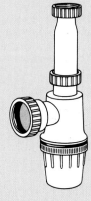

La hauteur du tuyau d'admission est variable et peut s'ajuster à différentes hauteurs, en général jusqu'à 18 cm, pour faciliter le montage sous un lavabo.

Siphon à occlusion pour lavabo

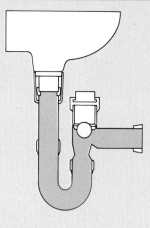

Ce siphon spécial comporte un dispositif de fermeture à boule pour éviter le refoulement et le cheminement d'insectes. Ce système permet la désinfection des appareils et leurs siphons, sans avoir à les démonter.

Siphon pour baignoire à câble

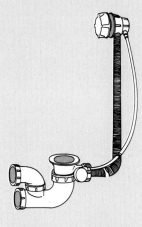

Le vidage s'effectue automatiquement en actionnant la rosace. Le siphon en P.V.C. a une sortie orientable avec un joint conique pour le tuyau.

Siphon de bidet

En laiton nickelé, ce siphon a une forme en V. Il en existe de plusieurs formes en P.V.C. à visser ou en polypropylène à emboîter.

Siphon de machine à laver

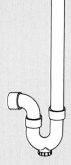

Bien que très rarement obstrué, le siphon en P.V.C. à sortie horizontale a un bouchon de visite.

ACCESSOIRES POUR SIPHONS

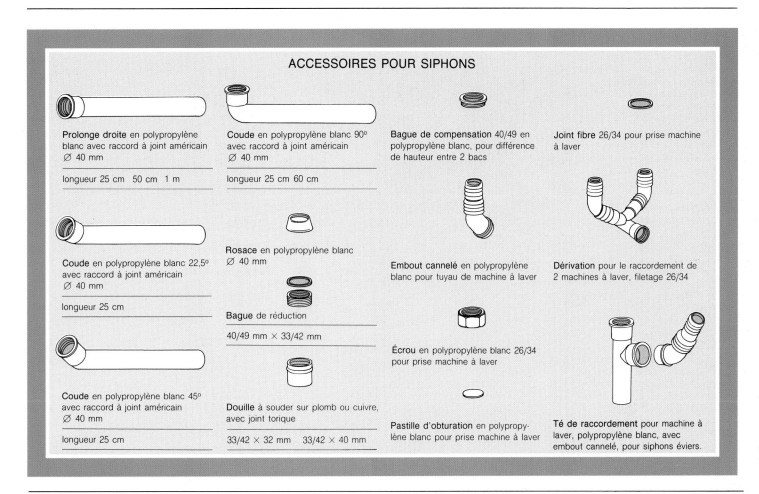

Prolonge droite en polypropylène blanc avec raccord à joint américain ∅ 40 mm

longueur 25 cm   50 cm   1 m

Coude en polypropylène blanc 22,5° avec raccord à joint américain ∅ 40 mm

longueur 25 cm

Coude en polypropylène blanc 45° avec raccord à joint américain ∅ 40 mm

longueur 25 cm

Coude en polypropylène blanc 90° avec raccord à joint américain ∅ 40 mm

longueur 25 cm   60 cm

Rosace en polypropylène blanc ∅ 40 mm

Bague de réduction

40/49 mm × 33/42 mm

Douille à souder sur plomb ou cuivre, avec joint torique

33/42 × 32 mm   33/42 × 40 mm

Bague de compensation 40/49 en polypropylène blanc, pour différence de hauteur entre 2 bacs

Embout cannelé en polypropylène blanc pour tuyau de machine à laver

Écrou en polypropylène blanc 26/34 pour prise machine à laver

Pastille d'obturation en polypropylène blanc pour prise machine à laver

Joint fibre 26/34 pour prise machine à laver

Dérivation pour le raccordement de 2 machines à laver, filetage 26/34

Té de raccordement pour machine à laver, polypropylène blanc, avec embout cannelé, pour siphons éviers.

Remplacement d'un évier

Parmi tous les modèles existants (bac simple, double bac, à cuves inégales, avec ou sans égouttoirs, etc.) il y a deux types d'évier : l'évier à poser ou l'évier à encastrer.

L'ÉVIER À POSER

En inox, en grès ou en toile d'acier, l'évier se pose sur un meuble ou sur une armature reposant au sol. Il n'y a pas de découpe, ni d'ajustements à prévoir. L'évier à poser peut être monté en épis par rapport à un mur. Il suffit de le raccorder aux canalisations d'eau et d'écoulement.

L'ÉVIER À ENCASTRER

En inox, en grès, en matériau de synthèse, etc., l'évier à encastrer se pose sur un plan de travail préalablement découpé aux dimensions indiquées par le fabricant. La mise en œuvre est plus délicate qu'avec un évier à poser. Il faut soigner la découpe et le joint d'étanchéité.

LES MODÈLES ET LES TAILLES

Ils ont, en principe, une largeur de 50 cm et leurs longueurs sont comprises entre 80 et 150 cm. Les modèles peuvent comprendre un bac et une paillasse d'un seul tenant, ou différentes combinaisons d'un et demi, de deux, ou de deux

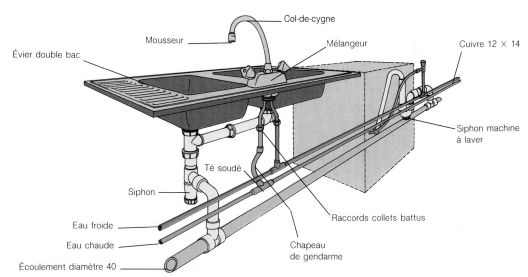

bacs et demi, avec une paillasse, deux paillasses ou pas de paillasse du tout. Ces paillasses-égouttoirs peuvent être placées à gauche ou à droite du bac ou de l'ensemble. Le matériau le plus utilisé est l'acier inoxydable. De l'acier émaillé ou, plus cher, du polycarbonate sont proposés dans une gamme de coloris.

Les éviers de céramique, d'un entretien facile, sont plus solides mais la porcelaine risque de s'écailler sous un choc violent.

Siphon créant l'espace sous l'évier, avec prise machine à laver.

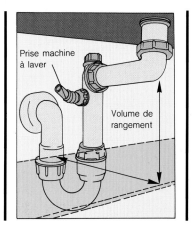

La hauteur de l'évier

Faites attention, lorsqu'on change un évier, il n'est pas souhaitable de modifier sa hauteur.

Trop haut, il s'intègre difficilement dans le plan de travail de la cuisine. Trop bas, il n'est plus possible de prévoir de rangement sous sa cuve. Une hauteur de 85 cm est le plus souvent retenue avec une variation suivant les implantations de plus ou moins 2 cm.

Sous un évier, le siphon occupe beaucoup de place et ne permet pas de poser une étagère.

En utilisant un siphon coudé, on peut créer un espace intéressant.

Montage d'un évier à poser

À moins que vous n'ayez l'intention de conserver les robinets existants, montez les robinets neufs et le conduit d'évacuation sur le nouvel évier avant de défaire l'ancien. Vous aurez ainsi plus d'espace pour travailler et l'alimentation en eau n'aura pas à être coupée très longtemps.

Outils : clé à molette ou clé plate à fourche (taille probable : 20), paire de pinces à becs plats, mètre-ruban en acier, niveau à bulle, chiffon humide, seau. Éventuellement, clé spéciale pour tuyaux, tournevis, scie à métaux, tasseaux de bois.
Matériaux : évier, deux robinets ou un mélangeur ou un mitigeur — l'ensemble d'évacuation avec le trop-plein, siphon d'évier tubulaire, rondelles de plastique pour les robinets ou le mélangeur, deux raccords de même diamètre (de préférence des raccords de cuivre flexibles), deux rondelles de 20 mm pour le trou de bonde, du mastic pour joints, du ruban Teflon.

MONTAGE DES ROBINETS

1 Dévissez et retirez les écrous arrière des tuyaux des nouveaux robinets.

2 Faites glisser une rondelle de plastique sur chaque conduit.

3 Faites passer le conduit (ou la tige) de chaque robinet dans le trou approprié (eau chaude et eau froide) du nouvel évier.

4 Faites glisser une rondelle d'épaisseur sur une tige de robinet pour compenser une trop grande longueur de la tige qui empêcherait une fixation solide du robinet.

5 Replacez l'écrou arrière et vissez-le à fond avec la clé à molette.

Puis faites la même chose pour le deuxième robinet.

6 Vissez ensuite, à l'aide d'une clé plate, un raccord sur chaque tige de robinet.

PLACER L'ORIFICE D'ÉVACUATION

1 Démontez le nouvel ensemble évacuation-trop-plein (si l'orifice du conduit ne présente pas de tige).

2 Enduisez de mastic le contour de l'orifice d'évacuation.

3 Enroulez du Teflon autour du filet du raccord d'évacuation. Mettez trois épaisseurs de ce ruban et enroulez-le dans le sens contraire des aiguilles d'une montre.

4 Encastrez la pièce ainsi préparée dans le trou d'évacuation de l'évier, les encoches de la pièce orientée respectivement à l'arrière et à l'avant. Enfoncez les bords dans le mastic.

5 Sous l'évier, faites glisser une rondelle de plastique plate sur le tube fileté du raccord d'évacuation. Puis fixez la bague du conduit flexible du trop-plein sur le filetage recouvrant ainsi les encoches. Enfin, placez une autre rondelle.

6 Pendant que vous visserez l'écrou de fixation, et pour empêcher le déplacement de raccord, maintenez la grille par le dessus avec une paire de pinces à becs plats.

7 Raccordez la partie supérieure du flexible du trop-plein sur l'orifice adéquat de l'évier.
Le flexible peut se visser ou s'emboîter.

8 Enlevez l'excès de mastic autour de l'orifice du bac avec un chiffon humide.

DÉMONTER UN VIEIL ÉVIER SIMPLEMENT POSÉ

1 Coupez l'alimentation en eau des robinets (p. 306).

2 Ouvrez les robinets de la cuisine à fond, jusqu'à ce que l'eau ne coule plus. Un peu d'eau restera cependant dans les tuyaux.

3 Passez sous l'évier et dévissez l'écrou de chaque raccord de robinet, puis débranchez leurs conduits d'alimentation ; en général, les écrous ne sont pas difficiles à enlever, mais s'ils opposaient quelque résistance, ne vous fatiguez pas. Avec une scie à métaux, coupez

tout simplement chaque tuyau un peu en dessous du raccord.

4 Dévissez l'écrou raccordant le conduit d'évacuation au siphon de l'évier (vous aurez peut-être à vous servir de la clé à griffe afin d'avoir une prise plus efficace).

5 Placez un seau sous le siphon et débranchez-le.

6 Regardez s'il y a des supports pour maintenir l'évier en place. Si oui, enlevez-les.

7 Soulevez l'évier et enlevez-le du support ; en général, il n'est pas très lourd.

PLACER UN NOUVEL ÉVIER

1 Servez-vous d'un niveau à bulle pour vérifier sur les quatre côtés que le dessus du nouveau sous-évier est bien horizontal. Si tel n'était pas le cas, remettez-le à niveau en glissant des cales sous la base.

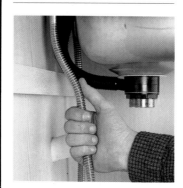

2 Posez correctement le nouvel évier (robinets, raccords de robinets et évacuation déjà en place) sur le sous-évier.

3 Ajustez les raccords des robinets sur les conduits d'alimentation. Les raccords flexibles peuvent être légèrement coudés selon les différences à compenser dans la hauteur et l'alignement des conduits.

4 Raccordez le nouveau siphon à l'évacuation et connectez-le avec le conduit principal.

5 Rebranchez l'eau et vérifiez l'installation. Resserrez les joints si nécessaire.

Montage d'un évier encastré

Les éviers standard à encastrer sont de plusieurs modèles, vous trouverez certainement celui correspondant à l'installation que vous désirez. Le kit d'évacuation (ainsi que le flexible pour trop-plein) est, en général, livré avec l'évier. (Les éviers de céramique possèdent généralement un conduit pour trop-plein inclus.)

L'installation est similaire à celle de l'évier à poser, mais le raccord avec l'évier est différent. Le mitigeur monobloc présente deux tiges souples dépassant l'écrou. Ces tiges sont raccordées avec des manchons réducteurs.

Avant de fixer les robinets, tracez les contours extérieurs de l'évier sur le plan de travail en le plaçant à l'envers.

Tracez un second trait parallèle au premier, mais à 2 cm de celui-ci vers l'intérieur. Ce second trait sera celui de votre découpe. Vous devrez fixer les clips de fixation de l'évier par en dessous.

En principe, le fabricant établit un plan de découpe.

Outils : deux clés à molette pour les jonctions réductrices du mitigeur monobloc, pince à becs plats, tournevis, chiffon humide, pinces à linge à ressort, scie sauteuse, perceuse électrique et mèches à bois, crayon. Éventuellement : une scie à métaux.

Matériaux : évier à encastrer (les fixations sont livrées avec l'évier), mitigeur pour évier avec rondelles adéquates et deux kits de joints instantanés, mastic pour scellement (du type silicone, caoutchouc siliconé), Teflon.

1 Tracez les contours de l'ouverture sur le plan de travail, selon les instructions du plan fourni par le fabricant d'éviers. Découpez avec la scie sauteuse électrique.

2 L'évier une fois en place, scellez son pourtour comme indiqué.

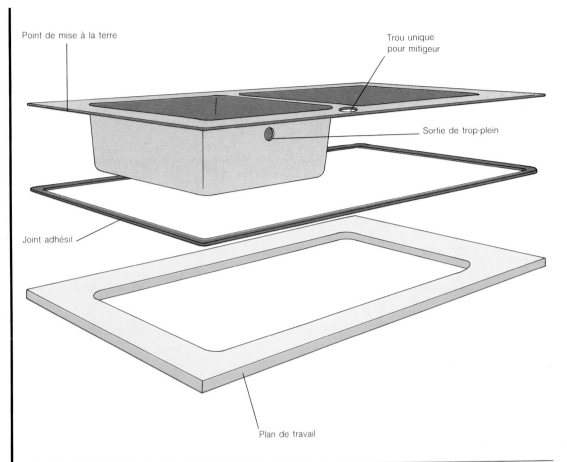

Point de mise à la terre

Trou unique pour mitigeur

Sortie de trop-plein

Joint adhésif

Plan de travail

4 Montez les robinets, ou le mélangeur ou le mitigeur, ainsi que le raccord d'évacuation, de la même façon que pour un évier à poser, en respectant toutes les indications spécifiques fournies par le fabricant. À ce stade, ne fixez pas encore les couplages sur les tiges du mélangeur ou mitigeur monobloc.

5 Ajustez l'évier dans le plan de travail, comme indiqué, et vissez les clips les uns après les autres.

6 L'évier posé, faites les jonctions avec le siphon, le tuyau d'écoulement et la terre, et rebranchez l'alimentation en eau.

RACCORDER UN MITIGEUR

1 Vérifiez si les conduits d'alimentation sont à la hauteur qui convient pour s'ajuster sur les robinets. Coupez les conduits s'ils sont trop longs. Il est peu probable qu'ils soient trop courts.

2 Vérifiez également si le tuyau d'amenée d'eau chaude se trouve à gauche lorsque vous faites face à l'évier.

3 Défaites l'écrou de serrage à l'extrémité de chaque raccord et faites glisser écrou et joint conique sur le tuyau. Posez une pince à linge en dessous de chacun d'eux pour les arrêter sur le conduit.

ÉVIER À ENCASTRER

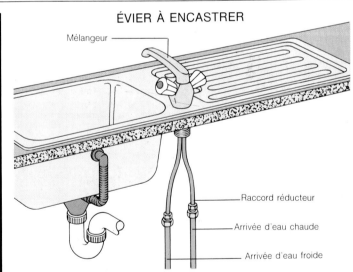

Mélangeur

Raccord réducteur

Arrivée d'eau chaude

Arrivée d'eau froide

4 Défaites l'un des raccords réducteurs et ajustez-le, avec un joint conique, sur la queue du robinet.

5 Insérez la queue (cuivre malléable) du robinet dans le conduit d'alimentation approprié et vissez à la main les bagues sur les deux extrémités du raccord réducteur.

6 Maintenez le raccord avec une clé pendant que vous donnez à chaque écrou un quart de tour avec une autre clé.

7 Faites le raccord de l'autre queue avec le conduit d'alimentation de la même manière.

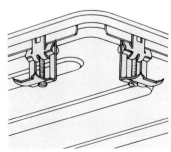

3 Mettez en place selon les instructions du fabricant les fixations qui maintiennent l'évier. Il s'agit, en général, de fixations à charnières qui sont vissées sur le bord de l'évier et peuvent ensuite s'ajuster sur les plans de travail (dont l'épaisseur varie entre 2,5 et 4,5 cm). Cela dit, les moyens de fixations sont variés.

CONSEILS PRATIQUES

Choisissez de préférence un évier à deux bacs et au moins un égouttoir.

En règle générale, le plan de travail vous rendra plus de services s'il se trouve entre le plan de cuisson et le plan de lavage. Cet ensemble devra être à une hauteur de 85 à 90 cm au-dessus du sol.

Il est indispensable d'éviter toute infiltration entre l'évier et le mur. Pour cela, appliquez un mastic spécial à la jointure de l'évier et du mur.

Les problèmes d'évacuation

LES SYSTÈMES DE VIDANGE

Hors la chaînette retenant un clapet plastique ou caoutchouc de plus en plus abandonnée, les vidages des lavabos, baignoires et bidets fonctionnent tous sur le même principe.

Il s'agit d'un clapet, manœuvré par une tirette qui vient obturer l'orifice de la bonde.

Cette tirette est elle-même actionnée par un bouton qu'on soulève ou qu'on tourne pour vider l'appareil.

Les défauts de fonctionnement peuvent être rapidement décelés et réparés. Ils sont de deux ordres.

Mauvaise obturation

En général, la longueur de la tige est incorrecte. Pour y remédier, desserrez l'écrou et vissez ou dévissez la tige jusqu'à obtention de la bonne longueur que vous vérifierez en faisant un essai. Si celui-ci se révèle être correct, resserrez l'écrou.

Il se peut que cette opération soit insuffisante. Vérifiez alors la qualité du contact entre le clapet et l'orifice de bonde. Si la fermeture n'est pas hermétique, bien que le clapet soit équipé d'un joint torique, remplacez-le par un neuf. S'il s'agit d'un clapet métallique, améliorez l'étanchéité en rodant le clapet sur la bonde, en utilisant une poudre abrasive.

Défauts du mécanisme de commande

a) Noix de serrage : cassée ou débloquée.

Rebloquez, ou changez.

b) Tirette difficile, voire impossible, à soulever.

Vérifiez le presse-étoupe de guidage. Desserrez l'écrou. Si cette opération est insuffisante, changez le joint.

c) Tige tordue.

Redressez-la après démontage.

d) Tige à rotule bloquée ou cassée.

Démontez l'écrou du boîtier en prenant garde au ressort qu'il contient. Redressez la tige ou changez-la. Replacez le ressort, l'écrou du boîtier, et procédez au réglage avant de visser la noix de serrage.

LES SIPHONS

Au contraire d'un système de vidange non hermétique, un siphon obstrué peut gêner jusqu'à empêcher totalement le vidage d'un appareil.

Placé entre la bonde et la canalisation d'évacuation des eaux usées, cet accessoire est prévu pour retenir en permanence une certaine quantité d'eau destinée à faire obstacle à la pénétration de l'air vicié de la canalisation dans les locaux d'habitation. La garde d'eau doit être de 50 mm.

Il en existe de formes différentes, réalisés en matériaux différents (laiton, fonte, matières plastiques), mais tous sont conçus pour remplir ce rôle de « tampon ».

Les premiers siphons étaient en plomb. Il s'agissait, en réalité, d'un double coude créé sur la conduite d'évacuation. Un orifice devant permettre le nettoyage était percé à la sous-face et obturé par un bouchon pas toujours vissé.

Fort heureusement, les siphons actuels sont beaucoup plus pratiques et de plus accessibles. Leur conception permet d'ailleurs, le plus souvent, de les déboucher et de les nettoyer sans avoir à les démonter.

C'est le cas des siphons bouteilles ou similaires, à bague, à étrier ou à bride.

On trouve encore dans le commerce des siphons tubulaires en forme de S, mais facilement démontables grâce à deux bagues filetées (sur une la bonde, l'autre sur la conduite).

UN BON TRUC

Si l'un de vos appareils sanitaires n'est pas régulièrement utilisé, il est vraisemblable que l'eau du siphon s'évaporera et que celui-ci ne remplira plus son rôle. Pour pallier cet inconvénient, faites couler un peu d'eau de temps en temps dans l'appareil incriminé, cette eau regonflera éventuellement les joints et, de cette façon, l'étanchéité sera totalement rétablie.

Un siphon laisse suinter un peu d'eau

Deux causes peuvent être à l'origine de cet inconvénient :

— un léger desserrage des bagues et des écrous : procédez au resserrage en prenant garde de ne pas déplacer le siphon.

— un dessèchement des joints : démontez les bagues, vérifiez l'état des joints. Changez-les éventuellement. Revissez la bague avec les mêmes précautions que ci-dessus.

Si le vidage s'effectue mal ou pas du tout, reportez-vous p. 321, « Déboucher le siphon », pour connaître la marche à suivre.

LES TUYAUX D'ÉCOULEMENT

Si les solutions préconisées par le dégorgement des siphons n'apportaient aucune amélioration sensible à l'écoulement de l'eau des appareils sanitaires, il deviendrait nécessaire de déboucher la canalisation d'évacuation.

Pour obtenir un résultat rapide, sans manipulation, vous pouvez utiliser un produit de débouchage, à base de soude caustique. Le mode d'emploi est indiqué sur le récipient contenant le produit et il est fortement conseillé d'en tenir le plus grand compte si l'on veut éviter des brûlures. Malgré ces précautions, l'emploi de ces substances chimiques reste malaisé et peut avoir des conséquences préjudiciables à la bonne tenue du réseau d'évacuation. C'est pourquoi, après emploi, vous devrez longuement rincer la tuyauterie à l'eau très chaude de préférence.

C'est la raison pour laquelle il est souhaitable de s'en tenir à un moyen mécanique, le « furet » qui, manié avec les précautions élémentaires, donne toujours les meilleurs résultats. (Voir p. 321.)

LES CHASSES D'EAU

Il existe plusieurs modèles de chasses d'eau. Leur fonctionnement et les réparations qu'elles demandent ne sont évidemment pas les mêmes.

Le modèle le plus utilisé dans les immeubles anciens comporte un réservoir haut placé à 1,50 m au minimum, au-dessus de la cuvette. C'est donc la force de la chute d'eau qui en permet le nettoyage.

La colonne de chute reliant cuvette et réservoir est obturée en tête par une pièce lourde appelée « cloche », reposant par deux axes sur une fourchette commandée par la chaînette. La manœuvre de cette chaînette entraîne le soulèvement de la cloche qui libère l'orifice du tuyau et permet l'écoulement de l'eau. Dès que la chaînette est lâchée, la cloche reprend sa place et le réservoir retrouve son étanchéité. Il se remplit par le robinet dont le piston a été libéré par l'abaissement du flotteur. Le réservoir se remplissant, il fait remonter le flotteur jusqu'au moment où, appuyant sur le piston du robinet, il coupe l'arrivée d'eau.

Ce système est relativement simple et comporte peu de risques d'un mauvais fonctionnement (voir p. 331).

Mais la qualité de l'eau cause une usure par racornissement plus ou moins rapide du joint de caoutchouc placé sur le conduit central de la cloche et quelquefois de celui du robinet d'alimentation.

Cette usure du joint de cloche entraîne un défaut d'obturation et l'eau s'écoule petit à petit, ne laissant pas dans le réservoir une quantité d'eau suffisante pour un bon nettoyage. Vous devrez lever le couvercle du réservoir, dégager la fourche, sortir la cloche, changer le joint et remettre le tout en place. Si c'est le joint du robinet qui laisse passer de l'eau qui s'écoulera ensuite par le canal central de la cloche, il faut le changer.

1 Enlevez le couvercle, fermez le robinet-vanne extérieur.

2 Séparez la tige du flotteur en ôtant la goupille.

3 Remplacez le clapet et procédez au remontage.

Toutefois, ne changez le clapet du robinet qu'après avoir constaté que le réglage du flotteur est sans défaut et permet bien un fonctionnement correct du piston du robinet. Sinon, par tâtonnement, en faisant glisser le flotteur sur la tige, cherchez sa position. Il est parfois nécessaire de parfaire le positionnement en incurvant un peu la tige du flotteur.

Débouchage d'un évier

Tout le monde a connu au moins une fois les problèmes d'écoulement d'évier. Ils sont immédiatement détectables : l'évier se vide lentement ou plus du tout.

Si l'évier se vide lentement, son siphon ainsi que son conduit d'écoulement sont probablement obstrués par un bouchon de graisse. Des fibres d'origines diverses ont pu également s'agglutiner sous la grille de la bonde.

Si l'eau ne s'écoule plus du tout, l'accumulation de graisses forme un bouchon très dense ou quelque chose comme un os ou une poignée de fibres obstrue le conduit.

Si vous ne trouvez aucun élément qui obstrue le siphon ou le conduit, il faudra dans ce cas nettoyer le collecteur principal.

Outils et matériaux : soude caustique ou autre produit spécifique, vaseline. Éventuellement : une longueur de fil de fer, ventouse pour évier ou pompe à main, clé à molette, furet pour évier ou tringle à rideaux extensible (p. 305), seau, morceau de bois.

L'évier se vide lentement

1 Si l'évier tarde à se vider, utilisez de la soude caustique ou tout autre produit chimique en suivant les instructions inscrites sur l'emballage.

2 Si nécessaire, enlevez les fibres de la grille avec un crochet, en travaillant à partir du dessus.

L'évier est complètement bouché

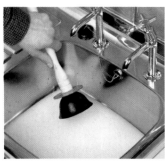

1 Si l'eau ne s'écoule plus du tout, placez la ventouse à déboucher bien droite sur la bonde d'écoulement.

2 Obturez avec un chiffon humide l'orifice du trop-plein et maintenez-le fermement en place. Cela empêchera l'air de ressortir et d'annuler ainsi la force développée par la manœuvre de la ventouse.

3 Opérez avec la ventouse des mouvements de succion et refoulement (de haut en bas et de bas en haut). Si le bouchon résiste, continuez pendant quelques minutes.

4 Si la ventouse ne donne aucun résultat, placez un seau sous l'évier et démontez le siphon.

DÉBOUCHER LE SIPHON

S'il s'agit d'un siphon à culot, procédez de la façon suivante :

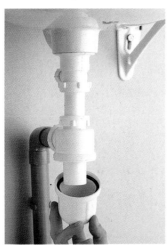

1 Dévissez le culot dont vous rincerez l'intérieur en prenant garde au joint.

2 Nettoyez l'intérieur du corps du siphon en vous aidant d'un fil de fer, puis remontez-le après le nettoyage.

UN BON TRUC

S'il s'agit d'un ancien siphon en plomb, maintenez l'ensemble avec un morceau de bois passé dans la branche de l'U pendant que vous dévisserez l'écrou de vidange avec la clé adéquate.

LE FURET

Si l'engorgement se situe plus bas dans la canalisation, vous pouvez vous servir d'un furet.

Grâce à sa flexibilité, cet outil épouse les coudes et les contours des canalisations.

1 Placez un récipient vide sous la tuyauterie.

2 Démontez le siphon.

3 Introduisez le furet dans la canalisation en tournant et en poussant afin qu'il chasse les impuretés.

4 Si l'origine de l'engorgement se trouve plus bas, dévissez le bou-

---

chon de visite et introduisez le furet.

5 Quand vous avez obtenu satisfaction, remontez le siphon et le bouchon de visite, et faites couler l'eau pendant quelques instants afin de vous assurer de l'efficacité de votre intervention.

LA POMPE À MAIN

La pompe à main remplit le même rôle que la ventouse : déboucher les éviers. Cet accessoire se termine par une coupelle de caoutchouc et se manœuvre comme un piston.

1 Obturez le trop-plein. Laissez un peu d'eau dans le fond du bac.

2 Mettez la pompe sur la bonde, puis manœuvrez le piston qui aspirera l'eau contenue dans le siphon.

3 Refoulez l'eau en repoussant le piston. Ce mouvement de va-et-vient crée une dépression qui parvient souvent à chasser les détritus.

Remplacement d'un lavabo ou d'un bidet

Un lavabo est raccordé à la plomberie pratiquement de la même façon qu'un évier de cuisine. La différence importante réside dans le système de fixation au mur.

Il peut y avoir également de légères différences dans les rondelles utilisées pour le montage des robinets, à cause des épaisseurs variables des matériaux, des équipements sanitaires.

Comme pour un évier, il est nécessaire de faire le maximum de plomberie avant de mettre le lavabo en place.

Outils : clé spéciale pour lavabos, clé plate, pince à becs plats, mètre-ruban en acier, niveau à bulle, tournevis, seau. Éventuellement, une scie à métaux.

Matériaux : lavabo ou bidet, deux robinets ou un mélangeur avec rondelles, siphon bouteille, sortie d'évacuation avec deux rondelles de plastique, bonde et chaînette, deux raccords pour robinets (de préférence en cuivre flexible), mastic au silicone, ruban Teflon, vis pour fixation au mur (ou sur le sol), de préférence vis n° 12, à tête

ronde, rondelles de caoutchouc pour placer entre les vis et l'appareil sanitaire, produit étanche pour joints. Éventuellement, un kit pour trop-plein, flexible.

1 Montez les robinets ou le mélangeur ainsi que les jonctions de robinets sur l'élément neuf, comme il a été expliqué pour un évier. N'utilisez la rondelle d'épaisseur que si c'est nécessaire pour combler un espace éventuel sur la tige du robinet et assurer une fixation solide. Il est probable qu'elle sera plus indi-

quée sur une cuvette de lavabo en acrylique ou en acier émaillé, plutôt que sur de la céramique.

LAVABOS ET BIDETS

Les lavabos sur pied, en céramique vitrifiée, constituent le type le plus répandu ; mais il existe quantité d'autres matériaux et de modèles de supports.

Commandez, en même temps que le lavabo, les robinets ou mitigeurs et autres accessoires nécessaires pour le montage. De nombreux modèles de lavabos et de bidets ne présentent qu'un trou pour un robinet mélangeur.

Des modèles à deux trous pour deux robinets, ainsi que d'autres à trois trous, dont deux pour les robinets et le troisième pour la manœuvre de la vidange.

Certains lavabos en céramique possèdent un trou central pour le robinet, avec des trous prémarqués de chaque côté qui peuvent être découpés, si nécessaire (confiez ce travail à un professionnel, car des mains inexpérimentées pourraient gravement endommager le lavabo).

L'orifice d'évacuation d'un lavabo ou d'un bidet mesure, en principe, 4,5 cm de diamètre. Le kit d'évacuation de lavabo doit comprendre une bonde.

Les lavabos de porcelaine possèdent, en général, un conduit de trop-plein monobloc. Sur d'autres modèles, il faudra compléter l'équipement avec un flexible de trop-plein.

TYPES DE LAVABOS ET DE BIDETS	TAILLES ET MATÉRIAUX

Lavabo simple sur pied

Porcelaine vitrifiée blanche ou teintée dans la masse.
Dimensions intérieures de la vasque : 580 × 415 mm.
Dimensions extérieures : 700 × 585 mm.
Profondeur intérieure : 145 mm. Épaisseur totale : 190 mm.
Hauteur du pied : 645 mm. Hauteur totale : 835 mm.

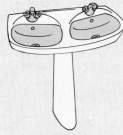

Lavabo double sur pied

Même matériau, mêmes couleurs.
Dimensions intérieures des vasques 480 × 328 mm.
Dimensions extérieures des vasques 1 120 × 555 mm.
Mêmes profondeur et épaisseur totale.
Même hauteur de pied que le lavabo simple.

Lavabo suspendu

Même matériau, mêmes couleurs.
Les dimensions varient selon les modèles, elles peuvent aller de 350 × 600 jusqu'à 700 × 585 mm.
Les profondeurs varient également peu.
La hauteur de fixation est normalisée, sauf exception, et correspond à celle d'un pied en porcelaine.

Lavabo à encastrer par-dessus

Ces modèles sont réalisés dans le même matériau et les mêmes teintes que les précédents.
Dimensions extérieures : 570 × 440 mm.
Profondeur totale : 195 mm.
Cet appareil est destiné à être posé sur un plan.

Lavabo à encastrer par-dessous

Même indication que le précédent, mais de dimensions 540 × 450 mm.
Le modèle est encastré dans la table et fixé par des vis.
En principe, le bord de la vasque affleure la surface du plan.

Lavabo à encastrer «plan»

Ce modèle tout à fait similaire aux précédents, mais de dimensions extérieures de 743 × 540, est encastré sur la table de toilette par-dessus, comme le n° 4. Il présente en place une saillie d'environ 30 mm. Au lieu d'être vissé directement ou fixé par l'intermédiaire d'accessoires spéciaux, ce lavabo est collé.

TYPES DE LAVABOS ET DE BIDETS	TAILLES ET MATÉRIAUX

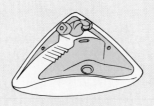

Lave-mains

Réservé aux espaces restreints, il en existe de plusieurs formes, classiques, rectangulaires, triangulaires. C'est ce dernier modèle dont il est donné les caractéristiques.
Installé dans un angle ce lave-mains a une base de 580 mm, une hauteur de 400 mm, et occupera 450 mm sur chaque mur. Sa hauteur totale est de 180 mm pour une profondeur de 90 mm.

Bidet sur pied

Construits dans le même matériau et pour d'évidentes raisons d'esthétique dans les mêmes teintes que les lavabos, les bidets ont un encombrement total de 570 × 370 mm environ. Leur hauteur normalisée est de 390 mm.
Ce modèle repose sur le sol.

Bidet suspendu

Mêmes caractéristiques et dimensions que ci-dessus. Ce modèle est suspendu à la paroi au lieu d'être posé sur le sol.

AVANTAGES ET INCONVÉNIENTS DE CES DIFFÉRENTS MODÈLES

Les lavabos sur pied sont les plus élégants, en revanche la plomberie (arrivée et évacuation) est cachée, les raccords et le siphon sont plus difficiles à atteindre.

De plus, le pied ne peut être considéré comme le seul support et la rigidité de l'ensemble doit être renforcée par d'autres fixations.

Les modèles suspendus présentent l'avantage de pouvoir être placés à la hauteur convenant à la taille des utilisateurs (enfants, par exemple), mais leurs fixations réclament une paroi d'une épaisseur et d'une qualité suffisantes, sauf renforcement. La tuyauterie et le siphon sont facilement accessibles. Enfin leur coût est moins élevé que celui du modèle sur pied.

Les installations modernes de salle de bains offrent une solution moyen terme entre les deux modèles précédents en ajoutant une surface supplémentaire remplaçant avantageusement la table de toilette. Il s'agit du principe de l'encastrement des lavabos dans un plan horizontal stratifié ou de tout autre matériau (marbre naturel ou synthétique, par exemple).

Les types à encastrer

Les plus simples à poser sont ceux encastrés par-dessus. Celui à encastrer par-dessous présente de plus grosses difficultés à cause justement du matériau-support. La solution consiste dans la mise en place de cloisons verticales qui viennent supporter la vasque et augmenter de ce fait la solidité de l'ensemble.

Le type «lavabo plan» ne présente aucune difficulté spéciale, hormis le type de colle qui doit être appropriée au matériau qui la reçoit (colle type Multibond 330 plus activateur sur stratifié, colle type Akemi Akepox sur marbre ou calcaire dur).

Le principe d'encastrement dans un meuble offre le double avantage de permettre un accès très aisé à la tuyauterie et au siphon, qui sont tout de même invisibles.

Toutes les conditions que nécessite la mise en place de lavabos suspendus restent valables pour les lave-mains.

Quant aux bidets, la fixation des modèles sur pied est simple puisqu'ils sont tout simplement vissés sur le sol. Le bidet étant en général constitué de matériau céramique, il faudra seulement choisir le genre de cheville convenable pour la dimension des vis.

Les problèmes posés par la fixation des modèles suspendus sont plus importants, mais de même nature que ceux déjà évoqués pour les lavabos (les banquettes techniques facilitent néanmoins leur pose).

Remplacement d'un lavabo ou d'un bidet (suite)

2 Posez la bonde d'évacuation sur l'élément neuf. Vérifiez si les entailles dans la tige de la bonde correspondent à la sortie d'un trop-plein incorporé.

3 Ajustez le siphon bouteille sur la sortie filetée de la bonde.

4 Coupez l'alimentation en eau.

5 Dévissez ou coupez les tuyaux d'amenée d'eau aux robinets du vieux lavabo et enlevez le vieux siphon se trouvant sur le conduit d'écoulement.

6 Dévissez et retirez les vis de fixation ou les supports du vieux lavabo et enlevez-le.

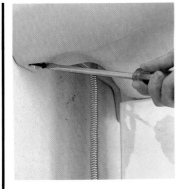

7 Chevillez le mur ou ajustez les supports choisis pour le lavabo neuf et posez-le.

8 Raccordez les robinets ou le mélangeur aux tuyaux d'alimentation en eau.

9 Connectez le siphon avec le conduit d'écoulement.

10 Rebranchez l'eau et vérifiez qu'il n'y a pas de fuites. Si nécessaire, resserrez les joints.

11 Garnissez le joint entre le lavabo et le mur ou l'encastrement avec un produit convenable.

UN BON TRUC

Si vous désirez remplacer les robinets d'un lavabo en place, il est souvent plus simple de le déposer. Même avec une clé spéciale, les écrous à l'arrière peuvent être extrêmement difficiles à dévisser.

Si vous posez le lavabo à l'envers sur le sol, il sera plus facile d'appliquer un dégrippant et vous pourrez exercer une force plus grande, sans l'abîmer.

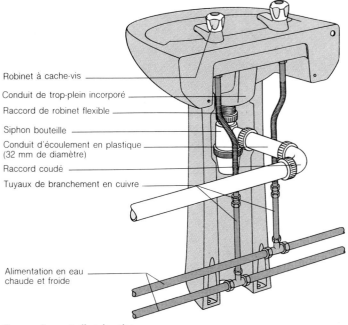

Robinet à cache-vis ————
Conduit de trop-plein incorporé ————
Raccord de robinet flexible ————

Siphon bouteille ————
Conduit d'écoulement en plastique ————
(32 mm de diamètre)
Raccord coudé ————
Tuyaux de branchement en cuivre ————

Alimentation en eau ————
chaude et froide

Raccordement d'un lavabo

Les jonctions pour un lavabo sont les mêmes que celles d'un évier de cuisine. Les cuvettes de céramique possèdent un conduit de trop-plein incorporé, mais les autres modèles nécessitent le montage d'un raccordement souple du trop-plein au conduit d'évacuation, de la même manière que pour un évier.

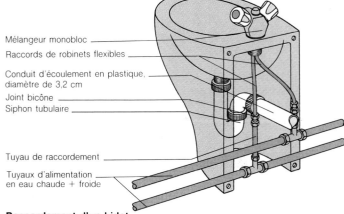

Mélangeur monobloc ————
Raccords de robinets flexibles ————

Conduit d'écoulement en plastique, ————
diamètre de 3,2 cm
Joint bicône ————
Siphon tubulaire ————

Tuyau de raccordement ————
Tuyaux d'alimentation ————
en eau chaude + froide

Raccordement d'un bidet

Un bidet à diffusion circulaire est raccordé aux tuyaux d'alimentation en eau chaude et froide, de la même manière qu'un lavabo.

Créer un coin toilette

Pour diverses raisons, il peut devenir nécessaire d'augmenter le nombre de lavabos dans un appartement ou une maison. Avant de commencer quelque travail que ce soit, il est indispensable de connaître le tracé des réseaux d'eau chaude et froide et celui des écoulements. Il est évident qu'une installation réalisée à proximité de la salle de bains ne posera pratiquement pas de problèmes pour les raccordements.

1 S'il est possible de prévoir l'installation le long d'un mur adjacent à la salle de bains sur lequel est placée la tuyauterie d'écoulement, vous aurez là l'emplacement idéal.

2 Vérifiez tout de même si l'encombrement du futur lavabo permettra son utilisation rationnelle.

Il faut prévoir au minimum 0,65 m d'espace devant le lavabo et 1,10 m d'envergure, c'est-à-dire 0,55 cm de chaque côté de l'axe.

3 Vérifiez également que vous ne risquez pas de rencontrer des câbles électriques ou des tuyaux de gaz en perçant le ou les murs.

4 Ces opérations de vérification terminées, il importe maintenant de choisir le lavabo à installer.

Le choix du modèle dépendra d'abord de la facilité à l'installer et de l'environnement.

Un modèle sur pied, s'il convient parfaitement à l'esthétique d'une salle de bains, semblera en revanche quelque peu déplacé dans une chambre, par exemple. Un modèle suspendu posera lui la question de la fixation et celle de

l'intégration dans l'ensemble.

Reste donc le lavabo encastré qui présente l'avantage de la facilité à la pose tout en masquant raccords et siphon et celui non négligeable d'offrir un volume de rangement supplémentaire.

5 Après avoir choisi le modèle de lavabo à encastrer et celui du meuble qui le recevra, tracez le contour du percement à faire (reportez-vous aux indications données pour l'évier du même type). Effectuez celui-ci et placez provisoirement le meuble à son futur emplacement. À partir de là, relevez les mesures dont vous allez avoir besoin.

6 Fixez les robinets ou le bloc mélangeur, ou le mitigeur, de même que la bonde et le siphon sur le

---

LES FLEXIBLES

Il existe des kits qui comprennent toute la distribution eau chaude et eau froide en flexibles avec tresse en inox et raccords en laiton, qui se branchent sur l'arrivée générale et le réseau d'évacuation des eaux usées en P.V.C. Le prix de revient est généralement inférieur aux installations traditionnelles grâce au temps de mise en œuvre qui est plus court. Les applications de ces procédés sont diverses (raccordements d'éviers, de cabines de douche, de lave-linge, d'un bloc sanitaire préfabriqué, etc.).

Ce système supprime les soudures.

Créer un coin toilette (suite)

lavabo. Ces différents accessoires peuvent faire partie d'un « kit ». Si ce n'est pas le cas, demandez conseils au vendeur pour ne pas avoir ensuite de désagréables surprises.

7 Après avoir coupé l'alimentation en eau, effectuez les branchements côté salle de bains.

Opérez de même pour l'évacuation.

8 Fixez définitivement le meuble et le lavabo sur le meuble.

9 Raccordez les branchements au lavabo en intégrant si possible un robinet d'arrêt sur chaque amenée d'eau. Installez le système de vidage et vérifiez son étanchéité. Vérifiez également le bon fonctionnement de l'ensemble, joints, raccords, robinets.

10 Faites les raccords de maçonnerie, de plâtre, carrelage, peinture, etc.

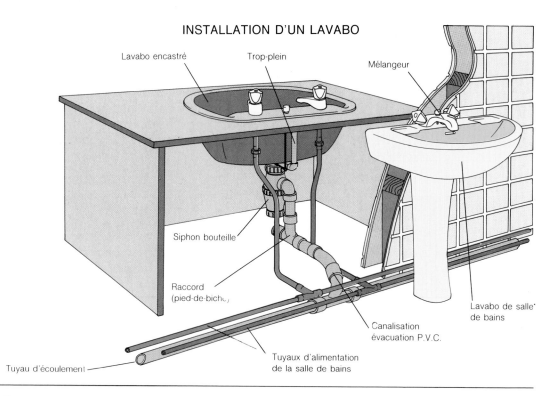

INSTALLATION D'UN LAVABO

Lavabo encastré — Trop-plein — Mélangeur — Siphon bouteille — Raccord (pied-de-biche) — Lavabo de salle de bains — Canalisation évacuation P.V.C. — Tuyaux d'alimentation de la salle de bains — Tuyau d'écoulement

Rénover et réparer une baignoire

Il vaut mieux faire rénover une baignoire par des spécialistes qui feront le travail en un jour : nettoyage, réparations de fissures ou d'éclats et application d'une fine couche de plastique résistant, disponible dans une grande gamme de coloris.

RÉPARER L'ÉMAIL D'UNE BAIGNOIRE

1 Bouchez les surfaces avec un produit à base de résine époxy, puis dégraissez soigneusement.

2 Frottez la surface avec un papier émeri très fin, puis appliquez deux couches d'émail de coloris assorti.

L'acrylique est facilement endommagé par la chaleur, par exemple celle dégagée par une cigarette allumée, abandonnée, ne serait-ce qu'un bref instant, sur le rebord de la baignoire. De telles marques ne peuvent être réparées. En revanche, vous pouvez faire disparaître des égratignures en surface avec un coton imprégné d'un polish pour métaux et carrosseries, parce que le matériau est teinté dans la masse.

Une telle opération n'est pas possible pour du polyester armé de fibres de verre. Ce matériau peut être attaqué par des poudres nettoyantes trop abrasives et il n'est teinté que dans la couche de couverture. Si la rayure n'est pas profonde, vous pouvez repolir la baignoire.

MODERNISER LA ROBINETTERIE D'UNE BAIGNOIRE

Les premières installations comportaient en général deux robinets, l'un pour l'eau chaude et l'autre pour l'eau froide. Il est maintenant possible de remplacer cette installation par un monobloc mélangeur avec douche et éventuellement manette de vidage. Pour l'adaptation sur la baignoire ancienne, il suffira de choisir les raccords du type « colonnette » correspondant aux diamètres des arrivées. Prenez toutes les précautions pour éviter d'abîmer l'émail de la baignoire. Si celle-ci n'est pas encastrée, il sera aisé de dévisser le raccord en bloquant le robinet. Si la baignoire est habillée, déposez la trappe d'accès.

CHOIX D'UNE BAIGNOIRE

Bain bouillonnant encastré

La plupart des baignoires modernes sont faites en plastique de couleurs variées et sont légères et faciles à installer (60 kg environ), comparées aux baignoires traditionnelles, solides, en porcelaine émaillée ou en fonte (plus de 150 kg).

Les baignoires en acier émaillé et vitrifié sont plus légères et meilleur marché que celles en fonte. Certaines, faites en plastique, sont encastrées dans des cadres supports pour empêcher leur distorsion.

Les baignoires en plastique acrylique ont tendance à fléchir et à crisser lorsqu'on les remplit. D'autres, en polyester, renforcées de fibres de verre, sont plus rigides, mais aussi plus chères. L'eau, dans une baignoire en plastique, conserve plus longtemps sa chaleur que dans une baignoire émaillée.

Les baignoires ont des formes et des dimensions variées. On trouve aussi des baignoires pour deux personnes, ainsi que des modèles hydromassants ; le mélange air-eau passe dans des injecteurs placés dans le fond et sur les côtés de la baignoire. Les alternances eau vivante-eau calme et leurs durées peuvent être commandées en cours d'utilisation.

Installation d'une baignoire neuve

Vous pouvez installer votre baignoire neuve dans une position légèrement différente de celle de l'ancienne, grâce à des raccords de robinets et d'évacuation souples. Mais si vous désirez un changement important, il faudra que vous repensiez soigneusement la question de l'évacuation et de sa jonction avec le collecteur, aussi bien que du raccordement avec les tuyaux d'alimentation.

Outils : deux clés à molette, niveau à bulle, chiffon humide. Éventuellement, pinces à becs plats, petite clé, scie à métaux, tournevis.
Matériaux : baignoire, deux planches de 25 mm d'épaisseur pour soutenir les pieds, deux robinets mélangeur (avec rondelles), deux raccords souples pour robinets, une sortie de Ø 45 mm avec une bonde et deux rondelles plates de plastique, siphon pour baignoire (grand modèle si le conduit d'évacuation se branche sur un collecteur unique), avec kit pour trop-plein à tuyau souple, mastic élastique (type silicone pour baignoire de plastique), ruban Teflon, produit à faire les joints (caoutchouc siliconé pour plastique).

1 Montez le cadre support en suivant les instructions du fabricant. En général, ce travail se fait en posant la baignoire à l'envers. Les baignoires de polyester renforcé de fibres de verre ou d'acier embouti n'ont pas besoin de ces supports.

2 Ajustez les robinets ou le mitigeur, ainsi que les raccords, de la même manière que celle d'un évier (servez-vous d'un mastic au silicone pour garnir la collerette d'une baignoire de plastique). Ou

ce peut être une grille à collerette, à ajuster sur le trou de bonde (avec des rondelles de chaque côté de la baignoire) et fixée avec une vis sur la tige, à une extrémité du tuyau souple du trop-plein.

3 Mettez la bonde en place. S'il s'agit d'une grille à visser, procédez comme pour un évier (n'oubliez pas le boudin de mastic au silicone dans le cas d'une fixation sur une baignoire en plastique). S'il s'agit seulement d'une grille à brides, placez-la dans l'orifice de la baignoire et, après avoir placé les joints extérieur et intérieur, vissez la grille sur l'extrémité correspondante du tuyau d'évacuation.

4 Ajustez l'extrémité supérieure du trop-plein à l'arrière de l'orifice

prévu. Vissez-y le cabochon de trop-plein, après avoir placé une rondelle intermédiaire.

5 Faites glisser le raccord souple du trop-plein sur la tige filetée de la grille de bonde (si possible). Puis fixez-y le siphon.

6 Positionnez la baignoire avec une planche sous chaque paire de pieds pour répartir la charge.

7 Vérifiez l'horizontalité en plaçant le niveau à bulle sur chacun des quatre côtés de la baignoire. Si nécessaire, rectifiez en ajustant les pieds réglables. Si les pieds ne sont pas réglables, glissez en dessous de petits morceaux de bois ou de dalles de plastique pour mettre la baignoire de niveau.

8 Une fois la baignoire bien en place, vissez les écrous de serrage des pieds réglables.

9 Raccordez le robinet le plus éloigné sur son tuyau d'alimentation en utilisant un joint instantané. Si le conduit est trop long, recoupez-le à la longueur qui convient, en le laissant plutôt un peu trop long que trop court, car il peut être légèrement plié.

10 Raccordez le deuxième robinet de la même manière que le premier.

11 Ajustez la sortie du siphon sur le conduit d'écoulement (normalement) avec un raccord à bague.

12 Rebranchez l'eau et vérifiez l'installation. Resserrez les joints si nécessaire, mais pas trop.

13 Fixez l'habillage de la baignoire, comme indiqué par le fabricant. Les panneaux peuvent se visser ou être retenus par des clips sur un cadre de bois, ou être fixés sur une bande de contre-plaqué fixée au sol par des équerres.

14 Attendez que la baignoire soit à sa place définitive avant de boucher les joints contre les murs pour éviter tout passage d'eau. Il faut, en principe, attendre que la baignoire ait été remplie et utilisée.

15 Avant de boucher les joints autour d'une baignoire de plastique, remplissez-la d'eau chaude. De cette façon, le produit sera appliqué à mi-chemin entre tout déplacement éventuellement causé par son utilisation et la période de non-utilisation. Le joint élastique aura ainsi le minimum de tension.

UN BON TRUC
Si, sur un mélangeur, les témoins des robinets d'eau chaude et d'eau froide ne correspondent pas aux conduits appropriés, vous ne devez pas intervertir les capsules sur les robinets, même si elles se dévissent. Croisez les raccords flexibles des robinets pour rétablir une alimentation correspondant aux indications apparentes et normalisées.

RACCORDEMENT D'UNE BAIGNOIRE NEUVE

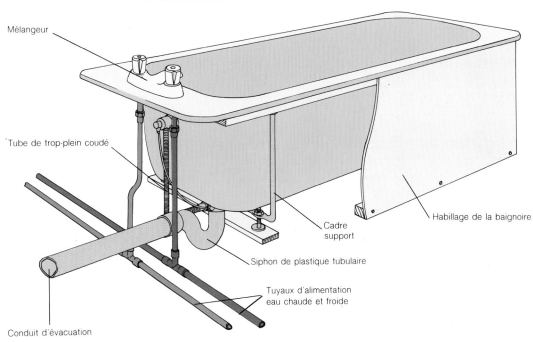

Mélangeur

Tube de trop-plein coudé

Cadre support

Siphon de plastique tubulaire

Habillage de la baignoire

Tuyaux d'alimentation eau chaude et froide

Conduit d'évacuation

Créer une salle de bains

La transformation d'une pièce (chambre, salle de jeux...) en salle de bains peut paraître une gageure si l'on n'est pas un professionnel. Cependant, grâce aux innovations techniques, le bricoleur dispose de possibilités variées pour transformer, mais aussi pour créer des espaces spécifiques — rénovation ou création de W.-C. (voir p. 336), de salle de bains, etc.

Les nouvelles banquettes techniques permettent au plus grand nombre de pouvoir poser soi-même, d'une façon simple et rapide, un lavabo, une cuvette de W.-C., un bidet, une baignoire... à l'aide d'éléments compacts réalisés en usine incorporant les branchements propres aux différents appareils sanitaires.

Désormais, vous pouvez aménager en salle de bains n'importe quelle pièce de la maison. Naturellement, il sera plus simple de choisir une pièce qui dispose d'une arrivée d'eau, mais ce n'est pas indispensable.

Si vous n'avez pas d'arrivée d'eau ou d'évacuation prévue, utilisez le mur qui sépare votre pièce d'une cuisine, d'une autre salle de bains, ou de n'importe quelle autre pièce d'eau (voir « Créer un coin toilette », p. 323-324).

Outils : boîte à outils, plus les outils nécessaires pour la pose de plaques de plâtre (voir p. 239) et de carrelage (voir p. 135).
Matériaux : composants techniques en béton cellulaire et mousse polyester (Geberit) intégrant tous les raccordements « prêts à brancher », pieds-supports.

1 Prévoyez les appareils sanitaires de votre choix, par exemple un W.-C., un bidet et une baignoire, et faites un plan.

2 Posez d'aplomb les composants techniques, à l'aide du jeu de pieds-supports, qui permettront le montage des différents appareils.

3 Mettez en place des renforts pour un habillage léger, puis raccordez les évacuations entre elles.

4 Raccordez les tuyaux d'alimentation. Vérifiez que vous avez coupé l'alimentation au robinet d'arrêt.

5 Posez des poteaux autour du montage des trois blocs techniques pour créer du volume (un poteau posé horizontalement au sol, trois autres verticalement).

6 Remplissez les vides de laine de roche pour éviter les bruits de résonance.

7 Habillez la banquette technique de plaques de plâtre (voir p. 239-240).

8 Décorez en posant du carrelage. Si vous choisissez du matériel suspendu, comme c'est le cas, cela améliorera l'esthétique de votre salle de bains et facilitera son entretien. Le réservoir de chasse se trouve encastré et tous les tuyaux ont disparu.

HABILLAGES VARIÉS

La pose et l'habillage des éléments auraient pu être réalisés différemment : la banquette, par exemple, aurait pu être maçonnée, incorporée dans l'épaisseur d'un mur.

PLAN DÉTAILLÉ DES RACCORDEMENTS NÉCESSAIRES À UNE SALLE DE BAINS

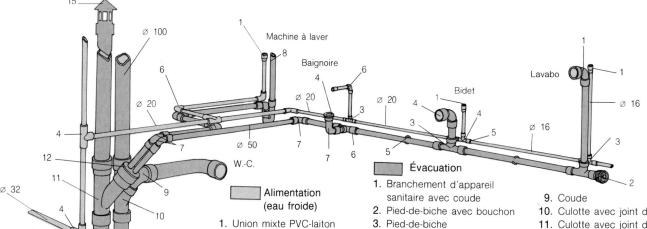

Alimentation (eau froide)
1. Union mixte PVC-laiton
2. Bouchon
3. Tés égaux
4. Tés réduits
5. Réduction
6. Coude

Évacuation
1. Branchement d'appareil sanitaire avec coude
2. Pied-de-biche avec bouchon
3. Pied-de-biche
4. Douille pour écrou
5. Collier
6. Réduction
7. Coude à collier
8. Siphon de machine à laver

9. Coude
10. Culotte avec joint de dilatation
11. Culotte avec joint d'étanchéité et tampon de réduction
12. Tampon de réduction
13. Bouchon de visite
14. Embranchement
15. Chapeau de ventilation

Machine à laver — Baignoire — Bidet — Lavabo — W.-C.

Diamètre en mm

CHOIX D'UNE DOUCHE

Il n'est malheureusement pas toujours possible de choisir et d'installer le type de douche que l'on aimerait voir chez soi.

L'âge de la construction, la localisation des pièces d'eau, les moyens financiers dont on dispose limitent plus ou moins la liberté du choix.

Les douchettes ont des design et des coloris variés et possèdent des gammes d'accessoires étendues (barres de douche, flexibles, supports téléphones...). Les exemples donnés ci-après n'ont pas de caractère exhaustif, mais devraient faciliter la prise de décision en mettant l'accent sur les avantages et les inconvénients que présentent les différentes formules. Ils supposent tous un appareil de production d'eau chaude situé en amont des installations et en bon état de fonctionnement. Peut-être serait-il prudent d'opérer ou de faire opérer une vérification soignée de ces installations, avant tout rajout ou toute modification.

Système de mélangeur simplifié

Il est constitué par une douchette sur flexible, fixé sur les robinets par deux manchons caoutchouc. La température de l'eau est réglée par la manœuvre des robinets. C'est une installation bon marché et simple à réaliser, mais les manchons-douche s'abîment facilement. Le contrôle de la température de l'eau est placé à un point trop bas et cette installation ne donne pas réellement un résultat satisfaisant.

Mélangeur baignoire / douche

Une douchette combinée avec un robinet mélangeur de baignoire. La température est contrôlée par les robinets de la baignoire. C'est une douche à moindre coût dont le prix n'est que légèrement supérieur à celui de la robinetterie, sans travaux supplémentaires de plomberie. Le contrôle de la température de l'eau est placé à un point bas, peu pratique, et son maniement est parfois délicat.

Mitigeur manuel pour douche

Un appareil mural dont l'alimentation en eau chaude ou froide est commandée par une seule manœuvre. Température et volume sont contrôlés par la même poignée. Cet appareil est plus onéreux que le mélangeur baignoire / douche, mais il a l'avantage de pouvoir être placé à la hauteur qui vous convient et la température de l'eau est plus facile à régler. L'alimentation en eau chaude et froide fera l'objet de travaux de plomberie.

Mitigeur thermostatique

Un appareil mural du même type que le précédent. Il est doté d'un thermostat qui délivre de l'eau à la température affichée sur la manette. La température de l'eau dépend d'un stabilisateur incorporé, de telle sorte que l'eau ne peut être trop chaude quand quelqu'un utilise de l'eau quelque part dans la maison. Il est plus cher que le mitigeur manuel.

PRINCIPE DE FONCTIONNEMENT D'UN MITIGEUR THERMOSTATIQUE

L'eau chaude et l'eau froide pénètrent dans le corps du thermostat par les raccords d'entrée (1 et 2) et traversent les filtres à impuretés (6), et les soupapes antiretour à membrane (5), jusqu'à la chambre de mélange de l'eau froide et de l'eau chaude (4). La sélection de la température désirée se fait par la manette graduée (11), l'axe de régulation transmet l'indication de la température présélectionnée mécaniquement aux disques bimétal (7), la position du cône de régulation (3) se trouve déterminée en même temps.

Une quantité d'eau pénètre dans la chambre de mélange et est «testée» mécaniquement par les disques bimétal pendant son trajet vers la baignoire ou la douche. Si la température de l'eau est trop froide par rapport à la température présélectionnée, les disques bimétal se dilatent et poussent le cône de régulation en direction de l'orifice de l'eau froide et ouvrent en même temps l'orifice de l'eau chaude dans la même proportion qu'ils réduisent l'ouverture de l'eau froide. L'opération se produit de façon inverse lorsque l'eau mélangée est trop chaude.

Limitation de la température

La plage de température est limitée à 38 ºC par un blocage de sécurité (8).

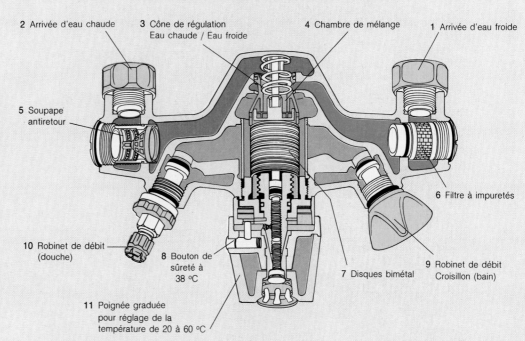

2 Arrivée d'eau chaude

3 Cône de régulation Eau chaude / Eau froide

4 Chambre de mélange

1 Arrivée d'eau froide

5 Soupape antiretour

6 Filtre à impuretés

10 Robinet de débit (douche)

8 Bouton de sûreté à 38 ºC

7 Disques bimétal

9 Robinet de débit Croisillon (bain)

11 Poignée graduée pour réglage de la température de 20 à 60 ºC

Si vous désirez atteindre une température supérieure, déverrouillez les boutons de sûreté et tournez la manette en direction de 60 ºC.

Arrêt de la distribution d'eau froide

En cas d'arrêt de la distribution d'eau froide (coupure de l'eau, par exemple), l'élément thermostatique se contracte et le ressort compensateur pousse le cône de régulation, fermant ainsi l'arrivée d'eau chaude, supprimant tout risque d'accident.

Installation d'une douche

Il existe des modèles variés des différents types de douches (p. 327) et la plupart de ces modèles peuvent être montés soit sur une baignoire, soit dans une cabine séparée. Les montages et les trajets suivis par les conduits varient en fonction du type de douche choisi, de l'équipement de la salle de bains et de l'endroit projeté pour la douche, mais la méthode d'installation est fondamentalement la même.

1 Choisissez votre type de douche en fonction du système de la maison et de la pression d'eau dont vous disposez.

2 Situez de préférence la douche dans un angle, l'étanchéité aux projections d'eau sera plus facile à réaliser.

3 Marquez les positions voulues pour la pomme de douche et l'appareil mélangeur de la douche.

4 Calculez et tracez la tuyauterie jusqu'au mélangeur.

5 S'il s'agit d'une cabine de douche séparée, voyez comment les eaux usées peuvent être envoyées dans le collecteur.

6 Montez le mélangeur. La plupart de ces équipements peuvent être montés en applique à 1 m du sol environ, ou encastrés, et sont livrés avec les fixations et les instructions nécessaires.

Si vous installez un mitigeur encastré, montez-le, si possible, sur un panneau mobile, à niveau avec le mur, pour avoir un accès facile en cas de contrôles nécessaires (voir « Perçage d'un carreau de céramique », p. 141 ; « Fixer un objet sur un mur », p. 228).

7 Coupez l'alimentation en eau et montez les conduits d'amenée d'eau.

Vous pouvez encastrer les tuyaux dans le mur, puis reboucher au plâtre ou remettre du carrelage. Vous pouvez aussi utiliser des clips cache-tuyaux en surface ou un revêtement mural (p. 244).

8 N'admettez aucun raccord ou aucune soudure dans les parties de tuyauteries encastrées.

9 Ajustez la tête de douche et le jet.

10 Pour une cabine séparée, montez le receveur de douche et les conduits d'écoulement.

11 Raccordez les tuyaux d'amenée au mélangeur de la douche. Il sera peut-être nécessaire d'utiliser un adaptateur avec un filetage femelle (cuivre sur fer).

INSTALLATION TYPE D'UNE CABINE DE DOUCHE

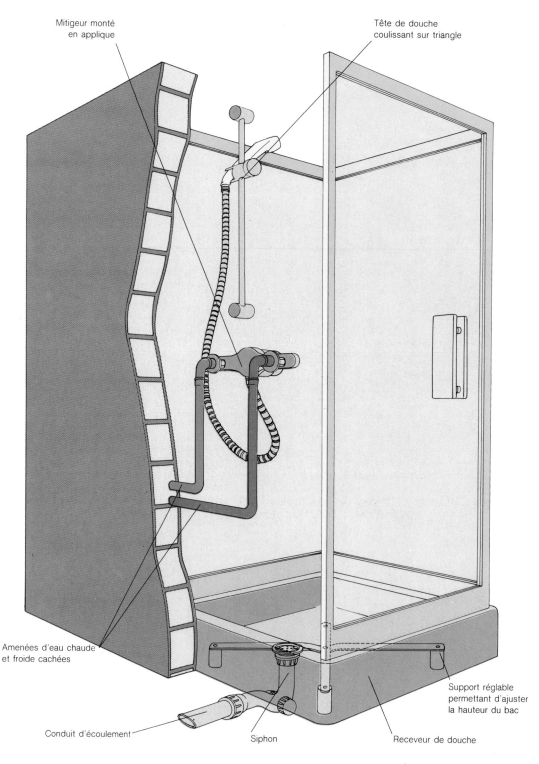

Mitigeur monté en applique

Tête de douche coulissant sur triangle

Amenées d'eau chaude et froide cachées

Conduit d'écoulement

Siphon

Receveur de douche

Support réglable permettant d'ajuster la hauteur du bac

Les panneaux ont généralement une hauteur de 1,80 m. Leurs largeurs peuvent varier (2,5 à 5 cm) pour s'adapter à des murs qui ne seraient pas d'aplomb. Les portes des cabines peuvent être à charnières, en accordéon (avec des panneaux orientés de telle sorte que l'eau ne puisse rejaillir à l'extérieur), coulissantes avec une entrée en angle, ou pivotantes pour offrir une large entrée sans prendre beaucoup d'espace pour le développement. Certains receveurs de douche ont un support réglable grâce auquel il est possible d'ajuster la hauteur pour que le conduit d'écoulement et le siphon puissent être positionnés soit au-dessus, soit au-dessous du sol. La plupart des modèles sont à poser sur le sol et nécessitent l'encastrement de la bonde dans le sol, ou sont à encastrer dans le sol, ce qui permet de ne pas faire dépasser les bords du receveur au niveau du sol.

La sortie de la bonde d'un receveur surélevé n'est pas encastrée et se fait par-derrière ou latéralement.

12 Rétablissez l'eau et vérifiez la tuyauterie.

Resserrez les jonctions si cela est nécessaire.

13 Choisissez parmi les cabines de douche préfabriquées en matériaux légers celle qui résiste le mieux à la corrosion.

14 Montez et fixez les panneaux de la cabine et scellez les joints entre le mur, les panneaux et le receveur de douche.

ÉQUIPEMENTS DE DOUCHE

Pour une douche au-dessus de la baignoire, une tête de douche, un robinet ou un mitigeur ainsi qu'un rideau ou un écran sont nécessaires.

Pour une cabine de douche, un récepteur, un siphon et un conduit d'écoulement sont également nécessaires.

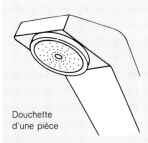

Douchette
d'une pièce

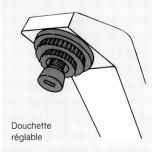

Douchette
réglable

Les têtes de douche peuvent être fixes ou réglables, ou terminer un tuyau souple. La rosace peut être d'une seule pièce ou faite d'une série d'anneaux qui permettent le réglage du jet.

TRINGLES POUR RIDEAUX DE DOUCHE

Les tringles pour rideaux de douche sont vendues en kit avec les instructions et tout ce qu'il faut pour les fixer. Elles peuvent être fixées sur les solives du plafond avec des supports spéciaux (voir «Localisation de solives dans un sol ou un plafond», p. 245). Elles sont disponibles en éléments et peuvent fermer un côté de 1,80 m de longueur ou les deux côtés d'une surface carrée de 90 cm de côté.

Des éléments supplémentaires, droits ou courbes, permettent des variantes comme, par exemple, la fermeture par rideaux sur trois côtés. À la

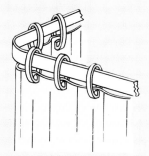

place de rideaux, il existe aussi des pare-douches de baignoire réglables (2, 3 ou 5 volets accordéon ou 1 volet pivotant), qui

peuvent être ouverts selon les besoins, ou des pare-douches simples composés d'un écran (vitrage clair ou teinté).

RECEVEURS DE DOUCHE

Un receveur de douche en polyester renforcé de fibres de verre est l'un des modèles qui conviennent le mieux à l'installation par un bricoleur, car ils sont faciles à manipuler. Il est relativement résistant et présente une surface qui n'est pas glissante. Les receveurs sont normalement carrés (70 × 70 cm ou 80 × 80 cm) et ont une hauteur variant entre 20 et 30 cm. Ils sont soit à encastrer, soit à poser. Ils n'ont normalement pas de trop-plein. Il existe aussi des receveurs d'angle qui permettent de gagner de la place.

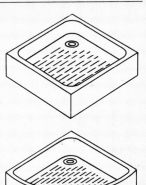

Les W.-C.

ENSEMBLES CUVETTE W.-C. ET RÉSERVOIR

Les modèles les plus anciens sont simples puisqu'ils ne demandent qu'une cuvette à chasse directe et sont équipés d'un réservoir surélevé dont le fond doit être au minimum à 2 m du sol.

Les modèles récents se composent d'un réservoir attenant à la cuvette (qui peut être «à aspiration»), d'un réservoir en position basse, à mi-hauteur.

Toutes ces installations peuvent être dissimulées en partie ou totalement.

Enfin, il existe également des réservoirs sous pression d'air.

En dehors de cette dernière catégorie, les dimensions des différents réservoirs sont standardisées :
— largeur de 40 à 50 cm
— hauteur de 32 à 35 cm
— épaisseur de 16 à 20 cm (13 cm pour le réservoir extra-plat).

Seules leurs positions à partir du sol varient évidemment d'un modèle à l'autre : de 36 cm pour un réservoir attenant à 145 cm pour un réservoir à mi-hauteur, en passant par 56 cm pour une position basse.

Les réservoirs
Ils sont construits maintenant en porcelaine vitrifiée ou en plastique.

Réservoir encastré

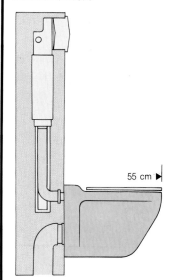

55 cm ▶

Réservoir mi-hauteur

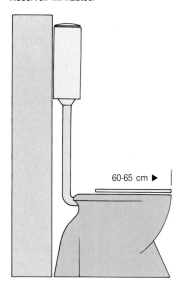

60-65 cm ▶

Réservoir attenant

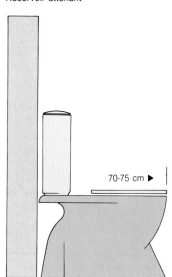

70-75 cm ▶

La manœuvre de la chasse est commandée soit par un bouton-pressoir, soit par un levier central ou latéral. Certaines de ces manœuvres permettent même d'interrompre le flux à volonté.

CUVETTES DE W.-C. SUSPENDUES

L'encombrement d'une installation avec une cuvette suspendue est inférieur à l'encombrement d'une

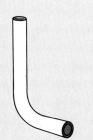

Réservoir de chasse attenant et cuvette à sortie horizontale : le plus courant.

installation conventionnelle (voir dessins ci-dessus). Les autres particularités de la cuvette suspendue sont l'absence de tuyaux apparents, la facilité d'entretien et la possibilité d'adapter la hauteur de la cuvette à vos besoins.

Différents types d'installation
L'installation peut être réalisée dans l'épaisseur d'un mur, en doublage devant un mur, en gaine technique...

CHOIX D'UNE CUVETTE ET ACCESSOIRES

Les cuvettes sont faites, en général, de céramique vitrifiée et sont fixées au sol par des vis passant dans des trous pratiqués à leur base. Certaines se placent contre le mur, leur plomberie étant dissimulée, et certaines peuvent être suspendues.

Les cuvettes placées à l'étage sont équipées d'un siphon en P, presque horizontal, se raccordant à un conduit sortant par le mur. Les cuvettes au rez-de-chaussée ont souvent un siphon en S, pointant vers le bas, pour se raccorder à un conduit sortant par le sol. Si vous achetez une cuvette neuve, vous ne trouverez peut-être plus de siphon en S, mais vous pourrez relier une sortie horizontale au conduit sortant par le sol, en utilisant une pipe d'évacuation à 90°.

L'eau du réservoir arrive dans la cuvette par le tuyau de chasse (ou par un conduit caché pour les cuvettes à réservoir attenant) et se répand tout autour de la cuvette sous son rebord.

Auparavant, les cuvettes de W.-C. étaient raccordées au tuyau de chasse par un joint de filasse et de mastic. De nos jours, on utilise couramment des raccords instantanés de plastique souple, qui conviennent très bien pour les travaux de bricolage.

La cuvette est nettoyée et vidée par le flux de l'eau libérée par la manœuvre de la chasse. Assez bruyante.

Cuvette ordinaire

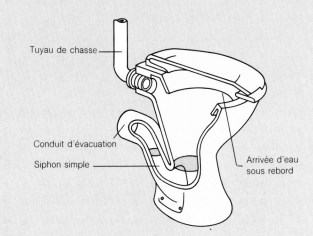

Tuyau de chasse

Conduit d'évacuation

Siphon simple

Arrivée d'eau sous rebord

Pipe
Pour permettre une évacuation à 90°.

Ligature pour cuvettes

Pour relier le tuyau de la chasse d'eau à l'entrée de la cuvette.

Coude de chasse

Sert à relier un réservoir séparé à la cuvette de W.-C. Son diamètre intérieur est, en général, de 32 mm, lorsqu'il est apparent (réservoir position haute ou demi-haute), et de 38 mm, lorsqu'il est encastré.

Fonctionnement d'un réservoir de chasse

LE RÉSERVOIR SE REMPLIT

Fonctionnement du robinet flotteur. Le niveau de l'eau monte dans le réservoir et exerce au passage une pression qui ferme le clapet D du godet de flotteur. Le flotteur E reste en position basse jusqu'à ce que l'eau atteigne le bord supérieur F du godet.

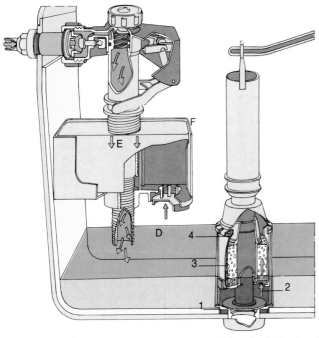

Fonctionnement du mécanisme de cloche. Le joint de cloche 1 est en appui sur son siège. L'eau, en remplissant le réservoir, pénètre par les orifices 2 dans la cloche. Le flotteur 3 vient doucement se placer en butée sous la collerette 4.

LE RÉSERVOIR EST PLEIN

Fonctionnement du robinet flotteur. L'eau pénétrant dans le godet H soulève très rapidement (environ 1 seconde) le flotteur E empli d'air. Le mouvement de ce dernier est transmis par le levier B au piston A qui vient obturer la buse G.

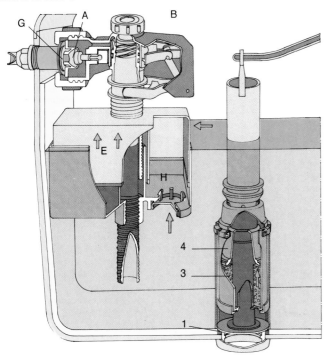

Fonctionnement du mécanisme flotteur. Le mécanisme est entièrement immergé. Le flotteur 3 exerce une poussée sur la collerette 4. Néanmoins, le mécanisme reste fermé car la pression résultant du poids de l'eau sur le joint de cloche 1 est supérieure à la poussée du flotteur 3.

LE RÉSERVOIR SE VIDE

Fonctionnement du robinet flotteur. L'eau s'écoulant hors du réservoir de chasse, le clapet D libère l'eau contenue dans le godet. Le flotteur E descend, dégageant ainsi le piston A par l'intermédiaire du levier B. Le remplissage du réservoir s'effectue alors par la tubulure C qui imprime à l'eau un mouvement rotatif.

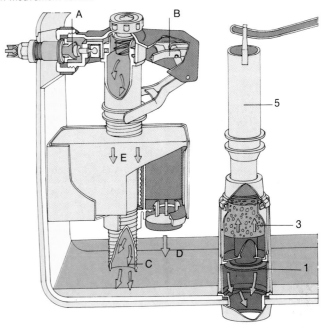

Fonctionnement du mécanisme de cloche. En tirant sur le tube de trop-plein 5, le joint de cloche 1 libère l'eau contenue dans le réservoir. Le flotteur 3 maintient le tube de trop-plein 5 ainsi que le joint de cloche 1 en position haute jusqu'à la vidange complète du réservoir.

LE RÉSERVOIR EST VIDE

Fonctionnement du robinet flotteur. Le robinet flotteur est à nouveau grand ouvert jusqu'au remplissage complet du réservoir.

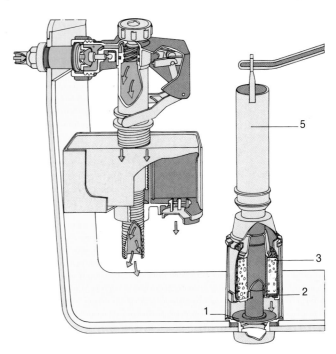

Fonctionnement du mécanisme de cloche. Le réservoir étant vide, l'eau contenue dans la cloche s'écoule par les orifices 2. Le flotteur 3 descend lentement, ramenant doucement le joint de cloche 1 sur son siège. La fermeture du mécanisme se fait donc après que le réservoir s'est vidé intégralement.

Problèmes de cuvette de W.-C.

Les ennuis les plus fréquents pour une cuvette de W.-C. proviennent de fuites ou d'obturations. Une fuite à la sortie de la cuvette peut être facilement réparée, mais, si cette dernière est fendue, il n'y a pas d'autre solution à envisager que son remplacement.

DÉBOUCHER UNE CUVETTE

Lorsqu'une cuvette est nettoyée par l'action de la chasse d'eau, les deux courants passant sous ses bords doivent être de force égale pour se rencontrer à l'avant. L'eau doit quitter la cuvette doucement, sans faire de tourbillon. Si le réservoir et la chasse fonctionnent convenablement et si la cuvette tarde à se vider, quelque chose obstrue soit le conduit de la chasse, soit la sortie de la cuvette.

Si l'eau remonte jusqu'aux bords pour se vider ensuite très lentement, il s'agit probablement d'un bouchon à la sortie de la cuvette, ou peut-être dans le conduit d'évacuation.

Outils : ventouse à long manche, flexible pour déboucher les canalisations, seau, miroir, paire de gants de caoutchouc.

UN BON TRUC
Si vous ne disposez pas d'une ventouse, vous pouvez aussi utiliser un balai entouré d'une serpillière. Vous pouvez également vous tenir debout sur une chaise et verser dans la cuvette, en une fois, le contenu d'un seau d'eau.

1 Pour déboucher la cuvette, prenez la ventouse et appliquez-la fortement sur le fond, de façon à couvrir l'orifice de sortie. Puis, pompez en soulevant et en descendant le manche à la manière d'un piston plusieurs fois afin de créer un appel d'air.

2 Si cette opération ne donne pas de résultats, prenez un flexible spécial pour sonder la sortie et le siphon, afin de désagréger le bouchon.

3 Si la cuvette n'est toujours pas débouchée, nettoyez le collecteur souterrain.

4 Actionnez la chasse pour vérifier si l'eau arrive dans la cuvette en circulant bien sous ses bords, les deux flux se rejoignant sur l'avant.

5 Si le flux est faible ou inégal, servez-vous d'un miroir pour examiner le dessous du rebord. Explorez le rebord avec vos doigts, à la recherche de plaques de rouille ou de débris provenant du réservoir et qui peuvent obstruer l'arrivée d'eau.

Précautions à prendre

Pour éviter de boucher vos W.-C., ne videz pas dans la cuvette de déchets de cuisine, d'eaux grasses ou tout objet susceptible de former un bouchon. Enfin, n'oubliez pas de tirer la chasse d'eau après chaque usage.

DÉBOUCHER UNE CUVETTE À DOUBLE SIPHON

Les cuvettes à double action siphonique sont rarement bouchées, à moins qu'un objet — un jouet de plastique, par exemple — n'y tombe accidentellement et ne soit projeté par la force de l'eau.

Agissez comme pour une obstruction dans une cuvette ordinaire, mais, si la ventouse n'opère pas, appelez un professionnel. La plupart du temps, l'incident provient du fait que l'eau monte dans la cuvette au lieu d'être aspirée, avant l'arrivée du flux de la chasse. La panne est due à une obstruction de la colonne d'air par des dépôts ou des débris du réservoir.

Outils : tournevis, clé à molette, récipient pour écoper ou tuyau

souple pour siphonner, vieille brosse à dents. Éventuellement, ficelle, tasseau de bois pour poser en travers du réservoir.

1 Pour atteindre le mécanisme réducteur de pression, enlevez le réservoir de la même manière que pour remplacer une soupape à clapet dans un réservoir attenant.

2 Nettoyez l'extrémité du conduit d'air, sans le sortir, avec une vieille brosse à dents.
La plupart des débris se trouvent, le plus souvent, en haut du conduit.

RÉPARER UNE FUITE DANS UNE SORTIE DE CUVETTE

Un joint de mastic finit par fuir lorsque le mastic est vieux et a durci, et, par conséquent, se craquèle lorsque le sol vibre alentour. Pour remplacer un joint de mastic par un joint instantané, la cuvette doit être déplacée et avancée, puis remise en place.

Une réparation tout à fait acceptable peut être faite sans déplacement de la cuvette, en utilisant un ruban adhésif étanche ou de la filasse et du mastic qui ne durcit pas.

Grattez et enlevez le vieux mastic avec un ciseau et entourez la sortie de la cuvette de deux ou trois épaisseurs de ruban adhésif.

Bourrez bien de ruban adhésif la collerette du conduit d'évacuation dans le sol, puis remplissez de mastic l'espace entre la collerette et la sortie de la cuvette.

Entourez le joint de deux tours supplémentaires de ruban.

Remplacement d'une cuvette de W.-C.

Auparavant, les cuvettes de W.-C. étaient cimentées sur un sol plein, mais, souvent, la prise du ciment entraînait une surtension et la céramique se craquelait. De nos jours, les cuvettes sont en général vissées sur un sol de carrelage.

Une vieille cuvette craquelée avec une sortie cimentée et un siphon en S, dans un conduit d'évacuation au sol, est très difficile à enlever.

Outils : tournevis, niveau à bulle, perceuse électrique, forets et mèches, lunettes de protection, massette, ciseau à froid, chiffons, vieux ciseau, clous minces, cutter.
Matériaux : cuvette de W.-C. et siège, vis de laiton à tête ronde (en général, il en faut quatre) avec rondelles de caoutchouc et raccords coniques de caoutchouc, pipe d'évacuation du diamètre voulu. Éventuellement, chevilles murales (pour sols pleins), cales de bois.

ENLEVER UNE CUVETTE AVEC SORTIE HORIZONTALE

1 Déconnectez le conduit de la chasse en repliant le bord emboîté du raccord conique. S'il s'agit d'une cuvette ancienne, faites sauter au ciseau le joint de filasse.

2 Dévissez les vis retenant la cuvette sur le sol.

3 Tirez la cuvette doucement vers l'avant en opérant un mouvement de balancier de gauche à droite, pour la libérer de l'entrée dans le conduit d'évacuation. Elle devrait s'extraire facilement.

Si, néanmoins, vous avez quelque difficulté, cassez la sortie de la cuvette, raccordée à la culotte par une pipe, de la même manière que pour une sortie verticale (voir ci-après).

4 Si le joint à la sortie était obturé au ciment ou au mastic, coupez-le au ciseau à la jonction avec le collecteur fonte.

ENLEVER UNE CUVETTE AVEC SORTIE VERTICALE

1 Déconnectez le conduit de la chasse d'eau, de la même manière que pour la cuvette avec sortie horizontale.

2 Dévissez les vis qui la fixent au sol (vis chromées ou à tête cachée avec interposition d'un joint) ou cassez le ciment avec une masse et un ciseau à froid.

3 Pour libérer la sortie de la cuvette, portez des lunettes de protection pour votre sécurité et utilisez une massette pour casser le conduit d'évacuation, juste au-dessus de sa jonction avec le collecteur.

Puis, tirez la cuvette vers l'avant en laissant les restes déchiquetés de l'emboîtement.

4 Bourrez de chiffons l'orifice d'écoulement pour éviter que des débris n'y tombent, puis enlevez au marteau et au burin tout ce qui reste encore en place. Travaillez en plaçant la lame du ciseau vers l'intérieur et cassez la céramique en un point, à la verticale. Le reste suivra alors facilement.

5 Dégagez au marteau et au ciseau autour de l'emboîtement du conduit. Ce n'est pas grave si vous cassez le collet.

6 Nettoyez et enlevez toute trace de ciment à l'endroit où se trouvait la cuvette, pour avoir une base plane pour le nouvel appareil.

MONTER UNE CUVETTE DE W.-C. AVEC RÉSERVOIR NON ATTENANT

1 Ajustez un raccord conique en caoutchouc sur la sortie du conduit de la chasse, à moins qu'une telle pièce ne soit déjà en place.

2 Placez un raccord instantané en plastique sur la sortie de la cuvette comme le montre la photo en haut de la deuxième colonne.

Si vous prévoyez un raccordement au sol, la sortie de la cuvette

vient se placer au-dessus et la jonction se fait avec un joint en caoutchouc, par un manchon en P.V.C. ou simplement avec une pipe à 90°.

3 Si des trous pour des vis doivent être faits dans le sol, positionnez la cuvette et faites des repères aux endroits voulus.

Introduisez dans les orifices un marqueur fin (stylo-bille fin ou crayon) ou un clou légèrement enfoncé au marteau.

4 La cuvette restant en position, tracez une ligne tout autour de sa base, de telle sorte qu'elle puisse facilement retrouver sa place. Puis enlevez-la.

5 Percez des trous pour les vis aux endroits marqués. Sur des sols pleins comme le béton, prenez des forets à béton et placez des chevilles pour les vis.

6 Si l'admission dans le collecteur est au niveau du sol, enlevez les chiffons en faisant attention de ne faire tomber aucun débris dans l'orifice.

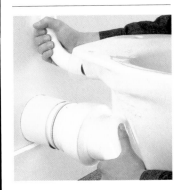

7 Soulevez la cuvette pour la placer sur son contour déjà tracé et, en même temps, enfoncez le raccord souple dans l'orifice d'évacuation. Pour cette opération, vous pouvez vous faire aider.

8 Rabattez le manchon de caoutchouc du raccord (voir en **1**) et faites-le glisser sur l'arrivée du conduit de chasse dans la cuvette.

9 Vissez la cuvette sur le sol en intercalant des rondelles de caoutchouc entre chaque tête de vis et la céramique. Ne serrez pas trop les vis, vous pourriez casser la cuvette.

10 Avec un niveau à bulle placé transversalement sur la cuvette,

vérifiez son aplomb dans les deux dimensions : d'un côté à l'autre et de l'avant à l'arrière.

11 Si la cuvette n'est pas tout à fait d'aplomb, desserrez les vis et calez-la en disposant une petite cale en bois. Si la cuvette n'est pas du tout d'aplomb, calez-la en faisant le niveau avec un mortier de ciment.

Vissez avec précaution et cessez dès que cela résiste pour éviter de casser la porcelaine.

ÉLÉMENTS POUR UN ENSEMBLE CUVETTE-RÉSERVOIR POSITION BASSE

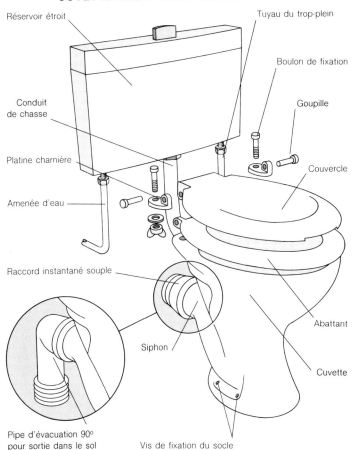

Réservoir étroit
Tuyau du trop-plein
Conduit de chasse
Boulon de fixation
Platine charnière
Goupille
Amenée d'eau
Couvercle
Raccord instantané souple
Abattant
Siphon
Cuvette
Pipe d'évacuation 90° pour sortie dans le sol
Vis de fixation du socle

La plupart des cuvettes de W.-C. modernes ont un siphon en P court. Si la cuvette de remplacement doit être ajustée sur une sortie dans le sol ou un branchement dans le sol au rez-de-chaussée, faites le raccord en utilisant une pipe d'évacuation 90° (voir p. 334).

Lorsque vous aurez installé un ensemble cuvette-réservoir, vous pourrez, à juste titre, penser que la condensation particulièrement apparente sur un réservoir de céramique est une nuisance et qu'elle engendre de l'humidité dans murs et sols. Assurez-vous que la ventilation est efficace. Dans une salle de bains, évitez de suspendre du linge mouillé au-dessus de la baignoire, parce que cela contribue à l'augmentation du degré hygrométrique.

Remplacement d'une cuvette de W.-C. (suite)

CUVETTES SUSPENDUES

Les modèles classiques sont donc fixés au sol, mais il existe des modèles de cuvette prévus pour être fixés en console sur les murs. Prévoyez une disposition particulière de la canalisation d'évacuation. Les orifices d'alimentation et d'évacuation sont horizontaux.

FIXER UN ABATTANT

Les opérations à effectuer sont simples, que l'abattant soit ou non muni d'un couvercle, et ne nécessitent pas d'outillage.

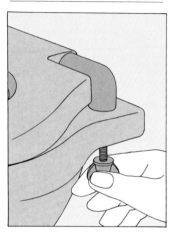

1 Dévissez les deux écrous à six pans ou les papillons qui se trouvent au-dessous de la cuvette. Prenez soin de conserver les rondelles en caoutchouc une fois les charnières libérées.

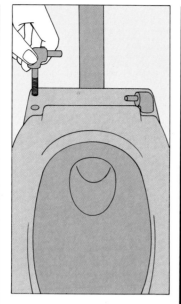

2 Mettez en place les charnières neuves en interposant les rondelles, puis posez le nouvel abattant de siège.

VÉRIFIER L'INSTALLATION

Lorsque vous montez une cuvette neuve, vérifiez son aplomb et ses jonctions avec le conduit de la chasse d'eau et l'évacuation au sol. Sinon, la cuvette pourrait se vider trop lentement ou se boucher.

Des obstructions peuvent se produire dans des cuvettes montées avec des raccords d'un modèle ancien, au lieu de raccords souples : les orifices ne sont pas d'aplomb ou partiellement bouchés

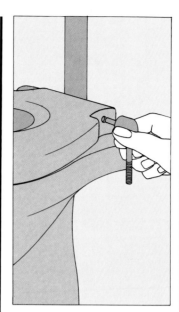

3 Rapprochez les charnières pour que les deux parties métalliques pénètrent dans l'abattant et serrez définitivement.

par le matériau utilisé pour les joints. Le mastic d'un vieux joint (filasse-mastic entre le conduit de la chasse et l'entrée dans la cuvette) a pu s'insérer à l'intérieur et gêner le flux de l'eau.

Il est aussi possible que le raccord entre la sortie de la cuvette et le branchement sur l'évacuation soit bouché partiellement par un joint inadéquat.

Cela paraît évident si vous constatez que le niveau de l'eau s'élève lentement dans la cuvette avant de s'écouler.

PIPE DE W.-C.

Cette pipe de W.-C., entièrement injectée en P. V. C. blanc avec joint à capeler en élastomère blanc, permet d'assurer le raccordement de la plupart des W.-C. à sortie horizontale sur une attente verticale au sol.

L'entrée horizontale de la pipe peut être coupée, augmentant ainsi les possibilités de raccordement des cuvettes sur le plan horizontal par rapport au mur.

Le raccordement sur l'attente verticale au sol se fait par collage ou par emboîtage dans une sortie W.-C. à joint ou raccord à joint.

Ce type de pipe de W.-C. est conforme aux normes française et européenne.

Anomalies de fonctionnement d'un réservoir

ÉCOULEMENT CONTINUEL DE L'EAU DANS LA CUVETTE

Il s'agit généralement du clapet central.

Il ne ferme plus le fond du réservoir et l'eau coule à gros débit.

1 Fermez le robinet d'arrêt afin que la cuve se vide complètement.

2 Procédez au démontage du mécanisme central et vérifiez qu'aucun corps étranger ne s'est glissé dessous.

3 Vérifiez l'état du clapet en caoutchouc. Il peut être fendu ou crevé.

4 Remontez l'ensemble. Faites un essai à vide.

Si le plongeur vertical est cassé, le clapet n'est plus guidé et retombe à côté de son siège.

5 Dans ce cas, remettez-le sur son siège ou changez-le s'il est défectueux.

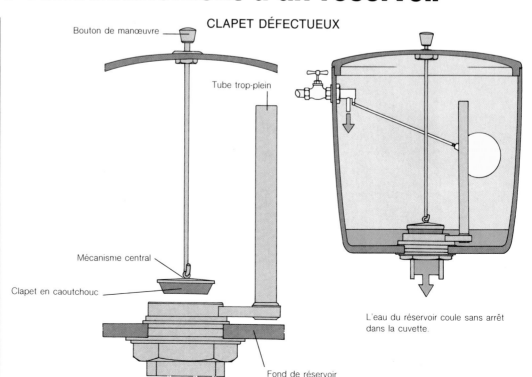

CLAPET DÉFECTUEUX

Bouton de manœuvre

Tube trop-plein

Mécanisme central

Clapet en caoutchouc

Fond de réservoir

L'eau du réservoir coule sans arrêt dans la cuvette.

ÉCOULEMENT INCESSANT D'UN FILET D'EAU DANS LA CUVETTE

Il est possible que le niveau d'eau du réservoir soit tellement important qu'un flux permanent s'écoule par l'orifice du trop-plein. Il faut que le robinet d'arrivée d'eau, commandé par le flotteur, se ferme avant que ce niveau soit atteint.

Si le flotteur est endommagé ou spongieux, il flotte entre deux eaux et ne remplit plus son rôle. Il convient alors de le changer (s'il est crevé) ou de régler sa course pour qu'il agisse plus tôt sur le robinet.

Vérifiez aussi la tige articulée, elle peut être rouillée, coincée ou endommagée.

Cela dit, le robinet peut être usé, abîmé ou entartré. Échangez tout le mécanisme (flotteur, tige et robinet) contre un modèle mieux adapté.

FLOTTEUR DÉRÉGLÉ

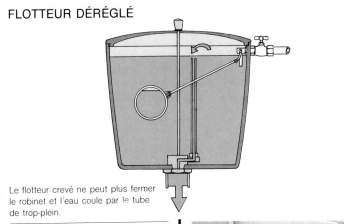

Le flotteur crevé ne peut plus fermer le robinet et l'eau coule par le tube de trop-plein.

ROBINET FLOTTEUR

Avec un dispositif à fermeture instantanée, vous éliminerez entre autres les risques de crevaison de flotteur. Ces types de robinet s'adaptent à la plupart des réservoirs en céramique ou en matière plastique (filetage 12/17).

ROBINET FLOTTEUR SILENCIEUX

Les flotteurs correspondant à la norme NF 43-003 sont silencieux. Mais l'intérêt d'un robinet flotteur ne se limite pas au confort acoustique. Il permet une amélioration de la rapidité de remplissage.

Généralement, pour préserver les performances acoustiques de ces robinets, il est recommandé de les équiper d'un robinet d'arrêt silencieux.

DESCRIPTIF D'UN RÉSERVOIR DE CHASSE ATTENANT

Les réservoirs attenants sont de plus en plus répandus, et les modes de fixation sont différents. Leur encombrement, leur contenance varient aussi selon les modèles des fabricants. Néanmoins, ils fonctionnent selon le même principe et sont réalisés avec les mêmes éléments.

Des nouveaux réservoirs attenants (Geberit) ont été conçus pour simplifier leur montage aux installateurs : les vis de fixation ne traversent pas la cuve du réservoir. Grâce aux glissières la pose devient aussi facile que pour un abattant.

Ce système est adaptable à la quasi-totalité des cuvettes.

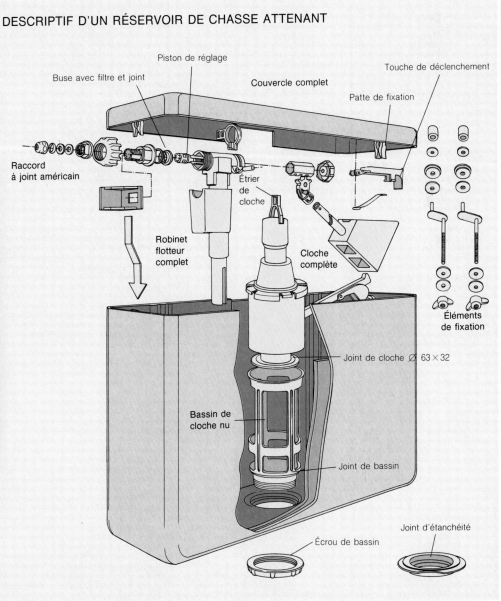

Buse avec filtre et joint · Piston de réglage · Couvercle complet · Touche de déclenchement · Patte de fixation · Raccord à joint américain · Étrier de cloche · Robinet flotteur complet · Cloche complète · Éléments de fixation · Joint de cloche Ø 63 × 32 · Bassin de cloche nu · Joint de bassin · Écrou de bassin · Joint d'étanchéité

Rénovation de W.-C. dans un habitat ancien

Dans le cadre d'une transformation, d'une réhabilitation d'un habitat ou simplement parce que les W.-C. constituent la plus petite pièce d'un logement, donc facile à moderniser, il est possible au bricoleur averti de rénover lui-même les W.-C. en posant par exemple une cuvette suspendue, ce qui supprime du même coup les nids à poussière et les tuyauteries inesthétiques.

Il existe des composants techniques (Geberit), réalisés en béton cellulaire et mousse en polyester, qui intègrent tous les raccordements « prêts à brancher » : alimentation, évacuation, fixations pour appareils suspendus... Tous les composants techniques sont prémontés et peuvent se combiner entre eux. Relativement simple, la mise en œuvre est rapide.

Le montage de l'élément standard peut être fait dans l'épaisseur d'un mur, entre deux panneaux légers ou en applique avec habillage léger, ou encore en applique et maçonné. Les travaux de maçonnerie sont simplifiés, la surface étant prête à recevoir le crépi, le mortier ou le carrelage.

Outils : les mêmes que ceux utilisés pour le « Remplacement d'une cuvette », p. 332-333. Voir aussi les outils nécessaires pour les travaux de maçonnerie p. 431.

Matériel : composant technique pour W.-C. avec fixations de la cuvette suspendue réglables par tiges filetées et écrous, étrier de fixation murale, jeu de manchettes de raccordement (alimentation et évacuation), laine de roche. (Matériaux nécessaires à la maçonnerie, voir p. 431 et 432.)

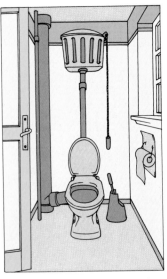

1 Videz complètement la pièce. Coupez l'alimentation en eau au robinet d'arrêt.

2 Déposez l'ancienne installation : cuvette de W.-C. et réservoir de chasse (voir p. 332).

MONTAGE EN APPLIQUE MAÇONNÉ

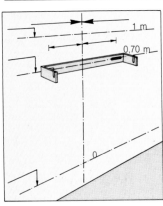

1 Fixez l'étrier mural (sol fini + 0,70 m).

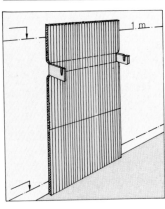

2 Mettez en place l'isolant phonique (laine de roche).

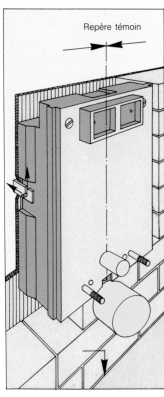

3 Accrochez le bloc qui comprend le réservoir de chasse encastré et les raccordements alimentation/évacuation.

4 La mise en place du composant technique est terminée. Réunissez maintenant l'outillage et les matériaux nécessaires à la maçonnerie lourde.

5 Procédez aux raccordements des tuyaux d'alimentation et d'évacuation.

Réalisez une maçonnerie de 15 cm d'épaisseur (briques ou parpaings) autour de l'élément (voir chapitre « Maçonnerie », p. 427).

6 Pour la finition, vous pouvez, par exemple, poser un carrelage (voir. p. 137 à 141).

7 Posez ensuite la cuvette sur les tiges filetées. Assurez la jonction cuvette suspendue-tuyau de chasse et pipe d'évacuation par emboîtement des manchettes (tubulures à joints à lèvres, qui peuvent être recoupées à la demande).

Resserrez écrous et boulons.

Posez la plaque de commande pour déclenchement en façade.

MONTAGE D'UN MODÈLE STANDARD (DIMENSIONS)

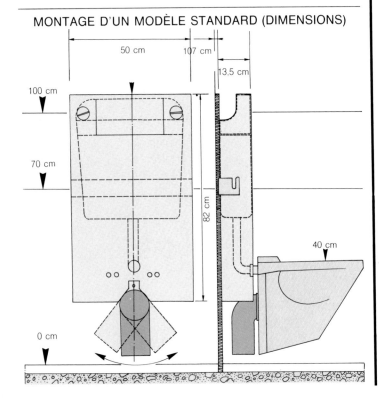

Les chauffe-eau

Mis à part la production d'eau chaude pour une chaudière de chauffage central, on peut opter soit pour un chauffe-eau instantané, soit pour un chauffe-eau à accumulation.

Les chauffe-eau instantanés

Ils sont généralement alimentés au gaz et installés près du point d'utilisation : cuisine ou salle de bains. Dans ce dernier cas, un conduit d'évacuation extérieur et une amenée d'air sont nécessaires. Ils ne sont pas faits pour desservir simultanément plusieurs appareils, la variation du débit de l'eau modifiant immédiatement la température. Vous réglerez celle-ci en agissant sur le bouton de réglage de température de l'appareil, plutôt que par le mélange de l'eau chaude avec de l'eau froide. Une installation de mitigeur n'est donc pas souhaitable.

Les puissances de chauffe-eau se choisissent en fonction du nombre d'accessoires à alimenter : évier ou lavabo seul : 8,7 kW ; lavabo + bidet + douche : 17.4 kW : chauffe-bain : 22.4 kW.

Les chauffe-eau de faible puissance (8,7 kW) peuvent être installés sans raccordement à un conduit d'évacuation, notamment dans une cuisine bien ventilée. Ils doivent porter la mention « appareil conforme à la réglementation le dispensant de raccordement à un conduit de fumée ».

Les appareils plus puissants doivent porter la mention « raccordement obligatoire à un conduit de fumée ».

Tous les appareils doivent être estampillés, c'est-à-dire porter la marque de qualité NF GAZ dans un ovale rouge.

L'installation d'un chauffe-eau est du domaine du professionnel. Vous aurez toujours intérêt à faire appel au service après-vente du constructeur pour les opérations courantes d'entretien et de dépannage.

En utilisation, réglez votre chauffe-eau instantané à la température la plus basse possible compte tenu de l'utilisation (toilette ou vaisselle). C'est l'exploitation la plus économique, et vous retarderez les risques d'entartrage.

Les chauffe-eau à accumulation

Ils sont fabriqués pour la chauffe électrique ou au gaz. Les premiers sont les plus courants et trouvent une exploitation économique dans l'utilisation du courant de nuit (heures creuses).

Par sa vocation, le ballon est un accumulateur qui doit avoir une capacité suffisante pour satisfaire tous les besoins de la maison. Sa faible puissance ne permet pas un réchauffage rapide. Ce détail est souvent négligé en résidence secondaire, où il faut parfois

attendre plusieurs heures avant d'obtenir de l'eau chaude au robinet et quitter sa maison le dimanche avec 100 litres d'eau chaude inutiles. Il existe aujourd'hui des appareils à chauffe accélérée (voir encadré « Chauffe-eau instantané sous-pression ») ou à double puissance, mais leur installation n'est pas toujours compatible avec la puissance électrique souscrite.

Le chauffe-eau à accumulation peut être installé partout, verticalement ou horizontalement, dans un placard, dans un comble, et même sous un lavabo. Sa situation devra être bien étudiée pour que les tuyauteries soient les plus courtes possibles. En sous-sol ou en comble et, d'une façon générale, les parcours en locaux non chauffés seront calorifugés.

La contenance des chauffe-eau à accumulation varie avec le nombre d'accessoires à alimenter.

En utilisation, réglez le thermostat à 60 °C au maximum ; plus vous produisez de l'eau chaude à température élevée, plus les pertes sont importantes. Pour laver la vaisselle, 45 ou 50 °C sont suffisants. De plus, vous retarderez les risques d'entartrage et de corrosion. Si les points d'utilisation sont éloignés, il vaut mieux deux chauffe-eau. Une fois par mois, manœuvrez le robinet du groupe de sécurité hydraulique pour éviter son blocage.

CHAUFFE-EAU INSTANTANÉ « SOUS PRESSION »

Peu encombrant, le chauffe-eau instantané (branché sous le lavabo) permet à son utilisateur d'avoir de l'eau chaude en été quand la chaudière est coupée.

Un chauffe-eau instantané électrique sous pression n'a pas besoin d'une robinetterie à trois voies pour le montage. Il peut être branché sous pression et s'adapte sur n'importe quelle robinetterie traditionnelle.

Il peut être installé à proximité de n'importe quel point d'eau à alimenter, en complément d'une production d'eau chaude existante ou insuffisante (solaire, cumulus...).

L'eau est chauffée au moment de la demande, sans préchauffage ni réservoir. La température de l'eau varie en fonction du débit.

La présence d'un réducteur n'est nécessaire que lorsque la pression d'eau de la canalisation est supérieure à 10 kg/cm². Dans ce cas, une membrane de sécurité se déclenche automatiquement.

La gamme de puissances varie de 6 à 24 kW suivant l'usage.

DESCRIPTION DE CHAUFFE-EAU ÉLECTRIQUE ET AU GAZ

Chauffe-eau électrique à accumulation

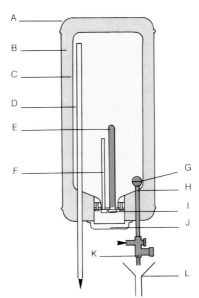

Chauffe-eau instantané au gaz

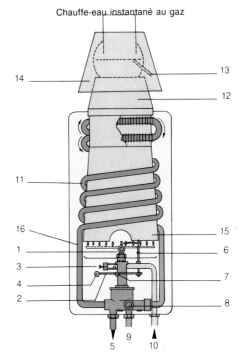

A. Enveloppe	H. Tubulure d'admission
B. Mousse de polyuréthanne	d'eau froide
C. Cuve protégée	I. Bride démontable
D. Tubulure de sortie d'eau	J. Capot de protection
E. Corps de chauffe	K. Groupe de sécurité
F. Thermostat	L. Vidange
G. Brise-jet	

1. Prise de pression du brûleur	9. Arrivée d'eau froide
2. Réglage du débit de gaz	10. Arrivée de gaz
3. Prise de pression de la canalisation	11. Serpentin
4. Manette du robinet de brûleur	12. Buse d'évacuation
5. Sortie d'eau chaude	13. Antirefouleur
6. Réglage du débit de la veilleuse	14. Coupe-tirage
7. Manette du robinet de veilleuse	15. Bilame
8. Réglage du débit d'eau	16. Plateau de propreté

Raccordement d'un lave-linge

On peut facilement installer un lave-linge (ou un lave-vaisselle) près d'un évier si les tuyauteries d'alimentation en eau et d'évacuation des eaux usées sont positionnées convenablement par rapport à la machine.

Dans ce cas, on peut utiliser des robinets à système autoperceur et une prise d'évacuation d'eau en vente dans tous les magasins de bricolage.

Les robinets autoperceurs se placent directement sur les tuyaux en cuivre en alimentant en eau l'évier grâce à l'élément de perçage dont ils sont munis, élément qui découpe dans le métal une pièce circulaire du diamètre voulu. On peut les installer sans couper l'eau.

La prise rapide d'évacuation, conçue sur le même principe, se fixe sur le tuyau d'évacuation des eaux usées de l'évier.

UN BON CONSEIL

Assurez-vous que le robinet autoperceur est fermé avant de le placer, sinon, dès que la tubulure sera percée, l'eau jaillira par votre robinet ouvert, ou fermez l'arrivée d'eau au robinet d'arrêt.

Outils : tournevis de taille moyenne (lame de 6 mm); clé à molette.
Matériaux : robinet autoperceur (alimentation de la machine en eau froide seulement); prise rapide de vidange; collier de serrage au diamètre du tuyau de vidange de la machine.

RACCORDEMENT À L'ALIMENTATION EN EAU

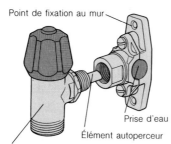

Point de fixation au mur
Prise d'eau
Élément autoperceur
Raccordement au tuyau d'alimentation de la machine

1 Dévissez le robinet de la prise. Dévissez les vis qui assemblent le corps et la base de la prise d'eau. Glissez cette base derrière le tuyau d'amenée d'eau.

2 Remontez le corps de la prise sur sa base et serrez sur le tuyau. Si ce tuyau est plaqué sur le mur, vissez le corps de la prise directement dans le mur.

3 Vissez à la main le robinet dans la prise. En tournant toujours dans

le sens des aiguilles d'une montre, continuez jusqu'à ce que la lame de l'autoperceur ait traversé la paroi du tuyau. La pièce découpée tombera à l'intérieur de ce tuyau.

4 Si le robinet vissé à fond n'est pas vertical, dévissez-le alors légèrement, placez-le verticalement et bloquez l'écrou.

5 Raccordez au robinet le tuyau souple de la machine.

MISE EN PLACE DE LA VIDANGE

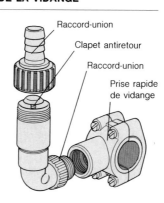

Raccord-union
Clapet antiretour
Raccord-union
Prise rapide de vidange

1 Séparez la prise de l'ensemble en dévissant le raccord-union.

2 Une fois l'emplacement choisi, passez entre le tuyau d'évacuation des eaux usées et le mur la partie arrière de la prise, puis vissez sur celle-ci la partie avant.

3 Vissez dans la prise l'outil de perçage jusqu'à ce qu'il ait découpé une ouverture.

4 Dévissez l'outil de perçage et vissez à sa place l'ensemble clapet antiretour (qui empêche le refoulement de l'eau de l'évier vers la machine) et raccords.

5 Entrez à fond dans le tuyau de vidange le raccord correspondant et assurez son maintien à l'aide du collier de serrage. La machine est prête à l'emploi.

6 Environ tous les deux ou trois mois, dévissez ce raccord et retirez tout ce qui pourrait gêner le fonctionnement du clapet.

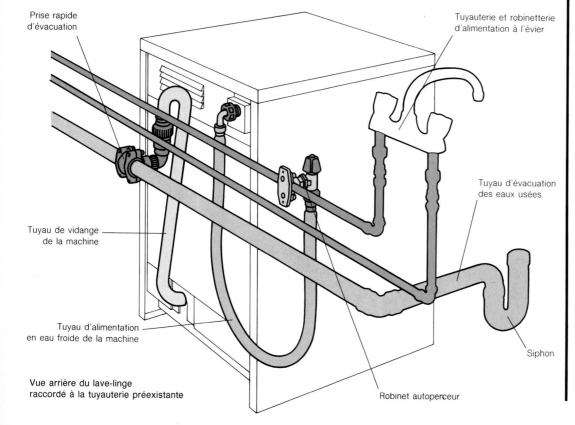

Prise rapide d'évacuation
Tuyauterie et robinetterie d'alimentation à l'évier
Tuyau d'évacuation des eaux usées
Tuyau de vidange de la machine
Tuyau d'alimentation en eau froide de la machine
Siphon
Robinet autoperceur

Vue arrière du lave-linge raccordé à la tuyauterie préexistante

DEUXIÈME PARTIE : TECHNIQUES, OUTILS ET MATÉRIAUX

CHAUFFAGE

LES DIFFÉRENTS MODES DE CHAUFFAGE

Le chauffage est certainement l'élément principal du confort d'une habitation. Il a pris avec notre siècle une importance considérable.

Le terme de bricolage n'est peut-être pas le plus adapté au domaine précis du chauffage. En effet, à l'exception de certaines opérations simples que nous citerons plus loin, rares sont les interventions que peut engager le bricoleur, à moins d'être un technicien spécialisé. Cependant, il peut parfaitement envisager l'entretien courant de son installation, quels qu'en soient le type, la pose ou le branchement de certains éléments, ou leur remplacement si le besoin s'en fait sentir.

Mais, avant tout, il convient de connaître les diverses énergies disponibles ainsi que les principaux avantages et inconvénients de chaque principe de chauffage.

La guerre des énergies

LE BOIS

Aussi loin que l'on remonte, le bois a toujours été l'énergie de prédilection. Au fil des siècles, sa suprématie en tant que combustible domestique s'est estompée, bien que la consommation annuelle se chiffre encore en millions de stères. Malgré tout, il ne saurait reprendre le pas sur les sources d'énergie les plus employées.

Le bois n'est pas, à l'évidence, une énergie urbaine. Stockage, entretien des appareils et évacuation des résidus solides ou gazeux risquent, en effet, de poser de sérieux problèmes aux citadins.

Le pouvoir calorifique du bois
Il dépend du taux d'humidité du bois et de l'essence utilisée. Les feuillus durs sont ceux qui dégagent le plus de chaleur (charme, hêtre, chêne, frêne, acacia...).

Viennent ensuite les feuillus tendres (bouleau, tilleul, peuplier) et les conifères.

On a souvent intérêt à acheter le bois 6 mois à 1 an à l'avance. Pour obtenir du bois sec (c'est-à-dire à 20 % d'humidité), il est recommandé de couper le bois hors sève, soit en hiver, à longueur d'utilisation et de le refendre.

N'oubliez pas de stocker votre bois sous abri ventilé.

LE CHARBON

Autre combustible solide, le charbon — bien qu'ayant un pouvoir calorifique supérieur à celui du bois — disparaît graduellement de notre paysage ; cela en raison de son prix, sans cesse croissant, et des contraintes qui y sont liées, à savoir : des manipulations plus astreignantes — et salissantes — encore qu'avec le bois, l'évacuation des déchets, etc.

LE FIOUL

Le fioul est aujourd'hui sans conteste l'énergie la moins coûteuse du marché.

Il est important de noter que les prix annoncés sont des prix toutes taxes comprises. L'association ASFUEL (Association pour l'utilisation performante du fioul domestique) a extrait de ses études les chiffres suivants : pour une installation neuve, à solutions techniques comparables, le fioul est presque 20 % moins cher que le gaz, et trois fois moins cher que l'électricité.

Le ramonage
Pour être parfaitement objectif, il convient également de citer les « points noirs » du chauffage au fioul. En effet, cette énergie (de même que toutes celles issues d'une combustion) suppose au minimum un ramonage annuel, qui conditionne l'efficacité du tirage et la sécurité du système. Il est à noter que les compagnies d'assurances et les propriétaires des logements en location sont en droit d'exiger une attestation stipulant que le ramonage a réellement été effectué.

La dépendance E.D.F.
Autre aspect à prendre en compte, les brûleurs et accélérateurs sont asservis à la « fée électricité ». En cas de panne ou de grève de l'E.D.F., la chaudière est hors d'usage pendant toute la durée de l'interruption.

Il existe également les problèmes de sensibilité au gel dans certaines régions, la nécessité de disposer d'une place suffisante pour installer la cuve (qui représente un investissement non négligeable).

Le stockage
Le fioul doit naturellement être stocké avant son utilisation. La solution la plus rationnelle est représentée par l'installation d'une cuve non enterrée de 1 500 litres au maximum. Cette solution permet de disposer d'une autonomie satisfaisante, réduisant la fréquence des remplissages à deux ou trois par an, de bénéficier des tarifs dégressifs proposés par les distributeurs pour les achats de plus de 1 000 litres (jusqu'à 10 centimes d'écart par litre pour 1 000 litres), de ne perdre qu'une place minime (2 m² au maximum), de pouvoir passer la cuve par une porte classique, et d'éviter les travaux coûteux de fouille pour l'installation d'une cuve enterrée, ou de construction d'un local technique spécifique obligatoire pour les citernes de plus de 1 500 litres.

Néanmoins, des précautions doivent être respectées pour que l'installation soit conforme à la réglementation en vigueur.

La cuve peut être implantée dans le même local que la chaudière, à condition :

— que la citerne soit posée dans une cuvette étanche et incombustible d'une contenance au moins égale à celle de la cuve. En cas de fuite, elle empêchera le combustible de se répandre dans la pièce ;

— que les murs et parois soient édifiés dans un matériau offrant une résistance au feu d'au moins une demi-heure ;

— que le local soit suffisamment ventilé ;

— qu'un véhicule ne puisse pas s'approcher à moins de 1 m de la cuve ;

— que l'équipement électrique soit fixe et normalisé.

LE GAZ

Il est exploité sous deux formes : le gaz naturel et le gaz liquéfié, qui comprend le butane et le propane.

Le gaz naturel allie souplesse et facilité d'emploi avec des tarifs compétitifs. En effet, les différences de prix avec le fioul sont peu importantes, mais il ne nécessite pas de stockage, d'où un gain de place appréciable.

D'autre part, l'évacuation des déchets (obligatoire), moins « charbonneux » que ceux du fioul, est grandement facilitée.

Le gaz liquéfié, butane ou propane, suppose un stockage en cuves de contenances variées ou en bouteilles. De plus, le butane est susceptible de geler. Enfin, il faut savoir que le butane et le propane sont des gaz de pétrole. Donc, pas de pétrole, pas de butane ni de propane.

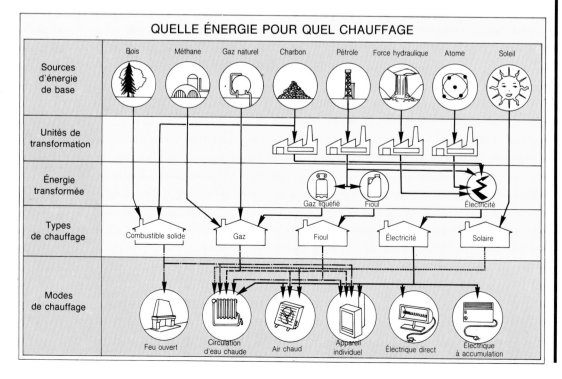

QUELLE ÉNERGIE POUR QUEL CHAUFFAGE

Sources d'énergie de base	Bois	Méthane	Gaz naturel	Charbon	Pétrole	Force hydraulique	Atome	Soleil

Unités de transformation

Énergie transformée : Gaz liquéfié — Fioul — Électricité

Types de chauffage : Combustible solide — Gaz — Fioul — Électricité — Solaire

Modes de chauffage : Feu ouvert — Circulation d'eau chaude — Air chaud — Appareil individuel — Électrique direct — Électrique à accumulation

L'ÉLECTRICITÉ

Énergie moderne et d'un emploi particulièrement avantageux par ses aspects pratiques — employée pour le chauffage central, elle permet de se passer de chaudière, de cheminée d'évacuation et de stockage —, l'électricité est chère et nécessite une bonne isolation thermique. En revanche, elle trouve sa dimension dans le chauffage d'appoint ou de complément, puisqu'elle ne nécessite qu'un simple raccordement au réseau, qui s'effectue, comme pour n'importe quel appareil électrique, au moyen d'une prise.

Enfin, l'électricité est la seule énergie réellement propre.

LE SOLEIL

Le chauffage solaire n'est pas très rentable et son exploitation est difficile. Néanmoins ce système reste envisageable dans certains cas.

Le chauffage central

Le chauffage central se décline selon deux principes, qui se différencient principalement par le mode de transmission de la chaleur à l'intérieur du logement. On reconnaît ainsi le chauffage à air chaud et le chauffage à circulation d'eau chaude.

LE CHAUFFAGE À AIR CHAUD

Ce procédé, s'il fut très employé voici plusieurs dizaines d'années, connaît une baisse sensible au profit du chauffage central à circulation d'eau chaude. Il reste pourtant toujours au goût du jour puisque certains fabricants ont récemment conçu des modèles particulièrement efficaces et économiques, notamment des modèles au gaz. Le principe de fonctionnement repose sur le réchauffage de l'air dans un brûleur à gaz ou à fioul principalement (il existe cependant des modèles électriques); l'air chaud est ensuite pulsé dans les pièces par l'intermédiaire d'un réseau de gaines encastrées et de bouches de sortie. L'avantage principal du chauffage à air pulsé réside dans la quasi-instantanéité de la montée en température. De plus, les bouches de sortie d'air chaud sont peu encombrantes, elles prennent moins de place qu'un radiateur.

Enfin, aucune fuite n'est à craindre avec ce système (contrairement au chauffage à eau); l'entretien des circuits de distribution est réduit à sa plus simple expression, et en cas d'absence prolongée en hiver, chauffage coupé, le gel n'est pas à redouter.

Au nombre des inconvénients, citons la nécessité de prévoir le circuit de gaines lors de la construction du logement (et donc l'incompatibilité du système avec la rénovation de logements anciens) et certains problèmes liés au dessèchement de l'atmosphère par l'air chauffé. Ce dernier point peut être compensé en partie par un humidificateur intégré au générateur.

LE CHAUFFAGE CENTRAL À CIRCULATION D'EAU CHAUDE

Le chauffage central à eau chaude est actuellement le plus répandu.

Le principe de fonctionnement

Il s'agit d'un réseau de tuyauteries dans lequel circule de l'eau chaude. Ces canalisations relient tous les radiateurs à la chaudière.

Cette installation autonome fonctionne en circuit fermé : l'eau chaude pousse l'eau froide. Une vanne de vidange permet de la vider entièrement pour effectuer une réparation.

Le principe de base est celui du thermosiphon qui utilise les propriétés de dilatation de l'eau chauffée. L'installation comprend : une chaudière pour la production de chaleur, des tuyauteries pour sa distribution de la chaudière aux points d'utilisation, et des émetteurs pour l'émission de la chaleur.

L'eau chauffée devient plus légère et remonte dans les tuyaux, puis elle arrive par la partie supérieure des radiateurs au travers desquels elle circule en réchauffant l'atmosphère. Après s'être refroidie, elle retourne à la chaudière afin d'être à nouveau réchauffée. Cette circulation ininterrompue, en circuit fermé, se fait à faible pression et très lentement. Pour maintenir un niveau d'eau constant dans le circuit, toute installation comporte un vase d'expansion.

Dans les installations anciennes, il s'agit d'un réservoir en tôle galvanisée placé à l'endroit le plus haut du système : sous les combles ou sous le plafond. Lorsque l'eau chauffée se dilate, ce réservoir d'eau recueille l'excédent résultant de la dilatation. Au contraire, s'il se produit un refroidissement du circuit, le volume de l'eau a tendance à diminuer. Dans ce cas, le contenu du réservoir sert à compenser les pertes du circuit. Aujourd'hui, le vase d'expansion est incorporé à la chaudière ou situé près d'elle.

De plus, les circuits d'eau comportent depuis longtemps déjà un accélérateur dont le rôle est d'augmenter le rendement de l'appareil en accroissant la circulation de l'eau chauffée.

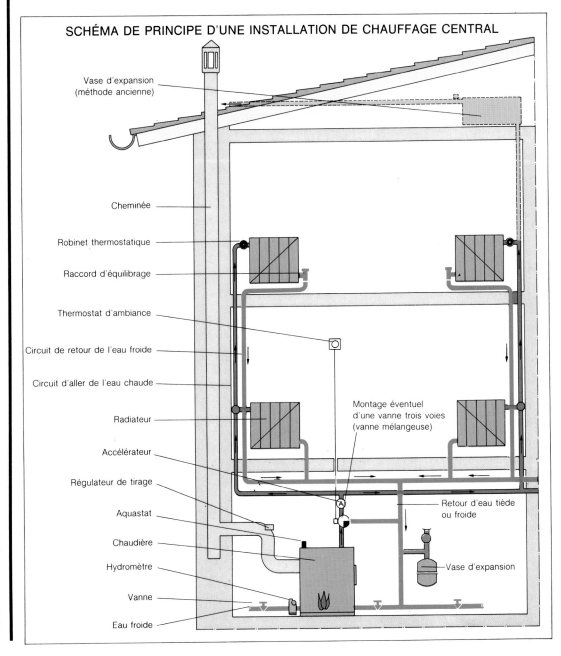

SCHÉMA DE PRINCIPE D'UNE INSTALLATION DE CHAUFFAGE CENTRAL

Vase d'expansion (méthode ancienne)

Cheminée

Robinet thermostatique

Raccord d'équilibrage

Thermostat d'ambiance

Circuit de retour de l'eau froide

Circuit d'aller de l'eau chaude

Radiateur

Accélérateur

Régulateur de tirage

Aquastat

Chaudière

Hydromètre

Vanne

Eau froide

Montage éventuel d'une vanne trois voies (vanne mélangeuse)

Retour d'eau tiède ou froide

Vase d'expansion

Le choix de la chaudière

LE CHAUFFAGE AU FIOUL

Les chaudières anciennes étaient, pour la plupart, surdimensionnées et fonctionnaient en permanence pour produire une eau à près de 90 °C. De plus, les appareils n'étaient pas suffisamment calorifugés, d'où des pertes de chaleur importantes. Donc, si les chaudières conçues avant les chocs pétroliers n'avaient pas pour qualité principale la «sobriété», les fabricants ont aujourd'hui «inversé la vapeur» et orientent fortement leurs recherches en direction des économies d'énergie. C'est ainsi que l'on a vu naître récemment les chaudières à fioul à haut rendement à basse ou très basse température pouvant produire une eau à 20 °C environ, et dont les rendements utiles peuvent atteindre de 90 à 95 % selon les modèles. Le réglage s'effectue sur la chaudière et non plus sur les radiateurs. L'isolation a été perfectionnée, les périodes d'arrêt sont donc plus fréquentes.

Les astuces complémentaires, qu'elles soient générales ou propres à chaque constructeur, contribuent à faire réaliser des économies de près de 40 % par rapport à une installation ancienne. Un chiffre évocateur qui pourrait bien justifier le remplacement d'un vieil appareil.

Chaudière à fioul
Cette chaudière à fioul au design moderne propose trois types de régulation ; analogique pour chauffage seul ; analogique et digitale pour chauffage et production d'eau chaude.

La plupart des chaudières actuelles peuvent être dotées d'un brûleur à gaz en remplacement du brûleur à fioul, ce qui permettrait, dans l'éventualité où le fioul viendrait à enregistrer une hausse de tarif importante avant l'heure de remplacer entièrement la chaudière, de ne changer que cette partie, et cela pour une somme très modique.

Une précision s'impose cependant concernant la chaudière et le mode d'utilisation du combustible. En effet, le fioul ne peut être utilisé directement sous sa forme primaire, car il est peu volatile et difficilement inflammable (à froid en tout cas). Il doit donc être pulvérisé avec une quantité d'air précise par un brûleur spécial, fonctionnant un peu à la manière d'un carburateur d'automobile.

Une chaudière à fioul classique est constituée d'un corps de chauffe (ou foyer), généralement en fonte ou en acier, d'une carrosserie isolée, d'un système de production d'eau ou d'air, et de divers éléments complémentaires plus ou moins nombreux selon le degré de technicité du modèle.

Outre le chauffage des locaux, certaines chaudières sont en mesure d'assurer la production d'eau chaude sanitaire, selon deux modes de fonctionnement : à production instantanée, l'eau n'est chauffée qu'en fonction des besoins ; ou par accumulation, grâce à un ballon calorifugé (intégré à la chaudière ou séparé). Se pose naturellement, avec les chaudières mixtes, la question de la rentabilité. En effet, la production d'eau chaude en période de chauffage est d'un coût peu important. En revanche, hors de la période de chauffage, la consommation parvient parfois à annuler les «économies» réalisées en hiver.

LE CHAUFFAGE ÉLECTRIQUE

Les chaudières de chauffage central utilisant l'électricité pour chauffer l'eau du circuit sont assez répandues. Mais, elles consomment une énergie coûteuse (augmentation de 25 % en quelques années) malgré des tarifs «heures creuses» (E.J.P. : effacement jours de pointe) faisant à certaines périodes baisser le prix de façon importante. Plus courantes et mieux adaptées aux besoins, les chaudières électrofioul duo ou compact se révèlent plus intéressantes en remplacement d'un système existant, bien qu'encore moins rentables que les appareils à fioul ou à gaz.

La bi-énergie

Inventée il y a quelques années, la technique de la chaudière électrofioul s'est popularisée récemment sous le terme de bi-énergie. Comme son nom l'indique, une telle chaudière se présente sous la forme de deux chaudières qui peuvent fonctionner indépendamment l'une de l'autre : une chaudière à fioul et une chaudière électrique réunies sous une même carrosserie ou séparément. Ce nouveau système est particulièrement intéressant en maison individuelle, en remplacement ou en relève d'une chaudière à fioul.

Ce type de chaudières fonctionne alternativement à l'électricité et au fioul, aux périodes les plus avantageuses. Ainsi, elles peuvent chauffer à l'électricité en intersaison ou pendant les heures creuses, et donner le relais au fioul lors des grands froids, moment où cette énergie a le meilleur rendement et où l'électricité est la plus chère (jours de pointe). L'utilisation de l'électricité pour la production d'eau chaude sanitaire en dehors de la période de chauffage permet également de substantielles économies. Les travaux d'installation d'une chaudière électrofioul, dans le cas du remplacement d'un appareil existant, sont limités à la seule chaufferie. Un avantage certain résulte de la réduction de la

Chaudière bi-énergie
Ce type de chaudière électrofioul a une régulation adaptée à la bi-énergie (thermostat électronique à deux étages ou régulation avec programmation et thermostat d'ambiance).

consommation de fioul : la cuve peut être d'un volume réduit, d'où un gain de place souvent appréciable. On distingue deux types de chaudières électrofioul : les «compactes», qui réunissent les deux systèmes sous la même carrosserie, et les «duo», dans lesquelles la partie électrique vient s'ajouter à la chaudière à fioul encore en état.

LE CHAUFFAGE AU GAZ

On distingue trois types de chaudières :
— les chaudières à condensation ;
— les chaudières dites «à haut rendement» ;
— les chaudières dites classiques.

Les modèles les plus efficaces sont à ce jour les chaudières à condensation, qui récupèrent la chaleur contenue dans la vapeur d'eau issue de la combustion. Au lieu d'être évacuées entre 110 et 250 °C, les fumées sont refroidies au maximum. Le gain peut atteindre jusqu'à 15 % par rapport aux meilleures chaudières classiques. Grâce aux pertes minimes

Chaudière murale à gaz
Chauffage seul et mixte (chauffage et eau chaude sanitaire avec un système de régulation modulante en continu).

à l'arrêt, les économies au point de vue rendement-moyen d'exploitation sont encore plus importantes. Le principe de la basse température, adapté à la plupart des chaudières à condensation actuelles, améliore encore leurs performances (rendement de 95 %). Dotées d'un double flux pour le gaz ou d'une isolation perfectionnée, ces chaudières peuvent conditionner en partie l'attribution du label H.P.E. (Haute performance énergétique) à la construction.

Chaudière à gaz à ventouse
Vue en coupe d'une chaudière à gaz murale.

Jusqu'à 30 % d'économie

Dans une installation bien faite, la température de l'eau de retour ne dépasse le point de rosée que lorsque la température extérieure descend en dessous de + 2 °C. En France, cela ne se produit en moyenne que 20 à 40 jours par an, selon les climats.

Ainsi la chaudière fonctionnera en condensation la plupart du temps, soit 80 à 90 % de la saison de chauffe. Elle fonctionnera sans condensation seulement pendant les jours les plus froids. Cependant, son rendement sera nettement supérieur à celui d'une chaudière classique. C'est ce qui explique les excellents bilans de consommation à mettre à l'actif des chaudières à condensation. Sur l'ensemble de l'année, l'économie d'énergie réalisée est de l'ordre de 10 % par rapport à une chaudière à haut rendement, 20 % par rapport à une chaudière classique, et jusqu'à 30 % par rapport à une chaudière courante ayant plus d'une dizaines d'années.

Évacuation des produits de combustion

Trois solutions sont possibles :
— le *raccordement à un conduit V.M.C.* (ventilation mécanique contrôlée) ;
— le *raccordement à une V.M.C.-gaz,* les conduits d'évacuation des gaz de combustion sont directement raccordés au réseau existant ;

— les chaudières étanches à ventouse ou mini-ventouse. Ces appareils n'exigent pas de conduit de fumée pour l'évacuation des gaz brûlés et sont indépendants des conditions d'aération du logement. Ils prélèvent directement l'air frais au-dehors et rejettent les produits de combustion à l'extérieur, à travers un mur, au moyen d'un dispositif appelé «ventouse». Il n'y a donc pas de communication avec l'air du local où la chaudière est installée. Cette solution est recommandée notamment dans le cas d'absence ou de mauvais état du conduit de fumée.

Les ventouses peuvent être à tirage naturel ou à tirage forcé.

Les chaudières à ventouse permettent une grande liberté d'installation. Elles peuvent être placées contre n'importe quel mur extérieur, même dans un placard, sous une hotte, ou encastrées parmi des éléments de cuisine.

Les radiateurs

La plupart de nos systèmes de chauffage font appel à une chaudière de chauffage central, à un circuit de distribution et à des équipements diffusant la chaleur dans les locaux : les radiateurs. Connus depuis déjà fort longtemps, les radiateurs à circulation d'eau chaude ont fortement évolué ces dernières années, pour aboutir à des modèles aux lignes sobres et modernes qui ne déparent plus l'esthétique de nos logements. Cela sans oublier bien entendu les modèles classiques, qui font encore rêver les nostalgiques des modèles rétro.

CHOIX DU RADIATEUR

Trois paramètres principaux doivent retenir l'attention de l'acheteur au moment de concevoir son installation : le premier s'attache au coût et à l'efficacité ; le deuxième concerne plutôt l'esthétique (matériau, forme et encombrement) ; le troisième, enfin, est lié au confort, celui-ci dépendant d'une part du modèle choisi et d'autre part de son emplacement.

Coût et particularité

Il s'agit ici autant du prix d'achat du radiateur (amortissement) que de son coût d'utilisation (rendement).

Les fabricants proposent trois types principaux de radiateurs : les modèles en acier, les modèles classiques en fonte, et les radiateurs en fonte d'aluminium. Tous ont un prix d'achat et un rendement différents.

L'*acier,* peu onéreux, permet une montée en température rapide, mais il se refroidit tout aussi vite.

La *fonte,* plus chère, est plus longue à chauffer, mais elle accumule la chaleur, qu'elle redistribue longtemps après l'arrêt du chauffage.

La *fonte d'aluminium* réunit la plupart des avantages des deux matériaux précédents, sans en présenter les inconvénients. Elle chauffe vite, se refroidit lentement, et est assez peu onéreuse.

Donc, la fonte sera employée dans les pièces très souvent occupées. L'acier sera réservé aux locaux à occupation intermittente, qui profiteront de sa montée en température rapide.

L'esthétique

Strictement personnel, le choix d'un radiateur ne repose sur aucune loi. Simplement, on peut avancer que les modèles les plus esthétiques sont très certainement ceux élaborés en acier et en aluminium, ces matériaux permettant des formes variées que la fonte d'acier ne prend que très difficilement. Néanmoins, leurs lignes souvent modernes les rendent inaptes à l'équipement d'un intérieur classique ou de style, dans lequel un radiateur traditionnel en fonte trouvera mieux sa place.

Esthétique et technique nouvelles : une plaque de verre radiant est utilisée à 100 % comme vecteur d'émission d'énergie.

Les cache-radiateur ont été conçus pour dissimuler ces éléments à l'esthétique discutable. Qu'ils soient en bois ou en métal (ou les deux ensemble), ils remplissent parfaitement leur rôle mais réduisent malheureusement le rendement de façon sensible. Il est donc préférable d'opter pour de simples tablettes, qui ont, de plus, pour effet de répartir la chaleur, dans une certaine mesure, sur un plan horizontal.

L'emplacement

Les radiateurs sont presque tous encombrants, même si certains modèles extra-plats ont été conçus pour n'occuper qu'un volume réduit. L'emplacement doit être calculé avec précision avant le début de l'installation.

L'emplacement conditionne également le bien-être des occupants de la pièce. En effet, un radiateur ne fonctionne bien que s'il est

Espace étroit bien exploité.

entouré d'un volume d'air suffisant. Celui-ci se répartira dans la pièce par convection après avoir été réchauffé par le métal. Il importe donc de ne jamais placer un radiateur dans un endroit fermé ou exigu, sous un escalier, par exemple, ou derrière un meuble. L'air ne pourrait arriver sur l'appareil, ni se répandre dans la pièce. En règle générale, les radiateurs se placent à proximité des arrivées d'air froid, portes ou fenêtres. La convection trouve ainsi toute son efficacité, et les courants d'air sont immédiatement compensés. En revanche, disposer un radiateur sous une fenêtre, pour pratique que soit cette solution, n'est valable que si la menuiserie est parfaitement calfeutrée et dotée de vitrages isolants. Dans le cas contraire, le système de chauffage perdrait une bonne partie de son efficacité.

La forme d'un radiateur conditionne également son efficacité. Son rendement dépend aussi de ses dimensions, qu'il s'agisse de la largeur, de la profondeur ou de la hauteur. Il est donc déconseillé de disproportionner l'une des trois dimensions aux dépens de l'une ou des deux autres. Plutôt que de surdimensionner les radiateurs pour des pièces de grandes dimensions, mieux vaut fractionner le volume à chauffer et installer plusieurs appareils. On estime que la bonne moyenne est d'un radiateur pour 15 m².

Les *convecteurs à eau,* moins connus par les particuliers que les convecteurs électriques, transmettent la chaleur du circuit à de nombreuses ailettes, d'une forme voisine de celles servant au refroidissement d'un moteur thermique de petites dimensions (cyclomoteurs, tondeuses...). Si ces convecteurs étaient autrefois assez volumineux, ils sont aujourd'hui proposés sous des formes plus discrètes, des plinthes courant au ras du plancher par exemple. Leur efficacité indiscutable et leur nouvelle esthétique peuvent souvent les faire préférer aux radiateurs creux, dont tout le volume intérieur est employé pour la circulation de l'eau.

Radiateur longitudinal mixte (eau chaude + électricité).

Les *radiateurs mixtes* mettent en œuvre l'eau chaude et l'électricité. En demi-saison, ou hors de la période de fonctionnement de la chaudière principale, il suffit d'enclencher le système électrique qui chauffe indépendamment le radiateur grâce à une résistance intégrée.

Les *radiateurs à eau* génèrent une chaleur «desséchante». Un confort parfait suppose l'installation d'humidificateurs d'air sur les radiateurs qui, en produisant de la vapeur d'eau dans la pièce, rendront à l'air ambiant un taux d'humidité suffisant.

Installation et entretien d'un circuit

La technique d'installation d'un chauffage central à circulation d'eau chaude s'est vulgarisée, notamment grâce à l'apparition de kits de montage, mais elle reste toutefois assez loin de la portée du bricoleur moyen. Mieux vaut donc la confier à un professionnel. Ce qui n'empêche pas de la concevoir avec lui. Les améliorations techniques ont grandement simplifié les méthodes de calcul. Les pompes à eau et accélérateurs laissent à l'installateur une plus grande liberté. Il est vrai qu'autrefois la conception d'un circuit faisait appel à des calculs extrêmement compliqués, prenant en compte des pentes, des angles et des sections de tubes spécifiques.

La fixation des radiateurs en fonte fait appel à des systèmes résistants en rapport avec le poids de l'appareil : pattes de scellement, pieds, etc. Les modèles récents, en acier ou en aluminium, et les convecteurs, nettement plus légers, se fixent simplement au mur grâce à des tringles ou à des pattes fixées par des vis et des chevilles.

LA CHAUDIÈRE

Mis à part un nettoyage régulier des parties internes et un ramonage annuel des conduits de fumée, la chaudière elle-même ne peut que difficilement être entretenue par un particulier. D'autant plus que ces appareils sont souvent assujettis à une garantie décennale qu'une intervention particulière risquerait d'annuler.

LES BRÛLEURS

L'entretien courant d'une chaudière à fioul se limite pratiquement au nettoyage et à la surveillance d'un brûleur. En effet, un fonctionnement irrégulier de celui-ci, une veilleuse qui s'éteint ou qui produit une fumée inhabituelle sont le signe de l'encrassement du système, qu'il

convient dans ce cas de nettoyer.
Trois circuits composent les brûleurs à fioul : le circuit de combustible, le circuit d'air et le circuit électrique. Le bricoleur peut parfaitement vérifier lui-même l'état des filtres à air et à fioul, le bon fonctionnement du gicleur et des pièces mobiles, etc. En cas de panne, une fois le diagnostic établi, mieux vaut faire appel à un professionnel qualifié pour la manipulation de ces organes sensibles.

LES ROBINETS

Des fuites peuvent survenir sur les robinets des radiateurs. Si, lorsque la poignée de manœuvre du robinet est ôtée, l'écrou de serrage n'est pas apparent, il s'agit certainement d'un robinet à joint torique, auquel cas seul un spécialiste est en mesure d'intervenir. Si, en revanche, l'écrou est accessible, essayez tout d'abord de le resserrer au moyen d'une clé anglaise. Cette seule action suffit dans de nombreux cas à recomprimer suffisamment le joint, et donc à juguler la fuite. Si le serrage se révèle insuffisant, il faudra se résoudre à démonter le robinet et à changer la filasse suifée faisant office de joint. Avant d'entreprendre le démontage, il importe bien entendu d'arrêter la chaudière et de vidanger l'installation. Pour les fuites au milieu d'une section, une excellente solution réside dans les mastics à froid, qui permettent de reboucher les trous même si le support est humide. Si la brèche est importante, un petit coin de bois la bouchera en attendant la prise du mastic.

MESURE DE SÉCURITÉ
Attention ! ces interventions ne se font que sur des appareils en charge. Veillez à ne pas dévisser le robinet lui-même, mais l'écrou du presse-étoupe.

FUITE SUR UN ROBINET DE RADIATEUR

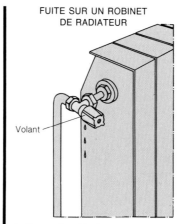

1. Fermez le robinet.

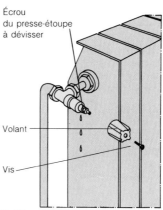

Écrou du presse-étoupe à dévisser
Volant
Vis

2. Démontez le volant.

3. Resserrez l'écrou.

LES RADIATEURS

Le nettoyage
Celui-ci est important, la poussière pouvant réduire sensiblement l'efficacité du radiateur (voir p. 345).

La purge
Purger un radiateur à eau est une opération souvent indispensable lorsque le chauffage est arrêté et modifié. En effet, de l'air parvient immanquablement à s'infiltrer dans le circuit, ce qui produit des bruits désagréables et réduit le rendement des radiateurs.

1 Placez un récipient sous le purgeur.

2 Ouvrez la petite buse de purge, généralement située en haut de l'appareil.

3 Laissez l'air s'échapper, ainsi qu'une petite quantité d'eau.

4 Rebranchez ensuite la chaudière.

Les purgeurs à clé tendent à disparaître pour être remplacés par des purgeurs à molette qui ne nécessitent aucun outil.

LES CHAUDIÈRES À AIR PULSÉ

L'entretien courant des générateurs à air chaud se résume pratiquement au nettoyage régulier des filtres à air. En effet, si ceux-ci venaient à s'encrasser, l'admission d'air dans l'appareil serait réduite, d'où une perte d'efficacité sensible. Un dépoussiérage mensuel des filtres (à l'aspirateur, par exemple) en période de fonctionnement est une bonne moyenne.

LES CONDUITS DE FUMÉE

Un ramonage annuel des conduits de fumée est obligatoire. Mais un seul ramonage n'est pas toujours suffisant pour assurer un fonctionnement parfait du système de chauffage tout au long de l'année. Le particulier peut parfaitement envisager de réaliser lui-même les ramonages intermédiaires (une fois par trimestre en période d'utilisation), au moyen d'un kit vendu dans les magasins de bricolage.

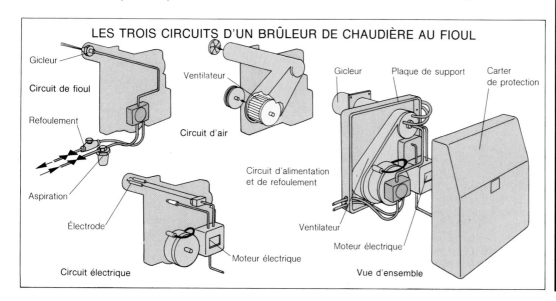

LES TROIS CIRCUITS D'UN BRÛLEUR DE CHAUDIÈRE AU FIOUL

Gicleur
Circuit de fioul
Refoulement
Aspiration
Électrode
Circuit électrique
Moteur électrique

Ventilateur
Circuit d'air

Gicleur — Plaque de support — Carter de protection
Circuit d'alimentation et de refoulement
Ventilateur
Moteur électrique
Vue d'ensemble

Chauffage modulaire et chauffage d'appoint

Par rapport au chauffage central, le chauffage indépendant présente de nombreux avantages. Quelle que soit l'énergie employée, il permet de régler avec précision la température dans chaque pièce. De plus, il ne nécessite que peu de travaux et réduit donc considérablement les frais. Enfin, les appareils diffusent directement leur chaleur dans le local, évitant ainsi les déperditions dues au passage dans les tuyauteries.

Les appareils de chauffage d'appoint apportent également une réponse à bon nombre de problèmes courants. Ils permettent de retarder la mise en route de la chaudière principale en intersaison et font gagner quelques précieux degrés dans les pièces les plus fréquentées (la salle de bains, par exemple). Ils peuvent également éviter l'installation de systèmes complexes dans les pièces non raccordées au circuit de chauffage ou utilisées à titre exceptionnel (atelier, lingerie, chambre d'amis...). D'autant que leur mobilité permet de les déplacer d'un local à l'autre en fonction des besoins.

Autre avantage du chauffage d'appoint, il permet d'augmenter à volonté la température d'une pièce sans que le thermostat principal de la chaudière soit utilisé. La chaleur est constante dans le reste de l'habitation.

Sèche-serviettes avec boîtier pilote.

LE CHAUFFAGE ÉLECTRIQUE

Convecteurs, panneaux radiants, radiateurs à eau ou à bain d'huile, radiateurs soufflants, trames chauffantes, appareils à accumulation, pompes à chaleur, etc., les systèmes électriques sont nombreux et peuvent être utilisés en chauffage principal ou en appoint selon les modèles.

CHOIX, POSE ET ENTRETIEN D'UN CONVECTEUR ÉLECTRIQUE

Le choix d'un convecteur électrique repose sur deux paramètres principaux : la taille du local à chauffer et la qualité de son isolation.

En prenant pour exemple une pièce moyennement isolée, on considère qu'un appareil de 1 000 W suffit pour un volume de 30 à 40 m³, 2 000 W pour 60 à 70 m³, et 3 000 W pour une pièce de 100 m³. La puissance d'un appareil peut être sensiblement réduite si le local est très bien isolé.

Pour une salle de bains, l'utilisation d'un appareil normalisé NF, protégé contre les chutes d'eau verticales et contre les chocs électriques (classe II) — symbolisé par deux dessins, un double carré (▣) et une goutte d'eau dans un triangle (△) — est obligatoire. Afin de pouvoir disposer d'une montée en température rapide, il est bon d'opter pour un convecteur soufflant. La turbine permettra, au moment de l'utilisation de la salle de bains, d'élever en quelques minutes la température de la pièce des quelques degrés nécessaires au confort.

Le convecteur sera de préférence placé à 15 cm du sol au minimum (pour faciliter le passage de l'air et permettre le nettoyage), sous une fenêtre (attention aux rideaux), ou sur le mur de façade s'il ne comporte pas d'ouverture.

Dans une salle de bains, l'appareil devra être posé à plus de 1 m de la baignoire.

LA POSE

Un convecteur se fixe grâce à des profilés métalliques vendus avec l'appareil. Ceux-ci, après une prise de niveau soignée, sont

maintenus simplement au mur par des vis et des chevilles. Nombre de fabricants fournissent leurs productions avec un gabarit de perçage (généralement dessiné sur l'emballage de l'appareil), qui facilite nettement le repérage des trous. Lorsque les cornières sont solidement fixées, il suffit alors d'y poser le convecteur, qui est maintenu par son propre poids ou par une glissière.

Le branchement électrique

Un convecteur mural ne doit pas être alimenté par un raccord « volant ». Le fil d'arrivée doit être encastré dans la maçonnerie ou courir sous une plinthe normalisée, jusqu'à un boîtier de raccordement conçu pour cet usage et équipé d'un capot passe-fil. Le

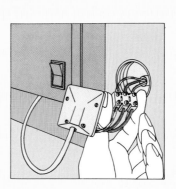

branchement doit comporter trois fils (dont un fil de terre), d'une section suffisante pour résister à la puissance de l'appareil (2,5 mm² en général).

Le branchement du convecteur s'effectuera dans le boîtier au moyen d'un domino isolé, en respectant bien sûr la polarité — repérable grâce aux couleurs (rouge, bleu et bicolore vert et jaune) — des conducteurs.

ATTENTION !
Par mesure de précaution, avant de débuter les branchements, il est impératif de couper l'alimentation électrique au compteur.

L'ENTRETIEN

Un convecteur électrique doit être nettoyé régulièrement, afin d'éviter que la poussière ne réduise son rendement et ne risque de causer des incendies.

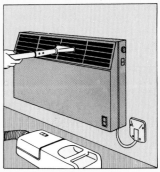

Pour cela, l'aspirateur est parfaitement adapté, d'autant plus que certains appareils sont en partie démontables. Le dépoussiérage ne s'effectuera que sur un convecteur éteint.

Les radiateurs soufflants

Généralement destinés à l'appoint, ces appareils, grâce à une turbine ou à une hélice qui brasse un important volume d'air, apportent une montée en température extrêmement rapide. Mais ils sont souvent gros consommateurs d'énergie, ce qui limite leur usage à des durées réduites. Peu onéreux (dans les grandes surfaces et magasins de bricolage), ils sont aussi légers et suivent aisément l'utilisateur partout où un besoin immédiat de chaleur se fait sentir.

Les radiants (à tubes quartz ou en panneaux)

De même que les radiateurs soufflants, dont ils partagent les avantages et les inconvénients, ces appareils dispensent une agréable chaleur très rapidement. Seule dif-férence notable, au lieu de chauffer l'air ambiant ils diffusent dans la pièce un rayonnement calorifique qui chauffe les corps solides (meubles, murs, personnes...). L'air reste frais, mais le bien-être est exceptionnel.

Les convecteurs et radiateurs à bain d'huile

Beaucoup plus longs à chauffer un volume (bien que certains soient équipés d'une turbine accélérant le processus), ces appareils, dotés de systèmes de régulation précis, peuvent être utilisés en chauffage principal ou en appoint longue durée. Souvent « gourmands » (moins toutefois que les appareils précédents), ils présentent cependant l'avantage de ne nécessiter aucune installation lourde, à l'exception d'une ligne électrique de puissance suffisante. De plus, les thermostats sont équipés d'une position hors gel qui permet de les laisser branchés en permanence, même en cas d'absence prolongée.

MESURE DE SÉCURITÉ
La plupart des convecteurs sont aujourd'hui dotés d'un disjoncteur thermique qui coupe le circuit si la chaleur vient à s'élever de façon trop importante, en cas de chute ou d'obstruction de la grille de sortie d'air. Néanmoins il ne faut jamais recouvrir un convecteur, en y faisant sécher du linge par exemple, ou en laissant retomber des rideaux trop longs, ni y déposer des objets décoratifs.

Chauffage modulaire et chauffage d'appoint (suite)

PRINCIPE DE FONCTIONNEMENT D'UN CONVECTEUR

Le principe de fonctionnement consiste à chauffer l'air au contact des éléments chauffants (résistances boudinées, blindées ou tissées); l'air chaud se met en circulation, c'est la convection naturelle. Le convecteur est conçu pour favoriser le mouvement ascensionnel de l'air et sa bonne répartition dans l'atmosphère de la pièce à chauffer.

Le convecteur est composé d'un caisson, métallique ou non, comportant :

— un ou plusieurs orifices, situés à la base, de manière à laisser pénétrer l'air froid provenant du local ;

— une ou plusieurs ouvertures, aménagées sur la partie supérieure, pour assurer la sortie de l'air chaud, à une température inférieure à 120 °C et orientées de telle manière que le flux d'air chaud se répartisse d'une façon homogène dans l'atmosphère de la pièce, afin que la différence de température «tête-pieds» ne dépasse pas 2 °C ;

— une ou plusieurs résistances intérieures chauffent l'air qui circule dans la carcasse de l'appareil, dont les parois ne doivent pas dépasser une température de 90 °C ; elle se situe, en fait, entre 40 et 70 °C.

Les puissances de chauffage des convecteurs s'étendent de 500 à 3 000 W, avec toutes les valeurs intermédiaires, par fraction de 250 W.

Schéma de principe d'un convecteur

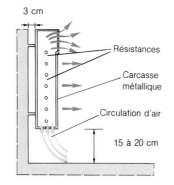

3 cm

Résistances

Carcasse métallique

Circulation d'air

15 à 20 cm

Les radiateurs électriques à eau

Proches des modèles de chauffage central, les radiateurs électriques, conçus en particulier pour les salles de bains, trouvent surtout leur utilité en intersaison, lorsque la chaudière n'a pas encore été remise en service. Certains modèles mixtes peuvent également être raccordés au circuit principal de l'habitation et chauffer indépendamment ou sous l'action de la chaudière centrale. Ils fonctionnent grâce à une résistance électrique qui chauffe l'eau contenue dans les tubulures.

Les trames chauffantes

Constituées par un circuit électrique, les trames chauffantes (revêtements muraux, moquettes chauffantes, plafonds chauffants) sont incorporées à un support de faible épaisseur. Réparti sur une grande surface, ce circuit s'échauffe quand il est traversé par un courant et émet de la chaleur par rayonnement à basse température (25 à 30 °C).

Ces trames dégagent une chaleur agréable et qui est parfaitement répartie, en occupant un minimum de place.

LA RÉGULATION

Elle veille à maintenir constantes, en permanence, les températures que vous lui avez fixées, assurant ainsi votre confort thermique. Le rôle du thermostat est de mesurer la température d'une pièce.

Si la température dépasse la valeur désirée, le thermostat coupe l'alimentation électrique de l'appa-

reil de chauffage. Si, au contraire, la température descend au-dessous de cette valeur, le thermostat remet l'appareil de chauffage en fonctionnement. Il existe actuellement sur le marché de la régulation deux types de thermostats : les thermostats électromécaniques et les thermostats électroniques.

Les thermostats électromécaniques

Certains sont constitués par un bulbe rempli d'un gaz dont la pression augmente quand il s'échauffe. Les variations provoquent un basculement du contact pour mettre sous tension ou couper l'alimentation électrique d'une résistance.

Ce dispositif maintient à 2 °C près la température choisie.

Plus récemment sont apparus les thermostats à tension de vapeur. Leur principe de fonctionnement est proche des précédents, le bulbe est remplacé par un capillaire, mais leur sensibilité est plus importante.

Les thermostats électroniques

Les thermostats électroniques ou modulants permettent une régulation particulièrement fine. Ils suivent la température au dixième de degré près.

L'emplacement du thermostat

La plupart du temps, pour les convecteurs électriques, le thermostat est incorporé à l'appareil et le bouton de commande se trouve sur celui-ci.

En règle générale, les appareils à thermostat incorporé ne doivent pas être placés dans des endroits où une source de chaleur ponc-

tuelle risque de fausser le fonctionnement de la régulation. Quand, exceptionnellement, le thermostat n'est pas incorporé à l'appareil de chauffage, son emplacement doit être déterminé avec soin, de manière qu'il ne prenne en considération que la température de l'air ambiant. Ainsi il ne devra pas être placé au-dessus d'un convecteur, sous un aérateur, dans un endroit influencé par les rayons du soleil, au-dessus d'un appareil d'éclairage, sur un mur extérieur, sur un mur de cuisine (derrière le four)... et sera fixé à une hauteur de 1,20 m.

LA PROGRAMMATION

La programmation, c'est la commande automatique d'un thermostat. Elle permet de modifier la consigne donnée sans intervenir sur le bouton de réglage. La programmation électronique est simple. Elle peut être centralisée. Les ordres du programmateur sont alors envoyés à la régulation de chaque appareil, dans chaque pièce.

Elle peut être décentralisée. C'est-à-dire que les instructions du programmateur sont enregistrées au niveau de chaque convecteur.

Les systèmes de programmation utilisés peuvent être journaliers ou hebdomadaires.

LE CHAUFFAGE AU GAZ MODULABLE

Le principe consiste à équiper chaque pièce de l'habitation d'un

---

APPORTS OCCASIONNELS DE CHALEUR

Par une belle journée d'hiver, une fenêtre de 4 m², bien exposée, fournit autant de chaleur qu'un convecteur de 2 kW. Le thermostat coupe alors automatiquement le courant aussi longtemps que le soleil brille. Les lampes d'éclairage, les appareils ménagers et la présence d'une ou de plusieurs personnes occasionnent également des apports de chaleur qui sont loin d'être négligeables.

La chaleur dégagée par les lampes correspond à leur puissance en watts, un téléviseur émet quelque 50 W, un réfrigérateur 100 W. Quant à vos proches et à vos invités, ils correspondent chacun à une émission de 100 W. Toutes ces puissances additionnelles provoqueraient une élévation de la température si le thermostat n'intervenait pour la maintenir constante en coupant, en conséquence, l'alimentation des appareils de chauffage.

Coupe d'un radiateur gaz

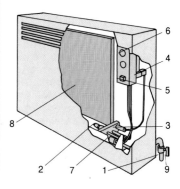

1. Arrivée du gaz
2. Brûleur
3. Allumage électrique (bougie)
4. Céramique de l'allumage piézo-électrique
5. Bouton-poussoir
6. Thermostat
7. Thermocouple
8. Corps de chauffe ou échangeur
9. Robinet à gaz facultatif

radiateur indépendant à gaz, procédé déjà bien connu des citadins mais que les matériels actuels ont encore affiné. Chaque appareil peut être alimenté directement par une canalisation de très faible section, aisément dissimulable sous une plinthe. Contrairement au butane, le gaz de réseau produit des vapeurs nocives qu'il convient d'évacuer à l'extérieur. Pour ce faire, on emploie généralement un orifice dans la paroi (celle donnant à l'air libre), dans lequel est scellée une ventouse servant simultanément à l'évacuation des gaz brûlés et à l'alimentation en oxygène nécessaire à la combustion. Le rendement des radiateurs est élevé (80 à 92 %), et un thermostat incorporé permet des réglages très précis. En fonction de l'occupation des pièces, la température peut être modulée pour réaliser des économies d'énergie importantes (25 % et plus).

LE CHAUFFAGE MOBILE AU BUTANE-PROPANE

Ces appareils totalement autonomes renferment dans leur habillage leur propre source de combustible. Volumineux et d'une esthétique discutable, ils représentent pourtant une bonne solution d'appoint en raison de leur efficacité et de leurs maigres exigences. Leur entretien est nul, et ils n'imposent aucune canalisation pour les résidus de combustion. On distingue les radiateurs à catalyse (basse température sans flamme), et les radiateurs à flamme (à rampe, à infrarouge ou à infralyse). Un contrôleur d'atmosphère équipe certains modèles qui, en coupant l'arrivée de gaz si la teneur en CO_2 vient à dépasser 1 %, les rend parfaitement aptes à l'utilisation en habitation.

LE CHAUFFAGE AU FIOUL

Il est difficile de parler d'appoint en matière de chauffage au fioul. En effet, les appareils méritant cette appellation sont généralement des équipements légers, aisément déplaçables, et ne nécessitant pas l'installation d'un conduit de fumée. Ces caractéristiques ne peuvent bien entendu, en aucun cas, s'appliquer aux poêles à mazout, que nous qualifierons plutôt d'appareils de chauffage indépendant, qu'ils soient employés en chauffage principal ou en chauffage intermittent.

Les poêles à mazout s'apparentent techniquement de plus en plus à des mini-chaudières. En effet, le système du goutte-à-goutte et du pot à feu disparaît pour céder la place à des brûleurs, plus

tion naturelle, dans lesquels l'air ambiant s'échauffe, et les poêles à rayonnement et convection ne comportant pas d'enveloppe.

LE CHAUFFAGE AU BOIS

Les poêles à bois

Rustiques ou modernes, ces appareils existent dans une gamme étendue permettant à chacun de choisir le modèle correspondant à ses goûts ou au décor de son logement. Certains poêles sont à feu obscur, d'autres à flamme visible, et la mode des grandes portes tend à leur donner des allures de cheminées.

On distingue deux principes de fonctionnement :

— *les poêles à combustion « à travers la masse »,* qui montent rapidement en température. Ces poêles conviennent principalement pour

Les foyers fermés et les inserts

Pour améliorer sensiblement la capacité des cheminées, divers types de matériels ont été conçus. Conviviale et fascinante, la cheminée à feu ouvert procure plus de plaisir que de chaleur. Les fabricants ont donc imaginé d'enfermer le feu dans des poêles en fonte ou en acier, et de les adapter aux cheminées sous forme de foyers fermés ou d'inserts, qui les transforment en véritables systèmes de chauffage.

Les inserts, ensembles monoblocs constitués d'un foyer fermé placé dans un caisson métallique, aisément encastrables, s'installent dans l'âtre de la cheminée sans qu'il soit nécessaire de la démonter. L'air de la pièce est admis dans l'appareil par des bouches d'entrée, circule entre les parois extérieures du foyer et les parois

Mise en place de la façade escamotable par le dessus.

intérieures du caisson, s'y réchauffe, et est rejeté dans le local par des buses en façade. La circulation peut être accélérée par une turbine.

Les foyers fermés sont livrés en pièces détachées et s'assemblent de préférence avant le montage de la cheminée décorative. Volumineux, ils sont difficilement démontables, mais sont plus efficaces que les modèles cités plus haut, même

---

POÊLE À COMBUSTIBLES SOLIDES

à travers la masse, à tirage direct

- Enveloppe en tôle ou en fonte
- Matériau réfractaire
- Porte du foyer
- Cendrier
- Admission de l'air
- Déflecteur de fumées
- Réserve de braise
- Braise
- Grille

en couche mince, à tirage renversé

- Déflecteur de fumées
- Réserve de braise
- Braise
- Grille
- Admission de l'air
- Charge de combustible (charbon)
- Plaque de protection
- Corbeille
- Cendrier

SCHÉMA DE FONCTIONNEMENT D'UN INSERT

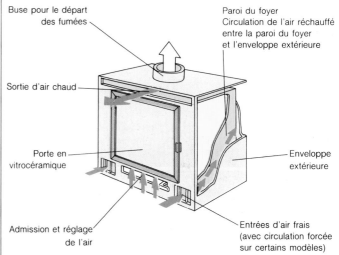

- Buse pour le départ des fumées
- Sortie d'air chaud
- Porte en vitrocéramique
- Admission et réglage de l'air
- Paroi du foyer
- Circulation de l'air réchauffé entre la paroi du foyer et l'enveloppe extérieure
- Enveloppe extérieure
- Entrées d'air frais (avec circulation forcée sur certains modèles)

SCHÉMA DE FONCTIONNEMENT D'UN FOYER FERMÉ

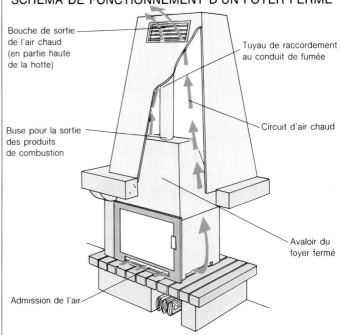

- Bouche de sortie de l'air chaud (en partie haute de la hotte)
- Buse pour la sortie des produits de combustion
- Admission de l'air
- Tuyau de raccordement au conduit de fumée
- Circuit d'air chaud
- Avaloir du foyer fermé

---

efficaces, plus économiques, et modulables avec plus de précision. De plus, les poêles peuvent aujourd'hui recevoir un système d'alimentation permanente raccordé par des tubes de très faible diamètre (pouvant être dissimulés sous une plinthe) à une cuve de grande capacité. Cela pour supprimer la corvée du remplissage quotidien (sinon plus fréquent) et les nuisances dues aux odeurs. Les brûleurs peuvent également être équipés d'un allumage électronique relié à un thermostat d'ambiance, qui renforce encore la finesse de régulation et participe largement aux économies d'énergie. On reconnaît deux types de poêles à mazout : les modèles à convec-

les besoins d'intensité variable ;

— *les poêles à combustion en « couche mince »,* qui, grâce à leur régularité, sont en mesure de maintenir une intensité uniforme.

Des perfectionnements techniques ont grandement amélioré les poêles de nos aïeux : l'étanchéité des foyers a évolué, les portes et le volume intérieur ont augmenté en taille et en contenance (permettant aux appareils de recevoir des bûches de 50 cm), des régulateurs d'allure ont été mis au point qui maintiennent constante la chaleur dégagée grâce à un thermostat, etc. Si le poêle est destiné à devenir un mode de chauffage permanent, mieux vaut opter pour un modèle à feu continu.

Chauffage modulaire et chauffage d'appoint (suite)

s'ils sont peu aptes à la réhabilitation des cheminées anciennes. Ils imposent des travaux relativement importants. Le principe de chauffage est voisin de celui des inserts : l'air frais, collecté dans la pièce ou à l'extérieur, s'échauffe au contact du corps de l'appareil. Puis il circule entre celui-ci et un caisson métallique ou l'habillage maçonné, il ressort ensuite en partie haute de la hotte par des bouches d'air ou par des gaines qui le dirigent vers d'autres pièces.

Rendement et puissance
Le rendement des inserts et foyers se situe entre 40 et 70 % selon les modèles, alors qu'une cheminée à feu ouvert n'a qu'un rendement d'environ 15 %. La puissance des appareils est une indication du volume qu'ils sont susceptibles de chauffer. Elle est exprimée en kW ou en kcal/H (1 kW = 860 kilocalories). Mais l'acheteur doit être attentif à ce que signifient le rendement et la puissance annoncés.

Les marques dignes de confiance annoncent la puissance nominale (ou en « allure normale ») et le rendement en « allure normale ».

Les récupérateurs
Lorsqu'il est impossible de poser dans la cheminée un insert ou un foyer, une troisième solution consiste à y installer un récupérateur de chaleur qui ne change en rien son aspect initial. Les plus simples à installer sont les récupérateurs à air. Ils sont souvent constitués d'une plaque décorative dissimulant un espace de circulation d'air. Le métal de la plaque du fond transmet la chaleur à l'air, qui est rejeté dans la pièce par des gaines situées sur la hotte ou par un orifice au bas de l'appareil. Moins efficaces que les systèmes fermés, les récupérateurs présentent toutefois l'avantage d'être moins coûteux et de n'imposer que des travaux minimes. Le confort est tout de même appréciable.

RÉCUPÉRATEUR DE CHALEUR

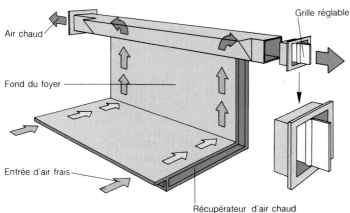

Grille réglable

Air chaud

Fond du foyer

Entrée d'air frais

Récupérateur d'air chaud

Tablette du bandeau

0,80 m

Souche

Toit

Conduit

Chambre de fumées ou avaloir

Tablette antirefoulement

Hotte

Gorge

60°

Grille réglable

Contrecœur — 15°

Cœur

Foyer

Arrivée d'air

Récupérateur d'air chaud

L'énergie solaire

L'énergie solaire est soit passive (orientation, serre), soit active (photopiles, réflecteurs, capteurs plans), et ses applications sont nombreuses : production d'électricité, climatisation, chauffage... Néanmoins, dans l'habitat, grâce aux capteurs, les utilisations les plus courantes sont le chauffage de l'eau et le chauffage d'ambiance.

LES CAPTEURS

Un premier modèle est le capteur à concentration, qui focalise le rayonnement solaire direct sur une petite surface comme le ferait une loupe.
Le capteur plan, lui, est formé d'un absorbeur, peint de couleur sombre afin de mieux absorber le rayonnement solaire, parcouru par un liquide auquel il transmet sa chaleur. Un isolant thermique est disposé sur les côtés et sur la face arrière pour empêcher les déperditions calorifiques, et la face avant est constituée d'une couverture

transparente (verre, plastique). L'ensemble de ce dispositif est maintenu par un coffre de protection.
Certains modèles utilisent de l'air au lieu d'eau, ce qui les rend moins onéreux et insensibles au gel, d'autres sont équipés de doubles vitrages qui permettent des températures plus élevées.

L'eau chaude sanitaire
Un chauffe-eau solaire fonctionne en circuit ouvert : l'eau est en permanence remplacée par de l'eau froide à réchauffer. Le rendement de cette utilisation est meilleur que pour le chauffage d'ambiance. L'installation peut s'intégrer assez aisément à la construction. Mais il faut la compléter par une énergie d'appoint.

Le chauffage d'ambiance
Il permet de couvrir entre 40 et 60 % des besoins selon les régions, et de réaliser une économie d'énergie classique assez sensible ; en

revanche, il demande une surface de captation importante. Ce type de chauffage exige un appoint pour pallier les périodes de faible ensoleillement, et donc un double système de régulation qui permet de

faire fonctionner le chauffage solaire en priorité par rapport à la chaudière d'appoint (fioul, gaz, charbon, électricité). Le coût de l'installation est élevé, mais variable.

PRINCIPE D'UN CAPTEUR PLAN

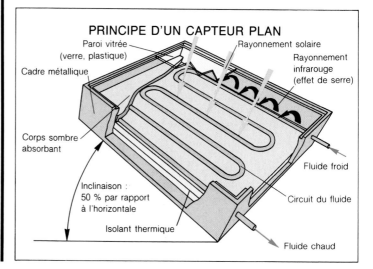

Paroi vitrée (verre, plastique)

Cadre métallique

Corps sombre absorbant

Inclinaison : 50 % par rapport à l'horizontale

Isolant thermique

Rayonnement solaire

Rayonnement infrarouge (effet de serre)

Fluide froid

Circuit du fluide

Fluide chaud

DEUXIÈME PARTIE : TECHNIQUES, OUTILS ET MATÉRIAUX

ÉLECTRICITÉ

L'alimentation électrique de la maison individuelle

L'alimentation électrique d'une maison individuelle (en général une puissance de 12 kVA en monophasé), qui n'est pas implantée en limite de propriété par rapport à la voie publique, est réalisée avec un branchement individuel constitué par :
— le système de dérivation ou de raccordement au réseau de distribution publique ;
— le coffret de coupe-circuit ;
— le compteur ;
— le relais récepteur de télécommande ou l'horloge (éventuellement) ;
— le disjoncteur de branchement ;
— les canalisations électriques de liaison entre les différents matériels.

Trois types de branchement individuel sont admis (ci-dessous) :
— aérien,
— aéro-souterrain,
— souterrain.

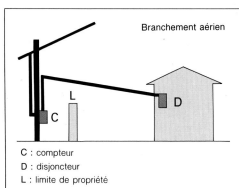

Branchement aérien

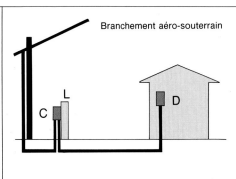

Branchement aéro-souterrain

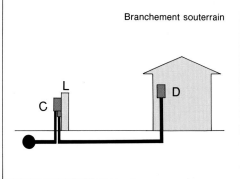

Branchement souterrain

C : compteur
D : disjoncteur
L : limite de propriété

PANNEAU ET COFFRET DE COMPTAGE

Leur emplacement est défini par la norme NCF 14-100. Ce coffret doit être accessible aux agents du distributeur sans que ceux-ci aient à franchir une clôture : lorsque le coffret est situé en domaine privé, il doit être placé à la limite de la voie publique et accessible à partir de celle-ci.

Le coffret peut également être encastré dans une façade de la construction, même si cette façade se trouve en terrain privé, sous réserve que l'accès soit garanti en permanence aux agents du distributeur. Le panneau de comptage et son coffret peuvent avantageusement être remplacés par un ensemble de comptage du type extérieur. Dans ce cas, l'accès direct à cet ensemble n'est pas indispensable en permanence, à condition que des dispositions soient prises pour rendre possibles l'identification du compteur et le relevé des index, sans qu'il soit nécessaire de franchir une clôture.

Lorsque le coffret est situé dans le domaine public, il doit être disposé de façon à éviter toute gêne à la circulation.

DISJONCTEUR DE BRANCHEMENT

Aux termes de la norme NFC 14-100, l'emplacement du disjoncteur de branchement est, entre autres, défini comme suit (article 9.5.8) :

« ...L'appareil général de commande et de protection doit être placé à l'intérieur d'un local privatif... »

Coffret à l'extérieur
Dans certains cas particuliers, après accord entre les parties, ce local privatif peut être constitué par un coffret spécialement affecté à cet usage et placé à l'extérieur sur terrain privé.
● De tels cas se rencontrent par exemple dans des propriétés encloses de grande étendue.
● L'installation du disjoncteur de branchement sur la voie publique n'est pas admise.
● La livraison de l'énergie électrique par le distributeur s'effectuant aux bornes aval du disjoncteur, l'installation électrique intérieure de l'usager a pour origine les bornes de sortie de cet appareil. Celles-ci doivent être à la disposition de l'usager pour le raccordement de son installation électrique intérieure.
● Le disjoncteur de branchement comporte ou non une fonction différentielle 500 mA suivant les caractéristiques du branchement et la puissance souscrite auprès du distributeur d'énergie électrique.

Disjoncteur différentiel :
— bipolaire 15 à 45 A ;
— bipolaire 60 A ;
— bipolaire 60 à 90 A ;
— tétrapolaire 10 à 30 A.

Disjoncteur non différentiel :
— tétrapolaire 30 à 60 A ;
— autres calibres sur demande de l'usager.

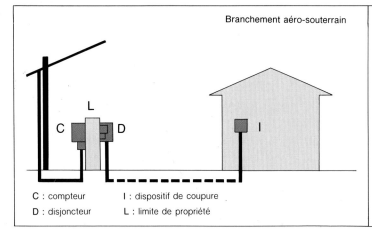

Branchement aéro-souterrain

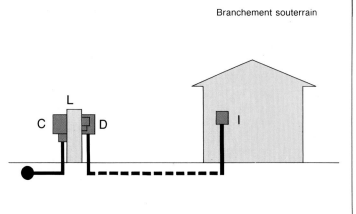

Branchement souterrain

C : compteur
D : disjoncteur
I : dispositif de coupure
L : limite de propriété

SÉCURITÉ DES PERSONNES

La sécurité des personnes et des biens contre les risques d'origine électrique est assurée par deux équipements indissociables :
— un dispositif différentiel,
— une prise de terre.

La valeur maximale de la résistance de prise de terre doit être coordonnée avec le courant nominal différentiel (voir le tableau ci-contre). Si le disjoncteur de branchement ne possède pas la fonction différentielle, vous devrez faire installer un ou plusieurs dispositifs différentiels (disjoncteur ou interrupteur, voir p. 356) en aval du disjoncteur de branchement.

Les courants nominaux différentiels de ces dispositifs doivent être choisis en fonction des caractéristiques de la prise de terre.

Courant de fonctionnement du dispositif différentiel (sensibilité)	Valeur maximale de la résistance de la prise de terre
650 mA	38 ohms
500 mA	50 ohms
300 mA	83 ohms
30 mA	830 ohms

Que faire en cas d'urgence

ÉLECTROCUTION

AVERTISSEMENT. Si l'un de vos proches est victime d'une électrocution, il est essentiel d'agir vite. Mais la première règle à observer pour ne pas rendre l'accident plus grave encore, c'est d'éviter tout contact direct avec la personne accidentée. En effet, le corps humain est conducteur : toucher une personne en contact avec l'électricité revient à mettre soi-même les doigts dans la prise.

1 Le disjoncteur général est facilement accessible.

Coupez immédiatement le courant en actionnant le levier ou bouton de commande du disjoncteur général situé près du compteur.

2 Vous ne savez pas où se trouve le disjoncteur et ne pouvez pas couper le courant.

Prenez la précaution de vous tenir sur un sol sec (parquet ou tapis si vous êtes dans la maison, caisse en bois ou paillasson à l'extérieur) et essayez de dégager la victime de la source de courant sans la toucher, en vous aidant pour la pousser ou la tirer d'une chaise en bois, d'un bâton, d'une corde bien sèche, de tissu ou de collants.

3 L'accidenté a perdu connaissance, présente des brûlures ou se sent mal.

Même s'il a rapidement repris conscience, appelez immédiatement les pompiers (le 18) ou le Samu. Prenez soin de noter, à proximité du téléphone, les numéros à appeler en cas d'urgence (hôpital, médecin...).

INCENDIE D'UN APPAREIL ÉLECTRIQUE

1 Ne touchez pas à l'appareil ou au fil enflammés.

2 S'il s'agit d'un appareil à prise, débranchez-le après avoir, si possible, coupé le courant avec l'interrupteur correspondant.

3 S'il s'agit d'un appareil fixe, raccordé directement, sans prise amovible, appuyez sur l'interrupteur mural, s'il existe. Sinon, coupez le courant au disjoncteur général.

4 Pour éteindre le feu, n'utilisez jamais d'eau. Étouffez les flammes à l'aide d'une couverture ou d'un tapis, ou utilisez un extincteur à poudre sèche.

ÉTINCELLES OU ODEUR DE BRÛLÉ

1 Un appareil électrique produit des étincelles ou dégage une odeur de brûlé.

Débranchez la prise ou coupez le courant au disjoncteur général. Vérifiez le raccordement du fil dans l'appareil et changez-le s'il présente la moindre défectuosité. Si vous ne constatez rien d'anormal, faites néanmoins vérifier l'appareil par un professionnel.

2 Des étincelles ou une odeur de brûlé proviennent d'un interrupteur ou d'une prise.

Coupez le courant au disjoncteur général avant de les toucher. Si le boîtier dégage de la chaleur, démontez-le pour examiner tous les raccordements et vérifier que les fils ne sont pas endommagés. Sinon, remplacez-les (voir p. 366). Assurez-vous également que le câble d'alimentation n'a pas été détérioré par la chaleur.

PANNE DE COURANT

1 Toutes les lumières s'éteignent d'un seul coup.

Commencez par vérifier s'il y a du courant chez vos voisins. Si la panne est générale, signalez-la à votre agence E.D.F.

2 Si la panne ne concerne que votre installation, vérifiez la position du bouton du disjoncteur général, qui est certainement sur « arrêt ».

Cela peut être dû :
— à une surcharge (trop d'appareils ou des appareils de forte puissance fonctionnant simultanément) ;
— à un court-circuit entre deux fils ;
— à un défaut d'isolement d'un appareil électroménager si vous avez un disjoncteur différentiel. (Voir p. 356.)

PETITES PANNES

1 Un appareil ne fonctionne plus.

Commencez par vérifier que cela ne vient pas de la prise en le branchant sur une autre. S'il ne se remet pas en marche, vérifiez les fusibles. En dernier ressort, examinez le cordon d'alimentation et sa prise et changez-les si nécessaire.

Sécurité : les règles de base

L'électricité est source de dangers si elle est mal employée. Toute personne qui touche un élément métallique dans lequel passe du courant reçoit une décharge. Celle-ci peut être mortelle si l'accident se produit dans un local humide (salle d'eau, cuisine) ou si le sol est conducteur d'électricité (carrelage, ciment, terre par exemple). Pour votre sécurité et celle de votre entourage, ne négligez pas les conseils suivants.

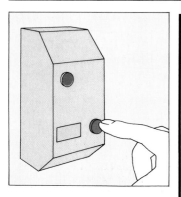

● Coupez le courant au disjoncteur général avant toute intervention sur votre installation électrique. C'est la seule façon d'être sûr que le courant ne passe plus.
● Ne déplombez jamais le disjoncteur et ne touchez pas aux fils d'arrivée.

● N'utilisez aucun appareil électrique, pas même un téléphone, les mains mouillées et les pieds dans l'eau. L'eau est conductrice. Vous risquez l'électrocution. Ne placez jamais de radiateur ou de séchoir branché sur le rebord de la baignoire ou à proximité immédiate : ils risquent de tomber dans l'eau et de provoquer un accident mortel.

● Ne tirez pas sur le fil pour débrancher un appareil. Vous risquez d'endommager le cordon ou son raccordement avec la fiche et de provoquer un mauvais contact, source d'échauffement et cause éventuelle d'incendie.

● Débranchez toujours vos appareils avant de les nettoyer. Surtout si vous utilisez pour cela une éponge ou un chiffon humide.

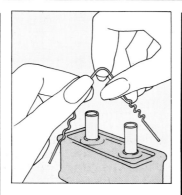

● Ne remplacez pas un fusible fondu par un fusible plus gros, un trombone, une épingle à cheveux. La section du fusible correspond au diamètre des fils à protéger : s'il ne fond pas, les fils d'alimentation ou la prise s'échauffent exagérément. Ce qui peut entraîner un court-circuit ou un incendie (voir les coupe-circuit, p. 354-355).

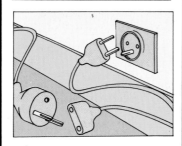

● Évitez les prolongateurs. Les prolongateurs peuvent être source d'accidents quand les broches sont mal enfoncées, quand le fil est trop faible pour la puissance de l'appareil à alimenter, quand ils restent branchés sans qu'aucun appareil y soit relié. N'utilisez jamais de prolongateur muni de deux prises mâles (voir p. 368) et veillez à ce

qu'il comporte un conducteur de terre pour tous les appareils devant y être raccordés.

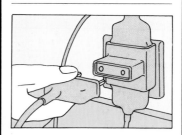

● Attention aux prises multiples ! Surchargées, elles s'échauffent et peuvent provoquer un incendie.
● Pas de douilles métalliques dans les locaux humides. Équipez systématiquement toutes les lampes de la cuisine, de la salle de bains, de la buanderie, de douilles

en plastique : c'est une sécurité essentielle en cas de changement d'ampoule.

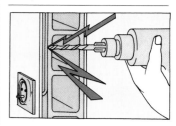

● Repérez les canalisations encastrées avant de percer mur ou plafond. En traversant un conduit électrique, vous risquez de vous électrocuter.

● Ne déplacez pas d'objets métalliques de grande longueur à proximité d'une ligne aérienne. Une échelle, une antenne, un tuyau heurtant une ligne électrique peuvent provoquer un accident mortel.

● Équipez-vous de matériel au normes. NF, NF-USE et NF-ÉLECTRICITÉ attestent que le matériel ou l'appareil est conforme aux normes de sécurité et a subi des essais et contrôles sévères (voir encadré ci-dessous).

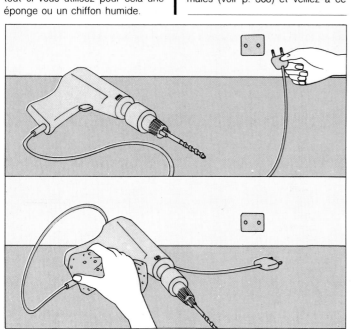

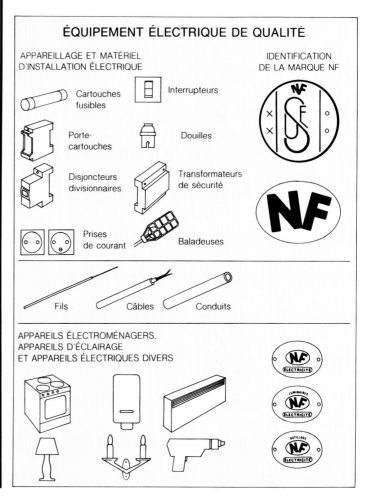

ÉQUIPEMENT ÉLECTRIQUE DE QUALITÉ

APPAREILLAGE ET MATÉRIEL D'INSTALLATION ÉLECTRIQUE

IDENTIFICATION DE LA MARQUE NF

Cartouches fusibles

Interrupteurs

Porte-cartouches

Douilles

Disjoncteurs divisionnaires

Transformateurs de sécurité

Prises de courant

Baladeuses

Fils   Câbles   Conduits

APPAREILS ÉLECTROMÉNAGERS, APPAREILS D'ÉCLAIRAGE ET APPAREILS ÉLECTRIQUES DIVERS

● Faites réviser et entretenir périodiquement votre installation par un électricien qualifié.

● Ne tolérez pas de prises de courant cassées ou démontées, d'interrupteurs défectueux, de fils volants ou apparents, de mauvais contacts.

Vérifiez le bon état des fils d'alimentation des appareils.

AMÉLIOREZ VOTRE SÉCURITÉ

Surtout si vous avez de jeunes enfants, pensez à les protéger. Ils sont trop souvent tentés de jouer avec l'électricité. Il existe, pour leur éviter l'accident, des dispositifs efficaces.

Prises de courant à éclipses

Les orifices sont normalement fermés par deux volets qui ne peuvent s'ouvrir qu'en même temps sous la poussée des deux broches d'une fiche. En introduisant un doigt ou un objet métallique dans l'un des orifices, un enfant ne parvient pas à l'ouvrir.

Appareils à double isolation de classe II

Ces appareils sont spécialement protégés et n'ont pas à être reliés à la terre. Ils ne sont pas tous étanches. Ils se reconnaissent au symbole du double carré porté sur l'appareil.

Pour l'éclairage, les appareils de classe II sont à double isolation et certains coupent automatiquement le courant lorsque l'on change la lampe. Ils sont obligatoires dans le périmètre de protection de la baignoire ou de la douche (voir p. 377) mais dans ce cas doivent être étanches aux projections d'eau (symbole △).

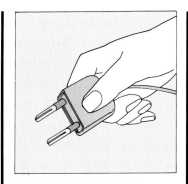

Fiches à broches protégées

Les broches sont isolées sur une partie de leur longueur et rendent impossible le contact avec les parties de broche sous tension au moment du branchement ou du débranchement de la fiche.

Prises de courant avec transformateur de séparation

En cas de défaut d'isolement, ces prises évitent tout risque de fuite de courant, mais limitent la puissance utilisable : ce sont, par exemple, les prises pour rasoir de la salle de bains (20 W).

Disjoncteur différentiel «haute sensibilité»

Il coupe au moindre incident (défaut d'isolement sur un appareil ou contact direct d'une personne avec un élément sous tension). Il est recommandé dans les locaux à risques et pour les appareils mobiles ou portatifs (tondeuse, coupe-haie...) utilisés à l'extérieur (voir p. 357).

LES CLASSES

Le matériel appartient à une classification qui garantit la protection des personnes contre les chocs électriques.

Les classes sont définies dans la norme NF C 20-030 (1) :

Matériel de classe 0 (2)

«Matériel ayant une isolation principale mais n'ayant pas en toutes ses parties une double isolation ou une isolation renforcée, et ne comportant pas de dispositions permettant de relier les parties métalliques accessibles, s'il en existe, à un conducteur de protection.»

Matériel de classe I

«Matériel ayant au moins une isolation principale en toutes ses parties et comportant l'ensemble des dispositions permettant de relier ses parties métalliques accessibles à un conducteur de protection.»

Exemples d'appareils électrodomestiques de la classe I : chauffe-eau, certains convecteurs électriques, hottes aspirantes, réfrigérateurs, appareils de cuisson, etc.

Matériel de classe II

«Matériel dont les parties accessibles sont séparées des parties actives par une isolation ne comprenant que des éléments à double isolation ou à isolation renforcée, et ne comportant pas de dispositions permettant de relier les parties métalliques accessibles, s'il en existe, à un conducteur de protection.»

Exemples d'appareils électrodomestiques de classe II :
— à double isolation : rasoirs, sèche-cheveux, appareils d'éclairage pour salle d'eau, etc. ;
— à isolation renforcée : certains convecteurs.

Matériel de classe III

«Matériel prévu pour être alimenté sous une tension ne dépassant pas les limites de la très basse tension (T.B.T. limitée à 50 V) (1) et n'ayant aucun circuit, ni interne ni externe, fonctionnant sous une tension supérieure à ces limites.»

Exemples d'appareils électrodomestiques de classe III : sonneries T.B.T., jouets électriques (train, circuit voitures, etc.).

Symboles portés sur le matériel électrique concernant la protection contre les chocs électriques	
Classes	Indications de la plaque signalétique
0 (*)	absence d'indication
I	symbole de mise à la terre ⏚
II	symbole ▣
III	valeur de la tension nominale (**)

(*) Non admis dans les établissements recevant des travailleurs, sauf si l'appareil est alimenté par un transformateur de séparation ou comporte une isolation supplémentaire.
(**) ou ◁▷ Pour les appareils d'éclairage à incandescence.

(1) Protection contre les chocs électriques. Règles de sécurité.
(2) Ce matériel, en voie de disparition, n'est pas admis dans les locaux recevant des travailleurs, en application du Code du travail.
Les nouvelles normes ont pratiquement toutes exclu les appareils de classe 0, à l'exception de celles concernant les appareils d'éclairage domestique installés à poste fixe (lustres et lampes de style).

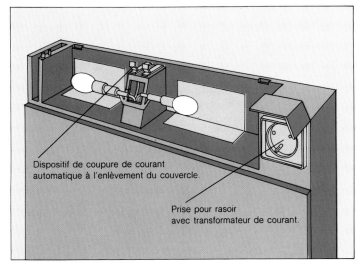

Dispositif de coupure de courant automatique à l'enlèvement du couvercle.

Prise pour rasoir avec transformateur de courant.

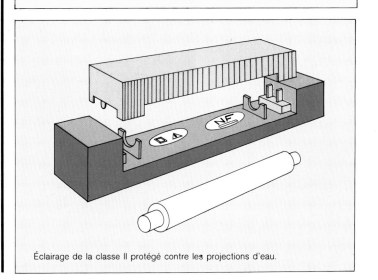

Éclairage de la classe II protégé contre les projections d'eau.

L'installation est-elle correcte ?

Pour bien fonctionner, une installation électrique doit à la fois être conforme aux normes de sécurité et adaptée aux besoins de chaque utilisateur.

INSTALLATIONS MODERNES

Dans les logements de construction récente, les règles de sécurité sont en principe respectées. Cependant, les points d'utilisation et les circuits ne sont pas toujours suffisants pour alimenter dans de bonnes conditions tous les appareils indispensables à la vie moderne. Pour ne pas avoir de problèmes de surcharge électrique, vous pouvez avoir besoin d'ajouter un circuit ou d'installer quelques prises en dérivation (voir p. 366, 368, 370).

INSTALLATIONS ANCIENNES

Dans un logement ancien, en revanche, il est indispensable de vérifier ou de faire vérifier la qualité de l'installation. Les points de

Les traces de brûlé sont dues à un mauvais contact.

repère sont simples. Les conducteurs étaient constitués d'un fil de cuivre recouvert d'une gaine de caoutchouc enrobée de textile. Avec le temps, le caoutchouc durcit et perd ses capacités isolantes et la gaine textile se dessèche et peut s'enflammer. Les conducteurs modernes, gainés de plastique très résistant, sont beaucoup plus sûrs (voir p. 365). Si vous vous trouvez

en présence de vieux fils, mieux vaut rapidement les changer.

Par ailleurs, la tension usuelle du courant est passée de 110 V à 220 V, ce qui peut être une bonne raison de monter des conducteurs neufs.

Enfin, les précédents occupants peuvent avoir rajouté des circuits électriques au fur et à mesure de leurs besoins sans toujours respecter les règles de sécurité.

Autant de raisons pour ne pas conserver une installation électrique désuète.

N'oubliez jamais que l'électricité mal employée est source de dangers : les courts-circuits sont à l'origine de nombreux incendies, et une mauvaise isolation au niveau d'une prise ou d'un appareil électrique peut provoquer une électrocution mortelle.

DES SIGNES À NE PAS NÉGLIGER

Si votre installation comporte, par exemple, des prises rondes en porcelaine ou en bakélite, elle peut dater de plus de quarante ans et mérite une vérification sérieuse.

Attention aussi aux prises neuves raccordées à des circuits anciens : si vous avez des doutes, démontez les prises et inspectez les fils d'alimentation. S'ils vous paraissent fatigués,

mieux vaut alors les remplacer.

Un tableau de contrôle réalisé de bric et de broc comprenant des coupe-circuit à fil de plomb pourra facilement être remplacé par un tableau moderne.

Vous trouverez plus loin les règles d'une bonne installation. Il n'est pas interdit de la réaliser vous-même, si vous respectez scrupuleusement (voir les pages 378 à 382).

L'arrivée du courant

Même si certains aspects varient d'un logement à l'autre, le dispositif d'arrivée du courant est toujours constitué des mêmes éléments. Il se compose d'un coffret plombé, d'un compteur et d'un disjoncteur. À proximité est installé un tableau de contrôle équipé de fusibles.

Dispositif d'arrivée de courant : compteur, disjoncteur et tableau de répartition. Il est à noter que ce dernier a été placé, dans cette installation refaite, au-dessus du compteur.

L'INSTALLATION SOUS SCELLÉS

Le courant est acheminé par un câble d'alimentation installé par le distributeur d'électricité. Toute cette portion de l'installation est

normalement inaccessible et vous ne devez pas y toucher.

LE COMPTEUR

Le compteur est l'appareil enregistreur chargé de mesurer votre consommation. Une plaque indique la nature du courant (monophase 2 fils, par exemple) ; l'unité de mesure (le kilowatt-heure), la tension du courant (220 V) sont indiquées dessus. Un ou deux cadrans situés au centre enregistrent la consommation (voir p. 361).

Les coffrets de comptage

Les coffrets de comptage, dans les immeubles modernes, sont placés dans une gaine ; et en ce qui concerne les maisons individuelles récentes, ils sont placés en limite de propriété (ce qui facilite les relevés en votre absence).

Seul le disjoncteur est à l'intérieur de la maison.

Les coffrets peuvent se monter sur socle polyester, sur socle béton ou profilés. Ils s'installent en façade et peuvent aussi se fixer sur un poteau en béton.

LE DISJONCTEUR GÉNÉRAL

Situé tout de suite après le compteur, cet appareil contrôle et commande l'installation. Si les fusibles de l'installation n'ont pas fonctionné, il coupe automatiquement l'arrivée du courant, que vous pouvez rétablir en manœuvrant son bouton de commande dès que la panne est réparée (sinon, il disjoncte à nouveau). Il se déclenche

également s'il enregistre une surcharge. L'indication de la puissance maximale que vous avez souscrite auprès du distributeur est d'ailleurs inscrite sur le disjoncteur (exemple 30 A [6kW]). S'il s'agit d'un disjoncteur «différentiel», il provoque également une coupure de courant s'il détecte une fuite d'électricité dans l'installation (voir p. 356). Toute cette partie de l'installation appartient au distributeur d'électricité : elle est sous scellés et il est interdit d'effectuer quelque branchement que ce soit en amont du disjoncteur.

La prestation de l'E.D.F. s'arrête à l'alimentation en courant et à la pose du compteur et du disjoncteur principal ; tous les circuits situés en aval sont sous votre responsabilité. Vous pouvez faire appel à un électricien (de préférence agréé par l'E.D.F., s'il s'agit d'une nouvelle installation) ou effectuer vous-même les travaux conformément aux normes françaises de l'Union technique de l'électricité.

LE TABLEAU DE FUSIBLES

Tous les circuits électriques partent en se ramifiant des bornes de sortie du disjoncteur général. À chacune de ces ramifications correspond un fusible (ou coupe-circuit) situé sur un tableau général. Chaque fusible a pour fonction de couper le courant sur un circuit particulier de la même façon que le disjoncteur général agit sur l'ensemble de l'installation. Leur calibre doit être en rapport avec la section des fils, donc la puissance utilisée sur la

ligne qu'ils contrôlent. Dans une installation correcte, il est admis de raccorder l'éclairage de plusieurs pièces ou plusieurs prises de courant à un même fusible (jusqu'à huit prises). Mais les appareils de grosse consommation doivent de préférence être alimentés chacun par un circuit spécialisé de section suffisante et raccordés à un fusible correspondant à la section.

Les coupe-circuit à broches

Dans les installations anciennes, on trouve des coupe-circuit à broches. Ils s'insèrent dans des socles situés sur le tableau. Lors d'une surcharge, le fil de plomb s'échauffe et fond : le courant ne passe plus. Il suffit de remplacer le coupe-circuit ou le fil de plomb pour rétablir le courant. Plus la section du fil utilisé est importante, plus le courant de fonctionnement du fusible est élevé.

Les coupe-circuit à broches peuvent facilement être remplacés par des modèles plus récents équipés de cartouches ou par des mini-disjoncteurs s'insérant dans les mêmes supports. Veillez à ce que leur ampérage (calibre) soit adapté à la section des fils du circuit.

Les coupe-circuit à cartouche

L'interruption du courant est assurée par des cartouches, petits cylindres en céramique. Un filament dissimulé à l'intérieur se rompt en cas de surcharge : dans ce cas, la cartouche doit être remplacée. La longueur et le diamètre des cartouches varient suivant l'intensité contrôlée, il n'est donc pas possible d'insérer par erreur une cartouche dans un logement correspondant à un ampérage différent. Celui-ci est toujours marqué sur le cylindre.

Sur les tableaux de connexion modernes, les cartouches sont placées dans des logements basculants ou coulissants.

Le seul problème avec les cartouches ordinaires, c'est qu'il n'est pas possible de distinguer celles qui ont sauté de celles qui fonctionnent. Choisissez donc plutôt un modèle doté d'un témoin rouge qui indique le bon état de marche et disparaît si le fusible a sauté.

Conservez à proximité du tableau un choix de fusibles de rechange correspondant aux différents ampérages que vous utilisez.

Prenez vos précautions. Lorsqu'un fusible saute, commencez par chercher l'origine de la panne, pour éviter d'endommager la nouvelle cartouche.

LES CARTOUCHES NF-USE

Cartouches domestiques

Les cartouches marquées NF-USE sont de dimensions normalisées et contiennent des fusibles appropriés. Elles existent pour 10 A, 20 A, 25 A et 32 A. Préférez-les à tout autre modèle.

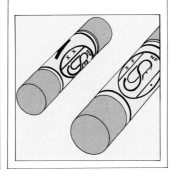

LES DISJONCTEURS DIVISIONNAIRES

Plus de fusibles à changer

Un petit disjoncteur, distinct du disjoncteur général, est placé au départ de chaque circuit d'alimentation, sur le tableau général de répartition.

Repérage du circuit défectueux

En cas d'incident, seul le disjoncteur du circuit concerné déclenche. Un simple coup d'œil au tableau permet de le repérer immédiatement : c'est celui dont le levier ou le bouton-poussoir est en position inverse des autres.

Réenclenchement instantané

Le défaut éliminé, il suffit de remettre le levier en place ou d'appuyer sur le bouton-poussoir pour réenclencher le disjoncteur. C'est simple et rapide.

Économie à l'usage

Pas de cartouche-fusible à remplacer ni à stocker.

Sécurité parfaite

Pas de risque d'échauffement dû au montage d'un fusible plus fort que le calibre adapté au circuit.

Les disjoncteurs divisionnaires

Courant nominal maximal	15 A	20 A	32 A	38 A
Section du conducteur à protéger	1,5 mm²	2,5 mm²	4 mm²	6 mm²

COMMENT ARRIVE LE COURANT

L'alimentation en courant électrique des locaux domestiques est assurée par l'Électricité de France à partir de son réseau de basse tension. On distingue principalement deux types de basse tension : le réseau de 220-380 V, et l'ancien réseau de 127-220 V.

Le réseau de basse tension véhicule un courant alternatif triphasé, par l'intermédiaire de quatre câbles : trois fils de phase et un fil neutre. Entre deux fils de phase, il y a une tension de 380 V, tandis qu'entre un fil de phase et le fil neutre il y a une tension de 220 V. Pour concrétiser cette notion de phase et de neutre, prenons une analogie hydraulique. Supposons que les quatre câbles soient des tuyaux transportant de l'eau, et qu'un circuit soit établi à partir de l'arrivée de courant dans la maison de manière que les trois phases amènent l'eau et que le neutre se charge de son évacuation. Si l'on branche un tuyau sur une phase et un autre sur le neutre, on établit un point d'utilisation d'où l'on peut tirer de l'eau et l'évacuer. Bien que le phénomène électrique ne soit pas d'un fonctionnement aussi simpliste, c'est en gros ce qui se passe quand l'E.D.F. distribue le courant à un abonné. Elle branche un fil sur un des câbles de phase, et un autre fil sur le câble neutre : ces deux fils sont ensuite conduits vers le tableau de contrôle, à partir duquel vous disposez du courant électrique.

Le branchement monophasé

Il présente plusieurs avantages pour l'usager, notamment :
— une installation plus simple ;
— une absence de contrainte d'équilibrage des phases.

Néanmoins, le branchement triphasé s'impose quand l'usager désire utiliser des appareils avec un moteur triphasé ou s'il y a impossibilité technique du réseau.

CÂBLE D'ALIMENTATION

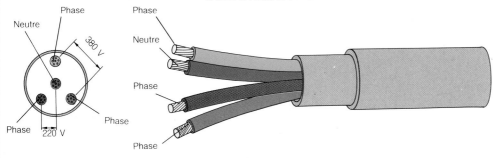

COUPE-CIRCUIT À TABATIÈRE

Unipolaire   Bipolaire

Ce coupe-circuit se rencontre encore sur des installations anciennes.

Il s'agit d'une petite boîte de porcelaine dont le couvercle s'encastre entre 2 mâchoires, assurant ainsi le contact. À l'intérieur, le fusible (fil de « plomb étain ») relie les bornes des mâchoires. Pour changer ce fusible, enlevez le couvercle et reliez les deux bornes par un fil de même calibre et de même nature.

La protection différentielle

L'appareil général de commande et de protection d'une installation électrique est le disjoncteur du tableau de contrôle. Cet appareil fait partie de la concession de distribution publique, et son choix comme son installation répondent à des normes précises. Si le disjoncteur principal ne comporte pas de fonction différentielle intégrée, il faut prévoir une protection différentielle assurée par un ou plusieurs dispositifs à l'origine de l'installation.

Dispositifs différentiels

Les dispositifs différentiels ont été conçus pour assurer la protection des personnes contre les contacts indirects. Ces contacts peuvent se produire quand une personne touche l'enveloppe métallique, appelée masse, d'un appareil électrique mise accidentellement sous

tension par suite d'un défaut d'isolation. Un disjoncteur différentiel complète une installation comportant toujours obligatoirement un raccordement à la terre des masses.

C'est pourquoi toutes les masses doivent impérativement être raccor-

Prise différentielle pour éviter les risques d'électrocution en bricolant.

dées à la terre (voir p. 357, 358).

Les appareils à double isolation, dits de classe II (symbole ▣), n'ont pas à être reliés à la terre, même s'ils ont une enveloppe métallique. Sinon sont actuellement dispensés de mise à la terre les appareils installés dans des conditions bien définies devant toutes être remplies :

— local sec et non conducteur (salle de séjour, entrée, chambre dont le sol est revêtu d'un parquet en bois, d'une moquette ou d'un dallage plastique) ;

— appareils placés à plus de 2 m de tout élément conducteur (huisserie ou canalisation métallique).

Cette dispense ne sera plus valable à partir de 1990 (harmonisation avec les règles européennes).

DISJONCTEUR DIFFÉRENTIEL = SÉCURITÉ

Le circuit de mise à la terre vous débarrasse du courant parasite, mais il ne vous indique pas que des fuites se produisent. Pour détecter ces pertes de courant, il faut équiper votre installation d'un dispositif différentiel qui mesure l'intensité du courant à l'entrée et à la sortie et réagit dès que les deux valeurs ne sont pas identiques en provoquant une coupure. Il vous indique ainsi qu'une déperdition d'électricité se produit quelque part dans le circuit. Vous devrez donc rechercher l'origine de la panne et mettre l'appareil défectueux hors circuit avant de pouvoir remettre le dispositif différentiel en position de marche.

Dans beaucoup d'installations récentes, le disjoncteur général est différentiel. On le reconnaît à la mention « disjoncteur différentiel ».

Dans les installations anciennes, ce n'est généralement pas le cas. Vous ne pouvez donc pas détecter les fuites qui se produisent sur le circuit. Même avec une mise à la terre correcte, cela présente un danger si une machine défectueuse continue de fonctionner. Vous devez donc contrôler l'installation, à l'aide d'un ou plusieurs disjoncteurs ou interrupteurs différentiels.

Nota : N'oubliez pas de raccorder l'appareil à la terre.

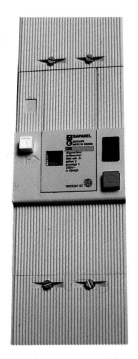

Disjoncteur de branchement différentiel.

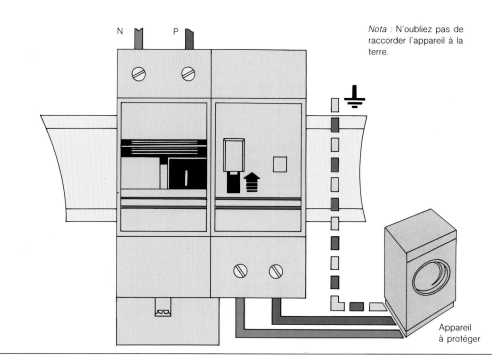

Appareil à protéger

RÔLE DU DISPOSITIF DIFFÉRENTIEL

Le courant différentiel produit dans la masse par un défaut d'isolation s'écoule par la prise de terre. Dès qu'il atteint la valeur limite pour laquelle est étalonné le disjoncteur, celui-ci est automatiquement actionné et coupe le courant. Suivant les appareils, ces valeurs limites vont de 500 mA à 10 mA pour les plus sensibles. Pour les pièces à risques ou les installations extérieures, il est obligatoire de poser un disjoncteur fonctionnant à 30 mA de courant différentiel.

Les disjoncteurs différentiels agissent également comme des coupe-circuit classiques. Les plus sensibles se déclenchent pour de faibles courants : un enfant introduisant une tige métallique ou les doigts dans une prise de courant provoquera une coupure générale de la ligne mais ne subira aucun choc électrique et ne sera pas blessé s'il s'agit de dispositifs différentiels « à haute sensibilité ».

Indispensables contre l'humidité

Ces appareils sont préconisés par la norme NFC15-100 lorsqu'il y a risque d'humidité nuisible à la bonne isolation des matériels ou mise à la terre aléatoire, par exemple à l'extérieur pour les outils et appareils de jardin, les campings, les bateaux à quai, les chantiers.

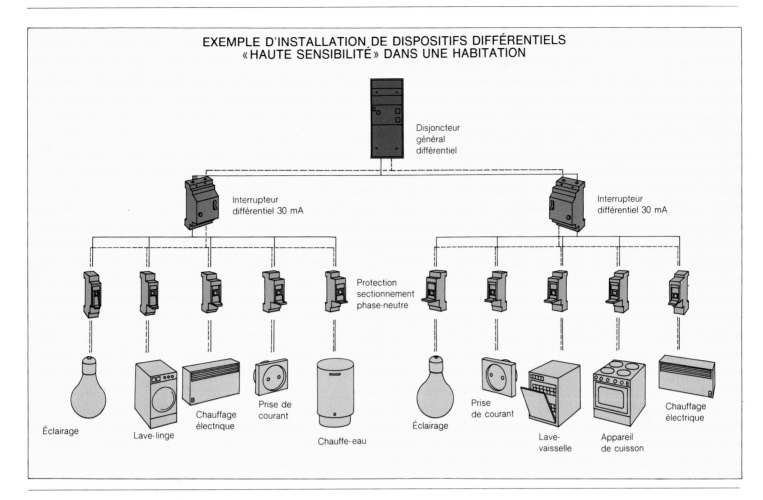

EXEMPLE D'INSTALLATION DE DISPOSITIFS DIFFÉRENTIELS
«HAUTE SENSIBILITÉ» DANS UNE HABITATION

La mise à la terre

Une installation électrique correcte ne se conçoit pas sans un raccordement à la terre. C'est une mesure de sécurité indispensable.

POURQUOI UNE MISE À LA TERRE ?

Quelle que soit la qualité de l'installation, il peut arriver que du courant se perde sur un circuit par suite d'un défaut d'isolation. Même s'il est de faible intensité, ce courant peut provoquer des chocs électriques. Souvent plus désagréables que dangereux, ils se produisent lorsque l'on touche un appareil en défaut ou un fil sous tension. Dans des conditions particulièrement défavorables, ces fuites d'électricité peuvent provoquer un choc électrique grave (pieds nus sur une surface humide, sous la douche ou un corps immergé dans une baignoire, par exemple). L'électricité ainsi égarée cherche en effet toujours à regagner la terre. Pour l'empêcher d'emprunter la voie qui passe par le corps humain, les circuits électriques des locaux à risques sont équipés d'un conducteur reconnaissable à sa couleur jaune et verte. Ce fil de terre a pour mission d'acheminer jusqu'à la terre le courant de défaut.

Voilà pourquoi nombre d'appareils ménagers, dont la carcasse métallique peut être mise sous tension si l'isolation est défectueuse,

sont prévus pour être raccordés à la terre. Ils sont alimentés par un câble composé de trois conducteurs : un fil de phase, un fil neutre et un fil de terre. Les deux premiers sont les conducteurs de l'électricité proprement dits ; le troisième, connecté à la «masse», c'est-à-dire la carcasse métallique, dirige le courant de défaut vers le réseau de terre.

Les gros appareils ménagers, les convecteurs, les radiateurs électriques doivent impérativement être raccordés à la terre, sauf s'ils portent le symbole de la classe II : ▣ («double isolation»). Cette dernière est obligatoire pour tous les appareils électriques installés dans le volume de protection de la salle de bains.

DES PRISES À TROIS FICHES

La fiche reliée à l'appareil est généralement munie de deux broches métalliques rondes correspondant à la phase et au neutre, et d'une alvéole pour la terre ; la prise murale correspondante comporte, à l'inverse, deux alvéoles et une broche. Certaines fiches sont équipées de trois broches, dont une de section rectangulaire pour la terre. Pour que le branchement soit correct, le raccordement à l'appareil et l'alimentation de la prise murale doivent tous deux comporter trois fils.

Prises à deux alvéoles avec contact de terre.

LE RACCORDEMENT À LA TERRE

Dans les immeubles récents, le raccordement à la terre est toujours prévu. Vous le trouverez sur le tableau de distribution et le reconnaîtrez à la couleur de son fil (jaune et vert).

Dans une construction ancienne, en revanche, si vous avez le moindre doute, mieux vaut faire vérifier votre installation par un électricien. En effet, il est de pratique courante d'effectuer le raccordement principal à la terre en se branchant sur la conduite d'arrivée d'eau froide de la cuisine. Il suf-

fit qu'une réparation ait été faite sur le circuit avec un joint isolant pour que le contact effectif avec la terre ne se fasse plus et que le courant remonte dans toute l'installation sanitaire (décharges lorsque l'on manipule un robinet, par exemple).

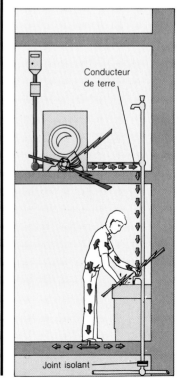

Conducteur de terre

Joint isolant

La mise à la terre (suite)

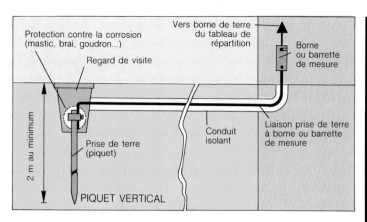

Protection contre la corrosion
(mastic, brai, goudron...)

Regard de visite

Vers borne de terre
du tableau de
répartition

Borne
ou barrette
de mesure

2 m au minimum

Prise de terre
(piquet)

Conduit
isolant

Liaison prise de terre
à borne ou barrette
de mesure

PIQUET VERTICAL

Dans un pavillon, il est nécessaire de faire partir le fil de terre du tableau de répartition et de le relier directement à un piquet métallique galvanisé, cuivré, enfoncé profondément dans le sol (2 m).

Raccordement par une conduite d'eau

Si votre maison comporte une conduite d'eau privée enterrée sur plusieurs mètres, vous pouvez l'utiliser pour un raccordement à la terre, à condition de placer entre la conduite d'eau et le compteur d'eau un manchon isolant d'une longueur de 2 m. Dans tous les locaux humides, il faut raccorder au circuit de terre tous les appareils ou conduites métalliques. On constitue pour cela une liaison équipotentielle (voir p. 378).

QUELS APPAREILS FAUT-IL RELIER À LA TERRE ?

En règle générale, tous les appareils électrodomestiques comportant une enveloppe métallique doivent être reliés à la terre quand ils se trouvent :
— dans un local humide (salle d'eau, cuisine, buanderie) ;
— dans un local à sol conducteur (carrelage, ciment...) ;
— à l'extérieur.

Toutes les prises équipant ces locaux doivent comporter une borne de terre.

Cette règle concerne donc tous les appareils électroménagers «lourds», presque toujours dotés d'une carcasse métallique ou d'une part importante d'éléments métalliques : cuisinière, réfrigérateur, lave-linge, lave-vaisselle, chauffe-eau, certains radiateurs électriques.

Les petits appareils ménagers, munis d'une fiche plate à deux broches, peuvent être utilisés dans la cuisine, la salle de bains ou une autre pièce carrelée s'ils sont de classe II (double isolation) ou s'ils comportent une enveloppe isolante en matière plastique.

Dans le cas contraire (fers à repasser ou bouilloires), il faut les relier à la terre ou s'obliger à ne les utiliser que dans une pièce à sol isolant (parquet, moquette, revêtement plastique...). Autrefois, ils étaient souvent équipés de prises rondes empêchant de les brancher sur une prise à trois fiches.

L'outillage électrique utilisé dans le jardin doit obligatoirement être de classe II, symbolisée par le double carré, et donc spécialement isolé. Rappelons en outre que le circuit des prises extérieures doit être contrôlé par un disjoncteur différentiel haute sensibilité (30 mA).

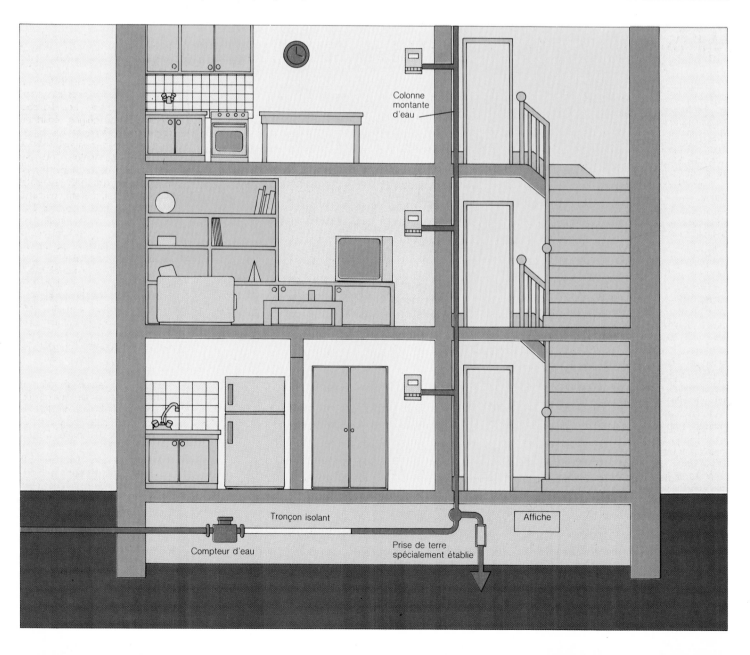

Colonne
montante
d'eau

Tronçon isolant

Compteur d'eau

Prise de terre
spécialement établie

Affiche

Les circuits électriques et leur fonctionnement

Une installation électrique est composée de plusieurs circuits. Chacun d'entre eux est protégé par un coupe-circuit correspondant à la section des fils choisie en fonction de la puissance absorbée par le ou les appareils qu'il contrôle.

L'ÉCLAIRAGE

Les foyers lumineux fixes (lustres, appliques, lampes) doivent être alimentés par un circuit protégé par un fusible de 10 A ou un petit disjoncteur de 15 A (appelé aussi disjoncteur divisionnaire) et alimentés par des fils d'une section de 1,5 mm². Un circuit «éclairage» ne doit pas alimenter plus de huit points.

Pensez à marquer sur chaque fusible ou disjoncteur à quel circuit il correspond.

LES PRISES

La règle des huit points d'alimentation prévaut également pour les prises de courant alimentant les appareils ménagers. Ce circuit est réalisé avec des conducteurs de 2,5 mm² de section et protégé par un coupe-circuit ou un petit disjoncteur de 20 A. Beaucoup d'appareils exigent également un raccordement à la prise de terre, donc l'utilisation d'un circuit à trois fils, dont un effectivement relié à la prise de terre.

LES CIRCUITS SPÉCIALISÉS

Ils alimentent les appareils forts consommateurs d'énergie qu'il faut relier directement au disjoncteur général et équiper de coupe-circuit ou petits disjoncteurs individuels :
— chauffe-eau : conducteur de 2,5 mm², coupe-circuit ou petit disjoncteur de 20 A ;
— cuisinière électrique : conducteur de 6 mm², coupe-circuit ou petit disjoncteur de 32 A ou petit disjoncteur de 38 A ;
— machine à laver : conducteur de 2,5 mm², coupe-circuit ou petit dis-

joncteur de 20 A (encadré p. 355) ;
— four électrique : conducteur de 2,5 mm², coupe-circuit ou petit disjoncteur de 20 A.

Consultez les notices d'emploi de vos appareils électriques : en principe, les indications de raccordement y sont toujours portées.

LES DÉRIVATIONS

Tant qu'un circuit ne compte pas huit points d'utilisation, il est possible d'en ajouter en réalisant une dérivation.

LES PRISES EXTÉRIEURES

Si vous avez un jardin, mieux vaut prévoir un circuit spécial pour alimenter toutes vos prises extérieures. Raccordez-le à un interrupteur (ou à un disjoncteur différentiel à haute sensibilité) facilement accessible, qui vous permettra de couper le courant en votre absence pour éviter de donner à d'éventuels cambrioleurs la possibilité d'utiliser

Prise différentielle montée sur un piquet de jardin

un outillage électrique pour pénétrer chez vous et qui vous protégera en cas d'incident.

Tableau de répartition des circuits

Le tableau de répartition des circuits regroupe tous les fusibles ou petits disjoncteurs d'une installation et doit comporter plusieurs dispositifs permettant :
— le raccordement des conducteurs de phase et neutre provenant du disjoncteur principal ;
— leur répartition vers les différents circuits de l'installation ;
— la protection des conducteurs (coupe-circuit à cartouche ou disjoncteur divisionnaire) et du neutre (bipolaires ou unipolaires).

Comme le tableau porte tous les dispositifs de protection, il doit être installé dans un endroit facilement accessible, pour pouvoir les manipuler facilement. Il est interdit de le placer dans une salle d'eau, dans les W.-C., les chambres ou dans un placard. Sauf si celui-ci comporte une aération suffisante.

Les matériaux qui le composent ne doivent pas être facilement inflammables. Il existe aujourd'hui des ensembles composés d'éléments modulaires, enclipsés sur rails profilés, en matière plastique auto-extinguible qui répondent parfaitement à ces critères. Ils permettent en outre de faire évoluer facilement une installation au fur et à mesure des besoins. Prévoyez, au départ, un tableau pouvant recevoir davantage de modules que votre nombre de circuits nécessaires. Vous pourrez ainsi très facilement en ajouter d'autres au fur et à mesure de vos besoins.

Chaque circuit doit être relié par un disjoncteur divisionnaire ou un coupe-circuit à cartouche.

Jusqu'à cette année, on utilisait

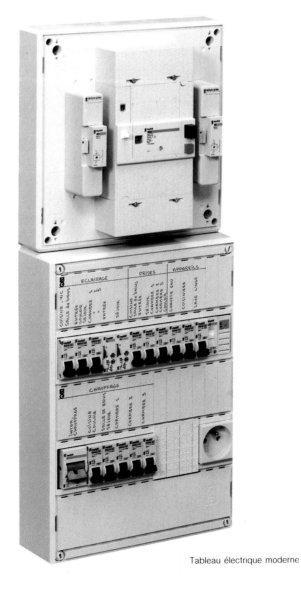

Tableau électrique moderne

le plus souvent des disjoncteurs ou coupe-circuit unipolaires n'agissant que sur la phase. Les tableaux présentaient un peigne répartiteur qui distribuait la phase aux coupe-circuit, tandis que le neutre et la terre étaient connectés à des borniers en aval de ce branchement. Depuis le 1er avril 1988, les installations nouvelles doivent comporter un tableau de répartition équipé de disjoncteurs ou coupe-circuit bipolaires, comprenant deux peignes de répartition (une phase, un neutre) et un bornier de terre raccordé en aval. Lorsqu'un circuit comporte des dérivations de section inférieure à celle de la canalisation principale, chaque dérivation doit être protégée à son origine par un coupe-circuit à cartouche (ou un disjoncteur divisionnaire) de caractéristiques appropriées à sa section.

On peut également installer sur le tableau de répartition les dispositifs de programmation ou de commande de certains circuits (chauffage électrique, ballon d'eau chaude).

Un chauffe-eau, par exemple, doit être alimenté par un circuit spécial, c'est-à-dire protégé à son origine par un coupe-circuit ou disjoncteur divisionnaire. Si sa capacité est égale ou supérieure à 100 litres, vous pouvez l'associer à un contacteur «heures creuses», ce qui assurera un fonctionnement économique (voir p. 362). La longueur du circuit hydraulique entre chauffe-eau et robinets d'utilisation doit être aussi courte que possible (pour éviter les gaspillages).

Tableau de répartition des circuits (suite)

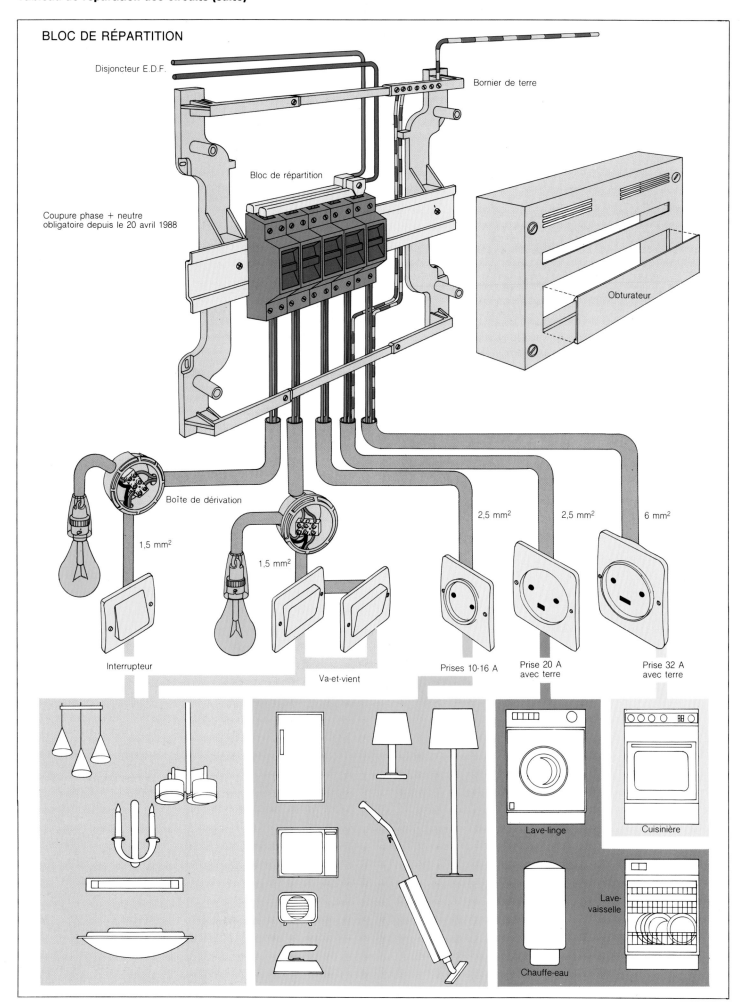

BLOC DE RÉPARTITION

Disjoncteur E.D.F.

Bornier de terre

Bloc de répartition

Coupure phase + neutre
obligatoire depuis le 20 avril 1988

Obturateur

Boîte de dérivation

1,5 mm²

1,5 mm²

2,5 mm²

2,5 mm²

6 mm²

Interrupteur

Va-et-vient

Prises 10-16 A

Prise 20 A
avec terre

Prise 32 A
avec terre

Lave-linge

Cuisinière

Chauffe-eau

Lave-
vaisselle

Un fusible a sauté : que faire ?

Si vous n'avez pas pensé à étiqueter tous les fusibles du tableau de contrôle, vous ne savez pas quel est le fusible qui correspond au circuit défectueux. Pour le retrouver, il vous faudra un peu de patience.

1 Coupez le courant au disjoncteur général avant de commencer les contrôles.

TEST D'UNE CARTOUCHE

Vous pouvez vérifier le bon fonctionnement de vos cartouches à l'aide d'un procédé très simple. Vous utiliserez pour cela une lampe-torche à carcasse métallique.

Dévissez le fond de la torche et placez la cartouche de façon qu'une extrémité touche la pile et l'autre le boîtier. Actionnez l'interrupteur de la torche : si l'ampoule s'allume, la cartouche est en état de marche.

2 Inspectez chaque fusible. Souvent des traces d'échauffement sont visibles. Sur les fusibles à broches garnies de fil, ce dernier a fondu et partiellement disparu : vous n'aurez aucun mal à identifier le fusible défectueux.

Avec des cartouches, le repérage est moins évident. En effet, si vous ne disposez pas de modèles équipés d'une pastille témoin qui est détruite lorsque le fusible saute, vous ne constaterez aucune différence entre une cartouche en état de marche et une cartouche grillée : elles sont identiques.

Pour localiser le fusible défectueux, vous devrez donc tester tous les coupe-circuit du tableau.

Commencez par remettre le courant et allumez lumière et appareils dans toutes les pièces si le disjoncteur général peut supporter cette charge. Fermez à nouveau le disjoncteur et retirez tous les fusibles du tableau. Remettez-les en place un par un, et repérez à chaque fois quel circuit se remet à fonctionner.

Profitez-en pour étiqueter les fusibles.

Vous pouvez bien entendu interrompre ce test dès que vous avez détecté le fusible défaillant.

3 Une fois le fusible identifié, retirez-le et débranchez tous les appareils connectés au circuit défectueux. Ouvrez tous les interrupteurs (position « éteint ») s'il s'agit d'un circuit d'éclairage. Si vous ne le faisiez pas, le nouveau fusible risquerait, lui aussi, de sauter dès que vous remettriez le courant.

4 Remplacez le fusible hors d'usage par un neuf de même ampérage et mettez-le en place sur le tableau.

5 Remettez le disjoncteur en marche.

Avant de les rebrancher, inspectez soigneusement tous les appareils qui étaient en fonctionnement au moment de la panne. Répa-

TEST D'UN PETIT DISJONCTEUR

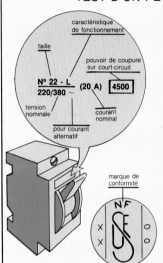

Si votre tableau de distribution est équipé de disjoncteurs divisionnaires, vous pouvez identifier immédiatement celui qui correspond au réseau défaillant : il est en position « arrêt ».

rez-les si nécessaire, puis rebranchez-les les uns après les autres, en prenant garde de ne pas surcharger le circuit.

Le plus souvent, c'est en effet par suite d'une surcharge que les plombs sautent.

6 Si, malgré ces précautions, le fusible saute à nouveau, mieux vaut consulter un électricien.

1 Appuyez sur le bouton « arrêt » du disjoncteur général avant toute manipulation.

2 Débranchez tous les appareils situés sur le circuit qui a disjoncté, ouvrez tous les interrupteurs (l'« ouverture » équivaut à la position « éteint » de l'interrupteur) et éteignez toutes les lumières raccordées au disjoncteur.

3 Remettez le levier ou le bouton de commande en position de marche.

4 Appuyez sur le bouton « marche » du disjoncteur général.

5 Vérifiez tous les appareils ou toutes les ampoules du circuit et réparez-les (ou changez-les) si nécessaire.

Si tout fonctionne normalement, c'est que le circuit était en surcharge.

Ne rebranchez pas tous les appareils.

Comment calculer votre consommation

Au compteur, votre consommation est enregistrée en kilowatts-heure. Elle est affichée en clair sur un cadran, tandis qu'une roue dentée horizontale tourne plus ou moins vite en fonction du débit. Quand le disjoncteur est en position « arrêt », la roue dentée est à l'arrêt, de même que la colonne de droite du compteur (dixièmes de kilowatt-heure) : si par hasard elle continuait de tourner, faites vérifier votre installation.

Pour calculer votre consommation, notez les chiffres inscrits au compteur au moment des relevés du distributeur (en ignorant la colonne des dixièmes). Si vous disposez de deux cadrans, il s'agit d'une installation à tarification spéciale (compteur de nuit à tarif préférentiel ou effacement des jours de pointe).

Dans ce cas, marquez bien les deux chiffres, vous les retrouverez sur deux comptes séparés sur votre facture et pourrez comparer vos notes avec les relevés du distributeur.

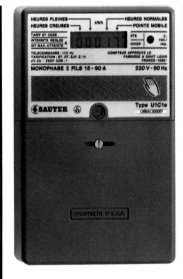

Compteur moderne à interrogation.

LE COÛT

L'unité de facturation est la même que celle qui est inscrite au comp-

teur : le kilowatt-heure. Le prix de base est toujours mentionné sur la facture, de même que le détail des différents tarifs appliqués (jour/ nuit, effacement des jours de pointe, etc.). Une unité représente une consommation électrique de 1 000 W pendant une heure (d'où le terme de kilowatt-heure, kWh en abrégé). Un appareil de chauffage de 1 000 W consommera par exemple 1 kWh en une heure, un appareil de 500 W le dépensera en deux heures, et il faudra dix heures à une ampoule électrique de 100 W pour arriver au même résultat. Vous pouvez donc vous baser sur les indications de consommation portées en watts sur les appareils pour calculer ce que leur utilisation vous coûte.

Le compteur enregistre le nombre d'unités consommées. Pour vérifier vos factures, il vous suffit de soustraire le chiffre du précédent relevé du dernier chiffre inscrit pour obtenir votre consommation totale durant la période de référence.

Votre compteur est-il juste ?

Le compteur est sous scellés. Cet appareil de mesure a été soumis à des contrôles préalables et est en principe fiable. Si les chiffres qu'il indique vous paraissent exagérés, prenez immédiatement contact avec l'agence locale du distributeur d'électricité pour lui demander une vérification.

VOLTS × AMPÈRES = WATTS

Cette formule très simple vous permet de résoudre tous les problèmes de consommation ou de choix de matériel qui peuvent se poser. La tension du courant fourni dans votre installation est toujours indiquée sur une plaque gravée apposée sur le compteur ; l'intensité maximale permise par l'abonnement que vous avez souscrit auprès du distributeur d'énergie électrique (15, 30, 45 A...) est portée sur le disjoncteur général. En faisant le produit de ces deux nombres, vous calculerez la puissance maximale dont vous pouvez

Comment calculer votre consommation (suite)

disposer sans surcharger votre installation, soit, par exemple, pour 15 A : 15 x 220 = 3 300 W. Dans ce cas, la somme des puissances des appareils électriques que vous utilisez simultanément ne doit pas dépasser 3 300 W. Au-delà, le disjoncteur général risque de se déclencher.

De même, lorsqu'un circuit est équipé d'un fusible de 10 A, la somme des puissances des ampoules ou appareils électriques qui lui sont raccordés ne doit pas dépasser 2 200 W.

Avant d'acheter un appareil fort consommateur d'énergie, comme un radiateur électrique, mieux vaut vérifier que votre installation pourra le supporter. Dans le cas contraire, renseignez-vous auprès du distributeur : vous pouvez souvent obtenir une augmentation de puissance (ce qui majorera le coût de votre abonnement).

Lorsque celle-ci n'est pas possible, vous pouvez prévoir des délestages temporaires automatiques (arrêt d'un convecteur pendant que le four chauffe, par exemple).

De même, quand vous devez installer un nouvel appareil chez vous, il vaut mieux d'abord vous assurer que la prise et le circuit sur lesquels il va être alimenté peuvent supporter cette surcharge : divisez

la puissance de l'appareil par la tension sous laquelle il fonctionne, vous obtiendrez le nombre d'ampères nécessaires à son fonctionnement. Vérifiez que le fusible correspondant est d'un ampérage suffisant.

Dans un appartement, vous pouvez également réduire le voltage à l'aide de transformateurs, pour une sonnette d'entrée, des jeux électriques, des appareils fonctionnant sur batterie ou des lampes spéciales à très basse tension.

MESURE DU COURANT

Le courant électrique est un flux qui se mesure à l'aide de plusieurs unités : la tension, l'intensité du courant et la puissance.

Volts = tension

Pour que le courant circule, il faut qu'il y ait une différence de tension (ou de « potentiel ») entre les deux fils ou conducteurs. C'est la « tension » électrique qui se mesure en volts (abréviation : V). Actuellement, l'électricité fournie par les distributeurs d'électricité pour un usage domestique l'est sous une tension de 220/230 V.

Ampères = intensité du courant

La quantité de courant circulant dans un conducteur en une

seconde, son débit, se mesure en ampères (abréviation : A). Les fils électriques, les prises et les interrupteurs doivent être choisis en fonction de l'ampérage qu'ils peuvent supporter : plus l'ampérage est élevé, plus le diamètre du fil et celui des bornes des prises doivent être importants.

Watts = puissance

Lorsqu'un appareil électrique fonctionne, il utilise à la fois la tension et le débit. La combinaison de ces deux éléments constitue la puissance électrique, dont le watt est l'unité de mesure. Elle est toujours indiquée dans les notices d'emploi et sur les appareils en watts (abréviation : W) ou kilowatts (kW). Plus le chiffre marqué est élevé, plus la consommation d'électricité est forte si l'appareil fonctionne longtemps. Les appareils modernes munis de thermostats permettent des économies d'énergie.

Alternatif ou continu

Dans les installations privées, le courant électrique distribué est « alternatif », ce qui signifie qu'il est constitué d'une succession d'ondes, produites à une fréquence régulière. La fréquence se mesure en hertz (Hz) ; avec un courant de 50 Hz, par exemple, le cycle complet d'une pointe de la courbe à la

suivante se reproduit cinquante fois par seconde.

Dans les piles ou les batteries, le courant qui circule est continu : il est constitué par une circulation constante d'électrons sans oscillation, toujours dans la même direction.

L'avantage du courant alternatif est qu'on peut le distribuer sous différents voltages : les centrales électriques transmettent le courant aux stations régionales sous de très hautes tensions (ce sont les lignes à haute tension que chacun peut voir dans les campagnes). Les stations régionales répartissent ensuite le courant et le distribuent aux particuliers à l'aide d'un câble triphasé (380 V) comprenant trois fils de phase et un neutre. À l'arrivée au compteur, le branchement d'une phase et d'un neutre permet d'obtenir un courant « monophasé » de 220/230 V (voir l'encadré « Comment arrive le courant », p. 355). De cette façon, il est possible d'alimenter de nombreuses installations individuelles à partir de la même source en évitant les déperditions d'énergie. Un appareil de 1 500 W, par exemple, nécessitera pour fonctionner un fusible et une prise d'un ampérage supérieur à 6,8 A : un fusible de 5 A ne suffit pas.

Prenez également soin de choisir des fils d'une section convenable.

Tarifs E.D.F. : les différentes options

Pour les abonnements à usage domestique, l'Électricité de France propose trois types de tarifs. À vous de choisir celui qui est le plus avantageux pour vous.

LE TARIF DE BASE

Ce tarif se compose d'une prime fixe, variable selon la puissance fournie (minimum : 3 kW, maximum : 36 kW), et d'une facturation proportionnelle à la consommation et calculée en fonction du prix du kilowatt-heure. Le prix du kilowatt-heure est le même quelle que soit l'heure ou la saison. Si votre consommation est faible (chauffage au gaz ou au mazout, électricité réservée à l'éclairage et à quelques appareils ménagers), le tarif de base, dont l'abonnement est peu coûteux, reste le plus avantageux. En revanche, si vous êtes un grand consommateur d'électricité (chauffage intégré, ballon d'eau chaude, cuisinière électrique), vous pouvez choisir l'une ou l'autre des deux options suivantes.

L'OPTION « HEURES CREUSES »

L'électricité consommée pendant certaines heures (la nuit surtout) est facturée à un prix plus bas que celle que l'on utilise pendant la jour-

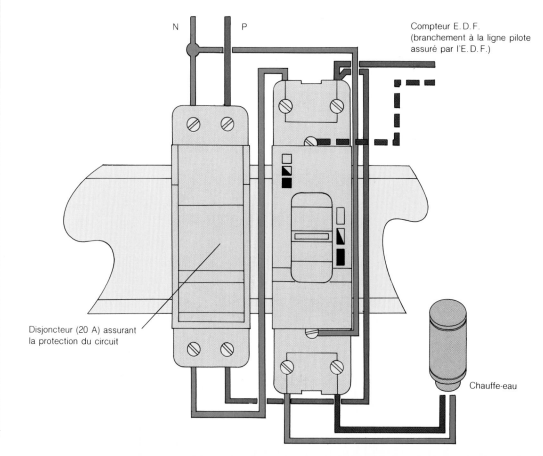

RELAIS HEURES CREUSES

N P

Compteur E. D. F. (branchement à la ligne pilote assuré par l'E. D. F.)

Disjoncteur (20 A) assurant la protection du circuit

Chauffe-eau

née. Cette option est surtout intéressante si vous utilisez des appareils programmables que vous ferez surtout fonctionner aux heures de plus faible coût (chauffage électrique à accumulation ou chauffe-eau) et dans le cas du chauffage électrique par convecteurs : ils se chargent la nuit et restituent la chaleur le jour. Le compteur comporte deux cadrans correspondant aux deux tarifications et la facture que vous recevez précise le détail des consommations pendant les deux périodes.

L'OPTION E.J.P. (EFFACEMENT DES JOURS DE POINTE)

Au départ conçue pour favoriser le développement des chaudières « bi-énergie », cette option peut désormais s'appliquer même si vous ne disposez pas d'autre moyen de chauffage que l'électricité, en résidence secondaire surtout. Le système est le suivant : l'utilisateur accepte de réduire sa consommation dans des proportions importantes (ou de la payer beaucoup plus cher) 22 jours par an, 18 heures par jour. Ces 22 jours « de pointe » ne sont pas connus à l'avance, mais choisis par l'E.D.F. au fur et à mesure de ses besoins. Ils se situent obligatoirement pendant la période froide, entre le 1er novembre et le 31 mars.

Les utilisateurs en sont avertis 1/2 heure à l'avance (préavis) par un voyant qui s'allume au compteur et éventuellement un signal sonore. Un dispositif commandé par le signal de début d'heures de pointe émis par l'E.D.F. coupe l'arrivée de courant pour un certain nombre d'appareils prédéterminés (convecteurs, surtout) : le délestage est automatique et le prix du kilowatt, pour ces jours-là, est environ dix fois supérieur aux autres jours. Ce système permet à l'E.D.F. de sensibles réductions de ses coûts d'exploitation. En effet, pendant les quelques jours de véritable surcharge qui peuvent se produire dans l'année, ses capacités de production normales (centrales nucléaires essentiellement) ne suffisent pas et elle est obligée de remettre en activité des moyens de production supplémentaires beaucoup plus coûteux (centrales thermiques notamment). L'économie ainsi réalisée est « ristournée » aux abonnés E.J.P., qui paient, tout au long de l'année, leur consommation au même tarif que celui des « heures creuses ».

Attention toutefois, les jours critiques coûtent cher. Avec une chaudière biénergie, pas de problème : le chauffage est assuré par une autre source que l'électricité. Sinon, le système n'est vraiment avantageux que pour une résidence secondaire occupée essentiellement l'été. La gêne y est quasi nulle, et vous paierez l'électricité à un tarif très avantageux.

Si vous choisissez un abonnement E.J.P. pour une résidence principale, vous avez intérêt à prévoir un chauffage d'appoint non électrique : le « délestage » dure de 7 h du matin à 1 h la nuit suivante ! Un jour de grand froid, c'est difficile à supporter.

Bien entendu, le tarif E.J.P. ne vous privera jamais complètement de courant, le délestage est toujours partiel.

L'outillage électrique

Pour effectuer la plupart des travaux de dépannage électrique, il suffit de très peu d'outils. Mais réaliser une dérivation ou moderniser une installation implique en revanche une bonne pratique manuelle : il faut savoir, par exemple, percer des trous dans le mur, manier le plâtre pour sceller un interrupteur, travailler le bois pour faire un coffrage...

Une pince à long bec
Elle est utile pour atteindre les petites pièces placées dans des endroits étroits et également pour replier l'extrémité des conducteurs.

Choisissez de préférence des pinces à poignées isolantes, recouvertes de plastique, par exemple.

Une lampe torche
Une lampe torche puissante, suffisamment large pour tenir debout, vous permettra de vous éclairer en toutes circonstances. Le boîtier sera de préférence en plastique ou en caoutchouc.

Une pince coupante
Un modèle de 125 mm ou de 150 mm à poignées isolées vous suffira pour sectionner les conducteurs, les fils et les petites pièces métalliques.

Une pince à dénuder
Elle sectionne la gaine isolante des conducteurs sans atteindre le métal et permet d'en dégager facilement l'extrémité de sa gaine plastique.

À ouverture réglable, elle s'adapte à la section des fils à dénuder et évite de les endommager.

Un tournevis électrique testeur de courant
Bien isolé, ce petit modèle (lame de 3 mm) sert à réaliser les assemblages de prises ou de fiches : sa dimension est adaptée au diamètre des vis de raccordement. Une mini-ampoule de néon située dans le manche s'allume si la pointe du tournevis est en contact avec un conducteur de phase.

Un tournevis à lame isolée
Sa lame est gainée de plastique. De taille moyenne (lame de 5 mm), il vous servira à fixer au mur les prises de courant, les tableaux de connexion, etc.

Un cutter ou un couteau
Vous l'utiliserez pour entailler les gaines extérieures des conducteurs et en dégager les fils.

Une lampe témoin à pile
Vous pouvez très facilement la réaliser vous-même à l'aide d'une douille et de deux pinces crocodiles.

Deux tournevis
Un tournevis moyen pour le serrage des vis de prises, d'interrupteurs, etc., et un petit tournevis pour le serrage des petites vis de douilles.

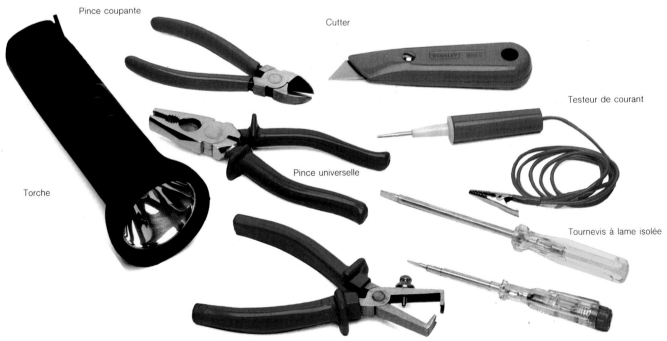

Pince coupante

Cutter

Torche

Pince universelle

Testeur de courant

Tournevis à lame isolée

Pince à dénuder

Tournevis testeur de courant

L'outillage électrique (suite)

COMMENT VÉRIFIER QUE LE COURANT PASSE

L'alimentation électrique se fait, nous l'avons vu, par l'intermédiaire de deux fils (phase et neutre). Pour identifier le fil de phase, vous utiliserez un tournevis témoin.

Touchez chaque fil avec la pointe du tournevis en posant le doigt sur l'extrémité du manche. Si la lampe témoin située à l'intérieur s'allume, le courant passe, le fil testé est donc un fil de phase.

Vous utiliserez également votre testeur de phase pour vérifier la continuité d'un circuit : testez successivement le coupe-circuit du tableau, les bornes des interrupteurs, celles des prises de courant, les douilles des ampoules : si la lampe témoin s'allume partout, le circuit fonctionne normalement.

FABRICATION D'UNE PILE TÉMOIN

Pour tester un circuit dans lequel le courant ne passe pas (une dérivation que vous venez de réaliser et que vous n'avez pas encore connectée, par exemple), le tournevis testeur de phase est inopé-

rant. Vous pouvez utiliser un contrôleur universel, appareil de professionnel que l'on branche sur les circuits à tester et qui fonctionne dans toutes les situations, que le courant passe ou non. C'est une solution onéreuse. Si votre installation est complexe, mieux vaut louer un tel appareil avant d'effectuer vos raccordements. Renseignez-vous dans les magasins de bricolage ou dans les boutiques de location.

Mais vous pouvez aussi vous servir d'une pile témoin réalisée à l'aide d'une ampoule, d'un domino, d'une pile ordinaire et de deux fils raccordés à des pinces crocodiles. Vous l'utiliserez pour vérifier un

fusible, en raccordant les deux pinces aux extrémités du fusible. Si la lampe s'allume, le fusible est en bon état. Si elle reste éteinte, il est grillé et doit être remplacé. De même, pour vérifier la continuité d'un circuit, il suffit de fixer les pinces aux deux extrémités d'un même conducteur : si la lampe s'allume, le circuit est complet ; si elle ne s'allume pas, il est interrompu quelque part.

Vous pouvez également utiliser la pile témoin pour tester le fonctionnement d'un interrupteur en fixant les pinces crocodiles à ses deux pôles : si la lumière jaillit, l'interrrupteur fonctionne normalement ; sinon, il est hors d'usage.

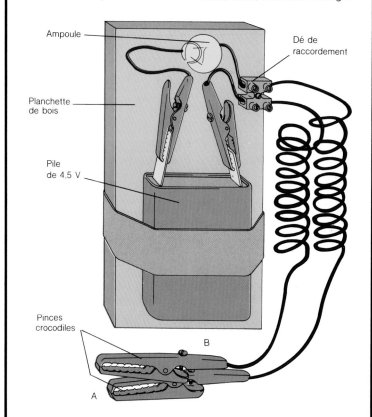

Ampoule

Planchette de bois

Pile de 4,5 V

Pinces crocodiles

A

B

Dé de raccordement

Quand les deux pinces A et B se touchent, la lampe doit s'allumer.

Exemples d'utilisation

Vérification d'une installation électrique. Mettez toujours l'installation sur « arrêt » quand vous la vérifiez avec la lampe témoin.

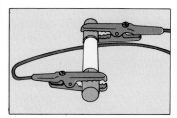

Vérification d'un fusible. Fixez une pince crocodile à chaque extrémité du fusible. Si la lampe s'allume, le fusible est en bon état. Si elle ne s'allume pas, le fusible est usé.

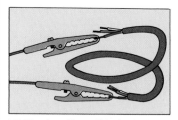

Vérification d'un câble à plusieurs fils. Fixez successivement les pinces crocodiles aux deux extrémités de chacun des conducteurs pour voir si la lampe s'allume ou non.

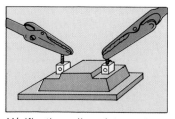

Vérification d'un interrupteur. Chaque pince crocodile est fixée sur une borne de l'interrupteur. Si l'interrupteur est en bon état, la lampe témoin s'allume. Sinon, il est hors d'usage, et il faut le changer.

Les conducteurs : rigides ou souples

Dans une installation électrique, le courant est transporté par des « conducteurs » composés de fils de cuivre protégés par un isolant. Le courant alternatif monophasé des installations particulières utilise deux fils, une phase et un neutre.

LES CONDUCTEURS RIGIDES

Pour réaliser des circuits fixes, qu'ils soient encastrés dans une paroi ou dissimulés sous des baguettes, on utilise des conducteurs « rigides », dans lesquels un fil de cuivre plein, plus ou moins épais selon la puissance nécessaire, est entouré d'une gaine isolante en P.V.C. de couleur. Le coloris varie suivant la destination du fil.

Pour le fil de phase, on utilise une couleur unie, à l'exception du bleu clair, du vert ou du jaune et du vert et jaune. Cette pratique permet d'identifier à coup sûr les fils d'un circuit. Si vous rencontrez plusieurs fils de couleurs différentes, il est préférable de vérifier la polarité des fils (c'est-à-dire la présence de courant à l'intérieur) pour vous assurer de leur nature.

LES CONDUCTEURS SOUPLES

Pour tous les branchements d'appareils mobiles ou les connexions d'éclairages, on utilise des conducteurs souples, constitués d'une tresse de fils minces enrobés de plastique.

ATTENTION AUX COULEURS

La fonction de chaque conducteur est repérée par un code couleurs. En principe :

— le conducteur neutre a une couleur bleu clair ;

— le conducteur de protection pour la mise à la terre a une double coloration : vert et jaune.

— les autres conducteurs, dont le conducteur de phase, ont une couleur unie quelconque, sauf bleu, vert ou jaune.

Il est possible que ce code des couleurs n'ait pas été respecté (c'est le cas de nombreuses maisons anciennes) ; il est donc préférable avant toute intervention de vérifier la polarité des fils afin de s'assurer de leur fonction.

Les conducteurs et leur utilisation

Pour alimenter tous les circuits permanents — éclairage, prises de courant, radiateur fixe —, il faut utiliser des conducteurs fixes de section appropriée à la consommation prévue sur le réseau et les connecter à un fusible ou à un disjoncteur appropriés à la section.

CHOIX D'UN CONDUCTEUR RIGIDE POUR UN CIRCUIT ÉLECTRIQUE

Ces circuits principaux peuvent être encastrés ou réalisés sous baguettes.

Dans le premier cas, des conducteurs isolés sont placés dans un conduit encastré dans le mur (voir p. 373), dans le second cas, les conducteurs sont insérés dans des rainures pratiquées dans des baguettes appliquées tout le long des parois. Longtemps en bois, ces dernières sont maintenant très souvent en plastique.

Plus le courant est élevé, plus la section du fil doit être importante.

Si vous réalisez vous-même vos raccordements, vous devez donc évaluer la puissance maximale des appareils connectés à chaque réseau avant d'entreprendre les branchements.

CHOIX D'UN CONDUCTEUR SOUPLE POUR UN APPAREIL OU UNE LAMPE

Pour raccorder un appareil électroménager ou une lampe à une prise de courant, on utilise un câble souple.

Beaucoup d'appareils ménagers sont équipés d'un câble et d'une fiche. D'autres, comme les machines à coudre, les bouilloires ou les magnétophones, fonctionnent avec un câble amovible doté d'une prise spéciale à deux ou trois broches.

Particularités des câbles

Ces câbles peuvent être de section ronde ou ovale. Ils contiennent deux ou trois conducteurs protégés par une gaine en P.V.C. ou en caoutchouc gainé d'une tresse. De qualité ordinaire, caoutchouc ou P.V.C. supportent une température de 60°, les plus performants peuvent résister à un échauffement de 85°.

Les cordons utilisés à l'extérieur, pour les outils de jardin, par exemple, sont recouverts d'une gaine orange, bien visible sur le vert d'un gazon (voir aussi « Installations extérieures », p. 381).

LES PRINCIPAUX CONDUCTEURS ET LEURS EMPLOIS

DÉSIGNATIONS	CONDUCTEURS SOUPLES	EMPLOIS	SECTION EN MM²
H03 RT-F Enveloppe isolante en caoutchouc vulcanisé ; bourrage textile ; tresse textile sur la torsade des conducteurs		Fers à repasser, couvertures chauffantes, appareils d'éclairage (classes 0, 01 et 1)	0,75-1 — 1,5
H05 VVH2-F **A05 VVH2-F** Enveloppe isolante en P.V.C. ; gaine de protection en P.V.C.		Aspirateurs de tous modèles, cireuses, machines à laver à chauffage électrique, appareils d'éclairage, appareils de cuisson fixes, certains radiateurs, chauffe-eau, réfrigérateurs, machines et presses à repasser, petits appareils à moteur (mélangeurs, batteurs, moulins à café, ventilateurs, machines à coudre, sèche-cheveux)	0,75-1
H05 VV-F Enveloppe isolante en P.V.C. ; bourrage, gaine de protection en P.V.C.			0,75-1
H05 RR-F Enveloppe isolante en caoutchouc vulcanisé ; gaine de protection en caoutchouc vulcanisé		Aspirateurs (en particulier pour usages autres que domestiques), cireuses, machines à laver, appareils de cuisson, radiateurs, chauffe-eau, thermoplongeur de puissance inférieure à 1 200 W, thermoplasmes étanches à l'immersion, machines à repasser, réfrigérateurs, petits transformateurs, lampes baladeuses.	
H05 RN-F Enveloppe isolante en caoutchouc vulcanisé ; gaine de protection en caoutchouc synthétique spécial		Comme H05 RR-F, est plus indiqué quand un contact est possible avec des huiles ou des graisses. Lampes baladeuses étanches, petits outils portatifs de puissance inférieure à 250 W	0,75-1

Préparation des fils pour un raccordement

Pour raccorder deux fils électriques, il faut tout d'abord mettre à nu les conducteurs qu'ils contiennent et les dégager de leurs gaines protectrices. En effet, le courant ne peut circuler d'un conducteur à l'autre que si le métal rencontre le métal.

Outils : couteau pointu ou cutter, pince coupante, dénudeur de fil, pinces universelles.
Matériel : flexible ou câble, éventuellement bande adhésive isolante ou manchon de caoutchouc.

SECTIONNER LE CÂBLE

La plupart des câbles électriques comportent une gaine extérieure en plastique épais, très dur. Il faut la découper sur une longueur suffisante pour bien dégager les conducteurs et pouvoir les engager à fond dans les bornes correspondantes afin d'obtenir un assemblage solide. La plupart du temps, une longueur de 4 cm suffira, mais certains raccordements exigent davantage de fil. Mesurez sommairement la distance entre l'entrée du fil et la borne de raccordement avant de sectionner les conducteurs.

Sectionner avec précaution

Quand vous entaillez le câble, vous ne devez surtout pas entamer les gaines protectrices des conducteurs situés à l'intérieur : vous risqueriez de provoquer par la suite un court-circuit.

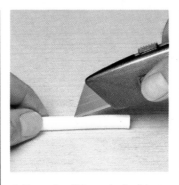

1 Posez le câble ou le flexible sur une surface dure et incisez la gaine extérieure dans le sens de la longueur à l'aide d'un couteau bien aiguisé.

2 Retroussez la portion de gaine entamée et découpez-la le long de la pliure.

DÉNUDER LES CONDUCTEURS

1 Coupez chacun des conducteurs à la longueur adéquate.

2 Réglez l'ouverture de la pince à dénuder en fonction de la section des conducteurs que vous préparez. Faites des essais sur un morceau de fil déjà découpé, par exemple. Le conducteur doit tout juste glisser dans l'orifice de la pince.

3 Pressez fermement les poignées pour sectionner la gaine isolante sans atteindre le métal, à environ 1,5 mm de l'extrémité.

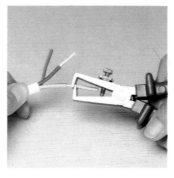

4 Faites pivoter l'outil d'un demi-tour (en serrant toujours) et tirez en direction de l'extrémité du fil : une portion de la gaine plastique va se détacher, laissant le cuivre à nu.

PRÉPARER LES EXTRÉMITÉS DES FILS

1 Dans un câble souple, les conducteurs sont constitués par

une série de fils très fins qui ont tendance à se séparer. Si, dans un branchement, deux des brins de

deux conducteurs se touchent, cela peut provoquer un échauffement, ou même un court-circuit. Avant d'effectuer un branchement, tordez la pointe de chaque tresse à l'aide d'une pince en serrant bien et assurez-vous qu'aucun brin ne dépasse. Vous pouvez aussi étamer les extrémités.

2 Pour les conducteurs les plus fins, dénudez l'extrémité de chaque tresse sur une longueur de 3 cm et repliez la pointe sur elle-même avant de la tordre à la pince. Vérifiez qu'aucun fil ne dépasse. De cette façon, vous obtenez une extrémité plus dure qu'il vous sera plus facile d'engager dans sa borne.

Les fils gainés de textile

Certains fils sont constitués d'une gaine de caoutchouc recouverte d'une tresse de textile. Pour éviter que celle-ci ne se défasse une fois coupée, enroulez un morceau d'adhésif isolant sur la découpe.

Raccordements de conducteurs

Lorsqu'un conducteur électrique est trop court, il est possible de le rallonger. S'il s'agit d'un branchement fixe, on utilisera une boîte de raccordement (de dérivation ou de connexion) ou un domino placé dans un cadre, une boîte ou un appareil. Pour une lampe ou un appareil raccordé à une prise par cordon, il est possible d'utiliser un prolongateur à deux fiches.

Il est en revanche dangereux d'assembler directement deux fils électriques en les entrelaçant, puis en les recouvrant d'un adhésif isolant. Ces épissures sont tolérées dans une installation fixe, protégée par une baguette, par exemple. Il ne faut jamais raccorder ainsi deux fils souples : cet assemblage de fortune n'est jamais solide longtemps et peut devenir dangereux et déclencher un incendie.

BOÎTE DE DÉRIVATION OU DOMINO

Outils : tournevis à lame isolante, cutter, dénudeur de fil, pince coupante, pince à bec.

Matériel : appareil à connecter, boîtier de raccordement, fil raccordé à une prise.

Avec un boîtier de dérivation

1 Dénudez les fils et préparez-les.

2 Dévissez le couvercle du boîtier de raccordement et enlevez-le. Dévissez également les pattes servant à maintenir le cordon à l'entrée et à la sortie du boîtier.

3 Glissez les deux cordons à raccordez sous chaque patte.

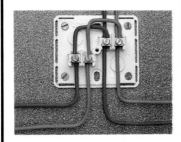

4 Enfoncez chaque fil profondément à l'intérieur de son logement

en veillant à ce que les couleurs des conducteurs correspondent : rouge d'un côté, bleu de l'autre, par exemple. (Reportez-vous aux explications de l'encadré p. 364.)

5 Vissez à fond pour fixer solidement les fils en place.

6 Remettez le couvercle et revissez-le.

7 Fixez, si nécessaire, la boîte de raccordement au mur.

Avec un domino

Les barrettes de connexion sont constituées par une série de serre-fils métalliques noyés dans du plastique. Vous pouvez les utiliser pour

des raccordements fil à fil que vous protégerez ensuite par un cadre, une boîte d'encastrement ou sous la rosette d'un lustre.

1 Choisissez un domino dont le diamètre d'ouverture correspond au conducteur que vous utilisez et insérez les fils dans leurs logements en prenant soin de les assembler par couleur.

2 Serrez les vis à fond. Le cuivre du fil dénudé ne doit pas être visible.

3 Pour que l'ensemble soit bien isolé, vous pouvez enrouler un ruban adhésif spécial électricité autour de la jonction.

LES PRISES ET LEUR PUISSANCE

Les prises de courant modernes normalisées 16 A permettent d'alimenter aussi bien des lampes portatives que des appareils de puissance jusqu'à 3 500 W. Les prises de courant 6 A, encore très répandues, ne sont plus utilisées pour les installations neuves. Elles ne doivent servir que pour l'éclairage.

Dans les circuits spécialisés, les prises de courant doivent être d'un calibre adapté à la puissance des appareils à alimenter :
— prise 32 A avec contact de terre (ou boîte de raccordement) pour une cuisinière ou une table de cuisson électrique ;
— prise 16 A avec terre pour un four indépendant ou un lave-linge (voir aussi l'encadré p. 370) ;

— prise 16 A avec terre pour un lave-vaisselle.

Dans les locaux secs (séjour, chambre...), l'axe des alvéoles des prises doit être situé à 5 cm au moins du sol. Avec des plinthes de plastique, elles peuvent être à 1,5 cm du sol. Dans les locaux humides, vous ne devez pas installer de prises à moins de 25 cm

du sol et sous certaines conditions (voir p. 377).

Toute prise de courant doit comporter une boîte d'encastrement isolante.

Le repiquage des conducteurs sur les bornes d'une prise n'est possible que sur des socles marqués « R » (voir « Ajout d'une prise sur un circuit existant », p. 370).

PRISES ET FICHES

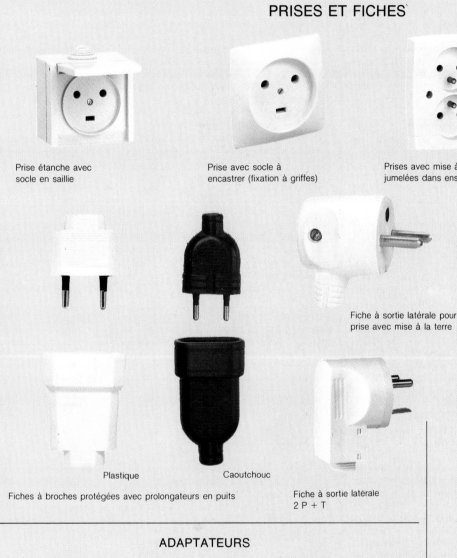

Prise étanche avec socle en saillie

Prise avec socle à encastrer (fixation à griffes)

Prises avec mise à la terre jumelées dans ensemble monobloc

Monobloc comportant un socle 10/16 A et un socle 20 A

Fiche à sortie latérale pour prise avec mise à la terre

Socle de prise de courant 10/16 A disposé dans une plinthe plastique

Plastique

Caoutchouc

Fiches à broches protégées avec prolongateurs en puits

Fiche à sortie latérale 2 P + T

BLOCS MULTIPRISES

Bloc 2 prises 2 P et 2 P + T

ADAPTATEURS

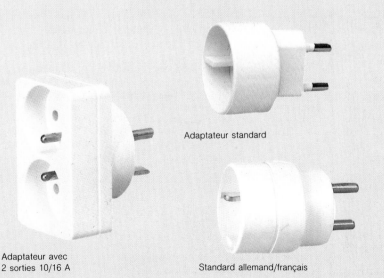

Adaptateur standard

Adaptateur avec 2 sorties 10/16 A

Standard allemand/français

Bloc 2 prises 2 P, 3 prises 2 P + T et interrupteur

Réalisation d'un prolongateur

Vous pouvez trouver dans le commerce des prolongateurs de différentes longueurs équipées généralement de fiches et de prises moulées, très résistantes. Il est beaucoup plus économique — mais plus hasardeux — de réaliser vous-même des prolongateurs de la longueur que vous voulez en raccordant deux fiches, une mâle et une femelle, aux deux extrémités d'un câble souple.

CONSEIL DE SÉCURITÉ

Quand vous réalisez un prolongateur, respectez toujours le sens des prises : les prises femelles vers la source du courant, les prises mâles raccordées aux appareils. De cette façon, si vous débranchez le cordon, les prises sont sans danger, vous ne risquez pas d'être en contact avec le courant, qui se trouve à l'intérieur de la fiche femelle. S'il circule dans une prise mâle, au contraire, les broches métalliques alimentées en courant deviennent extrêmement dangereuses, surtout pour les enfants et les animaux.

Choisissez le cordon et les broches en fonction de la puissance des appareils à raccorder.

Pour une utilisation en extérieur, utilisez des fiches spéciales conçues pour résister à l'humidité (voir p. 381).

Outil : tournevis.
Matériel : une fiche mâle et une fiche femelle de même capacité, la longueur du câble souple correspond à vos besoins (de préférence trois conducteurs de 1,5 mm², et des fiches deux pôles plus terre [16 A] et, forcément, deux broches plus une alvéole de terre).

1 Préparez les extrémités du câble.

2 Dévissez les deux fiches, retirez le capot et desserrez la patte de fixation des câbles.

3 Enfilez les couvercles sur les fils préparés, le côté le plus large dirigé vers l'extrémité du fil.

4 Introduisez chaque fil dans sa

borne. S'il s'agit d'une prise à deux broches plus une alvéole de terre, raccordez le fil de terre vert et jaune à l'alvéole correspondante (symbole ⏚).

5 Serrez les pattes de fixation des fils et revissez convenablement les couvercles.

COMBIEN DE PRISES PAR PIÈCE

L'installation électrique doit pouvoir alimenter sans problème tous les appareils électrodomestiques, et ils sont nombreux. Faites un rapide inventaire de tout ce que vous allez devoir brancher dans chaque pièce. Prévoyez une alimentation fixe pour tous les appareils permanents (éclairages, convecteurs), et autant de prises que d'appareils mobiles (télévision, chaîne hi-fi, magnétoscope...). Cela donne :
— 5 prises 16 A dans la salle de séjour ;
— 3 ou 4 prises 16 A dans les chambres ;
— dans la cuisine, 5 prises 16 A, une boîte de connexion ou une prise 32 A pour la cuisson électrique, 2 prises 16 A (lave-linge et

lave-vaisselle). Vérifiez le calibre des prises et la puissance des appareils qu'elles vont alimenter (voir l'encadré p. 370).

Prévoyez des prises ou un rail de raccordement au-dessus des plans de travail pour tous les robots ménagers, par exemple (voir l'encadré p. 378).

S'il s'agit d'une construction neuve et si vous n'avez pas encore déterminé l'emplacement des meubles, prévoyez des prises tout autour des pièces : vous ne serez pas limité ensuite dans l'organisation de l'espace par des problèmes d'alimentation électrique.

Il faut surtout que vous évitiez de multiplier prises multiples et prolongateurs.

Remplacer une prise par une prise multiple

Vous avez plusieurs appareils à connecter à une même prise. Si le circuit n'est pas surchargé (pas plus de huit points d'alimentation), vous pouvez remplacer la prise murale simple par une prise double ou triple. C'est une solution à la fois plus sûre et plus esthétique que l'utilisation d'une fiche multiple. Vous trouverez ces prises dans tous les rayons électricité. Certaines sont encastrables, d'autres se posent en applique. Vous pouvez d'ailleurs très bien recouvrir une ancienne prise encastrée par une prise double ou triple en applique : le coffret est en général suffisamment large pour dissimuler le trou. Si le conducteur mural n'est pas assez long pour être raccordé à la nouvelle prise, reliez-le à un domino que vous dissimulerez dans l'ancien encastrement et que vous raccorderez à la prise. Mieux vaut toutefois réaliser un nouvel encastrement : comme elles ne présentent aucun relief, les prises encastrées sont moins vulnérables que les prises en applique, qu'un choc ou une traction un peu trop forte sur le fil peuvent arracher du mur.

Outils : tournevis isolé, couteau, dénudeur de fil, pince coupante et pince plate. Éventuellement, outils pour l'encastrement, niveau à bulle.
Matériel : prise double ou triple

avec boîte d'encastrement ; éventuellement, vis et chevilles.

DÉMONTAGE DE L'ANCIENNE PRISE

Prise encastrée

1 Mettez le disjoncteur principal en position « arrêt » et retirez le fusible correspondant au circuit sur lequel vous allez travailler. Vérifiez qu'il ne passe plus de courant dans la prise en y branchant une lampe et à l'aide d'un tournevis testeur.

Si la lampe ne s'allume pas, cela ne garantit pas pour autant que c'est la phase qui est coupée. Ce peut être aussi le neutre. D'où l'intérêt de contrôler avec un tournevis testeur.

2 Dévissez les vis de fixation de la prise simple.

3 Retirez-la de son support et dégagez les conducteurs de leurs bornes.

4 La boîte existante n'a pas besoin d'être changée, faites les branchements sur la prise double.

5 Revissez les vis de fixation.

Prise en applique

1 Si vous remplacez toute la prise, démontez prise et boîtier. Si vous n'utilisez qu'une nouvelle façade, laissez le boîtier en place, sauf s'il est endommagé.

2 Placez la prise ; vérifiez qu'elle est bien horizontale à l'aide d'un niveau et marquez l'emplacement des vis de fixation à l'aide d'un poinçon.

3 Avant de percer les trous correspondants, vérifiez à l'aide d'un détecteur de métaux que vous ne risquez pas de perforer une canalisation.

Percez les trous et introduisez-y des chevilles.

4 Faites passer le câble d'alimentation dans le trou pratiqué à l'arrière du boîtier. Vissez le boîtier en place.

RACCORDEMENT DE LA PRISE

1 Si les extrémités des fils sont noircies ou cassées, dénudez-les à nouveau après avoir sectionné la portion endommagée.

2 Redressez les pointes des conducteurs avec une pince. Si la prise se trouve en bout de dérivation, elle ne comporte en principe que deux conducteurs. Si elle est placée sur une boucle et alimente une autre dérivation, elle peut en compter trois paires.

3 Fixez solidement les conducteurs de phase à l'une des bornes et les neutres à l'autre. Fixez également les fils de terre, s'il y a lieu, dans leur logement spécifique (symbole $\perp$).

4 Mettez la prise en place en veillant à ne pas déplacer les conducteurs.

5 Vissez-la au support jusqu'à ce qu'elle s'y adapte parfaitement. Ne serrez pas trop pour ne pas fendre le plastique.

6 Remettez fusible et disjoncteur en position de marche. Testez votre prise en y branchant une lampe. Si elle ne fonctionne pas, démontez-la et vérifiez vos connexions après avoir remis au préalable le disjoncteur principal sur la position « arrêt ».

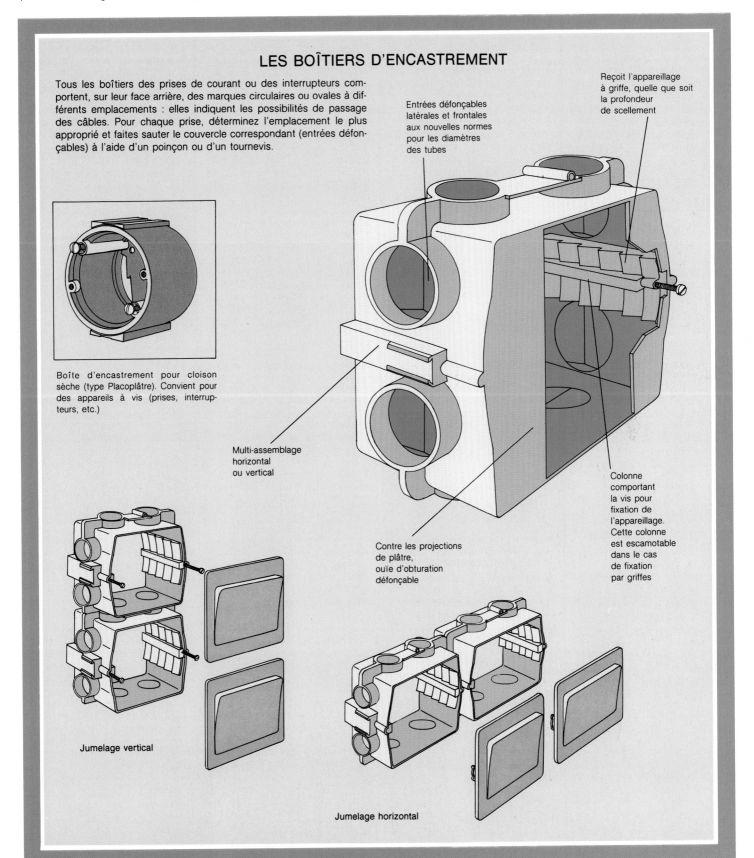

LES BOÎTIERS D'ENCASTREMENT

Tous les boîtiers des prises de courant ou des interrupteurs comportent, sur leur face arrière, des marques circulaires ou ovales à différents emplacements : elles indiquent les possibilités de passage des câbles. Pour chaque prise, déterminez l'emplacement le plus approprié et faites sauter le couvercle correspondant (entrées défonçables) à l'aide d'un poinçon ou d'un tournevis.

Entrées défonçables latérales et frontales aux nouvelles normes pour les diamètres des tubes

Reçoit l'appareillage à griffe, quelle que soit la profondeur de scellement

Boîte d'encastrement pour cloison sèche (type Placoplâtre). Convient pour des appareils à vis (prises, interrupteurs, etc.)

Multi-assemblage horizontal ou vertical

Contre les projections de plâtre, ouïe d'obturation défonçable

Colonne comportant la vis pour fixation de l'appareillage. Cette colonne est escamotable dans le cas de fixation par griffes

Jumelage vertical

Jumelage horizontal

Ajout d'une prise sur un circuit existant

Si vous avez besoin d'une prise supplémentaire, vous pouvez facilement réaliser une dérivation sur un circuit existant tant qu'il ne comprend pas au total plus de huit prises. Pour cela, vous allez vous raccorder à une prise existante.

Outils : tournevis isolé, testeur de phase, couteau, pince coupante et pince à dénuder.
Matériel : câble à deux ou trois conducteurs de 2,5 mm² de section et de couleurs différentes (une phase [fil rouge, noir ou brun], un neutre [bleu clair], éventuellement un conducteur de terre [vert et jaune]), cavaliers, prise avec son boîtier et vis de fixation. Éventuellement, baguettes en plastique.

CHOIX DE LA PRISE DE RACCORDEMENT

Attention ! vous ne devez pas réaliser une dérivation à partir d'une prise elle-même située sur une boucle additionnelle ou alimentant déjà une dérivation. Pour cela, utilisez un dériveur de phase.

Vérifiez également que le fusible correspondant pourra supporter la charge supplémentaire de la nouvelle prise.

1 Appuyez sur le bouton « arrêt » du disjoncteur général et retirez le fusible correspondant au circuit sur lequel vous allez travailler. Vérifiez qu'il ne passe plus de courant dans la prise en y branchant, par exemple, une lampe dont vous êtes sûr qu'elle fonctionne.

Si les prises sont encastrées, il y a lieu de prévoir un conduit en plastique pour passer les fils à l'intérieur.

Si les prises sont apparentes, prévoyez un câble.

RACCORDEMENT À LA PRISE EXISTANTE

1 Pour ce type d'opération, il est recommandé de choisir une prise en excellent état ; et des fils protégés à l'intérieur d'une moulure en plastique offrent une plus grande sécurité.

2 Quand vous avez trouvé une prise disponible, démontez le socle et sortez-le de son boîtier de façon

à pouvoir atteindre les vis de fixation des fils. Desserrez-les et débranchez les fils.

3 Installez la nouvelle ligne, soit en l'encastrant, soit sous baguette en plastique comme il vous est préconisé, en laissant sortir les fils aux deux extrémités. Vous aurez pris soin de les choisir de la même couleur que ceux que vous avez trouvés dans la prise d'origine : rouge, bleu et vert et jaune, par exemple. Introduisez l'extrémité du câble dans le boîtier de la prise source et dans celui de la prise destinataire et fixez les deux boîtiers au mur.

4 Reliez les conducteurs deux par deux par couleur : rouge avec

rouge, bleu avec bleu, etc., et introduisez-les ensemble dans les bornes de la prise d'origine. Si nécessaire, redressez les fils rigides à l'aide d'une pince.

5 Vissez à fond les vis de fixation des fils.

6 Enfoncez doucement le socle dans le boîtier, en vérifiant que les conducteurs ne sont pas sortis de leur logement, que la prise ne les écrase pas et qu'ils ne sont pas emmêlés.

7 Vissez le socle en place jusqu'à ce que vous obteniez un assemblage parfait, mais ne serrez pas trop fort pour éviter de fendre le plastique.

POSE DE LA NOUVELLE PRISE

1 Fixez solidement les conducteurs dans les bornes d'arrivée.

2 Mettez le socle en place en prenant soin de ne pas endommager ou déplacer les fils, et vissez-le en place.

Remettez, si ce n'est déjà fait, le couvercle de la moulure plastique.

3 Remettez en place le fusible correspondant au circuit que vous

avez ainsi doublé, et appuyez sur le bouton « marche » du disjoncteur.

4 Vérifiez que votre prise fonctionne.

UTILISATION DU TESTEUR DE PHASE

Avant de réaliser une dérivation sur une prise, il faut vous assurer qu'elle peut la recevoir. Posez la pointe du tournevis testeur sur chaque fil en appuyant en même temps avec un doigt sur l'extrémité opposée : s'il s'allume, vous êtes en présence d'un fil de phase ; s'il reste éteint, il s'agit d'un neutre.

Tester un circuit principal
Lorsque vous créez un nouveau circuit, utilisez la lampe témoin à pile pour vérifier que toutes les connexions sont correctes avant de vous raccorder au tableau de contrôle. Avant de brancher votre câble au fusible correspondant, raccordez-le à l'aide des pinces crocodiles à la lampe témoin.

BRANCHEMENT DE FICHES SUR LES PRISES

Lorsque vous achetez un appareil électrique, ne changez pas sa fiche : elle est adaptée à la puissance de l'appareil et au type de prise sur laquelle elle doit être raccordée.

Si vous ne pouvez brancher cette fiche sur une prise, changez la prise.

LES PRISES DE COURANT

Les prises que l'on rencontre le plus fréquemment dans les installations domestiques sont des 10/16 A, 20 et 32 A.

Les prises 6 A, encore très répandues dans les constructions anciennes, sont interdites dans les immeubles neufs. Elles sont en effet de qualité contestable et de toute façon ne permettent d'alimenter que des appareils de faible puissance (650 W en 110 V et 1 300 W en 220 V).

Elles sont remplacées par des prises 10/16 A dites « Confort »,

qui permettent d'alimenter aussi bien des lampes que des appareils de petite et moyenne puissance jusqu'à 3 500 W en 220 V. Elles comportent, en effet, des trous élastiques qui peuvent recevoir des fiches de calibre varié (2,5/6 A ou 10/16 A) sans risque de mauvais contact.

Ces prises peuvent être posées dans les installations existantes à la place des prises 6 A trop faibles. Il suffit de faire remplacer dans les moulures les fils d'alimentation par des fils de 2,5 mm².

Pour les appareils de forte puissance, il convient d'utiliser :
— une prise ou une boîte de raccordement 32 A avec contact de terre pour la cuisinière ou la table de cuisson ;
— une prise 16 ou 20 A avec contact de terre pour un four indépendant ;
— une prise 16 ou 20 A avec contact de terre pour le lave-linge ;
— une prise de 16 A avec contact de terre pour le lave-vaisselle.

Calibre de prise	Fils d'alimentation	Fusibles de protection	ou Disjoncteurs divisionnaires	Puissance maximale des appareils qu'elles peuvent alimenter	
				en 110 V	en 220 V
10/16 A	2,5 mm²	20 A	20 A	1 750 W	3 500 W
20 A	4 mm²	25 A	32 A	2 200 W	4 400 W
32 A	6 mm²	32 A	38 A	3 500 W	7 000 W

Montage d'une fiche avec mise à la terre

Si vous constatez que la fiche d'un appareil ménager est endommagée, noircie ou fendue, n'hésitez pas à la changer.

Outils : tournevis à lame isolée, couteau, pince coupante, pince à dénuder, pince plate.
Matériel : fiche, câble à trois conducteurs.

1 Dévissez la ou les vis de fixation du couvercle et dégagez-le pour avoir accès aux bornes de raccordement des fils.

2 Desserrez la patte de maintien du câble.

3 Enfilez le couvercle sur le câble, partie évasée vers l'extrémité portant les conducteurs à raccorder.

4 Préparez l'extrémité des trois conducteurs (voir p. 366) après avoir mesuré les distances entre

l'entrée du câble et la borne de raccordement. Dans certains modèles, chaque fil parcourt une distance différente et doit donc être coupé en conséquence.

5 Introduisez chaque fil dans une borne. Phase et neutre sont interchangeables, mais la terre n'a qu'une position possible. Elle est généralement très facilement identifiable, puisqu'elle est reliée à une

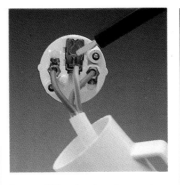

borne différente des deux autres. Serrez chaque vis à fond.

6 Fixez solidement le câble à l'aide de la patte de maintien : elle empêche l'arrachement des fils de leurs bornes si l'on tire sur le câble.

Veillez à ce que la gaine protectrice pénètre à l'intérieur de la prise : les gaines de couleur protégeant les conducteurs ne doivent pas apparaître à l'extérieur.

7 Remettez le couvercle et vissez-le à fond.

RACCORDEMENTS FIXES

Tous les appareils fixes : radiateurs électriques, cuisinière ou four encastré, peuvent être raccordés à des prises murales composées d'un couvercle et d'un socle encastré dans le mur. Dévissez le couvercle et raccordez chaque fil à une borne du socle.

Changement d'une prise murale

Toute prise murale endommagée (boîtier noirci, fendu ou décollé) doit être changée le plus tôt possible. En attendant de le faire, n'y branchez plus aucun appareil.

Outils : tournevis isolés (un grand et un petit), couteau, pince coupante et pince à dénuder.
Matériel : nouvelle prise, vis.

1 Appuyez sur le bouton « arrêt » du disjoncteur général et retirez le fusible correspondant au circuit sur lequel vous allez travailler. Vérifiez que la prise n'est plus alimentée en branchant une lampe dessus, et avec le testeur.

2 Dévissez le socle. Si le boîtier est de dimension courante, vous pouvez le laisser en place et vous contenter de changer la façade de la prise. S'il est endommagé, mieux vaut changer aussi le boîtier.

3 Tirez doucement sur le couvercle. Par-derrière, vous allez trouver des bornes de fixation auxquelles sont raccordés un ou plusieurs fils. Notez bien le nombre de fils raccordés à chaque borne

avant de les dévisser. La prise (ou l'interrupteur) peut être placée sur une dérivation comportant plusieurs prises ou un va-et-vient. Dévissez les vis de fixation, dégagez les conducteurs et retirez le couvercle.

4 Si le boîtier est endommagé, dévissez les vis qui le fixent au mur et démontez-le. Vérifiez l'état des chevilles et, au besoin, remplacez-les.

5 Fixez la nouvelle boîte d'encastrement après en avoir percé le fond et fait passer les conducteurs et le conduit ou la gaine du câble dans ce trou.

6 Si les fils sont cassés ou noircis, coupez-en la pointe à l'aide d'une pince coupante et préparez-les pour la nouvelle connexion (voir p. 366). Si nécessaire, entaillez la gaine protectrice du câble pour dégager les fils.

7 Engagez les fils dans les bornes de fixation et serrez les vis à fond. Vérifiez que l'assemblage est solide en tirant doucement sur chaque fil.

8 Posez le couvercle sur le boîtier et appuyez. Vérifiez que les conducteurs ne risquent pas d'être pincés lors de la fermeture. Vissez le couvercle en place. Serrez les vis jusqu'à ce qu'il n'y ait plus d'intervalle entre la prise et le boîtier, mais ne forcez pas, le boîtier en plastique pourrait casser.

9 Remettez en place le fusible correspondant et mettez en marche le disjoncteur général. Vérifiez le fonctionnement de votre nouvelle prise à l'aide d'une lampe. Si elle ne s'allume pas, coupez à nouveau le courant et vérifiez branchements et serrages.

LES DIFFÉRENTS TYPES DE PRISES

Dans une installation électrique, vous rencontrez plusieurs types de prises :
— des prises à 3 alvéoles dont une rectangulaire ;
— des prises à 2 alvéoles sans contact de terre ;
— des prises à 2 alvéoles avec contact de terre ;
— des prises simples ou doubles.

Prises jumelées dont une avec mise à la terre

Dans les locaux secs à sol non conducteur (parquet, moquette, dalles de plastique), toutes les prises doivent être de même type : toutes sans terre ou toutes avec terre. Dans les locaux humides ou à sol conducteur (carrelage, ciment) et à l'extérieur, toutes les prises doivent comporter le contact de terre.

Réalisation d'un encastrement

Prises et interrupteurs encastrés sont discrets : aucun fil apparent ne vient déparer le décor, le boîtier est inséré dans le mur et recouvert d'une plaque esthétique qui ne fait aucune saillie. Si vous envisagez de changer le papier peint ou de repeindre une pièce, vous pouvez en profiter pour rajouter une prise ou deux en réalisant une dérivation encastrée sur un circuit existant, à condition bien sûr de ne pas dépasser la capacité permise (huit points de consommation).

Outils : tournevis à lame isolée, marteau, ciseau de maçon, perceuse, détecteur de métaux, mèches à bois ou à béton suivant la nature des matériaux à traverser, crayon, couteau, scie, couteau à enduire, pince coupante et pince à dénuder, pince plate. Niveau à bulle.

Matériel : fils de section appropriée à la puissance des appareils que vous désirez raccorder et aux couleurs normalisées, cavaliers de fixation, boîtiers d'encastrement, prises et interrupteurs, ruban adhésif isolant ; plâtre ou enduit de rebouchage ; conduit (tube plastique) pour protéger les fils dans le mur.

Commencez par marquer les emplacements des prises et des interrupteurs.

Les prises. Ne les installez pas trop bas. Prévoyez-les à 15 cm au moins au-dessus du plancher. Il ne faut pas qu'elles gênent le passage de l'aspirateur ou risquent d'être heurtées du pied une fois qu'elles seront branchées.

Les interrupteurs. Ils doivent être facilement accessibles et à hauteur de main (1 à 1,20 m du sol).

PASSAGE D'UN CÂBLE SOUS UN PLANCHER

Lorsque vous aménagez un grenier, par exemple, vous pouvez très facilement faire courir les câbles ou les fils électriques sous le plancher avant de le poser. Prévoyez simplement des trappes de contrôle vous donnant accès aux boîtes de connexion.

1 Le câble peut être fixé à l'aide de cavaliers cloués.

2 S'il doit traverser des longerons, vous pratiquerez un passage à mi-hauteur de ces derniers à l'aide d'une perceuse équipée d'une mèche à bois d'un diamètre supérieur au câble et, si nécessaire, d'un adaptateur permettant de percer à angle droit.

PASSAGE D'UN CÂBLE DANS UNE CLOISON CREUSE

Certaines cloisons sont constituées de plaques minces fixées sur un cadre en bois. Dans ce cas, il est possible de faire passer un câble électrique dans la cavité existant entre les deux parois. Il suffit de découper le cadre pour lui permettre le passage.

1 Utilisez un poinçon très fin pour localiser le cadre (ou un détecteur de métaux qui vous permettra de localiser les agrafes fixant les parois au cadre).

2 Découpez au cutter un carré de 10 cm² environ à l'endroit où votre fil devra passer.

3 Au ciseau, pratiquez dans le cadre une saignée suffisamment large pour que le câble puisse s'y loger.

DESCENTE D'UN CÂBLE À PARTIR DU PLAFOND

1 Découpez une fenêtre dans la cloison au ras du plafond pour atteindre la partie supérieure du cadre, et percez-y un trou correspondant au diamètre du conducteur. Vous pouvez utiliser une mèche longue en perçant avec un angle faible, ou un adaptateur permettant de percer à angle droit.

2 Faites glisser le câble dans le trou. Faites-le descendre et pla-

cez-le à l'intérieur des saignées que vous avez pratiquées. Ne le tendez pas, il faut qu'il reste souple.

MONTÉE DU CÂBLE À PARTIR DU BAS

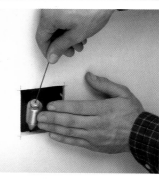

1 Découpez une fenêtre dans la cloison, près du plancher, pour dégager la base du cadre. Percez-y un trou plus large que la section du câble à l'aide d'une mèche longue utilisée avec un angle faible, ou d'un adaptateur permettant de percer à angle droit. Faites descendre un fil lesté d'un plomb depuis le point le plus haut que devra atteindre le câble.

2 Attachez le fil au câble et tirez-le doucement, mettez-le en place dans les saignées en vous faisant aider au besoin. Ne tendez pas le conducteur.

PASSAGE PAR LES CÔTÉS

1 Pour y parvenir, utilisez un câble assez rigide pour ne pas ployer : introduisez-le par le côté et poussez-le horizontalement jusqu'au premier montant du cadre. Faites sortir le câble et tirez-en une longueur équivalant à la distance qui le sépare du montant suivant, répétez ensuite la même opération.

2 Quand le câble est en place, fixez-le aux montants à l'aide de cavaliers. Rebouchez les fenêtres à l'aide de carrés découpés dans du contre-plaqué et fixez-les aux montants en prenant soin de ne pas endommager le conducteur. Dissimulez les contours des découpes avec de l'enduit.

CREUSEMENT D'UNE SAIGNÉE

1 Tracez sur le mur le trajet du câble. Faites-le courir au ras du plafond ou le long des plinthes et raccordez-le verticalement aux interrupteurs et aux prises. Évitez les trajets en diagonale, trop dangereux car, par la suite, il est impossible de détecter la présence de fils dans le mur. Un clou dans un fil électrique peut provoquer un court-circuit.

2 Assurez-vous qu'aucun conduit métallique ou aucun autre circuit ne passe sur le trajet. Si vous avez le moindre doute, coupez le courant au disjoncteur général pendant la durée des travaux : s'il vous arrivait d'être en contact avec un conducteur électrique, vous ne risqueriez pas l'électrocution.

3 Marquez bien les deux rives de votre saignée sur le mur à l'aide d'une lame de couteau et utilisez un burin et un marteau ou une rainureuse pour la réaliser.

Attention à la poussière : pensez à protéger tapis et moquette.

4 Creusez assez profondément pour que le conduit et ses attaches soient complètement recouverts par une couche de plâtre d'au moins 5 à 6 cm ; trop mince, elle ne tarderait pas à se fissurer.

5 Rebouchez toutes vos saignées avec du plâtre ou un enduit de rebouchage en laissant un léger creux à la surface. Laissez sécher 24 heures au moins, puis appliquez un enduit de lissage. Laissez-le sécher complètement avant de poncer la surface au papier de verre.

UN BON TRUC

Lors d'une traversée de plancher, il faut protéger un conduit isolant des dégradations et de l'écoulement de liquide. Pour cela, utilisez des conduits étanches dont l'extrémité fera saillie au-dessus du plancher d'une hauteur au moins égale à celle des plinthes, quand elles existent, sinon de 11 cm au minimum.

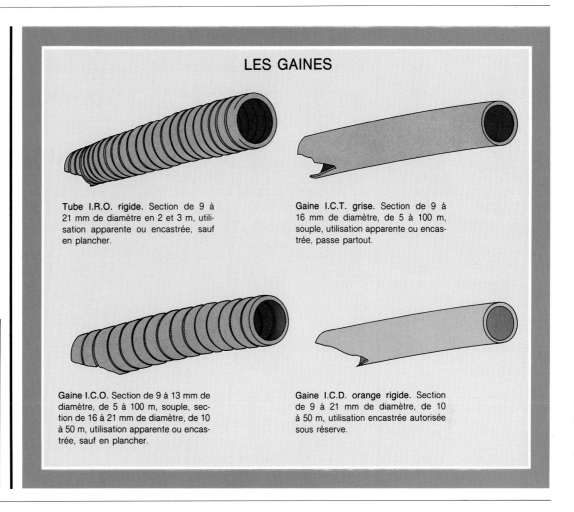

LES GAINES

Tube I.R.O. rigide. Section de 9 à 21 mm de diamètre en 2 et 3 m, utilisation apparente ou encastrée, sauf en plancher.

Gaine I.C.T. grise. Section de 9 à 16 mm de diamètre, de 5 à 100 m, souple, utilisation apparente ou encastrée, passe partout.

Gaine I.C.O. Section de 9 à 13 mm de diamètre, de 5 à 100 m, souple, section de 16 à 21 mm de diamètre, de 10 à 50 m, utilisation apparente ou encastrée, sauf en plancher.

Gaine I.C.D. orange rigide. Section de 9 à 21 mm de diamètre, de 10 à 50 m, utilisation encastrée autorisée sous réserve.

Les conduits

Pour réaliser les circuits encastrés ou apparents, vous devez obligatoirement glisser les fils d'alimentation dans des gaines protectrices isolantes appelées conduits. Il en existe de nombreux modèles portant la marque NF-USE. Suivant les cas, vous pouvez utiliser des conduits souples ou rigides. La plupart sont en plastique. Ils peuvent être orange ou gris. Les conduits orange brûlant facilement ne doivent être employés qu'enrobés de plâtre ou de ciment. Avant de choisir les conduits que vous allez utiliser, renseignez-vous bien dans

le magasin : il existe des règles précises pour le choix du conduit convenant à telle ou telle utilisation : montage apparent, montage encastré, passage dans un vide de construction. Leur pose répond également à une réglementation précise : les rayons de courbure autorisés pour les angles sont fonction du diamètre du conduit : les raccordements s'effectuent à l'aide d'accessoires spéciaux (manchons, boîtes...).

Vous devez pouvoir retirer facilement les conducteurs ou les câbles après les avoir posés dans les

conduits et quand vous aurez installé tous les raccordements. Il suffit pour cela de les tirer, mais ce n'est possible que lorsque la section totale des conducteurs (isolants compris) ou des câbles (gaine extérieure comprise) est au plus égale au tiers de la section intérieure du conduit.

Un conduit ne doit en principe contenir que les conducteurs d'un seul et même circuit, sauf si toutes les conditions suivantes sont réunies :
— circuits issus d'un même disjoncteur de branchement et com-

portant des protections individuelles contre les surintensités ;
— sections des conducteurs proches les unes des autres (leur différence ne doit pas dépasser trois sections normalisées). Par exemple, on pourra rassembler des conducteurs de 1,5 mm², 2,5 mm² et 4 mm² de section, mais en aucun cas de 1,5 et 6 mm².

Évitez de regrouper plus de trois circuits par conduit et disposez de préférence les circuits réalisés avec des conducteurs de 6 mm² dans des conduits indépendants.

Les dérivations sous baguettes

Si vous ne voulez pas abîmer vos murs, le plus simple est de réaliser toutes vos dérivations sous des baguettes en plastique. Vous pouvez les faire courir le long des plinthes, dans les angles de murs ou au ras du plafond, en tournant toujours à angle droit.

1 Déterminez le meilleur chemin, et mesurez la longueur de cet itinéraire depuis l'arrivée de l'électricité jusqu'à l'emplacement des prises que vous voulez installer. Choisissez les baguettes correspondant au nombre de fils dont vous aurez besoin. Elles se composent en effet

d'un socle dans lequel sont pratiquées des rainures destinées à recevoir chacune un ou deux conducteurs de même nature.

2 Commencez par fixer les socles au mur, puis glissez les conducteurs à l'intérieur de leurs logements, enfin, enclenchez les couvercles. Laissez une bonne longueur de fil dépasser pour le raccordement aux prises.

3 Placez prises et interrupteurs et raccordez-les aux conducteurs en suivant soigneusement votre plan de base.

4 Pour finir, raccordez les conducteurs au fusible du tableau de contrôle après avoir testé votre circuit à l'aide d'une lampe témoin à pile.

PLINTHES ET MOULURES : LA SOLUTION «PLASTIQUE»

Réalisés en profilé P.V.C. blanc ou marron, les moulures en plastique et leurs accessoires sont discrets : on peut les peindre, ils se dissimulent le long des plinthes et s'adaptent à tous les besoins.

Leur mise en place est facile et peu salissante, contrairement aux

travaux longs et contraignants qu'exige l'encastrement.

Les moulures se fixent aux parois par clouage, vissage ou collage. En l'absence de plinthes elles doivent être posées à 10 cm au moins au-dessus du sol.

Leurs dimensions (de 20 × 10 mm à 110 × 20 mm, longueur : 2,10 m) répondent à l'ensemble des besoins d'une installation privée.

Pour les bureaux ou les magasins, vous pouvez utiliser des conduits, des colonnes et des goulottes en aluminium (voir encadré p. 374).

Les dérivations sous baguettes (suite)

Les différentes moulures

Les plus fines peuvent se fixer partout : dans l'angle d'un mur ou même au centre d'un panneau, pour raccorder une prise ou un point d'allumage fixe ; pour conduire plusieurs fils du tableau aux différents points d'utilisation, vous emploierez plutôt des moulures-surplinthes ou de véritables plinthes électriques de large contenance, équipées de plusieurs compartiments.

Différents accessoires permettent de réussir angles et dérivations, de raccorder des prises ou des interrupteurs aux plinthes.

Leur pose s'apparente à un jeu de construction : calculez le nombre et le sens des angles (horizontaux, verticaux...), le nombre de dérivations nécessaires et les largeurs de plinthes correspondantes, le nombre de prises raccordées directement aux plinthes ; cela vous permettra de vous approvisionner en une seule fois.

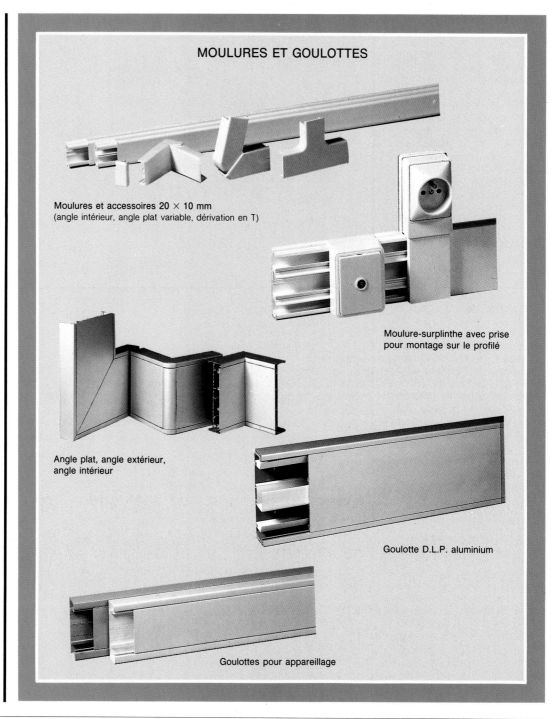

MOULURES ET GOULOTTES

Moulures et accessoires 20 × 10 mm
(angle intérieur, angle plat variable, dérivation en T)

Moulure-surplinthe avec prise pour montage sur le profilé

Angle plat, angle extérieur, angle intérieur

Goulotte D.L.P. aluminium

Goulottes pour appareillage

Pose d'une moulure

Outils : marteau et pointes, vis ou pistolet à colle selon le mode de fixation choisi ; boîte de coupe spéciale profilés, scie à métaux, tournevis.
Matériel : plinthes ou moulures de plastique ; embouts, accessoires d'angle et de dérivation.

1 Mesurez soigneusement la distance que vous avez à parcourir et préparez le nombre de moulures correspondantes.

2 Démontez les couvercles et fixez les socles au mur : sur du bois, vous pouvez les clouer, sur d'autres matériaux, il est préférable

de les visser. Sur un béton très dur, vous pouvez les coller (en prenant toutefois la précaution, chaque fois que c'est possible, de renforcer la fixation à l'aide de vis).

3 Lorsque vous arrivez à un angle, mesurez la distance qui sépare l'extrémité de la dernière moulure du mur et découpez la pièce suivante en la plaçant dans la boîte à coupe. Prévoyez un vide de 5 à 10 mm entre son extrémité et la paroi : vous la dissimulerez sous un élément d'angle.

4 Pour réaliser une dérivation, coupez la baguette à l'endroit de la

jonction, laissez un vide de 10 à 15 mm avant de poser la baguette suivante. Faites de même au départ de la jonction verticale.

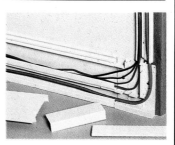

5 Installez vos conducteurs à l'intérieur des baguettes. Les conduc-

teurs actifs (isolés) doivent avoir une section appropriée à la fonction : circuits d'éclairage : 1,5 mm² ; circuits prises de courant, de chauffe-eau, lave-vaisselle et lave-linge : 2,5 mm² ; circuit appareils de cuisson : 6 mm². Utilisez des dominos et des boîtes de dérivation pour toutes les jonctions. Coupez les bouts de couvercles de 5 mm pour tenir les fils. Posez les couvercles, les éléments d'angle et les tés de dérivation. Installez vos prises et vos interrupteurs.

6 Raccordez le circuit au fusible correspondant du tableau de contrôle.

Changement d'une douille

Réparer une lampe (suspension, lampe de bureau ou de chevet, ou même plafonnier) est à la portée d'un bricoleur débutant. Supposons que vous ayez heurté accidentellement une lampe et qu'elle ne s'allume plus. La douille est vraisemblablement mal fixée. Vous devez la démonter et vérifier les assemblages. Si vous l'utilisez dans une pièce humide, profitez-en pour échanger sa douille métallique contre un modèle en plastique, beaucoup plus sûr.

Outils : tournevis isolés, dont un de petite taille ; pince coupante, pince à dénuder, pince universelle.
Matériel : câble, éléments de remplacement.

1 Appuyez sur le bouton « arrêt » du disjoncteur général et retirez le fusible du circuit sur lequel vous allez travailler.

2 Retirez l'ampoule de sa douille et dévissez l'anneau qui maintient l'abat-jour en place. Si vous avez du mal à le retirer, enduisez-le de pétrole et attendez 30 minutes environ. S'il résiste toujours, vous serez peut-être obligé de forcer et aurez à le remplacer. Retirez ensuite l'abat-jour.

3 Dévissez le couvercle de la douille et faites-le glisser le long du fil pour dégager les bornes de raccordement des conducteurs. Dévissez les vis de fixation à l'aide du tournevis électrique et dégagez les conducteurs de leur logement.

4 Vérifiez l'état de la douille. Si elle vous paraît roussie ou endommagée, remplacez-la par une nouvelle (voir encadré ci-contre).

5 Préparez les extrémités des conducteurs pour un raccordement (voir p. 366).

6 Si vous utilisez une douille neuve, glissez le couvercle sur le fil.

7 Glissez chaque conducteur dans son logement et serrez à fond les vis de fixation correspondantes.

8 Revissez le capuchon en prenant soin de bien placer les conducteurs à l'intérieur.

9 Introduisez la douille dans l'abat-jour et vissez en place l'anneau qui sert à le maintenir.

10 Remettez le fusible correspondant en place et appuyez sur le bouton « marche » du disjoncteur.

DOUILLES ÉLECTRIQUES : DES RÈGLES À RESPECTER

Les différents éléments d'une douille

Câble
Culot
Fils
Noix (et vis de serrage de fil)
Fourreau
Bague

Situées en contact direct avec les ampoules, les douilles électriques sont souvent soumises à de forts échauffements. Elles se détériorent et peuvent devenir dangereuses.

Utilisez systématiquement des douilles isolantes en plastique dans tous les locaux à risques (cuisine, salle de bains, séchoir, cave).

Il est par ailleurs interdit d'effectuer un repiquage de fils sur les bornes d'une douille électrique.

Quand vous montez un fil sur une douille, prenez garde que les conducteurs soient dissimulés à l'intérieur de celle-ci. Sinon, vous risqueriez des défauts d'isolation et un court-circuit. Une suspension lumineuse ne doit jamais être fixée au plafond par les conducteurs qui l'alimentent : prévoyez toujours un crochet, une patte pour fixer le câble s'il s'agit d'un petit luminaire, ou une chaîne spéciale s'il s'agit d'un lustre. Les connexions ne doivent pas supporter le luminaire.

Réparation d'une lampe de bureau ou de chevet

Pour réparer une lampe de bureau, vous allez procéder de la même façon que dans le cas précédent, au moins en ce qui concerne le support de l'ampoule. S'il s'agit d'une vieille lampe, mieux vaut changer le fil qui traverse le socle de part en part en même temps que vous réparerez la tête. Vous devrez également démonter ou changer l'interrupteur situé sur le fil ou sur la lampe.

Outils : tournevis isolé, couteau, pince coupante et dénudeur de fil, pince universelle.
Matériel : lampe, câble de diamètre approprié à la puissance de l'ampoule, interrupteur, douille à vis en plastique.

1 Débranchez la lampe et démontez son ampoule.

Dévissez l'anneau de fixation de l'abat-jour et retirez ce dernier.

2 Dévissez également le deuxième anneau, qui maintient ensemble les deux moitiés de la douille. Dégagez le fourreau.

3 Dégagez les conducteurs de leurs bornes de fixation.

4 Retirez la fixation qui tient le culot à la base de la lampe et dégagez les fils.

5 Une fois la lampe nue, remontez, si possible, une douille à culot à vis, qui correspond aux normes européennes.
Passez les fils au travers du culot en plastique.
Fixez-les à la base de la lampe.

6 Introduisez chacune des extrémités des fils dans un des trous de la face inférieure de la noix. À l'aide d'un tournevis, serrez les deux vis qui maintiennent les fils dans leur logement, puis placez la noix.

7 Coiffez l'ensemble avec le fourreau. Vissez-le sur le culot.
Placez l'abat-jour et remontez la bague en la vissant sur la partie supérieure du fourreau. Vissez une nouvelle ampoule.

Les interrupteurs électriques

REMPLACEMENT D'UN INTERRUPTEUR MURAL

Remplacer un interrupteur n'est pas difficile. La plupart des modèles récents sont standard : vous pouvez conserver le boîtier et ne changer que le couvercle. S'il est fendu, roussi ou endommagé, remplacez-le immédiatement pour prévenir tout risque d'accident, surtout s'il est placé dans une pièce humide. Mieux vaut en outre éviter de l'utiliser tant que la réparation n'a pas été effectuée. Vous pouvez également remplacer un modèle classique par un interrupteur plus décoratif ou par un variateur de courant s'adaptant sur le même boîtier.

En revanche, pour une installation ancienne, il sera souvent nécessaire de poser un nouveau socle ou un boîtier d'encastrement (voir l'encadré «Les boîtiers d'encastrement», p. 369).

Outil : tournevis électrique fin.
Matériel : nouvel interrupteur.

1 Appuyez sur le bouton «arrêt» du disjoncteur général et retirez le fusible correspondant au circuit sur lequel vous allez travailler.

2 Dévissez le capot de l'interrupteur et extrayez-le de son logement.

3 Dévissez les vis des bornes de fixation et dégagez-en les conducteurs. Dévissez les vis du boîtier.

4 Après avoir vissé le nouveau boîtier sur le mur, fixez les conducteurs dans les bornes du nouvel interrupteur et placez-le sur son support. Serrez les vis de fixation jusqu'à ce que vous obteniez un assemblage parfait.

5 Mettez en place l'interrupteur.

6 Remettez le fusible en place et appuyez sur le bouton «marche» du disjoncteur général.

MONTAGE D'UN INTERRUPTEUR SUR UN CÂBLE

Vous pouvez vous trouver en présence de plusieurs sortes d'interrupteurs. Avant toute chose, commencez par démonter le couvercle de celui que vous avez acheté et examinez les bornes. S'il n'y en a que deux, vous ne devez sectionner qu'un seul conducteur. En revanche, si vous en trouvez quatre, il faut couper et raccorder les deux fils.

1 Sectionnez le ou les conducteurs à raccorder et préparez-en les extrémités pour un raccordement (voir p. 366).

2 Démontez les attaches de maintien du câble aux deux extrémités de l'interrupteur.

3 Puis introduisez-y les extrémités des fils et remettez les attaches en place.

4 Dévissez les vis de fixation et fixez-y les extrémités dénudées des fils en les enroulant autour de chaque vis si l'interrupteur ne comporte pas de bornes.

5 Serrez les vis à fond.

6 Remettez le capot en place.

LA COMMANDE À DISTANCE

La commande à distance est maintenant tout aussi facile pour l'éclairage que pour la télévision ou le magnétoscope.

L'interrupteur est remplacé par un récepteur électronique directement relié au circuit de 220 V.

En actionnant l'émetteur, vous envoyez sur le secteur un signal

LES INTERRUPTEURS

Les prises et interrupteurs ont fait d'énormes progrès ces dernières années. Il en existe de toutes les tailles, depuis les petits modèles à bascule très discrets jusqu'aux larges plaques très faciles à manœuvrer ou aux touches tactiles silencieuses. Certains interrupteurs étanches se montent sur des surfaces irrégulières, en intercalant un joint en mousse. Tous existent dans différents coloris. Essayez de les harmoniser à votre décor. Si vous avez besoin de plusieurs prises, vous pouvez opter pour des modèles doubles ou triples intégrés sous un même capot.

Interrupteur mural avec enjoliveur

Duo va-et-vient (10 A)

Interrupteur mural

Variateur de lumière

codé de fréquence élevée. Ce signal est décodé par un récepteur placé sur la source lumineuse.

Un même émetteur peut ainsi contrôler plusieurs prises de courant. Ce système de commande à distance peut piloter l'éclairage, mais aussi les appareils ménagers (téléviseur, hi-fi...), un dispositif de volets roulants, une porte de garage, l'éclairage du jardin...

Il faut noter que cette installation ne nécessite pas d'autre raccordement que le simple branchement électrique.

Cependant, il est prudent de faire monter un filtre de fréquences à l'entrée de votre installation électrique, car votre voisin de palier peut avoir le même émetteur que vous et commander votre réseau électrique en même temps que le sien.

Présentés en kit, un récepteur

Kit de commande à distance.

et deux émetteurs permettent de transformer en va-et-vient une installation simple allumage.

Émetteur mobile infrarouge

L'allumage, la variation ou l'extinction d'un lustre se font grâce à un émetteur sans fil qui transmet des signaux infrarouges aux différents émetteurs muraux, qui assurent l'interface infrarouge et courant porteur.

La salle de bains : des zones interdites

La salle d'eau (salle de bains ou douche) est l'un des endroits les plus dangereux. En effet, on s'y trouve dévêtu et dans un milieu humide, donc particulièrement exposé aux décharges électriques. C'est pourquoi la réglementation y est particulièrement sévère. Lorsqu'il s'agit des installations électriques, les salles d'eau se divisent en trois zones (voir dessin).

LE VOLUME ENVELOPPE

Dans ce parallélépipède ayant pour base la baignoire ou la douche et pour hauteur 2,25 m, la pose de tout accessoire, appareil ou canalisation électrique est strictement interdite.

Seul le chauffe-eau peut être toléré sous certaines conditions.

LE VOLUME DE PROTECTION

Ce volume est limité par le volume enveloppe de la baignoire ou du bac à douche ; les plans verticaux situés à 1 m des bords extérieurs de la baignoire ou du bac à douche ; les plans horizontaux définis pour le volume enveloppe. Il est interdit d'y poser des interrupteurs, des prises de courant, même raccordées à la terre, des canalisations électriques sous conduits métalliques, moulures ou plinthes, des boîtes de connexion ou des appareils électrodomestiques autres que les appareils protégés contre les projections d'eau et de classe II ▣.

Les prises de courant avec transformateur de séparation de classe II (double isolation [prise de rasoir, par exemple]), les appareils d'éclairage également de classe II et protégés contre l'eau en pluie ou les projections d'eau (symboles ▣ et △), les appareils électrodomestiques de classe II protégés contre les projections d'eau ou alimentés par un transformateur de sépara-

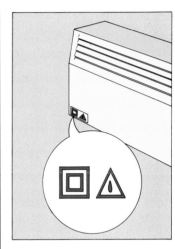

Double isolation et protection contre l'eau.

tion de classe II installé en dehors du volume de protection, un chauffe-eau protégé contre les projections d'eau sont autorisés dans ce volume. On peut toutefois restreindre le volume de protection du bac à douche ou de la baignoire grâce à la pose d'une cloison isolante fixe (glace, muret recouvert de carrelage...).

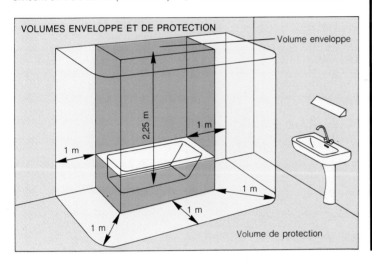

VOLUMES ENVELOPPE ET DE PROTECTION

Volume enveloppe
2,25 m — 1 m — 1 m — 1 m — 1 m
Volume de protection

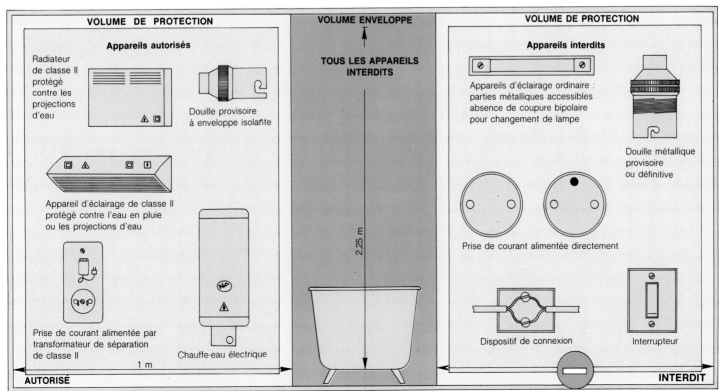

| VOLUME DE PROTECTION — Appareils autorisés | VOLUME ENVELOPPE — TOUS LES APPAREILS INTERDITS | VOLUME DE PROTECTION — Appareils interdits |

Radiateur de classe II protégé contre les projections d'eau — Douille provisoire à enveloppe isolante — Appareil d'éclairage de classe II protégé contre l'eau en pluie ou les projections d'eau — Prise de courant alimentée par transformateur de séparation de classe II — Chauffe-eau électrique — 1 m — **AUTORISÉ**

2,25 m

Appareils d'éclairage ordinaire : parties métalliques accessibles absence de coupure bipolaire pour changement de lampe — Douille métallique provisoire ou définitive — Prise de courant alimentée directement — Dispositif de connexion — Interrupteur — **INTERDIT**

La salle de bains : des zones interdites (suite)

LA ZONE VERTE

Tout le reste de la pièce est considéré comme une zone où les appareillages (interrupteurs et prises de courant) électriques sont autorisés, mais seulement à condition de ne comporter aucune partie métallique accessible. Toutes les prises de courant doivent être raccordées à la terre ou équipées d'un transformateur de séparation.

Il est interdit de réaliser l'alimentation électrique sous moulures ou plinthes en bois. Les canalisations seront de préférence encastrées et réalisées exclusivement à l'aide de conducteurs isolés posés dans des conduits isolants encastrés ou apparents sans revêtement métallique. Les moulures et plinthes en plastique ne sont admises en dehors de la zone verte que pour le passage des conducteurs de terre et de liaison équipotentielle.

Les circuits d'alimentation se terminant hors des volumes enveloppe et de protection doivent comporter un conducteur de protection (terre), même si l'appareil installé est de classe II. Le fil de terre qui ne pourra être raccordé devra res-

ter en attente dans le conduit ou dans la boîte de raccordement.

LA LIAISON ÉQUIPOTENTIELLE

Tous les éléments conducteurs, toutes les masses de la salle d'eau doivent être reliés entre eux par une liaison équipotentielle raccordée au conducteur général de terre. Cette liaison, qui a pour but de supprimer tout risque électrique en cas de fuite de courant (voir « La mise à la terre », p. 357), peut être encastrée dans les parois ou réalisée en partie dans un local contigu, mais ses connexions doivent demeurer accessibles. Elle ne doit pas être réalisée à l'aide d'un conducteur, nu ou isolé, noyé directement dans les parois : si elle est encastrée, il est nécessaire d'utiliser des conduits isolants. La section du conducteur à utiliser dépend de la protection mécanique.

Éléments devant obligatoirement être reliés

— Tuyauteries métalliques : eau froide, eau chaude, vidange. Si les tuyauteries sont communes à plusieurs appareils, il suffit de raccor-

der chacune en un point au moins à la liaison équipotentielle ;
— chauffage central ;
— tuyau du gaz et corps du chauffe-eau ;
— conduit de ventilation, qu'il soit ou non relié à une bouche de ventilation métallique ;
— huisseries métalliques de porte, fenêtre ou baie ;
— corps des appareils sanitaires métalliques ;
— corps de la baignoire ou du bac à douche s'il est en fonte ou en tôle émaillée ;
— bonde ou siphon.

Autres éléments

Certains éléments ne doivent pas nécessairement être reliés à la liaison équipotentielle :
— les appareils d'hygiène métalliques (porte-serviettes, sauf s'il est chauffant, dans ce cas il doit être soit à double isolation, soit relié à la terre) ;
— les bouches de ventilation en dehors des volumes enveloppe et de protection et à une hauteur de 2 m au-dessus du sol, ou si elles sont séparées du conduit de ventilation par un élément isolant fixe d'au moins 3 cm de long ;

— le conduit principal de ventilation s'il est réalisé dans un matériau non conducteur (béton non armé) ;
— les grilles métalliques d'aération haute et basse ;
— le sol et les parois.

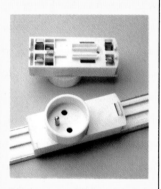

DES PRISES À PROFUSION

Lorsque vous avez besoin d'utiliser plusieurs prises dans un même espace (sur un plan de travail de cuisine, par exemple), vous pouvez utiliser un rail électrique sur lequel s'adaptent des prises spéciales. Il en existe de plusieurs longueurs, les plus grands pouvant mesurer jusqu'à 3 m. Le rail se fixe sur un boîtier.

1 La fixation se fait par clipage

2 Vous pouvez déplacer la prise selon vos besoins

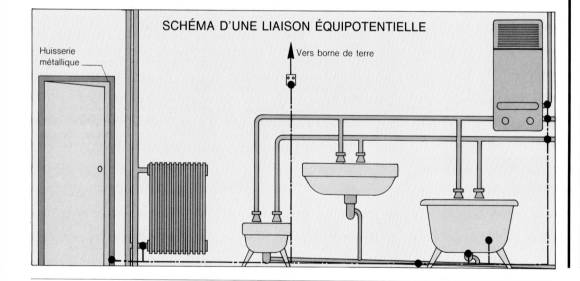

SCHÉMA D'UNE LIAISON ÉQUIPOTENTIELLE

Huisserie métallique

Vers borne de terre

Réalisation d'une installation électrique complète

Réaliser vous-même toute votre installation électrique est à votre portée si vous êtes un bon bricoleur. Les matériaux sont généralement fiables et faciles à utiliser. Mais il faut respecter les règles édictées par l'Union technique de l'électricité, faute de quoi vous pourriez vous voir refuser le branchement du compteur.

Si vous entreprenez ce travail, calculez largement vos besoins : ne tenez pas uniquement compte de vos appareils électriques actuels. Mieux vaut disposer d'une marge confortable qu'avoir à réaliser des extensions et rajouter des circuits dans une maison déjà décorée.

Commencez par faire le compte de toutes les sources électriques dont vous aurez besoin dans les différentes pièces de la maison.

Faites un plan des lieux en indiquant l'arrivée d'électricité (son emplacement sera déterminé avec l'accord du distributeur d'électricité). S'il s'agit d'un pavillon, prévoyez l'emplacement du coffret de comptage extérieur qui permettra aux agents distributeurs d'électricité de faire les relevés en votre absence. Notez sur votre plan l'emplacement de toutes les sources que vous désirez (prises, lustres, appareils ménagers, etc.).

Essayez de déterminer la meil-

leure organisation des différents circuits :
— circuit d'éclairage fixe (lustre, appliques, spots). Huit sorties au maximum. Réalisable à l'aide de conducteurs de 1,5 mm² de section et reliable à un fusible de 10 A ou à un disjoncteur de 15 A ;
— circuit des prises destinées au branchement des appareils ménagers et des lampes mobiles. Choisissez pour ce réseau des conducteurs de 2,5 mm² de section et un coupe-circuit de 20 A. Ne reliez pas plus de huit prises entre elles ;
— circuits individuels. Pour les appareils de forte puissance :
• chauffe-eau : conducteurs

de 2,5 mm², coupe-circuit de 20 A et contacteur pour le fonctionnement en heures creuses de la tarification permettant l'arrêt à volonté du chauffage ;
• machine à laver : conducteur de 2,5 mm², coupe-circuit ou disjoncteur de 20 A ;
• cuisinière électrique (ou ensemble plaque de cuisson + four) : conducteurs de 6 mm², coupe-circuit de 32 A ou disjoncteur de 38 A.

Tous les coupe-circuit à fusible et disjoncteur divisionnaire doivent être à coupure bipolaire pour pouvoir interrompre la phase et le neutre du circuit.

LE CIRCUIT D'ÉCLAIRAGE

Circuit simple

Dans une pièce donnée, le circuit d'éclairage peut être un circuit simple : il est alors commandé par un seul interrupteur relié à un seul point d'allumage (lustre par exemple). On utilise, du coupe-circuit à fusible ou du disjoncteur du tableau de protection, deux conducteurs : un fil de phase, qui va du compteur à l'interrupteur, puis alimente le lustre ; et un fil neutre (bleu clair), qui repart de la source lumineuse et va rejoindre le tableau de fusibles. L'interrupteur doit obligatoirement être placé sur la phase et non sur le neutre.

CIRCUIT SIMPLE : LAMPE AVEC INTERRUPTEUR

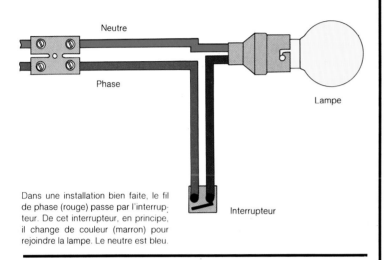

Dans une installation bien faite, le fil de phase (rouge) passe par l'interrupteur. De cet interrupteur, en principe, il change de couleur (marron) pour rejoindre la lampe. Le neutre est bleu.

CIRCUIT SIMPLE AVEC INTERRUPTEUR À VOYANT LUMINEUX

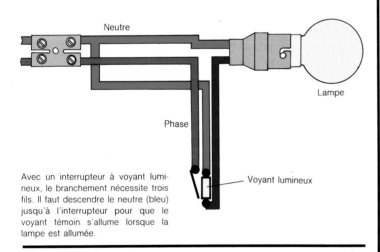

Avec un interrupteur à voyant lumineux, le branchement nécessite trois fils. Il faut descendre le neutre (bleu) jusqu'à l'interrupteur pour que le voyant témoin s'allume lorsque la lampe est allumée.

UN INTERRUPTEUR TEMPORISÉ

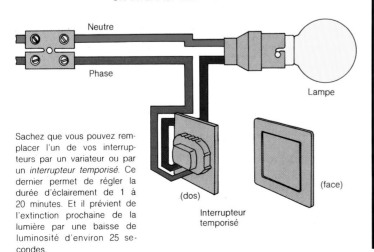

Sachez que vous pouvez remplacer l'un de vos interrupteurs par un variateur ou par un *interrupteur temporisé*. Ce dernier permet de régler la durée d'éclairement de 1 à 20 minutes. Et il prévient de l'extinction prochaine de la lumière par une baisse de luminosité d'environ 25 secondes.

Va-et-vient

Très souvent, on préférera la solution du va-et-vient permettant d'allumer ou d'éteindre une ou plusieurs lampes à partir de deux points de commande (dans un couloir, une pièce à deux issues).

LE CIRCUIT VA-ET-VIENT

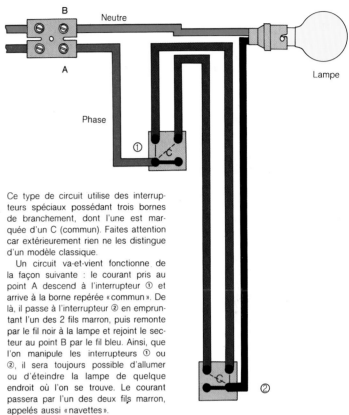

Ce type de circuit utilise des interrupteurs spéciaux possédant trois bornes de branchement, dont l'une est marquée d'un C (commun). Faites attention car extérieurement rien ne les distingue d'un modèle classique.

Un circuit va-et-vient fonctionne de la façon suivante : le courant pris au point A descend à l'interrupteur ① et arrive à la borne repérée « commun ». De là, il passe à l'interrupteur ② en empruntant l'un des 2 fils marron, puis remonte par le fil noir à la lampe et rejoint le secteur au point B par le fil bleu. Ainsi, que l'on manipule les interrupteurs ① ou ②, il sera toujours possible d'allumer ou d'éteindre la lampe de quelque endroit où l'on se trouve. Le courant passera par l'un des deux fils marron, appelés aussi « navettes ».

Le télérupteur

Pour allumer une lampe ou un groupe de lampes de plusieurs endroits différents (tous les accès dans une entrée ou un couloir, par exemple), on peut utiliser un télérupteur. Il s'agit d'un boîtier de faible dimension que l'on installe à l'entrée du circuit (voir schéma). Il est relié à plusieurs interrupteurs à bouton-poussoir et peut alimenter plusieurs lampes.

CIRCUIT AVEC TÉLÉRUPTEUR

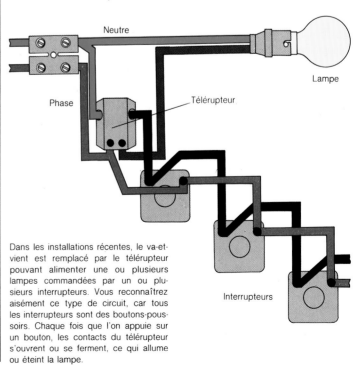

Dans les installations récentes, le va-et-vient est remplacé par le télérupteur pouvant alimenter une ou plusieurs lampes commandées par un ou plusieurs interrupteurs. Vous reconnaîtrez aisément ce type de circuit, car tous les interrupteurs sont des boutons-poussoirs. Chaque fois que l'on appuie sur un bouton, les contacts du télérupteur s'ouvrent ou se ferment, ce qui allume ou éteint la lampe.

Réalisation d'une installation électrique (suite)

LE CIRCUIT DES PRISES

C'est un circuit simple ne comprenant que deux conducteurs. Raccordés à un coupe-circuit à fusible ou à un disjoncteur divisionnaire, plus éventuellement le conducteur de terre du tableau, ils courent d'une prise à l'autre et alimentent de une à huit prises de courant réparties suivant un cheminement logique.

Si vous ne voulez pas installer un circuit d'éclairage fixe, vous pouvez très facilement raccorder une prise à un interrupteur.

Il suffit de faire passer le conducteur de phase correspondant à la prise par un interrupteur.

COMMENT PLANIFIER VOS CIRCUITS

Dressez un plan à l'échelle des locaux à alimenter et commencez par marquer l'emplacement des prises, des éclairages, des appareils. Définissez le nombre de circuits nécessaires, en fonction des règles énoncées (p. 368 et 370), et l'enchaînement logique de chacun, sachant que vous ne devez pas panacher prises et éclairages. S'il s'agit d'une première installation, mieux vaut ne pas prévoir de dérivation et calculer large pour vous laisser la latitude d'ajouter par la suite des prises de courant ou des points d'éclairage sur tous vos circuits.

Dessinez le cheminement de chaque circuit et repérez le meilleur itinéraire, les portions réalisées sous baguettes, les encastrements, sachant que les règles sont complexes. Procurez-vous les brochures « Promotélec » donnant tous les détails des normes et interdictions. (Promotélec : 52, bd Malesherbes, 75008 Paris. Tél. : 45.22.87.70.)

Essayez de grouper les prises d'un circuit de façon logique : un ou deux circuits avec raccordement à la terre, un circuit pour les prises des chambres, un autre pour le salon et la salle à manger par exemple, un troisième (avec conducteur de terre) pour les pièces humides.

Le mieux est d'établir un circuit par pièce principale.

Choisissez l'itinéraire le plus court, en traversant les cloisons et toujours en ligne droite.

LES CIRCUITS SPÉCIAUX

Tous les appareils de forte puissance doivent être reliés directement au tableau de contrôle et commandés par des fusibles ou des disjoncteurs de forte intensité (20 ou 32 A).

On peut également installer sur ces circuits une protection différentielle de haute sensibilité. En effet, il suffit d'un défaut d'isolation ou d'une mise à la terre aléatoire pour que chauffe-eau, cuisinière, four ou appareils portatifs mobiles deviennent des appareils dangereux. Ces circuits sont réalisés de la même façon que les précédents, en faisant partir deux ou trois fils du tableau (suivant qu'il y a ou non raccord général à la terre).

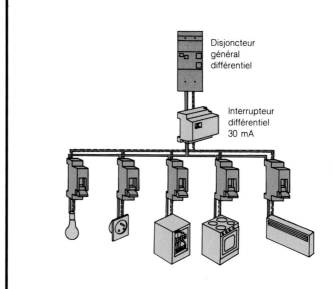

Disjoncteur général différentiel

Interrupteur différentiel 30 mA

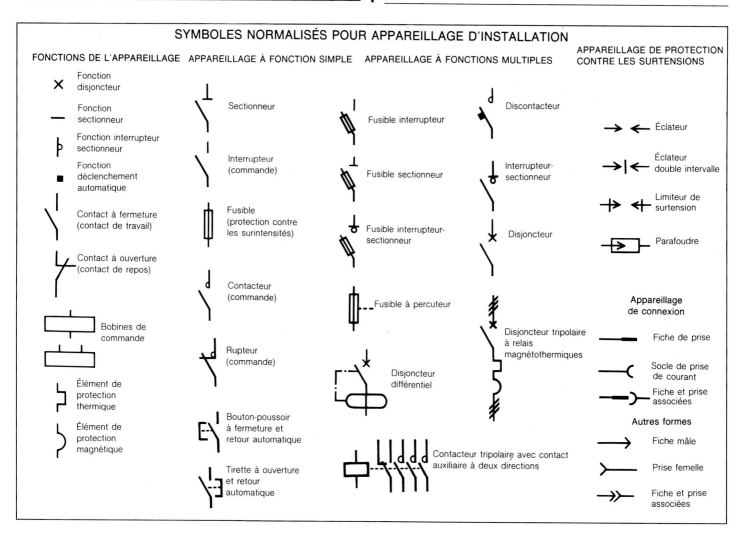

SYMBOLES NORMALISÉS POUR APPAREILLAGE D'INSTALLATION

FONCTIONS DE L'APPAREILLAGE

- Fonction disjoncteur
- Fonction sectionneur
- Fonction interrupteur sectionneur
- Fonction déclenchement automatique
- Contact à fermeture (contact de travail)
- Contact à ouverture (contact de repos)
- Bobines de commande
- Élément de protection thermique
- Élément de protection magnétique

APPAREILLAGE À FONCTION SIMPLE

- Sectionneur
- Interrupteur (commande)
- Fusible (protection contre les surintensités)
- Contacteur (commande)
- Rupteur (commande)
- Bouton-poussoir à fermeture et retour automatique
- Tirette à ouverture et retour automatique

APPAREILLAGE À FONCTIONS MULTIPLES

- Fusible interrupteur
- Fusible sectionneur
- Fusible interrupteur-sectionneur
- Fusible à percuteur
- Disjoncteur différentiel
- Discontacteur
- Interrupteur-sectionneur
- Disjoncteur
- Disjoncteur tripolaire à relais magnétothermiques
- Contacteur tripolaire avec contact auxiliaire à deux directions

APPAREILLAGE DE PROTECTION CONTRE LES SURTENSIONS

- Éclateur
- Éclateur double intervalle
- Limiteur de surtension
- Parafoudre

Appareillage de connexion

- Fiche de prise
- Socle de prise de courant
- Fiche et prise associées

Autres formes

- Fiche mâle
- Prise femelle
- Fiche et prise associées

Installations électriques extérieures

En raison des risques présentés par l'électricité à l'extérieur (sol conducteur, humidité fréquente lorsqu'il pleut), toute installation électrique effectuée dans un jardin doit répondre à des règles très strictes de sécurité, aussi bien dans le choix des matériels utilisés que dans la manière de les mettre en œuvre. L'éclairage d'une plate-bande ou du fond du jardin ne doit pas être réalisé à l'aide d'un simple fil. Même si la distance est courte, les travaux à réaliser sont importants. C'est pourquoi nous vous conseillons de confier cette opération à un professionnel ou, si vous décidez de l'entreprendre vous-même, d'être extrêmement rigoureux.

DES NORMES INDISPENSABLES

Les normes visent avant tout à protéger les utilisateurs. Elles définissent précisément les matériels à utiliser, les dispositifs chargés de les protéger et les techniques de pose. Il est indispensable de les respecter scrupuleusement.

Si vous voulez alimenter en électricité un garage, une serre, des appentis non attenants à la maison ou des prises destinées au matériel de jardin, vous allez devoir créer des circuits spécifiques, raccordés au tableau de contrôle à fusible ou à des disjoncteurs (voir «Les circuits spéciaux», p. 380) et protégés par des coupe-circuit particuliers.

La solution de dépannage qui consiste à brancher un outil de jardin sur un long câble raccordé à une prise intérieure n'est pas dangereuse, à condition de monter une prise avec adaptateur différentiel à haute sensibilité pour retrouver une bonne sécurité.

Il vaut encore mieux se brancher sur une prise différentielle pour pouvoir travailler dehors en toute sécurité ou avoir un éclairage extérieur qui ne représentera aucun danger.

Les circuits d'alimentation doivent être réalisés avec des câbles. Chacun d'eux doit en outre être glissé dans un fourreau étanche et enterré dans une tranchée à au moins 60 cm de profondeur, 1 m si la tranchée est située sous un passage de voitures. Si vous prévoyez de faire passer l'électricité dans une même tranchée que d'autres canalisations (gaz, eau, etc.), sachez que le fourreau contenant les gaines électriques doit être distant d'au moins 20 cm de toute autre canalisation.

Le fourreau contenant les gaines électriques doit être enveloppé par une épaisse couche de sable (30 cm) et signalé par un grillage en plastique rouge enterré : si, un jour, quelqu'un venait à creuser à l'emplacement de la tranchée, la présence de ce dispositif avertisseur l'alerterait immédiatement du passage de l'électricité.

En effet, même si vous savez très bien où vous avez fait passer vos canalisations, il suffit que vous vendiez votre maison et que votre successeur veuille installer une plate-bande là où vous disposiez d'une allée et se mette à retourner la terre pour qu'il risque d'avoir de très mauvaises surprises.

Dans toute la portion enterrée, les câbles doivent être d'un seul tenant : il est interdit d'effectuer des raccordements ou des épissures dans une installation souterraine. Boîtes de connexion, interrupteurs et prises doivent être installés hors de portée du sol et être parfaitement étanches.

Si vous voulez réaliser à la fois un circuit d'éclairage et un circuit de prises de courant (même pour une seule prise), ne vous fiez pas à la capacité dont vous avez besoin : éclairage et prises passent obligatoirement par deux circuits différents. Il faudra donc prévoir deux câbles d'alimentation dont les conducteurs de cuivre ont une section d'au moins 1,5 mm^2 pour l'éclairage et 2,5 mm^2 pour les prises. En revanche, les deux câbles peuvent être installés dans un même fourreau, chacun sous une gaine protectrice conforme à la norme NFC 68-101 (ICD6 ou ICT6) pour les petites sections et à la norme NFC 68-171 pour les autres câbles. Le câble ne doit pas occuper plus du tiers de la section intérieure du fourreau, sauf dans les lignes droites de courte longueur (traversée de paroi, par exemple).

Sauf s'ils sont de classe II, repérables par le sigle double isolation, tous les appareils, éclairages et prises de courant extérieurs doivent être reliés à la prise de terre de la maison par un conducteur de terre (vert et jaune) incorporé dans le câble d'alimentation.

Il est en outre recommandé de prévoir à l'origine des circuits extérieurs, près du tableau de contrôle, un disjoncteur différentiel à haute sensibilité (30 mA) qui coupera le courant au moindre incident.

CHOIX DE L'ÉCLAIRAGE

En règle générale, un éclairage dit «de jalonnement», destiné à se repérer la nuit, nécessite 0,5 W par mètre carré, tandis qu'un éclairage décoratif doit être trois fois plus important et peut comprendre à la fois des points d'éclairage directs et indirects.

Avant de commencer vos travaux, prévoyez tous les points qui vous seront nécessaires : éclairage du portail, de la porte d'entrée, de la zone des repas pendant la belle saison... Choisissez vos luminaires (suspensions, appliques, lampadaires ou bornes) et leur puissance en fonction de la zone qu'ils vont desservir.
— Si vous voulez éclairer un arbre, faites-le de préférence par le bas, à l'aide d'un spot étanche.
— Des lampadaires de faible hauteur (0,80 à 1 m) sont d'un bel effet pour mettre en valeur les massifs.
— Pour les escaliers, prévoyez un éclairage puissant orienté vers la contremarche pour éviter l'ombre portée et diminuer les risques de chutes.

Borne lumineuse de jardin équipée de prises de courant.

— Dans une allée large, l'éclairage devra être puissant, tandis qu'une allée étroite sera de préférence éclairée par des bornes ou des spots orientés vers le sol. Une allée longue sera jalonnée de bornes dissimulées dans la végétation et d'un ou deux lampadaires. Choisissez impérativement des éclairages prévus pour un fonctionnement extérieur, de préférence de classe II (double isolation) et protégés contre les projections d'eau (sigle du double triangle), ce qui vous évite d'avoir à les raccorder à la prise de terre, et commandez-les par des interrupteurs également protégés.

LES PRISES DE COURANT

Il sera souvent préférable de les installer à l'intérieur d'un appentis ou d'une cabane de jardin. En plein air, utilisez des prises protégées contre les projections d'eau et commandez-les à l'aide d'un interrupteur manœuvré à l'intérieur de la maison. Choisissez de préférence un modèle équipé d'un voyant lumineux et pensez à le laisser en position «arrêt» chaque fois que vous vous absentez. C'est une précaution élémentaire contre les cambrioleurs. En effet, s'ils trouvent une prise de courant accessible, certains, bien équipés, n'hésitent pas à utiliser un outillage électrique pour fracturer plus rapidement portes ou fenêtres.

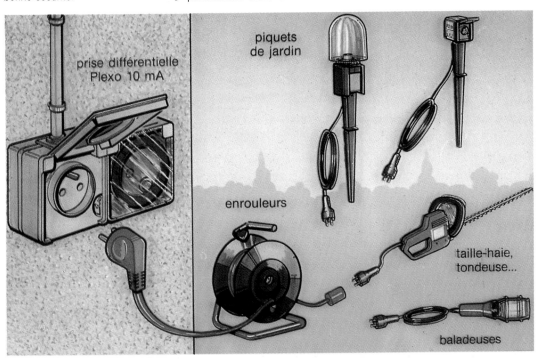

prise différentielle Plexo 10 mA

piquets de jardin

enrouleurs

taille-haie, tondeuse...

baladeuses

Installations électriques extérieures (suite)

CREUSEMENT D'UNE TRANCHÉE

Outils : pelle, pioche, bêche, barre à mine, si le terrain est dur ; pince coupante, pince à dénuder, couteau, tournevis témoin, perceuse.

Matériel : câble autorisé : trois conducteurs (deux fils d'alimentation plus terre) type R02V ou H07RNF (1,5 mm² pour 2 200 W ; 2,5 mm² pour 3 600 W au maximum) ; fourreau d'un diamètre approprié au nombre de câbles que vous allez y faire passer (de type ICD gris ou orange ou ICT gris ou orange avec aiguille) ; grillage avertisseur rouge de la longueur de la tranchée ; fusible : 10 A au maximum (ou disjoncteur 15 A) pour l'éclairage, 20 A au maximum pour les prises ; interrupteurs ; prises et boîtiers de connexion isolants et étanches.

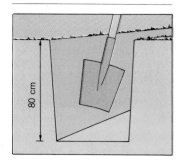

1 Choisissez le chemin le plus court possible entre la maison et le lieu que vous voulez desservir ; creusez de préférence la tranchée sous une allée ou une partie gazonnée, évitez les plates-bandes que vous retournez fréquemment. Creusez de la largeur d'une bêche, jusqu'à 0,70 à 0,80 m de profondeur (1,15 m si vous êtes dans une zone où circule votre voiture).

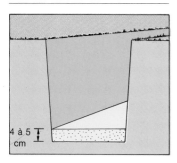

2 Recouvrez le fond de la tranchée d'une couche de 15 cm de sable.

3 Tirez le ou les câbles à l'intérieur de leur fourreau après les avoir soli-

dement attachés à l'extrémité de l'aiguille en recourbant les brins sur eux-mêmes. Si vous envisagez d'autres raccordements ultérieurs, profitez de la tranchée pour passer d'autres gaines avec aiguilles dans un large fourreau commun. Vous pourrez par la suite y tirer des lignes sans avoir à rouvrir le trou.

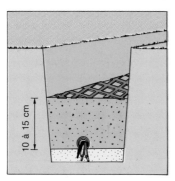

4 Posez le fourreau dans la tranchée et recouvrez-le d'une couche de 10 cm de sable, puis installez le grillage de protection sur toute la largeur et la longueur de la tranchée.

5 Recouvrez-le d'une nouvelle couche de sable (5 cm), comblez avec de la terre en tenant compte du tassement futur.

Attention ! Les extrémités des câbles et de leurs fourreaux doivent émerger du sol. Ce n'est pas toujours esthétique : prévoyez un coffret de raccordement à proximité de la sortie de votre tranchée et dissimulez-le derrière un arbre ou un buisson.

LE RACCORDEMENT AU TABLEAU

1 Pour traverser le mur, vous devez protéger les câbles par un

L'ÉCLAIRAGE AU JARDIN

Première solution Vous pouvez opter pour un éclairage volant, c'est-à-dire utiliser les prises de la maison (16 A), machine à laver par exemple. Montez sur cette prise un adaptateur différentiel et branchez dessus le prolongateur de l'appareil électrique ou de l'éclairage extérieur.

Deuxième solution Installez une ligne permanente qui traverse le jardin.

Sortez un câble de la maison en partant du disjoncteur général après protection par fusible ou disjoncteur. Utilisez un câble 1000 R2V ou H07 RNF. Glissez-le dans un conduit étanche du type ICD ou ICT.

Au départ de la ligne, ajoutez un interrupteur différentiel de 30 mA (milliampères).

Enterrez le câble dans le jardin. Il doit se trouver à 60 cm du sol (1 m s'il y a un passage de voitures). Dans la tranchée, déployez un grillage avertisseur sur toute la longueur du câble.

Attention ! Si vous désirez une prise pour la tondeuse à gazon, il faut tirer deux lignes en partant du disjoncteur :
— 1 ligne de 1,5 mm² pour la lumière (puissance maximale : 2 200 W) ;
— 1 ligne de 2,5 mm² pour les prises (puissance maximale : 3 600 W).

Section du câble (en mm²)	LONGUEUR MAXIMALE DU CÂBLE EN MÈTRES					
	Disjoncteur de branchement (monophase 220 V)					
	5 A	10 A	15 A	20 A	25 A	45 A
1,5	44	22	15			
2,5	73	37	24	18		
4	117	59	39	29	23	
Section du câble (en mm²)	de 15 à 45 A					
6	20					
10	32					
16	52					
25	82					
35	114					

Liaison entre disjoncteur de branchement et installation intérieure (câbles U1000 R2V, U1000 R12N, U 1000 RVFV, U 1000 RGP FV)

fourreau (voir plus haut). Raccordez ces circuits à un ou plusieurs disjoncteurs différentiels haute sensibilité (30 mA) et à un interrupteur à voyant lumineux bipolaire (c'est-à-dire agissant à la fois sur la phase et sur le neutre) se commandant de l'intérieur. Chaque câble sera ensuite connecté à un fusible correspondant à la puissance véhiculée (voir tableau de contrôle). Le fusible n'est pas nécessaire s'il y a un disjoncteur différentiel au tableau. Par contre, un interrupteur

différentiel nécessite une protection par fusible ou disjoncteur à l'origine du circuit (au tableau).

POSE DES CÂBLES EN SOUTERRAIN

La profondeur nécessaire

Afin de parer aux effets de tassement de la terre, le câble est enterré à 0,60 m dans les zones non accessibles aux voitures ; et obligatoirement à 1 m sous les passages des allées carrossables, zones de parking, etc.

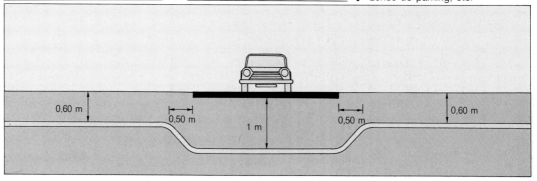

L'éclairage électrique

L'INCANDESCENCE

Dans une lampe à incandescence, il y a un filament de tungstène. Le passage du courant électrique dans ce filament le porte à l'incandescence (blanc éblouissant), c'est l'effet «Joule», accompagné d'un fort dégagement de chaleur. Pour éviter la combustion, la résistance est enfermée dans une ampoule de verre remplie de gaz inerte. En effet, la lampe à incandescence classique fournit 20 % de lumière et 80 % de chaleur.

SCHÉMA DE PRINCIPE DE LA LAMPE À INCANDESCENCE

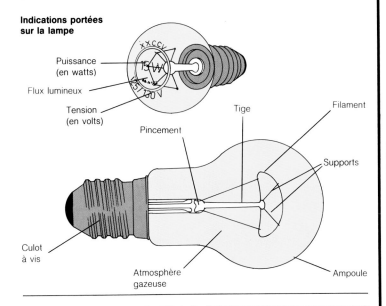

Indications portées sur la lampe

Puissance (en watts)

Flux lumineux

Tension (en volts)

Pincement

Tige

Filament

Supports

Culot à vis

Atmosphère gazeuse

Ampoule

LA FLUORESCENCE

Dans une lampe fluorescente, il n'y a pas de filament mais un gaz à basse pression contenant de la vapeur de mercure. On obtient l'allumage en réalisant une décharge électrique qui excite la fluorescence de la poudre qui tapisse l'intérieur de la lampe. À l'inverse de l'incandescence, il n'y a pas ou peu de dégagement de chaleur.

AVANTAGES ET INCONVÉNIENTS

La lampe à incandescence fournit une lumière située dans le spectre des rouges orangés, très appréciable à l'œil, tandis que la fluorescence se place vers les ultraviolets et fournissait jusqu'à présent une lumière plus froide. Dorénavant, la nouvelle fluorescence annule ce handicap. Si l'on veut comparer les consommations, la fluorescence vient largement en tête des économies réalisables. Ainsi par exemple, une lampe à incandescence de 100 watts (symbole : W) produit 1 200 lumens (symbole : lm). Placée au-dessus d'une table, cette lampe procure un niveau d'éclairement de 600 lux (symbole : lx), niveau très appréciable, même pour réaliser des travaux minutieux. Mais il faut savoir qu'un tube fluorescent de 25 W réalise la même performance, c'est-à-dire procure un même éclairement pour une consommation quatre fois moins importante.

LA NOUVELLE FLUORESCENCE

En premier lieu, le tube «fluo» ne doit pas être confondu avec le néon des enseignes lumineuses, autre forme d'éclairage. De nos jours, la nouvelle fluorescence a trois atouts : l'économie, l'efficacité et la fiabilité.

Si les tubes des années 50 mesuraient 38 mm de diamètre, les dernières fabrications ont un diamètre de 15 mm, voire 13, et le tube peut-être «plié» en deux ou en quatre sans affecter le fonctionnement de l'ensemble. De même, les poudres qui tapissent l'intérieur du verre proviennent d'autres origines et permettent de disposer d'une lumière plus «chaude», proche des couleurs de l'incandescence. L'électronique est venue apporter sa contribution. Plus de ballasts, l'alimentation se fait en haute fréquence, et de ce fait supprime totalement l'effet stroboscopique, c'est-à-dire le léger clignotement souvent perceptible à l'œil. En outre, l'allumage instantané peut être répété plusieurs fois sans dommages pour les circuits.

Tous ces progrès techniques ont donné naissance à des lampes baptisées «compacts». Un culot à vis permet de les monter sur tous les luminaires classiques sans modification.

Ces lampes consomment, à performances égales, quatre fois moins de courant qu'une lampe à incandescence et durent cinq fois plus longtemps !

ET LES HALOGÈNES?

Les lampes halogènes sont des lampes à incandescence de fortes puissances (200 à 2 000 W). Elles émettent une lumière blanche due à leur température de fonctionnement élevée (3 000 ºC). Les composés halogénés ajoutés aux gaz que renferme la lampe provoquent un cycle de régénération permettant aux particules de tungstène qui s'évaporent du filament d'y revenir. Ainsi l'ampoule ne noircit pas et la lampe dure plus longtemps (2 000 heures environ). La plupart des halogènes à simple enveloppe doivent fonctionner en position horizontale, bien isolées dans un luminaire conforme à la norme NF. Il n'est pas conseillé de faire fonctionner ces lampes sur un gradateur (rhéostat) car, lorsque la puissance est faible, la température de l'ampoule devient insuffisante pour entretenir le cycle halogène : la régénération ne se fait plus, l'ampoule noircit et la lampe perd toutes ses qualités. Quand un lampadaire halogène éclaire trop violemment, il est préférable de changer d'ampoule (descendre la puissance de 500 à 300 W).

Les halogènes T.B.T. (6, 12 ou 24 V) fonctionnent à l'aide d'un transformateur et présentent un grand intérêt pour les éclairages ponctuels (lampes de bureau, vitrines, œuvres d'art...).

L'ÉCLAIRAGE FLUORESCENT

Les tubes fluorescents de plus en plus perfectionnés rivalisent avec les autres sources lumineuses. Ils sont parvenus à s'imposer dans les belles pièces de la maison, quittant leurs domaines habituels (garage, atelier, cuisine). On trouve dans le commerce des tubes de couleur agréable.

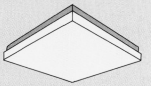

Luminaire
Carré. Vasque en métacrylate opale sur platine acier laqué. 32 W.

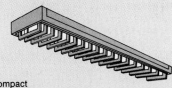

Diffuseur compact
Pour lampe Dulux L (dont la durée de vie est de 5 000 heures environ). Dimensions : 450 × 330 mm. 36 W.

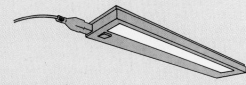

Luminaire extraplat
Ce luminaire est équipé d'un interrupteur à bascule et d'un cordon d'alimentation avec une prise de 2 m. Préconisé pour l'éclairage intérieur des meubles. Il est possible d'enficher jusqu'à 10 appareils en ligne. Longueur : 343 mm. 8 W.

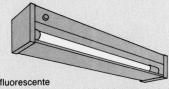

Réglette fluorescente
Elle dispose d'un bandeau anti-éblouissement et d'un interrupteur. Hauteur : 66 mm. Largeur : 37 mm. Longueur : 311 mm.

PRINCIPALES VARIÉTÉS DE LAMPES À INCANDESCENCE

La durée de vie d'une lampe est liée à celle du filament (environ 1 000 heures). Ainsi, le noircissement de l'ampoule est dû à l'évaporation du filament. À consommation égale, il faut savoir qu'une lampe usagée produit de moins en moins de lumière ; vous avez donc intérêt à la changer avant qu'elle soit tout à fait hors service. Vous trouverez ci-dessous les principales lampes standard pour tension courante de 220 V.

DÉNOMINATIONS	AMPOULES	CULOTS	PUIS-SANCES
Lampe standard	claires ou dépolies ou opalisées	à vis à baïonnette	40, 60, 75 100, 150, 200 W
Lampe sphérique	claires ou dépolies	à vis à baïonnette	15, 25, 40, 60 W
Lampe flamme	claires ou dépolies ou opalisées	à vis à baïonnette	15, 25, 40, 60 W
Lampe torsadée	claires ou dépolies	à vis à baïonnette	25, 40, 60 W
Lampe krypton	dépolies ou opalisées	à vis à baïonnette	40, 60, 75, 100, 150, 200 W

DÉNOMINATIONS	AMPOULES	CULOTS	PUIS-SANCES
Ogive à calotte argentée	claires	à vis	40, 60 W
Lampe à réflecteur incorporé	claires ou dépolies ou couleurs	à vis à baïonnette	40, 60, 75, 100, 150 W
Lampe à calotte argentée	claires	à vis	60, 100, 200 W
Tube à culot unique	claires ou opalisées	à vis à baïonnette	15, 25, 40, 60, 75 W
Linolite à culots axiaux	claires ou dépolies	—	25 à 100 W
Linolite à culots latéraux	claires ou dépolies	—	60 W

ÉCLAIRAGE D'APPOINT POUR PLANTES D'INTÉRIEUR

Vous pouvez avoir recours à l'éclairage artificiel pour plusieurs raisons : pour pallier l'insuffisance de la lumière solaire ou la remplacer au besoin, pour préserver la santé et la beauté des plantes durant l'hiver ou pour obtenir des effets décoratifs.

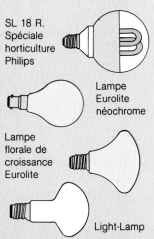

SL 18 R. Spéciale horticulture Philips

Lampe Eurolite néochrome

Lampe florale de croissance Eurolite

Light-Lamp

DÉNOMINATIONS	PARTICULARITÉS	CULOTS	PUISSANCES USUELLES
SL 18 R. Spéciale horticulture	Lampe d'une durée de vie très grande. Grâce à sa faible consommation et à sa bonne répartition lumineuse, elle est idéale en complément d'un éclairage insuffisant. Enfin, cette lampe possède un réflecteur qui permet de diriger la lumière vers la direction souhaitée.	à vis	
Lampe Eurolite néochrome	L'ampoule au faible dégagement de chaleur accentue les couleurs des plantes fleuries. Verre dépoli ou clair.	à vis ou à baïonnette	60, 75, 100 W
Lampe florale de croissance	Placez la lampe la tête en bas au-dessus des plantes. Elle renforce les couleurs et pallie les carences de lumière naturelle.	à vis	100, 150 W
Light-Lamp	En complément d'une lumière insuffisante. Placez ces ampoules à 50 cm des semis et boutures pour maintenir une bonne température.	à vis	75, 100, 150 W

CHOIX D'UN LUMINAIRE

L'éclairage n'est pas uniquement utilitaire. Il peut mettre en valeur ou animer un décor. Le choix du luminaire dépend donc du type d'éclairage souhaité.

Les lampes fluorescentes ne chauffent pas et peuvent être dissimulées dans des coffrages fermés. Elles se présentent généralement sous forme de tubes aux dimensions variées.

La gamme des tons proposés est grande. Elle va de la lumière froide à une lumière chaude proche de celle des lampes incandescentes. Toutefois, la lumière fluorescente est crue et uniforme.

Les lampes à incandescence permettent tous les niveaux d'éclairement.

Pour un éclairage d'ambiance générale, il faut que le type d'éclairage soit diffusé ou mixte : plafonnier (lustre ou diffuseur unique) — conseillé pour un décor de bois, de tissu aux tons chauds — appliques murales réparties, lampe ou lampadaire — deux lampes sur pied bien disposées dans un séjour créent une ambiance colorée.

Pour un éclairage ponctuel ou localisé, il faut un éclairage direct : projecteur, spot à faisceau concentré, réflecteur avec un faisceau large.

SUSPENSIONS ET PLAFONNIERS

Ils conviennent dans la plupart des pièces et la suspension trouve toute son utilité au-dessus d'une table de salle à manger (à 70 cm environ).

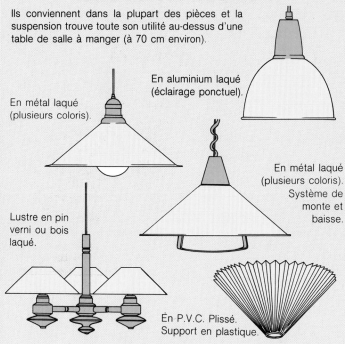

En métal laqué (plusieurs coloris).

En aluminium laqué (éclairage ponctuel).

En métal laqué (plusieurs coloris). Système de monte et baisse.

Lustre en pin verni ou bois laqué.

En P.V.C. Plissé. Support en plastique.

LAMPES DE TABLE ET DE BUREAU

Dans ce domaine, le choix est très large. Naturellement, les niveaux d'éclairement pour la lecture ou le dessin seront différents de l'éclairage diffusé par une lampe de table avec abat-jour.

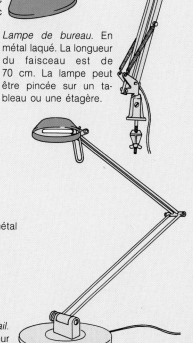

Lampe de bureau. En métal laqué. La longueur du faisceau est de 70 cm. La lampe peut être pincée sur un tableau ou une étagère.

Lampe de table. Pied en métal laqué. Tube fluorescent.

Lampe de table et de travail. Bras en métal laqué. Réflecteur en plastique. Ampoule halogène.

LAMPADAIRES

Le choix d'un lampadaire se fait en fonction du style d'un intérieur et de la hauteur des meubles, en particulier des chaises et des fauteuils. Pour un séjour de 25 m², il faut prévoir entre 300 et 500 W.

Les halogènes, d'une grande efficacité lumineuse, donnent une lumière proche de la lumière naturelle.

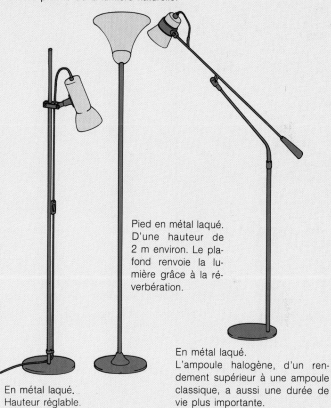

Pied en métal laqué. D'une hauteur de 2 m environ. Le plafond renvoie la lumière grâce à la réverbération.

En métal laqué. Hauteur réglable.

En métal laqué. L'ampoule halogène, d'un rendement supérieur à une ampoule classique, a aussi une durée de vie plus importante.

APPLIQUES

Petites lampes d'ambiance, les appliques procurent un éclairage indirect.

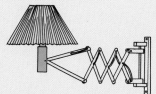

Bras extensible en pin massif.

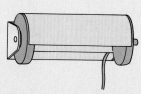

En métal laqué. Orientable.

SPOTS

Prévus pour un éclairage ponctuel, les spots fixés au plafond sont conseillés pour attirer l'attention sur un revêtement de sol intéressant par sa couleur ou son aspect. Des spots muraux orientables donnent un bon éclairage indirect. Ils peuvent également mettre en valeur un tableau, un détail d'architecture, etc. Choisissez-les selon l'usage auquel ils sont destinés.

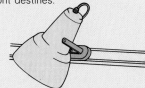

Spot-applique. En plastique et en aluminium. Il se déplace le long d'une applique murale.

L'éclairage électrique (suite)

DÉFAUTS DE FONCTIONNEMENT D'UN TUBE FLUORESCENT

Le tube ne s'allume pas

1 Le circuit est privé de courant : à l'aide d'une lampe témoin, vérifiez les fusibles de ce circuit et assurez-vous qu'il y a du courant sur cette ligne.

2 Le tube est mal positionné : démontez ce tube et remettez-le en place, en veillant au bon enclenchement des électrodes dans les douilles.

3 Une électrode du tube est cassée : changez le tube.

Le tube s'allume et s'éteint sans cesse

1 La tension d'alimentation est insuffisante : vérifiez que le voltage de l'appareil correspond au voltage de l'installation.

2 Le contact du starter est mauvais : vérifiez sa position ou changez-le.

3 La douille du tube est dessoudée, défectueuse ou le tube lui-même est usagé : changez le tube.

Le tube ne s'allume pas totalement

1 Seules les extrémités du tube sont incandescentes. Le starter doit être défectueux : changez-le.

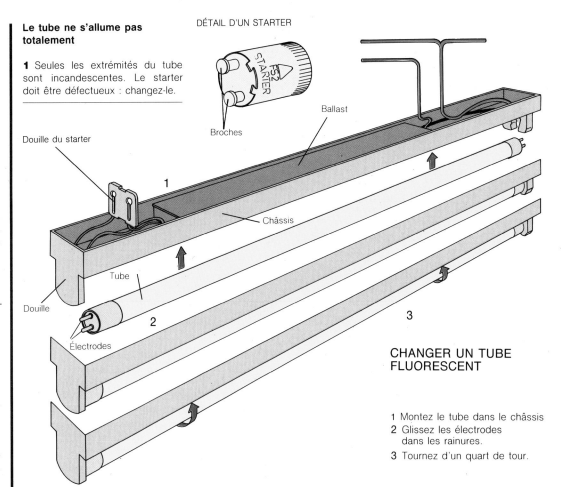

DÉTAIL D'UN STARTER

Broches — Ballast — Douille du starter — Châssis — Tube — Douille — Électrodes

CHANGER UN TUBE FLUORESCENT

1 Montez le tube dans le châssis
2 Glissez les électrodes dans les rainures.
3 Tournez d'un quart de tour.

Choisir une baladeuse

La lampe baladeuse à incandescence est devenue un article de grande diffusion. En effet, il est fréquent de trouver ce type de lampe dans nombre de foyers. Il est donc indispensable que la qualité de sa fabrication en rende son usage parfaitement sûr.

LES CRITÈRES DE CHOIX

La lampe baladeuse destinée aux usages domestiques doit porter la marque NF-USE. Cela garantit que la lampe a été visée par le laboratoire central de l'industrie électrique (L.C.I.E.) et qu'elle a subi tous les essais prévus par la norme.

Le certificat de conformité

Le fabricant dont les baladeuses ne portent pas le monogramme NF-USE doit être en mesure de fournir à l'acheteur un certificat de conformité à la NF C 61-710, délivré par le L.C.I.E.

Vous pouvez vérifier certains critères de présomption de conformité à partir du marquage. En effet, le corps de la baladeuse doit mentionner :
— le nom du fabricant ou la marque de fabrique ;
— la référence de type ;
— la catégorie : A ou B ;

CARACTÉRISTIQUES D'UNE BALADEUSE

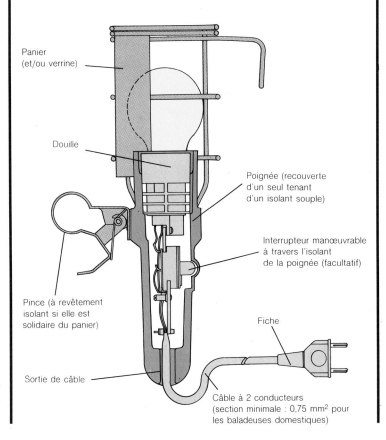

Panier (et/ou verrine)

Douille

Poignée (recouverte d'un seul tenant d'un isolant souple)

Interrupteur manœuvrable à travers l'isolant de la poignée (facultatif)

Pince (à revêtement isolant si elle est solidaire du panier)

Fiche

Sortie de câble

Câble à 2 conducteurs (section minimale : 0,75 mm² pour les baladeuses domestiques)

— la tension nominale : 250 V ;
— la puissance maximale que la lampe peut recevoir (au minimum 100 W pour une lampe de catégorie B) ;
— le symbole de la classe II ;
— le degré de protection minimale pour les baladeuses à usages domestiques : IP 20.

Autres caractéristiques visibles

Le câble est démontable ou non en fonction de la catégorie (catégorie A : démontable ; catégorie B : non démontable).

Celui-ci, d'une longueur de 5 m au minimum, doit porter — toujours sur les baladeuses à usages domestiques — la marque H05VVF ou H05RRF. Il est terminé par une fiche 2 P, 2,5 A, non démontable, ronde à broches nues ou plate à broches partiellement isolées pour appareils de la classe II.

La douille est équipée d'une jupe de protection isolante qui empêche le contact avec le culot de la lampe (y compris les ergots).

Elle est réellement indémontable sans l'aide d'un outil. L'organe de protection de la lampe, lui aussi, n'est pas démontable sans un outil, mais le remplacement de la lampe est néanmoins possible sans avoir à démonter le panier.

DEUXIÈME PARTIE : TECHNIQUES, OUTILS ET MATÉRIAUX

TENTURE MURALE, RIDEAUX ET STORES

La tenture murale

Le tissu tendu sur les murs offre des avantages appréciables : un camouflage efficace des petites imperfections des cloisons, une isolation thermique, phonique, et une agréable impression de confort. La pose est rapide et propre, et l'entretien aisé avec une brosse ou un aspirateur à tuyau souple.

OUTILLAGE

Sélectionnez, dans cette liste, les outils nécessaires selon le type de préparation et de pose choisies.
Pour mesurer : un mètre à ruban pour les murs et un mètre de couturière pour les textiles.
Pour couper : une paire de ciseaux à grandes lames (modèle tailleur de préférence) et un gros cutter à lames interchangeables (type Stanley). Une scie et une boîte à onglets pour couper les extrémités des lattes en diagonale.
Pour préparer : une tenaille et un tournevis pour démonter tout ce qui doit être ôté des murs. Du fil assorti à l'épaisseur et à la couleur du tissu, des épingles et une aiguille machine correspondant à son épaisseur pour l'assemblage des lés.
Pour fixer : une agrafeuse à main ou un modèle électrique et des agrafes selon l'épaisseur de l'étoffe. De la colle au Néoprène ou des pointes spéciales pour brique ou béton. Un marteau de menuisier pour clouer les baguettes.
Accessoires pour la pose : des baguettes à angléser (deux par angles sur la hauteur de pose). Des baguettes de bois de 30 × 5 mm pour réaliser les encadrements. Un fil à plomb pour vérifier la verticalité du revêtement, d'après le tissage, les lignes de motifs ou les coutures de raccord. Une échelle double assez haute pour atteindre le haut du mur ou un échafaudage lorsque la hauteur sous plafond est très importante ou si le plafond lui-même est tendu de tissu. Pour les finitions : du galon et de la colle textile spéciale pour passementerie. Une aiguille courbe et du fil solide assorti au tissu pour effectuer la dernière couture.

N'oubliez pas que les agrafeuses ou les cloueuses électriques, les échafaudages... peuvent se louer.

CHOIX DU TEXTILE

La tenture murale, en grande largeur (entre 250 et 300 cm), est facile à poser, puisque cette mesure équivaut généralement à une hauteur de mur et ne nécessite pas de coutures. Le lin en tenture murale offre des qualités très intéressantes : antipoussière, stable, résistant aux chocs, aux éraflures, avec des couleurs «solides» à la lumière. En tenture murale, la gamme des coloris est assez res-

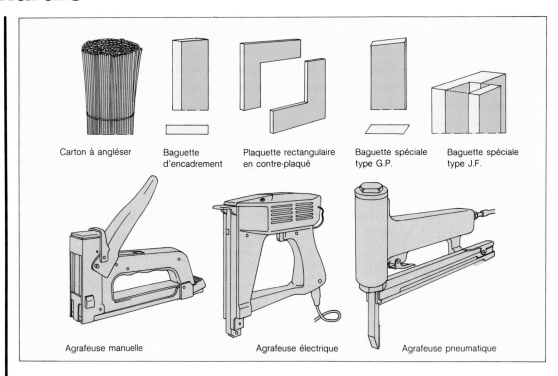

Carton à angléser — Baguette d'encadrement — Plaquette rectangulaire en contre-plaqué — Baguette spéciale type G.P. — Baguette spéciale type J.F.

Agrafeuse manuelle — Agrafeuse électrique — Agrafeuse pneumatique

treinte. En revanche, les tissus d'ameublement de largeur classique (130 à 150 cm) offrent un très grand choix de matières, de couleurs et de motifs de différents styles. Mais la préparation devient longue et délicate puisqu'il faut assembler les lés. Choisissez des tissus ayant de la souplesse avec une bonne tenue et un tissage serré. Sur la lisière, la mention «grand teint» garantit la solidité des couleurs. Évitez les étoffes transparentes, fines ou trop épaisses. La soie, sensible à l'humidité et très délicate à poser, est réservée aux professionnels. Évitez les fibres polyamides, qui produisent de l'électricité statique et attirent la poussière. Les étoffes de laine sont antistatiques mais doivent être traitées antimites. Le coton, pur ou mélangé, offre le plus grand choix ; le chintz, notamment, avec son glaçage qui laisse glisser la poussière, est un excellent matériau. Lorsque les murs ne sont pas d'équerre, optez pour de l'uni ou des motifs sans lignes verticales ou horizontales. Dans les sites isolés, d'accès difficile, ou les immeubles hauts, préférez des tissus codés «non feu» : M0 (textiles en fibres de verre), M1 (fibres Clévyl et Trévira CS non-feu par nature) et M2 (laine, soie ou coton ignifugés en mélange avec les types M1).

PRÉPARATION DE LA PIÈCE

Sortez ou regroupez les meubles pour dégager les murs et le sol. Ôtez tout ce qui est fixé aux murs. Nettoyez ou peignez toutes les surfaces non recouvertes. Les plâtres en bon état, les peintures ou le papier simplement défraîchis peuvent recevoir directement le

tissu. Lessivez les surfaces grasses ou sales, sinon les taches ressortent. En pose sans baguettes, dévissez les prises, les interrupteurs, et assurez-vous que les fils sont bien isolés.

Cas particuliers : les murs en trop mauvais état exigent plus de précautions. Sur les irrégularités importantes, une légère humidité ou un matériau trop dur pour agrafer, réalisez un encadrement de baguettes. Si les murs présentent des fissures légères, recouvrez-les de plastique polyéthylène. Coupez des lés de la hauteur du mur, agrafez-les sur un chevauchement de 1 cm et placez des bandes de plastique adhésives sur les agrafes. Pour poser du molleton par-dessus, assemblez les lés bord à bord au zigzag et agrafez uniquement sur le pourtour pour ne pas trouer la protection.

En cas de détérioration importante, procédez à la réfection des murs, selon les chapitres adéquats.

POSE DES BAGUETTES

Mesurez le pourtour des parties à encadrer : murs, fenêtres, portes, pour connaître la quantité de baguettes à acheter. Sciez les baguettes dans la boîte à onglets

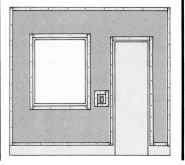

et posez-les en commençant par les lignes verticales. Entourez le pourtour des prises et interrupteurs. Pour habiller l'arrière des tuyauteries, utilisez des lattes de 6 à 10 cm de large et découpez-les à la scie en triangle à hauteur de chaque collier de fixation, de telle sorte que la latte s'appuie dans l'angle. Recouvrez le tissu agrafé à l'arrière, sans tenir compte des découpes ; coupez le tissu au milieu des découpes. Recoupez la pointe des petits triangles en ligne concave, couvrez-les de tissu collé. Pour continuer la pose aisément dans le retour d'angle, tendez et agrafez le bord du panneau à l'arrière d'une baguette ; fixez-la sur le mur et rabattez le tissu contre le mur pour tendre dans l'angle suivant.

Habillage d'un angle avec tuyauterie

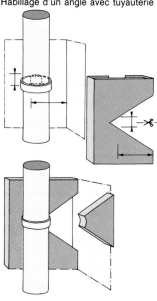

Sur le plâtre ou le béton, fixez les baguettes avec une colle au Néoprène. Déchirez éventuellement le vieux papier aux endroits de fixation pour obtenir une bonne adhérence ; clouez tous les 60 cm pour consolider. Sur la pierre ou la brique, clouez-les avec des pointes spéciales espacées de 30 cm. Les magasins spécialisés proposent des profilés spéciaux en bois ou en plastique qui tendent le tissu, chacun ayant son mode d'emploi propre.

Avant de tendre le tissu, prévoyez la pose des tableaux et appliques, et placez des morceaux de baguette à leur emplacement. Sans cette précaution, les objets appuient sur le tissu et le détériorent.

Profilés bois

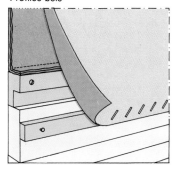

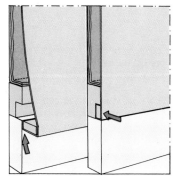

Profilés en plastique

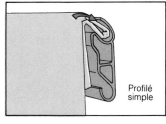

Profilé simple

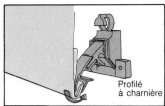

Profilé à charnière

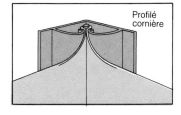

Profilé cornière

CALCUL DU MÉTRAGE

Tenture murale : totalisez la longueur des murs sans compter les ouvertures plus 15 cm par angle, et arrondissez au mètre supérieur. Tissu uni en petite largeur : notez la longueur des murs et la marge des angles. Calculez le nombre de lés nécessaires en divisant le chiffre précédent par la largeur du tissu moins 5 cm pour les coutures ; arrondissez au nombre supérieur. Multipliez ce résultat par la hauteur d'un lé : hauteur sous plafond plus 10 cm. Arrondissez pour obtenir le métrage total. Motifs imprimés ou tissés : faites le même calcul en ajoutant une hauteur de raccord à la hauteur d'un lé ; demandez cette indication au vendeur. Ne tenez jamais compte des ouvertures, elles sont recouvertes, agrafées sur leur pourtour et découpées au cutter.

LE MOLLETON

Pour obtenir un résultat impeccable, posez un molleton synthétique sous le tissu. Il renforce l'isolation, camoufle les petits défauts de surface et procure du gonflant. Le molleton est nécessaire sous les matières légères pour gommer les transparences. À l'arrière et au-dessus des radiateurs, posez du molleton de coton, antistatique, pour éviter une salissure rapide. Calculez le métrage comme pour le tissu, sans marge d'angle ni coutures. Tendez mur par mur en raccordant les lés par agrafe bord à bord. Coupez le molleton à 1 cm de tous les contours pour réserver la place de l'agrafage du tissu.

PRÉPARATION DU TISSU

Coupe : à tous les stades, respectez toujours le sens du tissu. L'inversion des lés provoque des différences de tons ou de brillance. Sur l'envers, repérez la longueur à couper, amorcez le trait de coupe avec une équerre et vérifiez qu'il se trouve sur le droit-fil. Au fur et à mesure de la coupe, marquez sur l'envers le haut de chaque morceau.
Tissus effilochables : passez une colle antieffilochage sur le trait.
Tenture murale : déroulez le métrage et coupez la longueur du mur à couvrir plus 15 cm ; cet excédent, appelé « poignée » par les professionnels, donne une bonne prise pour tendre.
Tissus en petite largeur : sur un uni, coupez le nombre de lés nécessaires pour obtenir la même longueur. Avec des motifs, essayez différentes hauteurs sur le mur pour déterminer la meilleure position. Tracez les lés, vérifiez le marquage pour éviter toute erreur de raccord, et coupez.
Assemblage des lés unis : placez-les endroit contre endroit, lisière sur lisière, bien à plat. Épinglez tous

les 10 cm perpendiculairement à la lisière. Mesurez la marge de couture : lisière plus 5 à 10 mm selon l'épaisseur du tissu ; et bâtissez si nécessaire. Piquez au point droit (longueur : 2,5 à 3 mm), directement sur les épingles ou au ras du bâti.
Raccord de motifs : bâtissez les lés en vérifiant le raccord du dessin comme expliqué au chapitre « Rideaux », page 396.
Repassage : ouvrez les coutures puis passez la pointe du fer sous les bords pour effacer des marques éventuelles sur l'endroit.

LA POSE PAR ANGLÉSAGE

Cette méthode consiste à agrafer une languette de carton à angléser dans les angles sous le rentré du tissu.

Ordre de pose
Le dernier bord ne pouvant être anglésé, prévoyez le raccord le long d'une fenêtre à rideaux longs ou d'une porte côté gonds. Commencez de préférence par le mur faisant face à la porte d'entrée ou par le mur le plus long, comme il est indiqué ci-dessous. Tendez le tissu sur les deux murs de chaque côté et posez le tissu en deux fois sur le dernier mur.

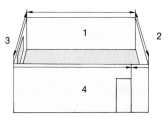

Mur n° 1

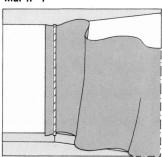

1 Soutenez le tissu en l'agrafant sur le mur précédant le mur à couvrir, avec une réserve de 5 cm dans l'angle. Calez le carton à angléser dans l'angle et agrafez en biais tous les centimètres.

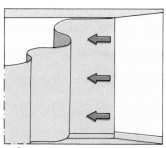

2 Ôtez les agrafes de maintien, rabattez le tissu sur le mur en

le soutenant par quelques agrafes provisoires.

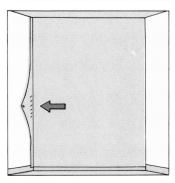

3 Tendez au maximum le tissu sur le retour d'angle suivant, à mi-hauteur du panneau, et agrafez-le solidement sur 10 cm.

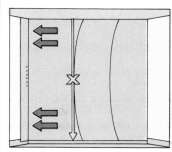

4 Suspendez un fil à plomb en prenant repère, à mi-hauteur, sur la dernière couture ou le droit-fil d'une tenture. Continuez l'agrafage en biais tous les 2 cm en vérifiant le fil à plomb, alternativement vers le haut et vers le bas par séquences de 10 cm. Ôtez l'agrafage provisoire.

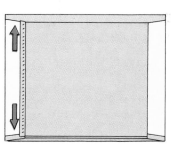

5 Agrafez sous l'angle du plafond puis au-dessus de la plinthe en tirant sur le tissu pour le tendre parfaitement.

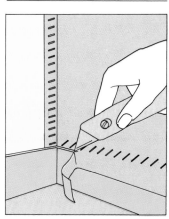

6 Arasez l'étoffe au ras du plafond et des plinthes en suivant l'angle avec la pointe de la lame.

Murs n°s 2 et 3 : suivez le même procédé.

Dernier mur

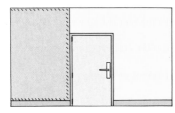

1 Anglésez dans l'angle proche des gonds pour une porte, ou d'un rideau long pour une fenêtre. Agrafez le tissu contre le chambranle et dans son prolongement jusqu'au plafond. Agrafez et arasez en haut et en bas.

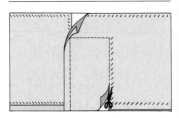

2 Anglésez le dernier panneau dans le dernier angle et agrafez-le contre le chambranle, sur toute sa hauteur. Agrafez en haut et en bas du mur.

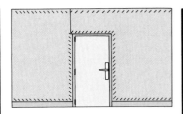

3 Tendez le haut du tissu au-dessus de la porte ou de la fenêtre en repliant un rentré de 3 cm, et agrafez en chevauchant sur le haut du panneau précédent. Terminez l'agrafage en haut et en bas, découpez l'étoffe contre le chambranle et arasez bien tous les excédents.

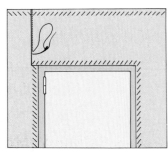

4 Lorsque le dernier raccord du tissu n'est pas dissimulé sous un rideau, cousez-le à petits points glissés dans la pliure avec une aiguille courbe et un fil très solide.

POSE DES GALONS

Porte : agrafez le galon en bas du chambranle, appliquez la colle et fixez en remontant. Pour les angles, repliez le galon sur lui-même, agrafez sur la diagonale d'angle et rabattez en continuant à coller. Terminez par une agrafe.

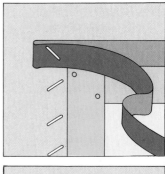

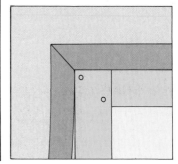

Fenêtre : procédez de la même façon, en commençant dans un angle supérieur. Pour le raccord, encollez l'extrémité du galon, repliez-la en diagonale et agrafez au ras de la pliure.

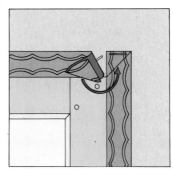

Plafond : partez de l'angle le moins visible et collez en repliant les extrémités du galon en ligne droite pour terminer pliure contre pliure.

Plinthe : posez le galon de la même façon en terminant derrière une porte.

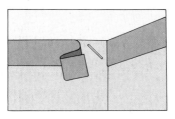

Choisir ses rideaux

La variété des motifs et des matières permet aujourd'hui d'habiller chaque fenêtre selon sa forme, la fonction et le style de la pièce qu'elle éclaire. Gardez l'esprit pratique pour choisir son décor et pour évaluer la facilité de réalisation, d'entretien et le prix de revient.

Les baies vitrées et les portes-fenêtres donnant sur une belle vue supportent de rester sans voilages. En revanche, en rez-de-chaussée sur rue ou lorsque la vue est déplaisante, garnissez-les de tissu fin mais opaque qui forme écran en laissant passer la lumière.

Dans les modèles classiques, on trouve le brise-bise couvrant partiellement les vitres, et le rideau bonne-femme volanté retenu par une embrasse. Les voilages simples ou croisés sont placés derrière un double rideau, montés en un seul panneau à ouverture latérale ou deux panneaux à ouverture centrale. Le store à l'italienne froncé verticalement s'accorde selon l'étoffe avec un style classique aussi bien que moderne. Quant aux décors contemporains, ils jouent à la fois sur l'aspect net des stores plats ou des stores bateau et sur le style vaporeux des drapés enroulés sur tringle ronde. Mais avec eux, prenez deux précautions : placez-les de telle sorte qu'ils ne gênent pas l'ouverture des battants et calculez-en le coût, le métrage étant très important pour obtenir un drapé élégant.

FENÊTRES À PROBLÈMES

Certaines fenêtres, par leur emplacement, leurs dimensions ou leur architecture, posent des problèmes particuliers.

Fenêtre placée sur un mur étroit

S'il y a peu ou pas de mur autour de la fenêtre, fixez des tringles plates ou un store à enrouleur sur le chambranle ou les battants.

Fenêtres disparates

Pour unifier deux fenêtres différentes placées côte à côte, faites courir une seule tringle et une cantonnière au-dessus des deux fenêtres avec des rideaux de même longueur aux extrémités et sur le pan de mur central. Un papier peint ou une tenture murale assorti gomme aussi la différence.

Fenêtre de mansarde

Devant une fenêtre en pente, montez une tringle bistrot en haut et en bas. Garnissez soit avec un rideau court portant des anneaux à chaque extrémité, soit avec un rideau long passé sous la tringle inférieure pour être retenu sous l'angle de la fenêtre. Sur une fenêtre en chien assis, un store plat ou des rideaux sur tringle cintrée.

Fenêtre au-dessus d'un radiateur

Ne gênez pas la diffusion de la chaleur en cachant le radiateur sous des rideaux longs. Placez une tablette de 5 cm au-dessus du radiateur ou en prolongement du bas de fenêtre pour renvoyer la chaleur vers la pièce, et arrêtez le bas du rideau sur la tablette.

Fenêtre de cuisine

Près d'une cuisinière, fixez les rideaux sur les battants entre deux tringles plates et préférez les tissus non-feu. Au-dessus d'un évier, faites des rideaux très courts.

Fenêtre peu haute

Dégagez-la complètement avec une tringle dépassant largement le chambranle et des rideaux courts qui, ouverts, couvriront uniquement le mur.

Fenêtre haute et étroite

Pour l'élargir, prévoyez une cantonnière et une tringle assez longues pour que les rideaux se tirent bien sur les côtés. Une fenêtre étroite dans une pièce basse peut créer une illusion de hauteur : placez la tringle au plafond et suspendez des rideaux de haut en bas.

N'oubliez pas que les effets d'optique sont importants pour les rideaux et les murs : jouez sur les rayures, verticales pour allonger ou horizontales pour élargir.

Fenêtre en saillie (bow-window)

Pour éviter de diminuer la lumière d'une fenêtre en saillie, faites des rideaux à ouverture centrale qui seront tirés de chaque côté. Montez-les avec une tringle cintrée sur la forme de la fenêtre d'une extrémité à l'autre.

Sur des fenêtres à pans coupés, utilisez des tringles droites avec des raccordements pour les angles.

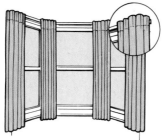

Prévoyez éventuellement aux extrémités de la tringle un support spécial pour accrocher un retour du rideau jusqu'au mur.

Les rideaux : l'outillage

Une surface importante est indispensable pour bien travailler les longs métrages. À défaut d'une grande table, installez-vous sur le sol pour mesurer et couper.

Ayez les outils nécessaires sous la main :

Un mètre à ruban
Il est nécessaire pour mesurer la fenêtre ; une règle plate de tailleur ou un mètre de couturière pour les étoffes.

Une craie tailleur
Blanche ou colorée selon le tissu.

Une équerre de 20 cm
Pour tracer les lés à angle droit.

Des ciseaux
De coupe pour les tissus et des ciseaux de lingère pour la couture.

Des épingles
Choisissez-en des très fines pour les tissus légers et fines pour les autres.

Des aiguilles machine
Du n° 70 pour tissus fins au n° 100 pour les tissus épais et serrés. Pour les synthétiques : des aiguilles stretch qui évitent la formation d'électricité statique et permettent de faire des points sautés.

Des aiguilles main
Longues pour bâtir, plus courtes pour coudre, et d'une grosseur toujours choisie en fonction du tissu. Il existe des aiguilles spéciales pour vue fatiguée.

Une machine à coudre
Placez-la à droite de la table pour pouvoir y déposer les lés et soutenez-les en piquant pour alléger leur poids. Dépoussiérez les griffes et la canette quand vous travaillez avec les tissus peluchex. Utilisez toujours la même qualité de fil pour la bobine et la canette. Vérifiez que la canette est suffisamment remplie avant de faire une longue piqûre.

Un découseur
Pour les mauvaises coutures.

Un fer et une table à repasser
Nettoyez la semelle du fer avec une pâte spéciale et videz l'eau du réservoir à la fin.

Un dé à coudre métallique.

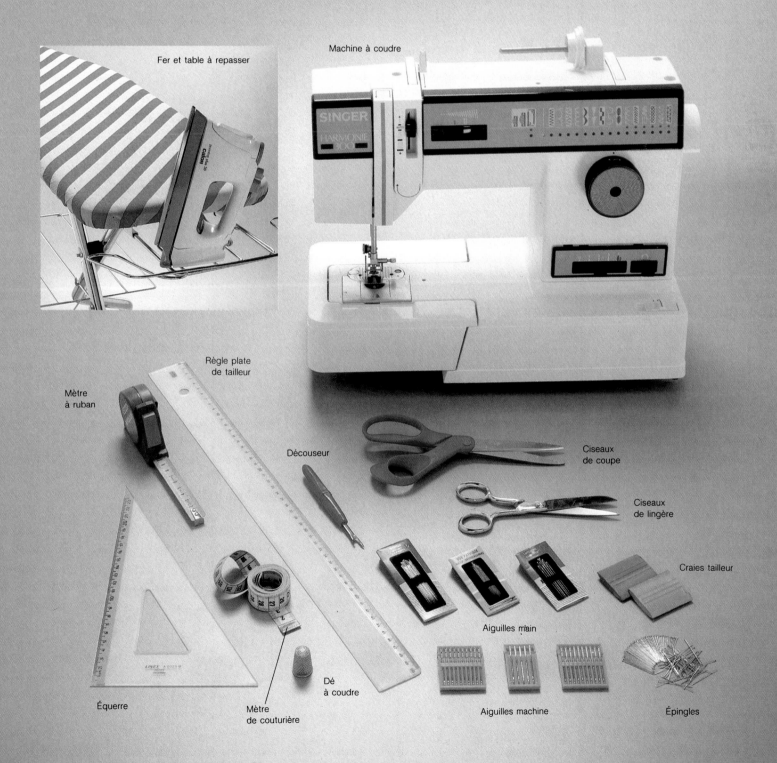

Fer et table à repasser

Machine à coudre

Règle plate de tailleur

Mètre à ruban

Découseur

Ciseaux de coupe

Ciseaux de lingère

Craies tailleur

Aiguilles main

Équerre

Dé à coudre

Mètre de couturière

Aiguilles machine

Épingles

Choisir la tête du rideau

Le style de la tête détermine l'ampleur et la hauteur du rideau. Les nombreux modèles de rubans facilitent le travail et assurent un bon résultat. Ces rubans, blancs ou colorés, existent en différentes largeurs. Ils sont munis de rangées de poches où viennent se loger les agrafes qui permettent d'accrocher le rideau à la hauteur choisie. La plupart des rubans sont garnis de cordons pour créer différents types de fronces ou de plis. Après le fronçage, conservez toute la longueur des cordons, le rideau peut ainsi être remis à plat pour le nettoyage; ils sont enroulés sur un bloqueur de cordons accroché dans une poche du ruban.

Choisissez toujours le ruban avant de calculer le métrage de tissu (voir p. 395). Le métrage du ruban est égal à la largeur du rideau plus 5 cm pour les rentrés. Ajoutez 10 cm pour des rideaux à ouverture centrale. Tous les calculs sont faits à partir de la longueur de tringle multipliée par une ampleur correspondant au modèle du ruban.

LES RUBANS FRONCEURS

Les rubans fronceurs conviennent pour les voilages, les filets, les tissus légers. Larges de 2,5 à 7,5 cm, ils créent des fronces régulières plus ou moins hautes et présentent une ou plusieurs rangées de poches. Ampleur : deux à trois fois la longueur de tringle selon la finesse du tissu.

Les têtes à fronces nid d'abeille sont montées sur un ruban spécial à cordons multiples.

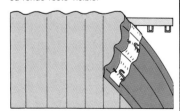

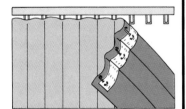

Tête ordinaire : la tringle chemin de fer ou ronde reste visible.

Tête flamande : uniquement sur tringle chemin de fer, qui est cachée lorsque le rideau est fermé.

Ruban fronceur

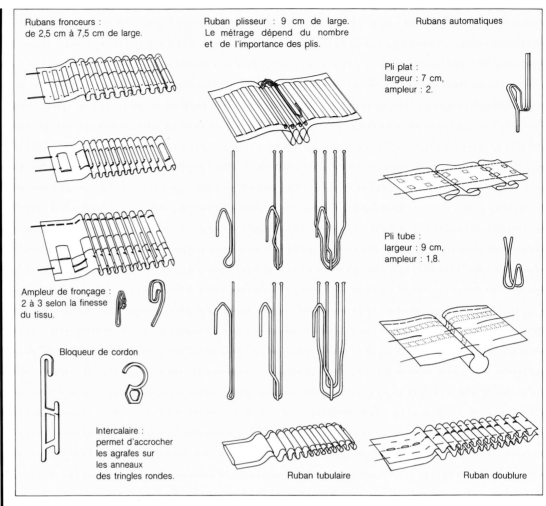

Rubans fronceurs : de 2,5 cm à 7,5 cm de large.

Ampleur de fronçage : 2 à 3 selon la finesse du tissu.

Bloqueur de cordon

Intercalaire : permet d'accrocher les agrafes sur les anneaux des tringles rondes.

Ruban plisseur : 9 cm de large. Le métrage dépend du nombre et de l'importance des plis.

Rubans automatiques

Pli plat : largeur : 7 cm, ampleur : 2.

Pli tube : largeur : 9 cm, ampleur : 1,8.

Ruban tubulaire

Ruban doublure

Ruban nid d'abeille

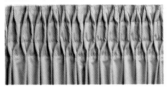

LES RUBANS PLISSEURS

Dépourvus de cordon, ces rubans portent une seule rangée de poches longues.

Utilisez ces rubans sur des tissus épais pour monter la tête en plis simples, doubles ou triples pincés sur des agrafes à deux ou quatre branches. L'agrafe à une branche soutient les extrémités ou le croisement central qui restent plats.

Ruban plisseur

LES RUBANS AUTOMATIQUES

Ces rubans plissent automatiquement la tête du rideau sur des

espaces réguliers par tirage des cordons. Une fois ces cordons noués, les plis sont bloqués en place. Pour le métrage, comptez 15 cm supplémentaires pour un parfait centrage des plis.

Le ruban à plis plats convient aux voilages et tissus légers.

Le ruban à plis tube supporte aussi bien les voilages que les tissus d'ameublement. Pour conserver la forme des plis, glissez un bristol enroulé dans chaque tunnel.

Ruban automatique

LE RUBAN DOUBLURE

Ce ruban, dont la partie inférieure s'ouvre en deux lèvres, est spé-

Ruban doublure

cialement conçu pour faciliter la confection de doublures amovibles (voir p. 396).

LE RUBAN TUBULAIRE

Le ruban tubulaire est réservé aux petits rideaux tendus montés sur tringle plate. Sur l'envers, repliez les extrémités du rideau et piquez par-dessus le ruban tubulaire sur ses deux lisières.

UN BON TRUC
Par sa hauteur, son fronçage, son plissage et son type d'agrafage, le ruban donne belle ou piètre allure à l'étoffe. Toutes les merceries ne proposent pas la totalité des modèles et des coloris. Prenez le temps de chercher un bon point de vente avec des vendeurs bien informés. Munissez-vous d'un échantillon de tissu et d'un dessin de la fenêtre.

Pour accrocher une doublure amovible montée sur un ruban doublure, notez que le ruban du rideau doit présenter deux rangées de poches : rangée supérieure pour les agrafes du rideau, rangée inférieure pour les agrafes de la doublure.

DIFFÉRENTES TRINGLES À RIDEAUX

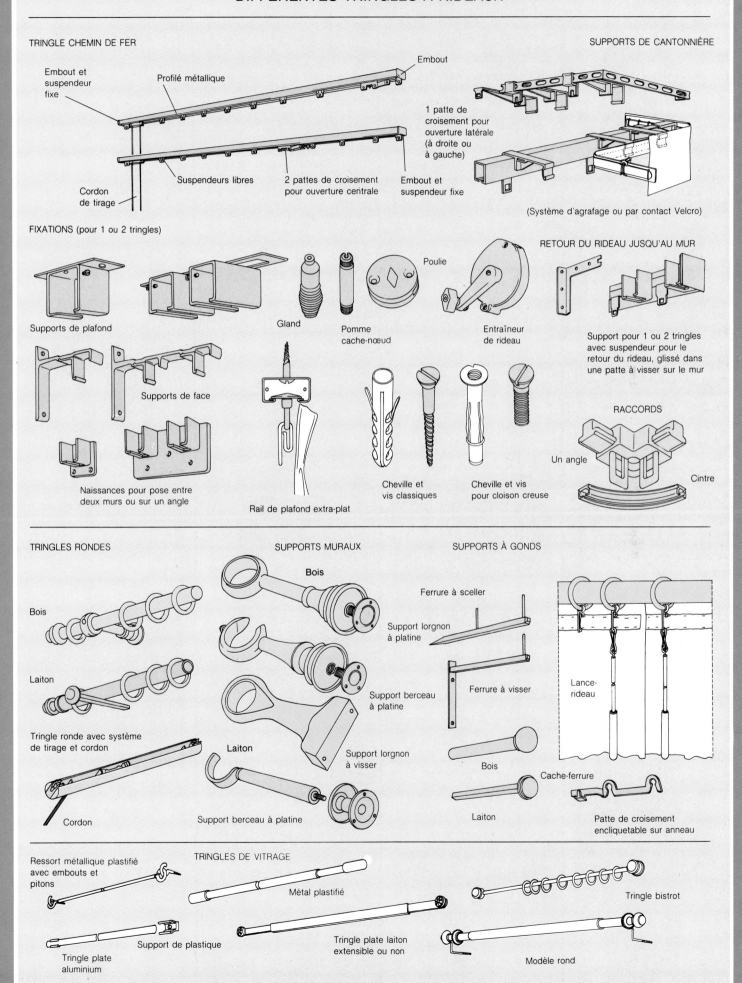

TRINGLE CHEMIN DE FER

Embout et suspendeur fixe

Profilé métallique

Embout

Cordon de tirage

Suspendeurs libres

2 pattes de croisement pour ouverture centrale

Embout et suspendeur fixe

SUPPORTS DE CANTONNIÈRE

1 patte de croisement pour ouverture latérale (à droite ou à gauche)

(Système d'agrafage ou par contact Velcro)

FIXATIONS (pour 1 ou 2 tringles)

Supports de plafond

Gland

Pomme cache-nœud

Poulie

Entraîneur de rideau

RETOUR DU RIDEAU JUSQU'AU MUR

Support pour 1 ou 2 tringles avec suspendeur pour le retour du rideau, glissé dans une patte à visser sur le mur

Supports de face

Rail de plafond extra-plat

Cheville et vis classiques

Cheville et vis pour cloison creuse

RACCORDS

Un angle

Cintre

Naissances pour pose entre deux murs ou sur un angle

TRINGLES RONDES

Bois

Laiton

Tringle ronde avec système de tirage et cordon

Cordon

SUPPORTS MURAUX

Bois

Laiton

Support berceau à platine

Support lorgnon à visser

Support berceau à platine

SUPPORTS À GONDS

Ferrure à sceller

Support lorgnon à platine

Ferrure à visser

Bois

Cache-ferrure

Laiton

Lance-rideau

Patte de croisement encliquetable sur anneau

Ressort métallique plastifié avec embouts et pitons

TRINGLES DE VITRAGE

Métal plastifié

Tringle bistrot

Support de plastique

Tringle plate aluminium

Tringle plate laiton extensible ou non

Modèle rond

Choisir la tringle et ses supports

Les tringles chemin de fer et les tringles rondes se fixent de face sur le mur, au plafond ou entre deux murs. Ces deux types de tringles, avec ou sans cordons de tirage, sont vendus en longueur standard ou sur mesure. Leurs supports se vissent directement ou par l'intermédiaire d'une platine munie d'un embout fileté. Les chevilles et les vis doivent correspondre au poids total à supporter et à la nature du mur. Soutenez les tringles très longues avec des supports intermédiaires. La longueur des supports tient compte de l'épaisseur des chambranles plus 5 cm.

TRINGLES CHEMIN DE FER

Elles se présentent en profilé métallique qui peut s'adapter en courbe ou en angle. Des suspendeurs glissent à l'intérieur pour la manœuvre des rideaux guidés par une patte de croisement. Les embouts avec suspendeur fixe s'emboîtent sur ses extrémités. Les cordons de tirage sont alourdis de glands aux extrémités ou noués en boucle et tendus sur une poulie vissée sur la plinthe, ou encore enroulés dans un entraîneur de rideau. Les supports

de cantonnière s'adaptent sur la tringle pour maintenir une tringle plate perforée ou garnie de ruban Velcro. Pour la longueur d'une tringle chemin de fer, comptez 40 cm en plus de la largeur hors tout de la fenêtre.

TRINGLES RONDES

Ces tringles très décoratives, en bois ou laiton, de différents styles, restent entièrement apparentes. Elles se posent soit sur des ferrures garnies de cache-ferrure ou sur des supports berceau ou à lorgnon. Les supports à lorgnon permettent la

pose au plafond, les naissances la fixation entre deux murs. Avec une tringle ronde sans cordon de tirage, accrochez un lance-rideau avec l'anneau d'ouverture, sinon le tissu sera sali et déformé rapidement. Pour sa longueur, ajoutez 50 à 60 cm à la largeur hors tout de la fenêtre.

TRINGLES DE VITRAGE

Les tringles plates ou les fils ressorts plastifiés se vissent directement sur les battants. Les tringles bistrot se placent devant les vitres fixes.

Comment poser une tringle à rideaux

Pour éviter des erreurs ou des pertes de temps, notez toutes les indications utiles pour acheter la totalité du matériel adéquat en une seule fois. Avec une tringle vendue en kit, vérifiez que les vis conviennent pour le mur ; sinon, remplacez-les ainsi que les chevilles. Comptez aussi le nombre de suspendeurs : il en faut dix par mètre de tringle.

Si la tringle est très longue, envisagez une fixation au plafond, sinon ajoutez des supports intermédiaires.

Outils : règle plate, mètre à ruban, perceuse avec mèche pour le bois ou la maçonnerie, tournevis, crayon.
Matériel : tringle complète, vis et chevilles.

SUPPORTS MÉTALLIQUES MURAUX

1 Marquez en plusieurs points la hauteur de fixation, au minimum 5 cm au-dessus du chambranle. Si le plafond et le haut de la fenêtre ne sont pas parallèles, prenez le repère le plus proche de la tringle.

2 Tracez légèrement de chaque côté de la fenêtre en prolongement des repères précédents.

3 Repérez l'emplacement des supports en centrant la tringle et mar-

quez précisément leur emplacement.

Avec des supports à gonds, type ferrure sur laquelle la tringle est fichée, mesurez la distance entre le passage du gond et l'extrémité de la tringle. Cela assure le bon centrage de la tringle et évite un décalage entre les trous de passage et les gonds au moment de la mise en place.

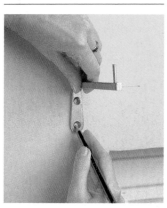

4 Posez les supports sur leurs repères et marquez la place des vis avec un crayon pointé au centre du trou.

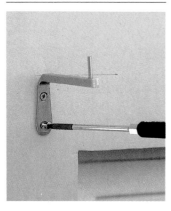

5 Vérifiez les repères. Percez à l'aide d'une perceuse, avec une mèche adaptée à la nature du mur et au diamètre des chevilles. Puis enfoncez complètement les chevilles. Présentez les supports et vis-

sez-les en deux temps : amenez la tête de toutes les vis près du support, et bloquez-les à fond.

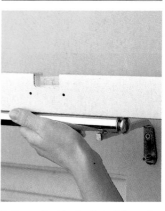

6 Posez la tringle. Les fiches des supports pénètrent dans les orifices de la tringle. Vérifiez l'horizontalité au niveau à bulle.

SUPPORTS DE PLAFOND

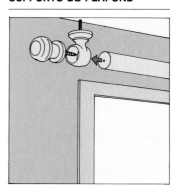

Prenez comme base l'arête de l'angle entre le plafond et le mur. Placez le mètre à ruban au plafond, son extrémité calée contre le mur, comptez 5 cm au minimum plus l'épaisseur du chambranle. Tracez la ligne repère.

SUPPORTS ENTRE DEUX MURS (NAISSANCES)

Marquez les repères sur les murs de retour en comptant l'écartement comme ci-dessus.

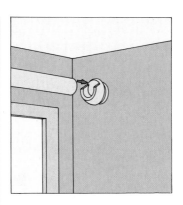

SUPPORTS POUR TRINGLES RONDES

Pour les modèles dont la base est percée, marquez les repères de trous de fixation.

Pour ceux montés sur une platine de fixation :

1 Tracez la hauteur de tringle, dévissez les platines et marquez leur emplacement en pointant les trous.

2 Percez le mur et vissez les platines.

3 Vissez les supports sur l'embout fileté des platines. Vérifiez la position des lorgnons ou des berceaux, qui doivent être parfaitement parallèles.

4 Centrez la tringle.

5 Serrez la vis de maintien.

Choisir l'étoffe et le fil

Pour les voilages qui tamisent la poussière venant de l'extérieur, le polyester, pur ou mélangé au lin et au coton, s'avère de loin la meilleure matière.

Entretien : trempez dans l'eau froide quelques heures pour faire tomber la poussière, rincez ; lavez en machine à 30° ou à froid ; programmez un arrêt « cuve pleine » ou un simple « égouttage » selon les programmes du lave-linge. Étendez le rideau mouillé bien tendu et remettez en place encore un peu humide. Le voile ou la mousseline de coton et de lin présentent un aspect plus raffiné et plus classique, mais ils sont plus chers et plus délicats à entretenir.

Pour les rideaux, les tissus d'ameublement offrent un vaste choix. Les étoffes un peu épaisses isolent mieux, mais évitez les matières lourdes ou trop raides, malaisées à coudre. Pour tous les tissus d'ameublement (sauf certains marqués « lavable » en lisière), le nettoyage à sec est obligatoire.

Utilisez un fil de couleur assortie, fin ou fort, en coton ou en synthétique en fonction du tissu. Faites un essai préalable avec le fil et le tissu choisis pour régler le point de piqûre.

CONSEILS D'ACHAT

— Sur les imprimés, vérifiez que les dessins sont placés sur le droit-fil, sinon le rideau ne tombera pas d'aplomb.

— Apportez un croquis coté de la fenêtre pour pouvoir discuter avec le vendeur.

— Ne lésinez pas sur le métrage. Si le coût est trop élevé, choisissez un tissu moins cher : un rideau qui manque d'ampleur manque aussi d'élégance.

— Demandez à voir le tissu drapé verticalement pour visualiser son allure, en le plaçant dans une lumière douce.

— Achetez le métrage en une seule coupe, des différences de teintes pouvant se produire d'un rouleau à l'autre.

— Ne vous décidez pas à la légère, les mêmes rideaux se conservent plusieurs années. Demandez des échantillons. Certains magasins acceptent, sous caution, de prêter des grands carrés.

Les points et les coutures à utiliser

À LA MAIN

Nouez le début du fil et arrêtez la fin par deux points arrière superposés.

Point de bâti : pour les assemblages provisoires.

Point d'ourlet : pour coudre un ourlet sur une seule épaisseur de tissu.

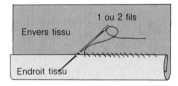

Point de côté : pour fixer deux pièces l'une sur l'autre.

Point glissé : pour coudre deux pliures bord à bord.

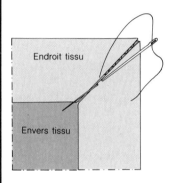

Point arrière : pour fixer un galon qui ne peut être piqué.

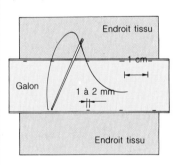

Point bagué : pour maintenir deux pièces l'une contre l'autre.

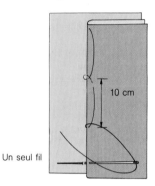

Point de chausson : pour fixer les rentrés des tissus épais bien à plat et éviter l'effilochage.

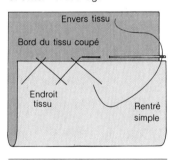

À LA MACHINE

Bloquez le début et la fin de la piqûre avec quelques points en marche arrière.

Point droit : pour assembler, de 2 à 3,5 mm de long.

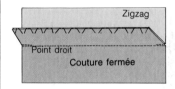

Point zigzag : pour surfiler chaque bord d'une couture ouverte ou les deux bords ensemble d'une couture fermée.

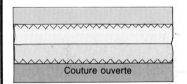

Point de bâti : point programmé sur la machine ou obtenu avec un grand point droit et une tension de fil desserrée ; pour l'ôter, tirez sur le fil de canette.

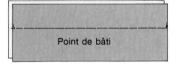

Calculer le métrage de tissu

MESURES DE HAUTEUR

1 Déterminez la longueur du rideau fini en tête flamande ou ordinaire (voir p. 392) à partir de la tringle. Rideaux courts : 10 cm sous la fenêtre. Rideaux longs : à 1 cm du sol. Vérifiez ces mesures de chaque côté de la fenêtre et conservez la mesure la plus forte en cas de différence.

2 Ajoutez de 2 à 3 cm selon l'épaisseur du tissu pour le rentré du haut.

3 Ajoutez l'ourlet selon l'épaisseur du tissu. Tissu épais : rentré de 15 à 20 cm. Tissu léger : ourlet de 12 à 15 cm de haut. Sur les rideaux longs, comptez 10 cm de plus. Voilages longs : ourlet double de la hauteur du soubassement.

4 Avec un tissu à motifs, ajoutez une hauteur du dessin en répétition pour pouvoir raccorder les motifs.

MESURES DE LARGEUR

1 Mesurez la longueur de la tringle sans compter les embouts.

2 Multipliez-la par l'ampleur donnée par le ruban (voir p. 392).

3 Ajoutez 10 cm pour les côtés, 5 cm par couture et 10 cm pour un croisement central.

4 Ajoutez deux fois le retour au mur.

MÉTRAGE

1 Divisez la largeur totale par la largeur du tissu. Arrondissez au nombre supérieur pour avoir le nombre de lés.

2 Multipliez le nombre de lés par la hauteur totale pour trouver le métrage nécessaire.

DOUBLURE

Comptez le même métrage si le tissu et la doublure ont la même largeur. Sinon, recommencez avec la nouvelle largeur.

Si le rideau comporte de larges ourlets dans le bas et sur les côtés, déduisez la valeur de ces retours pour obtenir les dimensions nettes de la doublure et ajoutez-lui ses coutures et ourlets.

Couper le tissu

Dégagez une grande surface de travail. Repassez le tissu. Marquez sur l'envers le haut de chaque lé avec un fil ou une craie au fur et à mesure de la coupe : des lés assemblés en sens contraire prennent des nuances différentes. Ne déchirez jamais le tissu, il serait déformé. Le bord des lisières étant tissé serré, enlevez-les après avoir coupé les lés pour travailler sur des bords souples.

Matériel : mètre, ciseaux de coupe, équerre, craie tailleur, épingles.

TROUVER LE DROIT-FIL

Pour que le rideau tombe d'aplomb, les lés doivent être coupés sur le droit-fil du tissu. Sur les toiles, le fil est suffisamment apparent pour être suivi. Sur d'autres tissages,

Pour vérifier le droit-fil, tirez sur le fil de trame : il doit venir d'une lisière à l'autre.

comme le satin, ce n'est pas le cas. Pour vous aider, tracez la ligne de coupe à la craie en appuyant la règle sur une équerre pour vérifier l'angle droit.

UN BON TRUC
Pour trouver la ligne de coupe, posez le tissu sur une table, la lisière suivant le bord. Laissez tomber le reste du tissu et passez la craie.

PLACEMENT SUR TISSUS IMPRIMÉS

Pour les rideaux longs, repérez en haut du lé la position du ruban fronceur et placez un motif en dessous. Sur des rideaux courts, placez le bas du motif juste au-dessus de la pliure d'ourlet.

RACCORD DES MOTIFS

Posez les lés côte à côte pour vous assurer qu'ils sont bien placés.

Ajustez d'après les motifs. Retournez soigneusement un lé pour le placer sur le second, endroit contre endroit. Épinglez en écartant les bords au fur et à mesure pour vérifier que l'épingle traverse bien les deux épaisseurs aux raccords du dessin. Bâtissez et ouvrez les lés pour vérifier à nouveau les raccords. Piquez, ôtez le bâti et repasser la couture ouverte.

Poser un ruban fronceur

À ce stade, les côtés du rideau sont ourlés. Sur les voilages, les lisières restent apparentes. Le ruban doublure, monté à cheval sur le haut de la doublure, est agrafé sur le ruban du rideau.

Outils et matériel : mètre à ruban, épingles ; rideau en cours de confection, ruban fronceur, fils assortis au tissu et au ruban.

1 Coupez le ruban fronceur sur la largeur du rideau à plat plus 3 cm

à chaque extrémité. Côté ouverture du rideau, dégagez les cordons sur 2,5 cm et nouez-les. À l'opposé, sortez les cordons à l'endroit sur 4 cm. Froncez le ruban et remettez-le à plat.

2 Rentrez sur l'envers en haut du rideau la hauteur définie pour le calcul du métrage (voir p. 395).

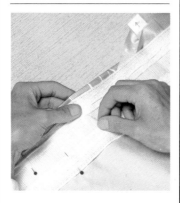

3 Posez le ruban sur le rentré, poches à l'extérieur, en plaçant si

possible une poche à 1 cm au maximum des extrémités du rideau. Épinglez les bords du ruban.

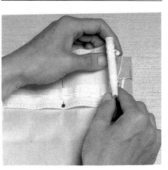

4 Repliez l'extrémité dont les cordons sont noués sur 3 cm, en la

glissant sous le rentré du tissu : la pliure du ruban ne doit pas dépasser le bord du rideau. Épinglez.

5 Finissez comme ci-dessus à l'extrémité opposée. Si un doute subsiste sur le montage de la tête, vérifiez avant de piquer : froncez le ruban, posez les agrafes, accrochez le rideau et modifiez si nécessaire.

6 Bloquez les cordons libres sur une épingle. Remplissez la canette avec le fil assorti au tissu. Piquez une extrémité puis au ras du bord supérieur du ruban, et revenez à angle droit. Piquez le bord inférieur dans le même sens.

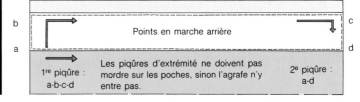

b
Points en marche arrière c
a d

1re piqûre : a-b-c-d | Les piqûres d'extrémité ne doivent pas mordre sur les poches, sinon l'agrafe n'y entre pas. | 2e piqûre : a-d

---

Faire un rideau non doublé

Outils : mètre à ruban, ciseaux, craie tailleur, épingles, aiguilles, machine à coudre, fer à repasser.
Matériel : tissu, ruban fronceur, fil.

1 Mesurez, tracez et coupez les lés (voir p. 395 et plus haut).

2 Si le rideau comporte plusieurs lés, surfilez les bords et assemblez en couture ouverte (voir p. 395).

Il est recommandé de piquer les différents lés toujours dans le même sens.

Avant de piquer, vérifiez que le haut des lés est en bonne position.

3 Épinglez sur les côtés un ourlet double ou un rentré simple de 3 cm de large. Posez l'endroit du tissu

sur la machine et piquez. Arrêtez la piqûre à 30 cm du bas pour pouvoir réaliser le pliage des angles en onglet (voir ci-après).

4 Posez le ruban de tête (voir p. 392).

5 Repliez le bas envers contre envers et épinglez l'ourlet sans tenir compte des angles pour l'essayage du rideau.

Pour placer une doublure amovible, glissez le haut de la doublure entre les lèvres d'un ruban fronceur à deux rangées de poches et

piquez tout ensemble. Ourlez, froncez et agrafez sur le rideau.

Plomber un ourlet

Pour obtenir un bon tombant, choisissez un ruban plombé dont le poids correspond à l'épaisseur du rideau ou des boutons de plomb, plus lourds.

1 Ruban plombé : ouvrez l'ourlet, placez ce ruban bien à plat dans la pliure et cousez-le à chaque extrémité, en veillant à ne pas traverser sur l'endroit.

2 Boutons de plomb : s'ils ne sont pas troués, enveloppez-les de tissu. Cousez-les contre la pliure sur le rentré d'ourlet, aux extrémités et en bas de chaque couture.

OURLET AVEC ANGLE EN ONGLET

Les angles en onglet donnent une finition très nette en réduisant les épaisseurs.

1 Repassez les pliures du rentré d'ourlet et des côtés.

2 Repliez l'angle du tissu envers contre envers en faisant correspondre exactement les pliures.

3 Repassez ce pli, repliez les rentrés. Sur tissu épais, coupez l'angle 5 mm avant la pliure et repliez. Sur tissu fin, cette découpe n'est pas obligatoire.

4 Cousez les pliures à points glissés. L'ourlet du bas et celui du côté n'étant pas égaux, terminez sur la plus longue pliure au point d'ourlet.

Store bateau et store à l'italienne

Ces stores s'ouvrent verticalement par des cordons de tirage coulissant dans les boucles ou les anneaux du ruban. Si la largeur du store nécessite plusieurs lés de tissu, les assemblages sont montés en coutures ouvertes (voir p. 395) non surfilées. Ces coutures doivent correspondre avec des rubans verticaux qui en dissimulent les bords sur l'envers du store.

POSE DES RUBANS À BOUCLES

La pose des rubans est minutieuse, car ils doivent être parallèles et régulièrement espacés.

1 Coupez les rubans sur la longueur du store. Sur l'envers du panneau, marquez les lignes verticales au crayon ou avec un bâti (p. 395).

2 Repassez un rentré de 2,5 cm sur les côtés du panneau.

3 Épinglez un ruban sur chaque rentré, puis sur les lignes intermédiaires, la première boucle juste au-dessus de l'ourlet. Épinglez les autres rubans sur le même repère et vérifiez l'alignement horizontal des rangées de boucles. L'emploi d'un tissu à rayures ou à carreaux facilite le travail des débutants.

4 Piquez les rubans ; sur les côtés du panneau, piquez jusqu'en bas.

POSE DU VELCRO

1 Rentrez 3,5 cm en haut et piquez le Velcro « velours » sur son pourtour, à 2 cm de la pliure.

2 Collez le ruban « crochets » sur le tasseau, consolidez avec quelques semences. Sur un mécanisme, ce ruban est déjà en place.

RÉALISATION D'UN STORE BATEAU

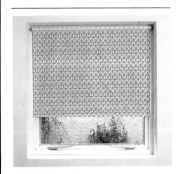

1 Préparez un panneau de tissu de bonne tenue. Largeur : celle du support plus 5 cm ; longueur : longueur du rideau fini plus 1/5, plus la hauteur d'accrochage.

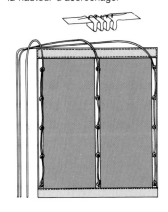

2 Piquez les rubans. Pour obtenir un aspect net, piquez un pli de 1 cm entre chaque rangée de boucles et placez-y une tige de plastique fine.
ALTERNATIVE. Utilisez du ruban croisé de coton et piquez-le en vérifiant le parallélisme. Cousez les anneaux espacés de 30 cm.

3 Piquez le Velcro. Préparez un ourlet de 2 cm de haut, piquez-le.

4 Placez les cordons de tirage en nouant l'extrémité dans la boucle ou l'anneau inférieur.

5 Glissez la barre de lestage dans l'ourlet.

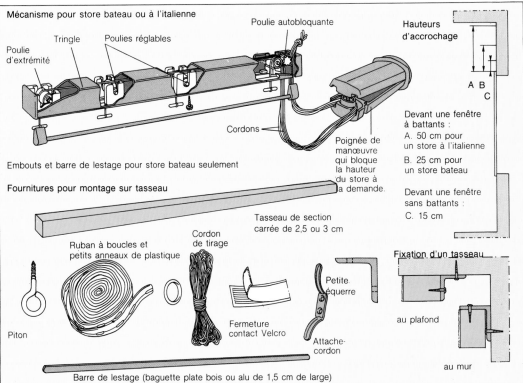

Mécanisme pour store bateau ou à l'italienne

Poulie autobloquante
Tringle   Poulies réglables
Poulie d'extrémité
Cordons
Poignée de manœuvre qui bloque la hauteur du store à la demande.

Embouts et barre de lestage pour store bateau seulement

Fournitures pour montage sur tasseau

Tasseau de section carrée de 2,5 ou 3 cm
Cordon de tirage
Ruban à boucles et petits anneaux de plastique
Petite équerre
Piton
Fermeture contact Velcro
Attache-cordon
Barre de lestage (baguette plate bois ou alu de 1,5 cm de large)

Hauteurs d'accrochage
A B C
Devant une fenêtre à battants :
A. 50 cm pour un store à l'italienne
B. 25 cm pour un store bateau
Devant une fenêtre sans battants :
C. 15 cm

Fixation d'un tasseau
au plafond
au mur

RÉALISATION D'UN STORE À L'ITALIENNE

1 Choisissez un tissu léger ou un voilage. Préparez le panneau sur la même largeur que le store bateau, mais pour la longueur, multipliez la hauteur du store fini par deux et ajoutez la hauteur d'accrochage.

2 Piquez les rubans, nouez les cordons en bas, sortez-les en haut.

3 Préparez l'ourlet. Piquez ou cousez-le au point d'ourlet (p. 395).

ALTERNATIVE. Sur les stores en tissu transparent, prévoyez un ourlet double de 10 cm de haut et cou-sez-le uniquement sur le bas des rubans.

4 Froncez les rubans pour donner au store sa longueur plus la hauteur d'accrochage. Égalisez les fronces en respectant l'horizontalité des boucles. Nouez les cordons en rosette et calez-les dans les boucles.

ALTERNATIVE. Piquez des bandes de ruban fronceur ordinaire et procédez comme ci-dessus. Les fronces étant égalisées, cousez des anneaux espacés de 30 cm.

5 Placez les cordons de tirage comme pour le store bateau.

POSE SUR UN MÉCANISME

1 Posez le store sur une table. L'envers doit se trouver au-dessus et le mécanisme en haut du store.
Alignez les poulies au-dessus des rubans et fixez le store par contact en superposant les rubans Velcro.

2 Glissez les cordons de tirage dans les poulies et la poignée de manœuvre.

3 Posez le mécanisme en place.

MONTAGE SUR UN TASSEAU

1 Placez sur une table, le tasseau centré au-dessus du store. Amorcez l'entrée des pitons au-dessus de chaque cordon et vissez-les.

2 Glissez les cordons dans les pitons, nouez les cordons ensemble et fixez le store par contact Velcro.

3 Fixez l'attache-cordon pour bloquer le store à hauteur désirée.

POSE D'UN MÉCANISME

Les mécanismes se fixent sur des supports appropriés comme une tringle chemin de fer ou se vissent directement.

POSE D'UN TASSEAU

1 Tracez la ligne de pose du tasseau au plafond ou sur le mur.

2 Marquez l'emplacement des équerres, percez et vissez-les en place.

3 Centrez le tasseau sur les équerres, pointez les trous et amorcez l'entrée des vis.

4 Vissez le tasseau sur les équerres après avoir mis le store en place.

Store à enrouleur automatique

Ce store est fonctionnel, économique et facile à poser.

Outils : mètre, crayon, perceuse et mèche appropriée, tournevis, règle plate.
Matériel : enrouleur automatique complet, 2 supports, vis, chevilles, toile.

CHOIX DU TISSU

Utilisez de préférence une toile enduite ou une étoffe avec ses lisières. Avec un tissu trop large, tracez sur l'envers les quatres côtés du store. Passez de la colle antieffilochage sur le trait de coupe et laissez sécher avant de couper.

1 Marquez la position des supports, percez et vissez (voir schéma ci-contre).

DIMENSIONS DU TISSU

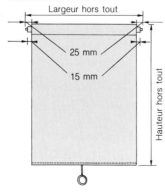

- *Largeur :* largeur hors tout de l'enrouleur (étriers compris) moins 5 cm.
- *Longueur :* hauteur du store plus 25 cm.

UN BON TRUC
Pour tracer une ligne de pose, calez le bâton contre une grande règle et tirez un trait d'un bout à l'autre. Pour les repères d'extrémité, enroulez un adhésif à 2,5 cm, étriers compris.

2 Tracez sur la toile les traits de coupe, panneau à angle droit avec les lisières (voir p. 396). Coupez. Surfilez le bas. Rentrez 5 cm sur l'envers.

3 Piquez à 4 cm sur les tissus. Sur les plastiques ou les toiles enduites, calez le rentré avec un adhésif et piquez avec une aiguille « cuir ». Glissez la baguette.

4 Nouez le cordon dans la patte, centrez et vissez. Glissez l'extrémité du cordon dans le gland et nouez-la.

5 Posez le store à plat, endroit dessus, et l'enrouleur en haut, l'étrier plat à l'angle supérieur gauche.

6 Posez le haut du tissu sur la ligne et fixez au fur et à mesure avec quelques morceaux d'adhésif. Cette étape est importante, car si le tissu n'est pas d'équerre avec le bâton, le store ne fonctionne pas bien. Faites un tour du tissu et bloquez avec les ressorts ronds.

7 Enroulez le tissu en superposant parfaitement les bords.

STORE À ENROULEUR AUTOMATIQUE

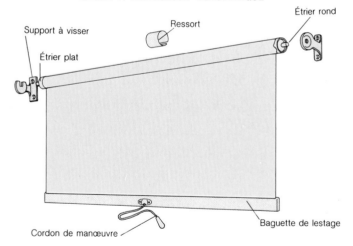

Support à visser
Ressort
Étrier rond
Étrier plat
Cordon de manœuvre
Baguette de lestage

Bâton garni d'étriers, l'un rond, l'autre plat. L'étrier plat commande le ressort intérieur et permet, en le tournant plus ou moins, de régler la tension du ressort d'enroulement. Vous pouvez enlever l'embout à étrier rond si le bâton doit être scié pour bien ajuster sa longueur.
Supports à visser.
Ressorts cylindriques ouverts, à encli-queter sur le bâton pour fixer le tissu : 1 ressort à chaque extrémité, les autres espacés de 25 à 30 cm.

MODE DE FIXATION
Écart minimal entre la fenêtre et le plafond : 8 cm.

de face | au plafond | en baie | en déport

8 Placez les étriers dans les supports, l'étrier plat se trouvant à gauche.

9 Manœuvrez le store en tirant sur le cordon. Réglez éventuellement la tension du ressort en « vissant » l'étrier pour tendre, ou en le « dévissant » pour détendre.
Pour assurer le bon fonctionnement de l'ensemble du dispositif, ne tirez pas sur le tissu. Utilisez toujours le cordon pour remonter ou baisser le store.

DEUXIÈME PARTIE : TECHNIQUES, OUTILS ET MATÉRIAUX

TOITURES, ÉCOULEMENTS ET MURS EXTÉRIEURS

Dégâts pouvant affecter un toit

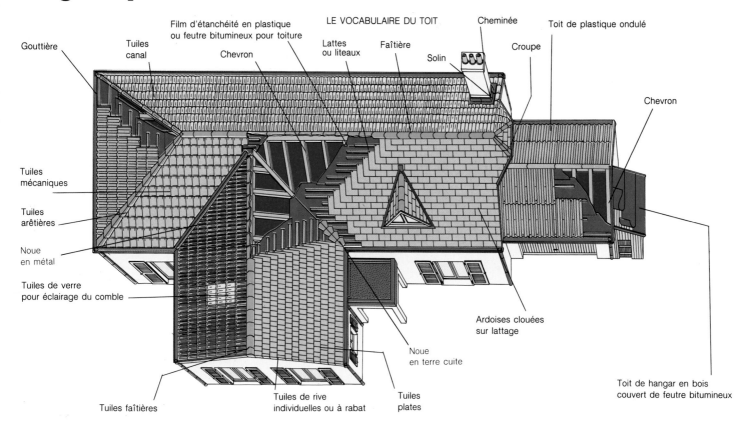

LE VOCABULAIRE DU TOIT

Gouttière — Tuiles canal — Film d'étanchéité en plastique ou feutre bitumineux pour toiture — Chevron — Lattes ou liteaux — Faîtière — Solin — Cheminée — Toit de plastique ondulé — Croupe — Chevron

Tuiles mécaniques — Tuiles arêtières — Noue en métal — Tuiles de verre pour éclairage du comble

Tuiles faîtières — Tuiles de rive individuelles ou à rabat — Noue en terre cuite — Tuiles plates — Ardoises clouées sur lattage — Toit de hangar en bois couvert de feutre bitumineux

La pluie est la cause principale de l'humidité. L'eau s'infiltre et imprègne le bois non protégé. Lorsque les taches apparaîtront au plafond, vous vous apercevrez des réparations qui s'imposent. Vérifiez régulièrement s'il y a des traces d'humidité dans le grenier et contrôlez le toit par l'extérieur, pour voir si des tuiles ou des ardoises ont glissé ou si du mortier s'est effrité. Lors d'une visite dans le grenier en plein jour, si la sous-toiture est visible, vous pouvez repérer les fuites ou les trous. Pour les repérer sur la face externe de la toiture, glissez des fils de fer dedans.

Pour examiner un toit, servez-vous d'une échelle qui dépasse la gouttière. Si vous vous déplacez sur le toit, utilisez une échelle avec des crochets passant sur le faîte (voir page ci-contre).

Tuiles faîtières

Le mortier qui maintient ces tuiles en place peut s'effriter avec l'âge. Un vent fort peut également déloger les tuiles. Voir p. 405 comment remplacer une tuile faîtière.

Tuiles du toit

Ces tuiles sont, en général, clouées en place ou retenues par des tétons en saillie derrière chaque tuile qui s'accrochent sur les voliges du toit.

Si les tétons sont endommagés ou si les clous sont rouillés, les tuiles pourront glisser du toit, être soufflées par des vents forts ou déplacées par le poids de la neige. Voir p. 403 comment remplacer une tuile du toit.

Ardoises

Il n'y a pas de tétons sur les ardoises, de telle sorte qu'elles doivent obligatoirement être clouées. Elles peuvent glisser et changer de position si les clous sont attaqués par la rouille. Voir p. 404 comment remplacer une ardoise.

Solins

Quand des plans du toit se coupent, l'interstice est obturé par un solin. Le solin de plomb est le plus utilisé dans les maisons relativement vieilles ; les maisons plus récentes ont plutôt des joints faits de bandes bitumineuses (la bande de solin est engravée dans les briques ou les agglomérés de maçonnerie et scellée au mortier). Les fissures dans le solin sont, en général, la conséquence de mouvements de faible amplitude de la maison elle-même ou entre des maisons qui se touchent. Pour savoir comment réparer les solins, voir p. 408. Vérifiez tous les solins autour des souches de cheminées, des mansardes et des toits plats adjacents lorsque vous faites une réparation.

Souches de cheminées

Peu de travaux de bricolage peuvent être effectués sur les souches de cheminées. Un échafaudage spécial doit être monté autour des conduits et les travaux de maçonnerie à exécuter sont difficiles. Contrôlez souvent vos souches.

Si la cheminée n'est pas en service, couvrez-la avec une demi-tuile ronde ou un capuchon pour empêcher la pénétration de l'eau de pluie. Vous ne pouvez distinguer que le bord du chaperon qui couronne la souche, autour des mitres ; faites-le tester si vous avez détecté une quelconque détérioration. Si vous vous apercevez de vices de construction, voyez un expert.

Toits plats

Le plus souvent, on les voit sur les extensions de constructions anciennes. Leur coût initial est moins élevé que celui des toits pentus avec charpente et couverture, mais ils sont moins durables.

Au lieu de drainer l'eau et de l'évacuer, les toits plats la gardent en surface, de même que la neige. Le feutre est, en général, posé en plusieurs couches sur de grands toits et il est courant que la couche supérieure se boursoufle. Voir p. 410 comment réparer ce dommage.

Les toitures de feutre bitumineux sur des petits hangars ou des constructions isolées ne comportent, le plus souvent, qu'une seule nappe de feutre. Si celle-ci commence à se détériorer, enlevez-la et remplacez-la (voir p. 414).

Les toitures de plastique ondulé peuvent avoir des fuites au niveau d'un recouvrement ou à l'endroit où les vis et les clous traversent le plastique. Colmatez avec un mastic silicone ou butyl (caoutchouc). Pour remplacer toute une plaque de plastique ondulé, voir p. 413. Les tuiles de verre peuvent présenter des fuites si les joints qui les entourent sont défectueux, et un vent fort peut chasser la pluie sous les recouvrements. Utilisez un ruban adhésif spécial pour étanchéifier les joints défectueux. Il vaut mieux choisir le ruban ayant une face d'aluminium que celui avec une face noire. Si vous ne pouvez stopper la fuite, colmatez de l'extérieur avec un mastic silicone ou butyl (caoutchouc).

QUAND DOIT-ON REFAIRE TOUTE LA COUVERTURE

Préoccupez-vous d'autant plus de votre toit que votre région est exposée aux intempéries.

Mais il est difficile pour une personne non experte de juger si un toit doit être complètement remanié, qu'il soit couvert de tuiles ou d'ardoises.

Si des boursouflures et des creux très apparents vous causent des inquiétudes, des mouvements de faible amplitude de la charpente peuvent les avoir

provoqués des années auparavant. Cependant, les mouvements des poutres peuvent avoir commencé récemment et être la manifestation de vices que seul un professionnel saura trouver et supprimer.

Si vous avez des doutes sur l'état de votre toit, faites établir au moins deux expertises par des architectes ou des charpentiers, ainsi, vous saurez précisément à quoi vous en tenir.

Réparations de toitures : l'outillage

Échelle de toit
Ne montez jamais sur un toit sans une échelle appropriée. Il existe une échelle faite spécialement pour cela, qui est équipée à une de ses extrémités de larges crochets et éventuellement de roues caoutchoutées. Lorsque le haut de l'échelle a atteint l'arête du toit, faites-la pivoter pour que les crochets s'encastrent sur l'arête.

L'échelle doit être assez longue

pour couvrir la distance entre la gouttière et l'arête. Vous pourrez ainsi passer facilement de cette échelle à l'échelle de toit. Cette dernière peut être rallongée par des pièces d'extension lorsque le toit est de grandes dimensions.

Tire-clou pour faire glisser les ardoises
La lame d'acier du tire-clou a environ 28 à 33 cm de longueur. On la glisse sous l'ardoise ou la tuile à enlever jusqu'à ce que l'une des encoches de son extrémité, taillée en flèche, s'accroche sur un clou

enfoncé dans la volige. Une traction brusque ou un coup de marteau donné sur la partie courbe du manche tire l'outil vers le bas et coupe le clou.

Pinces coupantes pour ardoises
Lorsque l'on rapproche les poignées en les pressant, les lames d'acier des pinces se rejoignent et coupent le bord de l'ardoise. À l'instar du marteau et de l'enclume de l'ardoisier, ces pinces sont utiles pour retailler une ardoise trop grande.

Cisailles à métaux
Elles agissent comme des ciseaux pour couper le plomb, le zinc et d'autres métaux utilisés pour les noues. Elles se font en différentes tailles, de 20 à 36 cm de longueur.

Maillet à tête souple
Un maillet dont la tête est faite de caoutchouc dur, de plastique ou de cuir vert est utilisé pour marteler le métal et le modeler selon les besoins, pour remplacer une noue par exemple.

Ciseau à joints
Ce ciseau à joints est utile pour détacher le mortier entre les briques ou les parpaings. Vous vous en servirez également lorsque vous remplacerez un solin. Le côté rainuré de la lame permet d'évacuer rapidement les débris.

À sa place, vous pouvez aussi utiliser un ciseau à froid, qui est prévu, en fait, pour couper le métal.

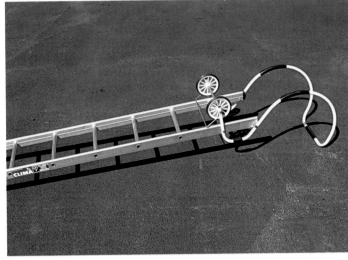

Échelle de toit avec crochets de faîtage amovibles

COMMENT TRAVAILLER EN SÉCURITÉ AU NIVEAU DU TOIT

Échelle
Assurez-vous toujours que l'échelle est placée suivant l'angle qui convient (0,30 m d'écartement du mur pour 1,20 m de hauteur sur le mur).

Elle doit être assez longue pour dépasser l'endroit où vous travaillez. Si vous travaillez à une gouttière sur la ligne d'égout, allongez l'échelle ou augmentez la hauteur de l'échafaudage de façon qu'ils dépassent la gouttière d'au moins 1 m.

Fixez un support en haut de l'échelle afin qu'elle s'appuie sur le mur et non sur la gouttière.

Déplacez toujours l'échelle ou l'échafaudage le long du mur pour vous faciliter l'accès au point sur lequel vous travaillez. Ne vous penchez jamais sur le côté pour atteindre votre travail.

Échafaudage
Si vous avez à travailler le long d'une gouttière, louez un échafaudage avec roues verrouillables, garde-fou et plate-forme solide (voir p. 96).

Conseils pratiques
Lorsque vous travaillez en hauteur, n'essayez pas de porter des objets lourds qui vous déséquilibreraient, faites-vous aider pour en répartir le poids.

Trouvez un endroit où vous pourrez poser et atteindre vos outils sans danger. Si vous travaillez sur une échelle, vous pouvez fixer un plateau à cet effet. Sur un toit, mettez vos outils dans un sac ou une bourse retenue sur votre poitrine par une courroie en diagonale ou dans la grande poche d'un tablier solide, ou encore dans une ceinture.

Ne montez pas sur un toit sans une échelle spéciale accrochée sur l'arête du faîtage et allant jusqu'à la saillie de l'égout. Sur le toit, portez un harnais de sécurité comportant une courroie attachée en un point sûr, à une échelle de toits sûrement fixée, par exemple.

Accrochez un sac ou un seau à l'échelle pour y mettre les débris. Descendez-le à l'aide d'une corde.

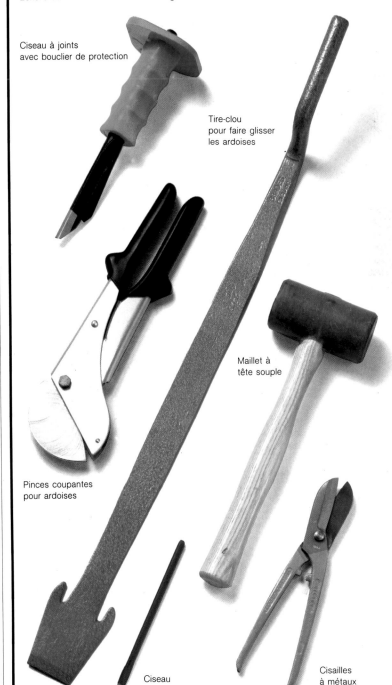

Ciseau à joints
avec bouclier de protection

Tire-clou
pour faire glisser
les ardoises

Maillet à
tête souple

Pinces coupantes
pour ardoises

Ciseau
à froid

Cisailles
à métaux

CHOIX DES TUILES SELON VOTRE TOIT

Chaque région a sa toiture, d'où une gamme de tuiles étendue. Elles sont le plus souvent en terre cuite, offrant un éventail de couleurs s'intégrant au site de la construction : tons rouges, flammés, bruns, gris, jaunes, etc.

Le choix de votre tuile se fera suivant la pente du toit et la région. Il existe trois grandes familles, auxquelles se rattachent des sous-catégories :

1° La tuile plate, convenant pour des toits à forte pente (environ 45°) ; dans le Centre, en Normandie, en Bourgogne, en Alsace, en Franche-Comté.

2° La tuile canal, dans le Sud-Ouest et le Sud, la vallée du Rhône. Ancêtre de la tuile en terre cuite, elle convient aux régions où les toits sont à faible pente (30° au maximum).

3° La tuile mécanique (emboîtement et recouvrement), répandue sur tout le territoire, convient sensiblement à toutes les pentes (15° à 70°).

TUILE PLATE

La surface est légèrement galbée, deux tenons en haut de la tuile serviront à l'accrocher sur les lattes en bois du support. Dans certains cas (forte pente, région ventée), le clouage des tuiles sera rendu possible par les pré-trous existants sur la

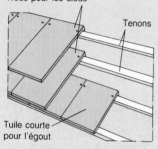

Trous pour les clous

Tenons

Tuile courte pour l'égout

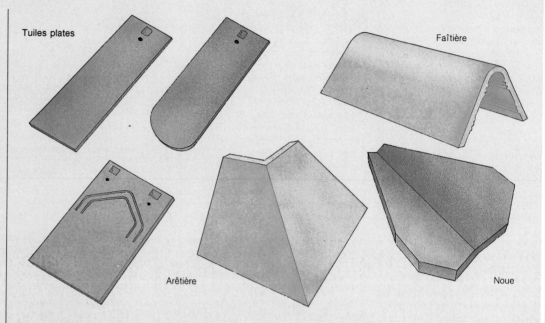

Tuiles plates

Faîtière

Arêtière

Noue

face destinée à être recouverte.

L'étanchéité est créée par le recouvrement des tuiles supérieures sur les rangées inférieures. Le pureau en partie visible représentera plus ou moins un tiers de la longueur de la tuile, et ce suivant la pente. La pose sera faite à joints croisés.

Il existe une riche gamme d'accessoires qui permettent la finition du toit :
— les faîtières angulaires ou demi-rondes ;
— les arêtiers (corniers) ;
— les demi-tuiles de terminaison en rive ;
— les tuiles de doublis (nécessaires au premier rang à côté de la gouttière) ;
— les tuiles de noue (à la jonction de deux versants, pour la récupération de l'eau) ;

— les châtières assurant la ventilation impérative du toit.

La variété de formats en tuiles plates nous donne des quantités allant de 40 à 80 éléments au mètre carré.

TUILE CANAL

Sa taille varie selon les régions, allant de 22 cm en Vendée à 51 cm en Provence. L'ouverture varie également. La tuile est demi-ronde et conique. C'est la même tuile qui servira de dessus (couvrant) et de dessous (courant), cette dernière ayant pour fonction de guider l'eau à la gouttière. Destinée à des toits à faible pente, elle remplit parfaitement sa fonction grâce à ses importants couloirs, face aux grosses averses du Midi.

Le support de ces tuiles pourra être un voligeage ou un chevronnage. De par sa forme conique, la tuile se bloque d'elle-même par recouvrement. Toutefois, on peut la sceller dans certaines régions exposées.

Des tuiles de courant à crochets existent et permettent une pose plus simple sur un litonnage traditionnel, tout en respectant l'esthétique initiale du produit.

Sa quantité au mètre carré est de l'ordre de 15 à 40. Un clouage ainsi qu'un pannetonnage sont réalisables avec fixation sur le support. Les rives, faîtages, solins sont très souvent réalisés au mortier de chaux.

Tuiles mécaniques

Tuile en béton

Petit moule

Grand moule

Tuile canal

TUILE MÉCANIQUE

Généralement, la surface de celle-ci présente des ondulations ou des côtes, créant, le toit terminé, des « couleurs » ou « sillons » permettant le cheminement guidé de l'eau.

Toutes les tuiles comportent un emboîtement et un recouvrement (double ou simple suivant le fabricant). Chaque tuile d'une rangée s'emboîte avec ses voisines de côté et recouvre celle de dessous. Quelques types de tuiles présentent une surface plane, l'emboîtement longitudinal et la pose à joints croisés assurent l'étanchéité.

Les tuiles mécaniques sont accrochées par leurs tenons, sur les liteaux du toit. Elles peuvent être clouées ou pannetonnées (accrochées par un fil de métal) sur leur support dans le cas d'un site exposé ou d'une région particulière. Il existe, comme pour les tuiles plates, une gamme très étendue d'accessoires permettant de réaliser des couvertures sans mortier de ciment, par simples éléments vissés ou cloués (pose dite « à sec ») (voir ci-contre). Sa quantité au mètre carré est de 10 à 22.

Réparation provisoire d'un toit en tuiles

Si la pluie pénètre par une tuile ou une ardoise cassée et que vous ne disposiez pas sur-le-champ d'un élément de remplacement, faites une réparation provisoire pour réduire les dommages.

Outils : échelle avec crochets de faîtage ou échelle plate, échelle ordinaire, coins de bois (voir croquis ci-dessous), brosse métallique, pinceau, cutter, rouleau à écraser les joints de papier peint.
Matériaux : produit d'étanchéité et bande adhésive.

1 Soulevez une ou deux tuiles (ou ardoises) qui reposent sur la tuile cassée pour un meilleur accès. Maintenez ces tuiles avec des coins de bois.

2 Nettoyez à la brosse métallique la surface autour de la cassure.

3 Passez au pinceau une couche de produit d'étanchéité, dans et autour de la cassure, sur une largeur égale à celle de la bande adhésive. Elle assure une bonne liaison avec la bande adhésive.

4 Coupez avec le cutter une longueur de bande adhésive suffisante pour couvrir toute la cassure.

5 Placez et appuyez bien la bande sur la tuile ou l'ardoise. Passez le rouleau sur toute sa largeur pour assurer une adhérence parfaite.

RÉPARATION D'UNE FINE CRAQUELURE

Un produit à base de bitume, dans un tube applicateur, rebouche facilement une fine craquelure. Soulevez les tuiles (ou les ardoises) qui recouvrent la tuile fendue, nettoyez et injectez le produit.

Remplacement d'une tuile

Il vous faudra une tuile de la même taille et du même style que la tuile cassée. S'il ne vous en reste pas, vous en trouverez chez un entrepreneur ou il vous en procurera. Essayez de retrouver une tuile de la même couleur que celle que vous devez remplacer : en vieillissant, les tuiles ont pu changer de couleur de façon spectaculaire, et une tuile neuve ne conviendra pas. Si vous ne pouvez réaliser un bon réassortiment, prenez alors une tuile à l'extrémité du dernier rang. À sa place, vous poserez la tuile mal assortie.

Outils : échelle de hauteur suffisante, échelle plate ou échelle avec crochets, coins de bois, une grande truelle de maçon ; éventuellement, tire-clou pour faire glisser les ardoises.
Matériaux : tuile de remplacement.

COINS POUR SOULEVER LES TUILES

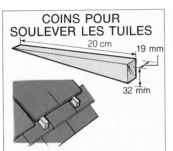

20 cm · 19 mm · 32 mm

Préparez deux coins, ou plus, à partir d'un morceau de bois de 19 mm d'épaisseur. Coupez-les à une longueur de 20 cm, puis taillez-les en biseau sur un côté, en partant d'une hauteur de 32 mm.

1 Soulevez une ou deux tuiles qui recouvrent la tuile cassée de la couche inférieure. Enfoncez un coin de bois sous chacune d'elles.

2 Glissez la grande truelle sous la tuile cassée. Soulevez-la jusqu'à ce que les tenons soient libérés afin de la ramener vers vous.
AUTRE POSSIBILITÉ : Si la tuile a été clouée, essayez de la libérer en opérant un mouvement latéral de va-et-vient jusqu'à ce que les clous se cassent ou se détachent. Au besoin, utilisez le tire-clou (voir

p. 401) ou déposez les tuiles autour de la tuile brisée.

3 Posez la tuile de remplacement sur la truelle et glissez-la sous les tuiles soulevées, jusqu'à ce que les tenons s'accrochent sur la latte. Il n'est pas nécessaire de la clouer, même si l'originale l'était. Retirez les coins de bois.

Remplacement d'un groupe de tuiles

Si vous n'avez pas de réserves, achetez des tuiles de la même taille et de la même couleur.

Dans certains stocks d'entrepreneurs, vous trouverez des tuiles patinées par le temps, ou on vous dira où en trouver.

Si vous ne pouvez assortir les tuiles neuves aux anciennes et que les tuiles à changer se trouvent dans un endroit exposé, prenez des tuiles de remplacement sur une partie du toit non visible de la rue.

Outils : échelle ordinaire, échelle à crochets ou échelle plate, coins de bois (voir ci-dessus), grande truelle de maçon, marteau à panne fendue, seau équipé d'une longue corde. Éventuellement, tire-clou.
Matériaux : tuiles de remplacement, clous galvanisés de 4 cm.

1 Soulevez les tuiles du rang directement supérieur au dernier rang de tuiles qui doivent être remplacées. Soulevez-en deux à la fois et glissez des coins de bois sous leur bord inférieur pour les maintenir. Cela vous donnera accès aux tuiles du rang qu'elles recouvrent.

2 Lorsque chaque tuile est visible, glissez la truelle de maçon sous la première et soulevez-la jusqu'à ce que les tenons se libèrent de la latte. Puis tirez-la vers vous. Déposez-la dans le seau, que vous ferez descendre et remonter à l'aide de la corde. Si une tuile est clouée, cisaillez-la d'un mouvement latéral pour essayer de déloger les clous. Si vous n'y parvenez pas, servez-vous du tire-clou pour couper les clous (voir p. 401).

3 Continuez sur la première rangée en enlevant, au fur et à mesure que vous avancez, toutes les tuiles qui sont à remplacer. Poursuivez sur la rangée inférieure, et ainsi de suite jusqu'à ce que toutes les tuiles défectueuses aient été enlevées. Une fois la première rangée dégarnie, vous pouvez enlever les tuiles des autres rangées, sans avoir à utiliser des coins ou la truelle.

4 Pour ajuster les tuiles de remplacement sur les lattes, commencez par la rangée du bas.
Accrochez chaque tuile par les tenons sur la latte en vous assurant qu'elle est bien centrée sur le joint entre deux tuiles du rang du dessous. Puis continuez à garnir les rangs de tuiles, en remontant vers le haut du toit.

5 Maintenez avec deux clous chaque tuile d'un rang, toutes les trois ou quatre rangées.

6 Pour le dernier rang, soulevez deux tuiles du rang du dessus. Prenez chaque tuile neuve et glissez-la. Déplacez l'un des coins pour soulever la tuile suivante.

Remplacement de tuiles mécaniques

Trouvez des tuiles de même nature.

Outils : échelle ordinaire, échelle à crochets ou échelle plate, coins de bois (voir p. 431), marteau ; seau ; corde ; éventuellement, tire-clou.
Matériaux : tuiles de remplacement, clous galvanisés.

1 Faites glisser vers le haut les tuiles qui recouvrent celle qui est cassée. Vous pouvez aussi utiliser des coins, l'un à gauche de la tuile cassée, dans son rang, et l'autre à droite, au-dessus.

2 Pour enlever la tuile cassée, soulevez-la latéralement pour la séparer de sa voisine, dans laquelle elle s'emboîte. Vous arriverez à la libérer sans déranger l'agencement des tuiles sur le pourtour.

Soulevez la tuile de la rangée supérieure pour la dégager de la latte.

Il se peut qu'un rang sur deux soit cloué en place. Si votre réparation concerne une tuile clouée, dégagez celles qui l'entourent pour pouvoir la déclouer.

3 Déposez la tuile cassée à terre. Pour la descendre, il vous sera pratique d'utiliser un seau attaché à une corde.

4 Pour ajuster la tuile de remplacement, glissez-la vers le haut à sa place. Reclouez-la si possible, puis remettez en place toutes les tuiles que vous avez déplacées. Retirez les coins.

REMPLACEMENT D'UN GROUPE DE TUILES

Repoussez vers le haut les tuiles du rang supérieur, comme pour remplacer une seule tuile. Les tuiles sur un bord inférieur auront simplement à être soulevées latéralement pour les dégager. Quand vous remplacez les tuiles, commencez par le rang du bas et travaillez de droite à gauche. Reclouez les tuiles chaque fois qu'il est possible. Vous pouvez alterner les rangs de tuiles clouées. Le dernier rang supérieur ne pourra être cloué.

Vérifiez que les nouvelles tuiles se recouvrent et s'emboîtent parfaitement les unes dans les autres. Ne forcez jamais un assemblage de tuiles mécaniques.

Réparations sur un toit d'ardoises

La «maladie des clous» et le délaminage sont les ennuis les plus fréquents des toits d'ardoises, mais ils ne se produisent qu'après de longues années. Les ardoises peuvent durer un siècle ou davantage, mais les clous sont souvent attaqués par la corrosion.

Les ardoises peuvent être reclouées à condition qu'elles soient saines.

Le délaminage est un problème plus sérieux car la surface des ardoises devient feuilletée ou pulvérulente et de nombreux éclats et fissures apparaissent. Les ardoises étant comparativement les plus chères, un toit d'ardoises est souvent remplacé par un toit de tuiles, dont le prix de revient est moins élevé. Mais les tuiles ne conviendront peut-être ni au style de la maison ni à celui de la région. On fabrique maintenant des imitations d'ardoises qui sont bien moins chères que les vraies. Mais les tuiles et les imitations d'ardoises peuvent être plus lourdes que les ardoises. Il faudra donc renforcer les poutres du toit. Si la maison se trouve dans un lotissement, observez la toiture des maisons voisines. Si elles sont couvertes en tuiles, le choix d'un toit d'ardoises pour votre seule maison pourra paraître déplacé. De toute façon, vous devrez vous soumettre aux obligations du cahier des charges du lotissement ou des réglementations locales ou régionales de construction.

Une autre solution, récente, consiste à imperméabiliser les surfaces endommagées avec des couches de bitume renforcé (voir p. 441), mais la couleur et le brillant de l'ardoise seront perdus et cette réparation n'empêchera pas le délaminage des ardoises.

Si vous décidez de refaire votre toit avec de vraies ardoises, il vous sera peut-être possible de diminuer les frais en recherchant des ardoises d'occasion.

Vérifiez bien leur épaisseur afin qu'elles s'ajustent convenablement avec les ardoises restées en place. Regardez aussi si leur couleur s'assortit avec celle des vôtres. Des ardoises plus étroites que les vôtres ne peuvent vous être d'aucun usage, mais des ardoises plus larges peuvent être retaillées.

Lorsqu'elle est en place, une ardoise est plus qu'à moitié recouverte par celle du rang supérieur. La partie utile et visible s'appelle le pureau.

CLOUS ET CROCHETS POUR ARDOISES

L'idéal est d'utiliser des clous de cuivre, mais des clous galvanisés ou en inox à large tête de 4 cm feront l'affaire.

Si vous ne remplacez que des ardoises isolées, vous ne pourrez les clouer car la latte est recouverte par le rang d'ardoises supérieur. Vous pouvez cependant assujettir chaque ardoise avec une bande de métal (plomb, zinc ou aluminium) assez fine pour supporter d'être pliée. Cette bande est fixée à partir de l'extérieur et seule une petite partie en est visible (voir p. 405).

Pour couper une ardoise neuve, utilisez une vieille ardoise comme gabarit pour marquer l'emplacement des trous.

Utilisez la perceuse électrique équipée d'une mèche à pointe au carbure de tungstène de 5 mm de diamètre, mais pas en mode «percussion». Vous pouvez percer en enfonçant un clou dans l'ardoise à coups de marteau réguliers et pas trop forts. Travaillez à partir du dessous de l'ardoise, c'est le côté qui n'a pas de bords chanfreinés.

COUPE D'UNE ARDOISE

Placez l'ardoise sur une planche plate et, avec une griffe à carreaux de céramique et une règle de métal, tracez une ligne de coupe profonde. Pour recreuser la ligne de coupe, faites plusieurs passages avec la griffe en appuyant fortement. Après un tracé à la griffe, vous pouvez aussi placer l'ardoise sur une table, la ligne de coupe sur

l'arête de la table et appuyer sur la partie libre de l'ardoise pour la casser proprement.

Si vous avez beaucoup d'ardoises à couper, louez une pince coupante ou un coupe-matériaux électrique. Coupez en tournant la face apparente de l'ardoise vers le sol.

Remplacement d'une ardoise

Si une ardoise a été cassée par quelqu'un monté sur le toit sans équipement approprié ou par un pot de cheminée qui serait tombé par exemple, il se peut que vous ne puissiez vous procurer rapidement une ardoise de remplacement. Faites une réparation provisoire pour empêcher la pénétration de l'eau.

Vous pouvez procéder comme pour une tuile cassée (voir p. 403). Vous pouvez aussi colmater la fente ou la cassure avec du mastic que vous protégerez de feutre bitumineux ordinaire, ou avec de l'aluminium découpé aux mesures voulues et appliqué sur une couche de mastic préalable, ou encore avec un kit de réparation adhérent sur les matériaux de toiture même sous la pluie.

COMMENT REMPLACER UNE ARDOISE ISOLÉE

Outils : échelle, tire-clou pour ardoises, seau, corde, marteau.
Matériaux : ardoise de remplacement, bande de métal (plomb, zinc, aluminium ou cuivre) de 25 mm de largeur ; clous galvanisés à large tête de 4 cm de longueur.

1 Coupez les clous qui retiennent l'ardoise en utilisant le tire-clou spécial pour ardoises.

2 Tirez l'ardoise vers vous en lui imprimant de légers mouvements latéraux pour la dégager de sous l'ardoise supérieure. Évitez de laisser glisser du toit des morceaux d'ardoise cassée car leurs angles sont très aigus. Mettez-les dans un seau et faites-le descendre au moyen de la corde.

3 Clouez la bande de métal sur la volige dans l'intervalle entre deux ardoises, et qui sera recouvert par l'ardoise glissée en place sous le rang supérieur. Placez le clou dans un trou prépercé, à 25 mm de la bande de métal.

4 Montez l'ardoise neuve dans un seau. Faites glisser l'ardoise, les bords chanfreinés sur le dessus, sous les deux ardoises du rang supérieur. Insérez-la en lui imprimant de légers mouvements latéraux jusqu'à ce que son bord infé-

rieur s'aligne avec les ardoises de chaque côté. Son bord supérieur va s'ajuster étroitement sur la volige sur laquelle sont clouées les ardoises du rang du dessus.

5 Repliez la bande de métal sur le bord inférieur de l'ardoise, repliez une deuxième fois et pressez le tout sur l'ardoise. Elle évitera l'ouverture du clip sous le poids de la neige ou de la glace.

COMMENT REMPLACER PLUSIEURS ARDOISES

Vous pourrez clouer les rangées inférieures en place, mais pas la

rangée supérieure et celle qui se trouve juste en dessous. Ces dernières devront être fixées avec des bandes de métal, car les voliges sur lesquelles elles devraient être clouées sont recouvertes par les ardoises (voir «Comment remplacer une ardoise isolée», p. 404). Si nécessaire, retaillez les ardoises aux mesures voulues et percez des trous.

Outils : échelle ordinaire, échelle à crochet ou échelle plate, levier spécial pour ardoises, marteau, seau avec une longue corde et tournevis.
Matériaux : ardoises de remplacement, clous galvanisés ou de cuivre de 4 cm de longueur, bandes de métal (plomb, zinc, aluminium ou cuivre) de 25 mm de largeur et assez longues pour aller du trou dans l'ardoise à sa base, plus 10 cm.

1 Coupez les clous qui fixent les ardoises endommagées en utilisant le tire-clou. Commencez par enlever les rangées supérieures. Dégagez une à une chaque ardoise de celles qui la recouvrent et déposez-la dans un seau que vous faites passer à votre aide. Continuez à

enlever les ardoises, rang par rang. Les derniers rangs, non recouverts, seront plus faciles à enlever.

2 Commencez à remplacer les ardoises à partir du rang de base. Faites-les buter étroitement contre les ardoises voisines et fixez-les avec les bords biseautés sur le dessus. Clouez-les sur la volige.

3 Travaillez en remontant vers le haut, rangée après rangée. Lorsque vous ne pouvez plus apercevoir les voliges, coupez des bandes de métal pour assujettir les ardoises et ajustez les bandes comme décrit plus haut.

Remplacement des tuiles faîtières et arêtières

Ces deux sortes de toiture, tuiles ou ardoises, ont souvent leurs faîtes et leurs arêtiers recouverts par des tuiles d'un modèle spécial. Le craquèlement et l'effritement de leur mortier de scellement est un problème.

Si vous repérez des fissures, vous pourrez les colmater avec un produit pour toitures et gouttières. Il existe des produits colorés qui permettent une réparation quasi invisible. Si le mortier s'effrite ou si la tuile elle-même est fendue, il faudra l'enlever et la resceller, ou la remplacer par une neuve. S'il s'agit d'une tuile faîtière, il sera nécessaire de reboucher le trou subsistant après la pose de la tuile. Servez-vous de petits morceaux d'ardoise ou de tuile noyés dans du mortier.

Si les tuiles du toit principal sont des tuiles romanes ou similaires, il y aura un creux à combler à l'endroit où la tuile faîtière et la tuile arêtière se rencontrent.

Outils : échelle ordinaire, échelle à crochets ou échelle plate, ciseau à froid, massette, brosse, pinceau, petite truelle de maçon ; tire-clou éventuellement.
Matériaux : mélange sec pour mortier ou ciment et sable, adjuvant d'accrochage, seau d'eau. Éventuellement, tuiles de remplacement, bouts de tuiles ou d'ardoises, clous à ardoises.

1 Avec le ciseau et la massette, dégagez tout le mortier qui s'effrite

et enlevez la tuile. Vérifiez si le mortier que vous avez laissé en place tout autour de la tuile est bien sain. Nettoyez la tuile.

2 Préparez le mortier (voir p. 431). Pour augmenter l'adhérence, ajoutez l'adjuvant dans l'eau, en suivant les instructions du fabricant. Ne mouillez pas trop le mortier ; il est plus facile d'appliquer un mélange plus compact. Faites-en assez pour remplir un demi-seau.

3 Enlevez à la brosse toute la poussière autour de l'endroit à réparer.

4 Servez-vous du pinceau et d'eau pour mouiller le toit et le mortier restant en place à l'endroit de la réparation. C'est tout particulièrement nécessaire si vous travaillez par temps chaud car le mortier perd trop rapidement son humidité et se craquelle.

5 Passez de l'adjuvant sur toute la surface de la réparation pour assu-

rer une bonne adhérence entre les tuiles près du faîte ou de l'arête et les tuiles faîtières ou arêtières.

6 À la truelle, étalez le mortier sur le toit, des deux côtés du faîte ou de l'arête. Couvrez-en les parties du toit où vont s'appuyer les bords de la tuile de remplacement. Un intervalle doit subsister sous la tuile faîtière ou arêtière afin que l'air circule et que la poutre reste sèche. Si vous mettez trop de mortier, le surplus s'infiltrera dans l'intervalle entre les deux pentes du toit et le comblera quand vous placerez la tuile faîtière ou arêtière.

7 Les endroits où se rejoignent deux tuiles faîtières ou arêtières peuvent être jointoyés au mortier, ou alors, les tuiles peuvent être scellées avec du mortier. Dans ce cas, placez un morceau de tuile ou d'ardoise qui fera un pont entre les deux côtés du faîte ou de l'arête, pour éviter que le mortier ne passe dans l'ouverture.

8 Trempez la tuile (faîtière ou arêtière) dans de l'eau, égouttez-la et mettez-la en place. Installez la tuile soigneusement sur le mortier. Il faut qu'elle soit bien alignée avec les tuiles précédentes et suivantes.

AUTRE POSSIBILITÉ : Posez-les à sec et fixez-les sur un tasseau en bois par des tire-fond.

L'étanchéité sera obtenue avec des closoirs en métal ou en P.V.C. épousant les tuiles de sous-faîtage ou d'approche en arêtier.

Remplacement des tuiles faîtières et arêtières (suite)

9 Lissez le mortier entre les tuiles et le long du bord extrême. Il ne doit pas subsister de creux dans le mortier entre les tuiles car ceux-ci pourraient former des petites poches de retenue d'eau de pluie.

10 Si la tuile à remplacer se trouve à l'extrémité du faîte du toit, scellez l'extrémité ouverte avec des petits morceaux de tuile ou d'ardoise noyés dans du mortier.

11 Si vous avez remplacé la dernière tuile de l'arête, assurez-vous que la pièce de métal qui renforce l'arête à son extrémité n'a pas été déplacée. Elle doit être bien noyée dans le mortier. Réparez le mortier, si nécessaire.

REMPLACEMENT D'UNE TUILE D'ARÊTIER

Certains toits comportent des arêtiers recouverts de tuiles. Ces tuiles sont à la fois clouées sur l'arêtier-bois et scellées au mortier.

1 Enlevez une tuile arêtière en dégageant peu à peu au ciseau et à la massette le mortier qui se trouve au-dessus et en dessous, puis déclouez-la. Vous pouvez ensuite tirer la tuile vers vous. Si vous avez à enlever plusieurs tuiles d'arêtier, commencez par la plus haute et travaillez en descendant. Nettoyez les tuiles du vieux mortier.

2 Brossez pour enlever toute la poussière à l'endroit de la réparation, puis passez de l'eau et de l'adhésif sur cette surface.

3 Si vous ne remplacez qu'une seule tuile, scellez-la au mortier. Mettez également un peu de mortier sur la tuile du dessus. Placez la tuile et tapotez-la pour l'aligner avec les autres avant de lisser le mortier et d'enlever le surplus.

4 Si vous avez à remplacer plusieurs tuiles, commencez à la base.

Scellez chacune des pièces au mortier, puis clouez-les sur l'arêtier-bois avec des clous galvanisés. Ne clouez pas la dernière tuile. Terminez en lissant le mortier sur les deux pans de couverture. Enlevez le surplus.

Réparation des rives et des saillies

Une toiture à deux pans principaux se termine en général par des rives en mortier de ciment.

Certains types de tuiles, comme les «romanes», pourront être placées de façon à couvrir les rives.

Vous pouvez reboucher de petites craquelures dans le mortier avec un produit hydrofuge injecté avec un pistolet applicateur (voir p. 403).

Pour des fissures plus grandes, il faudra utiliser du mortier pour faire la réparation.

Outils : échelle ordinaire, ciseau à froid, masse, brosse, pinceau, petite truelle.
Matériaux : mélange sec pour mortier ou ciment et sable, adhésif, seau d'eau. Éventuellement, morceaux de tuile supplémentaires.

1 Avec le ciseau et la masse, dégagez tout le mortier qui craquelle et s'effrite, en ne laissant en place que le mortier sain.

2 Préparez le mortier (voir p. 431). Utilisez soit un paquet de mélange tout prêt, soit un mélange d'une part de ciment et de quatre parts de sable. Pour augmenter l'adhérence, ajoutez un adhésif à l'eau, en suivant les instructions du fabricant. Ne mouillez pas trop le mortier. Faites-en suffisamment pour remplir un demi-seau.

3 Brossez pour enlever la poussière, puis mouillez la surface à réparer avec un pinceau et de l'eau, avant d'appliquer une couche d'adhésif.

4 Utilisez la truelle pour forcer le mortier. Faites-le pénétrer en le tapotant avec le manche de l'outil pour éviter les poches d'air. Si la réparation doit être effectuée sur la saillie du toit, sous une tuile ronde, incrustez des morceaux de tuile dans le mortier.

5 Lissez la surface du mortier et enlevez tout surplus. Ne laissez aucune saillie ni aucun creux qui pourraient retenir les eaux de pluie.

Réparation de noues métalliques

À la rencontre de deux pentes de couverture se crée soit un arêtier en saillie, soit une noue en creux. Le fond des noues est, en général, constitué d'une feuille de zinc. Cette noue est recouverte, en partie, par les tuiles ou les ardoises qui y drainent les eaux de pluie vers les gouttières. Comme il arrive que ces noues charrient beaucoup d'eau pendant de fortes pluies, il est nécessaire qu'elles soient bien étanches et non obstruées. Si de la mousse, des feuilles ou d'autres débris s'y sont accumulés, l'eau débordera et se répandra sur la charpente et dans les combles.

Si une légère fissure apparaît dans la noue ou si vous y apercevez les premiers signes de corrosion, vous pouvez faire une réparation avec un composé de bitume ou de caoutchouc liquide. Des trous où des éclats peuvent être recouverts de bandes auto-adhésives renforcées de métal.
Si une corrosion légère s'étend sur une grande surface, la bande adhésive vous servira à tout recouvrir.

RÉPARATION AVEC UN PRODUIT BITUMINEUX LIQUIDE

Mélangez bien le produit imperméabilisateur. Vous pouvez l'étaler sur une surface humide, mais non mouillée. Ne vous en servez pas si de la pluie ou des gelées sont prévues dans les 24 heures.

Outils : échelle ordinaire, échelle à crochets ou échelle plate, brosse métallique, étaleur pour le produit destiné aux toitures et gouttières, couteau tranchant ou ciseaux, brosse douce ou balai.
Matériaux : produit bitumineux liquide, feutre pour toitures ou aluminium ménager en feuilles, seau d'eau.

1 Utilisez la brosse métallique pour nettoyer la noue de la saleté et des fragments de métal.

2 Étalez du produit sur la surface endommagée, en débordant d'au moins 5 cm tout autour.

3 Taillez un morceau de feutre bitumineux ou d'aluminium ménager qui recouvrira l'endroit à réparer, en prévoyant une marge supplémentaire de 5 cm. Appuyez fortement cette coupe de feutre ou d'aluminium sur le produit.

4 Étalez à nouveau du produit sur le feutre ou l'aluminium.

5 Appliquez sur l'endroit réparé le composé imperméabilisant à base de bitume liquide. Par mesure de précaution, vous pouvez étendre ce produit sur toute la noue.

Faites l'application avec une

brosse souple ou un balai ; trempez la brosse dans l'eau, secouez-la pour l'essorer avant de la charger avec le composé imperméabilisant. Appliquez le composé à coups réguliers, en brossant toujours dans le même sens.

RÉPARATION AVEC UNE BANDE ADHÉSIVE

Outils : échelle ordinaire, échelle à crochets ou échelle plate, brosse métallique, chiffon humide, pinceau, cutter tranchant ou grands ciseaux, rouleau à écraser les joints de papier peint.
Matériaux : papier abrasif à grain moyen, adhésif et bande auto-adhésive renforcée de métal.

1 Utilisez la brosse métallique pour enlever les saletés et les fragments métalliques sur les pourtours de la fissure ou du trou.

2 Passez la surface au papier abrasif. Essuyez-la avec un chiffon humide et laissez sécher complètement.

3 Appliquez au pinceau une couche d'adhésif en débordant

d'au moins 5 cm tout autour. Laissez sécher en moyenne 30 minutes.

4 Coupez un morceau de bande adhésive qui puisse recouvrir la surface endommagée en débordant d'au moins 5 cm tout autour. Enlevez la bande de protection.

5 Appuyez fortement la bande adhésive sur l'endroit en question et utilisez le rouleau à écraser les joints pour chasser toutes les bulles d'air ; appliquez la bande de façon uniforme sur toute la surface.

Pose d'une nouvelle noue plate en métal

Une noue en zinc trop rongée et trouée par la corrosion, ou trop ridée et piquée pour qu'une bande adhésive s'y applique convenablement, devra être remplacée.

Le métal sera posé sur deux planches formant le fond de la noue à l'angle voulu. Sur les côtés, le métal enjambe des ressauts (chanlattes) triangulaires fixés sur les planches. Du mortier forme un joint entre le métal et les tuiles ou ardoises, de telle sorte que la noue constitue un canal étanche de 10 cm de large.

Lorsque vous poserez le métal neuf, ne prenez pas de bandes de métal d'une longueur supérieure à 1,50 m, elles se dilateraient trop par temps chaud. Ne clouez les bandes qu'à leur extrémité supérieure. Trop de clous causeraient des bosses et des distorsions du métal lors de sa dilatation.

Outils : échelle ordinaire, échelle à crochets ou échelle plate, burin et massette, coins de bois et grande truelle de maçon, tire-clou, seau équipé d'une longue corde, marteau à panne fendue, cisailles à métaux, maillet à tête de caoutchouc, truelle langue-de-chat.
Matériaux : plomb ou zinc, clous galvanisés de 4 cm, mortier pour resceller les tuiles faîtières ou arêtières (voir p. 405).

1 Servez-vous du burin et de la massette pour dégager le mortier qui scelle les tuiles ou les ardoises sur la noue.

2 Il faudra enlever les tuiles ou ardoises taillées qui bordent la noue de chaque côté, et probablement aussi les tuiles ou ardoises qui font suite, pour pouvoir replier les bords du feutre et atteindre les tasseaux triangulaires. Il faudra sans doute détacher également des morceaux de latte. Pour enlever les tuiles, placez des coins de bois (voir p. 403) sous la tuile qui se trouve au-dessus de celle que vous voulez retirer. Glissez la truelle sous la tuile à retirer et soulevez-la jusqu'à ce que ses tenons se libèrent du lattage.

COMMENT EST FAITE UNE NOUE PLATE

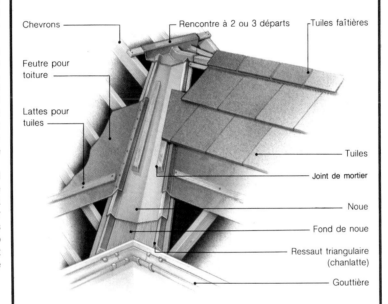

Chevrons — Rencontre à 2 ou 3 départs — Tuiles faîtières

Feutre pour toiture

Lattes pour tuiles

Tuiles

Joint de mortier

Noue

Fond de noue

Ressaut triangulaire (chanlatte)

Gouttière

AUTRE POSSIBILITÉ : Si c'est une tuile à emboîtement dont les bords longitudinaux s'emboîtent sur ceux de la suivante, tirez-la vers vous pour la dégager de la tuile supérieure, puis imprimez-lui un léger mouvement de va-et-vient latéral en la soulevant sur un côté, pour la libérer de la tuile voisine. Vous pourrez enlever les rangs inférieurs sans avoir à utiliser de coins. Certaines de ces tuiles sont clouées sur le lattage ; pour les déclouer, utilisez la truelle ou le tire-clou glissé sous la tuile.

Pour enlever des ardoises clouées, procédez de la même façon, à partir de la plus accessible.

UN BON TRUC
Numérotez le dos des tuiles ou des ardoises à la craie, au fur et à mesure que vous les enlevez. Empilez-les par terre dans l'ordre dans lequel elles ont été détachées. Ainsi, vous les replacerez correctement.

---

3 Avec le marteau à panne fendue, arrachez les clous retenant le zinc sur les chanlattes. Commencez par

le haut et descendez à terre chaque bande de métal détachée.

4 Tout en haut de la noue, le métal est fixé, en général sous une rencontre de plomb (pièce de plomb recouvrant l'endroit où se rejoignent le faîte du toit et la noue, formée pour s'ajuster étroitement sur la charpente). Soulevez la rencontre précautionneusement pour dégager le haut de la noue.

5 Vérifiez l'état des planches de la noue et des tasseaux. Traitez-les ou réparez-les si nécessaire.

6 Prenez les cisailles à métaux pour couper de nouvelles bandes de zinc, de même largeur que les anciennes bandes et d'une longueur ne dépassant pas 1,50 m.

7 Pour ajuster la noue neuve, commencez à la base. Utilisez le maillet à tête de caoutchouc pour marteler et appliquer le métal dans le creux de l'angle, en lui faisant épouser étroitement le bois. Laissez dépasser la première bande de métal sur la gouttière. Sur les ressauts, martelez le métal de telle sorte qu'il épouse ses contours.

8 Clouez le métal sur la pente extérieure des ressauts la plus éloignée du centre de la noue. Plantez un clou de chaque côté, à 4 cm du haut de la bande.

9 Continuez à poser le métal, en remontant, de telle sorte que la bande supérieure recouvre la bande inférieure sur 7,5 cm.

10 Coupez la dernière bande à la longueur voulue, son extrémité inférieure débordant toujours de 7,5 cm sur celle du dessous, et son extrémité supérieure remontant sous la rencontre d'au moins 5 cm.

11 Lorsque la dernière bande de métal est en place, martelez la rencontre pour l'ajuster.

12 À la base de la noue, travaillez le métal avec les cisailles à métaux pour qu'il recouvre le bord inférieur des planches. Ajustez en martelant contre les planches.

13 Replacez le feutre. Reposez les tuiles ou ardoises dans le bon ordre, en commençant par le bas. Les tenons des tuiles entières s'accrocheront simplement sur les lattes. Aux endroits où manque un tenon parce que la tuile a été coupée pour l'ajuster, clouez la tuile. Dans tous les cas, clouez un rang sur deux, sur les lattes. Les ardoises, elles, doivent être clouées à chaque rang.

14 Scellez au mortier les tuiles sur le métal, sur toute la longueur des côtés de la noue. Utilisez également du mortier pour boucher tous les interstices sur les avancées si les tuiles ont un profil arrondi.

Réfection de noues

L'aspect en V de la noue, comprenant un pli ouvert, lui permet de s'adapter à toutes les pentes. Elle comprend à chaque extrémité deux reliefs, ou relevés, de 2 à 4 cm, qui viendront sous les tuiles contre une fourrure bois établie aux dimensions appropriées.

La noue en métal peut être d'une seule longueur, comme posée par bouts de 2 m. La jonction se fait par recouvrement, la fixation par des pattes de même métal pliées et clouées sur le tasseau de côté et en tête de la bande. Une fonçure en bois servira de support.

Les tuiles sont tranchées biaises suivant l'axe de la noue (à l'aide d'une meuleuse), afin que la tuile coupée recouvre le métal d'environ 8 cm. Dans tous les cas, la noue doit être réalisée ouverte, rendant ainsi le métal visible. Des tampons, dans les relevés sans les tuiles, entraîneront un siphonnage de l'eau dans le comble.

NETTOYAGE D'UNE NOUE

Outils : échelle, corde, truelle.
Matériel : seau, balayette.

1 Fixez l'échelle plate à un chevron avec une corde.

2 Au préalable, déposez deux ou trois tuiles sur le pourtour.

3 À l'aide d'une truelle, d'un seau, d'une balayette, nettoyez les relevés sous les tuiles en allant du haut vers le bas.

Le nettoyage peut se terminer par un lavage au jet sans pression.

LES TUILES DE NOUE

Certains toits ont des noues en terre cuite. Le métal étant remplacé par des éléments spéciaux. La forme est généralement trapézoïdale et en V. Ces tuiles ont l'avantage d'être esthétiques.

Pour enlever les tuiles, procédez en commençant par le haut ; pour les remettre, après réparation, commencez par le bas. La plupart étant clouées en tête, il faudra vous servir d'un tire-clou plat.

Pour vous en procurer, présentez la tuile détériorée.

LES NOQUETS

Ce sont des éléments en métal (zinc ou plomb) pliés et fixés sur

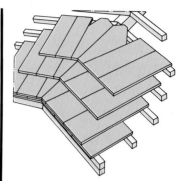

les liteaux, à l'intersection des deux versants sur les tuiles coupées biaises. Après dépose, dès que le noquet est visible, déclouez-le. Façonnez-en un avec une paire de cisailles et une batte en bois pour le pliage. Clouez à l'aide de clous galvanisés ou en cuivre.

Réparation des solins

Aux endroits où les tuiles d'un toit rencontrent un mur, un solin assure l'étanchéité. (Exemple : rencontre d'un toit et d'une souche de cheminée ; d'une lucarne ou d'un auvent et d'un mur de façade.)

Les solins inclus dans la maçonnerie lors de la construction sont généralement des bandes de plomb ou de zinc qui peuvent se détériorer en vieillissant. L'étanchéité de la toiture en tuile du mur peut se faire par bandes de filet de plomb pour les tuiles mécaniques et canal, par noquets de zinc pour les tuiles plates.

L'exécution des solins par simple mortier sur la tuile tend à disparaître. Cette solution n'offre pas toute sécurité : fissurations courantes, descellement de blocs.

FINES CRAQUELURES

Pour réparer cès craquelures, injectez un produit pour scellements à base de bitume ou un produit en cartouche pour étanchéifier toits et gouttières en vous servant d'un pistolet applicateur.

PETITS TROUS OU CORROSION

Un morceau de bande auto-adhésive armée assurera une réparation convenable s'il s'agit d'un petit trou ou bien d'un début de corrosion.

Utilisez la méthode décrite p. 407, dans «Comment faire des réparations avec une bande adhésive».

RENOUVELLEMENT DU MORTIER DU SOLIN

Le bord supérieur d'un solin est pris en sandwich dans le mortier qui se trouve engravé dans la maçonnerie. Parfois, il s'en détache, ce qui laisse alors pénétrer l'eau.

Rejointoyez (voir p. 422), mais, auparavant, repoussez en place le bord du solin dans l'engravure. Si

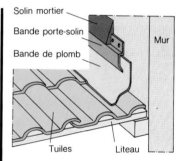

le solin s'applique mal sur la base, maintenez-le avec des coins de bois jusqu'à ce que le joint ait durci. Puis retirez les coins et bouchez les trous au mortier.

Remplacement d'un solin

Si un solin est très abîmé ou attaqué par la corrosion, remplacez-le par une bande auto-adhésive pour solin armée de métal. Cette bande h'est pas repliée dans l'engravure.

Outils : échelle, échelle plate, ciseau à froid et massette, truelle à jointoyer, brosse métallique, pinceau, couteau tranchant, vieux rouleau pour écraser les joints.
Matériaux : mortier (voir p. 431), impression pour bande adhésive de solin, bande auto-adhésive armée de métal pour solin.

1 Détachez le reste de mortier qui retient encore le solin dans les joints entre les briques ou sur la maçonnerie. Utilisez le ciseau à froid et le marteau.

2 Tirez et enlevez le vieux solin.

3 Nettoyez à la brosse métallique le mortier effrité et la saleté sur la surface à réparer.

4 Rejointoyez les briques ou la maçonnerie (voir p. 422). Laissez sécher durant une nuit.

5 Passez une couche d'impression adhésive sur le mur (ou la cheminée) et le toit, aux endroits où la bande s'appliquera. Laissez sécher 30 minutes à 1 heure.

6 Coupez deux métrages de bande adhésive, chacun de la longueur de la surface à recouvrir.

7 Enlevez la pellicule de protection de la première bande et posez-la en laissant une largeur égale sur le toit et sur le mur (ou la souche de cheminée).

Servez-vous du rouleau pour écraser les joints et lissez bien la bande sur toute la surface, en y passant le rouleau.

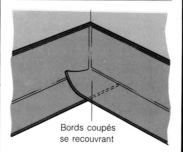

Bords coupés se recouvrant

8 Dans les angles rentrants, faites une entaille à la base de la bande auto-adhésive.

Faites ensuite se recouvrir les bords que vous avez coupés.

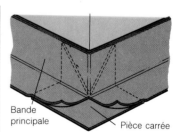

Bande principale   Pièce carrée

9 Pour les angles saillants, ajustez un carré sur l'angle avant de poser la bande principale. Faites une entaille à partir d'un coin du carré jusqu'au milieu. Placez le carré avec le centre au point où l'angle du mur rencontre le toit, l'entaille dirigée vers le haut. L'entaille va s'écarter sur l'angle. Dans la bande principale, faites une entaille à partir du bord inférieur et jusqu'au milieu. Placez la bande, l'entaille arrivant au bas de l'angle. Elle va s'écarter sur le carré déjà en place. Enlevez tous les surplus et lissez bien.

CHOIX D'UN REVÊTEMENT POUR UNE TOITURE-TERRASSE

Le toit en terrasse est, le plus souvent, une extension à une maison ou une couverture pour un garage.

Les réparations pourront être exécutées par un bricoleur avec un peu de patience et un choix judicieux des matériaux.

Le feutre pour toitures se vend en rouleaux de 1 m de largeur et de 10 m de longueur. Il est assez souple et se prête facilement à l'application sur différentes formes. Le bitume renforcé s'applique très rapidement et constitue également un isolant phonique.

MATÉRIAUX	AVEC QUOI LES COMBINER	COMMENT LES APPLIQUER	SUR QUOI LES UTILISER
Solution de bitume	Utilisé avec un maillage ou une membrane de fibres de verre.	Au pinceau.	Toits plats avec acrotère.
Feutre pour toiture à base d'amiante	Utilisé en couche double sous une couche de couverture de feutre lourd gravillonné.	Clouez la première couche, collez la deuxième avec une colle spéciale pour feutre de toiture.	Toits plats avec rives en saillie.
Feutre à base de fibres de verre	En remplacement d'un feutre à base d'amiante, comme sous-couche.		
Feutre gravillonné (lourd)	Utilisé comme couverture sur sous-couche de feutre à base de fibres de verre ou d'amiante. Également pour rives et solins.	Collez-le avec une colle pour feutre de toiture.	Toits plats avec rives en saillie.
Feutre gravillonné (lourd), gros graviers	En remplacement d'un feutre gravillonné lourd.		
Feutre gravillonné (moyen)	Utilisé seul.	Avec des clous pour toiture et de l'adhésif pour feutre.	Toits de bois des garages ou abris de jardin.
Éclats de pierre à chaux, de granit, de graviers, de grès	Utilisé sur du feutre.	Éparpillez-les sur une base appropriée appliquée à la brosse.	Protection pour un toit plat recouvert de feutre, en plein soleil.
Caoutchouc liquide	Utilisé seul ou avec une impression, selon les instructions du fabricant.	À la brosse.	Réparations de trous ou fissures sur des toits couverts en feutre, en asphalte.
Bandes auto-adhésives pour solins	Utilisé sur impression pour bandes adhésives.	Appliquez en pressant.	Réparations de solins, de trous dans un toit recouvert de feutre ou d'asphalte.
Produit pour toitures et gouttières.	Utilisé seul.	Avec un pistolet applicateur ou une spatule.	Réparations de fissures dans des solins, du feutre ou de l'asphalte.

Réparations mineures sur toitures plates

Avant d'exécuter une réparation de faible importance, grattez et dégagez tous les petits éclats et débris avec un vieux grattoir à papier peint.

Des petites cloques ou craquelures sont les dommages minimes les plus fréquents sur les toits plats recouverts de feutre. Vous pouvez les réparer avec un produit pour toitures et gouttières (voir : « Comment réparer une fine craquelure avec un produit pour obturer », p. 403), avec une bande auto-adhésive pour solins (voir : « Comment faire une réparation provisoire sur

une tuile ou une ardoise cassée », p. 403), ou encore avec du caoutchouc liquide à appliquer à la brosse (voir à droite).

Faites les réparations sur les solins endommagés comme indiqué p. 408.

Avec un couteau tranchant, faites une entaille en croix dans la boursouflure et repliez les côtés sur l'extérieur (voir photo). Laissez-les sécher complètement, puis recollez-les avec une colle à froid, avant de réparer l'endroit endommagé en y appliquant un morceau de bande pour solin auto-adhésive.

RÉPARATION D'UNE FISSURE AVEC DU CAOUTCHOUC LIQUIDE·

Si des fissures se sont déclarées sur un toit plat couvert de feutre ou d'asphalte, traitez toute la surface avec du caoutchouc liquide appliqué au pinceau.

Calculez la surface en mètres carrés et achetez la quantité de caoutchouc liquide conseillée par le fabricant (kilo au m² × nbre de m² à traiter). Ce produit se vend en conteneurs de 1 à 20 kg.

Outils : échelle, brosse dure et pelle, vieux pinceau de 10 cm ou petit balai pour appliquer le caoutchouc. Éventuellement, pinceau pour la couche d'impression.
Matériaux : caoutchouc liquide. Éventuellement, impression pour caoutchouc liquide.

1 Nettoyez et enlevez les éclats avec la brosse dure et la pelle.

2 Si la surface a été préalablement traitée avec une couche de produit bitumineux (reconnaissable à son aspect noirâtre et légèrement rugueux), passez-y une couche d'impression pour caoutchouc liquide. Laissez sécher jusqu'au lendemain.

3 Passez une couche de caoutchouc liquide en utilisant bien toute la quantité recommandée. Laissez sécher complètement durant 48 heures. 1 heure après, il n'est déjà plus affecté par la pluie.

4 Appliquez une deuxième couche d'une épaisseur identique.

RÉPARATION D'UN SOLIN FISSURÉ

Des variations de température et les mouvements normaux d'une maison soumettent un solin à des contraintes provoquant des fissures par où l'eau peut s'infiltrer. Les taches d'humidité, visibles de l'intérieur, se trouvent parfois assez loin de la fissure, car l'eau suit la pièce de charpente avant de tomber goutte à goutte dans le comble. En conséquence, la fissure se localisera difficilement. Lorsque vous l'aurez trouvée, réparez-la avec de la bande auto-adhésive neuve comme indiqué dans : « Comment remplacer un solin », p. 407.

Obturez le joint entre le toit et l'acrotère (ou le mur de la maison) avec un produit pour toitures et gouttières, avant d'appliquer la couche d'impression.

Si la hauteur de l'acrotère ne dépasse pas celle d'un rang de briques ou d'aggloméré, recouvrez sa partie supérieure avec la deuxième bande auto-adhésive.

Toit ou terrasse avec rives en saillie

Bord de la gouttière

Le toit est en pente légère afin de drainer l'eau de pluie dans une gouttière placée sur un côté. Le côté opposé à celui de la gouttière présente un bord qui s'élève en saillie afin que l'eau ne puisse déborder.

Couverture de bois

Les toits en terrasse des extensions des maisons ou des garages sont conçus, en général, à partir de planches de bois tendre, à rainures et languettes, de panneaux de contre-plaqué pour extérieurs ou de panneaux de fibres ou de carton, cloués sur les solives du toit et recouverts de trois couches de feutre pour toitures.

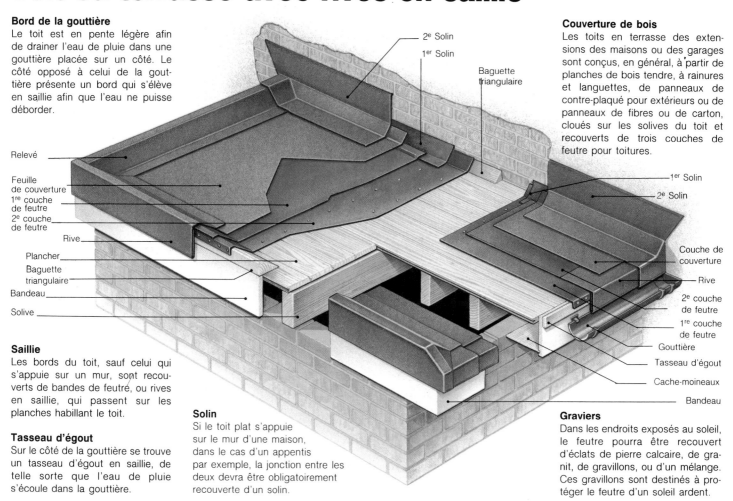

- Relevé
- Feuille de couverture
- 1re couche de feutre
- 2e couche de feutre
- Rive
- Plancher
- Baguette triangulaire
- Bandeau
- Solive
- 2e Solin
- 1er Solin
- Baguette triangulaire
- 1er Solin
- 2e Solin
- Couche de couverture
- Rive
- 2e couche de feutre
- 1re couche de feutre
- Gouttière
- Tasseau d'égout
- Cache-moineaux
- Bandeau

Saillie

Les bords du toit, sauf celui qui s'appuie sur un mur, sont recouverts de bandes de feutré, ou rives en saillie, qui passent sur les planches habillant le toit.

Tasseau d'égout

Sur le côté de la gouttière se trouve un tasseau d'égout en saillie, de telle sorte que l'eau de pluie s'écoule dans la gouttière.

Solin

Si le toit plat s'appuie sur le mur d'une maison, dans le cas d'un appentis par exemple, la jonction entre les deux devra être obligatoirement recouverte d'un solin.

Graviers

Dans les endroits exposés au soleil, le feutre pourra être recouvert d'éclats de pierre calcaire, de granit, de gravillons, ou d'un mélange. Ces gravillons sont destinés à protéger le feutre d'un soleil ardent.

Remplacement d'une couche de feutre

En vieillissant, le feutre de couverture devient poreux et l'eau peut y pénétrer. Vous pouvez prolonger sa durée avec du bitume renforcé (voir p. 413), mais si les boursouflures sont nombreuses, si les fissures sont très visibles, ou s'il se déchire, il est temps de le changer.

Lorsque vous aurez acheté le feutre pour trois couches (voir p. 409), ne le laissez pas en rouleaux serrés. 1 jour ou 2 avant de le poser, coupez-le en bandes de la longueur requise, en vous servant d'un cutter. Posez les métrages à plat et maintenez-les avec des poids.

Outils : brosse et pelle, cutter, marteau à panne fendue, tasseaux carrés de 25 mm de section et de 1 m de long, pinceau. Éventuellement, vieux grattoir à papier peint et rouleau pour écraser les joints, ciseau à froid, massette, truelle à jointoyer, langue-de-chat, grand pinceau bon marché ou balai à soies souples, petite pelle, râteau.

Matériaux : feutre pour souscouche et pour couverture, rives et solins, clous galvanisés de 2 cm, colle pour feutre. Éventuellement, frises languettées et rainurées ou panneaux de fibres, de contre-pla-

qué ou de fibres dures pour extérieurs, ainsi que ruban adhésif de 10 cm de large, clous de 4 à 5 cm pour les planches ou les panneaux, baguettes triangulaires et produit bitumineux pour scellement. Enfin, mortier pour jointoyer et graviers de coloris uni, ou en mélange.

TRAVAUX PRÉLIMINAIRES

1 Si le toit s'appuie à un mur sur l'un de ses côtés, enlevez toute trace de solin encore en place. Utilisez le ciseau à froid et le marteau pour nettoyer l'engravure sur une profondeur de 15 mm.

2 Grattez les débris et brossez pour enlever toute trace de gravillonnage ou autre.

3 Enlevez tout le vieux feutre. Si les têtes des clous s'arrachent en même temps, martelez les tiges restant en place pour les enfoncer complètement. Si les clous restent plantés, retirez-les.

4 Examinez l'ossature de bois, le plancher et les bandeaux. Reclouez chaque pièce de bois qui présenterait du jeu. Si l'une d'elles est pourrie, remplacez-la par du bois neuf

traité. Si la structure est constituée par des panneaux de fibres dures, vérifiez les rubans adhésifs qui recouvrent les joints. Remplacez ceux qui sont défectueux.

POSE DE LA PREMIÈRE COUCHE

1 Positionnez le premier métrage de feutre le long de la gouttière, en faisant déborder son côté long sur l'habillage, le côté sur la gouttière passant sur la face externe du tasseau d'égout. Clouez le bord du feutre sur ce tasseau avec des clous espacés de 5 cm. Clouez du milieu vers l'extérieur.

2 Sur la face plate du toit, passez un tasseau de 1 m et de section

carrée en allant du centre vers les bords, pour égaliser.

Plantez des clous espacés de 15 cm dans les deux directions, sur tout le toit. Au fur et à mesure que vous avancez, passez le tasseau sur la bande de feutre pour la maintenir tendue pendant que vous enfoncez les clous.

3 Côté mur, faites remonter le feutre jusqu'à l'extrémité de la baguette. Pour l'ajuster proprement, faites une entaille en diagonale, du bord du feutre à la base de la baguette. Les côtés s'écartent pour que le feutre s'applique à plat sur la baguette et le tasseau d'égout. Clouez les extrémités du feutre à intervalles de 5 cm.

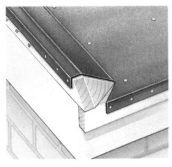

4 Faites déborder la bande de 25 mm sur la rive en saillie. Faites une entaille en diagonale jusqu'à la base de la baguette, et enlevez le surplus de feutre à l'extrémité de la saillie.

5 Recouvrez sur 5 cm la première bande de feutre avec la deuxième. Clouez-la à intervalles de 15 cm sur toute sa surface, en commençant au milieu et en utilisant le tasseau pour lisser le feutre. Clouez le recouvrement à intervalles de 5 cm.

6 Faites dépasser les extrémités de la bande de feutre de 25 mm sur la rive en saillie. Contre la maison, faites monter le feutre jusqu'en haut de la baguette. Clouez les bords à intervalles de 25 mm.

7 Si vous commencez un autre rouleau, faites un recouvrement de 10 cm au joint et plantez-y des clous espacés de 5 cm.

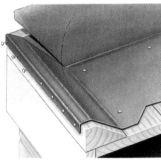

8 Continuez à poser des bandes sur le toit. Sur la dernière, au point de rencontre des deux rives en saillie, faites déborder le feutre de 25 mm sur les faces extérieures. Faites une coupe en diagonale, partant du coin du feutre et s'arrêtant où les baguettes triangulaires butent l'une contre l'autre. Enlevez le surplus pour bien ajuster dans l'angle, et étanchéifiez les coupes avec un produit bitumeux.

9 À l'endroit où le toit bute sur le mur de la maison, retaillez le feutre

à la hauteur de la baguette triangulaire. Laissez dépasser l'extrémité d'environ 25 mm sur l'habillage. Faites une coupe en diagonale à l'endroit où les deux baguettes se rejoignent sur le mur et enlevez le surplus de feutre sur la saillie, pour terminer proprement sur le mur.

POSE DU PREMIER SOLIN

1 Coupez une bande de feutre d'une largeur de 15 cm et de la longueur du solin. Si la pente du toit principal s'abaisse vers le toit plat, la bande de feutre devra s'élever vers son bord inférieur et dépasser d'au moins 5 cm l'engravure dans la maçonnerie.

2 Posez le solin. Enfoncez son bord supérieur dans l'engravure et maintenez-le en place en le calant avec des coins de bois.

3 Clouez le bord inférieur du solin à intervalles de 15 cm. Dans l'angle entre le rebord en saillie et le mur, repliez proprement le surplus de feutre et clouez-le.

4 À l'endroit où le solin rejoint la rive en saillie, retaillez-le en diagonale pour l'ajuster sur le rebord et le faire se terminer dans l'angle où ce rebord atteint le mur et où se rejoignent les baguettes.

5 Refaites le joint de mortier. Si le feutre ressort de l'engravure, laissez les cales de bois jusqu'à ce que le jointoiement soit sec, retirez-les et bouchez les trous au mortier.

POSE DE LA RIVE DE FEUTRE DU CÔTÉ DE LA GOUTTIÈRE

1 Coupez une bande de feutre d'une seule pièce, de la longueur du toit augmentée de 15 cm et d'une largeur de 50 cm.

2 Clouez le feutre à l'envers sur le tasseau d'égout. Faites-le mordre sur la base du rebord en saillie. Espacez les clous de 5 cm.

3 Doublez le feutre en le repliant sur lui-même et en laissant la double épaisseur dépasser de 4 cm le tasseau d'égout. Étalez le reste sur le toit et tracez un trait à la craie, le long de son arête. Dépliez.

4 Passez de l'adhésif à la brosse sur le dessus de l'habillage et sur le toit jusqu'au trait. Laissez prendre pendant 30 minutes.

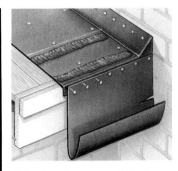

5 Repliez de nouveau le feutre en commençant au centre. Placez-le sur l'adhésif et appuyez fortement. Passez le rouleau à écraser les joints. Si la rive bute d'un côté sur le mur de la maison, faites une entaille horizontale sur ce côté. Cette entaille doit correspondre avec la base de la baguette triangulaire afin que le feutre puisse s'appliquer uniformément. Lissez-le sur la baguette.

AUTRE POSSIBILITÉ : Près d'un rebord en saillie, faites des entailles verticales dans le bord supérieur de la rive, correspondant au dos et au devant de la baguette triangulaire et au bord extérieur de la saillie. Appuyez sur les découpes et retaillez celle du milieu pour l'ajuster.

POSE DE LA DEUXIÈME COUCHE DE FEUTRE

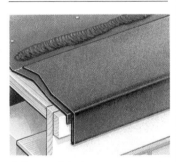

1 Passez à la brosse une couche d'adhésif sur au moins 7,5 cm, à proximité de la gouttière, juste après la rive de feutre.

2 Passez également de l'adhésif sur le long côté de la bande.

3 Sur le côté le long du mur de la maison, appliquez l'adhésif sur le bord de la surface plate, juste à la base de la baguette triangulaire. Sur le côté opposé à celui de la gouttière, appliquez la colle le long du rebord en saillie. Si les deux extrémités sont des rebords en saillie, appliquez la colle des deux côtés.

4 Laissez alors prendre l'adhésif.

5 Positionnez la deuxième couche, appuyez fortement et passez le tasseau de 1 m à plat et à partir du milieu pour chasser vers l'extrémité toutes les bulles d'air.

6 Passez de l'adhésif pour la bande suivante, qui devra recouvrir la première sur une largeur de 5 cm. Posez-la comme la première.

7 Continuez de la sorte pour recouvrir tout le toit. Si vous avez à faire un joint dans une bande, faites un recouvrement de 10 cm et clouez en espaçant les clous de 5 cm.

Arrangez-vous pour que les joints des différentes couches soient croisés.

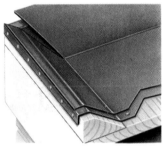

8 Laissez filer la dernière bande jusqu'à l'arête extérieure du rebord en saillie. Faites une coupe en diagonale dans l'angle si deux rebords s'y rencontrent. À la coupure, les bords du feutre doivent se recouvrir et être collés.

Si les lisières du feutre sont parallèles au mur, retaillez et collez le feutre à l'endroit où commence la pente ascendante de la baguette triangulaire sous la première couche.

POSE DE LA COUCHE DE COUVERTURE

1 Posez cette couche en la collant de la même manière que la deuxième couche. Contre le mur de la maison, faites monter le feutre sur la baguette triangulaire. Sur un rebord en saillie, retaillez chaque bande pour qu'elle arrive à la base de la baguette triangulaire. Commencez à poser sur le côté de la gouttière, à 7,5 cm du bord.

2 Veillez bien à ce qu'aucun joint de raccord ne coïncide avec un joint de la couche du dessous.

AJUSTEMENT DES RIVES

1 Pour chaque rive, taillez une bande continue de feutre de couverture, de la longueur du toit plus 15 cm, et de 50 cm de large. Clouez le feutre, l'envers à l'extérieur, sur l'extérieur des rebords.

Doublez le feutre en le repliant ; laissez la double épaisseur dépasser de 4 cm la face externe des rebords. Repassez le feutre sur les rebords en saillie, dépliez-le.

Remplacement d'une couche de feutre (suite)

2 Appliquez de la colle le long des rebords en saillie sur les baguettes et en deçà du trait de craie.

3 Commencez au milieu, collez la rive ; en l'appliquant avec un rouleau à écraser les joints.

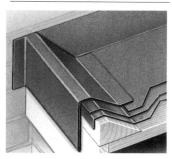

4 Côté maison, la rive doit remonter de 15 cm sur le mur. Retaillez son bord supérieur pour l'aligner avec le rebord. Faites des coupes pour l'ajuster dans l'angle.

5 Côté gouttière, entaillez dans la bande, jusqu'aux arêtes extérieure

et intérieure du rebord en saillie, en les prolongeant jusqu'au rebord. Appliquez de la colle sous la rive et autour des extrémités des rebords et laissez sécher. Mettez en place les différentes languettes créées par les découpes.

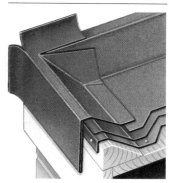

6 Sur un des côtés sans gouttière, entaillez l'extrémité de la bande au niveau du bord extérieur du rebord en saillie. Entaillez le bord supérieur de la bande, en suivant l'arête intérieure du rebord qui vient buter sur l'autre. Encollez sous la rive et appuyez-le bien en place lorsque la colle est prise. Faites une petite entaille dans l'angle interne pour une finition correcte.

POSE DU DEUXIÈME SOLIN

1 Taillez une bande de feutre pour couverture de la longueur du toit plus 7,5 cm à chaque extrémité, et d'environ 40 cm de largeur.

2 Appliquez de la colle sur la pente ascendante de la baguette triangulaire, en dépassant de 5 cm à sa base, sur le toit.

3 Posez en place la bande du solin et appuyez. Dans le feutre en surplus, du côté de la gouttière, faites une entaille jusqu'à la pointe et une autre jusqu'à la base de la baguette triangulaire. Dans le surplus du côté sans gouttière, faites une entaille au bout de la bande, de telle sorte qu'elle corresponde avec la partie supérieure du rebord en saillie et qu'elle soit dirigée vers le mur. Passez de l'adhésif sous les parties découpées et collez-les. Laissez le bord supérieur du solin sur le mur et terminez en évasant ou en recouvrant les découpes et en les appliquant sur l'adhésif. Enfin, lissez le feutre.

4 Retaillez le bord supérieur du solin pour le faire pénétrer proprement dans l'engravure au-dessus

du toit. Utilisez la même méthode de jointoiement que pour le premier solin.

COMMENT RÉPANDRE LES GRAVILLONS

Si le toit est exposé au soleil, couvrez-le de gravillons, ce qui évitera les boursouflures et détériorations diverses.

1 Étalez sur le toit un composé bitumineux jusqu'à 25 mm du bord. Servez-vous d'un grand pinceau ou d'un balai à soies souples.

2 Répandez les gravillons sur le produit avec une petite pelle. Servez-vous du dos d'un râteau pour les étendre en couche régulière. Si le toit est grand, n'en traitez qu'une petite partie à la fois, pour faciliter l'accès et répandre plus facilement les gravillons.

Toiture-terrasse avec parapet

Lorsque l'habitation principale est couverte d'une toiture-terrasse, celui-ci est, en général, un toit avec parapet. Mais ce type de toit peut également recouvrir un rajout à un ou deux étages, ou un garage non attenant. Le garde-fou se prolonge au-dessus du niveau du toit. Il peut n'être constitué que d'un seul rang de briques ou, au contraire, de plusieurs rangs.

La surface plate est faite de planches de bois tendre, de panneaux de contre-plaqué pour extérieur, ou de panneaux de fibres cloués sur l'ossature du toit et recouverts d'asphalte ou de feutre bitumineux.

Cette toiture est généralement à faible pente vers un de ses côtés, et comporte une cuvette à l'extérieur connectée à un tuyau de descente, pour évacuer les eaux de pluie.

Au point de rencontre du toit avec le mur de la maison ou du parapet se trouvent une baguette triangulaire et un solin de plomb, de zinc ou de feutre. Un solin fissuré ou déplacé peut être la cause d'ennuis fréquents.

Des fissures peuvent aussi se développer dans la couverture de

feutre ou d'asphalte. Pour savoir comment réparer des dommages peu importants, voir p. 409.

Si le toit prend l'eau en plusieurs endroits, il est préférable de renouveler complètement l'étanchéité pour éviter d'autres dégâts plus graves sur la charpente ou dans les pièces du dessous. Des couches de caoutchouc liquide et de bitume, renforcés par un maillage, formeront une couverture neuve solide sur le toit et les solins.

Revêtement bitumineux

Acrotère

2e couche de revêtement bitumineux

Matériau de renforcement (maillage)

1re couche de revêtement bitumineux

Solin

Asphalte ou feutre

Baguette triangulaire

Asphalte ou feutre

Support d'étanchéité

Cuvette

Tuyau de descente ou descente

Couvrir un toit en terrasse avec du bitume armé

Cette couverture comprend une armature constituée par une toile à mailles lâches entre deux couches d'un produit imperméabilisant à base de bitume liquide, ces deux produits étant vendus par les marchands de matériaux. La toile se présente en rouleaux et les bandes n'ont pas besoin d'être recouvertes. Portez des bottes de caoutchouc.

Outils : brosse dure et pelle, spatule, pinceau, cutter, rouleau pour joints de papier peint, balai à soies douces ou grand pinceau bon marché pour le liquide bitumineux.
Matériaux : produit pour étanchéifier toitures et gouttières, apprêt pour bandes de solin, solution bitumineuse, toile de renforcement (fibres de verre, par exemple).

1 Brossez et enlevez toutes les saletés et tous les débris qui peuvent se trouver à la surface.

2 Bouchez fissures et trous avec le produit à étanchéifier toitures et gouttières, en utilisant une spatule pour le faire pénétrer partout.

3 Appliquez un apprêt pour solin sur une largeur de 15 cm au bord du toit, ainsi que sur l'acrotère ou le mur adjacent. Laissez sécher 30 minutes à 1 heure.

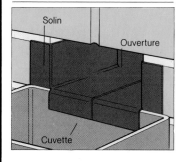
Solin / Ouverture / Cuvette

4 Coupez et ajustez des bandes pour solins comme décrit dans « Comment remplacer un solin », p. 408. Prolongez le solin sur les côtés de l'ouverture de la cuvette, en le laissant déborder sur la maçonnerie. Ajustez une pièce sous les angles saillants comme indiqué p. 408.

5 Taillez des bandes de toile de renforcement remontant de 15 cm sur les murs autour du toit. Ne les posez pas tout de suite.

6 Appliquez au pinceau ou au balai une couche de liquide bitumineux. Elle doit recouvrir toute la surface du toit en débordant de 15 cm sur les murs, ainsi que dans l'ouverture vers la cuvette.

7 Après quelques minutes, quand le bitume commence à se figer, posez les bandes de toile, à joints vifs, en les faisant remonter sur les murs qui délimitent le toit. Dans les angles de l'acrotère, repliez proprement le surplus de tissu et écrasez-le bien.

8 Passez une seconde couche de la solution bitumineuse imperméabilisante sur toute la surface. Appliquez-la généreusement, surtout dans les angles, en évitant, autant que possible, de déplacer le tissu. Laissez sécher. Après 2 heures de séchage, le toit ne craindra plus la pluie.

9 Terminez par une dernière couche de la solution bitumineuse sur toute la surface plane du toit, ainsi que sur une remontée de 15 cm sur les murs qui l'entourent.

Réparation d'un toit de plastique ondulé

Avant d'acheter le plastique ondulé pour la réparation, mesurez bien le profil du plastique en place sur le toit. Les plaques peuvent présenter un profil arrondi ou anguleux et les différences d'amplitude des vagues peuvent varier de 4 à 15 cm. Si le profil du plastique neuf ne correspond pas exactement à celui de l'ancien, les recouvrements seront impossibles. La longueur des vis que vous utiliserez devra être égale à la différence entre le point bas et le point haut du profil, augmentée d'au moins 25 mm pour pénétrer dans le bois.

Les emboîtements sur les côtés devraient se terminer dans un creux de la plaque ondulée et non sur le sommet, cela pour empêcher l'eau de s'infiltrer à cet endroit. Si vous remplacez un panneau complet, respectez les mêmes emboîtements que sur le reste du toit.

Pour réduire les frais de la réparation, vous pouvez utiliser un morceau de panneau que vous récupérerez chez un entrepreneur.

Si vous devez travailler par temps froid, coupez les plaques à l'intérieur de la maison, car le plastique casse à basse température.

Outils : cutter, arrache-clou, tournevis, scie à dents fines, perceuse à main avec une mèche émoussée ou fer à souder avec une mèche de 5 mm, mètre à ruban en acier.
Matériaux : suffisamment de plaques ondulées pour faire la réparation avec des recouvrements adéquats, vis galvanisées de longueur appropriée, caches pour les vis, ruban adhésif imperméable et transparent.

REMPLACEMENT D'UNE PLAQUE ENTIÈRE

1 Enlevez toute trace de solin qui subsisterait sur le bord supérieur de la plaque endommagée.

2 Défaites, à l'aide du levier, tous les caches sur la tête des vis. Retirez ensuite toutes les vis qui maintiennent la plaque, puis enlevez-la avec soin.

3 Si besoin est, retaillez la nouvelle plaque à la longueur de l'ancienne. Tenez la scie pratiquement à la perpendiculaire et soutenez la plaque sur les deux côtés de la coupe. Si vous devez rectifier la largeur, coupez le long d'un creux.

4 Positionnez la plaque neuve, emboîtez-la dans les vieilles plaques sur les côtés. S'il y a d'autres plaques au-dessus, faites bien attention que le recouvrement de la plaque supérieure soit suffisant pour éviter la pénétration de l'eau quand il pleut.

5 Percez des trous pour les vis dans les parties élevées des ondu-lations qui se trouvent sur les pannes. Percez-les à 50 cm d'intervalle, sur toute la largeur de la plaque, au-dessus des pannes transversales. Pour faire les trous, vous pouvez faire fondre le plastique avec un petit fer à souder, ou encore utiliser une mèche émoussée et une perceuse.

6 Vissez les vis en place. Ne les serrez pas trop. Placez les caches sur la tête des vis.

7 Remettez une nouvelle bande de solin (voir p. 408) à l'endroit où la plaque de plastique bute sur le mur. Appuyez bien la bande en l'amenant jusqu'aux creux des sillons de la plaque.

8 Recouvrez les joints d'emboîtement sur les côtés de la plaque avec des bandes d'adhésif.

POSE D'UNE PIÈCE

1 Tracez la ligne de coupe supérieure du morceau endommagé au-dessous d'une panne, et la ligne inférieure au-dessus d'une autre.

2 Enlevez la plaque entière, comme indiqué ci-contre, à gauche.

3 Coupez la pièce que vous devez remplacer de telle sorte qu'elle déborde les lignes tracées d'au moins 7,5 cm, en haut et en bas. Puis coupez en suivant les lignes tracées sur l'ancienne plaque pour enlever la partie endommagée.

4 Posez le morceau de plaque d'origine à la base de la pente du toit. Faites des trous pour les vis en suivant les instructions précédentes. Vissez sans trop serrer.

5 Placez ensuite la plaque neuve, en remontant la pente et en faisant mordre son bord inférieur de 7,5 cm sur la plaque du dessous.

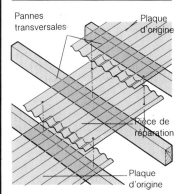
Pannes transversales / Plaque d'origine / Pièce de réparation / Plaque d'origine

6 Percez des trous pour les vis sur les recouvrements dans les parties hautes des ondulations, à 50 cm d'intervalle. Vissez les vis dans les madriers, sans trop les serrer.

7 Mettez en place la partie supérieure de la plaque d'origine en la faisant déborder de 7,5 cm sur la plaque neuve.

8 Percez et vissez le bord inférieur. Si nécessaire, percez des trous sur le bord supérieur et vissez la plaque sur le madrier.

9 Mettez les caches sur les vis.

10 Ajustez le nouveau solin et étanchéifiez les recouvrements avec du ruban spécial.

Renouvellement du feutre d'un toit de hangar

S'il y a des dégâts apparents sur un toit de hangar ou si de l'eau s'y infiltre en différents endroits sans que des lésions soient visibles, il devient urgent de remplacer le revêtement de feutre bitumineux. Ce feutre est disponible en différentes couleurs (vert, noir, rouge) et en différentes qualités : plus il est lourd, plus il est solide.

Outils : échelle double, marteau à panne fendue, cutter, tasseau de 1 m environ, vieux pinceau. Éventuellement, ciseau, scie, rabot et tournevis.

Matériaux : feutre bitumineux pour couverture, clous galvanisés de 15 mm, craie, colle à froid pour feutre. Éventuellement, planches neuves de bois tendre ou panneaux de contre-plaqué ou de fibres pour extérieurs, planches d'habillage, de faîtage ou tasseaux pour les saillies avec clous galvanisés et vis.

PRÉPARATION

1 Enlevez complètement l'ancienne couche de feutre.

2 Arrachez tous les vieux clous avec le marteau à panne fendue. Si certaines têtes se cassent, martelez et enfoncez les tiges afin qu'il ne subsiste aucune saillie qui pourrait déchirer le nouveau revêtement.

3 Vérifiez toute la toiture en bois en recherchant tous dommages ou traces de pourrissement. Traitez avec un produit hydrofuge et fongicide tout le bois neuf. Si une plaque de contre-plaqué ou d'aggloméré doit être changée, dévissez-la et revissez la nouvelle plaque avec des vis galvanisées.

Si c'est une frise qui doit être changée, enlevez sa languette au ciseau et au marteau, sur toute sa longueur, afin de pouvoir la retirer. Elle ne pourra être remplacée par une frise identique que si vous détachez sa languette au préalable. Vous pouvez aussi raboter une planche de bois tendre pour la mettre aux dimensions de l'espace à combler. Clouez-la avec des clous galvanisés.

4 Remplacez toute planche d'habillage ou de faîtage ou toute partie du toit en saillie cassée ou manquante. Traitez le bois de remplacement et fixez-le avec des vis ou des clous galvanisés.

5 Puis traitez le reste du toit avec un produit hydrofuge et fongicide et laissez sécher.

6 Taillez le feutre avec un cutter, en bandes de la longueur voulue. Les bandes doivent être parallèles au faîtage et dépasser le toit de 25 mm à chaque extrémité.

FIXATION DU FEUTRE

1 Positionnez la première bande, son bord inférieur débordant de 25 mm sur la saillie et ses extrémités recouvrant les planches d'habillage également de 25 mm de chaque côté. Lissez avec le tasseau, en commençant au milieu et en le déplaçant à plat sur le feutre, vers les extrémités. Maintenez-le avec des clous galvanisés de 15 mm, espacés de 5 cm sur la face extérieure des rives de saillie et de 15 cm sur le toit lui-même. Repliez le feutre sur les planches du bandeau de chaque côté, et clouez à 5 cm d'intervalle.

2 Aux angles sortants, repliez le surplus pour former un triangle bien net et maintenez-le avec un clou.

3 Tracez une ligne à la craie, à 7,5 cm du bord supérieur de la bande de feutre sur le toit.

4 Passez de la colle au pinceau sur le bord supérieur du feutre, en prolongeant l'encollage jusqu'au trait de craie. Ne dépassez pas, car vous auriez une marque noirâtre sur le feutre. Laissez sécher 30 minutes.

5 Positionnez avec soin la deuxième bande de feutre sur la partie préencollée. Lissez avec un tasseau. Appuyez fortement sur la partie qui recouvre la première bande.

6 Clouez le bord supérieur à 15 cm et les extrémités tous les 5 cm.

7 Si la longueur de la pente nécessite la pose d'une troisième bande de feutre, posez-la de la même façon. Laissez un espace libre, sans feutre, sur environ 40 cm le long du faîtage.

UN TOIT DE HANGAR À DEUX PENTES

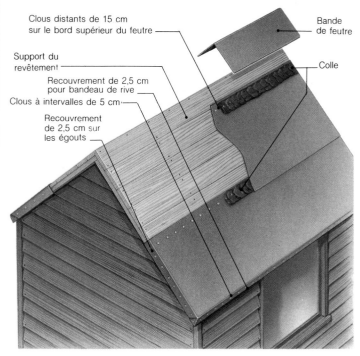

Clous distants de 15 cm sur le bord supérieur du feutre

Support du revêtement

Recouvrement de 2,5 cm pour bandeau de rive

Clous à intervalles de 5 cm

Recouvrement de 2,5 cm sur les égouts

Bande de feutre

Colle

8 Reprenez les opérations de 1 à 7 pour garnir l'autre rampant.

9 Prenez la mesure de l'écartement total d'un bord supérieur à l'autre, en passant par le faîte. Refaites cette mesure en plusieurs endroits. Gardez la plus grande en y ajoutant 15 cm et taillez une bande de feutre de cette largeur et de la longueur du faîte, plus 5 cm.

10 Posez le feutre en le centrant sur le faîte et tracez une ligne à la craie le long de chacun de ses bords, pour délimiter l'endroit où appliquer de la colle.

11 Passez de la colle au pinceau sur les deux rampants du toit, en prenant soin de ne pas dépasser la ligne de craie. Laissez prendre la colle.

12 Posez le feutre sur un rampant, appuyez-le fortement en place, puis rabattez-le sur le faîte et appliquez-le sur l'autre côté. Lissez sur les deux faces avec un tasseau, pour chasser toute bulle d'air.

13 Clouez les extrémités sur les planches d'habillage, à 5 cm d'intervalle. Sur l'angle du faîte, repliez le surplus proprement et maintenez la pliure avec un clou.

TOIT À UNE SEULE PENTE

Des auvents ou des appentis dont le toit ne présente qu'une seule pente peuvent être recouverts de feutre de la même manière. Faites déborder de 2,5 cm le feutre sur le haut de la pente, rabattez-le sur l'autre côté et clouez-le à 5 cm d'intervalle.

FEUTRE ENDOMMAGÉ

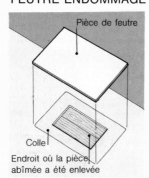

Pièce de feutre

Colle

Endroit où la pièce abîmée a été enlevée

S'il s'agit d'une petite surface, vous pouvez faire une réparation avec du feutre bitumineux et de la colle à froid.

1 Coupez un rectangle de feutre d'une dimension supérieure de 7,5 cm sur tout le pourtour à celle de la surface à réparer.

2 Placez la pièce sur le trou à réparer et tracez ses contours à la craie, pour délimiter la pose de la colle.

3 Appliquez la colle avec un vieux pinceau en prenant soin de ne pas dépasser le trait de craie, car elle laisse des traces noirâtres.

4 Laissez sécher durant 30 minutes environ.

5 Positionnez la pièce et appliquez-la fortement en chassant, du milieu vers les bords, toute bulle d'air qui pourrait se trouver prise.

Dommages causés aux murs et gouttières

GOUTTIÈRES

Une gouttière peut fuir à l'endroit des joints, se boucher et déborder ; ou elle peut s'affaisser, de telle sorte que l'eau ne peut s'écouler. Dans tous ces cas, l'eau imprégnera les murs et s'infiltrera à l'intérieur, entraînant de l'humidité et endommageant la décoration.

Quelquefois, quelques vis qui retiennent les crochets sur les chevrons ou sur les bandeaux ont rouillé ou les planches elles-mêmes ont pourri, entraînant la chute des crochets et l'affaissement des gouttières.

Pour savoir comment nettoyer, réaligner et réparer les gouttières du toit, reportez-vous aux p. 416, 417.

TUYAUX DE DESCENTE DES EAUX

Le problème le plus fréquent pour les tuyaux de descente des eaux, c'est qu'ils peuvent se boucher ; si ces tuyaux ou les gouttières qui y mènent débordent, l'humidité s'installe dans les murs.

La plupart de ces conduits sont d'abord bouchés dans leur partie supérieure, puis sous la pression de la pluie, les débris divers sont entraînés plus bas. Pour les nettoyer et les désobstruer, voir p. 418.

Les tuyaux de fonte peuvent éclater si les débris humides qui les encombrent viennent à geler. Les fuites apparaîtront au dégel. Pour réparer des conduits de descente fissurés, voir p. 416.

MURS EXTÉRIEURS

La pluie battant un mur extérieur sera partiellement absorbée. L'eau provenant d'un tuyau qui déborde pourra rejaillir sur un de ces murs.

Des défauts dans un joint d'étanchéité peuvent avoir pour conséquences la montée de l'eau par capillarité et l'imprégnation des murs. Pour faire un joint d'étanchéité, voir p. 424. De la terre entassée au-dessus d'un tel joint peut également entraîner de l'humidité.

Un jointoiement défectueux laissera l'eau pénétrer le mur extérieur. Pour rejointoyer, voir p. 422.

Une humidité excessive dans un mur extérieur devra être traitée avant qu'elle n'endommage l'intérieur de la maison. Vous pouvez vous rendre compte des dommages, car une maçonnerie humide a une couleur différente de celle des parties sèches.

MURS DE BRIQUES

Des briques en façade absorbent naturellement une certaine quantité d'eau de pluie, qui pénètre partiellement dans le mur.

Lorsque le temps sec revient, l'humidité s'évapore sans créer de problèmes.

Dans des maisons relativement anciennes, les briques ont pu devenir trop poreuses, de telle sorte qu'elles ne sèchent plus complètement, d'où une certaine humidité qui pénètre à l'intérieur.

Des problèmes surviennent également pour les murs creux dont les parties externes et les parties internes sont, en quelque sorte, reliées par des agrégats de mortier qui y ont été laissés lors de la construction de la maison. Ces ponts de mortier se comportent comme des mèches, aspirant et transportant l'humidité qui cause des taches sur les murs internes.

L'isolant d'un mur creux peut aggraver le problème, car il empêche l'évaporation de l'humidité. Il faudra vous assurer qu'il n'y a plus aucune trace d'humidité dans le vide avant de procéder à son isolation.

Dans la plupart des cas, il suffira de traiter la face externe du mur avec un produit hydrofuge aux silicones (voir p. 422). Le mortier entre les briques peut devenir très poreux et servir de vecteur à l'humidité.

Ce défaut ne se révèle le plus souvent qu'après une période de gel : quand l'eau se dilate, elle fait craqueler le mortier, qui s'effrite et tombe des joints. Pour savoir comment réparer ces dégâts, voir p. 422.

CRÉPIS

Des crevasses et des fissures dans une surface crépie laissent pénétrer l'eau, qui peut alors être retenue dans le mur. Dans les cas extrêmes, des cloques se forment ; elles devront être supprimées avant de réparer le crépi. Pour réparer des crevasses et refaire un crépi, voir p. 422, 423.

REVÊTEMENTS

Un revêtement de bois qui habille une partie du mur extérieur doit être protégé et traité avec un produit spécial ou de la peinture (voir p. 426). En revanche, un revêtement de plastique ne souffre pas de l'humidité, mais il faudra boucher les fissures autour des cadres de fenêtres (voir p. 209).

ENCADREMENTS DE FENÊTRES ET DE PORTES

Vérifiez qu'il n'existe pas de fissures autour des encadrements de fenêtres et de portes (voir p. 209). Si la pluie s'infiltre entre eux et la maçonnerie, elle peut les faire pourrir et ils devront être remplacés (voir p. 206, 207). Surveillez également l'état des peintures, car elles constituent une prévention contre les moisissures (voir p. 119).

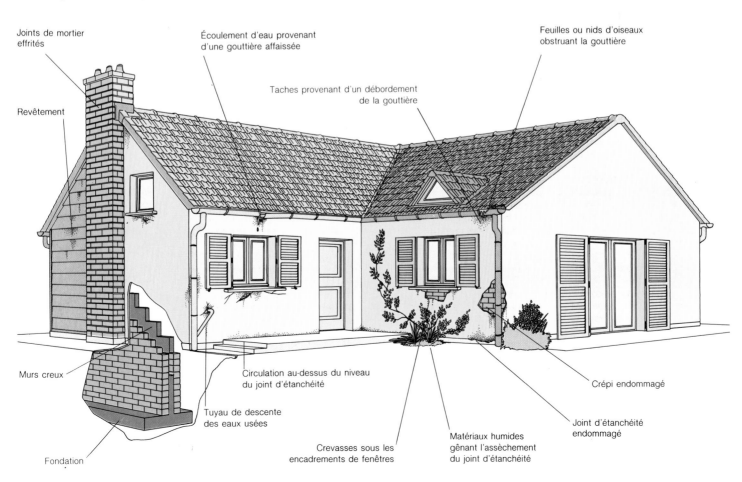

Joints de mortier effrités

Écoulement d'eau provenant d'une gouttière affaissée

Feuilles ou nids d'oiseaux obstruant la gouttière

Revêtement

Taches provenant d'un débordement de la gouttière

Murs creux

Fondation

Circulation au-dessus du niveau du joint d'étanchéité

Tuyau de descente des eaux usées

Crevasses sous les encadrements de fenêtres

Matériaux humides gênant l'assèchement du joint d'étanchéité

Crépi endommagé

Joint d'étanchéité endommagé

Nettoyage d'une gouttière

Nettoyez les gouttières tous les ans. Faites ce travail à la fin de l'automne, quand toutes les feuilles des arbres sont tombées.

Outils et matériaux : échelle ordinaire, gants de protection, petite truelle, seau, chute de panneau de fibres dures ou grand chiffon. Éventuellement, tuyau d'arrosage.

1 Placez le morceau de panneau de fibres dures là où débouche le tuyau de descente, pour éviter que les débris ne passent dans le regard ou dans le conduit d'évacuation. Si le tuyau va directement dans le sol, bouchez avec un chiffon son orifice supérieur.

2 Grattez à la truelle les dépôts de vase, de sable ou autres débris et mettez-les dans un seau. Ne laissez rien tomber dans le tuyau de descente ni sur les murs, car ces résidus noirâtres pourraient faire des taches très difficiles à enlever.

3 Enlevez le panneau de fibres dures ou le chiffon et versez lentement trois ou quatre seaux d'eau dans la gouttière.

Vous pouvez aussi vous servir du tuyau d'arrosage ou d'un nettoyeur à haute pression. L'eau doit s'écouler rapidement et complètement. Si une petite mare subsiste, vérifiez et rectifiez la pente de la gouttière (voir ci-dessous). Si l'eau goutte par des fentes ou des joints, réparez la gouttière (voir p. 417).

Si l'eau reflue et déborde du tuyau de descente, il faudra dans ce cas déboucher ce dernier (voir p. 418).

4 Recherchez d'éventuels points d'oxydation sur les gouttières en métal pendant que vous les nettoyez. Si vous en détectez, traitez-les en même temps (voir au bas de cette page).

Comment réaligner une gouttière

Si de l'eau forme une petite mare dans une gouttière qui vient d'être nettoyée au lieu de s'écouler vers le conduit de descente, il se peut que le crochet soit décloué ou que la gouttière elle-même soit décrochée à cet endroit. Retirez le clou, enfoncez-en un nouveau légèrement plus gros, en choisissant une pointe galvanisée.

Si, à la vérification, vous voyez qu'aucune pointe n'est déclouée, ou que, au contraire, toutes ont pris du jeu, c'est la pente de la gouttière qui devra être corrigée. Il vous faudra peut-être enlever une section pour atteindre les clous.

Outils : échelle ordinaire, marteau, tournevis, cordeau, perceuse avec mèche à bois ou à métal, ou les deux.
Matériaux : chevilles, vis et clous galvanisés de 15 cm.

1 Enfoncez dans le bandeau un long clou de chaque côté de la gouttière descellée et juste au-dessous, pour la soutenir. Si la longueur de la section dépasse 2 m, ou si la gouttière est en métal, prenez davantage de clous.

2 Enlevez les vis qui fixent les crochets de la gouttière.

3 Fixez une ficelle parallèle à la planche d'habillage comme dans : «Pose d'une gouttière en P.V.C.», p. 419.

Tendez cette ficelle juste sous la gouttière. Donnez-lui une pente inclinée vers le conduit de descente de 1,2 à 2 cm.

4 Si la gouttière repose sur des crochets, dévissez ou déclouez ceux qui causent son affaissement et reclouez-les un peu plus loin, sur le chevron, ou revissez sur le bandeau, de façon à avoir une nouvelle base solide. Alignez le fond de la gouttière sur le cordeau pour avoir la pente convenable.

Si la gouttière est vissée sur le bandeau sans l'intermédiaire de supports, soulevez-la pour l'aligner avec la ficelle et percez-y de nouveaux trous, ainsi que dans la planche, à environ 5 cm des anciens trous. Refixez-la avec des vis neuves galvanisées. Si les vis qui retiennent la gouttière ont été vissées dans les extrémités des chevrons du toit et non dans la planche d'habillage, tendez un cordeau et ajustez leur position pour obtenir une pente correcte. Il faudra peut-être retirer une tuile ou une ardoise pour travailler plus commodément (voir p. 403, 404).

Colmatage d'urgence

Abandonnez les moyens rudimentaires de se protéger contre les fuites d'eau les soirs d'orage. Désormais, vous trouverez dans les rayons de bricolage des grands magasins, dans les drogueries, quincailleries et magasins de bricolage des produits polyvalents pour réparer immédiatement. Ce sont des caoutchoucs semi-liquides prêts à l'emploi qui adhèrent sur un support mouillé.

MATÉRIEL CONCERNÉ

Les gouttières, naturellement, les cheneaux et tous les types d'écoulement sont concernés, mais aussi les toits en terrasse ou inclinés, les terrasses (mortier de ciment, feutre bitumineux), les toitures en tôle ondulée, en fibre ciment, en ardoise artificielle, les souches de cheminée, les solins, et les ardoises ou tuiles fêlées.

TRAVAUX PRÉPARATOIRES

Ces produits ne nécessitent aucune préparation particulière du support. Néanmoins, il convient de nettoyer à la brosse métallique la surface à traiter pour éliminer les particules non adhérentes (pour les gouttières, notamment).

Outils et matériaux : brosse plate, spatule, boîtes de produit de colmatage ; bande de 5 m environ de toile de verre caoutchoutée. Sous forme de kit, les outils sont joints aux matériaux dans une mallette (Kit Stop-Fuites, Rubson).

1 Appliquez, à l'aide de la spatule ou de la brosse plate, la pâte sur le support en recouvrant la cassure, la fissure ou le trou et en débordant de 3 cm de chaque côté.

2 Déroulez sans tarder la bande sur le produit que vous venez de passer.

3 Recouvrez d'une nouvelle couche de produit pour assurer une parfaite étanchéité.

4 Rincez le pinceau après emploi avec du white-spirit.

RÉPARATION AVEC UNE PÂTE À BASE DE RÉSINE ÉPOXYDE

Une petite fissure dans une gouttière en zinc peut être réparée de façon sûre et durable avec un mastic époxy. N'en appliquez qu'une petite quantité à l'intérieur de la gouttière et, avec une spatule, lissez-la soigneusement jusqu'à obtention d'un fini parfaitement lisse.

Toute aspérité, même minime, peut provoquer une accumulation de débris variés et, par conséquent, un débordement de la gouttière. Faites le gros de la réparation sur la face externe. Vous pouvez la consolider en appliquant sur la face inférieure un morceau d'un matériau armé de fibres de verre et en le collant en place avec un mastic époxy. Il faut prendre soin de bien enfoncer le mastic dans la fibre et de lisser ensuite. Un conduit de descente peut présenter des fissures à la suite d'un choc accidentel sérieux — ou parce que

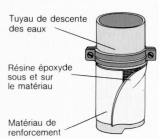

Tuyau de descente des eaux

Résine époxyde sous et sur le matériau

Matériau de renforcement

de l'eau qui aura stagné et gelé à l'intérieur l'aura fait se dilater et craquer.

Appliquez une fine couche de mastic sur le conduit, enroulez-le dans un morceau de matériau à base de fibres de verre, puis recouvrez le tout généreusement de mastic époxy. Faites bien pénétrer le mastic dans les fibres et lissez le tout très soigneusement. Deux couches de peinture rendront la réparation pratiquement invisible.

Pose d'une gouttière en zinc sans soudures

Si vous n'aimez pas le plastique, ou si la pose d'une gouttière en plastique est incompatible avec le style de votre habitation ou sa situation géographique (zones très froides au-dessus de 1 000 m d'altitude), votre choix s'orientera vers le zinc, le cuivre ou l'acier inoxydable. Ces gouttières métalliques sont toujours posées par des professionnels car elles nécessitent des soudures. Il existe maintenant un procédé qui permet de poser soi-même une gouttière en zinc sans avoir recours à la moindre soudure.

Les avantages sont nombreux puisque l'ensemble de la gouttière et des descentes est encore plus facile à poser qu'une gouttière en P.V.C. (où un mauvais collage ou un collage de pièces mal positionnées sont toujours possibles).

Un autre avantage considérable est que le zinc ne souffrira pas des bavures de décapant que l'on utiliserait si on le soudait (acide chlorhydrique) : ces bavures mal nettoyées causent des points d'oxydation qui évoluent en perforations. Le système est si facile à installer que tout bon bricoleur soigneux peut poser lui-même sa gouttière en zinc. Vous y retrouverez tous les éléments traditionnels composant les gouttières et les descentes, mais ces éléments s'assemblent entre eux par emboîtage. L'étanchéité est assuré par des joints adhésifs en butyl (caoutchouc synthétique), imputrescibles et d'une très longue tenue au vieillissement.

Pour poser votre gouttière en zinc sans soudures, suivez les explications données pour la pose d'une gouttière en plastique.

Ne tenez pas compte des collages puisque ici les pièces s'emboîtent simplement.

L'OUTILLAGE

Les outils nécessaires sont les suivants : une scie à métaux, une pince grignoteuse ou une cisaille à métaux pour ajuster les coupes et une pince à rétreindre pour réduire le diamètre des tuyaux de descente à leur extrémité et les emboîter dans le tuyau suivant.

Ajoutez-y une perceuse à percussion (ou un marteau perforateur) et un tournevis pour la pose des colliers de descente, un marteau pour la pose des crochets de gouttière et un maillet de caoutchouc pour faciliter les emboîtements.

La finition

Pour la finition, vous avez le choix entre l'aspect zinc naturel (il deviendra gris avec le temps), la peinture (utilisez une peinture spéciale pour le zinc) ou un aspect cuivre par l'application d'un procédé de cuivrage à froid en trois phases : décapage, cuivrage et application d'un vernis de protection.

Ces produits réactifs agissent sur le zinc mais pas sur l'étain qui sert aux soudures. Votre gouttière n'étant pas soudée, le cuivrage sera parfait et sans défaut.

GOUTTIÈRES DE PLASTIQUE QUI FUIENT

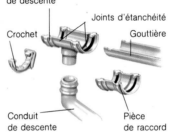

Raccord de départ du tuyau de descente

Joints d'étanchéité

Crochet

Gouttière

Conduit de descente

Pièce de raccord

Aux endroits où se joignent les sections de gouttière et où elles sont raccordées à un tuyau de descente des eaux se trouve un raccord dont les rainures internes sont garnies de joints pour le rendre étanche.

Des débris divers peuvent provoquer des fuites en s'incrustant dans les endroits connectés et en les écartant légèrement ; il suffit parfois d'un nettoyage pour supprimer ces fuites.

Appuyez sur les côtés de la gouttière et vers le dessous du toit, pour la dégager des clips des pièces de raccord.

S'il n'y a pas de saletés, vous devrez, dans ce cas, changer les joints ou les raccords défectueux s'ils sont déformés ou abîmés.

Outils : échelle, spatule, gants éventuellement.
Matériaux : obturateurs de joints neufs ou produit à sceller toitures et gouttières.

1 Appuyez suffisamment sur les bords des sections de gouttière pour les détacher des clips des pièces de raccord.

2 Faites tourner doucement les extrémités de chaque section de gouttière jusqu'à ce que vous aperceviez le joint dans la rainure du raccord. Enlevez-le.

3 Ajustez les nouveaux joints, en appuyant bien dessus.

Vous pouvez aussi, par précaution, boucher les joints avec un produit spécial.

4 Ramenez, en forçant légèrement, les sections de gouttière pour les refixer dans les clips des pièces de raccord.

Resceller des tuyaux de descente

Un tuyau de descente est retenu au mur par des colliers vissés dans les joints de mortier, à intervalles de 1 m environ. Si le conduit n'est pas solidement fixé, les vents forts le font vibrer et ses fixations prennent du jeu. Les sections d'un tuyau de descente coulissent librement l'une dans l'autre, aussi, ne les scellez pas.

Les colliers qui fixent les descentes sont en deux parties. L'une, qui comporte une grande pointe, est scellée dans la maçonnerie par l'intermédiaire d'une cheville de bois. L'autre est placée sur le devant de la descente et fixée sur la première par des vis et des écrous.

Si des vis sont desserrées, il suffira de les dévisser et, après les avoir dérouillées, de les remettre en place. Si les colliers bougent dans la maçonnerie, il faudra les en retirer et changer les chevilles avant de refixer les colliers.

Outils : échelle, tenailles, scie à métaux, marteau. Éventuellement, tournevis.

Matériaux : chevilles d'une taille légèrement supérieure à celle des anciennes, produit pour traiter le bois. Éventuellement, vis galvanisées de 4 cm.

1 Dévissez les colliers du tuyau. Vous pouvez réutiliser les boulons s'ils ne sont pas trop abîmés. Dans le cas contraire, sciez-les.

2 Enlevez une ou plusieurs sections du conduit pour avoir accès aux chevilles. Ces sections sont emboîtées les unes dans les autres. Soulevez la première aussi haut que possible, pour libérer son extrémité inférieure de la section du dessous.

3 Retirez et jetez les vieilles chevilles. Remplacez-les.

4 Remettez en place la ou les sections de tuyau enlevées.

5 Alignez les trous du ou des colliers et vissez les nouveaux boulons galvanisés pour maintenir solidement le conduit.

TUYAUX DE DESCENTE EN PLASTIQUE

Si un tuyau de plastique se détache du mur, refixez les vis. Vérifiez tout d'abord les chevilles de plastique ou de fibres, pour savoir si elles doivent être remplacées. Prenez des vis galvanisées de 38 mm.

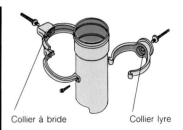

Collier à bride

Collier lyre

Votre tâche sera facilitée si vous déplacez le collier vers le bas ou vers le haut pour le fixer dans un autre joint de mortier. Percez et chevillez de nouveaux trous pour assurer une fixation solide.

Rebouchez les anciens trous avec du mortier ou un enduit pour extérieurs. Essayez d'assortir les couleurs, en utilisant du sable ou du ciment coloré pour rendre la préparation invisible. Ne déplacez pas un collier posé sur un joint du conduit, car il le renforce. Vous pouvez remplacer un collier d'une seule pièce par un collier en deux parties, ou vice versa, pour avoir différentes possibilités de fixation des vis.

Déboucher un conduit de descente

Le débordement d'une gouttière peut parfois être la conséquence d'un conduit bouché.

Le plus souvent, il s'agit de feuilles emportées et amassées par le vent dans l'orifice supérieur du conduit. L'extrémité en col de cygne d'un conduit est évidemment plus souvent et facilement bouchée. De l'eau suintant par fortes pluies de l'emboîtement de deux parties de conduit vous indique également que celui-ci est bouché. Comme ces joints ne sont pas hermétiques, vous pouvez localiser le bouchon. Il se trouve dans la section située juste sous l'emboîtement qui fuit.

OBSTRUCTION PRÈS DE L'ORIFICE SUPÉRIEUR

Si le conduit est bouché près de son orifice, vous parviendrez, en général, à le nettoyer en le sondant avec un morceau de fil de fer. Prenez soin de placer un morceau de panneau de fibres dures à la base du tuyau pour éviter que les débris provenant du conduit bouché ne tombent dans le regard d'écoulement au sol. Retirez par le haut, en les crochetant, tous les détritus que vous pourrez. Si vous n'y parvenez pas, sondez jusqu'à ce que le bouchon offre moins de résistance. Pour achever de chasser les détritus à présent décollés et pour rincer le conduit, versez-y plusieurs seaux d'eau ou servez-vous du jet puissant d'un tuyau d'arrosage ou d'un nettoyeur à haute pression pour obtenir le même effet. Si le tuyau est droit et non coudé, attachez un tampon de chiffons bien serré à l'extrémité d'un bâton (une canne de bambou, par exemple) et éliminez les débris en le passant dans le conduit.

OBSTRUCTION DANS UN ENDROIT INACCESSIBLE

Louez un flexible spécial si le conduit est bouché à une certaine distance de l'orifice supérieur ou s'il s'agit d'un tuyau coudé. En dernier recours, démantelez toute sa partie inférieure.

Outils : échelle, tournevis, tenailles ou clé à douille, long bâton. Éventuellement, ciseau et marteau à panne fendue.

1 Enlevez toutes les vis qui retiennent les colliers d'un conduit de plastique sur le mur. Commencez à partir du bas et retirez les vis jusqu'au point où l'eau ruisselle du tuyau. Si celui-ci est retenu par un collier en deux parties, défaites les boulons fixant la partie frontale et laissez en place la partie dorsale.

2 Au fur et à mesure que vous dégagez les colliers qui retiennent le tuyau, soulevez chaque section suffisamment pour la dégager de la section du dessous et déposez-la.

3 Servez-vous d'un long bâton pour pousser et chasser tous les éléments qui obstruent le conduit.

4 Remontez le conduit, section par section, en commençant par le haut et vissez ou boulonnez les colliers qui maintiennent le tuyau.

COMMENT ÉVITER QUE LES CONDUITS NE SOIENT OBSTRUÉS

Vous pouvez acheter des grilles à la taille voulue, en fil de fer ou en plastique (crapaudines), qui s'ajustent sur les orifices des conduits de descente des eaux.

Si votre tuyau possède une cuvette à sa partie supérieure, recouvrez-la de grillage à fines mailles, maintenu en place avec du fil de fer fin et galvanisé.

Si de grands arbres à feuilles caduques se trouvent à proximité, couvrez la gouttière d'un filet de plastique dépassant de 5 cm de tous côtés. Sur toute la longueur, à intervalles de 1 m environ, passez une ficelle dans les mailles du filet, en reliant alternativement l'arrière au devant. Nouez-la de façon à tendre le filet de plastique au maximum.

Éléments d'un système de gouttière en plastique

Il existe plusieurs modèles de gouttières, de différentes couleurs et de différents modes de jonction.

Dans certains systèmes, les sections de gouttière se recouvrent et s'ajustent dans des supports. Dans d'autres, un raccord connecte les sections et peut ne pas avoir de support.

Les gouttières peuvent présenter une section arrondie ou rectangulaire. La plupart sont retenues par des colliers solidaires de supports qui maintiennent leur partie inférieure. Quatre largeurs de gouttières sont disponibles. Une gouttière trop petite ne suffira pas en cas de fortes pluies.

Mesurez la largeur totale du toit pour estimer la longueur à acheter. Mesurez également la hauteur qui sépare la gouttière du regard de pied, pour avoir le nombre des conduits de descente.

Il vous faudra aussi un assortiment de fixations pour les différentes parties entre elles, ainsi que pour les retenir sur le mur, par exemple : raccords, raccords d'angle, supports, colliers pour conduits de descente, sabots. Des adaptateurs vous permettront de raccorder des gouttières de plastique de grandes dimensions à des gouttières plus petites, et des sections arrondies à des sections rectangulaires.

Il n'est pas toujours possible de raccorder des gouttières de deux fabricants différents.

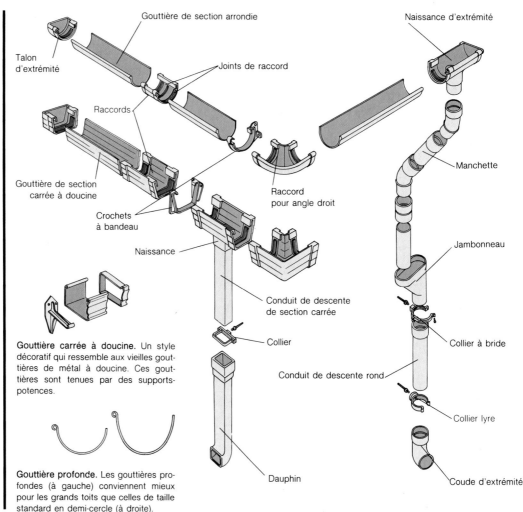

Gouttière de section arrondie
Naissance d'extrémité
Talon d'extrémité
Joints de raccord
Raccords
Raccord pour angle droit
Gouttière de section carrée à doucine
Crochets à bandeau
Naissance
Manchette
Conduit de descente de section carrée
Collier
Jambonneau
Collier à bride
Conduit de descente rond
Collier lyre
Dauphin
Coude d'extrémité

Gouttière carrée à doucine. Un style décoratif qui ressemble aux vieilles gouttières de métal à doucine. Ces gouttières sont tenues par des supports-potences.

Gouttière profonde. Les gouttières profondes (à gauche) conviennent mieux pour les grands toits que celles de taille standard en demi-cercle (à droite).

Pose d'une gouttière en P.V.C.

Si vous êtes amené à changer votre gouttière trop vieille et trop corrodée pour pouvoir être réparée, ou si vous devez installer une gouttière neuve, vous pouvez réaliser ce travail vous-même en optant pour les systèmes d'écoulement en P.V.C. Ce matériau se pose sans nécessiter de soudures, travail fastidieux qui requiert une maîtrise de professionnel. Les soudures sont remplacées par des collages très faciles à réaliser. Il existe même des ensembles qui se posent uniquement par emboîtement avec des joints d'étanchéité (valables pour le plastique et le zinc). Attention! lors d'une installation, vous ne devez pas marier des éléments prévus pour être collés avec des éléments à assembler par emboîtement. Cela mis à part, les processus de pose sont pratiquement identiques.

Le collecteur d'eau de pluie se compose de la gouttière proprement dite et d'un ou plusieurs tuyaux de descente. La gouttière est fixée sous le rebord du toit par des crochets. Ces éléments ont diverses formes et, selon les modèles, peuvent se fixer aux divers types et finitions de toitures : sur bandeau, en bout de chevrons ou de fermettes, en bordure de toit ondulé (métallique, en amiante-ciment, en plastique armé...). Les crochets doivent toujours être de dimensions adaptées à celles de la gouttière.

Les descentes sont des tubes de section ronde ou carrée raccordés à la gouttière par l'intermédiaire d'une «naissance» placée à une des extrémités ou au centre. Enfin, ces tubes sont fixés au mur par des colliers (lyres ou à bride) et aboutissent au pied des murs, où ils s'écoulent dans un regard ou un collecteur d'eaux pluviales. Leur base, toujours sujette à divers chocs, peut être renforcée par un élément appelé «dauphin», en fonte ou en plastique plus épais.

En vous aidant du tableau ci-contre, déterminez d'abord la taille du profil de gouttière à utiliser (référence de base) en fonction de la superficie du pan de toiture qui sera desservi. En maison individuelle, les plus couramment utilisées sont les gouttières de 25, celles de 33 peuvent paraître trop importantes à la vue, celles de 40 sont réservées aux immeubles ou aux grands hangars.

Outils : marteau, tournevis, râpe à bois fine piqûre, scie à métaux ou scie égoïne à panneau, niveau à bulle, cordeau, mètre, fil à plomb (cordeau à claquer), craie ordinaire et craie grasse, crayon, échelle ou échafaudage mobile, perceuse à percussion avec mèche à béton de diamètre adapté aux chevilles.

Matériaux : tenez compte de la largeur de votre toiture pour établir la liste des éléments à acheter : besace de dilatation si nécessaire, 1 ou 2 naissances, longueur de profilé gouttière (vendu en tronçons de 2 ou 4 m), nombre de jonctions, nombre de crochets, fonds droit et gauche à coller pour les deux extrémités. Mesurez la hauteur entre la gouttière et le sol pour déterminer celle du ou des tuyaux de descente, comptez 3 colliers par descente pour une hauteur de 2,50 m ; pour une hauteur plus importante, comptez un collier tous les 1,50 ou 2 m. Complétez avec des coudes et manchons pour relier le tuyau de descente à la sortie de la naissance (à déterminer selon la configuration des lieux); clous ou vis galvanisés, chevilles de plastique et embouts à visser pour la pose des colliers, colle spéciale pour P.V.C. rigide à solvant fort.

POSE DE LA GOUTTIÈRE

Si nécessaire, commencez par déposer l'ancienne gouttière et tous ses crochets supports. Assurez-vous que le bandeau (ou la planche d'égout) sur lequel sera fixée la gouttière est sain et de niveau. Dans le cas contraire, remplacez-le. Traitez-le ou peignez-le avant de poser les crochets.

1 Sur le bandeau, à l'extrémité opposée à la descente, fixez un crochet à 8 cm du bord extérieur latéral. Attachez un cordeau à ce premier support.

2 Tendez le cordeau horizontalement jusqu'à l'autre extrémité du bandeau (faites-vous aider pour faire la vérification avec le niveau à bulle). Marquez au niveau au crayon et plantez un clou quelques centimètres plus bas pour matérialiser la pente d'écoulement. Comptez 3 à 5 mm par mètre linéaire : 3 à 5 cm pour 10 m de gouttière. Tendez et liez le cordeau sur le clou.

3 Sur cette extrémité, présentez la naissance au ras du cordeau. Tracez, au crayon, un repère à 8 cm de son bord intérieur pour déterminer l'emplacement du premier crochet de cette extrémité.

4 Mesurez la distance entre les deux crochets posés (le cordeau est toujours en place, bien plaqué contre le bandeau). Divisez cette longueur pour répartir régulièrement des crochets tous les 50 à 60 cm au maximum. Marquez les emplacements.

5 En prenant le cordeau pour guide, fixez les crochets aux endroits marqués.

6 Présentez les éléments de gouttière et coupez-les à dimensions de façon que les raccords soient centrés entre deux crochets consécutifs. Coupez à longueur à l'extrémité la plus haute de la pente et du côté de la naissance en comptant 5 cm de plus qui viendront s'emboîter dans cet élément.

7 Descendez tous les éléments au sol et assemblez-les par collage. Pensez à coller les fonds à chaque extrémité, dont l'un sur le côté de la naissance. Collez la naissance, sauf s'il s'agit d'un modèle à dilatation (à visser sur le bandeau après la pose de la gouttière).

8 Remontez l'ensemble collé en place (faites-vous aider par une ou deux personnes). Encliquez la gouttière dans les crochets.

9 Sous la naissance, présentez les coudes, emboîtez-les directement ou avec une partie droite entre les deux selon la configuration de la construction. Présentez les divers éléments sans les coller et faites des repères à la craie grasse (un trait à cheval sur chaque jonction d'éléments). Déposez le tout et assemblez-les par collage en vous fiant aux repères pour garder les bonnes inclinaisons entre eux. Emboîtez ce col-de-cygne dans l'orifice de la naissance.

10 Repérez la verticale sur le mur pour la fixation de la descente. Pla-

cez le cordeau à claquer à la sortie basse du col-de-cygne et marquez par claquage.

11 Sur la ligne verticale, marquez à la craie les emplacements des colliers : un à la base, un à 8 ou 10 cm sous l'orifice du col-de-cygne et un au milieu, ou tous les 1,50 ou 2 m si le mur est très haut.

12 Percez ces emplacements avec la perceuse à percussion (ou un marteau perforateur). Enfoncez les chevilles et vissez les colliers.

13 Coupez le tuyau de descente à la longueur désirée ou assemblez plusieurs tronçons à l'aide de manchons (à coller) pour obtenir la longueur nécessaire. Encollez l'extrémité haute et emboîtez-la dans la base du col-de-cygne.

14 Équipez la base du tuyau de descente d'un coude ou laissez-la plonger librement dans un regard de collecte des eaux.

Emboîtez le tuyau équipé de son col-de-cygne dans l'orifice de la naissance (inutile de le coller). Engagez-le dans les colliers, refermez les brides et vissez-les.

COLLER LE P.V.C.

Le P.V.C. se scie facilement avec une scie à métaux ou avec une scie égoïne à denture fine. Après le sciage, ébarbez les coupes avec une râpe à bois. Nettoyez les parties à coller avec du papier abrasif. Appliquez un large filet de colle spéciale P.V.C. rigide à l'entrée de l'orifice femelle sur la paroi intérieure, ainsi que sur la périphérie de l'élément mâle. Sans attendre, emboîtez les deux éléments à fond. Enlevez l'excès de colle au chiffon et laissez sécher le temps indiqué (5 à 10 minutes). Ne mettez pas trop de colle pour éviter les bavures, qui laissent toujours des marques.

GUIDE DE CHOIX DE VOTRE GOUTTIÈRE SELON LA SURFACE DU TOIT

SURFACE MAXIMALE (en m²) de toiture plane desservie par 1 naissance	18 à 20	65	100	160*	160	200*	30	38	44	70
FORME DU PROFIL										
RÉFÉRENCE DE BASE	16	25	33	33	40		60		70	
FORME DE LA DESCENTE	○	○	○	○	○	○	□	○	○	□
SECTION (en millimètres)	Ø 50	Ø 80	Ø 100	Ø 125	Ø 125	Ø 140	55 x 55	Ø 63	Ø 80	73 x 103

* Pour ces cas d'utilisation (gouttière de 33 pour 160 m² et gouttière de 40 pour toiture de 200 m²), augmentez la pente d'écoulement (8 à 10 mm/m linéaire).

Pose d'une gouttière en P.V.C. (suite)

LONGUEURS DES GOUTTIÈRES

Les valeurs du tableau p. 419 sont données pour des longueurs de gouttières ne dépassant pas 12 m. Pour une toiture plus importante, l'écoulement doit être réparti sur plusieurs tuyaux de descente (une descente pour 12 m de gouttière au maximum). Si votre toiture fait 16 m de largeur, par exemple, répartissez l'écoulement en deux tronçons de 8 m, avec un tuyau de descente à chaque extrémité. Le point le plus haut est alors au centre de la gouttière, qui part en pente de chaque côté, en direction des naissances où se raccordent les tuyaux de descente.

Dans le cas où plusieurs tuyaux de descente sont répartis le long de la gouttière, calculez la surface de toiture à desservir par chaque descente (surface totale de la toiture divisée par le nombre de descentes). Par exemple : une toiture de 100 m² peut être équipée d'une gouttière de 33 avec une seule descente de ⌀ 100 mm (100 m² : 2 = 50 m², valeur inférieure aux 65 m² que peut desservir au maximum une gouttière de 25 avec une seule descente de ⌀ 80 mm).

COMMENT MAÎTRISER LES DILATATIONS

Le P.V.C. se dilate sous l'effet de la chaleur et se rétracte par temps froid. Pour éviter toute déformation de vos gouttières, vous devrez insérer dans leur montage, et selon leur configuration, des naissances ou des besaces de dilatation. Ces éléments sont des raccords non collés dans lesquels les profils de gouttières peuvent glisser librement lorsque leur longueur varie.

Cas n° 1 — Ligne droite sans retour d'angle, ne dépassant pas 12 m et libre à chaque extrémité : il n'y a pas nécessité de pièce de dilatation. L'allongement se fera sentir sur l'extrémité opposée à la descente.

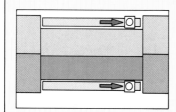

Cas n° 2 — Ligne droite bloquée aux deux extrémités ou à l'opposé de la descente, et ne dépassant pas 12 m. Utilisez une naissance à dilatation

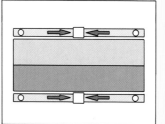

Cas n° 3 — Ligne droite avec ou sans retour d'angle, dépassant 12 m de long : placez une naissance à coller à chaque extrémité et une besace de dilatation au centre. Si la longueur de la gouttière est supérieure à 24 m et inférieure à 36 m, placez une naissance à coller à chaque extrémité et deux besaces de dilatation à intervalles réguliers ou, mieux, une besace de dilatation et une naissance à dilatation offrant un troisième conduit de descente.

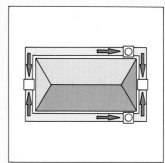

Cas n° 4 — Gouttière ceinturant complètement un toit à quatre pentes : utilisez à la fois des naissances à dilatation et des besaces de dilatation.

Nettoyage et entretien d'un regard

Certains regards comportent un grand siphon en U souterrain. Tout débris assez petit pour passer au travers des mailles de la grille tombe dans le collecteur.

Essayez d'enlever les détritus qui encombrent le collecteur avec un bâton ou une fourche de jardin. Si vous n'y parvenez pas, soulevez la grille et crochetez-la avec un fil de fer recourbé. Nettoyez-la. Évitez les obstructions en plaçant un couvercle sur le regard. Taillez-le dans du contre-plaqué pour extérieur, d'une épaisseur de 1,5 à 2 cm. Faites un trou pour faire passer le conduit.

Placez ce couvercle sur les parois de brique et maintenez-le en le lestant d'un objet lourd. Si le tuyau est trop court et s'arrête au-dessus du regard, prolongez-le avec un petit morceau de conduit,

de telle sorte qu'il passe sous le contre-plaqué.

S'il n'y a pas de paroi de brique, vous aurez intérêt à en faire une (voir : « Comment poser des briques ou des agglomérés », p. 473). Ce muret de brique servira de digue pour retenir des petites quantités d'eau en cas d'obstruction minime et évitera les éclaboussures ou les inondations. Si l'eau ne s'écoule pas normalement dans le regard une fois que vous avez enlevé les débris qui obstruaient la grille, c'est le regard lui-même qui peut être bouché. Enfilez un long gant de caoutchouc ou un sac de plastique non troué. Ôtez la grille et dégagez le conduit.

Si le bouchon est beaucoup trop compact pour être retiré à la main, cassez-le avec un fil de fer ou une petite pelle de jardin que vous aurez

Installer un couvercle

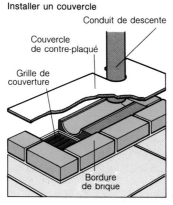

recourbé selon l'angle du conduit.

Lorsque le regard est débouché, brossez l'intérieur avec une brosse dure de nylon et rincez-le avec le jet à forte pression d'un tuyau d'arrosage. Rincez abondamment les gants, la truelle et les autres outils que vous avez employés, puis passez-les dans un désinfectant ménager.

Si vous ne trouvez pas de bouchon obstruant le regard, il peut se trouver plus loin dans le conduit (voir : « Débouchage d'une canalisation », p. 421).

RÉPARATION D'UN COLLECTEUR INTÉRIEUR

Pour canaliser l'eau vers un regard ou pour éviter un afflux, et, par conséquent, un refoulement, on trouve parfois une canalisation parallèle au mur de la maison. Cette canalisation peut se fendiller ou prendre du jeu. Ses joints peuvent également se craqueler ou présenter des trous dans lesquels l'eau stagne en s'y accumulant.

Pour réparer les joints, préparez un mélange de quatre parts de sable fin pour une part de ciment (ou bien achetez un sac de mélange tout prêt), et ajoutez à ce mélange de l'adhésif, qui assurera une meilleure adhérence au mortier, selon les instructions du fabricant. Lissez bien la surface réparée pour que l'eau ne puisse s'y accrocher.

REMPLACEMENT D'UNE CANALISATION ENDOMMAGÉE

Il faudra dégager la canalisation abîmée ainsi que l'entourage. Vous pouvez fendre en deux un tuyau de grès vernissé, ou bien acheter de la canalisation. Prenez le même mélange de mortier que pour les réparations.

Outils : craie, ciseau, massette, truelle.
Matériaux : chute de panneau de fibres dures, briques, tuyau de grès vernissé ou canalisation, mortier.

1 Mesurez d'abord et marquez la dimension en différents points autour du conduit et réunissez tous ces repères par un trait de craie. Avec un ciseau et un marteau, entaillez la ligne tracée à la craie, jusqu'à ce que les deux parties se séparent.

2 Pour partager un tuyau en deux dans le sens de la longueur, marquez à la craie les lignes de coupe. Entaillez le long de ces lignes au ciseau et au marteau, jusqu'à ce que les deux moitiés se séparent.

3 Posez du contre-plaqué sur l'ouverture du regard, pour éviter que des débris n'y tombent.

4 Enlevez au ciseau et au marteau la canalisation endommagée, ainsi que le mortier et les briques tout autour. Brossez pour ôter tous les débris, puis mélangez le mortier.

5 Étalez une couche épaisse de mortier à l'endroit où se trouvera la canalisation. Posez-y le tuyau, en le

plaçant de telle sorte qu'il soit légèrement incliné vers le regard. Contrôlez sa pente avec un niveau à bulle.

6 Placez un rang de briques sur chant pour faire une sorte de digue autour de la canalisation et du regard. Posez-les sur un lit de mortier et laissez un intervalle d'au moins 2,5 cm entre le tuyau et les briques. À proximité du regard, l'intervalle peut être plus large.

7 Comblez au mortier l'espace entre la canalisation et les briques.

8 Donnez au mortier une pente légère s'abaissant vers la canalisation et lissez-le soigneusement.

Débouchage d'une canalisation

REGARD D'ANGLE SUR UNE CANALISATION

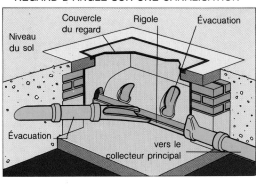

REGARD EN LIMITE DE PROPRIÉTÉ

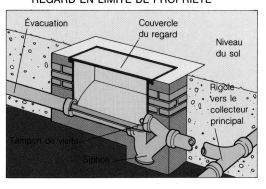

DÉBOUCHAGE D'UN TUYAU PAR LE TAMPON DE VISITE

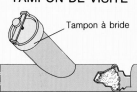

Tampon à bride

Les conduits canalisent l'eau et les effluents vers l'égout principal, à l'extérieur des limites de la propriété ou vers une fosse septique.

Les conduits souterrains sont, dans la mesure du possible, rectilignes. Lorsqu'un changement de direction s'impose, l'angle du conduit doit être plus ouvert qu'un angle droit et un regard doit permettre son inspection. Un regard sera également nécessaire à la limite de propriété, avant que la canalisation de la maison ne se branche sur le réseau collecteur. Un couvercle « trou d'homme » vous en signalera l'endroit.

Les premiers indices vous indiquant qu'une canalisation est bouchée seront le ralentissement de l'écoulement des toilettes et de la baignoire, ou le débordement d'un regard. Celui-ci peut être débouché en le nettoyant (voir page ci-contre). Sinon, vous devrez déboucher le tuyau avec des baguettes. Vous pouvez les louer, ainsi que différentes têtes.

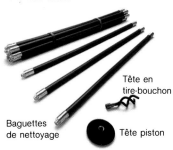

Tête en tire-bouchon

Baguettes de nettoyage

Tête piston

Outils : baguettes de nettoyage avec tête piston de caoutchouc (10 cm de diamètre), longs gants

de caoutchouc, solide bêche de jardin, tuyau d'arrosage, désinfectant, arrosoir.

1 Localisez l'endroit de l'obstruction. Enlevez les couvercles des regards. Inspectez le regard qui se trouve près du branchement sur le réseau ou près de la fosse septique, puis également le regard qui déborde. Si le premier regard est vide, l'obstruction se trouve dans la canalisation entre les deux points d'observation. Si le regard est plein, poursuivez vos recherches dans le regard le plus proche du branchement ou de la fosse septique. Si ce dernier regard est plein, l'obstruction se trouve entre lui et le collecteur principal. Si le conduit aboutit dans une fosse septique et si le dernier regard est plein, faites vider la fosse.

2 Pour déboucher une canalisation principale, introduisez la baguette équipée de la tête piston dans le conduit, à l'une des extrémités de la section bouchée. S'il s'agit du

regard vide, vous verrez l'orifice de la canalisation, mais si vous commencez par le regard plein, il faudra tâtonner pour trouver l'entrée du conduit.

3 Ajoutez d'autres sections de baguette au fur et à mesure que vous avancez. Tournez toujours les baguettes dans le sens des aiguilles d'une montre. Poussez le bouchon, puis retirez un peu la baguette. Au besoin, recommencez. Si cela ne suffit pas à le déplacer, retirez complètement la baguette et remplacez son embout par un tire-bouchon qui cassera des détritus solidement agglomérés.

4 Terminez l'opération en projectant de l'eau dans la canalisation avec un tuyau d'arrosage, ou un nettoyeur à haute pression, ou en remplissant la baignoire et l'évier et en les vidant d'une seule traite.

5 Rincez soigneusement au jet les baguettes et les gants puis versez dessus un arrosoir de désinfectant dilué dans de l'eau.

VÉRIFICATION DES CANALISATIONS

Si les canalisations dégagent une mauvaise odeur persistante ou si un sol anormalement mouillé vous fait suspecter une fuite, avisez le service de la Santé de votre département et demandez une vérification du réseau d'écoulement des eaux.

Si vous devez déboucher un tuyau entre le dernier regard sur votre propriété et le branchement à l'égout principal, il faudra introduire la baguette par le tampon de visite. À cet endroit, le conduit n'est pas rectiligne. Il s'abaisse vers un siphon en forme d'U, semblable à celui d'un collecteur. Ce siphon est destiné à empêcher les remontées de l'égout principal dans vos canalisations, mais il a aussi pour but de vous empêcher de pousser des baguettes dans le conduit.

Au-dessus de l'orifice de la trappe se trouve une petite section de conduit fermée par un tampon à bride ou un bouchon vissé. Lorsque vous aurez retiré le tampon ou le bouchon, vous pourrez faire passer la baguette par le trou qui s'appelle le tampon de visite. Si l'eau ne s'écoule pas, il y a peut-être d'autres débris dans le siphon et vous devrez écoper avec une boîte de métal et désagréger le bloc de détritus avec une vieille truelle de jardin ou une barre métallique, repliée pour qu'elle suive la courbure du conduit.

Lorsque le regard et le siphon sont dégagés, rincez-les abondamment au jet et assurez-vous bien que l'eau s'écoule librement. Vous pouvez remettre le tampon ou le bouchon en place. Pour déboucher un siphon, vous pouvez aussi utiliser un furet à tige souple et flexible.

Petites réparations

REJOINTOYER UN MUR

Lorsque des joints de mortier se craquellent ou s'effritent, retirez tout ce qui se détache aisément sur une profondeur d'environ 15 mm.

La difficulté, lorsque vous aurez à refaire des joints de mortier, sera d'assortir leur couleur à ceux des joints restant en place. Faites des essais avec plusieurs mélanges de mortier (voir p. 431), en prenant à chaque fois des quantités différentes de sable et de chaux. Notez les dosages de chaque mélange et ne rejointoyez que peu de joints à la fois. Attendez 1 semaine ou 2, jusqu'à ce que le mortier soit complètement sec et qu'il ait pris sa couleur définitive, avant de choisir le mélange qui conviendra le mieux.

Continuez à rejointoyer de la même manière que pour jointoyer, en égalisant les nouveaux joints et en les mettant au nu de ceux déjà en place.

Avant d'appliquer le mortier frais, nettoyez et dépoussiérez les interstices, puis humectez-les d'eau afin que la maçonnerie n'absorbe pas l'humidité du mortier et ne provoque pas un séchage trop rapide.

RÉPARER UNE FISSURE

Le mortier est intentionnellement moins résistant que les briques ou les parpaings pour offrir moins de résistance aux tensions dans le mur qui seraient la conséquence de mouvements du sous-sol. C'est le mortier qui se craquellera avant les briques ou les parpaings.

Une fissure unique, localisée dans un joint de mortier, même sur tout le rang, indique, en général, qu'il s'agit d'un léger affaissement du sol. Ce dommage pourra être réparé en rejointoyant (voir à gauche).

Une brique ou une pierre ne peuvent être cassées que par un choc violent. Vous pouvez sans problème les remplacer vous-même (voir à droite). Mais si la cassure affecte plus d'une brique ou d'une pierre, il doit y avoir un problème sérieux dans les fondations. Prenez l'avis d'un entrepreneur aussitôt que possible.

REMPLACER UNE BRIQUE

Détachez la brique ou la pierre endommagée (la façon de procéder ne diffère pas) en faisant sauter au

ciseau et à la massette tout le mortier qui l'entoure. Il sera peut-être difficile de trouver un matériau de remplacement assorti. Éventuellement, vous pourrez utiliser la même brique, en la retournant, mais uniquement si elle n'est pas trop abîmée.

Mouillez généreusement son emplacement avec de l'eau. Étalez du mortier sur la base, le dessus et les côtés de la brique ou de la pierre.

Mettez la brique ou la pierre en place, dans son logement, en la tapotant avec le manche de la truelle.

Enlevez ensuite tout le mortier excédentaire qui l'entoure. Puis refaites les joints en prenant soin de les assortir aux autres.

LES EFFLORESCENCES

Les dépôts blancs et poudreux ou efflorescences sont un effet de l'humidité : elle amène à la surface des murs les sels minéraux contenus dans les briques ou le mortier, et au contact de l'air, ils se transforment en ce dépôt.

Vous pouvez empêcher ce dépôt en passant sur le mur un produit hydrofuge à base de silicones (voir ci-dessous). Si des efflorescences se développent, brossez-les ou traitez-les avec un produit chimique pour nettoyer la maçonnerie que vous trouverez chez les marchands de matériaux. N'essayez pas de les enlever en les lavant car l'humidité ne ferait qu'aggraver le problème.

APPARITION DE CHAMPIGNONS

Lorsqu'un mur a été très mouillé, des champignons peuvent apparaître. Assurez-vous d'abord que la cause de l'humidité a été supprimée, puis grattez les moisissures avec une brosse métallique. Pour éviter que cela se reproduise, appliquez un produit fongicide spécial en suivant consciencieusement les instructions du fabricant.

Éliminer l'humidité avec un produit

Un produit hydrofuge siliconé supprimera, en général, tous les problèmes d'humidité sur des murs extérieurs. Il empêchera l'eau de pénétrer dans les briques, mais il permettra au mur de « respirer », de telle sorte que l'humidité des matériaux pourra s'évaporer.

Les efflorescences ne se forment plus aussi facilement lorsque le mur a été traité.

Si les taches humides persistent après l'application du produit,

demandez l'avis d'un professionnel, ce n'est pas l'affaire d'un bricoleur que de sonder un mur.

Outils : seau d'eau, brosse métallique, vieux pinceau propre de 10 à 15 cm de largeur, camion de peintre et, éventuellement, échelle. *Matériaux :* produit hydrofuge siliconé, white-spirit pour nettoyer le pinceau.

1 Nettoyez la surface à l'eau et à

la brosse métallique. Laissez bien sécher.

2 Recouvrez de papier (collant ou autre) les vitres, les encadrements et toutes les saillies, vous ne pourriez plus enlever les éclaboussures de silicones. Couvrez également tout passage ou entrée longeant le mur que vous traitez pour éviter ces taches.

3 Versez le produit dans le camion

et appliquez-le généreusement au pinceau, de telle sorte qu'il ruisselle sur le mur.

4 Si la surface absorbe tout le liquide parce qu'elle est très poreuse, appliquez une deuxième couche avant le séchage de la première.

5 Nettoyez le pinceau et le seau au white-spirit lorsque le travail est terminé.

Réparation des fissures dans le crépi d'un mur

Des craquelures très fines dans le crépi d'un mur (faïençage) n'ont pas besoin d'être rebouchées. Mais des fissures plus larges qui se prolongent sous le crépi doivent être colmatées pour que le mur demeure imperméable. La réparation reste visible tant que le mur n'est pas repeint.

Sur une finition lisse, bouchez les fissures avec un enduit pour extérieur ou avec du mortier de rebouchage. Vous pouvez acheter du mortier prédosé en sac, en petite quantité, ou le préparer vous-même en utilisant pour six parts de sable très fin une part de ciment, une part de chaux éteinte et une part de plastifiant liquide, pour que le mortier reste malléable.

Outils : spatule, brosse, éponge ou chiffon humide, vieux pinceau. Éventuellement, burin, massette et échelle.
Matériaux : plastifiant, mortier ou enduit pour extérieur, eau (pour humidification de fissure).

Fissure plus large sur le mur qu'en surface

1 Avec la lame de la spatule, évidez la fissure en V, la pointe du V

étant tournée vers l'extérieur et la partie évasée vers le mur. Vous pouvez utilisez un burin et une massette à la place de la spatule.

Le profil de l'ouverture en V maintient l'enduit sous le crépi et empêche la fissure de se rouvrir.

2 Brossez et enlevez tous les débris et poussières de la cavité, afin qu'elle soit propre.

3 Mouillez le fond de la fissure avec une éponge ou un chiffon trempé dans l'eau.

4 Passez une couche de primaire d'accrochage sur toute sa surface interne pour augmenter l'adhérence de l'enduit.

5 Pressez l'enduit ou le mortier dans la fissure élargie avec la spatule. Introduisez la lame dans le creux pour être sûr qu'aucune poche d'air ne s'est formée. Égalisez bien l'enduit.

Boucher des trous dans un enduit de mortier

Lorsque de grandes plaques d'enduit se détachent du mur, c'est parce qu'on a utilisé un mortier de qualité médiocre et qu'il est devenu poreux ou parce que l'humidité s'est infiltrée derrière le revêtement. Parfois, l'enduit semble intact alors qu'en réalité il est décollé de son support mural.

Testez votre enduit de temps en temps, en le tapotant légèrement avec un marteau ; des surfaces non endommagées rendront un son mat, tandis que les autres sonneront creux ou se détacheront.

Ne travaillez avec du mortier que par temps doux. Le froid peut provoquer le gel de l'eau du mortier et entraîner ainsi des fissures prématurées.

PRÉPARATION D'UN ENDUIT DE MORTIER

Faites le mélange (voir p. 431) à partir de six parts de sable fin, une part de ciment et une part de chaux éteinte. Ne vous servez pas de sable de concassage, car le mortier se fissurerait en séchant.

Ne préparez que de petites quantités à la fois. Le mortier serait trop épais pour être mis en place après 20 minutes. On l'applique généralement en trois couches : une couche de fond projetée, un corps d'enduit projeté lissé et dressé, et une finition lissée et dressée.

Outils et matériaux : ciseau, massette, brosse, éponge ou chiffon mouillé, plâtroir en acier, vieille truelle à jointoyer, tasseau de section carrée ou rectangulaire, plus long que la grande dimension de la surface à recouvrir, éponge humide ou planche de bois propre. Éventuellement, échelle et ciseau à cheviller ; enduit de mortier.

1 Enlevez tout l'enduit de mortier rendant un son mat autour de l'endroit à recouvrir. Utilisez pour cela le ciseau et la masse.

2 Nettoyez aussi tous les joints entre les briques ou dans la maçonnerie qui vous semblent se craqueler et s'effriter. Recreusez-les.

3 Brossez pour enlever tous les débris et poussières.

4 Mouillez soigneusement la surface à réparer avec une éponge. Cela évite l'absorption de l'eau de l'enduit de mortier par le mur, donc un séchage trop rapide qui entraînerait des fissures par la suite.

5 Étalez la première couche. Prenez du mélange sur le plâtroir

d'acier en gardant la poignée vers le bas. Projetez le mortier sur le mur, en commençant par la base et en remontant, tout en appuyant fortement le bord inférieur de la truelle contre le mur. Continuez ainsi en reprenant du mortier sur la truelle, en lissant bien. Chargez en mortier jusqu'à environ 5 mm de la surface.

6 Lorsque le mortier commence à durcir (après un temps de pose

d'environ 20 minutes), tracez à la truelle ou avec un éclat de bois un quadrillage à sa surface pour servir d'ancrage à la couche de finition.

7 Laissez sécher la première couche durant au moins 14 heures.

8 Appliquez la couche de finition. Servez-vous d'un mélange dans les

mêmes proportions que pour la première couche. Prenez du mortier sur la truelle d'acier et commencez à l'appliquer sur le côté gauche supérieur de la surface. Passez la truelle légèrement, de gauche à droite, pour étaler le mortier. L'enduit doit être légèrement saillant sur la surface environnante.

9 Continuez de la même manière à étaler le mortier de haut en bas et de gauche à droite. Mélangez d'autres petites quantités de mortier, au fur et à mesure, et travaillez rapidement.

10 Juste avant que le mortier commence à prendre (15 minutes après son application), passez dessus le tasseau de section carrée ou rectangulaire, horizontalement, en vous assurant qu'il repose bien sur les deux côtés de la plaque, et pressez-le fortement en remontant sur le mur. Si des trous subsistent après ce nivellement, bouchez-les rapidement et recommencez à égaliser avec le tasseau.

11 Lorsque le mortier commence à durcir (environ 20 minutes après son application), passez légèrement sur sa surface une éponge ou une planche humide. Nettoyez-les fréquemment à l'eau.

Réalisation d'un crépi plastique

La réalisation d'un crépi plastique se fait très facilement, mais il est très important que le support soit sain, solide et plan. Par rapport au crépi de mortier traditionnel, le crépi plastique a l'énorme avantage de rester souple et d'être peu sensible aux éraflures (marques d'échelle posée en appui).

PRÉPARATION DU SUPPORT

Pour obtenir un beau résultat et ne pas voir apparaître la structure du support au travers du crépi au bout de quelques mois, vous devez bien préparer le fond.

Mur en pierre ou très irrégulier
Vous devrez d'abord réaliser un enduit traditionnel. L'enduit comprend trois couches superposées :

— le gobetis (ou couche d'accrochage), réalisé avec un mortier assez fluide projeté à la truelle par petits paquets. (Dosage : 50 kg de ciment pour 100 litres de sable fin.) Si le mur est friable, fixez-y auparavant du grillage à poulailler qui sera pris dans le gobetis ;

— le corps d'enduit, à réaliser environ 1 semaine après séchage du gobetis. Il est fait au mortier bâtard (25 kg de ciment, 12,5 kg de chaux hydraulique et 100 litres de sable très fin), mélangé sans trop d'eau. Ce mortier est jeté à la truelle, puis dressé avec une règle de maçon. Pour vous faciliter le travail vous avez intérêt à placer, auparavant, des règles guides verticales de part et d'autre de la partie à enduire (ou tous les 2 m si la surface est très large). Après la

prise du mortier, retirez les règles guides et rebouchez leurs emplacements ;

— la couche décorative, traditionnellement faite au mortier, remplacée ici par l'application du crépi à la taloche ou au rouleau alvéolé selon les effets décoratifs recherchés. Avant de l'appliquer sur le corps d'enduit, laissez celui-ci sécher à cœur (environ 1 mois ou plus) et appliquez auparavant une couche primaire d'accrochage. Cette couche fera barrière aux « remontées » au travers du ciment qui pourraient tacher le crépi.

Mur en parpaings ou en briques
1 Avant d'appliquer le crépi, rebouchez les irrégularités causées par la présence des joints. Utilisez un mortier à ragréer (vendu en sac

sous forme de poudre à mouiller).

2 Étalez-le avec un large couteau à enduire. Gommez immédiatement toute irrégularité en relief formée par le mortier (bourrelets apparaissant au passage de la lame du couteau par exemple).

3 Laissez bien sécher, appliquez la sous-couche d'apprêt primaire, puis décorez avec le crépi étalé à la spatule ou au rouleau alvéolé.

Il est possible d'appliquer le crépi sans faire de ragréage, mais il faut quand même appliquer la sous-couche d'apprêt et mettre alors une couche de crépi plus importante pour rattraper les irrégularités.

Attention ! crépi et primaire doivent être de même marque.

Étanchéité des sous-sols et murs de cave

Des locaux sous le niveau du sol sont souvent humides, spécialement dans les endroits où la nappe phréatique se trouve près de la surface. Vous pouvez résoudre vous-même la plupart des problèmes relatifs à l'humidité, mais si les murs ont été traités et qu'ils continuent à suinter, demandez conseil à un expert. L'eau s'est probablement infiltrée dans les maisons situées dans des creux. Un drainage du terrain constituera certainement le seul remède.

TRAITEMENT D'UNE HUMIDITÉ LÉGÈRE

Il suffit de traiter le mur avec un produit hydrofuge bitumineux. Nettoyez la surface, enlevez la vieille peinture ou les papiers peints, puis appliquez deux couches de produit.

Pour avoir une protection plus efficace, choisissez un produit à base d'uréthane. La résine d'uréthane durcit sous l'action de l'humidité et forme un film imperméable. Commencez par préparer et nettoyer la surface. Si vous avez détrempé les vieux papiers peints pour les enlever, laissez sécher le mur, puis étalez quatre couches du produit, en attendant 3 ou 4 heures entre chaque application : la couche ne doit plus être collante au toucher avant de passer la suivante.

TRAITEMENT D'UNE HUMIDITÉ IMPORTANTE

Si l'humidité est très étendue et si elle n'a pas été améliorée par l'application d'un composé hydrofuge, doublez le mur avec un matériau isolant et hydrofuge. Faites tomber tout le plâtre de la maçonnerie avant de poser le revêtement imperméable. Posez une bande de feutre bitumineux à l'emplacement des joints horizontaux entre les lés du revêtement. L'ossature de l'habillage permet la circulation de l'air, absolument indispensable.

Pour augmenter cette circulation, laissez une ouverture de 2 mm sur le dessus et une autre, de 25 mm environ, à la base du revêtement. La surface du revêtement constitue une base idéale pour un enduit de plâtre (voir p. 235). Vous pouvez aussi poser des plaques de plâtre (voir p. 239) avec de la colle pour panneaux. Laissez un vide en haut et en bas pour la ventilation. Lorsque la surface neuve est sèche, fixez-y les plinthes et la baguette supérieure pour cacher les vides, puis décorez.

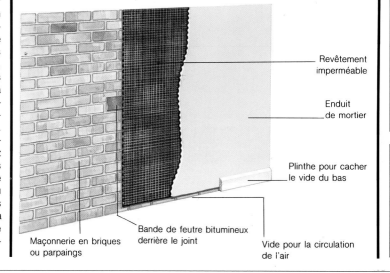

Revêtement imperméable

Enduit de mortier

Plinthe pour cacher le vide du bas

Maçonnerie en briques ou parpaings

Bande de feutre bitumineux derrière le joint

Vide pour la circulation de l'air

Pose d'un joint d'étanchéité chimique

Des taches humides au niveau des plinthes sur un mur intérieur ou des traces humides jusqu'à 1 m au-dessus du niveau du sol sur un papier peint sont deux indices de remontées d'humidité.

PRÉVENTION DE L'HUMIDITÉ

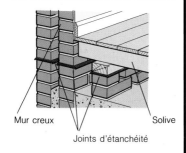

Mur creux

Solive

Joints d'étanchéité

Pour éviter les remontées d'humidité, les maisons modernes sont équipées d'un joint d'étanchéité. Celui-ci peut être constitué par une membrane imperméable ou une solution chimique qui agit comme un barrage. Dans la plupart des maisons, sauf dans les très anciennes, vous pouvez apercevoir un joint horizontal dans la maçonnerie plus large que la norme, à environ 15 cm au-dessus du sol, sur le mur extérieur.

DÉFAUTS D'UN JOINT D'ÉTANCHÉITÉ

Si le joint d'étanchéité se détériore, ou s'il n'existe pas, l'humidité peut remonter dans les murs.

L'humidité peut se développer si le joint est recouvert à l'extérieur par des matériaux humides, une rocaille ou une plate-bande de fleurs, par exemple, ou même, provisoirement, par un tas de sable. Elle peut également se produire si une entrée (de garage, par exemple) ou un sentier sont trop proches ou au-dessus du joint d'étanchéité. Les diverses allées doivent se trouver au moins à 15 cm sous le niveau du joint, de telle sorte que l'eau de pluie ne puisse rejaillir par-dessus.

Si nécessaire, abaissez l'allée, soit en évidant un caniveau assez profond le long du mur externe, soit en le ramenant à un niveau plus profond (voir p. 437 à 442).

Si de telles modifications ne sont pas possibles, vous pouvez construire un muret de béton à la base du mur externe. Il faudra inclure dans le béton un produit hydrofuge pour rendre cette petite construction imperméable.

Montez le muret à 15 cm au minimum au-dessus du sentier ou du passage. Son bord supérieur se trouvant au-dessus du joint d'étanchéité, assurez-vous qu'il n'y a pas d'interstice par où l'eau pourrait s'infiltrer. Faites le chaperon du muret en pente vers l'extérieur, afin que l'eau s'écoule facilement.

JOINT D'ÉTANCHÉITÉ NEUF

Insérer une membrane neuve entre des rangs de briques est un travail de professionnel. La meilleure solution pour un bricoleur, c'est de faire un joint d'étanchéité chimique. Injectez dans des briques ou des pierres un produit hydrofuge à base de silicones, jusqu'à ce que la maçonnerie soit saturée. Les briques deviennent alors imperméables à l'eau et forment un barrage contre l'humidité.

Les machines à injecter le produit peuvent être louées. Le magasin vous fournira aussi le liquide à injecter, ainsi que la perceuse et les mèches de taille convenable. Demandez un mode d'emploi en louant l'appareil et informez-vous de la quantité de liquide à utiliser. Il vous faudra environ 3 litres par mètre carré.

MURS PLEINS

Un mur plein peut subir une injection sur les deux faces. Mais il sera plus facile de travailler sur l'extérieur. Cependant, si le plâtre et les plinthes ont été sérieusement attaqués et nécessitent de grosses réparations, vous serez amené à travailler sur l'intérieur.

S'il n'y a pas de joint d'étanchéité, il vous faudra traiter les cloisons intérieures.

MURS CREUX

Si une seule petite surface du joint d'étanchéité est en cause, vous devrez attaquer à la fois de l'intérieur et de l'extérieur pour traiter les deux constituants du mur creux. Les dégâts ne seront pas trop graves si la surface à traiter est restreinte, mais si elle est étendue, ce sera une entreprise difficile.

INJECTION DE L'INTÉRIEUR

Vous devrez commencer par enlever tous les radiateurs, équipements électriques, placards muraux et tuyaux qui pourraient vous gêner. Retirez la plinthe le long des murs à traiter (voir p. 252). Retirez aussi les lames du parquet parallèles aux plinthes (voir p. 269). Si les lames sont perpendiculaires aux plinthes, enlevez-les jusqu'à environ 50 cm.

Pour que le mur puisse sécher à fond, faites sauter le plâtre quelques jours avant de vous occuper du joint d'étanchéité. Enlevez-le jusqu'à environ 50 cm pour mettre à nu les briques ou les agglomérés qui se trouvent au-dessus du joint. Servez-vous d'un marteau et d'un burin.

Faites attention à ne pas endommager les câbles, les prises de courant ou la tuyauterie. Il est plus sûr de couper l'électricité au compteur principal si vous travaillez à proximité d'installations électriques. Ne remettez pas le courant avant que l'injection soit terminée et que le fluide ait séché.

Outils : perceuse à percussion ou perforateur électropneumatique, butée de profondeur, mèche à béton, rallonge, lunettes de protection, gants, masque, machine à injecter (à louer).
Matériaux : fluide à injection, pétrole lampant pour nettoyer la machine, mortier (voir p. 431).

1 Percez une rangée horizontale de trous de 75 mm de profondeur dans le rang de briques ou de pierres que vous allez traiter. Utilisez une butée de profondeur ou faites un repère sur la mèche pour ne pas traverser complètement la brique ou la pierre. Percez au minimum à 75 mm au-dessus de tout film d'étanchéité existant, pour ne pas courir le risque de le percer.

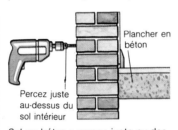

Percez juste au-dessus du sol intérieur — Plancher en béton

Sol en béton : percez juste au-dessus. Vous aurez à le faire de l'extérieur si le mur est plein.

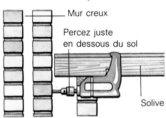

Mur creux
Percez juste en dessous du sol
Solive

Plancher suspendu : percez juste en dessous, de l'intérieur, et de l'extérieur pour un mur creux.

Si possible, le nouveau joint d'étanchéité doit se trouver à environ 15 cm au-dessus du niveau du sol extérieur.

Pour avoir de meilleurs résultats, les trous doivent être forés à intervalles de 12 cm. Si les briques sont trop dures à percer, ou si les murs sont en pierre, faites les trous dans les joints de mortier.

2 Si nécessaire, percez également les cloisons intérieures. Des murs de 12 cm d'épaisseur exigent des trous de 75 mm, percés sur une face seulement. Mais des murs de 24 cm doivent être traités deux fois. Après la première injection, vous pouvez soit repercer les mêmes trous, mais à 20 cm de profondeur, soit percer des trous de 75 mm sur l'autre face du mur. Quelle que soit la méthode choisie, prenez grand soin de ne pas traverser le mur car vous l'affaibliriez.

3 Lorsque tous les trous ont été forés, injectez le fluide suivant les instructions du fabricant de la machine.

La plupart des machines possèdent une pompe, une buse aspiratrice et six injecteurs. Placez d'abord la buse aspiratrice dans le conteneur de produit.

4 Insérez tous les injecteurs, sauf un, dans les trous préparés, et vissez les écrous à ailettes pour les maintenir en place.

5 Tenez le dernier injecteur au-dessus du conteneur et mettez la pompe en marche. Lorsque le liquide commence à suinter de l'injecteur, arrêtez la pompe.

6 Insérez l'injecteur dans un trou et maintenez-le avec l'écrou à ailettes. Mettez la pompe en marche. Lorsque les briques ou les pierres sont saturées, le fluide commencera à suinter de la surface. Arrêtez alors la pompe et fermez les injecteurs.

7 Enlevez les écrous, déplacez les injecteurs pour les introduire dans les trous suivants et recommencez l'opération. Continuez jusqu'à saturation de toutes les briques autour de la maison. Nettoyez la pompe avec du pétrole lorsque l'opération est terminée.

8 Laissez sécher le fluide durant 2 jours ou plus. Lorsque le rang qui a été injecté a pris la même couleur que le mur, bouchez les trous au mortier (voir p. 431).

9 Remettez en place les lames du parquet.

10 Laissez sécher le mur avant de refaire les plâtres.

11 Au fur et à mesure que le mur sèche, des efflorescences peuvent apparaître (voir p. 422), brossez de temps en temps pour les enlever.

Supprimer la condensation sur les murs

En hiver et dans tous les cas où la température extérieure est basse, quand, à l'intérieur d'une habitation, l'air chauffé ayant un taux d'humidité normal (50 à 60 %) ou excessif (plus de 70 %) est en contact avec un mur, il se produit un phénomène de condensation sur les parois du mur.

La cause en est la fraîcheur du mur, et si celui-ci est froid, c'est parce qu'il est mal isolé. Pour éviter la condensation, vous devez éviter le refroidissement du mur en l'isolant.

COMMENT ISOLER UN MUR

Les isolants thermiques en plaques (voir p. 256) constituent un remède idéal. La meilleure solution est l'isolation par l'extérieur (voir p. 256 à 258), qui n'oblige pas à refaire la décoration intérieure après la pose des matériaux isolants. À défaut de choisir ce procédé très efficace mais onéreux, vous pouvez apporter un complément d'isolation sur les faces intérieures des murs. Vous pouvez utiliser des plaques de liège, de granulats de liège, de polystyrène expansé en rouleau ou de polystyrène extrudé, aux performances isolantes et mécaniques supérieures à l'expansé. Le polystyrène extrudé existe en plaques de 3 ou 6 mm d'épaisseur (voir p. 259, 260). Tous ces matériaux isolants minces se posent par collage. Utilisez toujours la colle préconisée par le fabricant en respectant les impératifs de mise en œuvre indiqués sur les modes d'emploi.

À l'exception des plaques de liège décoratives, les autres matériaux isolants devront être recouverts par un parement : papier peint, moquette murale, tissu tendu ou contrecollé sur papier, peinture, carrelage fin, ou même des plaques de liège qui renforceront l'isolation. Sur le polystyrène expansé ou extrudé, appliquez d'abord un primaire d'accrochage afin d'avoir une base convenable (produit proposé par les fabricants de ces matériaux) et n'utilisez pas de colle Néoprène.

La condensation peut se former aussi au plafond. Si cela arrive, isolez le plafond par un épais matelas de laine de verre ou de roche, ou encore par épandage de vermiculite. Ces matériaux sont à poser sur la face faisant office de plancher dans le grenier ou les combles perdus (voir p. 260, 261).

Si certaines pièces ne sont pas chauffées pour des raisons d'économie, les cloisons devront aussi être isolées pour ne pas être recouvertes de condensation.

DOUBLES VITRAGES ET SURVITRAGES

Les doubles vitrages ou le montage de survitrages contribuent à réduire la condensation sur les vitres et réduisent les pertes de chaleur par toutes les baies vitrées. L'air emprisonné entre les deux lames de verre agit comme un isolant.

Il faut bien faire la distinction entre les deux systèmes :
— Le double vitrage est constitué de deux vitres montées avec un cadre périphérique mastiqué en usine. Il est généralement posé

Supprimer la condensation sur les murs (suite)

d'origine sur les fenêtres ou peut être posé sur des fenêtres en remplacement de vitres existantes.

— Le survitrage est une vitre montée dans un cadre mobile ou inamovible venant doubler un vitrage déjà existant. Ce cadre peut être ouvert ou déposé pour autoriser le nettoyage des vitres (voir croquis p. 262). L'étanchéité est assurée par un joint périphérique et des taquets de serrage disposés sur le cadre (sur certains systèmes).

Si de la condensation se forme entre les deux panneaux d'un survitrage, ouvrez le panneau (châssis équipé de charnières), et laissez la buée s'évaporer naturellement ou asséchez-la par un essuyage, puis refermez le panneau.

Traiter pourrissement, moisissures et vers du bois

Tout bois de construction neuf ou ancien confiné dans une atmosphère humide ou imprégné d'eau finit par être la proie de moisissures ou de champignons. Et quel que soit son emplacement, il peut être attaqué par des insectes xylophages.

Pour prévenir la formation de champignons, traitez toute trace d'humidité aussitôt que vous la détectez et cherchez-en la cause : condensation (air trop humide au contact de murs froids, mauvaise ventilation), infiltrations (fissures dans les murs, murs poreux, toiture percée...) ou remontées capillaires dans les murs (voir p. 257).

Vérifiez que les ventilations autour de la maison, celles de la cave ou du vide sanitaire sont bien dégagées et propres. Remplacez toute grille qui serait endommagée.

POURRITURE HUMIDE OU FIBREUSE

Différentes sortes de champignons attaquent le bois lorsqu'il a été très mouillé, ou est mouillé en permanence, et provoquent la pourriture humide. Le bois attaqué a une consistance spongieuse et perd toute résistance mécanique. En général, cette pourriture se développe à l'extérieur, à la base d'une porte, d'un cadre de fenêtre, d'une palissade (voir p. 202 et 207). Elle peut aussi apparaître à l'intérieur.

Le bois attaqué devient sombre et se contracte, des traînées sombres et blanches le clairsèment et il se craquelle dans le sens des

fibres. Testez-le en y enfonçant un tournevis ou une lame de couteau pour juger de l'importance des dégâts. Une attaque sur une faible épaisseur peut être réparée par grattage jusqu'à la partie saine, puis séchage et application d'un produit fongicide pour bois. De petites réparations peuvent être faites avec une pâte à bois ou des remplacements partiels (voir p. 207). Une partie trop déformée après grattage devra être remplacée si elle a un rôle décoratif. Au cas où le bois serait attaqué à cœur, c'est toute la pièce qui devra être changée.

Pour que ces réparations soient durables, vous devrez impérativement supprimer les causes de l'humidité.

LA POURRITURE SÈCHE OU CUBIQUE

Cette pourriture ne survient pas à l'extérieur. Elle est due à une mauvaise ventilation intérieure et à la présence d'eau à proximité plus ou moins immédiate de la maison (parfois 10 ou 20 m). Ce champignon (la mérule) prolifère dans toute la masse du bois, même s'il est sec, et celui-ci perd toute résistance mécanique.

Au début, ce sont des traînées blanches floconneuses qui s'épaississent par la suite et ressemblent à du coton brut.

Le champignon qui se développe ressemble à une grande crêpe couleur rouille avec un bord gris et blanc. Les traînées cotonneuses s'étendent sur la maçonnerie et les parties métalliques à la recherche du bois. Elles mesurent plus de 12 m. Le bois attaqué devient sec et mou. Il se fissure en un réseau

de petits parallélépipèdes rectangles. La pourriture sèche dégage une odeur de moisi, forte et

fétide. Elle se dissimule souvent à la vue, derrière les plinthes, sous les planchers ou derrière la peinture. Elle est fréquente dans les caves non ventilées à l'atmosphère moite.

Son traitement est très difficile. Il vaut mieux faire appel à une entreprise spécialisée qui traquera la moindre trace de traînée blanchâtre, détruira par le feu tous les bois atteints et s'efforcera de couper la route aux « racines » (le mycélium) qui vont puiser l'eau où qu'elle soit, en créant au besoin un barrage anti-humidité dans les murs.

MOISISSURES

Les moisissures affectent peintures et papiers peints, mortiers et enduits de plâtre, et même le bois en surface.

Un produit chloré n'est d'aucune efficacité. Un revêtement mural moisi devra être arraché. S'il s'agit d'une surface peinte ou de bois, lessivez-les à l'eau chaude additionnée de détergent. Sur plâtre et ciment, éliminez les traces par grattage ou brossage, puis appliquez un fongicide pour mur. Prenez cette précaution avant de coller quoi que ce soit sur le mur à désinfecter. Supprimez aussi la cause de l'humidité (généralement de la condensation par défaut d'isolation thermique), et améliorez la ventilation de la pièce. Pour appliquer le produit, portez des gants et des lunettes de protection. Faites deux ou trois applications pour imbiber les matériaux à refus.

LES VERS DU BOIS

Un bois attaqué par les vers présente, à sa surface, des trous ronds ou ovales. De la sciure poudreuse peut aussi être visible autour des trous ou à l'aplomb d'un trou sous une partie attaquée. Les dommages sont causés par les larves de divers insectes : capricorne des maisons dans tous les bois résineux (trous ovales de 4 x 8 mm) ; lyctus dans les bois feuillus récents (trous ronds de 1 à 1,5 mm) ; petite vrillette dans la plupart des vieux meubles et vieux bois (trous ronds de 1 à 2 mm) ; grosse vrillette dans les bois déjà attaqués par les champignons (trous ronds de 4 mm) ; termites dans tous les bois et ce qui renferme de la cellulose (pas de marques extérieures). Les traitements à appliquer diffèrent selon les insectes et les types de bois parasités. Certains ne peuvent être faits que par des entreprises spécialisées.

Contre les lyctus et les petites vrillettes (surtout dans les meubles et les boiseries), appliquez deux ou trois couches d'insecticide imprégnant pour bois (côté intérieur pour les meubles cirés ou vernis) et complétez par une injection de produit dans les trous, avec une seringue ou une bombe aérosol avec injecteur aiguille.

Ce traitement peut s'appliquer aux grosses vrillettes, mais seulement si le bois est récupérable, puisqu'il est déjà attaqué par les champignons. Utilisez alors un insecticide-fongicide.

Les capricornes attaquent surtout les charpentes en bois résineux (si elles n'ont pas été traitées lors de la construction ou si la construction a plus de 10 ou 15 ans). Le traitement doit se faire à titre préventif de préférence, mais sans attendre si le parasitage est repéré. Il se fait par injection de produit dans les pièces de bois. Il existe de très bons produits que l'on peut appliquer soi-même mais en prenant des précautions draconiennes : local très bien ventilé, port de vêtements de protection avec masque et lunettes. Pour un traitement généralisé, il est préférable de faire appel à une société spécialisée agréée par le Centre technique du bois (C.T.B.[1]). Il existe aussi des kits de traitement, mais beaucoup d'entre eux se révèlent être très insatisfaisants ou plus onéreux qu'un traitement appliqué par un professionnel.

Les termites sont plus insidieux, car ils ne se montrent pas. Leur présence se découvre le plus souvent par hasard, lors de travaux de réfection ou en heurtant un chambranle de porte qui tombe alors en poussière. Ils sont présents dans plusieurs régions de France, y compris dans Paris et la région parisienne. Le traitement ne peut être entrepris que par un applicateur agréé par le C.T.B.

1. C.T.B. : 10, avenue de Saint-Mandé, 75012 PARIS.

DEUXIÈME PARTIE : *TECHNIQUES, OUTILS ET MATÉRIAUX*

MAÇONNERIE AU JARDIN

Méthodes de construction d'un mur

Un mur est constitué par des rangées horizontales successives de briques ou de blocs de pierre ou de béton, liés par du mortier. La manière dont sont posées les rangées est l'appareillage. La disposition des briques dans l'appareillage assure la stabilité et la solidité du mur en évitant que les joints verticaux de mortier de deux rangées successives ou plus ne coïncident.

Les murs faits de briques appropriées (voir p. 430) ou de blocs (voir p. 431) sont plus coûteux au départ que les clôtures mais durent plus longtemps à condition d'être élevés sur de solides fondations et convenablement protégés du gel.

Un mur, même bas, représente un danger s'il tombe, et le gel peut désagréger les briques. Utilisez un mortier gras (voir p. 431) et des briques résistantes au gel (conformes à la norme NF P. 13.304), au moins pour les deux premières rangées.

Si vous employez des briques ordinaires d'une résistance au gel moyenne, protégez-les en plaçant une bande d'étanchéité entre la dernière rangée et les pierres du couronnement. N'utilisez des briques de couronnement de forme spéciale (voir p. 431) que sur un mur en briques résistantes au gel et, en ce cas, posez une bande d'étanchéité au moins deux rangées avant le sommet pour arrêter d'éventuelles infiltrations d'eau par des joints de mortier effrités.

N'utilisez pas de bande d'étanchéité dans la partie basse d'un mur autoporteur, cela compromettrait sa stabilité.

FORMES ET DIMENSIONS DES BRIQUES

Les briques ont des dimensions normalisées, en général respectées, avec toutefois de légères différences. Les dimensions standard sont : 22 cm de longueur, 10,5 cm de largeur et 5,4 cm d'épaisseur. Les dimensions nominales, qui tiennent compte de la présence des joints de mortier, sont de $23 \times 11,5 \times 6,4$ cm : cela simplifie le calcul du nombre de briques nécessaires dans un ouvrage.

Afin de faciliter la conception et la construction d'un mur, faites en sorte que sa longueur soit un multiple de la longueur nominale des briques (ou des blocs) utilisées.

On appelle panneresse une brique dont la face la plus longue est en parement, et boutisse celle dont c'est l'extrémité qui est visible. On coupe les briques à la demande quand c'est nécessaire ; un briqueteau est la partie d'une brique coupée transversalement, un closoir, celle d'une brique coupée longitudinalement. Pour les alléger, certaines briques sont perforées.

TYPES D'APPAREILLAGES DE BRIQUES ET DE BLOCS

APPAREILLAGE	MÉTHODE DE CONSTRUCTION	QUANTITÉ DE BRIQUES ET FONDATIONS NÉCESSAIRES
En panneresses, dit à la grecque 	Les briques sont posées dans le sens de la longueur avec une demi-brique à chaque extrémité alternativement pour décaler les joints verticaux d'un rang à l'autre. Le mur doit être renforcé par des piliers (voir p. 435) à chaque bout et tous les 2 m. Prévoyez des joints de dilatation.	Il exige 66 briques par mètre carré, sans compter piliers et couronnement. Les fondations, dans une fouille large de 30 cm et profonde de 45, seront faites d'une semelle de béton épaisse de 15 cm, sur un lit de blocage de 30 cm. En terrain argileux, faites des fondations plus profondes.
Ajouré 	Le motif le plus solide s'obtient en espaçant les panneresses de 1/4 de brique. Des variantes ont un jour de 1/2 brique entre panneresses ou entre des boutisses débordant de 5,5 cm de chaque côté du mur. Rétrécissez les deux derniers espaces à chaque bout ou angle du mur pour accroître la stabilité. Des piliers sont nécessaires. Prévoyez des joints de dilatation.	Il exige 48 briques par mètre carré pour le motif le plus simple, sans compter les piliers ni le couronnement (voir ci-dessus). Fondations comme pour l'appareillage à la grecque ci-dessus.
Flamand ou français 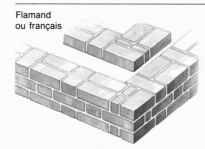	Des rangées de 2 panneresses parallèles alternant avec une boutisse forment un mur épais de 22 cm. Toutes les deux rangées, des closoirs décalent les joints verticaux. Mur plus solide qu'un mur à une seule panneresse par rangée. Joints de dilatation tous les 8 m pour des briques d'argile et tous les 4 m pour des matériaux en silicate de calcium.	Il exige 130 briques par mètre carré. Les fondations pour un mur allant jusqu'à 1,20 m de hauteur nécessitent une fouille large d'environ 50 cm et de même profondeur avec une semelle de béton épaisse de 23 cm sur une couche de blocage de 27 cm environ. Pour un mur plus haut, prenez l'avis d'un maçon.
Anglais	Trois rangées de panneresses parallèles alternant avec une rangée de boutisses. Des closoirs sur les rangées de boutisses assurent le décalage des joints. Il peut être utilisé à la place de l'appareillage flamand mais n'est pas aussi solide. Prévoyez des joints de dilatation comme dans l'appareillage flamand ci-dessus.	
Opus incertum 	Il est réalisé avec des rangées de blocs de hauteurs différentes et impose l'emploi de blocs pour murs. Laissez des joints de dilatation (voir p. 435) à intervalles de 4 m.	La quantité dépend de la dimension des blocs et de leur disposition (voir p. 441). Fondations comme pour l'appareillage flamand ci-dessus mais trois fois plus large que l'épaisseur du mur.
Claustras 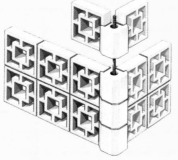	Il existe sur le marché plusieurs modèles qu'un bricoleur ne peut exécuter lui-même (claustra provençal, claustra patte-de-coq, claustra carré...). Les dimensions vont de la plaquette de $5 \times 10 \times 40$ cm au bloc de $20 \times 20 \times 40$ cm.	Pour la réalisation de claustras en béton, creusez une fouille de 30 cm de large et de 20 cm de profondeur en couvrant le fond d'une couche de sable de 2 cm d'épaisseur.

L'outillage

Chaises d'implantation

Pour délimiter le tracé des fondations et des murs, faites-en une paire, deux si le mur fait un angle. Pour faire une chaise, clouez une planche longue de 45 à 60 cm sur deux piquets parallèles longs de 60 cm, appointés au bout à enfoncer en terre.

Encochez le bord supérieur de la planche ou plantez-y des clous donnant la largeur de la fouille et l'épaisseur des murs. Plantez une chaise à chaque extrémité du mur à monter ; tendez des cordeaux et bloquez-les dans les encoches ou sur les clous.

Niveau à bulle

Il aura de préférence environ 1 m de long et sera muni de deux fioles de niveau, une horizontale et une verticale.

Fil à plomb

Pour vérifier constamment l'aplomb du mur, attachez-le à une planche posée sur le dernier rang et laissez-le pendre le long du mur. Il vous guidera dans votre travail.

Équerre de maçon

En maçonnerie l'équerre est très grande (60 cm à 1 m de côté).

Faites-la vous-même en assemblant 3 tasseaux aux longueurs respectives dans le rapport 3-4-5 (voir encadré).

Truelles

Il faut deux truelles : une grande dite de briqueteur ou à briqueter, à lame de 25 à 33 cm de long, pour étaler le mortier lors de la pose des briques ; l'autre, petite, ou langue-de-chat, à la lame de 7,5 à 20 cm de long, pour façonner les joints.

Taloche

Pour tenir le mortier en main. C'est une plaque en bois, plastique ou aluminium d'une trentaine de centimètres de côté avec une poignée par-dessous. On peut en faire une avec du contre-plaqué ou du bois dur traité à l'huile ou à la cire à démouler.

Pige

Sert à vérifier que chaque rangée de briques est à la hauteur voulue. Faites-en une avec une pièce de bois de section carrée de 7,5 cm de côté. Pour un mur en briques, graduez-la tous les 6,5 cm, tous les 20 cm pour des parpaings de claustra et de pilastre (voir p. 436), et tous les 30 cm pour les blocs.

Cordeau et chevillettes

On enfonce les chevillettes dans les joints de mortier en bout de mur quand les têtes de mur ou les angles sont terminés. On les déplace à chaque nouvelle rangée, le cordeau tendu entre deux chevillettes servant à vérifier l'alignement des briques à la pose.

Ciseau de briqueteur et massette

Pour couper les briques. Le ciseau en forme de bêche a une lame large de 10 cm ; on l'utilise avec une massette.

Outils à joint

Le joint plat ou en biseau se fait à la truelle à joint ; le joint creux, à la truelle à joint demi-rond. Un fer à joint permet de réaliser les angles rentrants et sortants. On peut, à la rigueur, exécuter un joint plat avec un morceau de jute et un joint creux avec un tube coudé de 15 mm de diamètre, en cuivre, ou tout autre objet de même forme.

Règle de maçon

Règle en profilé d'aluminium de 2 à 3 m de long. Peut être remplacée par une pièce de bois parfaitement rectiligne.

CONFECTION D'UNE ÉQUERRE DE MAÇON

Utilisez trois tasseaux d'environ 50 × 18 mm de section, coupés respectivement aux longueurs suivantes : 45, 60, et 75 cm.

Alignez soigneusement les repères avant de clouer les

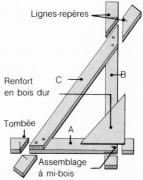

tasseaux. Assemblez A et B à mi-bois, assemblez C sur A et B par recouvrement. Vérifiez l'angle droit à l'équerre à dessin, coupez à la scie les bouts qui débordent puis renforcez l'angle droit avec un morceau de bois dur.

Taloche

Truelle langue-de-chat

Niveau à bulle

Règle de maçon

Truelle de briqueteur

Massette

Pige

Chevillettes

Ciseau de briqueteur

Fil à plomb

Fer à joint

Cordeau

Achat de briques ou de parpaings

La plupart des briques ont des dimensions normalisées et sont faites d'argile cuite au four. Il existe également des briques de béton, mélange de ciment et d'agrégats, ressemblant aux briques d'argile et d'un prix équivalent. Les blocs de construction, en général en pierre ou en béton, sont disponibles en diverses dimensions.

Les marchands de matériaux de construction vendent normalement les briques par palette de 500 ou 1 000. De plus petites quantités sont disponibles au détail mais elles imposent un travail de manutention qui peut vous être facturé. Si vous les transportez vous-même, souvenez-vous qu'une centaine de briques pèsent environ 250 kg.

QUALITÉS ET CATÉGORIES

Les noms donnés aux briques sont légion, mais, dans la pratique, il suffit de connaître les différences essentielles entre briques de parement, briques ordinaires et briques creuses.

Les briques de parement doivent avoir un bel aspect et bien résister aux intempéries. Elles peuvent être lisses ou rugueuses. Les briques ordinaires, meilleur marché, s'utilisent pour les parties non apparentes d'une maçonnerie (murs devant recevoir une couche de plâtre ou d'enduit, par exemple).

Les briques creuses, dont l'intérieur est compartimenté par des cloisons verticales et horizontales, ont l'avantage d'être légères, donc très maniables, et ont, en outre, un pouvoir isolant. Elles se divisent en quatre catégories :

— **la brique à galandages,** dite brique plâtrière, dont l'épaisseur varie entre 2,5 et 5,5 cm ;

— **la brique pour murs de refend, cloisons et remplissage,** ne supportant pas de surcharge et dont l'épaisseur varie de 6 à 13 cm ;

— **la brique pour murs légers,** ne supportant pas de surcharge élevée, mais assurant une isolation thermique convenant aux locaux d'habitation ;

— **la brique à rupture de joints,** empêchant la pénétration de l'humidité à l'intérieur du mur.

COULEUR ET TEXTURE

Il existe toute une gamme de teintes en fonction de l'argile employée et du mode de fabrication, ainsi que des briques multicolores. Examinez les couleurs disponibles chez votre fournisseur.

Les textures varient beaucoup ; elles dépendent du choix du matériau ou de son traitement. On peut citer les briques réalisées par extrusion et coupées par un fil à la sortie de la filière ; les briques « sablées », dont les faces sont imprégnées de sable à la fabrication ; et les briques rustiques, dont la texture s'obtient mécaniquement.

EMPLOI DE BRIQUES DE RÉCUPÉRATION

Il peut être intéressant d'utiliser des briques de récupération de préférence à des neuves pour assortir un nouvel ouvrage à une construction ancienne. Ces briques sont souvent chères en raison des frais de manutention mais leur principal inconvénient tient à ce que l'on ne connaît pas leur degré de solidité et de résistance au froid, car on ignore leur utilisation antérieure. N'employez jamais de briques de récupération pour un pavage à moins d'être sûr qu'elles résistent au gel, certitude acquise si elles ont séjourné longtemps à l'extérieur.

On risque par ailleurs de rencontrer dans les briques de récupération des dimensions ne respectant pas les normes actuelles.

Certains fabricants produisent maintenant des briques artificiellement vieillies dont la qualité est connue et dont l'emploi est sûr.

Le vieux mortier sur des briques de récupération s'enlève au ciseau de briqueteur. Portez des gants épais et des lunettes de protection. Les outils électriques sont d'un maniement délicat et la casse est facile.

Les nettoyants spéciaux ne conviennent pas à l'enlèvement du mortier ; ne les employez que pour des taches rebelles sur les faces des briques. Mouillez celles-ci avant d'appliquer le produit : cela réduit leur pouvoir absorbant et empêche l'acide de pénétrer.

BRIQUES DE FORMES SPÉCIALES

On peut avoir, sur commande, des briques faites pour le couronnement, les angles, les retours d'angle (extérieur ou intérieur) des murs, pour les appuis, les nez de marche, etc. Elles se posent soit sur chant, soit à plat. Elles sont, évidemment, plus chères que les briques ordinaires.

BRIQUES DE COURONNEMENT

Chaperon de couronnement

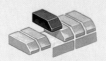
Demi-rond de couronnement

Panneresse arrondie des deux côtés

Boutisse arrondie des deux côtés

Boutisse arrondie d'un côté

Boutisse de plinthe

Panneresse de plinthe

Boutisse à double chanfrein.

BRIQUES D'ANGLE ET DE TÊTE DE MUR

Angle à un seul arrondi

Retour d'angle extérieur à un arrondi

Retour d'angle extérieur à double arrondi

Tête de mur avec panneresses arrondies

AUTRES TYPES DE BRIQUES

Brique perforée pour aération

Brique pour mur cintré

Retour d'angle extérieur de bordure

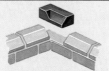
Retour d'angle intérieur de bordure (long)

Retour d'angle intérieur de bordure (court)

Chanfrein simple

Brique coudée

CHOIX DE BLOCS DÉCORATIFS EN PIERRE RECONSTITUÉE

La pierre naturelle est chère et il n'est pas toujours facile de s'en procurer, c'est pourquoi l'on utilise parfois pour les murs des blocs en pierre reconstituée — c'est-à-dire du béton dont l'agrégat est de la pierre naturelle concassée.

Ils ont l'aspect de la pierre et se posent généralement comme les briques, à moins d'instructions particulières du fabricant. Les dimensions n'étant pas normalisées, elles sont variables, mais les blocs sont généralement plus grands que les briques et la construction d'un mur s'en trouve accélérée. Les fabricants donnent généralement les cotes exactes et non les cotes nominales, aussi faut-il compter l'épaisseur des joints de mortier (1 cm) dans le calcul des dimensions de l'ouvrage.

Bloc façon mosaïque
Gros bloc ayant l'aspect de plusieurs pierres assemblées dont les parements texturés rappellent un mur de pierres sèches.

Bloc simple
Bloc ressemblant à une pierre unique avec une ou deux faces texturées — soit un côté et une extrémité, soit deux côtés. Imite un élément de mur de pierres sèches.

Bloc façon pierre de carrière
Bloc imitant divers types de pierres naturelles et de dimensions variées pour la construction d'un mur en opus incertum (voir p. 428). On peut utiliser des blocs de liaison (sur deux rangées) et des blocs en forme de L pour les angles.

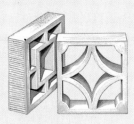

Parpaing de claustra
Parpaing carré, ajouré, en béton. Utilisé dans la construction d'un claustra, ou bien incorporé comme motif décoratif dans un mur plein. Un parpaing peut constituer soit un motif complet, soit un quart de motif. Les matières (béton, brique, terre cuite...) et dimensions des éléments de claustra sont très variées.

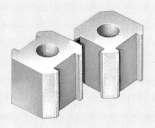

Parpaing de pilastre
Parpaing. creux rainuré sur une, deux ou trois faces, utilisé pour la construction des pilastres (piliers de renfort pour les parpaings de claustra). On peut renforcer les pilastres avec des tiges de fer enfilées dans la partie centrale vide des parpaings, enfoncées dans le sol et noyées dans du béton (voir p. 436).

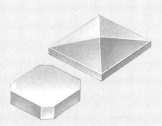

Couronnement de pilastre ou de pilier
Couronnement pour les parpaings de pilastre ou les piliers de briques ou de pierres. Le couronnement des parpaings de pilastre est généralement carré et plat ; celui des piliers de briques ou de pierres est souvent de forme pyramidale.

Fausses pierres ou briques de couronnement
Pierres de couronnement en béton à poser sur le sommet d'un mur pour éviter les infiltrations d'eau. Elles débordent en général de 25 mm de chaque côté, et peuvent être à une seule pente ou à double pente. On utilise aussi des blocs imitant un couronnement en briques debout, ou posées en boutisses de chant, ou encore des briques de forme spéciale.

Le mortier

Ciment, sable, chaux hydratée et eau constituent les ingrédients du mortier. La chaux, agissant comme un plastifiant, rend le mortier lisse, malléable et l'empêche de se contracter et de se fendre quand il sèche. Au lieu de chaux, on peut utiliser du plastifiant liquide spécial. Ce mélange ciment, chaux et sable est appelé mortier bâtard.

On vend des mélanges de mortier prédosés en sacs, auxquels il suffit d'ajouter de l'eau ; ils reviennent plus cher mais conviennent mieux pour des petits travaux. Stockez les mélanges tout prêts comme les sacs de ciment (voir p. 448). Employez un mortier gras pour un mur de jardin soumis aux intempéries. Le mélange standard convient à des endroits mieux abrités.

PRÉPARATION DU MORTIER

Le mortier devient inutilisable environ 2 heures après la préparation. On ne peut le « rattraper » en lui ajoutant de l'eau car il s'écraserait alors sous le poids de la brique.

Au début, mélangez-le en petites quantités pour éviter le gaspillage. Avec l'expérience, vous apprendrez à doser le mortier en fonction de votre rythme de travail.

Outils : plateau en bois (voir p. 444) ou aire en béton bien nettoyée pour le gâchage ; deux pelles propres, dont une sèche réservée au ciment ; deux seaux de chantier en polyéthylène et ayant même capacité ; un de ces seaux sera réservé au ciment ; arrosoir avec pomme.

DOSAGE DES MÉLANGES

INGRÉDIENTS / TYPE DE MORTIER	Ciment ordinaire gris, blanc ou coloré à la demande	Chaux hydraulique	ou	Plastifiant pour mortier	Sable fin et propre
Mortier gras pour murs de jardins	50 kg (4 parts)	12,5 kg (1 part)	ou	7 à 10 cl	100 litres (12 parts)
Mortier bâtard pour briques	20 kg (1 part)	20 kg (1 part)	ou	5 cl	100 litres (6 parts)
Mortier bâtard pour parpaings	25 kg (1 part)	25 kg (1 part)	ou	5 cl	100 litres (5 parts)

Les doses données en kilos (ciment et chaux) et en litres (sable) permettent de poser 400 à 500 briques. L'évaluation pour les parpaings est plus aléatoire et varie en fonction de la largeur des parpaings posés. Les proportions données en parts (ou volumes) ont pour but de vous aider à doser les mélanges à l'aide d'un seau. Si vous remplacez la chaux hydraulique par du plastifiant, reportez-vous à la notice du plastifiant utilisé pour réaliser vos dosages. Avec du mortier prédosé en sac pour pose de briques, comptez un sac de 25 kg pour poser une centaine de briques.

Le mortier (suite)

Matériaux : ciment de Portland (artificiel) ; chaux hydratée ou plastifiant ; sable fin ; eau.

1 Mettez la quantité de sable nécessaire sur l'aire de gâchage (voir tableau). Vous mesurerez ce sable par quarts de seau pour commencer.

2 Avec l'autre seau, mesurez le ciment en remplissant le seau et en égalisant la surface à ras du seau et ajoutez-le au sable avec une pelle. Cette pelle et ce seau devront être réservés à la mesure du ciment : vous pourriez perdre le ciment encore en sac en le mouillant.

3 Mélangez bien sable et ciment avec l'autre pelle jusqu'à obtention d'une couleur grise absolument uniforme.

4 Incorporez au mélange la chaux hydratée, ou un plastifiant ; dans ce cas, suivez les instructions du fabricant pour les quantités.

5 Creusez un cratère au sommet du tas et versez-y un peu d'eau.

6 Remontez le mélange des flancs du tas vers l'intérieur du cratère pour l'incorporer à l'eau. Veillez à ce que ses parois ne s'effondrent pas, afin d'éviter des fuites.

7 Ajoutez de l'eau peu à peu en retournant le tas à la pelle jusqu'à obtention d'un mortier bien homogène n'adhérant pas à la pelle.

> ### UN BON TRUC
> Pour déterminer la quantité de mortier, mesurez la surface à couvrir. Pour un cercle, multipliez le carré du rayon par 3,1416 ; pour un triangle, la moitié de la longueur de sa base par sa hauteur. Pour des surfaces irrégulières, tracez leurs formes sur du papier quadrillé ; comptez les carrés entiers et ceux remplis à plus du tiers. Puis calculez en sachant qu'un sac de mortier de 30 kg couvre 1 m sur une épaisseur d'environ 1 cm.

Les fondations

Un mur se bâtit sur une fondation solide et plane, sinon il risque de se fissurer et de rapidement s'écrouler. Normalement, celle-ci est faite d'une semelle de béton sur un lit de blocage.

On peut construire un mur de faible hauteur sur une base ferme, telle une terrasse, si elle a une assise adéquate et repose sur un lit de mortier.

Montez le mur en retrait du bord d'une distance égale à son épaisseur et jamais inférieure à 15 cm.

Outils : pelle, chaises d'implantation (voir p. 429), cordeau, massette, dame (voir p. 440) ou gros madrier, crayon, mètre, niveau à bulle, râteau, règle de maçon ou planche à bords rectilignes et parallèles, aire de gâchage (voir p. 444), truelle.
Matériaux : blocage (voir p. 437), piquets-repères longs de 45 cm, béton (voir p. 445), gros sable.

Mesure des fondations

La largeur et la profondeur des fondations dépendent de l'épaisseur et de la hauteur du mur (voir p. 428 pour des murs de 1,20 m de hauteur environ). Faites des fondations un peu plus profondes dans un sol d'argile (qui se contracte ou se dilate selon le temps) ou mou et meuble (terrain sableux ou tourbeux).

1 Marquez la largeur des fondations à l'aide de cordeaux et des chaises d'implantation (voir p. 469). Placez celles-ci bien au-delà des extrémités de la fouille.

2 Enlevez la couche de terre arable sur 5 à 8 cm d'épaisseur et épandez-la dans le jardin.

3 À partir du sommet de chaque piquet-repère, marquez par des traits l'emplacement du fond de la semelle de béton et celui du fond de la couche de blocage (voir p. 437).

4 Enfoncez des piquets-repères de chaque côté de la fondation, à environ 1 m d'intervalle ; leur sommet doit se trouver au niveau supérieur de la semelle de béton prévue. C'est en général celui du terrain alentour s'il est dur ; s'il est meuble (pelouse par exemple), il se situe de 25 à 50 mm au-dessous.

5 Alignez tous les piquets-repères au niveau à bulle posé sur une planche ou une règle de maçon.

6 Creusez une fouille de la largeur marquée par les cordeaux et les chaises et de la profondeur indiquée par le trait le plus bas des piquets. Si le sol est encore mou, creusez un peu plus profond.

7 Remplissez de blocage le fond de la fouille jusqu'au trait des piquets marquant le fond de la semelle de béton. Compactez bien le blocage à la dame ou au madrier ; recouvrez-le ensuite d'une couche de gros sable pour combler les vides.

8 Gâchez le béton (voir p. 446) sur une aire propre et coulez-le dans la fouille à la pelle. Étalez-le au râteau en veillant à ce qu'il pénètre bien dans les angles et affleure le sommet des piquets.

9 Faites glisser sur le béton, pour en chasser l'air, une planche à bords rectilignes, en un mouvement de va-et-vient (voir p. 447, 448).

10 Ôtez les piquets, comblez les trous au mortier ; lissez à la planche.

11 Entre les chaises laissées en place, tendez deux cordeaux délimitant l'épaisseur du mur.

12 Transférez sur la semelle de béton les positions des deux cordeaux délimitant le mur. Faites-le avant que le béton ne soit sec (quelques heures après la coulée) avec un niveau, une règle et une truelle de briqueteur, ou bien quand il a durci, avec un cordeau à poudre (p. 131).

13 Couvrez le béton (voir p. 448) ; laissez-le prendre et durcir au moins 3 jours avant de bâtir le mur.

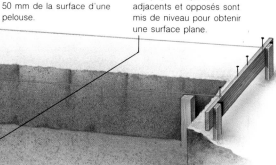

Piquets-repères
Ils indiquent le niveau supérieur de la semelle de béton pendant la coulée. On les enlève ensuite.

Chaises d'implantation
Encoches ou pointes indiquent avec précision l'épaisseur du mur et la largeur de la fouille.

Cordeau
Il est utilisé pour matérialiser les bords de la fouille.

Semelle de béton
Elle assure au mur une assise solide et plane. La couler en retrait de 25 à 50 mm de la surface d'une pelouse.

Piquets-repères de niveau
Les piquets-repères adjacents et opposés sont mis de niveau pour obtenir une surface plane.

Planches d'angle
Chaises et cordeaux positionnés à l'équerre pour assurer la précision de la construction.

Blocage
Il est compacté pour assurer une bonne assise au béton, et recouvert d'une couche de sable qui comble les vides.

Pose de briques ou de blocs

Avant de poser briques ou blocs de construction sur la semelle de béton des fondations, étudiez précisément leur appareillage (voir p. 428) en montant le mur « à sec », surtout s'il comporte angles ou piliers de renfort (voir p. 435). Notez le nombre de briques à couper (voir p. 434). Prenez des briques résistantes au gel, au moins pour les deux premiers rangs. Si vous employez des briques ordinaires, placez un film d'étanchéité sous le couronnement.

Étalez un boudin de mortier épais de 1 cm sous chaque brique. Si vous ne l'avez encore jamais fait, exercez-vous avec un mortier constitué d'une part de chaux pour trois de sable. Nettoyez les briques d'essai au moins 2 heures avant de les utiliser à la construction.

Faites particulièrement attention à la pose de la première rangée — c'est la partie la plus importante du travail.

Outils : truelle de briqueteur ; niveau à bulle à fioles verticale et horizontale ; planches d'égales longueurs ; équerre de maçon ; pige graduée de 65 en 65 mm ; truelle et fer à joints ; cordeau et chevillettes ; plateau à mortier ; règle de maçon. *Matériaux :* briques ou blocs de construction ; couronnement ; mortier gras (voir p. 431) ; film d'étanchéité d'une largeur supérieur d'environ 2 cm à l'épaisseur du mur et sablé sur les deux faces.

1 Laissez en place les chaises d'implantation et les cordeaux, qui vous guideront pour la pose de la première rangée.

2 À la truelle, donnez au mortier la forme d'un « boudin » plus épais au centre qu'aux extrémités.

3 Soulevez le mortier en glissant la truelle par-dessous.

4 Posez le mortier à l'emplacement de la première brique, entre les lignes qui sont tracées sur la semelle de béton (voir ci-contre).

5 Avec le dos de la truelle, aplatissez le boudin de mortier en tirant vers vous jusqu'à environ 2 cm

d'épaisseur. Le poids de la brique réduira cette épaisseur à 1 cm.

6 Posez la première brique sur le mortier en l'alignant sur les lignes tracées. Si la brique présente un évidement sur une face, celui-ci devra se trouver sur le dessus.

7 Posez de la même façon une autre brique à 1 m environ dans l'alignement de la première, sans vous soucier de sa position dans l'appareillage ; elle ne sert qu'à la mise à niveau et est enlevée par la suite.

8 Posez une règle sur ces deux briques. Vérifiez au niveau à bulle son horizontalité. Du manche de la truelle frappez la brique la plus haute pour la mettre de niveau avec l'autre. Ôtez le mortier refoulé sur les côtés des briques.

CONSTRUCTION D'UN MUR DE BRIQUES AUTOPORTEUR

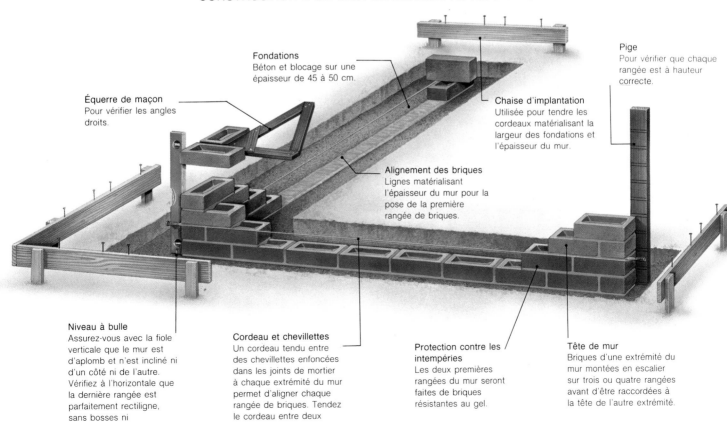

Fondations
Béton et blocage sur une épaisseur de 45 à 50 cm.

Pige
Pour vérifier que chaque rangée est à hauteur correcte.

Équerre de maçon
Pour vérifier les angles droits.

Chaise d'implantation
Utilisée pour tendre les cordeaux matérialisant la largeur des fondations et l'épaisseur du mur.

Alignement des briques
Lignes matérialisant l'épaisseur du mur pour la pose de la première rangée de briques.

Niveau à bulle
Assurez-vous avec la fiole verticale que le mur est d'aplomb et n'est incliné ni d'un côté ni de l'autre. Vérifiez à l'horizontale que la dernière rangée est parfaitement rectiligne, sans bosses ni ondulations.

Cordeau et chevillettes
Un cordeau tendu entre des chevillettes enfoncées dans les joints de mortier à chaque extrémité du mur permet d'aligner chaque rangée de briques. Tendez le cordeau entre deux angles.

Protection contre les intempéries
Les deux premières rangées du mur seront faites de briques résistantes au gel.

Tête de mur
Briques d'une extrémité du mur montées en escalier sur trois ou quatre rangées avant d'être raccordées à la tête de l'autre extrémité.

Pose de briques ou de blocs (suite)

9 Préparez le lit de mortier de la seconde brique du rang. Celle-ci tenue verticalement, étalez le mortier du joint vertical sur son extrémité à abouter.

10 Écrasez bien le mortier sur les bords de la brique pour éviter qu'il ne glisse.

11 Posez ainsi quatre ou cinq briques de la rangée, puis vérifiez au niveau à bulle leur horizontalité. Enfoncez-les au besoin dans le lit du mortier avec le manche de la truelle. Si une brique est en dessous du niveau, enlevez-la et ajoutez du mortier à cet endroit.

12 S'il y a un retour à angle droit, contrôlez sa rectitude avec l'équerre de maçon.

13 Après le premier rang, montez les têtes de mur aux extrémités et aux angles avec trois ou quatre rangs de briques en escalier. Vérifiez à l'aide de la pige que chaque rangée est à la hauteur voulue.

14 Enfoncez des chevillettes dans les joints à chaque tête de mur, tendez un cordeau entre elles ; ce sera le guide pour aligner la deuxième rangée. Remontez-le à hauteur de la troisième rangée puis des suivantes, jusqu'à ce que les deux têtes soient raccordées.

15 Jointoyez les briques tous les trois ou quatre rangs.

16 Vérifiez régulièrement que le mur est d'aplomb (qu'il ne penche pas) avec un niveau tenu verticalement, et qu'il est rectiligne avec une règle posée horizontalement.

17 Si vous faites un couronnement de briques spéciales, placez le film d'étanchéité dans le joint de mortier, deux rangées avant le sommet. Si vous utilisez des pierres de couronnement, mettez le film immédiatement dessous. Il doit déborder de 1 cm de chaque côté du mur.

> ### UN BON TRUC
> En alignant les briques, vous pouvez être amené à en retirer pour ajouter du mortier ou pour en enlever afin de mettre la rangée de niveau. Il se peut que la brique que vous remettez en place tienne mal parce que le mortier a perdu de son pouvoir liant. Ce n'est pas grave si cela n'arrive qu'occasionnellement. Mais si cela se reproduit trop souvent et que le mortier n'adhère plus, enlevez-le et recommencez. Par temps chaud, trempez les briques dans l'eau avant de les poser. Cela compensera une éventuelle dessiccation du mortier.

COUPE D'UNE BRIQUE

Il est difficile de partager une brique longitudinalement (closoir) car elle se brise souvent. Il est généralement plus aisé de couper transversalement deux quarts de briques pour remplacer un closoir ; cela se fait avec un ciseau de briqueteur et une massette (voir p. 429).

1 Tracez au crayon ou à la craie la ligne de coupe tout autour de la brique ; marquez-la en profondeur à petits coups de ciseau.

2 Posez la brique sur du sable ou du gazon, placez la lame du ciseau sur la ligne entaillée, le manche légèrement incliné vers la partie sacrifiée de la brique. Frappez un coup sec. Une cassure nette doit diviser la brique en deux.

Coupe d'un bloc

On peut aussi couper un bloc au ciseau. Tracez la ligne de coupe et approfondissez-la progressivement sur tout le périmètre jusqu'à ce que le bloc se partage en deux. Vous pouvez aussi utiliser un appareil de coupe hydraulique (voir p. 443).

Utilisation d'une meuleuse

S'il faut couper beaucoup de briques, louez une meuleuse d'angle montée d'un disque à tronçonner les matériaux. Maniez-la prudemment ; portez lunettes de protection et gants épais, et maintenez fermement la brique dans une presse, par exemple.

FAÇONNAGE DES JOINTS

On jointoie les briques au mortier pour une bonne évacuation de l'eau de pluie et une bonne finition. Les joints les plus courants sont plats, creux ou biseautés, le biseau en retrait du rang supérieur.

Le jointoiement peut se faire après la pose de chaque rangée, avant que le mortier soit sec, ou plus tard avec du mortier frais, au besoin d'une couleur différente.

Si vous ne jointoyez qu'après la pose de plusieurs rangs de briques, ôtez au fur et à mesure le mortier des joints sur une profondeur de 1 cm pour préparer le travail.

Joint à fleur (ou plat)

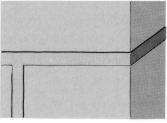

Il est réalisé en enlevant l'excédent de mortier à la truelle de manière qu'il affleure les briques voisines. Lissez-le avec la truelle à joint ou un morceau de toile.

Joint creux

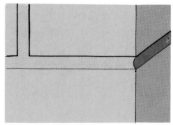

S'obtient en lui donnant une forme concave. L'excédent de mortier ôté, passez sur le joint la truelle à joint demi-rond ou un morceau de tube coudé de 15 mm de diamètre. À la rigueur, vous pouvez utiliser pour ce faire l'anse d'un seau.

Joint oblique (ou en biseau)

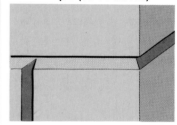

Il se fait avec une truelle à joint ou une langue-de-chat. Bourrez le mortier de manière qu'il soit légèrement en retrait sous la brique du dessus et déborde celle du dessous.

Enlevez ensuite l'excédent de mortier avec une règle et une truelle. Façonnez les joints verticaux de la même manière en donnant l'obliquité vers la droite ou vers la gauche, au choix.

Au fer à joint

Les joints se font aussi au fer à joint. Le profil du joint sera différent selon la prise de l'outil, son inclinaison et le tour de main.

CONSTRUCTION D'UN PILIER DE BRIQUES

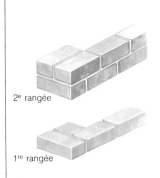

2ᵉ rangée

1ʳᵉ rangée

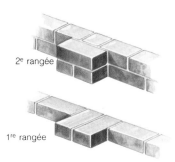

2ᵉ rangée

1ʳᵉ rangée

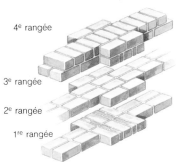

4ᵉ rangée

3ᵉ rangée

2ᵉ rangée

1ʳᵉ rangée

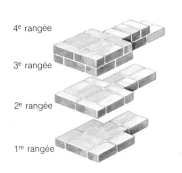

4ᵉ rangée

3ᵉ rangée

2ᵉ rangée

1ʳᵉ rangée

Pilier d'extrémité sur mur en appareillage à la grecque

Un mur de panneresses simples a environ 10 cm d'épaisseur; pour bâtir un pilier d'extrémité en saillie d'un seul côté, posez une boutisse contre l'extrémité de la panneresse de la première rangée, puis une demi-brique parallèle à la panneresse et aboutée à la boutisse.

Faites la deuxième rangée du pilier avec deux panneresses, la troisième rangée comme la première et ainsi de suite.

Pilier intermédiaire sur mur en appareillage à la grecque

La première rangée d'un pilier intermédiaire en saillie d'un seul côté (jambe de force) sur un mur de panneresses simples se fait en remplaçant l'une de celles-ci à l'endroit voulu (à intervalles de 1,80 m) par deux boutisses débordant d'un côté de l'appareillage.

En posant la deuxième rangée on recouvre l'extrémité en saillie des boutisses avec une panneresse. Pour obtenir le décalage des joints verticaux sur la face du mur, on utilisera devant le jambage une demi-brique entre deux trois-quarts de brique.

Pilier intermédiaire double sur un mur en appareillage anglais

Pour bâtir un pilier intermédiaire débordant d'une demi-brique des deux côtés d'un mur en appareillage anglais, insérez dans le premier rang de panneresse six boutisses aboutées par paires et séparées par quatre closoirs aboutés eux aussi par paires. À la deuxième rangée, posez de chaque côté deux panneresses bout à bout sur les demi-briques débordant du mur. Répétez le dessin des deux premiers rangs en alternance sur les suivants. À la quatrième rangée, les panneresses des piliers sont placées contre les boutisses.

Pilier d'extrémité sur mur en appareillage anglais

Le premier rang d'un pilier en bout de mur dans cet appareillage se termine par deux trois-quarts de panneresse suivies de trois boutisses. Placez deux panneresses bout à bout en débord du mur. Finissez le deuxième rang avec des trois-quarts de brique, puis placez à chaque bout du pilier deux boutisses bout à bout reliées entre elles par quatre panneresses. Répétez le dessin des deux premiers rangs en alternance sur les suivants. Au quatrième rang de boutisses, les trois-quarts de brique sont inutiles.

Construction d'un mur de soutènement en briques

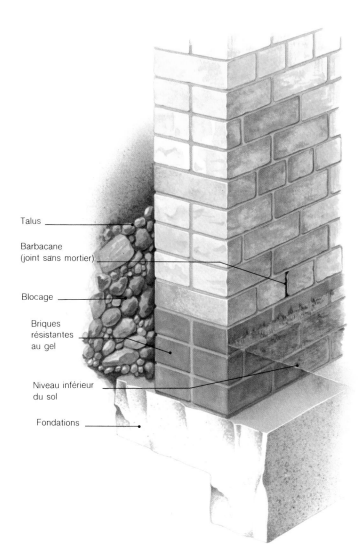

Talus

Barbacane (joint sans mortier)

Blocage

Briques résistantes au gel

Niveau inférieur du sol

Fondations

Vous aurez peut-être à construire un mur de soutènement pour retenir la terre, dans un jardin pentu, par exemple.

Vous pouvez le bâtir en briques ou en parpaings mais d'une épaisseur égale à la longueur d'une brique (22 mm environ); édifiez-le selon un appareillage stable (voir p. 428) et maçonnez-le au mortier gras (voir p. 431). Si le terrain derrière le mur est très pentu ou paraît instable ou encore si le mur doit avoir plus de 1 m de haut, consultez un professionnel.

Les fondations (voir p. 432) seront en fouille et le dessus de la semelle de béton se trouvera à 25 cm au-dessous du niveau inférieur du sol, de sorte que le bas de la façade du mur soit un peu en dessous de ce niveau.

Pour le drainage de la terre retenue, percez des trous à travers le mur. Ne garnissez de mortier qu'un joint sur deux dans le deuxième ou le troisième rang au-dessus du niveau inférieur du sol, ce qui est aisé à faire avec des boutisses; ou passez dans le mur, à 1 m d'intervalle environ, des tuyaux inclinés en plastique ou en terre cuite.

Confection de joints de dilatation

Sur un long mur, un joint de dilatation est nécessaire. Il permet le retrait ou l'expansion des matériaux. Il s'agit d'un espace vertical d'environ 1 cm ménagé dans le mur et son couronnement et séparant le mur en deux parties.

Placez les joints de dilatation aux intervalles conseillés p. 428. Comblez l'espace à la mousse de polyuréthanne ou au mastic silicone d'excellente qualité; recouvrez de chaque côté d'un enduit pour extérieur.

PLATE-BANDE SURÉLEVÉE

Une plate-bande surélevée est faite d'un mur délimitant un petit espace rempli de terre. Le mur aura 22 cm d'épaisseur (voir p. 428) et sera monté sur des fondations délimitant la superficie de terrain à surélever sur l'assise, sol meuble ou terrasse en dur.

Quand la plate-bande surélevée se construit sur une terre meuble, les drains dans le mur sont inutiles. Sur une terrasse en dur, laissez des espaces vides entre les briques du premier rang; choisissez un appareillage avec des boutisses et garnissez un joint sur deux de mortier.

La bonne hauteur d'une telle plate-bande est de 60 cm environ. Si elle est plus haute, les murs risquent de se disjoindre sous la poussée de la terre, «travaillant» selon les conditions météorologiques. Si sa largeur dépasse 90 cm, il faudra beaucoup de terre et, en outre, les plantes au milieu seront peu accessibles.

Construction d'un claustra

Il faut bien calculer les dimensions du mur car on ne peut utiliser de morceau d'élément ajouré pour combler un vide. Mais si nécessaire on peut couper une pierre de couronnement comme une brique.

En raison de leur dimension et de la fragilité de l'appareillage (voir p. 428), il vaut mieux poser les éléments avec un mortier un peu plus gras et plus souple que celui utilisé pour les briques. On peut l'assortir à la couleur des éléments en employant du ciment blanc et du sable légèrement teinté.

Il est recommandé de renforcer les piliers par des tiges de métal, en particulier si le mur est haut, bâti à un endroit exposé ou le long d'une rue. Renforcez un mur de plus de 60 cm (hauteur de deux éléments) à l'aide de bandes de treillis métallique larges de 10 cm et noyées dans le béton sur le dessus des éléments tous les deux rangs.

Si vous comptez construire un mur de plus de 2 m, demandez conseil au fabricant des éléments de claustra.

Un claustra construit sur terrain incliné (en escalier, s'il le faut) nécessite, en général, un soubassement en briques ou parpaings ordinaires ; un claustra a souvent piètre aspect quand une partie en est enfouie dans le sol.

Outils : cordeaux, niveau à bulle, truelle de briqueteur, plateau à mortier, pige avec graduations de 20 et 30 cm, planchette épaisse de 25 mm, mètre, crayon ou craie. Et, si nécessaire, bande de treillis métallique large de 10 cm, fer à joints, morceau de toile à sac.
Matériaux : éléments de claustra, parpaings de pilastre (voir p. 441), mortier bâtard avec plastifiant ou chaux (voir p. 441), mortier (ciment et sable), couronnement de pilastre, pierres de couronnement. Si nécessaire, fers à béton de 6 mm de diamètre (ou cornières) plus hauts de 30 cm que le mur.

1 Préparez une semelle de béton large d'environ 40 cm et tracez-y les lignes-repères (voir p. 432). Si vous renforcez les piliers, placez les tiges métalliques ou les fers à béton (voir à droite) pendant la réalisation des fondations.

2 Posez la première rangée à sec pour vérifier que les éléments s'ordonnent comme prévu.

UN BON TRUC
Des éclaboussures de mortier peuvent tomber sur un élément du claustra ; enlevez-les de la pointe de la truelle 24 h après et frottez doucement avec un morceau de toile la tache qu'elles ont laissée.

3 Montez les piliers avec des parpaings de pilastre (avec les tiges de renfort si nécessaire) en les alignant sur les lignes-repères. Posez chaque parpaing comme une brique sur un lit de mortier bâtard épais de 15 à 20 mm. Assurez-vous que les rainures latérales du premier parpaing de pilastre sont alignées sur les lignes-repères.

4 Vérifiez au niveau à bulle l'aplomb et l'horizontalité des piliers, et leur hauteur à l'aide des graduations de 20 cm de la pige.

5 Bourrez de mortier de ciment et de sable leur cavité centrale (autour des renforts s'il y a lieu).

6 Jointoyez (voir p. 434) chaque pilier dès son achèvement.

7 Avant de poser le premier élément de claustra, étalez une couche de 15 à 20 mm de mortier bâtard sur la semelle de béton et dans les rainures des piliers jusqu'à 30 cm de hauteur.
Le poids du parpaing ramènera par la suite l'épaisseur du joint de mortier à 1 cm environ.

8 Posez l'élément sur le lit de mortier suivant les lignes-repères ; faites-le bien pénétrer d'un côté dans la rainure du pilier.

9 Préparez un lit de mortier pour le deuxième élément. Avant sa pose, étalez sur le côté qui s'accolera au précédent élément le mortier qui fera joint vertical.

10 Placez un niveau à bulle sur les deux premiers éléments pour vérifier leur horizontalité.

11 Pour mettre en place chaque élément, utilisez un maillet en caoutchouc dur ou donnez de petits coups de truelle en interposant une planchette.

12 Vérifiez la hauteur des rangées de parpaings ajourés avec les graduations de 30 cm de la pige.

13 Façonnez les joints après avoir posé une ou deux rangées. N'en montez pas plus de quatre par jour. Si le mur est plus haut, attendez 24 heures que le mortier sèche avant de continuer.

14 Le mur à hauteur voulue, posez le couronnement des piliers et du mur sur un lit de mortier.

RENFORCEMENT D'UN PILIER

Enfoncez dans le sol de la fouille les renforts métalliques des piliers avant de terminer les fondations. Pour que les éléments du claustra s'ajustent parfaitement entre les piliers, le positionnement des armatures doit être très précis.

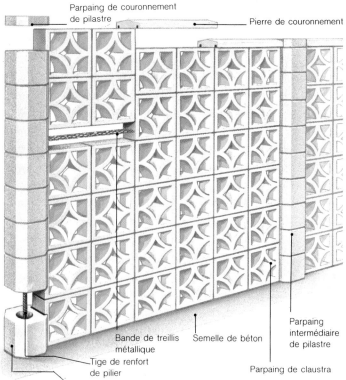

Parpaing de couronnement de pilastre — Pierre de couronnement — Bande de treillis métallique — Semelle de béton — Parpaing intermédiaire de pilastre — Tige de renfort de pilier — Parpaing de claustra — Parpaing terminal de pilastre

1 Faites un croquis à l'échelle du premier rang en marquant le centre des pilastres (extrêmes et intermédiaires placés environ tous les 3 m). Prenez pour vos calculs la dimension des éléments de claustra qui comprend l'épaisseur des joints de mortier verticaux (1 cm) et tenez compte de la profondeur des rainures des éléments de pilastre.

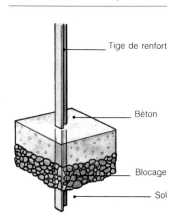

Tige de renfort — Béton — Blocage — Sol

2 En préparant les fondations (voir p. 432), placez les tiges de renfort en les enfonçant de 75 mm dans le sol avant de verser le blocage dans la fouille et de couler la semelle de béton. Avec une fondation épaisse de 20 cm, la longueur des tiges de renfort devra dépasser de 28 à 30 cm la hauteur des piliers.

3 Avant durcissement de la semelle vérifiez au niveau à bulle l'aplomb de chaque pilier, ainsi que le bon intervalle entre les tiges de renfort ; leur hauteur, à partir de la semelle, doit être inférieure de 5 cm environ à celle du pilier fini. Corrigez si nécessaire.

Fondations d'allées et de terrasses

La capacité d'un terrain à supporter de lourdes charges dépend largement de la solidité de ses fondations. Une allée carrossable où circuleront des voitures nécessite évidemment des fondations plus solides qu'une allée de jardin.

Certains revêtements de sol n'ont besoin que d'une assise de blocage, d'autres de vraies fondations faites de blocage recouvert d'une couche de béton (voir tableau p. 438). Sur un terrain meuble ou en un lieu de trafic important — par exemple un rond-point où tourneront des véhicules lourds —, il faudra des fondations plus profondes que celles indiquées sur le tableau. Sur sol mou, on étendra le blocage sur un tissu perméable spécial qui le renforcera.

Une allée carrossable doit avoir au moins 3 m de large pour que l'on puisse ouvrir les portes des voitures ou passer à pied à côté de celles en stationnement. Elle doit présenter une pente transversale — en général de 2,5 % (2,5 cm par mètre) — afin d'éviter l'accumulation de l'eau de pluie.

Elle doit aussi descendre à partir de la maison selon une pente de 1 % au moins, plus forte si la déclivité du terrain l'impose.

Avant de construire une allée carrossable raccordée à une voie publique, consultez les services compétents.

Outils : Piquets et cordeaux, équerre de maçon, maillet, bêche, pelle, mètre, piquets-repères longs d'environ 45 cm et de section carrée de 25 mm, craie ou peinture pour le traçage, brouette, niveau à bulle, cales en bois (voir plus loin), dame, rouleau de jardin ou dameuse (voir p. 440) ; nécessaire, masse, outils à béton (voir p. 444).

LES MATÉRIAUX DES FONDATIONS

Le blocage est constitué par des briques, des parpaings ou des pierres concassées. Avec une tonne de blocage, on recouvre une surface de 7 m² sur 10 cm d'épaisseur.

Il doit être bien concassé, en particulier pour une allée carrossable, faute de quoi il ne se compacterait pas suffisamment pour former une assise solide. Certains blocages tout-venant contiennent des matériaux ne convenant pas (bois, plâtre), et ils se tassent mal.

On comble les vides à la surface du blocage avec une fine couche de ballast (pierres concassées et sable).

Un mélange de gravier et de boulbène (argile sableux) est plus onéreux mais se compacte aisément.

Matériaux : blocage (voir ci-dessous) ; ballast (voir p. 445) ; si nécessaire, béton (p. 446).

1 Délimitez l'allée avec des cordeaux tendus entre des piquets en tenant compte de la pose éventuelle d'une bordure, de trottoir par exemple. Vérifiez avec un mètre que la largeur de l'allée est régulière et avec une équerre de maçon que les angles droit ont bien 90°. Pour tracer une courbe, voir p. 440.

2 Déterminez le sens de la pente transversale afin d'éloigner l'eau du mur de la maison ou du garage. Si la déclivité du terrain est dirigée vers la maison, inclinez si possible la couche de blocage en sens inverse. Sinon, construisez un caniveau et un puisard (voir p. 441).

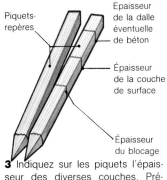

Piquets-repères — Epaisseur de la dalle éventuelle de béton — Épaisseur de la couche de surface — Épaisseur du blocage

3 Indiquez sur les piquets l'épaisseur des diverses couches. Prévoyez au besoin un lit de sable ou de mortier.

4 Enfoncez un piquet-repère dans le sol dans l'angle supérieur (le plus proche de la maison) de l'emplacement à creuser, le sommet du piquet se trouvant au niveau prévu pour l'allée.

5 Enfoncez un rang de piquets à intervalles d'environ 1,50 m en haut

DÉTERMINATION D'UNE PENTE

Posez un niveau à bulle, sur une planchette au besoin, à cheval sur deux piquets indiquant le niveau de la surface. Placez une cale d'épaisseur

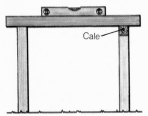

Cale

voulue sur le piquet le plus bas et enfoncez celui-ci jusqu'à ce que le niveau indique l'horizontale.

L'épaisseur de la cale dépend de la pente choisie ainsi que de l'écartement des piquets. Sur une allée de 1 m, il faudra une cale de 1 cm pour une pente de 1 % ; la cale aura 15 mm pour une pente de 1,5 % et 25 mm pour une dénivellation de 2,5 %.

Pour une pente de 2,5 % avec des piquets espacés de 1,50 m, l'épaisseur de la cale devra être de 38 mm. Ce calcul ne demande qu'une précision relative.

de l'allée, selon une pente de 2,5 % (voir encadré ci-dessus).

6 Plantez un rang de piquets parallèles aux premiers à 1,50 m sur le tracé de l'allée. Leurs sommets constituent les repères d'une pente longitudinale depuis les piquets de tête. Une cale de 15 mm donne une pente de 1 %

7 Plantez de même des rangs de piquets tout au long de l'allée en modifiant si besoin est leur écartement vers la fin pour que le dernier rang se trouve en bout d'allée.

8 Creusez l'emplacement de l'allée délimité par les cordeaux jusqu'à la marque la plus basse faite sur les piquets-repères (celle du fond de la couche de blocage).

Épandez dans le jardin la terre végétale extraite.

9 Étalez le blocage dans la fouille. Damez bien (voir p. 440) ; pour les grandes surfaces, utilisez un rouleau ou une dameuse, jusqu'à ce que la couche atteigne la marque correspondante des piquets-repères. Si vous recouvrez l'allée de pavés de béton (voir p. 443), brisez bien le blocage à la masse avant de passer le vibrateur.

10 Ajoutez une fine couche de ballast pour combler les vides et compactez bien.

11 Si les fondations comportent une dalle de béton, étalez celui-ci (voir p. 446) sur le blocage et le ballast et compactez-le jusqu'au niveau indiqué par les piquets (suite p. 440).

LES QUATRE COUCHES D'UNE ALLÉE CARROSSABLE

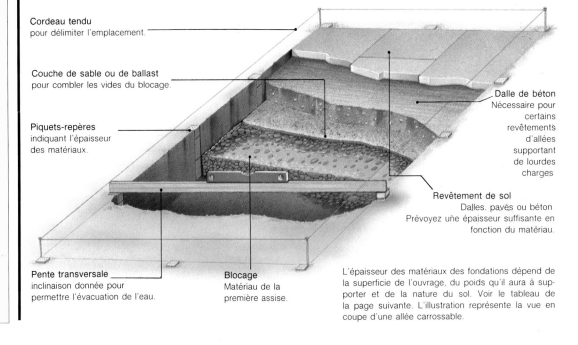

Cordeau tendu
pour délimiter l'emplacement.

Couche de sable ou de ballast
pour combler les vides du blocage.

Piquets-repères
indiquant l'épaisseur des matériaux.

Dalle de béton
Nécessaire pour certains revêtements d'allées supportant de lourdes charges

Revêtement de sol
Dalles, pavés ou béton
Prévoyez une épaisseur suffisante en fonction du matériau.

Pente transversale
inclinaison donnée pour permettre l'évacuation de l'eau.

Blocage
Matériau de la première assise.

L'épaisseur des matériaux des fondations dépend de la superficie de l'ouvrage, du poids qu'il aura à supporter et de la nature du sol. Voir le tableau de la page suivante. L'illustration représente la vue en coupe d'une allée carrossable.

CHOIX D'UN REVÊTEMENT POUR UNE ALLÉE

En choisissant un revêtement d'allée, tenez compte des contraintes qu'il subira (poids à supporter), de son aspect (s'accordera-t-il à celui de la maison, du jardin ?). Pensez aussi au travail que sa pose représentera.

En général, les matériaux les moins chers sont les plus faciles et les plus rapides à poser. Mais il vaut mieux comparer les prix de divers fournisseurs.

On peut songer à marier deux matériaux (cloisonnage de dalles de béton par des briques ou du gravier, par exemple).

En évaluant les coûts, n'oubliez pas d'ajouter au prix du revêtement celui du mortier, du blocage du sable.

Il vous sera peut-être nécessaire de louer une dameuse ou un appareil à couper les pavés de béton.

TYPE D'ALLÉE	DESCRIPTION	DIMENSIONS COURANTES FONDATIONS NÉCESSAIRES	AVANTAGES ET INCONVÉNIENTS
Dalles régulières 	Grandes dalles plates de béton préfabriquées posées sur du mortier. Elles sont carrées, rectangulaires, hexagonales ou rondes. Les dalles en béton précontraint sont les plus solides et on les utilisera pour les allées qui ont à supporter un ou plusieurs véhicules. La surface peut en être lisse (antidérapante), polie ou structurée de manière à imiter le pavé, la brique ou le carrelage en motifs rectilignes ou courbes. Existent en gris, en jaune clair et en rouge. Les dalles en fibrociment, légères, carrées, de 30 cm de côté, peuvent être utilisées comme revêtement de toit en terrasse.	46×46 cm — 5 par m²; 46×69 cm — $3\frac{1}{4}$ par m²; 61×61 cm — $2\frac{3}{4}$ par m²; 61×46 cm $3\frac{3}{4}$ par m². Épaisseur : 36 à 50 mm. **Fondations** *Allée carrossable :* 10 cm de blocage recouvert de 12,5 cm de béton. *Allée de jardin :* 10 cm de blocage ou sol ferme bien compacté.	Se posent facilement et assez rapidement sur un tracé rectiligne mais s'adaptent mal aux courbes. Une étude préalable minutieuse est indispensable pour une pente ou une surface de formes irrégulières. Peuvent paraître ternes sur une grande superficie, à moins d'être égayées par des variations de couleurs, de textures ou de formes.
Opus incertum 	Dalles de formes irrégulières, de pierre ou de béton, posées sur un lit de mortier. On les achète à la tonne ou au mètre carré. Si c'est possible choisissez-les vous-même de manière à avoir les couleurs, dimensions et formes que vous souhaitez. Prenez de préférence des dalles de grandes ou moyennes dimensions car la pose des petites demande davantage de travail.	1 tonne recouvre environ 9 m². **Fondations** *Allée carrossable :* 10 cm de blocage recouvert de 12,5 cm de béton. *Allée de jardin :* 10 cm de blocage ou sol ferme bien compacté.	Parfaites pour réaliser une allée d'aspect plaisant. Plus difficiles à poser que des dalles régulières parce qu'il faut adapter des formes irrégulières à un motif. De plus, les dalles n'ayant pas toutes la même épaisseur, il faut plus ou moins de mortier pour les mettre de niveau. C'est un travail qui prend beaucoup de temps. En effectuant le jointement, un bon moyen de mettre en valeur les formes des dalles est de creuser les joints de mortier autour de chacune d'elles avec la pointe de la truelle.
Blocs de pavage 	Blocs de béton ayant la forme de briques, ou dessinés de façon à s'emboîter, posés sur un épais lit de sable et maintenus par des murs existants ou une bordure. Généralement rectangulaires, mais il en existe également de formes décoratives autobloquantes. Des retours d'angles intérieurs et extérieurs permettent une bonne finition des bords et des entourages de plates-bandes surélevées. Plusieurs teintes. On peut les poser comme des briques selon divers appareillages (voir p. 428). L'appareillage en épi convient bien aux allées carrossables car il assure aux blocs une stabilité qui leur permet de résister aux mouvements des pneus lors des manœuvres des véhicules.	Rectangulaires ; $20 \times 10 \times 5,5$ cm; 50 par m². Les dimensions des pavés autobloquants sont à peu près les mêmes, mais varient, ainsi que leurs formes, selon les fabricants. **Fondations** *Allée carrossable :* 10 cm de blocage compacté recouvert d'une couche de 6,5 cm de sable, réduite à 5 cm après compactage et pose des blocs. *Allée de jardin :* sol ferme compacté et lit de sable.	Plus longs à poser que les dalles, les blocs de pavage conviennent à presque toutes les situations et sont plus faciles à arranger sur des emplacements de formes irrégulières ou dans les courbes. On les enlève aisément pour accéder à des conduites souterraines. Il est nécessaire de louer une dameuse (voir p. 440) pour paver une grande surface comme une allée carrossable ou une terrasse, et un appareil à couper les blocs (voir p. 443) pour mettre ceux-ci à la dimension voulue et faire les finitions des bordures.
Briques 	On pose les briques ordinaires ou les briques de pavage sur un lit de sable entre des bordures fixes, ou bien sur un lit de mortier. Utilisez des briques qui résistent aux intempéries, et en particulier au gel. Les briques de pavage sont normalement plus minces que les briques courantes et il en existe des rectangulaires et des autobloquantes. La gamme des teintes est très étendue dans les bruns, les rouges, les jaunes et les panachés. On les pose à plat ou de chant, en appareillages semblables à ceux des murs (voir p. 428) ou autres, et surtout en épi ou entrelacées.	Briques ordinaires : $22 \times 10,5 \times 5,5$ cm; posées à plat : 43 par m²; de chant : 82 par m². Briques autobloquantes : $22 \times 10,5 \times 5,5$ cm; 50 par m². **Fondations** Comme pour les blocs de pavage mais avec une couche de sable épaisse de 5 cm.	Un peu plus difficiles à poser que les blocs de pavage mais utilisables comme ceux-ci dans à peu près toutes les situations. Lors de la pose dans le sable, elles doivent être mises en place à la main car elles ne résisteraient pas à la dameuse.

TYPE D'ALLÉE	DESCRIPTION	DIMENSIONS COURANTES FONDATIONS NÉCESSAIRES	AVANTAGES ET INCONVÉNIENTS
Béton 	Sable et gros agrégats (gravier ou pierres concassées) additionnés de ciment et d'eau en proportions données (voir p. 446) constituant un mélange que l'on coule entre des bordures provisoires pendant qu'il est encore malléable. Durcit en formant une surface dure semblable à de la pierre. Peut être préparé au fur et à mesure des besoins ou livré par camion pour de grandes surfaces. La dalle aura de 10 à 15 cm d'épaisseur pour une allée carrossable, de 5 à 7,5 cm pour une allée de jardin. On peut la colorer en incorporant au mélange des pigments jaunes, marron ou verts — la teinte varie selon la quantité de pigments et il est difficile d'obtenir une couleur uniforme.	Livrable avec les ingrédients séparés qu'il faut gâcher ou en mélange prêt à l'emploi. Voir p. 456 les quantités par mètre cube. **Fondations** *Allée carrossable :* 10 cm de blocage bien compacté et 2,5 à 5 cm de ballast pour combler les vides. *Allée de jardin :* Sol ferme bien compacté au rouleau, avec du blocage dans les parties meubles et les cuvettes	Très solide. Moins cher que les dalles ou blocs de pavage ; plus facile à réaliser. Un coffrage est nécessaire. Le mélange à bonne consistance est délicat à obtenir et le gâchage pénible. Louez une petite bétonnière (voir p. 444) si vous devez couler entre 1/2 m^3 et 1 m^3. Faites-le livrer par une toupie pour plus de 1 m^3. Le béton prend en 2 heures environ — plus vite par temps chaud ; on peut donner différentes finitions à la dalle mais une grande surface en béton peut paraître un peu triste.
Bordures 	Servent à délimiter une aire pavée sur un lit de sable ou à contenir les matériaux mouvants (gravier ou asphalte). On peut les réaliser en blocs de pavage avec un rang de boutisses des mêmes blocs (voir p. 443). Normalement les éléments pour allées de jardin sont rectilignes ; il en existe de courbes dans les bordures de type trottoir plus épaisses et plus larges. Leur face supérieure est plane, chanfreinée, arrondie sur la longueur ou sur les bouts ou festonnée. On peut poser une bordure sur un pavage terminé (pour contenir l'eau de ruissellement ou interdire le gazon aux voitures) ou de niveau avec le pavage afin que seul celui-ci reste visible.	*Blocs de bordure :* voir blocs de pavage. *Bordure d'allée :* 61 cm de long, 5 cm d'épaisseur, 15 à 25 cm de haut. *Bordure de trottoir :* 61 à 91 cm de long, 10 à 15 cm de large, 25 à 30 cm de haut. **Fondations** Blocage, semelle de béton épaisse de 7,5 cm. Largeur en fonction de l'épaisseur de la bordure et d'un bon épaulement de mortier.	Doivent être soigneusement posées sur un lit de béton pour se trouver à hauteur correcte par rapport à la surface, avec l'inclinaison voulue et à l'alignement si elles sont au-dessus du pavage ou si elles l'affleurent. Doivent être solidement fixées avec un mortier de ciment et sable s'il s'agit de bordures d'allée, ou avec du béton de fondations s'il s'agit de bordures de trottoir.
Asphalte à froid 	Mélange de bitume et de gravier ou de pierres finement concassées (macadam) étalé sur une mince couche de bitume en émulsion qui le maintient en place, puis compacté entre des bordures provisoires ou permanentes de manière à constituer un revêtement résistant et hydrofuge. Normalement utilisé pour refaire une allée carrossable existante ; ne convient pas pour en construire une nouvelle mais peut servir à recouvrir une allée de jardin à condition que l'on puisse bien compacter le blocage, en général avec une dameuse (voir p. 440). Livré en sacs et disponible en noir et en rouge. Des éclats de pierres décoratifs sont parfois fournis avec chaque sac.	Un sac de 25 kg d'agrégats recouvre en général 0,90 m^2 sur 19 mm d'épaisseur ramenée à 13 mm par roulage ; un bidon de 5 kg d'émulsion de bitume couvre environ 7 m^2 sur surface ferme. **Fondations** *Allée carrossable :* Revêtement existant, comme dalle de béton, dalles de pavage ou vieil asphalte. *Allée de jardin :* Blocage bien compacté comme pour les éclats de pierres ci-dessous.	Matériau peu usité pour un usage particulier. On l'obtient sur commande chez certains marchands de matériaux. Facile à poser mais reste gluant et salissant. Portez vêtements et souliers ne risquant rien. Attention aux moquettes en rentrant chez vous ! Pratique pour recouvrir béton, dalles de pavage dégradés ou revêtement de gravier ou de cendres. Traitez l'emplacement à l'herbicide 15 jours avant d'asphalter. Il est toujours un peu triste sur de grands surfaces. En cas de crevaison, ne démontez pas la roue dessus, le cric risque de la marquer.
Éclats de pierres 	On peut les éparpiller sur l'asphalte à froid comme garniture décorative ou les utiliser comme revêtement résistant et hydrofuge en les noyant dans une épaisse couche de bitume émulsionné. On s'en sert normalement pour refaire le revêtement d'une allée existante mais ils peuvent convenir à la réalisation d'une nouvelle, pourvu que le blocage soit bien compacté, en général à la dameuse (voir p. 440). Existent en blanc cassé, rose, gris et vert-de-gris.	Un sac de 25 kg suffit pour environ 2,50 m^2. Un bidon de 25 kg, d'émulsion de bitume recouvre 17,50 m^2 sur surface dure, 13,50 m^2 sur surface ferme et dense, 6 m^2 sur surface meuble. **Fondations** *Allée carrossable :* Revêtement existant ou 10 à 15 cm de blocage recouvert de 2,5 à 5 cm de ballast. *Allée de jardin :* 7,5 à 10 cm de blocage recouvert de ballast.	Bon marché et facile à étendre. Convient pour une circulation peu importante mais les pneus risquent de projeter des éclats de pierres descellés. Le terrain doit être traité à l'herbicide 15 jours avant les travaux.
Gravier 	Mélange de gros sable et de petits cailloux étalé sur une surface ferme, en général entre des bordures fixes. Les cailloux sont la plupart du temps du gravier de rivière, particules rondes généralement calibrées à 1 ou 2 cm. Existe en blanc ou en divers tons de bruns.	On recouvre environ 15 m^2 sur 2,5 cm d'épaisseur avec 1 tonne. **Fondations** *Allée carrossable ou de jardin :* 10 cm de blocage bien compacté recouvert d'une couche de 2,5 cm de sable.	Bon marché, d'une pose rapide et facile, mais constitue un revêtement où la marche est bruyante, parfois malaisée et sur lequel il est difficile de pousser un fauteuil roulant ou même un simple vélo. En outre, les graviers se collent facilement aux semelles des chaussures et on en transporte partout. Il doit être régulièrement roulé et ratissé. Ne convient pas à une allée ayant une pente prononcée.

Fondations d'allées et de terrasses (suite)

12 Enlevez les piquets et comblez les trous laissés avec du blocage ou un mélange blocage-béton avant de poser le revêtement.

FONDATIONS D'UNE ALLÉE DE JARDIN

Une allée de jardin qui devra supporter de lourdes charges ou qui court sur un terrain mou nécessite une fondation en blocage bien compacté. Préparez-la comme celle d'une allée carrossable, mais plantez moins de piquets-repères.

Il n'est pas nécessaire de lui donner une pente longitudinale, mais elle devra avoir une déclivité transversale de 1,3 % à partir de la maison si elle longe celle-ci (voir « Détermination d'une pente », p. 437).

S'il faut prévoir une base en blocage, installez cordeaux et piquets-repères et creusez en tenant compte de l'épaisseur du revêtement et de son assise (couche de sable ou lit de mortier, voir tableau p. 438). Donnez une pente transversale au fond de la fouille en utilisant des cales. Comblez les creux éventuels du terrain avec du blocage concassé, que vous compacterez au rouleau de jardin jusqu'à ce qu'il soit ferme et plan.

TRAÇAGE D'UNE COURBE

Matérialisez le tracé d'une courbe, de chaque côté de l'allée, avec un tuyau d'arrosage. Vous pouvez également utiliser des bandes de plastique.

Il est nécessaire de faire l'allée légèrement plus large dans une courbe ; avec la même largeur que dans sa partie rectiligne, vue d'une certaine distance, elle apparaîtrait plus étroite dans le virage.

Tendez un cordeau entre des piquets plantés tout le long du tracé. Ces piquets devront être plus proches les uns des autres que sur une portion rectiligne.

ATTENTION À LA BARRIÈRE D'ÉTANCHÉITÉ

Si l'allée longe le mur d'une maison, la fouille doit être assez profonde pour que le revêtement de surface soit au moins 15 cm au-dessous de la barrière d'étanchéité ; elle se reconnaît à la couche de mortier plus épaisse à hauteur du deuxième ou du troisième rang de briques.

Si vous ne pouvez faire de fondations assez profondes, orientez le dévers de l'allée vers le mur, que vous protégerez par un caniveau menant à un puisard. Ou bien élevez une bordure de béton entre le bord de l'allée et le mur.

LA CONSTRUCTION D'UNE TERRASSE

Une terrasse est un espace extérieur aménagé à des fins utilitaires, mais aussi pour la détente et le repos. Elle est généralement, mais pas nécessairement, contiguë à la maison.

Dans la mesure du possible construisez-la sur un emplacement chaud et ensoleillé. Veillez à ce qu'elle bénéficie d'un peu d'ombre au moins une partie de la journée et qu'elle soit à l'abri des vents violents ou des courants d'air, naissant, par exemple, dans un passage étroit entre deux constructions.

Accordez ses dimensions à celles du jardin : une terrasse trop grande l'écraserait, trop petite elle y disparaîtrait. Pour que l'on puisse y tenir à l'aise, elle aura au moins 2,30 m de profondeur. Choisissez pour son revêtement des matériaux de pavage (voir p. 438) qui se marient bien à l'environnement tout en n'étant pas trop ternes.

Faites un plan sur papier millimétré avant de commencer les travaux afin de bien déterminer escaliers, murs de soutènement éventuellement nécessaires, plates-bandes surélevées souhaitées...

Indiquez des regards à recouvrir d'une plaque et — pour une terrasse contiguë à la maison —, dans le mur, des orifices de ventilation qui pourraient être masqués : ils sont en général au-dessus de la barrière d'étanchéité. Le niveau de la terrasse doit être au moins 15 cm au-dessous de cette barrière.

Préparez les fondations comme pour une allée carrossable mais seulement avec du blocage. Une pente de 1,6 % suffit pour assurer l'écoulement de l'eau sans pour autant compromettre la stabilité des tables et des chaises.

OUTILS POUR LES FONDATIONS

Vous pouvez louer nombre de ces outils ; consultez les pages jaunes de l'annuaire, à la rubrique « Location de matériel et d'outillage ».

Dame

Manche rond, solide, terminé par une lourde masse servant à compacter le blocage. Peut se louer.

Rouleau à gazon

Pour compacter de grandes surfaces de blocage (ou pour rouler l'asphalte à froid, p. 449), louez au lieu d'une dame un rouleau à gazon rempli de 100 kg d'eau ou de sable, et même davantage.

Dameuse

À la place d'un rouleau vous pouvez louer une dameuse à moteur thermique pour damer de grandes surfaces de blocage. Utilisez un modèle léger de dameuse pour asseoir les blocs de pavage en béton dans leur assise (voir p. 443).

Marteau piqueur électrique

Si vous devez casser une grande surface de béton pour construire une nouvelle allée, la meilleure solution consiste à louer un marteau piqueur électrique. Équipez-le d'un ciseau ou d'un burin pointu pour la démolition, ou bien d'une mèche au carbure pour percer des trous de fixation dans le béton.

Il existe des modèles légers pour un béton ne dépassant pas 10 cm et de plus gros pour un béton plus épais. Mettez des lunettes de protection et, si possible, des chaussures à bouts renforcés pour travailler avec un marteau piqueur.

Autres outils utiles

Il faut des piquets et un cordeau pour délimiter l'emplacement d'une fouille. Le cordeau tendu entre les piquets est également nécessaire pour servir de guide à la réalisation des bords rectilignes.

Une bêche de jardin est indispensable pour creuser la fouille des fondations. Une masse peut être utile pour briser le blocage et un pic pour creuser en terrain dur ou pour casser du vieux béton. Vous pouvez louer ces deux outils.

Il vous faudra aussi une pelle et des outils à béton (voir p. 444) si les fondations comportent une semelle de béton reposant sur le blocage.

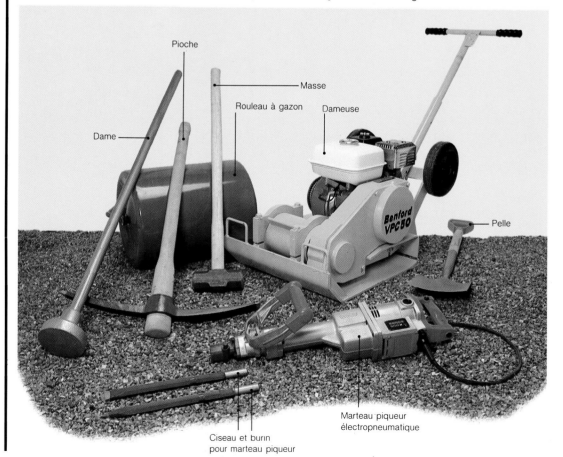

Dame — Pioche — Masse — Rouleau à gazon — Dameuse — Benford VPC50 — Pelle — Ciseau et burin pour marteau piqueur — Marteau piqueur électropneumatique

RECOUVREMENT OU SURÉLÉVATION D'UNE PLAQUE DE REGARD

La construction d'une allée carrossable ou d'une terrasse entraîne un léger exhaussement du terrain qui nécessite soit le camouflage, soit la surélévation de la plaque d'un regard existant sur l'emplacement choisi. Vous pouvez dissimuler le regard sous un couvercle double disponible chez certains marchands de matériaux de construction. Ils sont faits en acier embouti ou en P.V.C. moulé et existent en diverses dimensions.

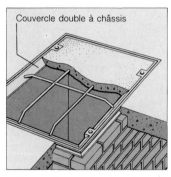

Couvercle double à châssis

On en trouve de deux types : le couvercle à châssis muni d'une toile métallique sur laquelle on peut

couler du béton (en laissant libres le logement des ergots de fixation) ; et le couvercle-cadre creux pouvant recevoir un revêtement amovible. Calculez l'épaisseur de la terrasse pour que le camouflage affleure son pavage.

Pour surélever un regard, enlevez le couvercle et posez au fond une

feuille de polyéthylène qui recueillera les débris. Faites ensuite sauter le mortier de scellement de l'encadrement. S'il est en fonte, veillez à ne pas le frapper, la fonte est cassante. Après avoir retiré l'encadrement, enlevez le mortier restant sur la partie supérieure des briques des parois du regard.

Le matériau utilisé pour la surélévation du regard dépendra de l'importance de celle-ci. Si elle est

inférieure à l'épaisseur d'une brique (6,5 cm avec le joint de mortier), prenez des morceaux de brique ou de tuile de l'épaisseur voulue et posez-les comme des rangées de briques.

Reposez l'encadrement sur un lit de mortier (dosé à trois parts de sable pour une de ciment) et positionnez-le en frappant à petits coups de massette sur un tasseau. Vérifiez au niveau à bulle qu'il est bien horizontal.

Donnez une pente vers l'extérieur au scellement pour faciliter l'évacuation de l'eau de pluie.

AMÉNAGER LES VENTILATIONS BASSES

Une allée ou une terrasse ne doit

pas obstruer une bouche de ventilation. S'il est impossible de réaliser le niveau du revêtement sous la ventilation, ménagez devant elle un espace libre large d'au moins 30 cm. Enlevez régulièrement les feuilles ou débris.

Une autre solution est de placer une canalisation souterraine allant de l'orifice de ventilation à l'air libre.

Pour poser la canalisation, rem-

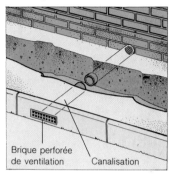

Brique perforée de ventilation   Canalisation

placez la brique perforée (voir p. 422) par un morceau de tuyau de drainage en plastique ; utilisez pour cela un mortier prédosé (voir p. 445) ou un mélange ciment-sable dans la proportion de un pour quatre. Faites passer le tuyau dans le blocage des fondations de la terrasse et scellez à son bout une autre brique perforée.

Faire une rigole de drainage et un puisard

Pour une allée carrossable suivant une pente vers la maison, prévoyez au bas un caniveau pour l'évacuation de l'eau de pluie. Il aboutira à une canalisation d'évacuation existante ou à un puisard ou puits perdu ne retenant pas l'eau et situé à 3 m au moins de la maison.

Le caniveau doit avoir un revêtement en béton et une pente d'environ 1,5 % vers le puisard. Faites-le avec un mélange pour béton de pavage (voir p. 446) et d'une profondeur de 2,5 cm environ, donnez-lui forme à l'aide d'un morceau de tuyau de drainage et lissez bien la rigole d'écoulement.

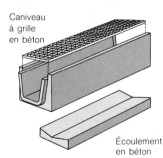

Caniveau à grille en béton

Écoulement en béton

Autre solution : scellez au mortier dans le blocage de fondation des conduits d'évacuation préfabriqués en béton ou en P.V.C., longs d'environ 90 cm. Les modèles renforcés sont épais de 25 cm, larges de 30 cm et ont une fente ou une grille sur la face supérieure. Ou, prenez des éléments plats avec simple rigole centrale de 2,5 cm.

CONSTRUCTION D'UN PUISARD

Réservés aux eaux de ruissellement à l'exclusion des eaux ménagères, ces puisards peuvent être soumis à réglementation. Voyez la Direction départementale de l'action sanitaire et sociale (DDASS).

Puisard artisanal

1 Creusez un trou d'environ 1,20 m de côté et d'au moins la même profondeur. Si vous rencontrez une couche d'argile dure à traverser, allongez la fouille pour compenser.

2 Percez à la fourche le fond de l'excavation avant de la remplir, jusqu'à environ 10 cm du bord, de pierraille plus grosse au fond. Pour

un puits perdu de 1,20 m de diamètre et de profondeur il faut environ 1,80 m³ de pierraille, soit le contenu de 25 à 30 brouettes.

3 Reliez la rigole au puisard par un tuyau en légère pente. Placez un siphon à sa partie supérieure.

4 Posez sur la pierraille une feuille de polyéthylène ; coulez du béton (voir p. 446) sur 7,5 cm d'épaisseur. Enfin étalez sur le tout une couche de terre ou des mottes de gazon.

Puisard préfabriqué

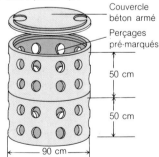

Couvercle béton armé

Perçages pré-marqués

50 cm

50 cm

90 cm

Il est fait de buses perforées en béton, à superposer et à enterrer, qui se posent sur fond stable. Calez la première avec de grosses pierres plates ; posez les suivantes en garnissant leur pourtour de grosse pierraille. Ne mettez pas de pierre à l'intérieur. Des couvercles en béton s'adaptent à ces buses. Branchez et masquez le puisard comme un puisard artisanal.

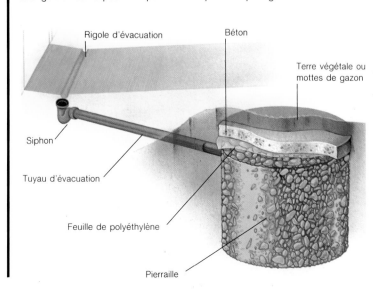

Rigole d'évacuation

Béton

Terre végétale ou mottes de gazon

Siphon

Tuyau d'évacuation

Feuille de polyéthylène

Pierraille

Pose des dalles d'une allée ou d'une terrasse

Prévoyez autant que possible une surface à recouvrir divisible par celle d'une dalle, ce qui évitera beaucoup de coupes. Tenez compte d'un intervalle de 1 cm entre les dalles pour les joints.

Faites un plan à l'échelle sur papier millimétré en indiquant position et nombre de dalles — surtout s'il y en a de taille, de couleur et de texture différentes. Si nécessaire, faites des joints au mortier de 2,5 cm avec des matériaux plus petits, telles des briques. Garnissez de mortier les intervalles irréguliers.

Certains fabricants présentent des motifs réalisables avec une estimation du nombre de dalles qu'ils nécessitent.

Pour une allée carrossable, posez les dalles sur lit de mortier avec terre compactée ou béton si le sol est instable. Pour une allée de jardin ou une terrasse, posez chaque dalle sur cinq gros plots de mortier (aux angles et au centre) ou sur lit de sable.

Outils : truelle de briqueteur, règle de maçon de 2 m ; mètre à ruban métallique, piquets-repères, équerre de maçon (voir p. 429), niveau à bulle, cale en bois (voir p. 437), massette, tasseaux de 10 × 5 cm, ciseau de briqueteur (voir p. 429) ou meuleuse-tronçonneuse (voir p. 434), crayon, équerre métallique, butées d'espacement en bois de 1 cm (trois ou quatre par dalle), latte en bois de 1 cm d'épaisseur, deux pelles, seau, arrosoir avec pomme, plateau de gâchage (voir p. 444), éponge mouillée.
Matériaux : dalles de pavage — prenez des dalles épaisses de 5 cm et moulées à la presse hydraulique pour une allée carrossable ; mortier de scellement (voir p. 446) ou mortier prédosé (voir p. 445) pour les petites surfaces.

UN BON TRUC
Stockez les dalles de pavage debout, appuyées contre un mur. Posez-les sur deux morceaux de bois pour que leur bord inférieur reste propre.

---

1 Pour une allée carrossable, préparez une fondation de blocage et de béton (voir p. 437) ; attendez que le béton sèche (environ 3 jours).

Pour une terrasse, préparez une simple assise de blocage recouverte d'une couche de sable.

2 Tendez les cordeaux entre les piquets autour de l'emplacement pour aligner les dalles.

Plantez les piquets indiquant le niveau des dalles en tenant compte de l'épaisseur du lit de mortier (2,5 cm), du dévers et de la pente longitudinale de l'allée. Placez-les assez près les uns des autres pour les relier par un niveau à bulle.

3 Contrôlez le niveau des piquets avec un niveau à bulle et des cales de bois (voir p. 437). Vérifiez à l'équerre de maçon que les angles formés par les cordeaux sont droits.

4 Gâchez le mortier de l'assise sur une aire plane et ferme en n'utilisant que du sable et du ciment. Réservez une pelle au maniement du ciment sec. Faites un mortier assez ferme pour supporter la dalle sans qu'elle s'y enfonce.

5 Avec une truelle de briqueteur, étalez à un angle de l'emplacement à daller un lit épais de 3 à 5 cm pour la première dalle. Striez la surface du mortier avec la pointe de la truelle.

6 Posez avec précaution la dalle sur son lit de mortier en alignant les bords sur les cordeaux.

7 Posez une petite longueur d'un tasseau de 10 × 5 cm de section sur la dalle pour protéger celle-ci quand vous la frapperez doucement à la massette afin de la mettre au niveau des piquets-repères. Elle doit être bien assise dans la couche de mortier et ne pas osciller. L'épaisseur du lit de mortier doit être de 2,5 cm environ ; rectifiez si nécessaire.

8 Avec un niveau à bulle et une cale d'épaisseur en bois contrôlez le dévers et la pente longitudinale de la dalle.

9 Posez de même à partir du rang d'angle, un rang de dalles de bordure alignées sur le cordeau et les piquets. Sauf pour les bords biseautés, placez entre les dalles des butées d'espacement pour faire les joints de même épaisseur.

10 Vérifiez à la règle que les dalles sont à la même hauteur sur toute la rangée ; si l'une d'elle est trop haute, enfoncez-la dans le lit de mortier ou réduisez l'épaisseur de celui-ci ; si elle est trop basse, ôtez-la pour ajouter du mortier.

11 Partant des deux dalles d'angle, posez deux autres rangs délimitant ainsi trois côtés de la surface à couvrir.

12 Posez les dalles dans l'espace délimité en suivant votre plan de construction. Vérifiez à la règle que chaque dalle est au même niveau que celles qui l'entourent.

13 Attendez au moins 2 jours pour ôter les butées d'espacement et garnir les joints. Utilisez un mortier gras (une part de ciment pour deux de sable), gâché et épais.

14 Bourrez le mortier avec un morceau de bois épais de 1 cm. Pour donner un certain relief au dallage et faciliter le drainage, faites les joints en retrait de quelques millimètres de la surface.

15 Retirez l'excédent de mortier des dalles à l'éponge humide.

COUPE D'UNE DALLE

1 Posez la dalle sur du sable fin ; tracez la ligne de coupe au crayon sur toutes ses faces avec une règle et une équerre métallique.

2 Creusez une rainure le long de la ligne de coupe au ciseau de briqueteur ou à la meuleuse équipée d'un disque à tronçonner les matériaux.

L'emploi d'une meuleuse est moins fatigant et la coupe est plus précise, mais maniez l'outil avec précaution pour éviter les accidents. Mettez des gants et des lunettes de protection.

3 Pour couper la dalle, posez-la à plat, parement au-dessus. Approfondissez la rainure jusqu'à ce que la dalle casse sous un petit coup de massette.

4 Quelle que soit la méthode, il est difficile d'avoir une coupe nette. Posez les dalles coupées là où la coupe sera peu visible — le long d'une pelouse ou contre un joint de mortier, par exemple.

PAVAGE EN OPUS INCERTUM
Les éléments d'un pavage en opus incertum étant irréguliers, il est impossible d'établir un plan de pose. Rangez les dalles en piles selon leurs couleurs et dimensions afin que la pose soit plus facile. Mettez à part pour les bordures les dalles ayant un côté rectiligne.

Il faut les mêmes outils que pour la pose de dalles normales, moins les butées d'espacement. On ne peut réaliser des joints de même épaisseur mais ils ne devront pas dépasser 2,5 cm pour économiser le mortier et aussi par souci d'esthétique.

Les matériaux sont aussi les mêmes mais le revêtement est en dalles cassées ou en pierres (voir p. 438).

Faites les mêmes fondations que pour une allée carrossable ou une terrasse ; étalez un lit de mortier comme pour des dalles classiques.

Tous les éléments n'ayant pas la même épaisseur, il faudra davantage de mortier sous les plus minces pour avoir une surface plane. Vérifiez au niveau à bulle qu'aucune dalle n'est inclinée.

Pose de blocs de pavage

Il est indispensable de bien « asseoir » dans le mortier les blocs de pavage d'une allée carrossable pour obtenir une surface stable. Le mieux est d'utiliser une dameuse. Avec des blocs posés sur sable, on obtient une surface plane et résistante après compactage du lit de sable de 5 à 6,5 cm d'épaisseur.

Si vous louez une dameuse, demandez un modèle convenant pour le compactage des blocs de pavage ; certains sont trop lourds pour ce travail. Passez-la avec régularité, sans approcher à moins de 1 m des lisières où la bordure n'est pas encore posée.

Pour être compacté, un pavage doit être calé par de solides bordures sinon, les joints s'élargissant, les blocs s'écarteraient. Si le pavage ne s'appuie pas contre un mur ou un matériau dur, posez des blocs de bordure ou des bordures de trottoir (voir p. 439).

Outils : règle, deux tasseaux-repères de niveau larges de 6,5 cm et d'une longueur égale à la largeur de la surface à paver, pelle, râteau, planche pour s'agenouiller, appareil à couper les blocs ou bien ciseau de briqueteur et massette, dameuse, balai souple ; éventuellement truelle à briqueter, cordeaux et piquets, équerre de maçon.
Matériaux : blocs de pavage, sable fin — 1 m³ recouvre environ 15 m² sur une épaisseur de 6,5 cm. Éventuellement, blocs de bordure, béton pour fondations (voir p. 446), eau.

1 Préparez d'abord une assise de blocage pour allée carrossable assez large pour permettre la pose éventuelle d'une bordure sur semelle de béton.

Laissez au-dessus de l'assise un espace correspondant à l'épaisseur d'un bloc et à celle d'une couche de sable (5 cm après compactage).

2 Posez si nécessaire des blocs de bordure en respectant le dévers et la pente longitudinale.

Attendez 3 jours que le mortier ait pris avant de poser le pavage.

3 Disposez à intervalles de 3 m environ le long de l'emplacement à paver des tas de sable aussi sec que possible afin de les avoir sous la main.

4 Placez deux tasseaux-repères de niveau larges de 6,5 cm en travers de l'emplacement — un au début et le second 1,20 m plus loin. Vérifiez leur inclinaison transversale (voir p. 437) au niveau à bulle.

5 Étalez le sable régulièrement entre les tasseaux. Posez la règle à cheval sur les tasseaux et ôtez l'excédent de sable au râteau jusqu'à ce que la couche soit au niveau de leur bord supérieur.

6 Préparez deux ou trois portions pour paver une surface assez longue. Enlevez les tasseaux au fur et à mesure et comblez de sable les vides qu'ils laissent.

7 Commencez la pose des blocs à un angle du lit de sable, mais sans marcher dessus. Au fur et à mesure de la pose, agenouillez-vous sur une planche mise en travers des blocs pas encore compactés.

8 Serrez bien les blocs les uns contre les autres selon l'appareillage choisi (voir p. 438) sans laisser d'espace pour les joints. Posez d'abord les blocs entiers, puis les demi-blocs. Vérifiez les angles à

l'équerre de maçon. Les blocs posés le long de la bordure doivent la dépasser d'environ 1 cm pour être à son niveau après compactage.

9 Après avoir posé 3 à 4 m de blocs, passez deux ou trois fois la dameuse sur la surface pavée en vous arrêtant au moins 1 m avant la dernière rangée. Vous verrez de combien les blocs s'enfoncent au compactage, ce qui dépend en définitive du degré d'humidité du sable. Si la surface du pavage est trop haute ou trop basse, enlevez les blocs et modifiez la hauteur du lit de sable.

10 Quand vous aurez obtenu un pavage satisfaisant sur au moins 4 m de longueur, mettez les demi-blocs en place et compactez à la dameuse comme précédemment.

11 Tous les blocs posés et compactés, assurez-vous que la surface est sèche et étalez une fine couche de sable fin bien sec. Faites-le pénétrer entre les blocs avec la dameuse afin d'assurer leur cohésion. Au besoin quelqu'un poussera au balai sous la machine le sable que les vibrations ont tendance à disperser.

COUPE DES BLOCS DE PAVAGE

La plus simple et la plus rapide façon de couper les blocs de pavage est d'utiliser un fendoir hydraulique à main. Sinon faites-le au ciseau de briqueteur comme pour les briques (voir p. 434), mais le travail est long et fastidieux pour une grande surface à paver.

POSE DES BLOCS DE BORDURE

Vous réaliserez une solide bordure avec un rang de blocs de pavage posés en boutisses, à plat, scellés au mortier sur une assise de béton (voir p. 446). Utilisez un mélange pour fondations. Laissez sur les bords de la surface à paver un espace de 20 cm pour chaque rang.

L'assise de béton aura 7,5 cm d'épaisseur et 30 cm de largeur afin de laisser une marge de 7,5 cm à l'extérieur de la rangée de blocs de bordure et de 2,5 cm à l'intérieur. Pour que le dessus de la bordure affleure le pavage terminé, le niveau de l'assise sera situé à environ 7,5 cm de profondeur : l'épaisseur des blocs (5,5 cm) plus celle du lit de mortier (2 cm).

Laissez le béton durcir 24 heures avant de poser la bordure sur un lit de mortier dosé à une part de ciment pour trois de sable. Contrôlez au cordeau le niveau de la bordure en tenant compte du dévers et de la pente longitudinale éventuelle. Donnez au mortier, à l'extérieur de la bordure, une légère inclinaison vers le haut pour former une petit ressaut. Ne laissez aucun espace entre les blocs.

Pour les bordures courbes, utilisez un mortier gras à une part de ciment pour deux de sable. Laissez entre les blocs de 8 à 25 mm et bourrez-les de mortier 24 heures après la pose. Faites-en pénétrer peu à la fois avec une languette de contre-plaqué. Garnissez les joints jusqu'au bord inférieur du chanfrein des blocs et enlevez les éclaboussures avec une éponge.

Attendez 3 jours avant de poser le pavage. Le lit de mortier utilisé pour le scellement de la bordure ne devra pas empêcher le nivelage des blocs. Au besoin, coupez-le jusqu'à la limite de l'assise de béton.

POSE DE BRIQUES OU DE BLOCS SANS EMPLOYER DE DAMEUSE

Vous pouvez poser sans dameuse un pavage sur une petite surface, mais il ne sera pas aussi stable. Les bordures seront en blocs de pavage ou en planches de coffrage traitées. Environ 5 cm d'épaisseur suffiront pour le lit de sable, qui ne pourra être compacté aussi fort qu'à la dameuse. Damez-le, égalisez au râteau, passez un rouleau à gazon lesté (voir p. 440).

Avant nivelage du sable, arrosez-le en pluie pour qu'il puisse conserver sa forme.

NIVELAGE DU SABLE AVEC UNE PLANCHE ENCOCHÉE

Si les bordures sont fixes des deux côtés, nivelez le sable avec une planche encochée perpendiculaire aux bordures.

Prenez une planche de 10 x 5 cm avec une encoche longue de 15 cm à chaque extrémité. Pour compacter le sable, la largeur de la planche sous les encoches doit être inférieure d'environ 6 mm à l'épaisseur des blocs de pavage ; à moins que vous utilisiez une dameuse, auquel cas elle devra lui être inférieure d'environ 13 mm.

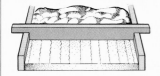

Coulage du béton : outils et coffrage

Plateau de gâchage

Utile si vous ne disposez pas d'une aire propre et dure sur laquelle gâcher le béton. Faites-en un en contre-plaqué de 12 mm ou avec des planches clouées transversalement sur des madriers. L'idéal est une feuille carrée de 1,80 m de côté avec une bordure haute de 25 mm sur son pourtour pour retenir le béton. Une petite quantité se gâche dans une brouette. Nettoyez tout dans les 2 heures qui suivent.

Bétonnière

On trouve à louer de petites bétonnières. La plupart font une gâchée en 3 minutes. La capacité de la cuve est indiquée à la fois pour les ingrédients secs et pour le béton fini, par exemple 140/100 litres. Pour le bricoleur, un modèle moyen, de 110/85 litres, est en général suffisant : avec 110 litres de sable, de gros agrégats et de ciment, elle fournit environ 85 litres de béton.

Les bétonnières sont à moteur électrique ou à essence. La bétonnière électrique est préférable quand le chantier n'est pas trop éloigné. Si c'est le cas, assurez-vous que le moteur peut être branché sur votre installation électrique (courant monophasé ou triphasé). Contrôlez également l'état du câble prolongateur et veillez à ne pas l'endommager.

Une bétonnière moyenne a environ 75 cm de diamètre. Elle peut être à roues, ou montée sur un cadre assez haut permettant de verser le béton directement dans une brouette. Les modèles à roues doivent être équipés d'un dispositif de sécurité capable d'immobiliser l'ensemble.

Brouette

Il faut une brouette de terrassier en tôle. Elle se loue. Pour l'utiliser sur terrain meuble ou dans un escalier, faites un chemin de roulage en planches coincées entre des piquets ou des madriers. Louez au besoin pour cela des planches d'échafaudage de 2,50 ou 3 m.

Pelles, seaux et râteaux

Ayez deux pelles et deux seaux solides de même capacité en polyéthylène. Gardez une pelle et un seau pour manipuler le ciment afin qu'ils restent secs et que le matériau n'y colle pas. Étalez le béton avec un râteau que vous nettoierez à intervalles réguliers avant que le béton ne s'y attache.

Madrier de compactage

Utilisez un madrier épais de 5 cm tenu de chant pour niveler et compacter le béton en chassant les bulles d'air qu'il contient. Choisissez un madrier plus long de 30 cm que la largeur de la dalle de béton afin qu'il puisse reposer sur le coffrage. Pour compacter une surface étroite, utilisez un madrier large de 10 cm. Prenez-le avec profil concave pour obtenir une allée à surface bombée. Pour les sections larges (2 à 3 m), utilisez un madrier de 15 cm de large muni d'un manche à chaque bout. Il faut deux personnes pour manier un tel outil.

Outils de finition

Pour certains types de finition vous aurez besoin soit d'une truelle de plâtrier, soit d'une taloche en bois ou en plastique. Il est possible de fabriquer une taloche avec une planchette de $30 \times 12,5 \times 2$ cm : vissez sur une des faces une poignée en bois faite de deux tasseaux courts reliés par un long dont les arêtes auront été rabotées.

Fer à arrondir

Utilisé pour arrondir les arêtes du béton avant séchage. Louez-le ou confectionnez-en un en courbant un morceau de tôle sur un manche ou tout autre objet cylindrique.

INSTALLATION DE BORDURES EN BOIS

Ces bordures appelées coffrage sont indispensables pour retenir le béton tant qu'il est fluide lors de la construction d'une allée. On les enlève quand le béton a durci. On peut utiliser pour un coffrage de vieilles planches de palissade ou des lames de parquet.

On utilise également le bois pour faire des bordures permanentes avec d'autres revêtements d'allées tels gravier, asphalte ou blocs de pavage. Dans ce cas, le bois doit être traité par imprégnation avec un produit de préservation — utilisez de préférence du bois traité sous pression avant sa mise en vente.

Outils : niveau à bulle, maillet, marteau, équerre de maçon (p. 429), cales en bois (voir p. 437), cordeau. *Matériaux* : planches de largeur égale à l'épaisseur du revêtement ; piquets en bois carrés de 2,5 cm de côté, et longs d'environ 30 cm (un à chaque mètre de bordure) ; clous de maçon de 5 cm, galvanisés pour une bordure permanente.

1 Creusez de chaque côté de la fondation une tranchée d'environ 15 cm et aussi profonde que l'épaisseur du revêtement.

2 Placez une planche de chant d'un côté de la fondation en l'alignant sur le cordeau. Enfoncez contre sa face postérieure des piquets pour l'étayer. Leur sommet doit se trouver à une hauteur du sol correspondant à celle de la surface de l'allée et affleurer le bord supérieur des planches de coffrage.

3 Clouez la planche aux piquets après avoir vérifié, au niveau à bulle que sa pente longitudinale suit celle de l'allée.

4 Terminez un côté de la bordure en ajoutant bout à bout d'autres planches à la première.

5 Prévoyez le dévers d'évacuation d'eau. Posez la bordure d'un côté un peu plus bas que l'autre selon le dévers voulu (voir « Détermination d'une pente », p. 437). Si un côté de l'allée touche la maison, faites-le plus bas à l'opposé.

6 Pour faire un assemblage solide en angle, placez les planches à angle droit en vérifiant à l'équerre de maçon ; clouez-les ensemble puis à un piquet. Il est inutile de couper l'extrémité des planches débordant l'angle de l'assemblage.

7 Sur une longue allée bétonnée, prévoyez des joints de dilatation à intervalles convenables (voir p. 447).

CINTRAGE D'UN COFFRAGE

1 Tracez au sol le profil de la courbe ; jalonnez-le de piquets ; tendez entre eux un cordeau (voir « Traçage d'une courbe », p. 440).

2 Faites à la scie des entailles sur la moitié environ de l'épaisseur de la planche du côté se trouvant à l'intérieur de la courbe. Espacez-les de 12 cm environ, de moins si la courbe est très serrée.

3 Donnez sa forme à la planche en la clouant aux piquets.

4 Vérifiez que le coffrage de chaque côté de l'allée est à bonne hauteur et que la pente est conforme (voir « Détermination d'une pente », p. 437). Rectifiez en l'enfonçant ou en le soulevant.

OUTILS POUR LE BÉTON

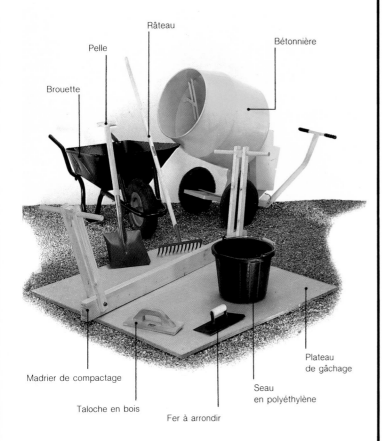

Râteau
Pelle
Bétonnière
Brouette
Madrier de compactage
Taloche en bois
Fer à arrondir
Seau en polyéthylène
Plateau de gâchage

CHOIX DES MATÉRIAUX POUR LA CONFECTION DU BÉTON

Le béton est un mélange composé de sable, de cailloux, de ciment et d'eau en proportions données (voir p. 446). Vous pouvez le faire vous-même, à la main ou à la béton-nière ; ou bien l'acheter prêt à être coulé, livré par camion-bétonnière (toupie). En le préparant vous-même, vous travaillerez à votre rythme, en prenant votre temps. Si vous l'achetez prêt à l'emploi, vous devrez l'utiliser en une fois en faisant appel à des aides. Mais pour couler une dalle exigeant 60 gâchées à la bétonnière, la livraison par toupie coûtera moins cher et, la dalle étant coulée en une fois, le travail sera plus rapide et plus solide que si vous faites le béton vous-même.

MATÉRIAU	DESCRIPTION	CONDITIONNEMENT	STOCKAGE
Ciment	Mélange pulvérulent de chaux et de calcaire argileux qui durcit avec de l'eau. Le béton se fait au ciment artificiel ordinaire gris, dit de Portland. Le ciment blanc, pour béton ou mortier décoratifs, coûte deux fois plus cher. Un ciment résistant aux sulfates s'emploie pour des bétons exposés à l'eau de mer ou sur sols riches en sulfates. Plus cher que le ciment ordinaire, il ne se trouve pas toujours aisément. N'utilisez pas de ciment de maçonnerie contenant des additifs destinés à augmenter son pouvoir d'absorption d'eau et sa plasticité. Le ciment à prise rapide doit être réservé aux petites réparations sous l'eau ou en milieu humide.	Généralement vendu en sacs de 50 kg. Il en existe de plus petits — jusqu'à 2,5 kg — relativement plus chers mais économiques pour de petits travaux. Vérifiez l'état des emballages à l'achat — refusez les sacs humides ou ceux dans lesquels vous pouvez constater la présence de grumeaux indiquant que le ciment a commencé à durcir. Pour éviter le gaspillage dû au durcissement du ciment pendant le stockage, n'achetez que la quantité que vous utiliserez dans la semaine.	Stockez les sacs sur support sec, dur, isolé du sol ; entassez-les à plat pour que l'air ne circule pas entre eux, car son humidité peut traverser le papier et durcir le ciment qui devient inutilisable même s'il s'effrite entre les doigts. Entreposez les sacs à couvert ; à l'extérieur, protégez-les de feuilles de plastique. S'il faut conserver plusieurs jours un sac ouvert, transférez-le dans un sac en plastique bien fermé. Le ciment peut irriter la peau. Si vous en recevez dans l'œil, nettoyez vite à l'eau froide et voyez le médecin. Des sacs marqués «longue conservation», doublés intérieurement de plastique, assurent une meilleure conservation.
Sable	Le sable entre dans la catégorie des agrégats fins — matériaux traversant un tamis à mailles de 5 mm. Utilisez du sable à béton plus grossier que le sable de construction (fin) servant à faire le mortier (voir p. 431). Si vous utilisez du sable très fin avec du ciment blanc pour faire du béton ou du mortier blancs, il faut augmenter la proportion de ciment dans le mélange afin que celui-ci soit assez résistant.	Se vend généralement à la tonne ou au mètre cube (environ 1 500 kg de sable sec) chez les marchands de matériaux de construction ou dans les sablières. Il est lavé à l'eau ou tamisé à sec. Si vous l'achetez en sablière, assurez-vous qu'il est propre. Vous pouvez aussi l'acheter en petites quantités chez la plupart des marchands de matériaux de construction, mais prévoyez alors des bacs ou des sacs pour le transport.	Gardez le sable aussi propre que possible sur une surface dure ou une feuille de polyéthylène et recouvert d'un matériau imperméable afin qu'il reste sec. Le sable conserve l'humidité et celui que vous utiliserez en contiendra toujours une certaine quantité, qui accroît son volume. Les proportions pour les mélanges (voir p. 446) sont fournies en volumes de sable sec : si le vôtre est humide — mais pas complètement saturé — augmentez le volume recommandé d'un pourcentage allant jusqu'à 25 %. Le sable saturé d'eau a le même volume que le sable sec.
Gros agrégat	Cailloux trop gros pour passer à travers des mailles de 5 mm, ils assurent la solidité du mélange. Un agrégat bien calibré contient un mélange équilibré de cailloux de divers diamètres. Pour la plupart des travaux d'amateur, leur diamètre maximal doit être de 2 cm. Le béton fin s'obtient avec un agrégat dont les particules ne dépassent pas 1 cm de diamètre.	Généralement vendu à la tonne ou au mètre cube (1 500 à 1 800 kg) chez les marchands de matériaux de construction ou dans les carrières de gravier et de sable. Certains fournisseurs le vendent en petite quantité. C'est pratique pour les petits travaux mais cela revient plus cher que les livraisons par grosses quantités.	Le gros agrégat, insensible aux intempéries, peut se conserver très longtemps. Gardez-le propre, stocké sur une surface dure et recouvert d'une bâche, car s'il contient beaucoup de poussière ou de débris, le béton en sera affaibli. Tenez l'agrégat à l'abri du gel : si vous utilisiez un matériau gelé, de la glace pourrait se former dans le béton.
Agrégats mélangés et ballast	Mélange de particules de diverses dimensions, y compris du sable (agrégat fin), fait par le fournisseur (plus cher) ou vendu comme mélange naturel en carrière. Le ballast en mélange, produit similaire, désigne habituellement un agrégat fait de graviers. On l'emploi souvent sur une couche de blocage pour combler les vides quand on prépare des fondations (voir p. 437). Ne prenez pas de ballast non lavé.	Vendu comme le gros agrégat. Prévenez le fournisseur que vous voulez un mélange pour béton car il y a plusieurs qualités. Les mélanges d'agrégats mal calibrés ne conviennent pas pour le béton. Un mélange bien calibré renferme 60 % de particules de plus de 1 cm de diamètre. Pour juger de la qualité d'un mélange, prenez-en une poignée, et s'il vous salit la main, refusez-le : il contient trop de boue.	Stockez comme le gros agrégat.
Mélanges secs prédosés en sacs	Mélanges de ciment et d'agrégats (dosage habituel : une part de ciment, deux de sable, quatre de gros agrégat) auxquels il suffit d'ajouter de l'eau. Ils comprennent notamment le mélange grossier, pour gros travaux comme le scellement de poteaux de clôture ; et le mélange fin (en général, une part de ciment et trois de sable), pour des travaux exigeant des surfaces lisses (des réparations ou la composition d'un lit de mortier pour dalles et bordures).	Vendus en sac de 25 kg par les marchands de matériaux de construction et les centres de bricolage. Conviennent aux petits travaux et aux réparations mais pas aux gros ouvrages car ils peuvent coûter dix fois plus cher qu'un béton ou un mortier préparé par vous-même.	Stockez comme le ciment. Pour l'utilisation, videz tout le contenu du sac et mélangez soigneusement les ingrédients à sec. Mettez d'un côté la quantité à laquelle vous allez ajouter de l'eau et remettez le reste dans le sac (bien sec). Vous serez ainsi certain de travailler avec un mélange équilibré.
Béton prêt à l'emploi	Le béton est prêt à être coulé et il est livré par un camion-bétonnière généralement muni d'une goulotte de déchargement. Les fondations et le coffrage doivent êtres prêts au moment de la livraison pour que le béton soit coulé dans les 2 heures (moins par temps chaud). Avant de commander, étudiez la meilleure méthode de transport du camion au point d'utilisation. Si vous devez utiliser des brouettes, demandez du «béton retard» — auquel on a incorporé des retardateurs de prise — afin d'avoir un peu plus de temps. Un chargement de «béton retard» doit être coulé dans les 4 heures suivant la livraison (moins par temps chaud).	Un camion contient généralement de 5 à 6 m³ de béton mais certains fournisseurs acceptent de livrer de plus petites quantités. Consultez plusieurs marchands avant de vous décider. Certaines entreprises gâchent le béton sur place et vous ne payez que la quantité utilisée. Passez commande au moins 24 heures à l'avance et précisez bien ce que vous voulez. Demandez si le temps de déchargement est limité (par exemple à 30 minutes par mètre cube), si la livraison peut être ajournée en cas de mauvais temps, et, en cas de besoin, les brouettes sont fournies et ce qui se passe si vous êtes obligé d'annuler un ordre de livraison.	

COLORATION DU BÉTON ET ADDITIFS

Le béton se colore par ajout de pigments en poudre au gâchage ou par teinte après la coulée. Les résultats sont peu satisfaisants. Vous pouvez y incorporer un additif pour l'imperméabiliser et le protéger contre le gel, mais suivez bien le mode d'emploi car l'utilisation en est difficile. Un produit hydrofuge ralentit la pénétration de l'eau dans le béton ; un additif anti-froid accélère la réaction eau-ciment et peut diminuer le risque de gel juste après la coulée ; protégez néanmoins le béton (voir p. 448). Ces additifs se vendent par dose pour 50 kg de ciment.

Mesure et gâchage du béton

CHOIX DU DOSAGE DES INGRÉDIENTS

La solidité du béton varie avec le dosage des ingrédients. Ajoutez le mélange approprié comme indiqué ci-dessous. La quantité de béton donnée par un sac de ciment diffère selon le type de mélange. Quel que soit le mélange, le béton perd en qualité si l'on ajoute plus d'eau qu'il n'en faut.

Pour recouvrir une grande allée carrossable, mieux vaut utiliser un béton prêt à l'emploi (livré par toupie) car il comporte un adjuvant entraîneur d'air qui forme dans sa masse de fines bulles d'air bien réparties ; elles augmentent sa résistance au gel et l'empêchent de se fissurer. Le béton

de pavage artisanal ne peut être ainsi « aéré », mais son fort pourcentage de ciment lui donne une bonne résistance aux intempéries.

L'ouvrabilité (facilité de mise en œuvre sans perte de qualité) du béton prêt à l'emploi est variable (elle est en rapport avec la consistance du béton).

Moyenne, elle convient aux travaux de bricolage. Pour une coulée difficultueuse (en tranchée profonde, par exemple), vous pouvez demander une grande ouvrabilité, obtenue par adjonction de superplastifiant. L'ajout d'un retardateur de prise prolonge l'ouvrabilité du béton.

MÉLANGE	UTILISATION	INGRÉDIENTS	PROPORTIONS Agrégats séparés	PROPORTIONS Agrégats mélangés	QUANTITÉS APPROXIMATIVES pour 1 m³	SPÉCIFICATION À LA COMMANDE
Béton de fondation	Mélange économique ne convenant qu'à du béton protégé des intempéries comme assise de revêtement d'allée, semelle de fondation de mur ou scellement de piquet de clôture.	Ciment Gros sable Gros agrégat (2 cm) Agrégats mélangés	1 $2\frac{1}{2}$ $3\frac{1}{2}$ —	1 — — 5	300 kg (6 sacs) 720 kg 1 165 kg 1 885 kg	Mélange d'ouvrabilité moyenne ou grande ; agrégats d'un diamètre maximal de 2 cm. Quantité requise en mètres cubes, y compris 10 % de pertes.
Mélange tous usages	Convient à tous les ouvrages autres que fondations — par exemple sol de garage ou de cabane — mais pas aux surfaces exposées aux intempéries.	Ciment Gros sable Gros agrégat (2 cm) Agrégats mélangés	1 2 3 —	1 — — 4	350 kg (7 sacs) 680 kg 1 175 kg 1 885 kg	Mélange d'ouvrabilité moyenne ou grande ; agrégats d'un diamètre maximal de 2 cm. Quantité requise en mètres cubes, y compris 10 % de pertes.
Mélange pour pavage	Mélange solide pour surfaces exposées aux intempéries telles que chemins carrossables, allées de jardin et escaliers.	Ciment Gros sable Gros agrégat (2 cm) Agrégats mélangés	1 $1\frac{1}{2}$ $2\frac{1}{2}$ —	1 — — $3\frac{1}{2}$	400 kg (8 sacs) 600 kg 1 200 kg 1 800 kg	Mélange spécial à la demande ; proportion minimale de ciment : 330 kg par m³ ; 4 % d'air incorporé.
Mélange de mortier pour assises	Pour dalles de pavage. 1/2 m³ de mortier permet de recouvrir environ 13 m³	Ciment Gros sable	1 4	— 	400 kg (8 sacs) 1 600 kg	

ÉVALUATION DES QUANTITÉS DE BÉTON NÉCESSAIRES

Multipliez la superficie de l'endroit à recouvrir par l'épaisseur de la couche. Calculez cette épaisseur avec exactitude en posant le madrier de compactage sur les bords du coffrage et en prenant des mesures en plusieurs endroits pour compenser les inégalités de la couche de blocage. Faites ensuite la moyenne des différentes mesures puis ajoutez 10 % pour tenir compte des pertes au gâchage et à la coulée.

DIMENSIONS DE L'ALLÉE

1 m × 10 m ×7,5 cm

Calcul

$1 \times 10 \times 0{,}075 = 0{,}75$ m³
$0{,}75 + 10\ \%\ (0{,}075) = 0{,}80$ m³

Pour mesurer une surface de forme irrégulière, quadrillez une feuille de papier puis tracez le périmètre de l'aire sur le quadrillage. Comptez le nombre de carreaux inclus dans le périmètre, et ajoutez-y le nombre de carreaux partiellement inclus dans le périmètre.

CONSEILS POUR LE GÂCHAGE

Mesurer les ingrédients avec un seau et mélangez-les en gâchées. Par exemple, pour un béton tous usages, une gâchée sera composée d'un seau de ciment, deux seaux de sable et trois seaux de gros agrégat. Remplissez les seaux jusqu'au bord.

Réservez une pelle et un seau au maniement du ciment afin qu'ils restent secs et que ne s'y collent pas des éclaboussures de béton à moitié pris qui pourraient abîmer le ciment dans le sac et modifier les proportions du mélange.

Un seau de polyéthylène de 14 litres contient environ 20 kg de ciment. Un sac de ciment de 50 kg représente donc deux seaux et demi. Il faut environ 25 à 30 litres d'eau par sac de ciment, soit 7 à 10 litres pour une gâchée ayant pour base un seau de ciment. Une bétonnière de 110/85 litres contient environ huit seaux.

La capacité d'une brouette est d'environ 80 litres mais on ne peut généralement la remplir qu'à moitié, souvent moins. Chaque mètre cube de béton représente donc au moins vingt-cinq brouettées.

MÉLANGE	SEAUX D'INGRÉDIENTS SECS	CUBAGE APPROX. DE BÉTON
Fondations $(1—2\frac{1}{2}3\frac{1}{2})$	7	0,070 m³ (70 litres)
Tous usages (1-2-3)	6	0,060 m³ (60 litres)
Pavage $(1-1\frac{1}{2}2\frac{1}{2})$	5	0,050 m³ (50 litres)

ÉPAISSEUR DE LA COUCHE en cm	SURFACE RECOUV./m³ DE BÉTON en m²
5	18
7,5	13
12,5	8
15	6

PROPORTIONS POUR UN MÈTRE CUBE DE BÉTON

UTILISATION	SABLE (en litres)	GRAVILLONS (en litres)	CIMENT (en kg)
Béton non armé			
Fondations (coulées en rigole)	600	600	250 (5 sacs)
Aires bétonnées	400	800	300 (6 sacs)
Murets	400	800	350 (7 sacs)
Dalles de jardin	250	950	350 (7 sacs)
Béton armé			
Dalles	800	400	350 (7 sacs)
Murs de soutènement	400	800	350 (7 sacs)
Piles, linteaux	450	750	400 (8 sacs)

Ces données sont fondées sur du sable sec, mais il faut toujours tenir compte du degré d'humidité de ce granulat, car celle-ci, en faisant gonfler le matériau (foisonnement), fausse parfois les proportions. Faites séchez du sable, comparerez-le au sable dont vous disposez (par pesée) et corrigez en volume.

GÂCHAGE DU BÉTON À LA MAIN

En général le gâchage du béton à la main est pénible et il est réservé aux travaux peu importants ou réalisables en plusieurs fois. Pour les autres, louez une bétonnière.

Pour faire un bon béton à la main, travaillez avec soin, méthode et régularité — trop de hâte vous apporterait des déboires.

Outils : plateau ou bac de gâchage (voir p. 444) ; deux pelles, dont une réservée au ciment ; deux gros seaux en polyéthylène de même capacité (habituellement 14 litres), l'un uniquement pour le ciment ; un arrosoir ou un troisième seau pour l'eau.

Matériaux : sable et gros agrégat (ou agrégats mélangés) ; ciment artificiel ordinaire ; eau (7 à 10 litres par seau de ciment de 14 litres). Utilisez si possible l'eau du réseau public car celle des mares ou des citernes contient des substances organiques risquant d'affecter le béton.

1 Installez le plateau de gâchage au plus près de l'ouvrage.

2 Mesurez sable et gros agrégat avec un seau, en proportions voulues, et faites-en un tas sur le plateau.

3 Avec la pelle réservée au ciment, remplissez le seau spécial jusqu'au bord. Frappez plusieurs fois la paroi du seau en cours de remplissage afin que le ciment soit correctement tassé.

4 Faites à la pelle un cratère au sommet du tas d'agrégats et versez-y le seau de ciment.

5 Mélangez bien tous les ingrédients avec la pelle à agrégats en retournant le tas jusqu'à obtenir une teinte uniforme.

6 Creusez un cratère au sommet du tas et versez-y progressivement environ la moitié de l'eau.

7 Retournez le tas en poussant les matériaux secs vers le cratère jusqu'à absorption de l'eau. Essayez d'obtenir une couleur uniforme et une consistance friable.

8 Ajouter progressivement de l'eau jusqu'à ce que tout le tas ait une consistance lisse et humide, sans être détrempé ni friable.

9 Contrôlez la consistance en frappant le tas du dos de la pelle. Si de l'eau coule, le mélange est trop humide. Malaxez encore à la pelle : si le béton reste détrempé, vous avez mis trop d'eau. Ajoutez un peu de ciment et d'agrégats dans les proportions voulues et malaxez à nouveau jusqu'à obtenir la bonne consistance.

UTILISATION D'UNE BÉTONNIÈRE

Ayez ciment et agrégats sur place quand la bétonnière arrivera.

La machine réduisant beaucoup le travail pénible et accélérant le gâchage, prenez des aides pour éviter les pertes de temps ; l'un à la bétonnière, les autres à la coulée et au compactage du béton. Sauf le plateau côté gâchage, l'outillage reste le même que pour le malaxage à la main.

1 Mettez la machine en marche, versez dans la cuve tournante la moitié du sable et du gros agrégat ; puis ajoutez la moitié de l'eau.

2 laissez tourner la cuve 1 minute, puis versez-y le ciment et le reste de sable, de gros agrégat et d'eau. Réglez l'inclinaison de la cuve pour que le mélange se fasse bien.

3 Après 2 ou 3 minutes supplémentaires de malaxage, le béton est prêt. Coulez-le directement sur l'ouvrage ou utilisez une brouette.

4 Quand vous avez terminé le travail de la journée, nettoyez la cuve de la bétonnière en la faisant tourner avec du gros agrégat et beaucoup d'eau. Videz-la ensuite, débranchez-la et nettoyez l'extérieur à grande eau.

Bétonnage d'une surface

Le béton fraîchement gâché prend et commence à durcir au bout de 2 heures environ. S'il fait chaud, il prendra plus vite ; aussi doit-il être coulé, nivelé et recevoir sa finition par sections qui pourront être achevées pendant qu'il reste maniable.

La surface que l'on peut recouvrir

UN BON TRUC
Retardez la coulée s'il risque de geler toute la journée et ne faites du béton ni en période de gel persistant, ni avec des agrégats gelés, ni sur une base gelée.

Si, un bétonnage achevé, vous redoutez une petite gelée, protégez-le en étalant de la terre ou du sable sur la feuille facilitant la prise (voir p. 448) ; ou encore, recouvrez-le d'une couche de paille épaisse de 8 cm ou d'une bâche qui ne soit pas en contact avec sa surface mais fermée sur tous ses côtés.

En période froide, l'adjonction d'un produit anti-gel est une précaution impérative.

---

de béton en une seule fois dépend du temps passé à le gâcher et à le couler, ce qui représente en gros trois à quatre brouettées de béton fait à la main, six à huit fait à la bétonnière (voir tableau page ci-contre).

S'il est délivré directement sur l'emplacement à recouvrir, deux personnes peuvent en principe couler et compacter du béton prêt à l'emploi, avant qu'il ne prenne sur une surface de 8,50 m².

Le béton se fissurera s'il sèche trop vite. Il doit prendre durant 3 jours avant que l'on puisse marcher ou bâtir dessus (en hiver, attendez 1 semaine). En fait, il n'acquiert toute sa résistance qu'au bout de 1 mois environ.

CHOIX DE LA DIMENSION DE LA PORTION À BÉTONNER

Il existe une limite aux dimensions que peut atteindre sans risque de fissure une dalle de béton coulée d'un seul tenant.

Au-delà de cette limite, vous devrez la couler par sections séparées avec des joints permettant la dilatation et la contraction du matériau en fonction des variations de température. La distance maximale entre deux joints de dilatation varie selon l'épaisseur du béton et la largeur de la dalle.

En règle générale, plus la dalle est étroite, plus on rapproche les joints. Ainsi, une allée de jardin aura des sections moins longues qu'une allée carrossable.

Faites des sections d'égales surfaces et aussi carrées que possible ; leur longueur peut être une fois et demie supérieure à la largeur, mais ne devra jamais dépasser le double.

Les joints de dilatation peuvent être rapprochés pour créer des sections plus petites quand vous gâchez le béton à la main.

INTERVALLES ENTRE JOINTS DE DILATATION

Largeur de la dalle	Épaisseur du béton		
	7,5 cm	10 cm	15 cm
3 m	3 m	4 m	5 m
1 à 2 m	2,40 m	2 à 3 m	3 à 4 m
Moins de 1 m	1,80 m	—	—

POSE D'UN JOINT DE DILATATION

Outils : maillet, planche de bois tendre (25 mm), de même largeur que la hauteur du coffrage, joignant transversalement les côtés de celui-ci ; piquets de bois ; fer à arrondir.
Matériaux : panneau de fibres aux dimensions de la planche.

1 Posez un joint de dilatation (bande de panneau de fibres) entre les deux côtés dans le coffrage. Si l'un des côtés du coffrage est incurvé, pliez le joint de manière qu'il forme un angle droit.

Bétonnage d'une surface (suite)

2 Étayez le joint de dilatation à l'extérieur de la première section avec une planche de bois tendre maintenue par des piquets.

3 Bétonnez la première section (voir à droite) jusqu'au point de dilatation, puis bétonnez la deuxième sur 30 cm environ.

4 Enlevez la planche de bois tendre et les piquets, mais laissez le joint de fibres en place.

5 Poussez le béton de la deuxième section contre le joint puis poursuivez le bétonnage de toute cette section.

6 À la finition (voir ci-dessous), passez le fer à arrondir les angles

de part et d'autre du joint de dilatation.

CONSTRUCTION D'UNE ALLÉE CARROSSABLE OU DE JARDIN

Préparez fondations et coffrage (voir p. 437, 444) avec une pente convenable pour le drainage (voir p. 437). Faites une dalle de béton épaisse de 7,5 cm pour une allée de jardin, de 10 cm pour un chemin carrossable. Si celui-ci se trouve sur sol mou, donnez une épaisseur de 15 cm à la dalle ; placez une toile perméable de renfort sous le blocage (voir p. 437).

Outils : râteau, pelle, brouette, madrier de compactage, fer à arrondir, truelle, outils de finition, toile de jute ou feuille de polyéthylène ; éventuellement, arrosoir.
Matériaux : béton frais de qualité adaptée au travail à faire (voir p. 445 et 446), quelques briques, gros sable.

1 Versez le béton dans la première section à remplir.

2 Avec le dos d'un râteau, étalez le béton de manière qu'il soit à peu près de niveau et déborde d'une dizaine de millimètres le sommet du coffrage.

3 Tassez le béton dans tous les angles et contre le coffrage avec une pelle ou bien au pied. Assurez-vous que toutes les cavités sont bien remplies : des poches d'air affaibliraient la dalle.

4 Compactez la section bétonnée avec un madrier. Frappez le béton à petits coups en déplaçant le madrier de sa demi-épaisseur à chaque coup. La surface sera ainsi ridée.

5 Revenez sur les parties saillantes de la surface en effectuant avec le madrier un mouvement horizontal de va-et-vient qui éliminera l'excédent de béton.

6 Si la surface a des creux, comblez-les avec du béton.

7 Repassez une dernière fois le madrier de compactage sur le béton — ce peut être une finition mais vous pouvez en choisir une autre (voir ci-dessous). Pour obtenir une surface presque lisse, passez lentement le madrier d'avant en arrière en un mouvement régulier.

Pour une finition rugueuse, soulevez et laissez retomber le madrier. Suivant l'espacement des coups de madrier, la surface présentera des ondulations plus ou moins serrées.

8 Avant que le béton durcisse, façonnez ses angles en passant un fer à arrondir dans l'étroit espace existant le long du coffrage.

9 Dès que le béton offre une surface assez dure pour ne plus pouvoir être rayée, pour qu'il ne sèche pas trop vite, couvrez-le d'une feuille de polyéthylène ou de toile de jute aux bords maintenus par des briques afin qu'elle ne s'envole pas ; jetez un peu de sable au milieu pour l'empêcher de gonfler. Si vous utilisez de la toile, gardez-la toujours humide ou couvrez-la d'une feuille de polyéthylène.

10 Enlevez la couverture au bout de 3 jours, au minimum, le coffrage 1 jour ou 2 plus tard.

FINITION

Une finition rugueuse contribue à rendre la surface antidérapante. Si vous laissez celle-ci à la phase 7 (à gauche), elle aura un aspect ondulé. D'autres finitions sont représentées ci-dessous.

Sur une allée étroite, vous pouvez faire la finition en vous tenant sur les côtés. Sur une allée carrossable plus large, confectionnez un pont avec un madrier posé à plat sur les bords du coffrage.

DIVERS TYPES DE FINITIONS POUR LE BÉTON

Finition à la brosse
Pour strier assez profond la surface du béton, lissez-la puis rayez-la au balai dur. Tenez le balai incliné pour marquer la surface sans arracher de matière et passez-le toujours dans le même sens. Rincez-le quand c'est nécessaire pour en ôter des débris de béton et secouez-le bien avant de continuer. Des stries moins marquées se font en appuyant légèrement un balai souple.

Finition à la taloche
Faites à la taloche des arcs de cercle se chevauchant pour obtenir une finition en écailles de poisson. Pour une finition nette, talochez aussitôt après le compactage. Pour une surface plus rugueuse, laissez un peu de béton se coller à la taloche.

Pour une finition parfaitement lisse, utilisez un plâtroir métallique. Si vous voulez une surface dure, laissez le béton commencer à durcir.

Finition au tuyau ou à la pelle
En faisant rouler sur le béton un tuyau assez lourd, vous donnerez à sa surface un aspect granulé. En soulevant et en laissant tomber le tuyau, vous aurez une surface ondulée.

Pour une finition à la pelle, passez le dos de l'outil sur le béton fraîchement compacté en un mouvement circulaire et en appuyant fort. Vous aurez une finition en écailles de poisson comme avec une taloche.

Finition en gravillons
Étalez sur le béton compacté une fine couche de gravillons bien calibrés. Compactez à nouveau pour bien « sertir » les gravillons. Laissez durcir puis arrosez en pluie fine. Éliminez au balai souple les matériaux non collés en laissant visible le dessus des gravillons. Le lendemain, nettoyez à l'eau avec un balai dur. Laissez la prise se faire durant 3 jours environ.

Quand vous effectuez une finition — à la taloche comme au platoir —, évitez d'insister longuement. Si vous appuyez trop fortement sur le béton frais, les agrégats s'enfonceront et la surface sera affaiblie parce qu'elle contiendra trop d'eau; quand le béton aura séché elle restera recouverte d'une fine couche de poussière grise résultant de sa lente désagrégation.

CONSTRUCTION D'UNE ALLÉE LE LONG D'UN MUR

Au lieu d'installer un coffrage sur le côté de l'allée bordant le mur, posez-y une bande de feutre bitumé de 12 mm d'épaisseur qui constituera un joint.

Coulez le béton par sections alternées de telle manière que vous pourrez, votre aide et vous, placés de part et d'autre de la dalle coulée, procéder au compactage parallèlement au mur.

Au bout de 3 jours, le béton étant alors assez dur pour supporter votre poids, enlevez les coffrages terminaux des sections déjà bétonnées et coulez le béton dans les sections intermédiaires. En séchant, il se contractera suffisamment pour laisser un intervalle qui servira de joint de dilatation entre les deux sections de dalle.

FAIRE UNE ASSISE POUR ABRI DE JARDIN, GARAGE OU SERRE

L'assise d'une construction légère est constituée par une simple dalle de béton coulée comme celle d'une allée carrossable.

Préparez fondations et coffrage comme pour cette allée. Une pente pour l'écoulement de l'eau est inutile bien que, dans un garage, il soit judicieux de ménager une déclivité de 1,5 % vers la porte.

Assurez-vous avec un niveau à bulle et une équerre de maçon (voir p. 429) que la dalle est de niveau et que ses angles sont droits.

Une petite assise peut se couler en une fois. Si elle est trop grande, divisez-la en sections par des joints de dilatation (voir p. 447).

Pose d'asphalte à froid et de gravier

L'asphalte à froid est couramment utilisé pour recharger une allée carrossable ou de jardin dont le revêtement de goudron, de dalles de pavage ou de béton est détérioré.

Avant de l'utiliser sur du béton fissuré, comblez les fentes car il pourrait céder au même endroit.

La réfection du revêtement élève son niveau de 12 mm environ. Veillez à ce que cela n'interdise pas l'ouverture de porte et ne neutralise pas la barrière d'étanchéité.

Cet asphalte ne convient pas à la construction d'une allée carrossable mais peut s'utiliser pour faire une allée de jardin sur un blocage bien compacté à la dameuse.

Traitez l'emplacement à couvrir à l'herbicide 2 semaines environ avant la pose. Le meilleur moment pour asphalter est un temps sec, pas trop chaud; bien que la pluie n'endommage pas l'asphalte à froid, elle agit sur l'émulsion de bitume constituant le liant.

Mettez de vieilles chaussures ne craignant rien. Ne marchez pas sur l'émulsion très gluante. Enlevez immédiatement toute éclaboussure sur votre peau; si vous recevez des gouttes dans l'œil, rincez à l'eau et consultez un médecin.

Outils : niveau à bulle, cales en bois (voir p. 437), râteau, couteau bien affûté pour ouvrir les sacs, planche de 2 cm d'épaisseur et longue d'environ 2 m, gabarit de niveau, rouleau de jardin, balai dur; vieil arrosoir sans pomme, morceaux de panneaux de fibres ou de contre-plaqué, briques ou grosses pierres, dameuse (voir p. 440).

Matériaux : asphalte à froid (environ 25 kg pour 0,90 m²); émulsion de bitume (5 kg couvrent environ 7 m² sur surface ferme et dense mais la moitié seulement d'un blocage d'une nouvelle allée); éventuellement éclats de pierres décoratifs.

1 Balayez puis nettoyez le béton à la brosse dure. Rebouchez les nids de poules (voir p. 450). Masquez les orifices ou couvercles des regards avec des morceaux de panneaux de fibres ou de contre-

plaqué lestés par des briques ou des pierres.

Ou bien, pour une nouvelle allée, préparez une fondation. Utilisez une couche de 7,5 à 10 cm de blocage bien compacté recouverte de 3 à 5 cm de ballast pour combler les vides.

2 Assurez-vous de la bonne inclinaison de la base pour l'écoulement des eaux; si elle est inférieure à 1,5 %, corrigez-la en étalant l'asphalte.

3 Préparez des bordures permanentes (pierres ou planches) ou bien provisoires aux endroits où l'allée longe un terrain plus bas.

4 Étalez l'émulsion de bitume, directement avec son récipient ou avec un vieil arrosoir sans pomme, sur environ 2,80 m² à la fois — à peu près la surface que recouvrent trois sacs d'asphalte.

5 Égalisez l'épaisseur de la couche de bitume avec un balai dur.

6 Attendez environ 20 minutes que l'émulsion vire du marron au noir; recouvrez-la d'asphalte.

7 Posez le gabarit de niveau le long de l'allée comme guide et étalez l'asphalte sur une épaisseur uniforme de 2 cm.

8 Passez un rouleau de jardin après l'avoir mouillé pour que l'asphalte n'y adhère pas.

9 Ajoutez de l'asphalte là où des creux auraient pu se former au roulage et créez si nécessaire une pente pour l'écoulement de l'eau. Roulez à nouveau.

10 Si vous voulez décorer la surface avec des éclats de pierres, répartissez-les sur l'asphalte à la pelle en couche très mince.

11 Finalement, roulez l'asphalte dans tous les sens jusqu'à ce qu'il soit compacté sur une épaisseur de 1,2 à 1,3 cm.

12 Vous pouvez marcher sur l'asphalte dès qu'il est étalé mais évitez de poser dessus des objets lourds à angles vifs ou d'y rouler en voiture avant durcissement (en général 48 heures).

Enlevez les bordures provisoires à ce moment.

POSE D'ÉCLATS DE PIERRES

Nettoyez l'emplacement comme pour asphalter et préparez des bordures permanentes (voir p. 439 et 444). Là où les contraintes sont importantes — dans les virages ou à l'entrée des allées carrossables —, étalez une couche d'asphalte à froid avant de poser les éclats de pierres.

L'émulsion de bitume étant utilisée comme liant des éclats de pierres, il en faut une couche plus épaisse que pour l'asphalte. Sur une base lisse, ferme et dense, 5 kg suffiront pour 2,80 à 3,70 m²; mais ils ne recouvriront pas plus de 1,30 m² sur un terrain meuble.

Il faut environ 12 heures à l'émulsion pour durcir, moins par temps chaud, plus quand il fait froid. La pluie l'affecte avant qu'elle n'ait pris, aussi ne l'étalez pas par temps menaçant. En revanche, vous pouvez le faire quand la surface ou les éclats de pierres sont humides.

Recouvrez une superficie d'environ 5 m² à la fois — pour deux sacs d'éclats de pierres environ. Répartissez ceux-ci à la pelle, en faisant attention qu'il ne se forme pas de tas trop épais.

Passez le rouleau après avoir fait deux ou trois sections; repassez-le en fin de travail afin d'obtenir une solide surface uniforme avec un dévers d'environ 1,6 % (voir p. 437) pour le drainage. Vous pouvez passer en voiture aussitôt après.

Après 1 à 2 semaines quand la surface a bien durci, à coups de balai légers, évacuez les éclats descellés. Remettez de l'émulsion et des éclats sur les endroits dénudés. Sur un revêtement original très abîmé ou peu consistant, étalez une autre couche d'émulsion et d'éclats de pierres 2 jours après.

POSE DE GRAVIER

Préparez une fondation en blocage de quelque 10 cm pour un revêtement de gravier épais d'environ 2,5 cm. Faites pour le drainage un dévers (voir p. 437) de 1,5 %. Recouvrez le blocage de gros sable sur 2,5 cm pour donner une assise lisse au gravier.

Choisissez un gravier rond de 1 à 2 cm de diamètre.

À moins que vous ayez déjà des murs ou du gazon pour contenir le gravier, prévoyez une bordure permanente (voir p. 439 et 444).

Étalez une couche de gravier épaisse de 12 ou 13 mm et roulez-la au rouleau de jardin. Étalez-en une deuxième, identique, et roulez de nouveau.

Le gravier devra être régulièrement ratissé et roulé.

Il est conseillé de traiter votre gravier à l'herbicide une fois par an.

Réparation des allées et des escaliers

Les petites fissures dans le revêtement d'une allée carrossable ou de jardin sont souvent dues à un défaut de construction, une faiblesse des fondations, un mauvais dosage du béton ou une prise mal faite. Elles peuvent provenir de légers mouvements de terrain.

Ce serait perdre du temps que de vouloir intervenir dès leur apparition ; attendez de voir si elles s'élargissent et si leur nombre s'accroît. Si, au bout de 1 an environ, la situation ne s'est guère aggravée, c'est que le sol s'est tassé : le moment de réparer est venu.

Si des affaissements et des fissures plus importants se produisent, il faut ôter le revêtement et le refaire sur des fondations plus solides. Si crevasses et affaissements s'étendent au-delà de l'allée, voyez un géomètre.

REMISE EN PLACE D'UNE DALLE ENDOMMAGÉE OU DESCELLÉE

1 Au ciseau à pierre et à la massette, coupez le joint de mortier autour de la dalle. Glissez une bêche sous celle-ci pour la soulever et glissez dessous un tuyau ou un manche à balai pour la faire rouler. Rescellez une dalle affaissée ou branlante ; remplacez les dalles fendues ou ébréchées.

2 Si la dalle était posée sur du sable, remuez celui-ci à la truelle, ajoutez du sable et nivelez à l'aide d'une planche.

Si la dalle était posée sur du mortier, enlevez celui-ci au ciseau et à la massette. Refaites un mortier plus sec avec une part de ciment pour quatre de sable (ou prenez un mélange prédosé) et étalez-le à la truelle sur une épaisseur de 3 à 5 cm. Rayez sa surface avec le bout de la truelle.

3 Les dalles peuvent être bord à bord ou espacées. Dans ce dernier cas, placez des butées d'espacement en bois de 1 cm sur un côté long et un côté court de la dalle avant sa remise en place. Réglez les intervalles sur les autres côtés.

4 Pour mettre la dalle de niveau avec ses voisines, frappez dessus avec une massette après avoir

interposé une planche épaisse de 5 cm. Vérifiez avec une règle qu'elle affleure les autres.

5 Si vous ne réussissez pas à enfoncer la dalle, soulevez-la et retirez une petite quantité du matériau sur lequel elle est posée. Si elle s'enfonce trop, ajoutez-en.

6 Attendez au moins 2 jours avant de faire les joints comme lors de la pose d'un dallage (voir p. 442).

RÉPARATION D'ASPHALTE ENDOMMAGÉ

Découpez la partie abîmée au ciseau de briqueteur (voir p. 429) et à la massette pour avoir une excavation régulière. Si elle se trouve près du bord d'une allée sans bordure, faites-en une provisoire d'une planche et de piquets.

Nettoyez bien l'excavation et enduisez le fond et les côtés de

bitume émulsionné (voir p. 449).

Quand l'émulsion a viré au noir, recouvrez-la d'une couche d'environ 2 cm d'asphalte à froid et compactez. Ajoutez des couches d'asphalte en les compactant bien jusqu'à ce que l'excavation soit comblée. Au lieu de bitume et d'asphalte, vous pouvez utiliser un produit de rebouchage tout prêt.

ENLÈVEMENT DES TACHES

Les allées carrossables ou non sont souvent souillées de taches d'huile, de graisse ou de rouille. La plupart ne résistent pas aux nombreux produits de nettoyage. La litière pour chats absorbe bien l'huile fraîchement répandue.

REMPLACEMENT DE BORDURES DE TROTTOIR

1 Dégagez à la massette la bordure endommagée puis sortez-la en faisant levier avec une bêche.

2 Creusez la fondation sous la partie enlevée sur 5 cm de profondeur environ, puis compactez bien avec un madrier.

3 Gâchez du mortier prédosé et donnez-lui une consistance relativement sèche. Étalez-en une couche d'environ 7,5 cm.

4 Humectez le nouvel élément de bordure et mettez-le en place. En interposant une planche épaisse de 5 cm, enfoncez-le à la massette jusqu'à ce qu'il soit de niveau avec ses voisins.

5 Vérifiez au niveau à bulle que les côtés s'alignent sur le reste de la bordure, et à la règle que le dessus affleure celui de ses voisins. Étayez-le avec des piquets pendant que le mortier prend.

RÉPARATION DES FISSURES ET DES TROUS DANS LE BÉTON

Vous pouvez négliger les « gerçures » (fissures minuscules) du béton. Pour reboucher un trou, il faut qu'il ait plus de 1 centimètre de profondeur. Si ce n'est pas le cas, approfondissez-le, faute de quoi le « bouchon » ne tiendrait pas.

Réparez le béton au mortier contenant de la colle P.V.A. (voir encadré) pour avoir une liaison solide. Pour les nids-de-poule, utilisez un reboucheur tout prêt.

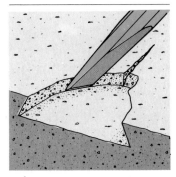

1 Élargissez la fissure ou le trou au ciseau en entaillant les côtés de biais afin que l'ouverture soit plus large au fond qu'en surface. Ainsi le reboucheur tiendra bien.

2 Nettoyez trou ou fissure ; enduisez l'un ou l'autre d'une couche d'apprêt de colle P.V.A. selon le mode d'emploi (en général une part de colle pour cinq d'eau).

3 Quand l'apprêt est presque sec, remplissez le trou ou la fissure de mortier de rebouchage (voir encadré). Tassez-le bien pour qu'il n'y ait pas de poches d'air.

4 Arasez la réparation. Utilisez pour cette partie du travail une

FAIRE UN REBOUCHEUR À BÉTON

Préparez un mortier dosé à un volume de ciment pour trois de gros sable ou, pour de petites quantités, prenez un mélange prédosé (voir p. 445).

Mélanger séparément en parts égales de l'eau et de la colle P.V.A. utilisée pour lier différents matériaux de construction.

Mélangez les matériaux secs, l'eau et la colle P.V.A. Malaxez jusqu'à ce que le reboucheur ait une consistance onctueuse, humide — ni friable ni détrempée.

truelle de briqueteur (voir p. 429) ou bien un plâtroir métallique.

5 Couvrez la réparation d'une feuille de plastique durant 3 jours.

RÉPARATION DES BORDS EFFRITÉS D'UNE ALLÉE DE BÉTON

Le béton peu s'effriter sur les bords si le coffrage a été enlevé trop tôt ou bien si le béton mouillé n'a pas été bien tassé contre le coffrage quand on le coulait. Des poches d'air sous une surface apparemment solide provoquent sa cassure aux angles lorsque des contraintes s'y appliquent.

1 Faites sauter la partie endommagée au ciseau et à la massette jusqu'au béton sain.

2 Enlevez les débris et si le blocage apparaît, compactez-le vigoureusement avec une dame ou à l'aide d'un madrier. Si nécessaire, ajoutez du blocage où il en manque et compactez à nouveau.

3 Placez une planche de 25 mm d'épaisseur contre la partie endommagée, son bord supérieur se trouvant de niveau avec la surface du béton. Étayez-la avec des piquets enfoncés dans le sol.

4 Passez sur le bord du béton une couche d'apprêt de colle P.V.A., que vous aurez mélangée à de l'eau dans les proportions indiquées sur l'emballage.

REMÈDE À LA PULVÉRULENCE DU BÉTON

La poussière grise sans cesse renaissante à la surface du béton est due à la désagrégation du matériau. Cette pulvérulence est souvent la conséquence d'un excès de lissage lors de la finition.

Pour y remédier, passez sur le béton une couche d'apprêt fait de colle P.V.A. et d'eau préparé selon le mode d'emploi.

RÉPARATION D'UN ESCALIER EN BÉTON

1 Si le bord d'une marche s'effrite, faites sauter l'arête. Si la surface de la marche est usée, rainurez-la avec un ciseau de briqueteur (voir p. 429) pour assurer une bonne prise à une nouvelle couche de béton.

2 Posez autour de la marche un coffrage maintenu par piquets et briques. Si vous refaites le dessus, faites déborder le coffrage de 12 à 13 mm en hauteur en plaçant les planches latérales, afin de donner au giron une pente de 1 cm vers l'avant pour l'écoulement de l'eau.

3 Balayez débris et poussières.

4 Préparez un apprêt fait d'un mélange d'eau et de colle P.V.A. conformément aux indications de l'emballage. Passez-le et laissez sécher.

5 Préparez un reboucheur pour béton. À la truelle, bourrez-le dans la cavité en le pressant bien contre la planche de coffrage.

6 Nivelez à la truelle ou à la taloche pour avoir une finition anti-dérapante.

7 Laissez 3 jours la partie refaite sous une feuille de polyéthylène ; mais ne retirez pas la planche de coffrage tout de suite après si l'allée est très utilisée.

5 Réparez le bord de marche s'effritant au reboucheur pour béton. Tassez-le contre le coffrage.

Pour refaire le dessus de la marche, utilisez un mélange pré-dosé de ciment et de sable (voir p. 431). Auparavant, passez sur la surface un enduit fait de trois parts de colle P.V.A. pour une part d'eau. Avant son séchage, étalez le mélange jusqu'au ras du coffrage.

6 Nivelez. Couvrez durant 3 jours comme pour la réparation d'allée.

Construction d'escaliers de jardin

Il existe deux types d'escaliers de jardin, ceux qui sont creusés sur une pente et les escaliers autoporteurs reposant sur une base plane et reliant deux niveaux différents.

Quel qu'en soit le type, les marches devront, pour la commodité et la sécurité, avoir une largeur d'au moins 60 cm. Pour que deux personnes puissent monter de front, elle sera d'au moins 1,40 m.

Un escalier peut avoir de longs girons et des contremarches de faible hauteur, ou des girons courts et des contremarches hautes. Nous verrons les meilleurs compromis possibles.

Choisissez des matériaux s'harmonisant avec l'environnement et faites la surface des marches rugueuse et non glissante.

Si les escaliers descendent vers une maison, creusez une rigole étroite au plus près de la dernière marche (voir « Construction d'une rigole de drainage », p. 441).

CALCUL DES DIMENSIONS DES MARCHES

Prenez les mesures suivantes :
a Dénivelé ou différence de niveau entre haut et bas de la pente.
b Longueur de la pente pour des marches creusées dans le sol ou longueur du terrain disponible pour un escalier autoporteur.

Pour chaque mesure, calculez le nombre de marches nécessaires selon les combinaisons possibles entre girons et contremarches jusqu'à obtention d'à peu près le même chiffre dans les deux cas.

EXEMPLE A : Pente, longueur : 1,80 m avec un dénivelé de 0,60 m.

1 Choisissez une hauteur de contremarche — petite parce que la pente est faible — et divisez le dénivelé par cette hauteur.

Avec un dénivelé de 60 cm et une contremarche de 10 cm, on aura : 60 : 6 = 6, soit 6 marches.

2 Le giron convenant à une contremarche de 10 cm est long de 46 cm. Divisez la longueur de la pente par ce chiffre : 180 : 46 = 3,9, soit 4 marches.

3 Essayez avec une contremarche plus haute et un giron plus court.

Avec un dénivelé de 60 cm et une contremarche de 12,5 cm, on aura : 60 : 12,5 = 4,8.

La longueur de la pente étant de 180 cm, on aura : 180 : 40 = 4,5.

La réponse est : 5 marches.

EXEMPLE B : Escalier autoporteur avec un dénivelé de 0,90 m et un espace au sol de 1,50 m.

1 Sur un espace au sol de 150 cm (1,50 m), le nombre de girons de 30 cm serait de : 150 : 30 = 5.

2 Avec des girons de 30 cm, la contremarche convenant le mieux a 18 cm. Le dénivelé a 90 cm. On a : 90 : 18 = 5.

Les divisions ne tombent pas toujours juste mais cela n'a pas grande importance, de légères erreurs se produisant presque toujours lors de la construction.

CREUSEMENT DES MARCHES DANS UNE PENTE

Aménagez grossièrement la pente avant de bâtir les marches. Si elle est abrupte, enlevez un peu de terre ou, au contraire, rectifiez une pente trop irrégulière par des apports de terre (que vous n'oublierez pas de bien compacter).

La configuration du terrain peut favoriser la création de deux volées d'escaliers à angle droit reliées par un palier. Sur un grand escalier, qu'il y ait ou non un changement de direction, prévoyez un palier toutes les dix marches environ, afin que l'on puisse s'y reposer. Si les escaliers sont enserrés entre deux hautes parois de terre meuble, vous devrez probablement construire des petits murs de soutènement en briques.

Les instructions qui suivent concernent des escaliers à contremarches en briques et girons en dalles de béton, mais la méthode est la même quel que soit le matériau utilisé.

GIRONS ET CONTREMARCHES

Un giron (partie horizontale de la marche) ne pas doit avoir moins de 30 cm, une contremarche (partie verticale) pas moins de 10 cm ni plus de 18 cm. Leurs dimensions dépendent de la pente et du matériau utilisé. Sur faible pente il faut des girons longs, sur forte déclivité des girons courts. Une contremarche en briques, par exemple, est (joint de 1 cm compris) forcément un multiple de 6,5 ou de 11,5 cm. Vous pouvez modifier sa hauteur par apport de morceaux divers mais ce ne sera guère esthétique. Si des dalles servent de giron, tenez compte de leur épaisseur dans la hauteur de la contremarche.

GIRON	CONTRE-MARCHE	MATÉRIAU DE CONTREMARCHE UTILISABLE (en tenant compte des joints de mortier)
46 cm	10 cm	Une rangée de briques à plat surmontée d'une dalle de giron épaisse de 2,5 cm.
43 cm	11,5 cm	Une rangée de briques de chant. Ou une rangée de briques à plat surmontée d'une dalle épaisse de 4 cm.
40 cm	12,5 cm	Une rangée de briques à plat surmontée d'une dalle épaisse de 5 cm.
38 cm	14 cm	Une rangée de blocs de construction de 10 cm surmontée d'une dalle épaisse de 2 cm.
36 cm	15 cm	Une rangée de briques sur chant surmontée d'une dalle épaisse de 2,5 cm.
33 cm	16,5 cm	Une rangée de briques de chant surmontée d'une dalle épaisse de 4 cm.
30 cm	17,5 cm	Deux rangées de briques à plat surmontées d'une dalle de 3,5 cm.

Construction d'escaliers de jardin (suite)

Outils : cordeaux et piquets, demi-décamètre à ruban, longues planches et madriers, niveau à bulle, équerre de maçon, bêche, massette, truelle de briqueteur, plateau de gâchage, deux seaux en polyéthylène et deux pelles, court madrier de compactage (voir p. 444), truelle ou fer à joints (voir p. 429), dame (voir p. 440), liteau de 1 cm d'épaisseur ; éventuellement, ciseau de briqueteur.

Matériaux : blocage — 1 brouettée recouvre environ 0,40 m² sur 15 cm d'épaisseur ; béton de fondation (voir p. 446), briques, mortier à briques (voir p. 431), dalles de pavage, mortier d'assise (voir p. 446), eau ; et, gros sable.

1 Tendez entre des piquets, le long de la pente, 2 cordeaux parallèles espacés de la largeur de l'escalier.

2 Mesurez un cordeau pour connaître la longueur de la pente.

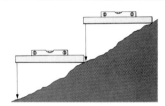

3 Pour mesurer le dénivelé, posez l'extrémité d'un madrier sur le sommet de la pente, faites-le tenir à l'horizontale au-dessus de la pente par un aide (vérifiez au niveau à bulle) et mesurez la distance entre le madrier et le point le plus bas de la pente. Si le madrier n'est pas assez long, faites une première mesure à mi-pente, puis une deuxième jusqu'au bas de celle-ci. Additionnez les deux chiffres obtenus pour avoir le dénivelé.

4 Calculez les dimensions souhaitables des girons et des contremarches en fonction du dénivelé et de la longueur de la pente (voir p. 451).

5 Avec des cordeaux, marquez l'emplacement des arêtes de chaque marche. Veillez à les placer à intervalles égaux et vérifiez qu'ils sont d'équerre avec les cordeaux.

6 Avec une bêche, façonnez le sol pour chaque marche. Commencez

par le fond afin de toujours travailler à partir d'une surface plane.

7 Creusez une fouille profonde et large de 12,5 cm au pied de la volée pour la fondation de la première contremarche, faite par exemple d'un rang de briques à plat.

8 Étalez une couche de blocage d'environ 2,5 cm au fond de la fouille et compactez bien.

9 Remplissez la fouille de béton, compactez jusqu'au niveau du sol et couvrez (voir p. 448, phase 9).

10 Attendez 3 jours avant de poser la première contremarche sur l'assise (voir p. 433).

11 Laissez le mortier sécher au moins 2 heures avant de compacter le blocage, base du premier giron derrière la contremarche. Ne touchez ni aux briques ni au mortier frais. Donnez au blocage une pente vers l'avant pour le drainage.

12 Posez le dallage (voir p. 442) sur un lit de mortier pour recouvrir le premier giron. Il doit déborder la contremarche d'environ 2,5 cm.

13 Bâtissez la contremarche suivante sur le bord postérieur du giron, bien verticale. Utilisez la couche de béton pour régler la légère pente de drainage du giron.

ESCALIERS CREUSÉS DANS UNE PENTE

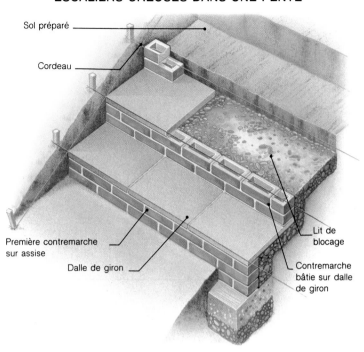

Sol préparé
Cordeau
Première contremarche sur assise
Dalle de giron
Lit de blocage
Contremarche bâtie sur dalle de giron

Le sol est grossièrement façonné pour les marches. La première contremarche est posée sur fondations, les suivantes sur le fond du giron précédent. Les girons sont scellés au mortier sur le blocage en pente.

14 Assurez-vous que le dernier giron est de niveau avec le terrain alentour. Sinon, donnez au sol une légère pente vers le giron ou surélevez celui-ci (de 13 mm au plus).

15 Jointoyez au mortier ou au sable le dallage (voir p. 442, phase 13). Si vous choisissez le mortier, laissez-le sécher environ 1 semaine avant d'utiliser l'escalier.

MARCHE INCLINÉE POUR L'ÉCOULEMENT DE L'EAU

1 Faites le blocage un peu plus épais au fond de la marche. Donnez-lui de la pente afin qu'il affleure la contremarche vers l'avant.

2 Vérifiez la pente. Posez un niveau à bulle entre le fond de la marche et le devant, après avoir mis sur la contremarche un liteau épais de 1 cm. Modifiez la hauteur du blocage au fond de la marche jusqu'à l'horizontale.

Assurez-vous aussi que le blocage est de niveau d'un côté à l'autre de l'escalier.

UN BON TRUC

Pour ne pas abîmer la pelouse au pied d'un escalier, posez une dalle devant la première marche. Découpez le gazon à ses dimensions de telle façon que la dalle repose sur un lit de sable épais de 2,5 cm.

CONSTRUCTION D'UN ESCALIER AUTOPORTEUR

Les girons d'un escalier autoporteur reposent sur des murs d'appui latéraux et sur un blocage entre eux. Pour une volée de cinq marches environ, montez les murs d'appui sur semelle de béton. Pour une volée plus longue, coulez une dalle de béton.

Les contremarches peuvent se bâtir soit sur le blocage, soit à partir du sol. Dans le premier cas, étalez le blocage en couches successives en même temps que sont montés la contremarche et ses deux murs d'appui. Chaque fois, il faut attendre que le mortier sèche. Sur une longue volée, cette méthode économise nombre de briques et l'attente n'est pas gênante.

Sur une volée courte, il est souvent plus aisé de monter les contremarches à partir du sol et d'étaler le blocage en une seule fois pour ne pas perdre de temps, et il ne faut guère plus de briques.

Voici une méthode pour volée courte avec contremarches montées à partir du sol. L'escalier peut être perpendiculaire ou parallèle à un mur, droit ou tournant à un palier situé vers la mi-hauteur. Pour

MARCHES BATIES À PARTIR DU SOL

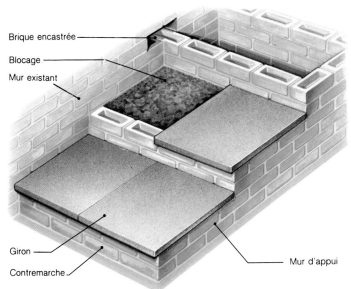

Brique encastrée
Blocage
Mur existant
Giron
Contremarche
Mur d'appui

On peut construire un escalier le long d'un mur perpendiculairement à celui-ci. Les murs d'appui des contremarches sont montés en briques et l'espace vide qu'ils délimitent est rempli de blocage. Les girons reposent sur les murs et sur la couche de blocage.

un escalier comptant de nombreuses marches, la construction parallèle prend moins de place.

Outils : cordeau et piquets, chaises d'implantation (voir p. 429), mètre métallique à ruban, niveau à bulle, équerre de maçon (voir p. 429), truelle de briqueteur, deux gros seaux en polyéthylène et deux pelles, massette, madrier de compactage (voir p. 444), plateau de gâchage ; dame (voir p. 440), truelle à joints, pige (voir p. 429), fil à plomb, cordeau et chevillettes (voir p. 429), liteau de 1 cm ; et, éventuellement, ciseau de briqueteur.

Matériaux : blocage (1 brouettée couvre environ 0,40 m² sur 15 cm d'épaisseur) ; béton (mélange pour fondations, voir p. 446) ; dalles de pavage ; mortier pour assises (voir p. 446) ; mortier à briqueter (voir p. 431) ; eau ; gros sable éventuellement.

1 Mesurez le dénivelé et l'espace au sol disponible, puis déterminez les dimensions des girons et des contremarches (voir p. 451).

2 Préparez une semelle de béton (voir p. 432) pour les murs d'appui ou une dalle pour toute la construction. Le béton de 7,5 cm d'épaisseur reposera sur un blocage de 5 cm. La semelle aura le double de l'épaisseur du mur d'appui.

3 Laissez le béton durcir pendant 3 jours avant de monter les murs d'appui.

4 Montez les murs d'appui rang par rang (voir p. 433) selon la hauteur des contremarches. Le mur d'appui transversal antérieur forme la contremarche de la première marche. Marquez l'emplacement des contremarches suivantes avec cordeaux et piquets. Encastrez si besoin les rangs dans un mur existant. Vérifiez que les angles sont droits, les murs verticaux et les rangs à hauteur voulue (voir p. 433).

5 Attendez au moins 2 heures que le mortier ait pris, puis remplissez l'espace vide entre les murs et les contremarches de blocage bien compacté auquel vous donnerez une légère pente vers l'avant. Veillez à ne pas déplacer les briques fraîchement posées.

6 Posez les dalles de pavage des girons (voir p. 442) sur un lit de mortier en leur faisant déborder la contremarche de 2,5 cm.

7 Garnissez de mortier les joints entre le sommet du mur d'appui latéral et le bord de la dalle.

ANCRAGE D'UN ESCALIER À UN MUR

Les murs d'appui doivent être ancrés au mur contre lequel ils sont bâtis. Un rang sur deux à partir du bas, encastrez dans le mur existant la moitié de la dernière brique du mur d'appui après en avoir ôté les briques appropriées (voir p. 422). Si la volée est parallèle au mur existant, encastrez dans celui-ci une brique du sommet de chaque contremarche et, une fois sur deux, la dernière brique d'un rang du mur du fond.

Construction d'une pergola en bois

Une pergola, constituée de piliers et d'une toiture à claire-voie, sert de support à des plantes grimpantes. Pour les piliers, le bois est le matériau préféré.

Si vous voulez la construire vous-même, utilisez des piliers en bois de section carrée d'au moins 75 mm et d'environ 3 m de longueur. Enfoncez-les de 60 cm dans le sol et ancrez-les dans le béton comme des poteaux de clôture. Sur une dalle de béton, utilisez des étriers métalliques boulonnés.

Les piliers seront de bois débité ou — rustiques — faits de grumes sciées longitudinalement en deux. Quel que soit le bois choisi, assurez-vous qu'il a été traité avec un produit de préservation inoffensif pour les plantes.

Les pièces sont généralement assemblées à mi-bois (p. 154) ou par clouage en biais (p. 161). Ou encore par boulonnage (p. 159).

PERGOLA AUTOPORTEUSE

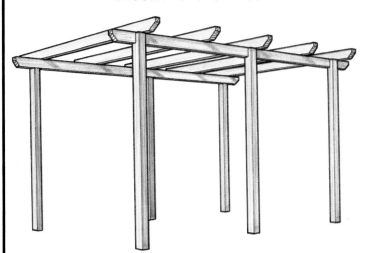

Les plantes peuvent être palissées sur les bois ou sur un treillis fixé aux montants. Pour une pergola adossée à une maison, ancrez les traverses au mur à l'aide d'étriers de solives scellés dans les joints de mortier.

DÉTAILS D'ASSEMBLAGE

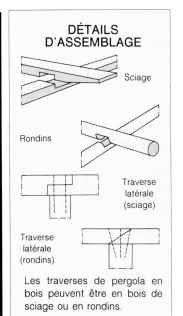

Sciage

Rondins

Traverse latérale (sciage)

Traverse latérale (rondins)

Les traverses de pergola en bois peuvent être en bois de sciage ou en rondins.

Construction d'un bassin de jardin

Choisissez un terrain plat, bien dégagé. Arbres et arbustes font de l'ombre, et les feuilles mortes, en pourrissant, souillent l'eau. Les plantes aquatiques n'aiment pas l'ombre, l'idéal est un bassin ensoleillé tout le jour.

Si vous voulez aménager une fontaine, une ou plusieurs cascatelles, ou encore un éclairage immergé, placez le bassin près de la maison pour faciliter l'installation électrique. Assurez-vous aussi qu'il est à portée d'un tuyau d'arrosage pour le remplir ou maintenir le niveau de l'eau.

Après la première mise en eau, attendez 1 semaine pour y mettre des plantes afin que les produits chimiques nocifs s'éliminent. N'y mettez pas de poissons moins de 1 mois après l'installation des plantes.

Si de jeunes enfants fréquentent le jardin, isolez le bassin par une clôture ou recouvrez-le d'un solide filet de protection.

CHOIX DU TYPE DE BASSIN

On peut installer un bassin monobloc rigide ou creuser une excavation à la forme voulue et la tapisser d'un revêtement souple.

Les bassins rigides sont plus faciles à installer mais ils sont plus chers. Les plus solides sont en fibres de verre, plus épais et plus durables. Ils sont autoporteurs et on peut les encastrer entre des murs aussi bien que les enterrer dans le sol. Les revêtements souples ou bâches sont moins chers mais, pour ne pas s'abîmer, doivent être bien soutenus et protégés des pierres. Ils permettent en outre de donner au bassin la forme que l'on veut.

Un revêtement souple est fait d'une feuille de caoutchouc ou de plastique tapissant une excavation. Le plus durable, le plus épais et le plus dur est le caoutchouc synthétique butyle stratifié. Les revêtements en P.V.C. sont moins chers et moins solides ; les meilleurs ont deux couches renforcées par un filet de nylon pris en sandwich. Correctement installés, tous les bassins doivent durer au moins 10 ans.

DIMENSIONS À DONNER À UN BASSIN

Un bassin destiné à contenir plantes et poissons doit avoir une surface d'au moins 3,50 m² pour constituer un écosystème favorable et garder sa pureté à l'eau. La profondeur nécessaire augmente avec la surface : si elle est trop faible, l'eau sera trop chaude en été et se transformera en glace l'hiver.

Certaines plantes exigeant une profondeur d'eau différente, les bassins ont normalement un « hautfond » sur leur périmètre.

Le bassin le plus petit doit avoir à son point le plus bas au moins 40 cm de profondeur. Celle-ci sera de 45 cm environ pour un bassin de 2,50 à 10 m² ; de 60 cm pour un bassin de 10 à 20 m² et de 75 cm s'il a plus de 20 m². Pour ces deux derniers, aménagez une zone de 45 cm de profondeur pour les nénuphars.

CONSTRUCTION D'UN BASSIN AVEC BÂCHE SOUPLE

Les revêtements souples sont carrés ou rectangulaires, aussi évitez les bassins de formes contournées qui feraient gaspiller du matériau. La plus économique est en général celle du haricot ou de l'ovale.

Quel que soit le dessin choisi, quand vous calculerez les dimensions du revêtement souple, ajoutez à la longueur et à la largeur totale deux fois la profondeur maximale du bassin.

Outils : tuyau d'arrosage, cordeau et piquets, bêche, mètre, madrier bien droit d'une longueur supérieure à celle du bassin, niveau à bulle, couteau universel, briques pour maintenir le revêtement.

Matériaux : revêtement souple, gros sable.

1 Avec un tuyau d'arrosage, matérialisez les contours du bassin sur l'emplacement choisi. Regardez le tracé sous tous les angles, debout et assis, et modifiez-le si nécessaire pour qu'il s'harmonise avec l'environnement.

2 Marquez le tracé avec des piquets espacés au maximum de 90 cm et enfoncés jusqu'à affleurer le sol.

3 Avec le madrier et un niveau à bulle, vérifiez que les sommets de tous les piquets sont de niveau dans tous les sens.

Si le périmètre du bassin n'était pas horizontal, le niveau de l'eau le soulignerait et gâcherait l'aspect de l'ensemble.

4 Creusez l'emplacement délimité jusqu'à une profondeur de 20 à 25 cm. Utilisez la terre enlevée pour remblayer si nécessaire les parties plus basses autour du bassin.

5 Creusez le bassin en laissant, pour les plantes de bordure, à 25 cm de profondeur, une corniche large de 25 cm sur tout le pourtour.

6 Donnez aux parois, à partir de la corniche, une pente d'environ 20° vers le centre de l'excavation (environ 30 cm par mètre). Cela afin que si l'eau gèle la pression de la glace ne s'exerce pas contre les parois.

7 Après avoir creusé à la profondeur requise, nivelez le fond en enlevant toutes les pierres et les racines qui pourraient déchirer le revêtement. Vérifiez l'horizontalité au niveau dans le sens de la longueur puis de la largeur.

8 Compactez le fond, puis étalez sur le fond et les parois une couche de sable épaisse de 2 cm. Mouillez si nécessaire le sable pour qu'il adhère et tassez-le bien pour qu'il fasse un lit au revêtement.

9 Tendez le revêtement au-dessus de l'excavation en le maintenant avec des briques posées sur tout son périmètre.

10 Faites couler de l'eau lentement sur le revêtement. Le plastique s'allongera sous le poids de l'eau et épousera la forme de l'excavation ; déplacez les briques au fur et à mesure qu'il s'enfonce.

11 Le bassin plein, coupez en suivant son contour les bords du plastique avec une marge de 15 cm que dissimulera le dallage de bordure. Au besoin, découpez aussi le gazon alentour pour que les dalles soient juste au-dessous de son niveau.

INSTALLATION D'UN BASSIN RIGIDE

Outils : bêche, baguette, tuyau d'arrosage, niveau à bulle.
Matériaux : bassin, gros sable.

1 Posez le bassin monobloc à son emplacement, ouverture en haut, et marquez son contour approximatif sur le sol par une traînée de sable. (Ne posez pas le bassin à l'envers, la forme serait inversée.)

2 Creusez un trou pour le bassin plus grand d'une quinzaine de centimètres dans toutes les dimensions et environ 2,5 cm plus profond. Mettez de temps à autre le bassin dans l'excavation pour voir ce qui vous reste à creuser.

3 Quand l'excavation est assez grande, enlevez tous les gros cailloux et racines visibles, et compactez bien la terre avec le dos de la bêche.

4 Étalez une couche de sable humide de 2 cm sur le fond de l'excavation pour y poser le bassin.

5 Placez le bassin sur le lit de sable. Vérifiez au niveau à bulle, posé si nécessaire sur une planche, que ses bords sont sur le même plan horizontal. Un bord plus bas déporterait l'eau vers un côté du bassin.

6 Bourrez de sable humide le vide autour du bassin. Pour de grands vides, utilisez de la terre tamisée. Tassez à l'aide d'une baguette de bois. Veillez à bien garnir les vides sous la corniche du bassin.

7 Vérifiez à nouveau l'horizontalité du bassin. Il a peut-être bougé au cours de ce bourrage.

Remplissez lentement et à moitié le bassin. Arrosez pour que l'eau entraîne les matériaux et colmate les vides. Achevez de remplir.

FINITION DU POURTOUR DU BASSIN

Les deux types de bassin s'entourent de dalles ou de pierres en opus incertum (voir p. 442). Pour

un bassin à bâche, posez un lit de mortier sur le rebord et le pavage

afin qu'il surplombe le bassin de plus de 1 cm et cache le revêtement. Ne posez pas directement les dalles sur le rebord d'un bassin rigide, il pourrait se fissurer. Ne touchez pas à la bordure imitant la pierre ou au pavage en opus incertum qu'ont certains de ces bassins.

Ne faites tomber ni mortier ni poussière de ciment dans le bassin, vous empoisonneriez poissons et plantes. Si cela arrive, videz immédiatement le bassin, nettoyez-le et remplissez-le.

Réalisation d'un barbecue

Ce barbecue vous permettra de cuisiner et de recevoir dans votre jardin. Ses dimensions sont calculées pour un gril de 0,90 m de long, pour tout griller en même temps. Le combustible étant entreposé dans le placard de côté. Vous pourrez aussi construire ce barbecue sans placard. la réalisation n'en sera que plus facile, et votre réserve de combustible pourra prendre place dans un élément de rangement indépendant.

Outils : truelle, taloche, seau, niveau à bulle, mètre à ruban métallique.
Matériaux : 120 briques type Vaugirard, cailloux, ciment, eau, agrégat ; piquets, ficelles, planches de bois, 2 charnières en laiton de 5 × 2 cm, fers plats, 50 × 65 cm de grillage à clôture à mailles soudées galvanisé (non plastifié), poignée de porte, loquet à ressort.

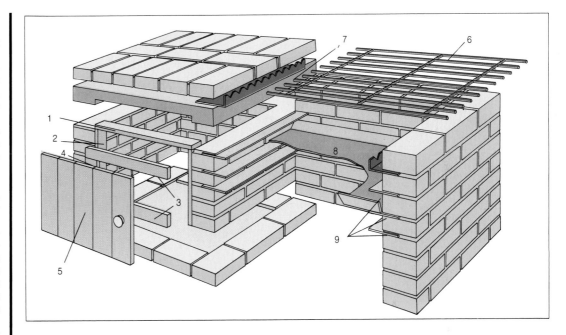

1 Tracez l'emplacement du barbecue (dimensions hors tout : longueur : 1,70 m, largeur : 60 cm, hauteur : 55 cm). Délimitez la surface à l'aide de piquets et de ficelle, puis faites une fouille d'environ 10 cm.

2 Nivelez le fond de la fouille en tassant la terre et coulez une chape de béton (voir p. 446, tableau « Béton non armé » pour fondations). Gâchez environ 600 litres de béton. Laissez reposer et durcir à l'abri du vent et du soleil.

3 Exécutez un coffrage en bois pour couler la dalle de béton placée au-dessus de la porte. Assemblez quatre planches pour former un cadre de 68 × 57 cm, les côtés ayant 6 cm de haut. Placez ce coffrage sur une surface lisse préalablement recouverte d'une bâche en plastique (polyéthylène transparent). Situez dans le fond du coffrage le linteau de porte (1) et coulez 3 cm de béton.

4 Armez la dalle en déployant un morceau de grillage ou quelques longueurs de fer à béton, puis coulez le reste du béton pour obtenir une épaisseur totale de 6 cm. Pour cette dalle, gâchez environ 25 litres

de béton fin (sans gravillons) : soit deux seaux et demi de sable et 50 kg de ciment.

5 Laissez durcir 1 semaine. Scellez le premier rang de briques. Remplissez la partie (a) avec des cailloux et nivelez-la en coulant du béton pour que la surface arase celle des briques.

6 Montez ensuite cinq rangs de briques en alternant leur position pour que les joints verticaux ne se trouvent jamais l'un en dessous de l'autre. Scellez au fur et à mesure, de chaque côté du foyer, les supports (9) maintenant la plaque du brasero.

7 Décoffrez la dalle de béton, scellez-la au septième rang et continuez à monter les briques en plaçant cette fois les supports du gril (7). Pour les réaliser, tracez et sciez, sur le petit côté d'une cornière métallique en L, onze encoches en forme de V espacées de 4 cm et ayant 1,5 cm de profondeur.

8 Scellez les briques avec un mortier réfractaire. Prévoyez des joints d'environ 1 cm de large que vous lisserez au fur et à mesure de la

construction. Faites le panneau de porte. Collez et vissez.

9 Montez le linteau (1) et les montants dans l'encadrement (2) de briques, ajustez la porte et fixez-la avec deux charnières en laiton.

10 Découpez la plaque du brasero (8). Repliez l'avant et l'arrière de cette plaque à 45° sur une hauteur de 5 cm et mettez-la en place sur les supports (9).

Terminez par la mise en place du gril (6).

MATÉRIAUX NÉCESSAIRES

N° DÉSIGNATION	QUANTITÉ	LONGUEUR	LARGEUR	ÉPAISSEUR	MATÉRIAU
Barbecue		en cm	en cm	en cm	
1 Linteau de porte	1	41	5	2,5	chêne
2 Montants	2	36	5	2,5	chêne
3 Entretoises de porte	2	40	5	2,5	chêne
4 Support de charnières	1	23	5	2,5	chêne
5 Lattes de porte	4	35	10	2	chêne
6 Barres du gril	11	93	$\varnothing$ = 1,2		acier doux
7 Supports du gril	2	46	8	3,5	cornière d'acier
8 Plaque du brasero	1	93	56	0,3	tôle d'acier
9 Supports de plaque	6	46	8	0,6	fer plat

INDEX

E

F

G

REMERCIEMENTS

Sélection du Reader's Digest tient à remercier toutes les organisations et firmes qui ont contribué à la préparation et à la mise au point de cet ouvrage, et en particulier :

l'Afnor, l'Agence française pour la maîtrise de l'énergie, le Cédef (Centre d'étude et de documentation pour l'équipement du foyer), Promotélec, ainsi que les établissements : Acova, Amesa, Baladécor, Bazar de l'Hôtel de Ville, Bricard, Camping Gaz, C.C.M. Porcher, Chappée, Jacob Delafon, Diretech, Euroflex, Fontaine, Geberit, Godin, Grohe, Idéal Standard, Isoroy, Isover, Kömmerling, Lapeyre, Legrand, la Maison de la sécurité, Maison Bricolages, Matra, Multifort, Nicoll, O.C.M. (Occitane constructions métalliques), Placoplâtre, Polyprotec, Quélyd, Quéroy, Rénobaie, Rubson, Sauter, Singer, Tuileries Huguenot-Fenal, Verbox, Winkhaus.

L'édition originale de cet ouvrage a été réalisée avec la collaboration de :

CONSEILLERS DE LA RÉDACTION

Nicholas J. Frewing, Des.RCA, FSIAD, Tony Wilkins

CONSULTANTS ET COLLABORATEURS

Anthony Byers — Roger DuBern — Nicholas J. Frewing, DES.RCA, FSIAD — Ernest Hall, FRSH — Collin D. Kinloch, DFH, C.ENG, MIEE — John McGowan — Helen O'Leary — Colin M.J. Sutherland, C.Eng, F.Inst.E, MCIBSE — Bob Tattersall — Tony Wilkins — Jacqui Woodford.

CONSEILLER TECHNIQUE

Simon J. Gilham, BA(Hons)

ILLUSTRATEURS

Richard Bonson — Kuo Kang Chen — Brian Delf — John Erwood — Grose Thurston Industrial and Commercial Artists — Peter Harper — Hayward and Martin — Inkwell Design and Art — Kevin Jones Associates — Pavel Kostal — Norman Lacey — Janos Marffy — Barry Salter Associates — Lee Tucker — Edward Williams Arts.

PHOTOGRAPHIES

Les photographies non mentionnées ci-dessous ont été réalisées spécialement par Martin Cameron, Andrew Long, Malkolm Warrington pour Sélection du Reader's Digest.

Abréviations utilisées : *h*=haut ; *m*=milieu ; *b*=bas ; *g*=gauche ; *d*=droite ; *EWA*=Elizabeth Whiting Associates.

Photo de couverture : Studio des Plantes. **Pages 7 :** Spike Powell / EWA. **9 :** *hg* Spike Powell / EWA ; *hd* Rodney Hyett / EWA. **10 :** *h* Leo Ferrante ; *b* Tim Street-Porter / EWA. **11 :** *h* et *bd* Spike Powell / EWA ; *bg* Kitchens Direct. **12 :** *h* Schoner Wohnen ; *bg* Neil Lorimer / EWA ; *bg* Jessica Strang. **13 :** *hg* Spike Powell / Good Housekeeping ; *hd* Spike Powell / EWA ; *bg* Cuisines / Bains Magazine / photo J. Verdier ; *bd* Clive Helm / EWA. **14 :** *h* et *bg* Camera Press ; *bd* Zuhause. **15 :** *hg* Neil Lorimer / EWA ; *hd* Jerry Tubby / EWA ; *bg* Spike Powell / EWA ; bd Jerry Tubby / EWA. **16 :** *h, bg* De Dietrich ; *bd* De Tonge. **17 :** *hg* Colston Built-in Appliances ; *hd* Nef ; *mh* De Dietrich ; *bg* Explorer / F. Gager ; *md* Zanussi ; *bd* Kitchens Direct. **18 :** *hg* Spike Powell / EWA ; *hd, md, bg* Leisure Sinks / Carl Byoir et Associates ; *bd* Miele. **19 :** *hg, hd* Colston Built-in Appliances ; *mg* Bosch ; *bg, bd* Miele. **20 :** *hg* Formica, *hd* Rodney Hyet / EWA ; *b* Arcaid / Richard Bryant. **21 :** *hg* Jerry Tubby / EWA, *hd* Arcaid Richard Bryant, *mg* Jessica Strang ; *bg* David Cripps / EWA, *bd* Michael Boys / Susan Griggs Agency. **22 :** *h* J.-P. Bonhommet ; *b* Jessica Strang. **23 :** *hg* Michael Nicholson / EWA ; *hd* Tim Street-Porter / EWA ; *mg* Zuhause ; *bd* Conran Octopus ; *bg* Camera Press. **24 :** *hg* Rodney Hyett / EWA ; *hd* Tim Street-Porter / EWA ; *bg* Camera Press ; *bd* Michael Dunne / EWA. **25 :** *hg* Tom Leighton / EWA ; *hd* Spike Powell / EWA ; *bg* Tom Leighton / EWA ; *md* Jessica Strang, *bd* Jerry Tubby / EWA. **26 :** *hg* Michael Dunne / EWA ; *hd* Kitchens Direct ; *md* EWA ; *bg* Friedhelm Thomas / EWA ; *bd* Kitchens by Smallbone. **27 :** *hg* Kitchens by Smallbone ; *hd* Schoner Wohnen ; *mg* Kitchens by Smallbone ; *bg* Poggenpohl. **28 :** Clive Helm / EWA. **29 :** *hg* Spike Powell / EWA ; *hd* Neil Lorimer / EWA ; *b* Jerry Tuby / EWA. **30 :** *hg* Dennis Stone / Good Housekeeping ; *hd* Michael Nicholson / EWA ; *bg* Martyn Goddard / Ideal Home ; *bd* Leo Ferrante. **31 :** *h* Friedhelm Thomas / EWA ; *bg* Stafford Cliff / English Style ; *bd* Dulux / Welbeck. **32 :** *hg* A. Bell et Co Ltd ; *hd* J.-P. Bonhommet ; *bg* Spike Powell / EWA ; *bd* Clive Helm / EWA. **33 :** *hg* Michael Nicholson / EWA ; *hd* Hunter and Son (Mells) Ltd ; *m* et *bg* en collaboration avec la revue *Cheminées Magazine*, Éditions de Tilière, et son bureau d'Études, Paris, photos Formes internationales et Ferrua ; *bd* Oliger-France / Cheminée Alpha. **34 :** *h* Tom Leighton / EWA ; *bg* et *bd* J.-P. Bonhommet. **35 :** *hg* Explorer / F. Gager ; *hd* J.-P. Bonhommet ; *bg* Spike Powell / EWA ; *bd* Sunway / Julie Bloomfield et Associates. **36 :** *hg* Spike Powell / EWA ; *hd* Michael Dunne / EWA ; *bg* Conran Octopus / Simon Brown (architecte Ian Hutchinson) ; *bd* Dennis Stone / Good Housekeeping. **37 :** *hg* Michael Nicholson / EWA ; *hd* Camera Press ; *mg* Jon Bouchier / EWA ; *bd* Dennis Stone / EWA. **38 :** *hg* Camera Press ; *hd* Jerry Tubby / EWA ; *b* Michael Nicholson / EWA. **39 :** *hg* Jerry Tubby / EWA ; *hd* Jessica Strang ; *bg* Michael Nicholson / EWA ; *bd* Gary Chowanetz / EWA. **40 :** *hg* Fritz von der Schulenburg ; *hd* Michael Crockett / EWA ; *b* Jessica Strang. **41 :** *hg* Jessica Strang hd Schoner Wohnen ; *bg* Neil Lorimer / EWA ; *bd* Michael Nicholson / EWA. **42 :** *h* Cedri / J. Primois ; *bg* Designer John Siddeley / Michael Boys / Susan Griggs Agency ; *bd* Schoner Wohnen. **43 :** *hg* Camera Press ; *hd* Tim Street-Porter / EWA ; *b* Leo Ferrante. **44 :** Jerry Tubby / EWA. **45 :** *hg* Tim Street-Porter / EWA ; *hd* Ken Kirkwood, *m* Jerry Tubby / EWA ; *bg* Dulux / Welbeck ; *bd* Arcaid Richard Bryant. **46 :** *hg* Friedhelm Thomas / EWA ; *hd* Home Improvements / EWA ; *bg* Clive Helm / EWA ; *bd* Jessica Strang. **47 :** *hg* Wicanders Cork-o-plast / Camera Press ; *hd* Camera Press ; *bg* Michael Dunne / EWA ; *bd* Ann Keley / EWA. **48 :** *hg* Richard Davies / Good Housekeeping, *hd* Michael Crockett / EWA ; *bg* Clive Helm / EWA ; *m* Neil Lorimer / EWA ; *bd* B. C. Sanitan. **49 :** *hg* Camera Press ; *hd* Spike Powell / EWA ; *bg* Armitage Shanks ; *bd* Tom Leighton / EWA. **50 :** Dulux / Welbeck. **51 :** *hg* Clive Helm / EWA ; *hd* Welbeck / Slumberland ; *b* Jerry Tubby / EWA. **52 :** *hg* Julian Nieman / EWA ; *hd* Clive Helm / EWA ; *b* Leo Ferrante. **53 :** *hg* Spike Powell / EWA ; *hd* 100 Idées / Gilles de Chabaneix (Garçon) ; *bg* Julian Nieman / EWA ; *bd* Michael Nicholson / EWA. **54 :** *hg* Gary Chowanetz / EWA ; *hd* And So To Bed ; *bg* Jerry Tubby / EWA ; *m* Michael Crockett / EWA ; *bd* Tom Leighton / EWA. **55 :** *h* Julian Nieman / EWA ; *b* Arcaid / Richard Bryant. **56 :** *hg* Camera Press ; *b* Jessica Strang. **57 :** *hg* Objectif bois ; *hd* Michael Dunne / EWA ; *bg* Michael Crokett / EWA ; *bd* Michael Nicholson / EWA. **58 :** Jessica Strang. **59 :** *hg* Syndication International ; *hd* Schoner Wohnen ; *bg* Jessica Strang ; *bd* Lavinia / EWA. **60 :** *hg* Schoner Wohnen ; *hd* Jerry Tubby / EWA ; *bg* 100 Idées / Alex MacLean (Lebeau) ; *bd* Daltex. **61 :** *hg* Camera Press ; *hd* Assemblages — Power Diffusion ; *bg* Michael Boys / Susan Griggs Agency ; *bd* Annabelle / Camera Press. **62 :** *h* Camera Press ; *bg* Michael Dunne / EWA ; *bd* Arcaid / Richard Bryant (architecte Eva Jiricna). **63 :** *hg* Ken Kirkwood ; *hd* Jon Bouchier / EWA ; *bg* Sleepeeze ; *bd* Clive Helm / EWA. **64 :** Graham Henderson / EWA. **65 :** *hg* Clive Helm / EWA ; *hd* Spike Powell / EWA ; *m* Mothercare UK Ltd ; *bg* Michael Boys / Susan Griggs Agency ; *bd* Carl Byoir et Associates for Leisure Showers / EWA. **66 :** *hg* Dulux ; *hd* Michael Dunne / EWA ; *bg* Clive Helm / EWA ; bd Michael Dunne / EWA. **67 :** *hg* Spike Powell / EWA ; *hd* Jerry Tubby / EWA ; *bg* Julian Nieman / EWA ; *bd* Camera Press. **68 :** Explorer / F. Gager. **69 :** *h* et *bg* Camera Press ; *bd* John Heseltine. **70 :** *hg* Jerry Tubby / EWA ; *hg* et *bg* Camera Press ; *bd* Clive Helm / EWA. **71 :** *hg* Camera Press, *hd* Velux / Green et Partners ; *b* Malcom Robertson / Good Housekeeping. **72 :** *hg* Courtesy of Octopus Books Ltd ; *hd* Jessica Strang ; *bg* Camera Press ; *bd* Michael Dunne / EWA. **73 :** hg Arcaid / Richard Bryant ; *hd* Tim Street-Porter / EWA ; *b* Spike Powell / EWA. **74 :** Dulux / Welbeck. **75 :** *h* Camera Press ; *bg* Clive Helm / EWA ; *bd* Frank Herholdt / EWA. **76 :** *hg* et *hd* Zuhause ; *b* Schoner Wohnen. **77 :** *hg* Michael Boys / Susan Griggs Agency ; *hd* et *bg* Camera Press ; *bd* Julian Nieman / EWA. **78 :** J.-P. Bonhommet. **79 :** *hg* Perdereau-Thomas ; *hd* Tania Midgley ; *bg* et *bd* Ph. Perdereau. **80 :** *hg* Renobaie / photo Fildier. *hd* Explorer / F Gager. *bg* Perdereau-Thomas ; *bd* Tim Street-Porter / EWA. **81 :** *h* Leo Ferrant ; *b* Julian Nieman / EWA. **82 :** *hg* Arcaid / Richard Bryant, *d* Jerry Harpur ; *bg* Jessica Strang. **83 :** *hg* « York Gate » Adel, Leeds / Jerry Harpur ; *hd* Clive Helm / EWA ; *bg* Linda Burgess ; *bg* Designer Alan Eason / Jerry Harpur. **84 :** *hg* et *mh* Jerry Harpur ; *hd* Linda Burgess ; *bg* Designer Michael Branch / Jerry Harpur ; *bd* « York Gate » Adel, Leeds / Jerry Harpur. **85 :** *hg* « York Gate » Adel, Leeds / Jerry Harpur ; *hd* Jessica Strang ; *bg* Michael Boys / Susan Griggs Agency ; *bd* John Vigurs. **86 :** *hg* Neil Lorimer / EWA ; *hd* Michael Nicholson / EWA ; *b* Jerry Tuby / EWA. **87 :** *hg* Michael Nicholson / EWA ; *hd* Eric Crichton / Bruce Coleman Ltd ; *bg* Tim Street-Porter / EWA ; *bd* Iris Hardwick. **88 :** *hg* Arcaid / Richard Bryant ; *hd* Jerry Tuby / EWA ; *b* Tania Midgley. **89 :** *hg* Clive Helm / EWA ; *hd* Harry Smith Collection ; *mg* Spike Powell / EWA ; *md* Syndication International ; *bd* Eric Crichton / Bruce Coleman Ltd ; *bg* Perderau-Thomas. **90 :** *hg* Hozelock ASL Ltd ; *hd* Designer Brophy / Jerry Harpur ; *b* Geoff Denn / Frances Lincoln Ltd. **91 :** *hg* Karl-D Buhler / EWA ; *hd* Abbots Ripon, Cambs / Jerry Harpur ; *bg* Linda Burgess ; *bd* Eric Crichton / Bruce Coleman Ltd. **94, 95, 100** (photo 3), **105, 108** (photos 2 à 7) : Studio des Plantes. **116 :** (photo 1) Michael Saunder / Colorific ; (photos 2, 3 ,6) ICI. **120 :** Rubson. **122, 135, 139** (photos 4 à 9), **140** (photos 1, 2, 3), **141** (photos 3, 4, 5), **150-151 :** Studio des Plantes. **164 :** Nick Frewing. **165 :** Jon Bouchier / EWA. **166 :** Conran Octopus. **168, 172 :** Jerry Tubby / EWA. **174 :** Arcaid / Richard Bryant. **175 :** Michael Boys / Susan Griggs Agency. **176, 180 :** Jerry Tubby / EWA. **187 :** (photo 7) Studion des Plantes. **191 :** High-security ; Ultrasecure / John Vigurs, Tilt-and-turn ; Astraseal, Multi-fold ; Pella Doors ; Magnet and Southerns. **193 :** *h* (photos 1, 2, 3), **195** (photos 2 à 8), **196** (photos 1, 2). **201** (photos 6 à 9), **205, 206** (photos 1 à 4) : Studio des Plantes. **207** (photos 4 à 8) : Orbis Publishing. **212 :** *g* Explorer / S. Cordier ; *m* Explorer / F. Têtefoll ; *d* Top / P. Hussenot. **213, 218, 222** (photos 1, 2, 3) : Studio des Plantes. **222 :** *mg* Explorer / G. Thouvenin, *md* Multifort ; *b* Secury-film. **224 :** Thomson. **253 :** *bd*, **254 :** Cheminées Philippe. **260 :** (photo 1) Isover ; (photos 2 à 6) Quelyd. **261 :** Isover. **266 :** Phoniterm / Quelyd. **282** *d*, **283** *h* (photos 1, 2, 3) ; Baladécor. **283 :** *hd* Quelyd. **290, 291** *h* (photos 1, 2) : Maison et Bricolages / Isoroy. **301, 302, 304** (photos 1 à 5) : Studio des Plantes. **304** (encadré) Idéal Standard. **305** (photo 1) : Studio des Plantes. **306 :** Grohe. **308, 309 :** Studio des Plantes. **310 :** *h* Diretech. **312 :** *d* Diretech. **321** (photos 5 à 9) : Studio des Plantes. **324 :** *d* Lagon Bleu. **326 :** Geberit. **329 :** Lagon Bleu. **330 :** SOAF. **334 :** Nicoll. **335 :** *d* et *g* : Geberit ; *m* S.R.D. / J.-P. Germain. **336 :** Geberit. **337 :** Amesa-Clage-France. **342 :** Chappée. **343 :** Acova. **344 :** Studio des Plantes. **345 :** Acova. **347 :** Godin. **353 :** Legrand. **354, 355 :** *g* Promotélec. **355 :** *m* Legrand ; *d* Merlin-Gérin. **356 :** *h* Legrand, *b* Promotélec. **357, 359 :** *h* Legrand. **359 :** *b* Merlin-Gérin. **361 :** *b* Sauter. **364, 366 :** *bg* Studio des Plantes. **366** *bd*, **367 :** Legrand. **368, 370, 371 :** Studio des Plantes. **374 :** *h* Legrand ; *b* Promotélec. **375 :** Studio des Plantes. **376 :** Studio des Plantes, et Legrand. **377 :** Legrand. **378 :** Studio des Plantes. **381 :** Legrand. **390 :** Clive Helm / EWA. **391, 394** (photos 1 à 4), **422** (photo 1) : Studio des Plantes. **426 :** (photos 1, 3, 4) Cuprinol ; (photo 2) Heather Angel/Biofotos. **429, 434 :** Studio des Plantes. **438 :** (1) Ann Kelley / EWA ; (2) Karl-D Buhler / EWA ; (3) John Vigurs ; (4) Neil Lorimer / EWA. **439 :** (1) Cement and Concrete Association ; (2) John Vigurs ; (3) David Lloyd ; (4) John Bouchier / EWA ; (5) Jerry Tubby / EWA.

LE NOUVEAU MANUEL DU BRICOLAGE
publié par Sélection du Reader's Digest

Photocomposition : M.C.P., Orléans
Photogravure : Photochromie, Paris
Impression et façonnage : Grafica editoriale, Bologne

PREMIÈRE ÉDITION
TROISIÈME TIRAGE
Achevé d'imprimer : août 1992
Dépôt légal en France : septembre 1992
Dépôt légal en Belgique : D. 1989.0621.49

IMPRIMÉ EN ITALIE
Printed in Italy